Les Éditions du Boréal
4447, rue Saint-Denis
Montréal (Québec) H2J 2L2
www.editionsboreal.qc.ca

Le Rêve
de Champlain

David Hackett Fischer

Le Rêve
de Champlain

*traduit de l'anglais
par Daniel Poliquin*

Boréal

© David Hackett Fischer 2008
© Les Éditions du Boréal 2011 pour la traduction en langue française
Dépôt légal : 1er trimestre 2011
Bibliothèque et Archives nationales du Québec

L'édition originale de cet ouvrage a été publiée en 2008 aux États-Unis
par Simon & Schuster et au Canada par Knopf sous le titre *Champlain's Dream.*

Diffusion au Canada : Dimedia

Catalogage avant publication de Bibliothèque et Archives nationales
du Québec et Bibliothèque et Archives Canada

Fischer, David Hackett, 1935-

    Le rêve de Champlain

    Traduction de : Champlain's Dream.
    Comprend des réf. bibliogr. et un index.

    ISBN 978-2-7646-2093-9

    1. Champlain, Samuel de, 1567-1635. 2. Explorateurs – Canada – Biographies. 3. Explorateurs – France – Biographies. 4. Canada – Découverte et exploration françaises. 5. Canada – Histoire – Jusqu'à 1663 (Nouvelle-France). I. Titre.

FC332.F5814   2011   971.01'1092   C2011-940207-6

À la mémoire de mon père, John Henry Fischer,
dont le sage conseil m'éclaire toujours.

Introduction

À la recherche de Champlain

*Son action, reconnue grâce à ses écrits, reste toutefois entourée
d'une discrétion certaine.*

RAYMONDE LITALIEN, 2004[1]

Notre point de départ est une gravure française du début du
XVIIe siècle. C'est une scène de bataille comme on en trouverait chez tout
bon marchand de dessins anciens en Europe. Un examen plus attentif
nous apprend que nous sommes en sol nord-américain et que les belligérants sont des nations indiennes. Lisons la légende, en français
d'époque : « Deffaite des Yroquois au Lac de Champlain, 30 Juillet 1609[2]. »

À gauche, on dénombre soixante guerriers hurons, algonquins et
montagnais ; à droite, ils sont deux cents Iroquois de cette nation qu'on
appelait les Agniers (on dit aujourd'hui Mohawks). Ils s'affrontent à
découvert sur la rive d'un lac. La petite troupe à gauche se porte courageusement à l'attaque même si le rapport de forces la défavorise : un
assaillant pour trois défenseurs. Les Agniers ont quitté leur fortin de bois
pour courir sus à l'agresseur. L'Amérique du Nord connaît leur férocité.
En plus, ils ont l'avantage du nombre et de la position, mais la légende
nous dit que la petite troupe a vaincu[3].

Issue inattendue que l'on doit à la petite figure qui se dresse seule au
centre de la bataille. Son costume révèle un soldat français ainsi qu'un
homme de condition. Il est revêtu d'une armure légère de facture
récente : cuirasse bien ajustée et haut-de-chausses avec cuissards en acier
léger[4]. Son casque n'a rien du morion ordinaire, ce pot de fer grossier
qu'on associe aux conquistadors espagnols ou aux colons anglais. C'est
plutôt une élégante bourguignotte, comme en portaient rois et nobles
de France, dont le cimier est tiré d'une seule pièce de métal[5]. Il est orné
d'un plumet blanc, couleur qui nous révèle un capitaine au service
d'Henri IV, roi de France et premier de la dynastie des Bourbons. Le

panache est un emblème de courage dans la mesure où il révèle le chef à tous les combattants[6].

Il n'est pas bien grand, ce capitaine. Même avec son plumet, il fait une demi-tête de moins que les Indiens. Mais sa présence est dominante, et au beau milieu de la violente mêlée, il reste debout, tranquille, maître de lui, droit comme un piquet. Ses jambes musclées sont bien écartées et fermement plantées : c'est pour mieux tenir l'arme lourde qu'il a entre les mains. Il ne s'agit pas d'un banal mousquet à mèche, comme certains historiens l'ont écrit, mais d'une arme de haut prix, au mécanisme fin, qu'on appelle « arquebuse à rouet ». C'était la première arme d'épaule à allumage automatique, c'est-à-dire qu'elle ne requérait pas de mèche incandescente, et pouvait tirer jusqu'à quatre balles d'un seul coup[7].

Le texte qui accompagne la gravure nous apprend que le soldat a déjà fait feu et abattu deux chefs ainsi qu'un troisième guerrier, qui gisent sur le sol devant lui. Visant un quatrième Agnier, il fait feu de nouveau dans un nuage de fumée blanche. Au haut du champ de bataille, à moitié cachés dans la forêt américaine, deux arquebusiers français, genou en terre, trouent le flanc de la dense formation iroquoise[8].

Tâchons de voir à quoi ressemble le visage du capitaine. Il a le front élevé, les sourcils arqués, les yeux écartés, le nez droit et légèrement retroussé, la moustache et la barbe taillées à la manière de son maître, le roi Henri IV. La légende nous dit son nom : c'est le « sieur de Champlain[9] ».

Cette image minuscule est le seul portrait contemporain de Samuel de Champlain que nous ayons. C'est aussi un autoportrait dont la technique nous révèle autre chose sur son auteur. Le coup de crayon, nous dit un érudit français, est celui d'un homme d'action : direct, naturel, naïf, privilégiant l'exactitude dans la description, visant le concret et l'utile. C'est un art sans fard. Cela dit, l'image exprime la fierté que l'artiste tire de ses actes, sa confiance en lui-même. Elle annonce aussi le paradoxe dans ce que nous savons de lui : cet homme, qui veut bien donner une relation détaillée de ses exploits, se présente au lecteur revêtu d'une armure et la main voilant partiellement son visage[10].

Les autres images de Champlain sont d'une fabrication plus tardive. Longtemps après sa mort, après qu'on eut reconnu en lui le père de la Nouvelle-France, on jugea nécessaire de faire un portrait digne de

La gravure « Deffaite des Yroquois au Lac de Champlain » a paru dans ses Voyages *de 1613. Le graveur (probablement David Pelletier) y a introduit des erreurs mineures, comme les palmiers et les hamacs, mais Marc Lescarbot a confirmé l'exactitude du récit de Champlain en s'appuyant sur d'autres sources, notamment le témoignage d'un des arquebusiers (en haut, au centre).*

l'homme. Artistes et sculpteurs ne tardèrent pas à alimenter un marché florissant. Peu de visages dans l'histoire moderne ont été réinventés aussi souvent et avec aussi peu d'indices matériels. Toutes ces images sont fictives. La plus répandue est un faux, qui fut détecté longtemps après sa parution, mais c'est celle qui est encore la plus répandue[11].

Les historiens ont eux aussi tracé le portrait de Champlain, mais en mots, et il n'y en a pas deux pareils. Son biographe Morris Bishop affirme, sans trop s'embarrasser de preuves, que « Champlain était, en fait, un homme mince et ascétique, au teint sec et basané, d'une taille probablement inférieure à la moyenne. [...] Ses cheveux et ses yeux noirs trahissent son origine méridionale[12] ». Tout aussi fantaisiste, un autre biographe, Samuel Eliot Morison, écrit : « Ayant côtoyé Champlain pendant tant d'années, il m'est permis de dire l'idée que je me fais de lui : j'entrevois un homme de taille moyenne, de belle carrure, blond et barbu, un chef-né qui inspire la loyauté et commande l'obéissance[13]. » Un troisième auteur, Heather Hudak, nous le montre avec tignasse rousse, panache noir et culotte chartreuse[14]. Le dramaturge Michael

Ce détail minuscule de la gravure des Voyages *de 1613 est le seul portrait contemporain de Champlain qui ait survécu jusqu'à nos jours. La figure originale mesure à peine deux centimètres et demi mais les détails révèlent beaucoup de choses sur l'homme. Son plumet était du genre que fabriquaient les plumassières de la cour d'Henri IV. La bourguignotte était coutumière des portraits équestres des rois et des nobles. L'arquebuse à rouet était une arme de haut prix au mécanisme perfectionné. Bref, c'est l'image d'un officier de haut rang qui dispose des ressources d'un grand État. C'est aussi un autoportrait qui renferme d'autres indices sur son insaisissable auteur.*

Hollingsworth en fait un homme grisonnant prématurément, ce qui aurait pu être le cas, et un graveur anonyme l'a coiffé d'une chevelure blanche comme neige. Les biographies de Champlain, à l'instar de ses portraits, témoignent de la même inventivité et de la même indigence documentaire[15].

Champlain est largement à blâmer pour cet état de choses. Il a écrit des milliers de pages sur ses réalisations, mais à peine quelques mots sur lui-même. Ses œuvres sont remarquables en ceci que l'auteur est extrêmement réticent à faire état de ses origines, de ses réflexions intimes, de sa vie privée et de ses sentiments. Rarement un auteur a-t-il autant écrit et révélé si peu de lui-même. Il ne s'agit pas d'omissions passagères mais bien de silences prémédités. Comme dans la gravure illustrant la défaite des Iroquois, Champlain se cache derrière sa main. Il observait le silence, voire le secret, sur les faits les plus élémentaires de son existence. On ignore quand il est né au juste. Il subsiste peu de renseignements sur sa famille, et on ne trouve pas un mot sur les études qu'il aurait faites. Il a grandi en une époque de foi ardente, mais nous ne savons même pas s'il est né protestant ou catholique.

L'identité de l'homme lui-même étant si incertaine, c'est avec soulagement qu'on retourne au récit de ses actes. Nous disposons ici d'une preuve abondante, et il en ressort le personnage d'un découvreur unique dans les annales des grandes explorations. Tel un grand acteur bondissant d'un rôle de composition à un autre, sa carrière foisonne d'énigmes.

Champlain était soldat de profession, et c'est sous ces traits qu'il se montre dans son autoportrait. Il a porté l'uniforme en Europe, dans les Antilles et en Amérique du Nord ; son visage et son corps portaient les marques de ses combats, et il avait été témoin d'atrocités innommables. Comme bien d'autres soldats blanchis sous le harnais, il était fier de ses états de service, mais il avait fini par se lasser de la guerre. Toujours il adhéra au credo du soldat qui valorise l'honneur, le courage et le devoir, mais plus il avançait en âge, plus il chérissait la paix. On se demande d'ailleurs comment il a réussi à concilier son action et sa pensée sur ce point.

Il y avait aussi en Champlain le navigateur chevronné. Il avait pris la mer très jeune et gravi tous les échelons, de mousse à « général » d'une flotte de colons. De 1599 à 1633, il traversa l'Atlantique au moins vingt-sept fois et fit des centaines d'autres voyages sans jamais perdre un navire. Sa chance faillit tourner un jour qu'il était passager à bord d'un trois-mâts qu'un fort coup de vent allait jeter sur une côte sous le vent. Le capitaine étant incapable d'agir, Champlain avait pris d'autorité le commandement de la barque sur le point de sombrer, fait établir la grande voile et, au plus fort de la tempête, mis délibérément le cap sur la côte rocheuse où il alla l'échouer, sauvant ainsi tout l'équipage. Exploit qui suscite d'intéressantes réflexions sur le chef et le navigateur hors pair qu'il était[16].

On se souvient surtout du rôle de Champlain comme explorateur. Il avait mis au point une méthode d'exploration minutieuse des côtes : il disait « fureter », et il a exploré ainsi des milliers de kilomètres de côte américaine, de Panamá jusqu'au Labrador. Il a aussi vu une bonne part de l'Amérique du Nord, une région qui recoupe aujourd'hui six provinces canadiennes et cinq États américains. Il fut le premier Européen à voir des grands pans de ces contrées, et il nous a permis de les voir avec ses yeux à lui. Ses méthodes singulières suscitent de nouvelles interrogations sur ses manières de faire et sur les résultats qu'il en tirait.

Champlain a également cartographié ce vaste domaine. Un rôle de plus pour cet acteur aux capacités multiples, qui le place à l'avant-garde du savoir géographique de son temps. Ses nombreuses cartes ont déplacé le curseur sur le plan de l'exactitude et du détail, et elles étonnent encore les experts. Ils se demandent comment il pouvait tracer des cartes d'aussi grande qualité avec les instruments rudimentaires dont il disposait[17]. Il a aussi enrichi ses cartes d'élégants dessins. En son temps, il était d'ailleurs considéré comme un artiste. Ainsi, quand des marchands rivaux s'opposèrent à sa nomination à un poste supérieur, ils dirent de lui qu'il n'était qu'un « simple peintre », inapte à assumer un commandement. Dans ses dessins, il nous a laissé un portrait visuel du Nouveau Monde qui aurait suffi à faire sa renommée. Étudier les quelques originaux qui subsistent, c'est découvrir l'adresse et le raffinement de son art. Mais presque toute sa production artistique n'a survécu que dans des copies approximatives qui nous forcent à imaginer l'esprit qui animait ses œuvres[18].

Il y a enfin le Champlain auteur prolifique. Son œuvre publiée, qui dépasse en quantité et en qualité les écrits de tous les grands explorateurs de l'Amérique du Nord de son temps, nous le rend très accessible. Le capitaine John Smith n'est pas loin derrière, mais les livres de Champlain forment une masse plus considérable. Ils traitent d'un espace plus vaste, d'une période plus longue, et témoignent davantage des courants intellectuels de son époque. Mais le problème reste entier : qui est l'homme derrière le prosateur ?

Dans ses livres, Champlain s'est avéré un pionnier de l'ethnographie. Il nous a légué une pléthore de descriptions de première main sur de nombreuses nations indiennes d'Amérique du Nord. À la fin du XXe siècle, certains spécialistes lui ont reproché son ethnocentrisme. Grief légitime à certains égards, mais l'œuvre de Champlain demeure une source importante où l'autochtone a droit à un portrait favorable. Le vrai problème consiste plutôt à démêler le vrai de l'erreur[19].

Passons maintenant au Champlain naturaliste. L'homme aimait les plantes et les animaux : d'où son empressement à noter ses observations sur la flore et la faune du Nouveau Monde. Il s'est attaché aussi à décrire le climat et les ressources des lieux qu'il visitait. Il a aménagé des jardins expérimentaux dans quatre colonies et longuement disserté sur l'environnement américain tel qu'il existait avant la colonisation européenne, et comment celle-ci l'a transformé[20].

Sa postérité s'est cristallisée dans son rôle de fondateur et d'âme dirigeante des premiers établissements permanents de la France en Amérique du Nord. Il faut parler d'argent ici, car une bonne part de sa vie a été marquée par son association avec les nombreuses compagnies de commerce chargées de financer la colonisation de la Nouvelle-France. C'est sur cette scène que l'attendait son rôle le plus difficile, celle où il a connu le moins de succès aussi. Les riches bailleurs de fonds eurent souvent raison de sa détermination, et bon nombre de ces compagnies connurent une fin peu glorieuse. Mais Champlain était un administrateur de talent, et sous sa gouverne la Nouvelle-France se débrouilla pour survivre à trois décennies d'échecs. On se demande encore comment il y est parvenu, mystère qu'il faut ajouter à sa légende.

Au cours de ces quelque trente ans, soit de 1603 à 1635, Champlain rentra en France presque chaque année. C'est qu'il devait se battre sur un autre front : la cour, où il se faisait le promoteur infatigable de son projet américain. Quatre personnages ont gouverné la France pendant cette époque : Henri IV jusqu'en 1610, Marie de Médicis, la reine régente après la mort du précédent, Louis XIII à partir de 1617, et Richelieu à titre de « premier ministre » à compter de 1624. Exception faite de la régente, Champlain traitait directement avec eux. Sans cesse il défendit vigoureusement la cause de la Nouvelle-France, et sans cesse il pressa ses souverains maîtres d'agir, parfois avec un zèle qui aurait pu lui valoir un séjour à la Bastille. Au cours de cette longue période, six aristocrates de haute naissance ou princes du sang servirent de lieutenant général ou vice-roi de la Nouvelle-France, jusqu'au « cardinal amiral » de Richelieu. Tous sauf un s'abstinrent de mettre jamais les pieds en Amérique du Nord. Tous, sans exception, firent de Champlain leur lieutenant et maître dans cette partie du Nouveau Monde. Et il parvint à s'entendre avec tous ces personnages difficiles — autre énigme.

L'un des rôles les plus importants que Champlain eut à jouer avait trait au peuplement de la Nouvelle-France. Sans qu'on sache trop bien pourquoi, les Français ont toujours été moins enclins à l'émigration que ces millions de Britanniques, Allemands et autres Européens qui ont franchi l'Atlantique. Et pourtant, durant ces trente années, Champlain a fait plus que quiconque pour établir trois populations de langue française en Amérique du Nord et encourager leur essor. À un moment charnière de l'histoire de la Nouvelle-France, de 1632 à 1635, à l'époque où il en était le gouverneur en tout sauf en titre, ces populations se sont mises à croître de manière naturelle, et elles n'ont pas cessé depuis. Champlain a joué un rôle moteur ici, allant même jusqu'à favoriser des mariages et des familles en puisant dans sa propre bourse. Chacune de ces trois populations a développé sa propre culture et son propre parler : ce qui nous donne les Québécois, les Acadiens et les Métis d'aujourd'hui. Leurs descendants se comptent par millions aujourd'hui. Quelque chose du temps de Champlain subsiste dans leur langue et leurs mœurs. Cela est à ranger en tête de liste de ses nombreux legs.

Champlain s'est taillé aussi une place dans l'histoire religieuse de la Nouvelle-France. Il a ainsi collaboré avec des pasteurs protestants et des prêtres catholiques, notamment récollets, jésuites et capucins. Sa foi occupait une place importante dans sa vie, surtout dans son âge avancé. Mais il s'efforçait de concilier l'idéal de tolérance avec la réalité d'une Église officielle, équation qu'il ne parvint jamais à résoudre.

Ne serait-ce que par sa résilience exemplaire, sa vie connaît peu d'égales. Mais il ne s'agissait pas que de cela. Champlain était un rêveur. C'était un homme de vision, et comme chez tout visionnaire, ses rêves étaient multiples. Plusieurs spécialistes ont disserté sur le rêve qu'il avait de découvrir le passage conduisant à la Chine. D'autres ont fait état de son rêve de colonisation de la Nouvelle-France. Mais toutes ces visions s'inscrivaient dans un rêve plus large qui n'a encore fait l'objet d'aucune étude. Ce soldat las des guerres rêvait d'humanité et de paix dans un monde de cruauté et de violence. Il entrevoyait un monde nouveau où des gens de cultures différentes pourraient vivre ensemble dans l'amitié et la concorde. C'est ce qui devint son grand dessein en Amérique du Nord.

Champlain n'avait rien du rêveur solitaire. Il côtoyait plusieurs cercles d'humanistes français à la fin du XVIe et au début du XVIIe siècle. Ces personnages, aujourd'hui oubliés, ont pesé très lourd dans l'histoire des idées, et il faut voir en eux des héritiers de la Renaissance, qui posèrent les bases du Siècle des Lumières. Ils ne partageaient pas tous les mêmes idées mais ils avaient de grands desseins en commun. L'un de ces groupes d'humanistes gravitait autour d'Henri IV, roi exemplaire. Un autre était un cercle américain à Paris dont les membres n'ont jamais traversé l'Atlantique mais qui étaient galvanisés par l'idée d'un monde nouveau. Un troisième groupe était formé d'humanistes qui sont venus en Amérique du Nord avec Champlain, des hommes tels que le sieur de Mons et le sieur de Razilly. Au début, ils étaient ses chefs. À la fin, il était devenu leur chef.

Champlain évoluait aussi dans des cercles constitués des sagamos des nations indiennes, parmi lesquels on comptait d'autres grands rêveurs. Il les connut intimement, et dans les pages de ses livres ils nous apparaissent en êtres vivants faits de chair et de sang. Champlain savait s'entendre avec les personnes les plus diverses, et il possédait aussi ce talent rare entre tous : dans ses nombreuses années de labeur, il réussit à concrétiser ses rêves. Faisant fi des plus grands obstacles et de défaites amères, il exerça son talent pour le commandement dans des conditions extrêmement difficiles. Ceux d'entre nous qui sommes des leaders aujourd'hui (ce qui, dans une société ouverte, désigne à peu près tout le monde) avons des leçons à apprendre de lui à ce chapitre.

Champlain était un leader ; un saint, non. Nul besoin de lui tresser une nouvelle hagiographie. C'était un homme, mortel, fait de chair et de sang, un homme tout en nuances. Il commit des erreurs impardonnables au cours de sa carrière, dont certaines coûtèrent la vie à des hommes. C'était une personne d'un abord facile, mais il pouvait être exigeant envers ses hommes, à tel point que, dans un cas notoire, quatre subalternes tentèrent de l'assassiner. Sa quête d'amitié et de concorde avec les Indiens le poussa à guerroyer contre les Agniers et les Onontagués. Sa vie privée ne fut que déboires, particulièrement dans ses rapports avec les femmes. Champlain était à l'aise dans la compagnie des hommes, mais une découverte échappa à ce grand explorateur : le chemin qui conduit au cœur d'une femme. Ce ne fut pourtant pas faute d'essayer. Les femmes l'attiraient beaucoup, mais sa seule alliance durable se solda par une déconvenue.

Son idéal humaniste était très large, mais avec des limites étranges, voire ironiques. Ainsi, le même Champlain qui ouvrit son cœur aux Indiens d'Amérique semblait indifférent au sort de ses valets. Ses grands défauts lui valurent des inimitiés en grand nombre ; il tolérait mal la critique et pouvait se montrer mesquin envers ses rivaux. Cependant, d'autres qui l'ont approché nous ont laissé de lui un portrait empreint de respect et d'affection. Même ses ennemis l'appréciaient.

Il nous est donné maintenant d'étudier cet homme extraordinaire sous un jour nouveau. En ce début du XXIe siècle, trois nations vont célébrer le quatre centième anniversaire de ses exploits. Au début du siècle dernier, on en a fait autant lors du tricentenaire de sa venue en Amérique. La littérature traitant de Champlain est comme une plante centenaire : elle fleurit tous les cent ans, puis elle se fane pour renaître plus tard.

Au début du XXe siècle, il s'est écrit sur lui des tomes hagiographiques sans nombre, son front était ceint d'une véritable auréole. Puis, au mitan du siècle dernier, l'inévitable réaction s'est produite. Détracteurs vulgarisants et universitaires iconoclastes l'ont alors pris pour tête de Turc[21]. Ces attaques se sont accentuées avec cette sensibilité fin de siècle appelée « rectitude politique », avec sa révulsion pour les grands hommes de race blanche, surtout les bâtisseurs d'empire, les fondateurs de colonies et les découvreurs.

Chose incroyable, certains apôtres de la rectitude politique ont tenté de faire bannir le vocable *découverte* lui-même. L'historien Peter Pope s'est buté à cette attitude lors du cinq centième anniversaire des voyages de Jean Cabot dans l'Atlantique Nord. Écoutons-le : « Une agente de l'industrie des relations publiques m'a prié de résumer les exploits de Cabot sans utiliser le terme *découverte*. Le mot avait été banni, m'at-elle dit. [...] Toute mention de "découverte" est assimilée à une légitimation de la Conquête. » On a donc ordonné à Pope de « décrire les accomplissements du pilote vénitien sans employer ce terme désormais maudit[22] ».

Cette attitude ayant fait tache d'huile à la fin du XXe siècle, Champlain s'est mis à disparaître de la recherche historique. Il a pratiquement disparu des programmes scolaires en France, au Canada et aux États-Unis. Beaucoup se souviennent encore de lui, mais lorsque nous abordions le sujet en France, des gens disaient : « Champlain ? Connais pas... » Aux États-Unis, quelqu'un m'a demandé : « Champlain ? Mais pourquoi un livre à propos d'un lac ?... » En 1999, l'historien canadien W. J. Eccles a écrit qu'« il n'existe pas de bonne biographie de Champlain ». Pendant vingt ans, de 1987 à 2008, il ne s'est écrit aucune biographie complète de Champlain[23].

Depuis le début du XXIe siècle, l'humeur s'est remise à changer, une fois de plus. Les historiens reviennent enfin à l'étude des grandes figures de manière générale, et à Champlain en particulier. Grâce à l'initiative tonique de Raymonde Litalien et de Denis Vaugeois, cinq ouvrages collectifs ont paru au Canada, en France et aux États-Unis de 2004 à 2007. Ces livres ont suscité au total la publication de plus d'une centaine de nouvelles études sur Champlain et son monde[24].

Ces études reposent sur une nouvelle historiographie qui a évolué tranquillement depuis les années soixante, contournant le *Sturm und Drang* de la rectitude politique. La recherche archéologique a été pratiquée sur une échelle sans précédent. Une nouvelle ethnographie historique a approfondi notre compréhension des rapports entre Champlain et les Indiens. Une grande école d'histoire sociale canadienne, pilotée par cet immense érudit qu'est Marcel Trudel, a opéré une révolution dans notre connaissance de la Nouvelle-France de Champlain. Des progrès importants ont été faits en démographie historique et en histoire économique. Des géographes, sous le leadership de Conrad Heidenreich, ont étudié sa cartographie en détail. Des archivistes comme Robert Le Blant ont découvert des nouveaux documents en grand nombre sur Champlain et les ont portés à la connaissance de tous.

La production historiographique du début du XXIᵉ siècle est plus adulte, plus généreuse, plus équilibrée, plus empirique, plus éclectique et moins idéologique qu'avant. Ce savoir récent a discrédité les écrits des iconoclastes. Il y a deux générations de cela, la source première sur la vie de Champlain résidait dans ses propres écrits, ce qui faisait l'affaire des sceptiques. Aujourd'hui, dans tous les chapitres de sa vie, nous pouvons mesurer la véracité de ses récits grâce à des preuves archéologiques et documentaires, des récits corroborant d'autres sources, des chronologies complexes et des informations complémentaires d'une grande variété. On a relevé de nombreuses erreurs mineures et d'autres plus graves dans les œuvres de Champlain, mais l'essentiel de ses récits a été confirmé par d'autres preuves. On en trouve un exemple chez René Baudry, qui s'est employé avec Robert Le Blant à rendre accessibles de nouveaux documents d'archives. C'est lui qui a écrit à propos de l'homme : « Témoignage assez flatteur pour Champlain, les informations d'autres sources confirment presque toujours l'exactitude de ses récits[25]. »

Cette nouvelle recherche fait fond sur de vieilles méthodes actualisées. L'une d'elles est celle d'Hérodote, pour qui l'histoire était une enquête véritablement libre et ouverte, comme le veut le sens du mot *histoire* en grec ancien. Précepte auquel s'ajoute la règle de cette école qui nous a enseigné trois leçons sur la manière de faire œuvre d'historien : « D'abord, allez sur place ! Refaites ce que les acteurs ont fait ! Puis écrivez ! » Lire les nombreux livres de Champlain dans cet esprit, explorer les lieux qu'il a décrits et le suivre à la trace, c'est faire une découverte étonnante sur notre propre monde. Bon nombre des endroits que Champlain a décrits au XVIIᵉ siècle sont encore visibles aujourd'hui, pas précisément tels qu'il les a vus, mais certains d'entre eux ont remarquablement peu changé. Il en est ainsi de vastes pans de la vallée du Saint-Laurent et du majestueux Saguenay. Même chose pour la côte Atlantique, le golfe du Maine, les forêts et cours d'eau du Canada, les havres de l'Acadie et la côte gaspésienne. Même constatation aux États-Unis, sur l'île du Mont-Désert, aux Isles Rangées, aux îles Puffin et à Ticonderoga. Rien n'a changé dans les collines du pays onontagué et les prairies naturelles de cap Tourmente.

Les lieux que Champlain a découverts appartiennent peut-être à un monde que nous sommes en train de perdre, mais ce monde, nous le possédons toujours. Il est encore possible d'explorer ces lieux en voiture et par avion, en canot et en kayak, en voilier et en canot pneumatique, en raquettes et à pied, car certains de ces endroits les plus magnifiques ne sont toujours accessibles qu'à pied. En tous ces endroits, on peut redécouvrir ce grand découvreur en y allant soi-même, en refaisant ce qu'il a fait et en voyageant dans ces espaces en notre temps à nous.

D'autres lieux de la vie de Champlain nous sont accessibles d'une autre manière. Les archéologues ont travaillé d'arrache-pied sur les sites où il a vécu. Nombre de traces de son œuvre ont été exhumées du sol de la manière la plus extraordinaire qui soit. Il en est ainsi à l'île Sainte-Croix, à Port-Royal, à Québec, à Pentagouet, à cap Tourmente, à Ticonderoga, en Huronie et en Iroquoisie. Outre-Atlantique, c'est la même chose à Brouage, Crozon, Blavet, Honfleur, Quimper, Fontainebleau, dans le Marais à Paris, et même au sous-sol du Louvre. Plusieurs de ces lieux qui furent si importants dans la vie de Champlain ont conservé une bonne part de leur personnalité originale, même si le monde qui les entoure a changé. Notre ouvrage s'appuie sur cette preuve matérielle.

Nous voulons aussi jeter des passerelles entre les travaux des hagiographes et ceux des iconoclastes. Ainsi, notre enquête est une occasion rêvée pour qui veut rendre justice aussi bien à Champlain qu'aux Indiens d'Amérique[26]. Il y a deux générations de cela, les historiens mettaient en vedette les saints européens et les sauvages indiens. Dans la dernière génération, trop de chercheurs ont écrit sur les saints indiens et les Européens sauvages. Notre génération tient l'occasion de dépasser ce vain dénombrement de saints et de sauvages, et d'écrire sur les Indiens d'Amérique et les Européens avec maturité, empathie et compréhension. De nombreux historiens s'emploient justement à faire cela, et notre livre est un effort de plus en ce sens.

Après les délires de la rectitude politique, la haine idéologique, le multiculturalisme, le postmodernisme, le relativisme historique et les manifestations les plus extrêmes du cynisme universitaire, les historiens aujourd'hui redécouvrent les fondements de leur discipline avec une foi nouvelle dans les possibilités du savoir historique, et ce, avec des résultats surprenants. Notre enquête a été conçue dans cet esprit. Elle part non pas d'une thèse, d'une théorie ou d'une idéologie, mais d'une série de questions ouvertes sur Champlain. Nous demandons : qui était cet homme ? De quel monde venait-il ? Qu'a-t-il fait au juste et pourquoi ? En quoi a-t-il changé les choses ? En quoi nous interpelle-t-il encore ? Les réponses à toutes ces questions composent un récit. Celui-ci commence là où Champlain a fait ses débuts, dans une petite ville de la côte de France, dans le golfe de Gascogne, au-delà duquel il y a l'Atlantique, et l'Amérique.

I

Un chef en devenir

CHAPITRE PREMIER

Enfant de Brouage

L'école de la mer

Samuel Champlain, de Brouage

Page titre du premier ouvrage publié
par Champlain, 1603[1]

Pour l'amateur d'histoire qui roule sur les routes anciennes de la côte de France, en direction sud, le long du golfe de Gascogne, l'enchantement est assuré. À quelques kilomètres au sud de Rochefort, ville maritime du XVIIIe siècle, nous attendait un pont moderne à hautes arches qui enjambe la Charente aux eaux scintillantes, et de là nous avons pénétré dans une région qui nous est apparue comme un monde à part. Il nous semblait avoir quitté la terre ferme de France pour nous engager sur une île à la dérive. Le sol en est très plat et ne semble pas appartenir au continent ; on dirait plutôt un delta de cours d'eau et de marais salants, avec des oiseaux de mer qui sillonnent le ciel et un paysage dégagé presque partout. En ce matin de printemps ensoleillé, les champs avaient repris le vert prometteur de renouveau, et des deux côtés de la route les coquelicots brillaient de tout leur éclat.

Au cœur de cette région, nous suivions la vieille départementale 6 lorsque, tout à coup, au détour d'un boqueteau, s'est dressée devant nous une ville murée à l'aspect des plus étranges. C'était la destination de notre voyage, mais nous n'en sommes pas moins restés surpris. Devant nos yeux s'élevait un vieux port qui aurait reculé devant la mer. Ses fortifications de pierres massives, autrefois caressées par la marée, se trouvent aujourd'hui à un kilomètre et demi à l'intérieur des terres et sont environnées de pâturages où broute le bétail.

Il y a quatre siècles, cette petite ville était un centre important du commerce atlantique. En 1581, un visiteur du port rival de La Rochelle disait que c'était « sans doute le plus beau havre de France » et l'un des plus achalandés. C'est encore aujourd'hui une ville d'une remarquable beauté, mais le havre s'est volatilisé. Les larges avenues marchandes étaient vides lorsque nous y avons déambulé, et nous entendions l'écho de nos pas dans le silence de la ville désertée. Nous avons gravi les créneaux de pierre et les avons trouvés tapissés de fleurs sauvages s'épanouissant à profusion sous le soleil de Saintonge.

C'était la ville de Brouage, où Champlain a été enfant. Son histoire mouvementée a baigné l'enfance de notre héros[2].

*   *   *

À l'époque des Romains, la contrée environnant l'actuelle Brouage gisait sous le grand golfe de Saintonge. La côte de France était à une quinzaine de kilomètres de là, formant un promontoire à l'est. Le recul du golfe fit place à un mélange boueux d'eau et d'argile qu'on appelait « broue ». Les basses terres gagnées sur la mer prirent le nom de *brouage,* mot qui a fini par signifier « région faite de laisses de vase et de marais salants[3] ».

Des villages sont apparus sur ces nouvelles terres, et l'un d'entre eux a pris Brouage pour nom. C'était un bourg commerçant dont la denrée d'échange la plus convoitée était le sel, don de la mer et du soleil aux habitants de la région. Le sel était extrait des gisements que renfermaient les marais côtiers, on faisait évaporer cette saumure dans de grands bacs. Comme le sel était essentiel à la préservation des aliments, la demande pour ce condiment était telle qu'on l'appelait « l'or blanc » dans l'Europe médiévale. Le sel présentait un autre avantage. Les rois de France avaient vite compris qu'on pouvait le taxer aisément. D'où la gabelle tant honnie, cet impôt sur le sel qui engraissa l'État sous l'Ancien Régime et fut l'une des grandes causes de la Révolution de 1789[4].

Le sel de la région était renommé pour sa couleur, sa diversité, sa qualité et son prix. L'île d'Oléron produisait un sel blanc très raffiné, « blanc comme neige ». Le Périgord et le Limousin produisaient un sel rouge ou gris. Brouage produisait le sel le plus recherché : un sel noir qui avait la faveur des tables royales depuis que François Ier en avait offert à Henri VIII d'Angleterre. Le sel noir de Brouage avait fière allure dans les superbes salières d'or du grand orfèvre Benvenuto Cellini. Dans cette Europe stratifiée des débuts de l'ère moderne, le sel était aussi emblème hiérarchique : ainsi, l'on disait des gens de basse condition qu'ils étaient « pauvres comme le sel[5] ».

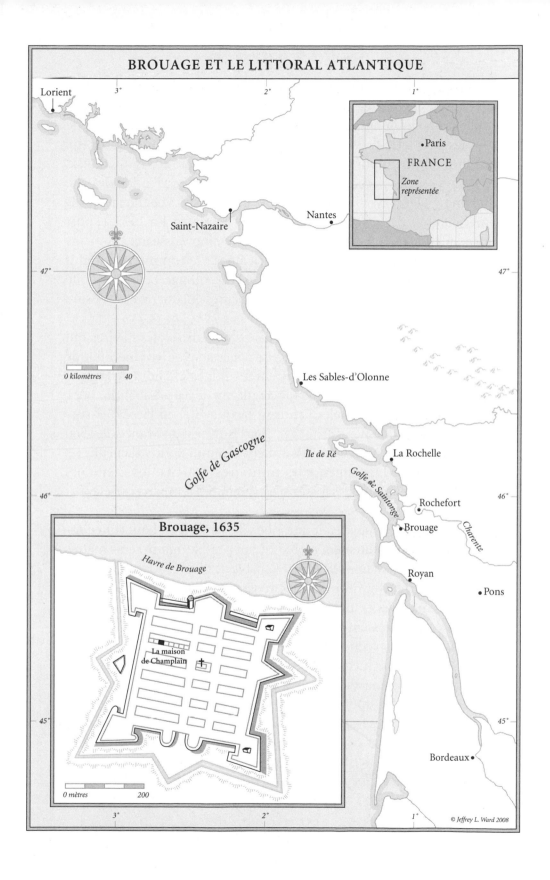

BROUAGE ET LE LITTORAL ATLANTIQUE

Lorient

3°

2°

1°

Paris

FRANCE

Zone
représentée

Nantes

Saint-Nazaire

47°

47°

Les Sables-d'Olonne

0 kilomètres   40

Golfe de Gascogne

Île de Ré

La Rochelle

Golfe de Saintonge

46°

Rochefort

46°

Brouage

Charente

Brouage, 1635

Royan

Havre de Brouage

Pons

La maison
de Champlain

45°

45°

0 mètres   200

Bordeaux

3°

2°

1°

© Jeffrey L. Ward 2008

Brouage trouva donc sa prospérité dans le commerce du sel. Dès le XVe siècle, les chartes-parties marquaient le port de Brouage à l'encre rouge pour en souligner l'importance[6]. Vaisseaux grands et petits de tous les pays mouillaient à Brouage. En 1474, une flotte de vingt-six cogghes arriva du port allemand de Dantzig (aujourd'hui Gdańsk, en Pologne) pour y prendre livraison du sel nécessaire à l'industrie balte du hareng[7]. Puis, avec la découverte des grands bancs de morue nord-américains, la demande en sel ne fit que s'accroître. En 1525, le port normand du Havre à lui seul dépêcha trente-cinq vaisseaux à Brouage pour alimenter en sel les pêches américaines. Ce commerce enrichit considérablement les petits ports du golfe de Saintonge. Leur prospérité est encore visible dans les magnifiques demeures qui ont résisté à l'usure du temps[8].

Pour prendre à leur bord leurs cargaisons de sel, les navires qui mouillaient dans le havre de Brouage se défaisaient de leur pierraille de lest sur le littoral. Vers 1555, un entrepreneur local du nom de Jacques de Pons décida de rebâtir la ville sur ces pierres de ballast abandonnées. Les gens se mirent à appeler l'endroit Jacqueville, ou Jacopolis-sur-Brouage, ou simplement Brouage. Charles IX, roi de France de 1560 à 1574, fit draguer un port suffisamment profond pour y accueillir les grands navires. Des ingénieurs militaires italiens, les meilleurs de l'époque, creusèrent des fossés et élevèrent des remparts et des tours de guet[9].

Ce nouveau Brouage était une jolie ville comme en bâtit la Renaissance, une ville parfaitement carrée faisant près de quatre cents mètres de côté. C'était aussi une place forte capable de résister aux attaques par mer ou par terre, avec des bastions circulaires à chaque coin, une entrée de pierres massives et un pont-levis double en bois. Les fortifications élégantes qui se dressent aujourd'hui furent l'œuvre de plusieurs générations. Leur construction fut entreprise avant la naissance de Champlain, et la forteresse fut consolidée pendant sa jeunesse et refaite du tout au tout par le cardinal de Richelieu quand notre explorateur était dans son âge avancé. Ses approches furent plus tard élargies par de grands architectes militaires français[10].

Champlain passa sa jeunesse dans cette ville en construction. Il subsiste une carte manuscrite détaillée de l'année 1570 à peu près, soit vers l'époque de sa naissance. On voit que Brouage était encore largement une œuvre en cours à l'époque. Des murs de pierre au parapet crénelé

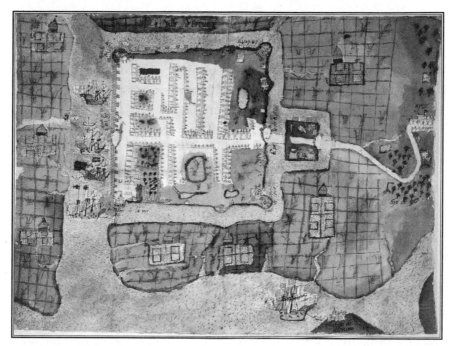

Plan de Brouage dans un manuscrit daté de 1570, vers l'époque où Champlain est né. La ville était un chantier perpétuel, avec des murs à moitié achevés et des parcelles de terrain détrempées. Mais les marais étaient pleins de salines, le havre grouillait de navires et les rues étaient bordées de maisons de pierre. La maison familiale est toujours là, rue Champlain.

avaient été érigés autour d'une partie de la ville ; le reste était protégé par une enceinte sommaire faite de vieux mâts et de planches de sapin[11]. Le décor était aussi ravissant qu'aujourd'hui, mais la vie était dure pour les familles qui y vivaient. Un visiteur écrivait en 1581 : « Ce lieu semble avoir été conquis sur l'eau, qui paravant couvrait toute la place, et encore de présent, en hiver durant les grandes marées, les rues et bas de maisons sont tous pleins d'eau[12]. »

Tout de même, on pouvait gagner sa vie à Brouage, et les affaires étaient bonnes. À l'époque de la naissance de Champlain, la ville débordait de monde. L'espace à l'intérieur des murs avait été loti en parcelles minuscules, certaines n'ayant que sept mètres de large par trente de profondeur, avec un loyer annuel de trente-six livres pour le seul terrain. Sur la carte de 1570, chaque rue est bordée d'un bout à l'autre de maisons de pierre. Autour de la ville, les marais environnants étaient quadrillés de salines, chacune avec ses propres bacs et cabanes où logeaient ces fiers sauniers qui exploitaient les marais salants et allaient livrer le sel à la ville en bateau. La carte nous montre un port bondé de grands navires arborant les pavillons les plus divers. L'historienne Nathalie Fiquet a écrit que le port était « un gigantesque et grouillant étal : houille d'Écosse, suif de Hollande, cordes, harengs, morue séchée, fer et bois » étaient échangés contre des gabarres pleines de vin, de blé et surtout de sel[13].

Les registres des transactions commerciales de l'époque dévoilent une gamme étonnante d'origines et de destinations ; il existe même des certificats de navigation pour le Pérou datés de 1570. Des circuits triangulaires et quadrilatéraux de commerce s'étaient développés. Prenons l'exemple de ce voyage commencé le 26 avril 1602. Le capitaine avait pour instructions de quitter Rouen pour Brouage, d'y charger une cargaison de sel, de faire voile pour Gaspé en Amérique, d'y troquer le sel contre de la morue ; ensuite, de gagner l'Espagne et d'y échanger la morue contre une cargaison de marchandises diverses ; de conduire le lot à Marseille, de le remplacer par des marchandises de la Méditerranée destinées au Havre et à Rouen, et après livraison, de regagner Brouage[14].

Brouage était une ville cosmopolite. Un visiteur disait : cette « Babel où l'on parle vingt langues ». À quelques portes de la maison de la famille Champlain se trouve une petite maison de pierre qui avait été bâtie par un Hollandais. Sur son linteau, la devise qu'il y avait gravée dans sa langue maternelle, à l'époque où Champlain habitait la même rue :

1585

Wol Gode Betrout Die Heft Wolgebout

Traduction : *Qui place sa confiance en Dieu a bien construit.* Ce voisin venait d'un pays lointain et parlait une langue différente, mais il vénérait le même Dieu et tirait lui aussi son gagne-pain du commerce mondial[15].

La nouvelle ville de Brouage était un faisceau de paradoxes. C'était une halle moderne reposant sur une fondation ancienne, un bourg qui osait être cosmopolite, une ville fortifiée mais inquiète. Après l'avènement de la Réforme, elle fut prise entre deux feux, entre calvinistes et catholiques. Jacques de Pons et ses fils avaient choisi le protestantisme, à l'instar de la plupart des habitants de Jacopolis. En 1559, les troupes royales s'emparèrent de la ville, et bon nombre de ses habitants regagnèrent alors la foi catholique. Onze années plus tard, Brouage fut assiégée par des troupes protestantes venues de La Rochelle, et la lutte se pour-suivit ainsi pendant des années.

Les rivalités commerciales accentuaient l'antagonisme confession-nel. Voyant une concurrente en Brouage, La Rochelle ne laissa pas passer l'occasion de détruire un port rival. En 1586, les Rochelais y dépêchèrent vingt et une péniches chargées de sable et de pierres afin d'obstruer son chenal pour de bon. Le port ne se remit jamais tout à fait de cet acte de sabotage. Les eaux s'envasèrent progressivement, et l'expansion des marais salants, les mêmes qui avaient fait la fortune de la ville, précipita son déclin. Après que le cardinal de Richelieu eut soumis les protestants de La Rochelle, en 1628, la monarchie fit de Brouage une ville de garni-son. On en renforça les murs et on construisit un arsenal et des casernes pour mettre au pas cette région turbulente. Ses habitants considérèrent dès lors leurs maîtres de Paris avec une méfiance profonde et replacèrent leurs espérances en la mer[16].

Au beau milieu de ce tumulte, Champlain vivait ses années d'ap-prentissage. Sort commun à bon nombre d'hommes d'action des débuts de l'ère moderne, les preuves matérielles de ses premières années se per-dent dans l'obscurité. Nous n'avons aucune attestation de baptême, peut-être à cause de l'incendie qui détruisit une partie des archives de Brouage à la fin du XVIIe siècle, ou parce qu'il avait été baptisé dans la foi protestante, ou pour d'autres raisons que nous explorerons plus loin. Nous ne sommes même pas sûrs s'il est né à Brouage, seulement qu'il y grandit et qu'il était pour ses contemporains « Samuel Champlain, de Brouage[17] ».

Champlain est né vers 1570. Au XIXe siècle, un historien amateur du lieu a écrit que Champlain était né en 1567 exactement. Un historien moderne a avancé pour sa part qu'il était né en 1580. L'examen rigou-reux des indices que Champlain a parsemés dans ses écrits (quatre séries d'indices en particulier) révèle que la date la plus ancienne est impro-bable et la plus tardive impossible. L'estimation la plus raisonnable se situe autour de 1570, et nous la motivons à l'appendice A[18].

Nous ignorons à peu près tout de la mère de Champlain. Pour connaître son nom, il faut attendre le contrat de mariage de Champlain, où il donne pour mère « Margueritte Le Roy ». Selon l'historien local, elle était issue d'une famille de pêcheurs, mais nous ne disposons d'au-cune preuve sur ce point. Marguerite Le Roy avait une sœur qui vivait elle aussi à Brouage, y avait épousé un capitaine au long cours, et les deux avaient de la famille à La Rochelle. Pendant très longtemps, voilà tout ce que les historiens savaient de Marguerite Le Roy Champlain. Plus récemment, des généalogistes américains ont mis la main sur des renseignements concernant la famille Le Roy de La Rochelle et des bourgs environnants. On a appris ainsi que certains Le Roy étaient des avocats et des marchands possédant des domaines ainsi que des armoiries qu'ils partageaient avec d'autres Le Roy à Niort et à Poitiers. Les Le Roy rochelais étaient huguenots pour la plupart. Nombre d'entre eux émigrèrent en Hollande, en Angleterre, de même qu'en Amérique, avec la diaspora protestante de France qui a tant enrichi la nation américaine. La mère de Champlain avait probablement de la famille dans les ports de pêche et les villes commerçantes de la région[19].

Le père de Champlain a laissé une empreinte plus profonde. L'orthographe de son patronyme est très variable, comme en témoignent les registres : il était Anthoyne Chapellin dans les archives, et il signait de sa main un lisible Anthine Chappelain. Dans d'autres actes notariés, il devient Anthoine de Complain ou Antoine de Champlain[20]. L'étude systématique de ces sources éparses et leur ordonnancement chronolo-

On commença à bâtir les créneaux de pierre et les tourelles de Brouage à l'époque de Champlain, et ils furent renforcés par Richelieu et ses successeurs. Il ne reste aujourd'hui de son havre autrefois achalandé que quelques petits canaux et des étangs.

gique font ressortir une tendance intéressante. On retrace ainsi une carrière qui révèle beaucoup de choses sur sa famille. Si l'on en croit les souvenirs d'un érudit local, Antoine Champlain, tout comme Marguerite Le Roy, était issu d'une famille de pêcheurs. Il tirait son gagne-pain de la mer, et les diverses preuves archivistiques témoignent d'une ascension constante. Un document de 1573 le nomme « pilotte de navires ». Le mot *pilote* avait un sens particulier au XVIe siècle. D'après un historien maritime, à cette époque, « tous les pilotes étaient au départ des matelots de première classe » et possédaient une scolarité élémentaire. Il leur fallait naviguer longtemps comme matelots pour apprendre leur métier, et ils avaient fréquenté l'école assez longtemps pour savoir lire, écrire et maîtriser l'« art de la navigation » en haute mer et dans les eaux côtières. Le pilote avait statut d'artisan et vivait de ses gages « au jour le jour ». Un auteur a écrit au milieu du XVIe siècle que « la plupart des pilotes [étaient] mariés et [avaient] maison, femme et enfants, et il leur [fallait] tout leur gagné pour assurer la subsistance des leurs[21] ».

Cela semble avoir été le cas d'Antoine Champlain lorsque Samuel était enfant. Dans les années qui suivirent, Antoine fut promu de pilote à maître. Avancement qui majora son salaire et haussa le statut social de sa famille. En plus, il devint « l'administrateur de toutes les ressources économiques à bord du navire, ce qui grossissait son revenu. [...] Quiconque accédait au grade de maître franchissait la frontière séparant les salariés des manieurs d'argent[22] ».

Antoine Champlain poursuivit son ascension, passant de maître à capitaine. Un document tardif le nomme « capitaine de navires », grade qui le situait bien au-dessus de la condition de pilote ou de maître. Ce titre était aussi un grade quasi militaire. Son détenteur devait commander en temps de guerre ou en cas de danger mortel. Le capitaine d'un grand navire était traité en gentilhomme, même s'il était d'origine modeste[23]. Antoine gravit un échelon de plus en acquérant le brevet de capitaine en la marine d'Henri IV. Son fils le dit plus tard capitaine en la marine royale, le nommant Antoine de Complain, avec la particule de noblesse, signe de distinction mais pas nécessairement d'ascendance nobiliaire.

Antoine vit aussi son bien s'accroître. Il devint propriétaire de navires, acquérant de petites parts dans plusieurs vaisseaux, à l'instar des grands financiers qui répartissaient ainsi leurs placements dans les entreprises de navigation, toujours périlleuses. Sa condition sociale s'en trouva améliorée et sa famille en profita. Les propriétaires étaient ces hommes qui recrutaient les équipages et engageaient les officiers des navires. Ils achetaient la cargaison et conservaient la part du lion des profits. Les marins et les officiers appelaient ces propriétaires les « seigneurs du navire ». Quand le propriétaire allait en mer, il était le mieux logé à bord. Les officiers lui témoignaient les plus grands égards. Même le capitaine, seul maître à bord après Dieu, le maître qui dirigeait le navire et le pilote qui savait tout du matelotage et de la navigation cédaient le pas devant le « seigneur du navire[24] ».

Ces quelques documents notariés nous montrent qu'Antoine de Champlain avait réussi, malgré ses origines modestes, à se hisser à un rang élevé dans la France maritime. Il était également parvenu à se doter d'un revenu enviable avec ses placements dans des navires et des expéditions. On comprend donc que Samuel de Champlain ait toujours parlé de son père avec fierté et respect. À Brouage, Antoine de Champlain était devenu un homme en moyens. Sa famille finit par emménager dans l'une des grandes maisons de la ville. Elle acquit une seconde maison, puis une troisième. La famille n'était pas noble, et ses demeures étaient bien loin d'égaler en opulence l'hôtel de Christophe Depoy, sieur d'Aguerres et gouverneur de Brouage, qui occupait tout un coin de la ville, avec son jardin à lui, ses fontaines et une vue imprenable sur le havre[25]. La famille Champlain n'était pas du même rang que les Depoy mais elle était à l'aise. D'autres parents faisaient eux aussi leur chemin. Un oncle de Marseille s'était également enrichi en gravissant les échelons de la marine marchande. Les cousins de La Rochelle connaissaient de même les joies de la réussite financière. Toute sa vie, même dans les moments les plus pénibles, Champlain a conservé une vision du monde optimiste, attitude qui est le propre de ceux dont la famille s'est sortie du rang, surtout s'ils ont été témoins de cette ascension dans leur enfance.

On note une constante au cœur de la vie de Champlain : la foi. Celle-ci se manifeste dans ses écrits de jeunesse, dès 1599 ; elle se fortifiera au fil des ans et deviendra la passion de son âge avancé. Dans les moments difficiles, il en tirera toute sa force morale. On ignore d'où lui venait cette ardeur à croire. Un biographe de la fin du XIXe siècle, le catholique N.-E. Dionne, écrit : « On ne sait pratiquement rien sur la vie de Champlain dans l'une des périodes les plus troubles de l'histoire de France, celle des guerres de religion. » Ainsi nous ne savons pas avec certitude s'il était de famille protestante ou catholique. Mais sans être déterminantes, les sources que nous avons sur ce point sont riches en indices.

Le premier apparaît dans son prénom et le nom de ses parents. Notre sujet portait le prénom d'un héros de l'Ancien Testament. Le Samuel de la Bible était le premier de la lignée des grands prophètes d'Israël, un juge à l'intégrité légendaire. Deux valeurs guidaient sa vie : Dieu et la loi. Ce Samuel combattit les Philistins, dénonça les faux prêtres et ordonna au peuple d'Israël de tourner le dos « aux dieux étrangers ». Incorruptible, il n'hésita jamais à s'opposer aux puissants de ce monde qui osaient enfreindre la loi[26].

Ces vertus plaisaient aux réformés du XVIe siècle. Parmi les puritains anglais, comme le constate une étude, Samuel était le troisième prénom le plus populaire pour les garçons, n'étant dépassé que par Jean et Joseph. Il était moins répandu chez les anglicans et rare chez les catholiques. Le prénom de Champlain laisse donc supposer un baptême protestant[27].

Les prénoms de ses parents sont également révélateurs. Antoine et Marguerite Champlain portaient les noms de saints catholiques. Saint Antoine l'ascète et sainte Marguerite la martyre. Ces prénoms étaient répandus chez les catholiques mais rares chez les protestants. Si l'on résume la preuve onomastique, les grands-parents de Champlain étaient probablement catholiques ; ses parents se seraient convertis au protestantisme avant 1570 et auraient fait baptiser leur enfant dans un temple calviniste, peut-être le « temple » huguenot qui avait pignon sur rue à Brouage à l'époque de sa naissance[28].

D'autres indices émergent de l'histoire de la région où il a grandi. Au XVIe siècle, c'était une des régions les plus protestantes de France. La plupart des villes concédées au parti huguenot en vertu de l'édit de Nantes de 1598 se situaient dans le centre-ouest de la France, de La Rochelle jusqu'à l'estuaire de la Gironde au sud[29]. La plus forte concentration se trouvait autour de Brouage. Après la révocation de l'édit de Nantes, en 1685, cette côte de France fut, dit-on, presque entièrement dépeuplée du fait de l'émigration huguenote vers la Grande-Bretagne et l'Amérique. À Brouage, encore aujourd'hui, on peut voir une vieille forge dont les murs ont été graffités par des protestants qui y avaient été enfermés, à l'époque où ils cherchaient à fuir la France pour retrouver leur liberté de conscience[30].

Dernier indice : la religion que pratiquait la famille élargie de Champlain. Son oncle était né à Marseille, et selon certains, c'était un protestant converti au catholicisme. Sa cousine Marie Camaret de La Rochelle était protestante. Champlain lui-même épousa une jeune fille d'une famille revenue à la foi romaine. Toute cette preuve nous conduit à la même conclusion : Champlain est probablement né protestant et a plus tard regagné l'Église catholique[31].

Enfant, Champlain a probablement fréquenté l'école, peut-être plus d'une, pratique commune au début de l'ère moderne. Ces écoles étaient animées par des ménagères dans leurs cuisines, surtout dans les communautés protestantes où le taux d'alphabétisation était plus élevé qu'en milieu catholique. Les enfants y acquéraient les rudiments de la foi, des habitudes de discipline et les éléments de la lecture et de l'écriture. Assurant l'ordre dans leur classe à coups de cuiller de bois, ces femmes catéchisaient les enfants et leur apprenaient à lire et à compter. C'est là que Champlain aurait fait ses classes, peut-être dès l'âge de deux ou trois ans, comme le voulait l'usage dans les familles protestantes.

Champlain a peut-être fréquenté plus tard l'académie qui existait à Brouage. Le 5 mai 1599, le voyageur suisse Thomas Platter visita la ville et traça le portrait de cette maison d'enseignement. Il nous dit qu'on y assurait « l'entraînement et l'enseignement aux jeunes gens de la noblesse et à d'autres seigneurs bien nés ». Son recteur était salarié par Henri IV lui-même et son écurie abritait « une vingtaine de chevaux, magnifiques, tous plus beaux les uns que les autres ». Les élèves y restaient deux ans et apprenaient les « exercices de cavaliers », notamment l'équitation, le saut à cheval et la course à la bague. Ils apprenaient aussi à dessiner, danser et jouer de la mandoline. On les formait principalement à l'art de la guerre et au maniement des armes, enseignement que Champlain a maîtrisé très jeune. Il était excellent tireur, maniait fort bien l'épée et savait monter à cheval. L'après-midi, les étudiants apprenaient comment mesurer les distances et tracer sur le sol les fondations d'une forteresse. Au sortir de l'académie, ils faisaient carrière dans l'armée ou entraient au service de quelque grand seigneur.

D'après le grand historien français Jean Glénisson, « il se peut bien que Champlain ait fréquenté cet établissement ». Affirmation que d'autres ont contestée. Que Champlain en ait été l'élève ou non, il est sûr qu'il possédait le savoir que dispensait l'académie de Brouage[32]. Il savait faire un dessin, monter à cheval, manier l'épée et tirer de l'arquebuse. Nulle trace de mandoline, cependant. Dans des documents officiels du 18 mars 1615, et encore en 1625 et 1626, Champlain est qualifié d'*écuyer*, terme réservé aux personnes de condition et signifiant littéralement « qui pratique l'équitation », membre de la classe équestre. C'était autrefois le titre porté par les jeunes nobles jusqu'à l'adoubement, mais à son époque, il désignait les gentilshommes des derniers rangs, les nobles sans autre titre de dignité. D'une manière ou d'une autre, Champlain avait les manières et le savoir d'un écuyer, acquis peut-être justement à cette académie de Brouage[33].

Le jeune Champlain fut aussi l'élève d'un concitoyen savant. Le sieur Charles Leber du Carlo était un ami de la famille qui loua plus tard l'une de ses maisons. C'était un bâtisseur de fortifications très habile en son art, « ingénieur et géographe du roi » et cartographe accompli. C'est peut-être lui qui a enseigné à Champlain l'art de la cartographie[34].

Toutefois, dans un autre sens, la scolarité de Champlain était très limitée. Il n'a jamais reçu d'éducation classique. Comme son contemporain William Shakespeare, il savait peu de latin et encore moins de grec, et il n'avait pas été initié à la grammaire et à la rhétorique que privilégiait la formation classique. Ses écrits présentent un contraste saisissant avec ceux des écrivains de formation classique à la prose latinisée. Mais il avait du talent pour les langues modernes. Le français écrit de Champlain est fluide mais dépouillé. Comme bien d'autres jeunes gens qui allaient en mer au XVIᵉ siècle, il avait acquis des rudiments de langues étrangères. Dans son âge mûr, il savait assez d'anglais pour discuter de sujets techniques avec des marins anglais. Sur certaines de ses cartes, il mêle les inscriptions françaises et anglaises, et il passait aisément d'une langue à l'autre[35].

Champlain apprit également assez d'espagnol pour se faire entendre lors de ses voyages aux Indes occidentales. Son orthographe des mots espagnols révèle qu'il s'agissait essentiellement pour lui d'une langue parlée, mais il pouvait soutenir une conversation avec les hispanophones d'Amérique. Il possédait aussi probablement des rudiments d'autres langues, en tout cas assez pour se faire comprendre des Hollandais, Portugais et Basques qu'il rencontrait dans ses voyages. Les longs voyages en mer avec des équipages parlant plusieurs idiomes transformaient les navires en écoles de langues. C'est probablement ainsi que Champlain s'initia aux langues modernes.

Mais l'école la plus importante de Champlain fut sûrement la mer, où il eut pour premier maître nul autre que son père. L'élégant Dionne écrit du jeune Samuel qu'il « semble avoir coulé une jeunesse paisible au sein de sa famille, suivant son père dans ses courses de pêche[36] ».

Le jeune Champlain navigua tôt. Il devait écrire plus tard à la reine régente, Marie de Médicis, qu'il avait étudié « l'art de naviguer » dès l'enfance : « C'est cet art qui m'a, dès mon bas âge, attiré à l'aimer [la mer] et qui m'a provoqué à m'exposer presque toute ma vie aux ondes impétueuses de l'océan[37]. » Vers la fin de sa vie, il disait de nouveau avoir pris la mer très jeune : en 1632, il affirmait avoir « passé trente-huit ans de [son] âge à faire plusieurs voyages sur mer ». Si nous prenons ce passage dans son sens littéral et construisons une chronologie de ses voyages après 1594, il devait avoir fait des « voyages sur mer » pendant au moins quatorze de ses premiers vingt-quatre ans[38].

Très jeune, il s'est initié à l'art du pilotage au sens moderne qu'il faut lui donner : naviguer dans les eaux côtières. Le contexte maritime de Brouage devait présenter tout un défi. La ville, située sur un étroit bras de mer, était entourée de tous les côtés par de nombreux hauts-fonds. Le petit havre était souvent bondé de navires hauturiers et de petites embarcations de toutes tailles, chacun vaquant à ses affaires dans ces eaux vouées au commerce. Manœuvrer sous voiles dans ce port achalandé devait être chose ardue.

On imagine Champlain petit mousse, suivant son père sur le pont d'un navire quittant le havre de Brouage. On les voit étudiant le jeu des marées et des courants, sentant les moindres sautes de la brise de mer, jetant un coup d'œil interrogateur sur le ciel et les voiles, observant le mouvement des navires, esquivant d'autres embarcations et prenant garde aux navires au mouillage qui évitaient sur leurs ancres. Il fallait exécuter toutes ces opérations simultanément lorsqu'on s'engageait dans les chenaux étroits et sinueux de Brouage conduisant à la haute mer. Dure école pour ce jeune homme brillant, où l'erreur n'était pas permise.

Les chenaux de marée débouchaient sur l'Atlantique. De nouvelles leçons y attendaient le jeune Samuel. Les vents dominants étant d'ouest, il dut apprendre à naviguer le long d'une côte sous le vent. Le golfe de Gascogne était connu pour ses grains subits et ses tempêtes furieuses. Les conditions en mer pouvaient changer rapidement et surprendre le

L'enseigne de pierre d'une auberge de marins à l'île d'Oléron, près de Brouage, en 1585 : « Céans : a bon vin et logis ». Le vaisseau stylisé est le genre de navire de moyen tonnage à bord duquel Champlain apprit à naviguer avec son père et fit ensuite presque toutes ses traversées de l'Atlantique.

pilote insouciant. Celui-ci devait être très adroit, d'une vigilance constante et d'une souplesse imparable en toutes circonstances.

Au sortir du golfe de Gascogne, l'océan. Champlain nous dit qu'il y a voyagé souvent enfant. Lorsqu'on perdait de vue la terre, il y avait encore beaucoup à apprendre pour devenir un vrai marin. Dans sa jeunesse, Champlain apprit probablement à tenir un cap compas et à faire route à l'estime. Son père lui enseigna probablement à se servir d'un astrolabe pour estimer l'élévation du soleil précisément à midi et prendre ainsi une simple mesure de latitude. Il aurait maîtrisé aussi l'usage du quadrant pour observer l'angle d'élévation de l'étoile Polaire. Cela se faisait préférablement au crépuscule, quand l'étoile du Nord et l'horizon sont tous deux visibles. Ce n'était pas une mince affaire que de faire une visée debout sur le pont d'un petit navire en marche. L'horizon semble alors s'élever et retomber, et les étoiles commencent à danser dans le ciel lorsque le navire marchant au portant tangue et fait des embardées. Puis venaient les calculs, de la hauteur vraie du soleil ou encore de l'étoile Polaire qui, à l'époque de Champlain, n'était pas aussi proche du nord vrai qu'aujourd'hui, ce qu'il fallait donc corriger en se référant aux deux étoiles formant le fond du chariot de la Grande Ourse. Il apprit probablement cela aussi dans son enfance, aux côtés de son père.

La leçon était loin d'être terminée. Antoine Champlain s'étant hissé du rang de pilote à celui de maître, puis de capitaine et de propriétaire, il était devenu responsable de l'aspect commercial de la navigation. Le jeune Samuel s'initia donc tôt au monde du commerce, des marchés, des marchandises et de l'argent. Il se mit à transiger avec des négociants qui parlaient une langue autre que la sienne et dont il devait absolument se faire comprendre. Il apprit ainsi que certains hommes méritaient sa confiance et qu'il fallait se défier des autres, et qu'il lui fallait souvent user de discernement.

Il comprit qu'un voyage pouvait receler des dangers qui n'avaient rien à voir avec ceux du vent et de l'eau. Les eaux côtières de France étaient infestées de corsaires, pirates et autres prédateurs. Même le havre tranquille de Brouage attirait des écumeurs de mer prêts à tout. La carte de 1570 montre un gibet dressé près de l'entrée principale, et le bourreau ne devait pas chômer. Les hommes de la mer apprenaient à éviter les dangers du mieux qu'ils pouvaient, mais quand danger il y avait, ils devaient se défendre seuls. Le matelot du XVIe siècle devait savoir combattre aussi. Champlain apprit ainsi à utiliser les pièces d'artillerie que tout navire avait à son bord pour assurer sa protection. Il dut également apprendre à composer avec les passagers irritables et les équipages indisciplinés qui présentaient souvent des difficultés inattendues. D'autres compétences, donc, que Champlain devait acquérir. Il aurait étudié ces choses en voyant son père neutraliser les conflits qui éclataient régulièrement sur un navire de bois en haute mer. Champlain passa quatorze ans à cette école avant de fêter ses vingt-quatre ans.

Il nous dit que la mer le fascinait. Les dessins sur ses cartes nous le montrent attiré par les navires de toutes tailles : les grands galions, les petits bâtiments, tout ce qui pouvait flotter. Ses images des navires sont esquissées à coups de traits audacieux et confiants ; ses dessins sont très précis et richement détaillés. Il appréciait la beauté d'un navire bien gréé, les lignes élégantes d'une patache bien construite, le charme d'une simple chaloupe roulant sur son ancre dans une anse tranquille[39].

Champlain était un amant de la mer, même s'il la savait dangereuse. En navigateur aguerri qu'il était, jamais il ne médisait de la mer, il respectait trop sa puissance. Son traité sur la navigation regorge d'avertissements sévères et de leçons apprises à la dure. Dans plus d'un passage de ses journaux, il a décrit ses affrontements avec les glaces et les brumes de l'Atlantique Nord, les étocs et les hauts-fonds des côtes traîtresses, les ouragans des Caraïbes, les nordets du golfe du Maine, les suroîts du golfe de Gascogne. Il avait vu les vagues gigantesques du Grand Banc et ces grains blancs qui surgissaient sans prévenir de l'océan sous un beau ciel bleu. Il s'était buté à des marées et des courants qui défiaient l'entendement et aux hauts-fonds de quatre continents. Fréquemment, dans ses relations, il s'étonne d'être encore en vie alors que tant d'autres grands navigateurs ont péri en mer.

Sa vision du monde était faite d'un curieux mélange de fatalisme et d'instrumentalisme. Champlain nous confie qu'il n'a jamais appris à nager, chose fréquente chez les marins au début de l'ère moderne. Cette ignorance reposait sur une attitude fataliste qui est totalement étrangère à notre époque. Toutes ces attitudes, il les avait acquises dans son jeune âge, à bord de ces hauturiers que commandait son père, quittant Brouage pour voguer le long de cette côte de France qui mène à l'océan Atlantique. C'est là aussi qu'il s'initia à l'art du commandement.

Deux messieurs de Saintonge

Champlain et le sieur de Mons

Sieur de Champlain, Xainctongeois

Sur la page titre du dernier livre
de Champlain, *Les Voyages* (1632)[1]

Comme la plupart d'entre nous, Champlain était un homme à l'identité plurielle. Dans son premier livre, il se nommait fièrement « Samuel Champlain, de Brouage ». Au soir de sa vie, il se définira autrement : « Champlain, Xainctongeois[2] ». Ayant vieilli et voyagé beaucoup, il ressentait le besoin de rappeler le souvenir de la vieille province française qui l'avait vu naître et grandir. C'est là un paradoxe de notre condition moderne, que Champlain a contribué à faire émerger. Plus il parcourait le monde, plus s'affermissait son attachement à ce qu'Eudora Welty a appelé les « lieux du cœur[3] ».

Le cœur de Champlain était en Saintonge. En son temps, la Saintonge désignait une province, un peuple, une culture, un mode de vie. La vieille province a fait place depuis à une grappe de départements avec des noms au parfum de bureau, Charente-Maritime par exemple, mais bon nombre de ses habitants se disent encore *saintongeais* et ont une conscience aiguë de leur culture et de leur histoire[4].

Le nom vient d'une tribu celtique, les Santons, peuplade farouchement indépendante et attachée à ses coutumes. Les légions de Jules César les avaient combattus, et des colons romains avaient construit leurs villas le long de la côte de Saintonge. Deux millénaires plus tard, les villas romaines ne sont plus que ruines, mais les descendants des Santons y sont toujours, accrochés à leurs terres. Ils ont absorbé les envahisseurs romains et se sont dotés d'un parler où l'on retrouve une combinaison singulière d'éléments celtiques, latins et français.

Les Santons avaient le sens de la résistance. Au Moyen Âge, ils furent attaqués par les Vikings du côté de la mer, et envahis côté terre par une multitude de tribus belliqueuses. Ils trouvèrent refuge dans les îles et les marais le long de la côte, et survécurent aux catastrophes qui anéantirent bien d'autres cultures européennes[5]. Ils doivent en grande partie leur résilience au golfe de Saintonge qui, il y a deux mille ans, formait une étendue d'eau bien plus considérable qu'aujourd'hui. Nathalie Fiquet parle d'une « véritable mer intérieure aux presqu'îles saillantes, parsemée d'îles et d'îlots ». Cet espace maritime s'étendait de l'actuelle côte jusqu'aux hauteurs de Saint-Sornin et de Saint-Agnant, à une quinzaine de kilomètres à l'intérieur[6].

Le long des côtes et des îles de ce magnifique golfe, les descendants des Santons tiraient leur subsistance de la mer. Celle-ci les alimentait généreusement en poissons et mollusques, et la région est demeurée un foyer important de l'industrie huîtrière en France. Les marais du pourtour du golfe étaient également riches en sel, le même qui fit la fortune du port de Brouage où naquit Champlain. Le peuple de la Saintonge côtière pratiquait avec profit de nombreux métiers maritimes. L'historien Hubert Deschamps, lui-même natif de la région, dit que « c'est le pays des pêcheurs, des marins, des mareyeurs, des sauniers, tous gens indépendants, aimant la lutte et l'aventure[7] ».

D'autres Saintongeais préféraient l'intérieur des terres, le voisinage des rivières dans les vallées, où les champs fertiles donnaient du bon grain et les pâturages nourrissaient les moutons sans peine. Des vignes de la Charente sont nés ces cognacs qui comptent encore parmi les meilleurs du monde[8]. Le paysage y est splendide. D'où le portrait lyrique qu'en trace Deschamps : la « douce Saintonge de l'intérieur, ses ondulations molles, ses champs, ses boqueteaux, ses vignes, ses rivières claires, ses villages blancs, le territoire humanisé depuis des siècles par le peuple pacifique des Santons[9] ».

La Saintonge intérieure et sa sœur du littoral sont différentes à maints égards, mais elles forment une seule région. Elles partagent un climat lumineux ; les heures d'ensoleillement y sont plus nombreuses qu'ailleurs en France. Presque partout, le ciel y est dégagé. Une bonne partie de la région est bordée par l'eau, sur la côte ou le long des rivières. Pour les gens du lieu, l'eau est cette magnifique *robe bleue* qui habille leur patrie. Ce soleil ardent, ce ciel qui n'en finit plus et ces eaux nourricières grandissent l'esprit en Saintonge et marquent l'âme de ses habitants.

Presque partout dans cette province, et surtout le long de la côte, on se sait en pays d'abondance. À la fin du XVIᵉ siècle, un poète local écrivait que la vie était bonne même pour l'humble saunier qui gagnait sa vie dans les marais salants :

> Un saulnier, dans sa salante plaine
> A du pain, de la pesche et du gibier sans peine[10]

La vie était bonne aussi pour les paysans de l'intérieur et les commerçants des villes, et c'était encore plus le cas à certaines périodes. À la fin du XVIᵉ siècle et au début du XVIIᵉ, époque pourtant fort agitée en Europe occidentale, le gouverneur de Bordeaux s'exclamait : « Le plus opulent et riche pays du roi qu'est celui de Xaintonge[11] ! »

Malgré tous ces avantages naturels, les habitants de la Saintonge connurent leur part de malheurs. Au cours de la guerre de Cent Ans, qui débuta vers 1337 et s'acheva en 1453, la province fut cruellement ravagée par les armées françaises et anglaises en marche. Épreuves qui se renouvelèrent avec les guerres de religion du XVIᵉ siècle. Comme partout ailleurs en Europe, la peste dévasta les campagnes, et les paysans saintongeais souffrirent de la famine au milieu des années 1590[12].

Mais la Saintonge eut moins à pâtir que d'autres provinces des troubles de la fin du XVIᵉ siècle. Les froidures de la petite glaciation abaissèrent quelque peu le niveau de la mer, ce qui eut pour effet d'élargir les marais fructueux de la côte. Les fruits de la mer et des rivières tendaient à atténuer la rigueur des disettes, celles-ci étant fréquentes dans cet intervalle annuel où les grains de l'année précédente s'épuisaient alors que les nouvelles récoltes n'étaient pas encore engrangées[13].

La menace des armées étrangères était également une réalité coutumière. Les peuples pacifiques du littoral saintongeais furent souvent attaqués, mais ils apprirent à contrer le péril extérieur et à se défendre. Plus d'un roi de France les exempta de l'impôt parce qu'ils « avaient toujours l'arme à l'épaule » et qu'ils savaient en faire usage pour défendre leurs terres. Un fonctionnaire visita la côte saintongeaise au milieu du XVIᵉ siècle et fut étonné de constater « une incroyable quantité de peuple » dans les marais. Il décrivit des gens vigoureux, tous « endurcis à la peine, connaissant les marées et malins périls et dangers de la mer » ; des hommes « belliqueux, aventureux et adroits à la guerre, tant

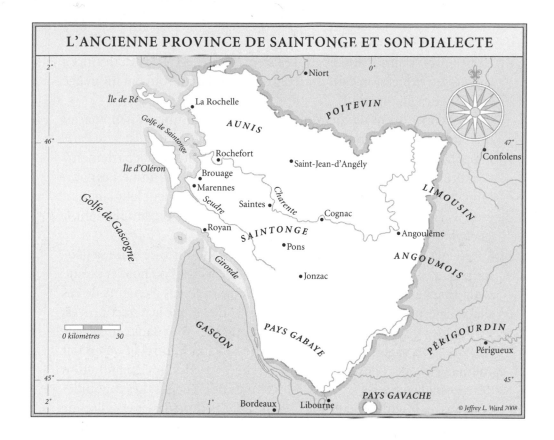

sur mer que sur terre » et « fort vaillants et hardis sur mer où ils font de grands voyages[14] ».

Les Saintongeais surmontaient leurs misères sans trop compter sur leurs voisins. Ils s'en sortaient à force d'industrie, habitude qui a imprimé une énergie certaine à leur culture. Ils ont ainsi tiré de leur environnement et de leur histoire une identité qui les distinguait des autres Français. Ce n'est pas pour rien que Champlain parlait de la Bretagne voisine comme d'un pays étranger, et les Bretons n'en pensaient pas moins. Encore au XVIe siècle, les habitants des autres régions de France considéraient les Saintongeais comme une espèce à part. L'écrivain parisien Théodore de Bèze disait avoir rencontré en Saintonge des « gens rudes et presque sans humanité, des pirates et écumeurs de mer[15] ». Il serait plus juste de dire que les Saintongeais se faisaient une idée différente de l'humanité. Un historien éminent qui a étudié la « mentalité régionale » de la Saintonge en a conclu que l'un de ses attributs était un « individualisme très fort », mot qui a eu longtemps un sens péjoratif ailleurs en France. « On chercherait vainement, écrit-il, les contraintes communautaires qui existent ailleurs. » Cet esprit distinct a trouvé son expression dans une culture et une langue qui ont influencé le destin de Champlain[16].

Les concitoyens de Champlain parlaient le saintongeais, un parler bien de France mais au caractère très particulier. Les linguistes de Paris l'appellent aujourd'hui le *patois charentais,* du nom des départements constituants de la région, la Charente et la Charente-Maritime. Les habitants du lieu refusent, eux, de parler de *patois* : ils parlent leur langue à eux. Ils l'appellent encore la *langue xainctongeaise,* ou simplement *le parlanjhe,* la parole[17].

Le parler de la Saintonge est l'œuvre de son histoire et de sa géo-linguistique, qui est à cheval sur les régions dialectales du nord et du sud de la France. La langue xainctongeaise combine des éléments de ces deux dialectes et un vocabulaire bien à elle. L'exemple le plus connu est le mot *escargot,* appelé *cagouille* en Saintonge. Partout dans cette vieille province, les cagouilles sont abondantes à l'état naturel et on en fait même l'élevage. Elles sont très recherchées, et elles ont une fonction cérémoniale dans les festivals et les rituels des récoltes. Les cagouilles sont aussi un symbole culturel très ancien. Les cathédrales et églises de village du XIe siècle ont des cagouilles gravées dans leur maçonnerie. À l'ère moderne, la cagouille est devenue l'emblème de la région, et les Saintongeais se disent fièrement *cagouillards.* L'escargot est un symbole parfait de cette culture : avec sa carapace solide et son intérieur tendre, son pas lent mais soutenu, sa prudence et ses antennes sensibles[18].

Champlain était un cagouillard et l'est toujours resté, même loin de sa terre natale. Parcourant les Indes occidentales et le Mexique, il a décrit la flore et la faune du Nouveau Monde dans la vieille langue xainctongeaise. Un botaniste français qui a étudié le récit de voyage de Champlain aux Antilles a conclu qu'il n'avait pu être écrit que par un natif de la Saintonge du XVIe siècle[19].

La langue de la Saintonge est essentiellement l'œuvre d'une culture orale et compte de nombreux mots qui sont indispensables à sa transmission, par exemple, *conteur, bonconteur, conteuse* et *conteusine,* mots qui désignent ces personnages habiles à raconter des histoires en public[20]. C'est une langue riche dans sa description des systèmes de production matérielle, dont certains allaient prendre racine en Nouvelle-France. Par exemple, son vocabulaire complexe traitant des digues et des canaux, constructions essentielles dans les marais et les bassins salants de la Saintonge. Dans le nouveau monde de Champlain, on retrouve ce mot important qu'est *aboteau, abotiâ, aboitiâ, abouèta* ou *aboiteau,* qui décrit le système de terrassement et de clapets de bois qui allait jouer un rôle vital dans la naissance de l'Acadie[21].

La langue xainctongeaise révèle également nombre d'indices sur le monde culturel où Champlain a grandi. C'est une langue joyeuse, qui aime le rire. En Saintonge, les enfants sont appelés *drôles,* et une jeune fille est une *drôlesse,* sans aucune connotation péjorative, ce qu'on nous a assuré avec un clin d'œil. Les gens de cette région ont un vocabulaire très évolué lorsqu'il s'agit de parler du bonheur. Par exemple, leur mot *benèze,* qui décrit une forme de bonheur libre et aisé, bon enfant même, et qui veut dire plus qu'*heureux,* même si ce mot-là leur est également connu. Les deux mots pris ensemble font *bienheureux,* qui signifie plus que « bon enfant », plutôt « divinement heureux ». Certains de ces mots ont fait leur chemin dans le français standard, mais le natif de la Saintonge qui s'exprime en *parlanjhe* de la région se fait appeler *goulebenèze,* c'est-à-dire « bouche heureuse » (le mot *bouche* se dit *goule* en *parlanjhe* de Saintonge). Champlain était un *goulebenèze* dans tous les sens du terme, et il avait cette manière gaie de parler. Même tard dans sa vie, devenu vieux et homme de condition, il attira ce commentaire d'un Montagnais au Canada : « Tu nous dis toujours quelque chose de gaillard pour nous réjouir ; si cela arrivait [maintenant] nous serions bien heureux[22]. »

*   *   *

Les proverbes saintongeais expriment la même gaieté. On aime dire, entre autres, *Qui va chap'tit, va loin* : qui va doucement va loin[23]. Un folkloriste a écrit que c'était la « devise de la région ». Comme nous le verrons, cette maxime marquera le style de commandement de Champlain pendant toute sa carrière. D'autres proverbes de cette région véhiculent des thèmes semblables :

Bien aise peut éprer ; mal aise reste à l'aise.
Bonne nature gagne plus ; mauvaise nature n'a rien.

Beunaise se mâche à bout de ne rin faire.
Bien aise se gâte à force d'être oisif.

Beunaise thiéllés qui avant des sous peur fazir oublier zeu sottise.
Bienheureux ceux qui ont de l'argent pour faire oublier leur sottise[24].

Un autre proverbe dit : *In piasit en attire in aute,* un plaisir en attire un autre. La sagesse populaire de la Saintonge valorise cette règle de réciprocité. C'est une culture qui est à l'aise devant la diversité. Elle témoigne d'une sensibilité à l'égard des sentiments des autres et du souci de traiter son prochain dignement. C'est cet esprit qui a toujours animé les rapports de Champlain avec ses contemporains[25].

Les Saintongeais sont gens pratiques, très terre à terre. Leurs proverbes inspirent aux grands desseins la prudence commune aux nombreuses cultures rurales de France :

Avant de feire in fagot, o faut ârgader la riorte.
Avant d'entreprendre quelque chose, se demander si on en a les moyens.

Pour bin finir, o faut bin commencer.
Pour bien finir, il faut bien commencer.

Meûx vaut chômer que mal moudre.
Mieux vaut ne rien faire que de mal faire.

Meûx vaut pardre un pain qu'ine faumée.
Mieux vaut perdre un pain que la fournée.

Tache de seug' ton chemin dreit, d'Angoleme à la Rochelle, pas d'besoin d'passer prr' Potiers.
Prends le meilleur chemin qui conduit d'Angoulême à La Rochelle, nul besoin de passer par Poitiers[26].

Champlain a obéi à ces maximes pratiques toute sa vie. Il veillait toujours à se préparer soigneusement, agissait avec prudence dans les entreprises audacieuses et allait droit à son objectif.

La culture saintongeaise est également guidée par un sens de l'éthique à toute épreuve. Elle enseigne que la voie morale est la plus prometteuse sur le long terme. Un autre proverbe dit d'ailleurs : *Farine dau Yab tourne en bran,* farine du diable vire en son. On valorise ainsi la nécessité de faire le bien en toutes choses. Dans l'esprit de la région, c'est moins un impératif moral qu'une règle pratique où la bienveillance gouverne l'interaction humaine[27].

L'un des grands classiques de la sociologie française est l'étude de Maurice Bures intitulée *Le Type saintongeois*, qui a paru en 1908 et qu'on lit encore un siècle plus tard. Cet ouvrage porte sur les paysans de la Charente à la fin du XIXe siècle. Il s'agissait donc des cousins campagnards de Champlain et qui avaient des affinités culturelles avec les habitants des villes maritimes comme Brouage[28].

Bures a constaté que les gens de l'intérieur partageaient la même disposition à la gaieté qu'il avait observée dans toute la région. Cette « Saintonge amiable », a-t-il noté, avait une culture qui « encourageait l'amour du bien-être et le calme de l'âme ». Mais cette paix de l'esprit était combinée avec un mode de vie qui était « vif d'esprit et de corps ». À son avis, l'essence du caractère saintongeais était d'aimer la plaisanterie, les échanges bon enfant et les jeux de mots[29].

Bures a découvert autre chose dans la culture saintongeaise : à savoir, une perspective essentiellement « positive », soit une manière de penser qui était optimiste et pratique en même temps. Il appelait cela « avoir le sens pratique », qui constituait à son avis l'un des attributs les plus marquants de cette culture. Dans les décisions d'ordre pratique, cet esprit était toujours gainé d'un « fourreau de prudence[30] ».

Les gens de Saintonge ont exprimé ces attitudes dans leurs écrits. Bures observe que l'écrivain typique de la région tend à être un narrateur talentueux qui « n'invente pas mais raconte ». Il a relevé tout particulièrement cette tendance dans les écrits de Samuel de Champlain et dit de lui qu'il constituait un exemple parfait du « type saintongeois ». Cet esprit transparaît dans tous les mots et toutes les pensées de la vie de Champlain[31].

Ces idées et ces valeurs se sont développées en Saintonge en grande partie du fait de l'emplacement de la région, élément qui a pesé lourd dans la vie de Champlain. Sa famille élargie occupait une vaste région chevauchant l'ouest et le sud de la France. La cousine Marie Camaret et son mari habitaient La Rochelle, à une quarantaine de kilomètres au nord de Brouage. Son oncle maternel Guillaume Helaine était de Marseille, sur la Méditerranée, et avait pour surnom « le capitaine provençal[32] ».

L'environnement où s'est déroulée la jeunesse de Champlain et la distribution de sa famille élargie couvrent deux régions écologiques : au nord, la façade atlantique avec ses étés frais et humides qui ont fait le système agraire de l'Europe nordique ; au sud, la région méditerranéenne aux étés longs et chauds, le pays de l'olivier et de la vigne.

La famille de Champlain occupait aussi une région frontière sur le plan culturel. Au XVIe siècle, chacune des deux régions abritait sa propre famille de dialectes, la langue d'oc et la langue d'oïl, ainsi appelées pour leur prononciation du mot *oui*. Les cousins rochelais de Champlain parlaient la langue d'oïl. Ses parents du Midi s'exprimaient en langue d'oc. C'est à cette époque, selon l'historien Emmanuel Le Roy Ladurie, qu'une « langue littéraire se forme, à partir des dialectes romans du Sud : c'est la langue d'oc, fort différente, malgré une commune origine latine, de la langue d'oïl, en usage au nord du Massif central[33] ».

Ces parlers véhiculaient des cultures différentes. Le Roy Ladurie explique : « Incomplètement unifiée, la langue occitane rend néanmoins possible la formation d'une vaste communauté de culture, qui, bien au-delà du Languedoc, s'étend jusqu'à la Catalogne, la Provence et la Gascogne, et vers le nord, jusqu'en Limousin, Auvergne et Dauphiné. » Il décrit le processus qui fait que la langue d'oïl, qui était très différente, s'est également répandue dans la noblesse et la bourgeoisie du Sud au cours du XVIe siècle, si bien que « ces deux classes [devinrent] plus ou moins bilingues ». Mais du vivant de Champlain, la langue d'oc était l'unique langue de la paysannerie partout dans le Sud[34].

Champlain ne s'arrêtait pas à cette frontière linguistique et culturelle, à l'instar de ses cousins rochelais et de son oncle provençal. Toute sa jeunesse se déroula dans la diversité : linguistique, culturelle, religieuse et écologique. Grandissant dans ce bouillon de culture, il a ainsi apprivoisé la diversité au sein de sa propre famille. Il était également tolérant des différences entre les gens, profondément curieux des nuances infinies de la condition humaine, et extrêmement désireux de connaître le monde extérieur. Ces attitudes firent sa carrière. Elles lui donnèrent une conception large de la condition humaine et le conduisirent à un rêve d'humanité qui le guida pendant toute sa vie[35].

Champlain n'était pas seul à posséder un tel patrimoine culturel. Un autre fondateur de la Nouvelle-France était comme lui natif de la Saintonge, et l'on trouve chez lui des attitudes, un tempérament, des valeurs et un dessein semblables. Il avait nom Pierre Dugua, sieur de Mons. En Nouvelle-France, il fut le supérieur de Champlain de 1604 à 1606 et l'une des principales forces motrices dans l'établissement des premières colonies françaises en Amérique du Nord. Comme ses pairs de l'aristocratie française, c'était un homme aux noms multiples, orthographiés de diverses façons. Il signait parfois de son nom de famille, Dugua, qu'il écrivait en un seul mot, avec des caractères épais, confiants, ronds, qui en disaient long sur sa personnalité. Il employait souvent aussi le nom de sa terre, qui apparaissait avec des épellations diverses, parfois sur la même page : De Mons, De Monts, De Montz ou simplement Montz (sa graphie favorite)[36].

Il ne subsiste aucun portrait authentique de monsieur de Mons. On ne conserve guère de souvenir de lui dans sa mère patrie, ni dans les nations américaines qu'il contribua à fonder. Une fière statue du sieur de Mons, comme ses biographes l'appellent aujourd'hui, se dresse à Annapolis Royal, en Nouvelle-Écosse, sur une colline herbue dominant le bassin de Port-Royal. Mais la ressemblance avec le vrai personnage est imaginaire, et le nom de baptême sur le socle est fautif[37].

Les historiens ont jugé diversement le sieur de Mons. Pendant longtemps, on a parlé de lui en bien mais sans en dire grand-chose, et il est ainsi resté dans l'ombre de ses lieutenants. Au début du XXᵉ siècle, on a découvert de nouveaux documents sur lui grâce aux recherches de l'historien amateur américain William Inglis Morse, et le personnage s'est mis à prendre de la stature. Au milieu du XXᵉ siècle, les détracteurs et les iconoclastes universitaires ont contre-attaqué. Ils ne savaient rien de lui mais ne l'ont pas moins vilipendé avec la dernière férocité. L'un de ces auteurs l'a traité d'« explorateur cupide » obsédé par la « défense de son monopole », ce qui est ne rien comprendre de l'homme et de ses desseins[38].

C'est seulement à la fin du même siècle qu'on lui a enfin rendu justice, avec les livres de Jean Liebel, Guy Binot et Jean-Yves Grenon. Ces chercheurs ont vu en lui le vrai père de la Nouvelle-France, et la figure la plus importante des débuts de son histoire. Jean Liebel l'appelle le vrai « fondateur de Québec ». Jean Glénisson, éminent historien et fils de la Saintonge lui aussi, écrit qu'« au moment où tout semble perdu pour la France en Amérique, c'est à Pierre Dugua que la Nouvelle-France doit sa survie[39]. »

De Mons et Champlain furent tous deux des personnages marquants dans la fondation de la Nouvelle-France, et ils se soutenaient mutuellement dans la réalisation de ce grand dessein. Marcel Trudel écrit à propos du sieur de Mons : « Sans De Mons, on peut facilement présumer qu'il n'y eût pas eu Champlain[40]. » Deux auteurs rivaux, qui ne se gênaient pas pour échanger des coups de griffe, avaient la plus haute opinion du sieur de Mons et ont écrit à son sujet avec respect et affection. Marc Lescarbot a ainsi écrit que « les frais de la marine en telles entreprises que celle du sieur de Mons sont si grands que qui n'a les reins forts succombera facilement ». Et il ajoutait que De Mons était celui qui avait « fait plus que tous les autres » en dépit des obstacles qui se dressaient en France et en Amérique. Il constatait chez De Mons une dignité et un esprit d'humanité absents chez « bien d'autres dans sa position[41] ». Champlain faisait chorus en 1613 : « Il ne laissa de poursuivre son dessein, pour le désir qu'il avait que toutes choses réussissent au bien et honneur de la France[42]. »

Champlain et De Mons avaient beaucoup en commun. Ils avaient grandi à quelques kilomètres l'un de l'autre. On croit que Pierre Dugua a été baptisé vers 1558 ou 1560, et qu'il avait au moins dix ou douze ans de plus que Champlain. On ignore où il est né, mais c'était probablement dans le vieux village de Le Gua, ou dans le petit port de mer de Royan sur la rive nord de la Gironde, à l'embouchure étroite de son grand estuaire. Ces deux bourgs ne sont qu'à quelques kilomètres au sud de Brouage.

Ses parents étaient de la noblesse. Le patronyme « de Mons » leur venait d'une colline qui dominait la ville de Royan. La crête de cette colline, qui surplombe la Gironde, était le siège du château familial. Il appartenait au grand-père de Pierre, Loubat Dugua, qu'on appelait dans le pays le « capitaine du château de Royan ». Le vieux château fut rasé par un incendie en 1737 et rebâti en 1739. L'édifice du XVIIIe siècle est encore debout aujourd'hui, derrière les murs médiévaux qui ceinturaient l'ancien château. C'est maintenant un club sélect au cœur d'un quartier résidentiel densément construit. Le sieur de Mons grandit sans doute dans la maison de son père sur cette colline, près du château du grand-père, avec ses murs et ses tours du Moyen Âge. Les deux résidences avaient vue sur le « magnifique spectacle des navires allant et venant en l'estuaire de la Gironde[43]. »

Élevé dans la foi huguenote, Pierre Dugua épousa une noble catholique, Judith Chesnel, dont la famille occupait le château de Meux, près de Jonzac, au sud-est de Royan. Comme Champlain, De Mons se fit soldat dans l'armée d'Henri IV et combattit les De Guise à l'époque des guerres de religion. De Mons s'illustra pour son « grand courage » et sa loyauté au roi dans les durs combats pour le contrôle de la Normandie. Lutte acharnée. En 1589, les ligueurs catholiques occupaient toutes les grandes villes de Normandie sauf deux : Caen et Dieppe, où De Mons guerroya vaillamment. Les citoyens de Dieppe en firent même un de leurs capitaines, et il les conduisit à une grande victoire[44].

De Mons se signala vite au roi, qui le combla d'honneurs. En janvier 1594, Henri IV lui accorda une pension de cent écus par mois et de nombreux offices : gentilhomme ordinaire de la chambre du roi, gouverneur du château de Madrid, gouverneur du Bois de Boulogne et plus tard gouverneur de Pons, une place forte huguenote à quarante kilomètres de Royan, à l'intérieur des terres[45]. On disait de lui qu'il avait les manières d'un « grand seigneur » et il était connu pour son « affabilité, son calme, sa générosité », qualités qui attiraient « la sympathie, tout en inspirant le respect ». Il était tolérant à l'égard des autres, en particulier de ceux et celles qui professaient la religion catholique, « qui n'était pas la sienne ». Par-dessus tout, on lui prêtait cette qualité qu'est le « tact » et le don de faire en sorte que des gens de croyances différentes puissent vivre et travailler ensemble, « ce qui n'était pas une mince affaire en ce temps de passions et de haines religieuses[46] ».

Comme le voulait l'usage dans nombre de familles nobles de la région, De Mons s'intéressait beaucoup au commerce, et il devint un riche entrepreneur, faisant fi des règles de dérogeance qui fermèrent le grand commerce transatlantique à la plupart des nobles jusqu'en 1629. Il vendit une partie de ses biens fonciers dans la seigneurie de Puy-du-Fou et en retira 29 416 écus, ou 88 248 livres tournois, somme importante pour l'époque. Il désirait investir dans des entreprises situées « aux terres neuves d'outre océan[47] ». Dans ce but, il s'associa à son coreligionnaire Pierre Chauvin, sieur de Tonnetuit, riche bourgeois de Honfleur, et plus tard à Aymar de Chaste. Leurs investissements dans les pêches et la traite des fourrures nord-américaines furent de bon rapport. Certains historiens ont écrit que De Mons s'était ruiné en Amérique. C'est faux. Le commerce américain retint son attention pendant longtemps. En 1621, ses associés et lui envoyaient encore deux navires par année en Nouvelle-France, et il plaça des fonds dans de nombreuses compagnies de commerce actives en sol nord-américain[48].

Cela dit, le sieur de Mons préférait mener la vie tranquille d'un gentilhomme campagnard ancienne manière. En 1619, il utilisa une partie de ses profits dans la traite américaine pour acheter un nouveau fief appelé « d'Ardennes », du nom de la magnifique forêt d'Ardennes, à huit kilomètres au sud de Pons en Saintonge (à ne pas confondre avec les Ardennes du nord-est de la France et de Belgique). Sa demeure était un château médiéval aux murailles flanquées de tours carrées, couronnées d'un chemin de ronde. L'entrée principale, qui était défendue par une herse, avait un pont-levis, et la maison était cernée de douves. Le château avait été le manoir d'une seigneurie très considérable. De Mons n'acquit qu'une partie de la propriété en 1618 mais parvint, avant sa mort, à réunir tout le fief d'origine. Il avait fait du lieu une maison noble et la retraite d'un gentilhomme nanti qui préférait la campagne. Il y mourut le 22 février 1628 et fut enseveli dans un petit enclos près de l'entrée principale du château d'Ardennes[49].

Commentant son écriture, Liebel note « l'absence de signes d'égoïsme, d'avidité, d'accaparement […] il est facile d'y voir ceux de la générosité, de la bienveillance, du don de soi, de la sensibilité. L'amabilité, les bonnes manières, la distinction sont naturelles. […] Toujours maître de ses nerfs, calme en toutes circonstances, nullement impulsif, il réfléchit avant d'agir. Ses idées ont le mérite d'être guidées par ce que l'on nomme le bon sens ; elles sont simples et ordonnées[50]. »

En Champlain et De Mons, la Saintonge nous donna les deux grands fondateurs de la Nouvelle-France. Leur conduite fut toujours marquée par la culture et les valeurs de la région où ils avaient grandi. Leur esprit était unique, très différent de celui des Castillans qui gouvernaient la Nouvelle-Espagne, des puritains de l'Est-Anglie qui firent la Nouvelle-Angleterre, des marchands et *patroons* de la Nouvelle-Hollande, des Cavaliers qui fondèrent la Virginie, des Quakers de la Pennsylvanie et des Écossais de l'Ulster qui peuplèrent l'arrière-pays de l'Amérique britannique. Tous ces groupes étaient admirables, chacun à leur façon, mais tous étaient différents. Les hommes de Saintonge, Champlain et le sieur de Mons, partageaient une culture régionale bien à eux, qui imprima un caractère particulier à leur entreprise.

D'autres Français ont colonisé le Nouveau Monde : Normands, Bretons, Percherons, Parisiens, Loudonnais, Bordelais, Basques français et bien d'autres. La multiplicité de ces groupes ne fait que souligner l'importance des Saintongeais. L'histoire ancienne des Santons, la géographie médiévale de leur région, la diversité de leur monde et les valeurs modernes de leur culture les incitèrent à collaborer avec d'autres, et leur insufflèrent la force morale voulue pour assurer la médiation avec de nombreux autres groupes. L'esprit de leur mère patrie est visible dans la manière dont Champlain et le sieur de Mons se conduisirent et transigèrent avec l'Autre.

CHAPITRE 3

Henri IV et Champlain

Monarque, mentor, protecteur et ami

*Majesté, à laquelle j'étais obligé tant de naissance que d'une
pension de laquelle elle m'honorait.*

Champlain, à propos de sa relation avec Henri IV, 1632[1]

Roy et patrie […] Dieu et le monde.

Champlain, à propos de ses allégeances
et de ses grands desseins, 1632[2]

Dans la France hiérarchisée du XVIe siècle, le jeune Samuel Champlain jouissait d'une protection imparable. Très tôt, ses parents et lui entrèrent dans l'intimité de l'homme qui allait devenir Henri IV, roi de France de 1589 à 1610. Nous ignorons tout de la genèse de cette relation. Quelques années avant sa mort, Champlain écrivait qu'il était « obligé de naissance » envers le roi. Mot étrange dont le sens n'a jamais été expliqué[3].

Champlain entendait peut-être par là que sa famille avait toujours soutenu loyalement Henri IV dans une France divisée et qu'elle avait été généreusement récompensée pour ses services, ce qui était d'ailleurs le cas. Le père de Champlain avait reçu le convoité brevet de capitaine de la marine royale de France. Son oncle de Marseille avait bénéficié de plus d'une commission du roi. Son cousin par alliance de La Rochelle, Jacques Hersan ou Hersaut, occupait dans la maison du roi une charge dont le titre laisse rêveur : *picqueur de chiens de la chambre du roy*. Sûrement pas le plus prestigieux des emplois, mais son titulaire devait probablement être bien rémunéré et jouir de plusieurs avantages. Dans les actes notariés, Jacques Hersan n'aurait jamais signé sans son beau titre[4].

Henri IV avec ses cheveux ébouriffés, sa barbe frisée et le regard libidineux du satyre. Le sculpteur a capté ici son intelligence vive et sa gaieté, tout en lui laissant le front du penseur et l'œil du rêveur. De tous les grands rois, il fut l'un des plus humains.

De toutes ces marques de la faveur royale, la plus généreuse échut au jeune Samuel Champlain lui-même. Très tôt, le roi le gratifia d'une pension annuelle. Elle lui fut octroyée à l'été 1601, peut-être plus tôt, avant son premier voyage au Canada de 1603, et bien avant qu'il n'accomplisse les exploits qui ont fait sa renommée. Cette pension lui fut versée jusqu'à la mort d'Henri IV, en 1610, et par intermittence par la suite[5]. On sait qu'Henri le Grand était généreux envers ses amis, mais les nombreuses gratifications dont Champlain et les siens profitèrent constituaient des actes d'une largesse extraordinaire. On se demande pourquoi. À quoi tenait cette relation particulière entre le grand roi, cette famille aux humbles origines et ce jeune homme de rang modeste ? Des parents de Champlain, ou Champlain lui-même, avaient peut-être rendu au roi quelque signalé service ? Par exemple, dans l'un de ces épisodes périlleux qui marquaient régulièrement la vie d'Henri IV ?

Il se peut également que Champlain et le roi aient eu un lien privilégié. Longtemps, des historiens ont allégué que Samuel de Champlain était le fils illégitime de quelque grand personnage du royaume. Deux érudits éminents ne se sont pas privés de méditer à voix haute sur cette question. Le grand historien canadien Marcel Trudel note que certains chercheurs ont voulu voir en Champlain « le bâtard d'une grande famille ». Même interrogation chez l'historien français Hubert Deschamps, professeur à l'Institut d'études politiques de Paris[6]. Une rumeur selon laquelle Champlain était le fils du roi était même parvenue aux oreilles des Algonquins de la vallée du Saint-Laurent. L'un d'entre eux aurait affirmé que Champlain le lui avait dit lui-même. Les Indiens se sont transmis cette croyance par la tradition orale pendant des siècles[7].

Aucune de ces allégations n'est fondée. Les chercheurs n'ont pas trouvé la moindre preuve permettant d'esquisser une hypothèse tant soit peu valable. La question reste posée cependant : Champlain aurait-il pu être le fils illégitime d'Henri IV ? Une telle hypothèse pourrait-elle expliquer certaines anomalies, qui sont nombreuses, dans la vie et l'œuvre de Champlain ? La réponse est oui. La chose est possible. Une réponse affirmative expliquerait en tout cas bien des énigmes.

À l'époque de la naissance de Champlain, vers 1570, le prince Henri de Béarn et de Navarre était un jeune homme fringant. Une gravure de l'époque nous le montre remarquablement mûr pour son âge, et nous savons qu'il était déjà sexuellement actif, comme le veut l'euphémisme moderne. Il prit femme pour la première fois en 1572. On lui connaît au moins cinquante-cinq maîtresses en titre et une infinité d'aventures sans

Henri IV en roi guerrier triomphant, à l'armure noire et au casque orné du légendaire panache blanc. Le sceptre dans une main, l'épée dans l'autre, et son mot célèbre : « Ralliez-vous à mon panache blanc ! »

lendemain. On sait également qu'il eut au moins onze enfants illégitimes de cinq femmes[8].

Le prince contribua ainsi à l'essor démographique du royaume de France avant comme après son accession au trône. De 1568 à 1572, Henri se trouvait souvent à La Rochelle, où sa mère vivait à l'époque, à une quarantaine de kilomètres de Brouage. Il avait parcouru la Saintonge de long en large, et il se trouvait idéalement placé pour qu'une femme de la région lui donne un petit Samuel. L'enfant aurait pu être adopté par une famille de la bonne bourgeoisie, pratique commune pour les enfants illégitimes de haute naissance à l'époque de Champlain, tout comme aujourd'hui d'ailleurs. Le rang auquel parvenaient les nombreux bâtards du roi était très variable et était généralement fonction de la condition de la mère[9].

Un Champlain fils illégitime d'Henri IV expliquerait bien des choses. Notamment la raison pour laquelle, en dépit des recherches de nombreux spécialistes, on n'a jamais trouvé de document attestant sa naissance ou son baptême. Se trouverait également résolue l'énigme du rang social de Champlain, qui a longtemps intrigué les historiens et donné naissance à une interminable controverse sur son origine noble ou roturière. La plupart des spécialistes s'entendent pour dire que sa famille était de condition modeste, et pourtant, à un très jeune âge, on l'appelait déjà « sieur de Champlain ». Lui-même préférait signer « Champlain » et non « De Champlain ». La particule nobiliaire et le titre honorifique de « sieur » ont été ajoutés à son nom par d'autres dans les documents officiels dès 1595[10].

La date et les circonstances sont à retenir. Contrairement à ce qu'ont affirmé certains historiens, Champlain ne s'est pas arrogé tardivement le titre de « sieur » et la particule de noblesse. D'autres les lui ont donnés alors qu'il n'avait pas plus de vingt-quatre ou vingt-cinq ans. Ces mentions honorifiques ne signifiaient pas que leur porteur détenait un titre de noblesse. Il s'agissait de marques d'honneur qu'on décernait communément aux hommes, soit qu'ils étaient de haute naissance, qu'ils occupaient des charges importantes, qu'ils avaient réalisé de grands exploits, qu'ils comptaient de longs états de service ou simplement qu'ils avaient atteint un âge avancé. Chose intéressante, la particule a été conférée à Champlain avant qu'il eût accompli un seul des exploits qui firent son renom. Un lien intime avec le roi motiverait son élévation au rang de « sieur de Champlain » à un si jeune âge, même s'il n'était pas d'une famille noble ou riche et qu'il ne comptait aucune réalisation importante à son actif [11].

Sa royale mais illégitime naissance expliquerait aussi l'attribution de la pension que Champlain se mit à toucher dès 1601, jusqu'à la mort d'Henri IV, en 1610. Et cela éclairerait l'accès si aisé que Champlain avait à la personne du roi. Après être rentré de ses premiers voyages aux Antilles, et avant et après ses voyages au Canada, Champlain conféra souvent en privé avec Henri IV. On comprendrait mieux aussi une autre affirmation singulière de Champlain : quand il dit par exemple que le roi avait pris des dispositions pour le garder « auprès de sa personne [12] ».

Et tout cela motiverait la réticence extrême de Champlain à parler de lui-même, pudeur qui contraste avec l'expansivité de ses récits. De quoi donner enfin un sens littéral à ce mot intrigant de Champlain : « obligé de naissance » envers Henri IV. Ces énigmes sans nombre dans la vie de Champlain s'illumineraient tout à coup s'il avait été le fils illégitime d'Henri IV.

Son ascendance royale expliquerait également les difficultés qu'éprouva Champlain après l'assassinat d'Henri : la froideur de la veuve, Marie de Médicis, à son égard ; la décision de mettre un terme à sa pension ; et l'hostilité du cardinal de Richelieu, qui voulut priver Champlain de sa lieutenance en Nouvelle-France. On comprendrait mieux aussi le refus de ces hauts personnages d'honorer Champlain pour son action, alors que d'autres qui en firent beaucoup moins que lui en Nouvelle-France furent comblés de titres de noblesse, de concessions foncières et de charges lucratives. Plusieurs historiens ont épilogué sur l'ingratitude de Marie de Médicis et de Richelieu à l'égard de Champlain sans pouvoir l'expliquer.

Si l'on écarte l'hypothèse de Champlain fils illégitime du bon roi Henri, certaines de ces anomalies intrigantes pourraient s'expliquer autrement. On pourrait voir dans sa proximité avec le roi l'effet d'une simple séquence événementielle. On partirait ici du fait que la famille de Champlain semble avoir soutenu loyalement le prince Henri durant les années les plus difficiles de sa vie. Le centre-ouest de la France était pour lui un véritable bastion, particulièrement la Saintonge et l'Aunis. Les partisans les plus fidèles d'Henri se trouvaient dans les familles de richesse et de rang moyens, gens de confession protestante mais sans être dogmatiques ou doctrinaires — des familles comme les Champlain de

Brouage, les Le Roy, Hersan et Camaret de La Rochelle, les Boullé de Paris, qui étaient toutes liées à Samuel de Champlain. Ce sont ces familles et bien d'autres qui ont secouru le prince Henri et sa mère dans la nécessité où ils étaient. Quand le prince parvint au trône, il témoigna sa gratitude à ces familles, comme le voulait sa nature. Il leur attribua des charges, des offices, des pensions et d'autres marques de faveur.

Puis le jeune Saintongeais se mit à attirer sur lui l'attention du roi. Qu'il suffise de dire que Champlain était corps et âme voué au service du roi, qu'il était loyal à sa cause et habile à saisir les occasions de le mieux servir. De son côté, le roi semble s'être pris d'affection pour ce jeune homme intéressant et aimait l'avoir près de lui. Cet enchaînement de faits, où jouaient la chaleur du roi et les réalisations d'un jeune homme sympathique, pourrait expliquer l'amitié qui s'est installée entre eux.

Quelle que soit l'origine de cette relation particulière entre le roi et Champlain, son existence est fermement établie et documentée. Le patronage du roi Henri fit la prospérité de la famille de Champlain et fut essentielle à la conduite brillante de sa carrière. L'intervention du roi a pesé lourd sur les débuts professionnels de Champlain, et nous allons voir que la main du roi est souvent visible dans son parcours.

Henri IV fut non seulement un protecteur pour Samuel de Champlain, il fut aussi un modèle et même un mentor. Pour ce jeune homme et tant d'autres, l'action exemplaire du roi fut une inspiration incessante, et les valeurs d'Henri formèrent le credo qui guida toute sa vie. Pour comprendre Champlain, il faut d'abord comprendre le caractère du roi qu'il a servi si fidèlement. Sans Henri IV, il n'y aurait pas eu le Champlain que nous connaissons.

Dans la longue histoire de France, Henri IV occupe une place à part. On a dit qu'il fut le seul roi dont le peuple ait gardé la mémoire. Dans le souvenir de ses sujets, il était « Henri le Grand ». Non qu'il fût de haute taille (comme Champlain lui-même) ; sa grandeur résidait plutôt dans ses actes et ses pensées, le rayonnement de son énergie et de sa résolution, et l'amplitude étonnante de ses vertus et de ses vices[13].

Ce roi avait des qualités inconnues des autres grandes figures de l'histoire de France. Il n'avait pas le sens de la grandeur d'un Louis XIV, le faste impérial d'un Napoléon Ier lui aurait été étranger, et il était bien éloigné de la condescendance austère d'un Charles de Gaulle. Sa personnalité s'exprimait dans les surnoms que lui donnaient ses sujets. Ils l'appelaient entre autres le « roi de cœur ». D'autres l'appelaient « le passionné », ou « le roi libre ». Les gens de lettres préféraient le « vert-galant » : « vert » avec ses références ambiguës à la jeunesse, l'énergie et la sexualité débridée ; « galant » pour dire mélange de courtoisie et d'inconstance. Ces sobriquets résumaient sa vie publique et privée. Avec sa vie amoureuse mouvementée, Henri IV était en effet le roi de cœur, le roi passionné et le roi libre tout en un, dans un sens qui n'avait rien à voir avec la théorie politique ou la conduite de l'État[14].

Les surnoms d'Henri exprimaient une pratique de la monarchie unique dans la mesure où elle émanait du cœur. Les autres souverains cultivaient une distance entre eux-mêmes et leurs sujets. Leur éloignement nourrissait leur puissance. Henri faisait le contraire. Il était plutôt homme à quitter son palais incognito et à se mêler à ses sujets sans cérémonie. C'était un roi accessible, simple, chaleureux, libre d'esprit, brave, spirituel, intelligent, généreux envers amis et ennemis. On le disait aussi explosif, changeant, inconstant et indigne de confiance. Il avait un autre surnom, celui-là emprunté à son père, « Henri l'ondoyant ». Ses meilleurs amis n'étaient pas sans voir ses défauts, mais sa chaleur et son magnétisme étaient tels qu'il arrivait à rallier même ses ennemis.

Même si on le savait chaleureux et naturel, fort adonné au vice aussi, tous entrevoyaient en lui une grandeur certaine. On en trouve la preuve la plus tangible dans l'effet qu'avait sa conduite sur autrui. Même avant qu'il accède au trône, il lui suffisait d'apparaître pour donner une couleur extraordinaire aux événements : parfois pour le meilleur, parfois pour le pire. Au combat, la vive crainte qu'il inspirait à l'ennemi provoquait les pires abus. Parmi ses nombreux amis, l'esprit et la vision du roi animaient de grandes entreprises et suscitaient de belles audaces. Champlain fut l'un des nombreux jeunes Français à vouloir suivre son exemple. « Henri le Grand » transformait ainsi ses contemporains.

Pour comprendre la carrière de Champlain, il faut comprendre le caractère de ce grand roi. Si Champlain se définissait comme un homme de la Saintonge, Henri pour sa part se sentait profondément béarnais. Il était originaire des montagnes du sud-ouest de la France ; il était né à l'ombre des Pyrénées et avait grandi dans un château très ancien qui existe toujours, monument à sa gloire. Le futur roi fut pour beaucoup un enfant de ce lieu. Dès l'enfance, il fut imprégné de la culture du

Béarn, ce qui confirme la véracité de ce proverbe allemand qui dit que les montagnes font les hommes libres. Les gens de cette région étaient farouchement indépendants. Ils étaient jaloux de leurs libertés traditionnelles et conservèrent avec entêtement tous leurs droits anciens jusqu'à la Révolution de 1789[15].

Henri chérissait également son parler béarnais, sa langue maternelle. À l'âge de quatre ans, il fut présenté à la cour, et le roi Henri II, personnage formidable, demanda à l'enfant s'il aimerait être fils du roi de France. L'enfant regarda ses parents et répondit en patois béarnais : « *Aquet es lou seigne reï* », « Mon père, le roi, le voici ». Le roi rit et dit : « Si tu ne peux être fils du roi de France, accepterais-tu d'en être le gendre ? » Le garçonnet répondit hardiment dans son dialecte béarnais : « *Obé !* », « Oui bien ! » Le ton de l'enfant impressionna plus que la réponse[16].

Le père du petit prince, Antoine de Bourbon, appartenait à l'une des grandes familles nobles de France. C'était un soldat courageux, mais certains lui attribuèrent le surnom dont son fils hérita plus tard : l'ondoyant, ou l'instable, celui sur qui on ne peut compter. La mère d'Henri, Jeanne d'Albret, était faite d'une étoffe plus roide. Elle était belle, têtue, intelligente, dure et extraordinairement capable. Héritière du royaume de Navarre et du comté de Béarn, elle disposait de grands pouvoirs et en usait efficacement[17].

Jeanne d'Albret s'était convertie au protestantisme, à l'instar de bien de ses sujets dans le sud-ouest de la France. Elle tint délibérément son fils à l'écart du Paris catholique et de la cour des Valois qu'elle méprisait. Elle l'éleva dans la foi huguenote et en fit un jeune homme aux vues amples et à l'esprit indépendant. Il reçut une formation militaire et devint fort apte au métier des armes. Sa mère lui avait également enseigné à commander. Très jeune, on lui confia des missions qui requéraient du tact, du discernement et la maîtrise des jeux politiques compliqués du Béarn et de Navarre. Ces qualités furent bientôt appelées à s'exprimer sur une scène plus vaste[18].

En 1559, alors que le prince Henri de Béarn et de Navarre avait à peine six ans, un bizarre accident digne du Moyen Âge fit prendre un tournant inattendu à l'histoire de la France. Lors des fêtes entourant le mariage d'une princesse, le roi Henri II prit part à un tournoi. Il réussit à fracasser la lance de son adversaire mais une écharde de l'arme brisée perça l'œil du roi. La plaie s'infecta et Henri II mourut au faîte de sa puissance[19]. Ce malheur survenait à un bien mauvais moment. Si la plupart des Français adhéraient à l'idéal de l'unité chrétienne : *une foi, une loi, un roi*, la réalité était bien différente. Le royaume était profondément divisé. La population avait connu une croissance qui dépassait ses moyens de subsistance. En une époque d'inflation galopante, le fossé entre riches et pauvres se creusait, et le tissu social se délitait[20].

La situation politique était très instable. L'autorité était fragmentée : rois et nobles, parlements et États provinciaux, bourgs et villes autonomes, compagnies à charte et ordres religieux, toutes ces instances étaient très jalouses de leurs privilèges et n'étaient unies que dans leur hostilité à l'expansion du pouvoir royal. Les plus opposés à la monarchie étaient les grandes familles nobles qui se disputaient le gouvernement du royaume. Un grave conflit se développa entre la maison catholique des Guises à l'est et la maison protestante des Condés à l'ouest, et les maisons plus modérées des Montmorency et des Bourbons au sud. Toutes rêvaient de succéder aux Valois, qui régnaient sur la France depuis trois siècles.

Ces rivalités dynastiques étaient exacerbées par les antagonismes religieux. La majorité des Français était catholique en 1559, mais le protestantisme gagnait des adhérents partout, même au sein des grandes familles. Les tenants de l'ancienne Église craignaient fort l'émergence de cette foi nouvelle, et les protagonistes des deux camps excitaient l'angoisse et la haine.

C'est en cette époque trouble qu'Henri II mourut subitement. Il eut pendant quelque temps pour successeur son jeune fils François II, un garçon d'à peine quinze ans, frêle de corps et d'esprit. Cet enfant roi vivait sous la coupe de sa formidable épouse, Marie Stuart, reine d'Écosse, qui était âgée de seize ans, et de ses parents de la maison de Guise. Ceux-ci n'avaient que haine pour les protestants et privilégièrent la répression violente. La France fut ainsi plongée dans un cataclysme.

Des protestants furent arrêtés et traduits en justice pour hérésie, crime passible de la peine capitale. Les juges catholiques infligeaient des tortures barbares aux protestants qui refusaient d'abjurer. On tranchait la langue aux victimes qui clamaient leur innocence avant de les torturer et de les brûler, ainsi elles ne pouvaient pas prêcher aux gens venus assister à leur agonie. Même ces atrocités judiciaires ne satisfaisaient pas les foules sadiques qui, les supplices terminés, s'emparaient des victimes pour les mutiler horriblement. Dans les rues de Paris, des bandes de jeunes catholiques érigeaient des images de la Vierge, et les passants qui refusaient de s'agenouiller devant elles étaient soumis à des rituels sanguinaires. La persécution religieuse, avec toutes ses horreurs, était pratiquée au sommet comme au bas de la société[21].

Après dix-huit mois de désordres croissants, le jeune François II mourut en 1560, et son frère âgé de dix ans, Charles IX, lui succéda. Le pouvoir passa alors entre les mains de sa mère italienne, Catherine de Médicis, et pendant un temps elle régenta le royaume à partir d'un petit cabinet de son magnifique château de Chenonceau. En 1562, la régente tenta de rétablir la paix dans le royaume en protégeant la dissidence religieuse à l'intérieur de certaines limites. Mesure insuffisante pour les protestants et excessive pour les catholiques.

Un incident fatal s'ensuivit. Le 1ᵉʳ mars 1562, par un dimanche matin tranquille, le très catholique duc de Guise se rendait de ses terres à la cour, accompagné d'une forte troupe de gens d'armes. À l'approche de la ville de Vassy en Champagne, il entendit une cloche qui invitait les huguenots à la prière dans une grange. Ses soldats s'approchant du lieu, il y eut échange d'insultes, suivi d'une volée de pierres. Passant à l'attaque, les sbires du duc tuèrent ou blessèrent une centaine de protestants, hommes, femmes et enfants, et incendièrent la grange[22].

La première guerre de religion venait de commencer, et son déroulement allait se répéter souvent. La maison protestante de Condé rassembla une armée huguenote et appela à son secours les protestants anglais et allemands. Cette armée se mit à s'emparer de villes stratégiques partout au pays. La violence dépassait l'entendement. Des atrocités furent commises par les catholiques à Sens et à Tours, où deux cents huguenots furent assommés et noyés dans la Loire. À ces massacres répondit une indignité protestante appelée la sauterie de Montbrison, où des huguenots jetèrent des centaines de prisonniers catholiques au bas de la grande tour où les attendaient des feux ardents[23].

Les catholiques recrutèrent des troupes suisses et espagnoles et remportèrent une bataille terrible à Dreux, où un chirurgien estima que vingt-cinq mille hommes furent tués des deux côtés en deux heures de combat. L'armée victorieuse s'empara ensuite de la ville de Rouen et la saccagea pendant trois jours, faisant plus de mille morts dans un massacre qui se répéta souvent ailleurs. L'armée catholique ayant entrepris à nouveau le siège d'Orléans, les huguenots répliquèrent en assassinant le duc de Guise — le premier d'une longue série d'assassinats de chaque côté[24].

Après que des atrocités commises par des catholiques eurent déclenché la première guerre de religion, le 1ᵉʳ mars 1562, la ville de Montbrison fut le théâtre d'un crime protestant. En juin, les huguenots mirent la ville à sac et jetèrent ses défenseurs catholiques du haut d'une tour. On avait fiché des pieux et allumé des feux dans le fossé au bas.

Cette première guerre de religion se termina par une trêve précaire à Amboise en 1563, mais la violence ne tarda pas à se rallumer. Le nouveau chef de la maison de Guise, le cardinal de Lorraine, parvint à circonvenir le roi Charles IX et fit pénétrer des troupes espagnoles en France. Les protestants voulurent enlever le roi catholique. Cette tentative désespérée échoua et fut à l'origine d'une nouvelle guerre civile en 1567-1568 qui laissa un « sillon de destructions » partout en France. Les tueries se poursuivirent jusqu'à l'épuisement des combattants. Il en résulta la trêve également précaire appelée « paix de Longjumeau[25] ».

Cette paix étant restée sans suites elle aussi, une troisième guerre de religion, encore plus cruelle, embrasa la France en 1568-1570. La violence se propagea dans le sud et l'ouest pendant l'enfance de Champlain. Une part de cette violence était née des violences commises par des protestants sur des catholiques. L'une des causes principales était la violence populaire perpétrée par les confraternités catholiques contre les huguenots et quiconque désirait rester neutre. Le peuple de Bordeaux vivait dans la peur mortelle d'une bande de sadiques portant bonnet rouge et appelée « la bande du cardinal », qui torturait, violait et assassinait les huguenots, tout cela bien sûr au nom du Christ. Quelques princes catholiques voulurent mettre fin à ces atrocités, mais c'était compter sans d'autres qui les encourageaient[26].

La Saintonge fut ravagée par la guerre, et Brouage changea de mains plusieurs fois alors que Champlain était enfant. En 1568, les protestants tenaient une bonne part de la Saintonge et une garnison huguenote défendait Brouage. L'année suivante, les forces catholiques, appuyées par des troupes italiennes, s'emparèrent de la ville. Les protestants la reprirent en 1570, mais en vertu d'un traité de paix intervenu plus tard, elle fut rendue aux catholiques et devint une base d'opérations visant la forteresse huguenote de La Rochelle. Les protestants reprirent Brouage plus tard mais la reperdirent. Les armées en guerre faisaient marches et contremarches en Saintonge, vivant du pays et le pillant en une époque de famine, d'épidémies et de grandes souffrances. Au milieu de toutes ces horreurs, Champlain fut probablement baptisé protestant, dans un monde de haines religieuses intenses et de guerres incessantes[27].

Le pire était à venir. En 1571, Catherine de Médicis et Jeanne d'Albret décidèrent de marier leurs enfants, la jolie princesse catholique Marguerite de Valois et le beau prince protestant Henri de Béarn et de Navarre. Ce devait être « le mariage de deux religions », contracté dans l'espoir d'une paix durable. Une cérémonie somptueuse fut organisée à Paris, et Henri entra à cheval dans Paris suivi par quinze cents nobles huguenots. L'aristocratie catholique y était représentée en nombre encore plus grand. La cérémonie des fiançailles se déroula avec toutes les apparences de l'harmonie le 17 août 1572, et le mariage le lendemain fut de toute beauté. Marguerite de Valois devait écrire dans ses mémoires splendides qu'elle était « toute brillante de pierreries de la couronne ». Margot, comme on l'appelait, était belle, intelligente et franchement malheureuse. On la disait amoureuse du duc de Guise, et elle aurait refusé de dire oui lors du mariage jusqu'à ce que le roi Charles IX en colère lui incline la tête par force pour lui faire signifier son consentement[28].

Les festivités durèrent quatre jours, mais en coulisses, les princes de la maison de Guise et les hauts dignitaires de l'Église catholique étaient outrés par ce mariage et horrifiés par l'esprit œcuménique qu'il symbolisait. Des espions anglais mirent en garde les gentilshommes huguenots, et l'atmosphère s'alourdit de sombres prémonitions. Le dernier jour des festivités, alors que le grand chef huguenot, l'amiral Gaspard de Coligny, se déplaçait dans Paris, un coup de feu retentit. Le premier des protestants fut grièvement blessé. Mais Charles IX promit sa protection aux huguenots, et ceux-ci restèrent à Paris[29].

À en croire la rumeur publique, des protestants s'apprêtaient à égorger le roi et à s'emparer du trône. Un vent d'effroi balaya Paris, et le roi fut saisi de panique lui aussi. Dans la nuit du 23 août 1572, les grands catholiques persuadèrent le roi terrifié qu'il fallait lancer une attaque préventive contre les huguenots. Charles IX donna son consentement. Les portes de la ville furent verrouillées. Les bateaux mouillant le long des quais de la Seine furent enchaînés à leurs amarres, et les milices catholiques furent armées. La nuit suivante, le prince Henri de Béarn et le duc de Condé furent convoqués dans les appartements du roi et arrêtés. Au petit matin, un Coligny convalescent fut assassiné dans son lit. Ce fut le signal du massacre. Les nobles huguenots venus assister au mariage du prince Henri furent attaqués. Près de quinze cents d'entre eux furent tués, nombre d'entre eux avec leur famille, dans ce qui fut appelé le massacre de la Saint-Barthélemy[30].

Le massacre s'étendit à toute la ville. Les miliciens catholiques arborant des croix blanches et des brassards s'en prirent à leurs voisins protestants et assassinèrent trois mille personnes dans une pure frénésie de peur et de rage. De jeunes enfants furent invités à prendre part à cette fête meurtrière. Ainsi, on confia à de petits catholiques le soin de châtrer et d'éviscérer le cadavre de l'amiral de Coligny et d'en traîner les restes dans les rues de Paris. Des dégradations semblables eurent lieu ailleurs dans les provinces de France[31].

Dans les appartements du roi, le prince Henri de Béarn et de Navarre avait le choix : se convertir ou périr. Le 26 septembre 1572, il se fit catholique. Il fut retenu à la cour dans une captivité luxueuse, bien gardé et surveillé de près. Le mouvement protestant subit un coup dur mais survécut, et la persécution le renforça. Les armées huguenotes se retranchèrent dans leurs places fortes comme La Rochelle et résistèrent. À la cour, le prince Henri parut se perdre dans les dissipations, mais il attendait son heure.

L'occasion lui vint après 1574 avec la mort de Charles IX et l'accession au trône d'Henri III. Une nouvelle tentative de coexistence pacifique s'ensuivit. On accorda des refuges aux protestants. On permit au prince Henri de quitter la cour, et on lui attribua le gouvernement de

LES GUERRES DE RELIGION EN FRANCE, 1562-1598

ANGLETERRE

PAYS-BAS
ESPAGNOLS

La Manche

Arques 1589 ✗

Vervins 1598 •

Amiens 1598 •

Le Havre •

✗ *Saint-Denis 1567*

Rouen 1562 ✗

Seine

*Dormans
1575* ✗

Ivry 1590 ✗

Dreux 1562 ✗

Paris 1572, 1594 ✗

LORRAINE

Crozon 1594
✗ *Agrandissement*

BRETAGNE

Chartres •

✗ *Auneau 1587*

Wassy 1562 ✗

Orléans 1562 ✗

Loire

Amboise •

✗ *Vimory 1587*

48°

48°

Sancerre 1573 ✗

✗ *Fontaine-Française 1595*

Bourges •

✗ *Arnay-le-Duc*

La Charité 1577 ✗

✗ *Moncontour 1569*

SAVOIE

• Poitiers

FRANCE

| | Principales régions huguenotes |
| | Sous contrôle de la Ligue catholique |

La Rochelle 1573 •

La Roche l'Abeille 1569 ✗

Saint-Jean-d'Angély •

Montbrison 1562 ✗

Rhône

✗ *Jarnac 1569*

Golfe de Gascogne

Coutras 1587 ✗

AVIGNON

Bayonne •

46°

Navarrens •

46°

NAVARRE

BÉARN

Mer Méditerranée

0 kilomètres   200

ESPAGNE

© Jeffrey L. Ward 2008

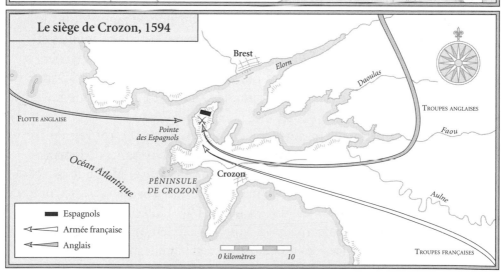

Le siège de Crozon, 1594

Brest

Elorn

Daoulas

TROUPES ANGLAISES

FLOTTE ANGLAISE

Faou

*Pointe
des Espagnols*

Océan Atlantique

PÉNINSULE
DE CROZON

Crozon

Aulne

▬	Espagnols
◁	Armée française
◁	Anglais

0 kilomètres   10

TROUPES FRANÇAISES

Guyenne dans le sud-ouest de la France. Une fois libéré, il abjura le catholicisme le 13 juin 1576 et gagna La Rochelle, où les seigneurs huguenots le reçurent sans enthousiasme. Les deux factions se méfiaient de lui[32].

Henri se mit à chercher une troisième voie entre les belligérants. En Guyenne, il réprima toute violence perpétrée par les protestants ou les catholiques, et il recruta une armée d'hommes des deux confessions. Il écrivit à un officier catholique : « Ceux qui suivent leur conscience sont de ma religion, et je suis de la religion de ceux qui agissent bien[33]. »

Les extrémistes de part et d'autre ne voyaient qu'opportunisme dans cette voie du milieu, et Henri n'était pour eux que le prince ondoyant, comme son père. Mais c'était différent cette fois. Le juste milieu d'Henri n'était pas qu'opportunisme. Il était mû par un principe élevé et par sa foi chrétienne. Le prince déclarait aux catholiques et aux protestants : « Nous croyons un Dieu, nous reconnaissons un Jésus-Christ, nous recevons un même évangile. » Aux zélotes des deux religions, il disait : « La guerre que vous avez poursuivie si vivement est indigne de chrétiens, de ceux principalement qui se prétendent docteurs de l'Évangile. » Cette idée devint un article de la foi chrétienne à ses yeux. Il en vint à croire profondément que rien ne pouvait être moins chrétien que les atrocités commises par les deux factions au nom du Christ. Il défendait l'unité et l'orgueil de la France, et le bien de ses peuples affligés[34].

En Guyenne, des citoyens de toutes confessions se rallièrent à lui. La sûreté de son jugement politique et son génie de la guerre commencèrent à se manifester. Il créa une armée formidable qui s'appuyait sur une infanterie aguerrie et la cavalerie gasconne. Son aide de camp, le duc de Sully, lui procura la meilleure artillerie d'Europe. Lorsque des villes et des nobles entraient en guerre contre lui, il ripostait avec courage, énergie et résolution. Avant peu, le sud-ouest de la France lui appartint. Dans la guerre comme dans la paix, le prince Henri était l'homme à suivre.

Puis se produisit un autre événement bizarre. Le roi régnant, Henri III de Valois, se mit à jalouser la popularité croissante d'Henri de Navarre, et le chef du parti catholique, Henri de Guise, en fit autant. Il en résulta un autre cycle de violences qui aboutit à la guerre des Trois Henri et à cinq autres années de combats (1584-1589). Dans cette lutte sanglante, le prince de Béarn réussit à force d'habileté à éloigner le Valois du Guise. En 1587, il les défit tous les deux en bataille rangée. Après ces durs combats, De Guise et Valois furent assassinés. Des trois Henri, il ne restait plus que le prince de Béarn et de Navarre. En 1589, il fut couronné roi sous le nom d'Henri IV, le premier monarque de la dynastie des Bourbons, qui devait gouverner la France pendant plus de deux siècles.

Pendant que le jeune Samuel de Champlain passait de l'adolescence à l'âge adulte, Henri IV faisait l'unité de la France. Mais il ne pouvait rester bien longtemps le roi protestant d'un peuple majoritairement catholique. Surprenant amis et ennemis, il se reconvertit au catholicisme. Le dimanche 25 juillet 1593, il se présenta à l'abbaye de Saint-Denis et en présence d'un grand concours de peuple, Henri s'agenouilla devant l'autel et jura obéissance à l'Église. Au même moment, une nuée de colombes s'envola du toit de l'abbaye, ce en quoi l'on vit un signe de la Providence favorable au roi et au royaume.

Nombreux étaient les catholiques qui se méfiaient d'Henri IV, et pour cause. Il en était à sa troisième conversion, et deux fois il avait regagné les rangs des réformés. Les grands de la Ligue catholique prétendirent que le cynique Henri avait dit avant la cérémonie : « Paris vaut bien une messe. » Rien ne prouve qu'Henri ait prononcé ce mot, qui aurait été impie, impolitique et contraire à ses intentions. Henri IV avait de plus grands desseins à l'esprit. Les guerres de religion ne lui inspiraient qu'horreur, et il croyait sincèrement que toutes ces tueries au nom de Dieu étaient inhumaines et antichrétiennes. Henri n'avait rien d'un mécréant. Son objet était de renouer avec le véritable esprit du Christ, rebâtir un État en lambeaux et unir un peuple divisé. Âme dirigeante d'une noble cause, le roi incarnait un exemple extraordinaire. Inspirés par son acte d'allégeance à Saint-Denis, un grand nombre de protestants se convertirent eux aussi au catholicisme. Parmi eux il y avait plusieurs grandes figures qui joueraient un rôle important dans l'histoire de la France et de la Nouvelle-France[35].

En Saintonge, Samuel Champlain s'est peut-être converti lui aussi au même moment. Chose certaine, il était catholique dès 1598, et probablement avant, vers 1595. Il l'était peut-être devenu en 1593 après qu'Henri eut abjuré le protestantisme dans cette cérémonie publique si spectaculaire[36]. Champlain suivit aussi l'exemple du roi dans la substance de ses convictions chrétiennes. Les deux hommes n'avaient que faire de la théologie. Ils n'aimaient guère les querelles doctrinales, ils méprisaient la haine religieuse et avaient la persécution en horreur. Ils étaient devenus des hommes à la foi profonde et trempée et cultivaient un esprit de piété chrétienne. En 1603, on disait d'Henri IV que sa piété « grandit tous les jours, et qu'il reconnaît tout devoir à Dieu. La reine dit qu'il prie tous les matins une demi-heure avant d'adresser la parole à qui que ce soit, et qu'il en fait autant le soir[37] ».

Champlain évolua dans le même sens. La vieillesse venue, il se fit plus pratiquant lui aussi. L'inventaire de sa succession révèle une collection imposante de livres pieux aux reliures de vélin solides destinés à l'usage quotidien. On remarque entre autres les *Fleurs des Saints, La Triple Couronne de la bienheureuse Vierge,* une *Chronique et instruction du père Saint-François,* une collection de *Figures des Pères Hermites,* un manuel traitant de la *Pratique de la Perfection chrétienne* et d'autres livres du même genre. Certains de ces ouvrages célébraient la Vierge Marie et les saints catholiques. La plupart étaient des guides de spiritualité s'adressant au chrétien pratiquant. Nombre d'entre eux offraient des modèles de piété, d'humilité et de bonnes œuvres. Champlain n'avait qu'aversion pour les querelles religieuses et méprisait surtout l'intolérance, qu'il considérait essentiellement contraire au christianisme. Dans leur cheminement spirituel, Henri IV et Champlain évoluèrent de semblable façon[38].

Champlain, comme Henri IV, adhérait aussi à l'idéal universel de l'Église catholique, qui enseigne que tous les êtres sont enfants de Dieu, bénéficiaires de la miséricorde du Christ et pupilles de l'Église universelle. Cette idée religieuse était fort éloignée de la notion calviniste de la rédemption particulière, qui tient que le Christ n'est mort que pour une élite. L'idée catholique d'une religion universelle illumina le règne d'Henri IV et l'entreprise coloniale de Champlain en Nouvelle-France.

Ces hommes admettaient aussi la nécessité de la pratique religieuse et l'importance du rituel sacré. À leurs yeux, l'observation de la religion était essentielle à la stabilité de la société et de l'État au XVIe siècle. Lorsque Henri accéda au trône, il accomplit scrupuleusement les rites publics propres aux rois chrétiens : visiter les malades, laver les pieds des pauvres le Jeudi saint, pardonner aux criminels le Vendredi saint et guérir les écrouelles le dimanche de Pâques[39].

Henri IV et Champlain vivaient à une époque où la civilisation occidentale était profondément divisée par l'idéal commun de la Seule Vraie Foi. Ils étaient nombreux dans le monde occidental à partager cette obsession, mais celle-ci ne prenait pas toujours la même expression.

Comparativement à d'autres chrétiens, la foi chez Henri et Champlain avait quelque chose d'unique, qui était restreint à un petit cercle de dirigeants français. Ils devaient cette conviction largement à leur vécu et à l'histoire de leur pays. Mais il y avait surtout chez eux la volonté de tourner le dos à la cruauté sanguinaire et oppressive des guerres de religion. Ainsi évoluèrent Henri IV et Champlain, et leur cheminement marqua profondément la Nouvelle-France.

Devenu roi, Henri IV imprima sa marque à son gouvernement. À cet égard aussi, Champlain allait être durablement influencé par l'exemple royal. Les deux hommes étaient doués d'une énergie et d'une endurance peu communes, et leur résistance à la doulour était infinie. Ils connaissaient très bien l'importance du tact et de la générosité dans les rapports avec les autres. Henri IV écrivait : « Un Roy pour estre grand ne doit ignorer rien. » Champlain conduisait les hommes en s'inspirant de la même règle[40].

Par tempérament, le Béarnais et le Saintongeais étaient d'une certaine manière aux antipodes l'un de l'autre. Henri IV était un viveur : à lui la bonne chère, les vins fins et la ripaille. Par-dessus tout, il adorait la compagnie des jolies femmes. Goût parfois immodéré qui nuisait à ses entreprises et lui attirait les reproches de ses amis intimes. Vers 1582, son fidèle partisan Philippe Duplessis lui écrivait : « Ces amours si découverts, et auxquels vous donnez tant de temps, ne semblent plus de saison. Il est temps, sire, que vous fassiez l'amour à toute la Chrétienté, et particulièrement à la France. » Sourd à ces remontrances, Henri conserva son goût œcuménique pour ces dames[41].

Samuel de Champlain aimait lui aussi la bonne chère et le bon vin, les gais compagnons et les bons moments. Mais Champlain avait une vie privée plus réglée. Dans la forêt américaine, il inclinait plutôt à chapitrer les Indiennes qui s'offraient à lui. Sur ce point, un océan séparait Henri IV de Champlain. Mais en matière politique et religieuse, le souverain et l'explorateur partageaient essentiellement les mêmes idées.

Les historiens dénombrent neuf guerres de religion en France de 1562 à 1598. En comparaison, les États-Unis n'ont subi qu'une seule guerre civile qui a duré quatre ans et dont les cicatrices sont encore visibles sur le visage de la grande république. Les guerres de religion en France ont duré près de quarante ans. D'après un spécialiste, elles auraient fait entre « deux et quatre millions de morts[42] ».

Henri IV et Champlain vécurent presque toute leur vie dans un pays déchiré par des luttes intestines. Ils réfléchirent sur les troubles de leur temps et en tirèrent des leçons. Les deux devinrent des humanistes dans un monde de cruauté et de violence. Henri IV s'employa infatigablement à unir son royaume, non tant par la force que par la persuasion. Il faisait appel à l'altruisme de ses sujets aussi bien qu'à leur intérêt matériel. Il invitait tous les peuples de France à partager son rêve d'abondance et de prospérité. Tous les ordres et tous les états profitèrent de ses faveurs. Il commença par acheter sans vergogne la loyauté de ses adversaires. Des sommes colossales furent versées aux nobles catholiques qui acceptaient de se rallier au roi et de reconnaître la légitimité des Bourbons. Les âmes dirigeantes de la maison de Guise remportèrent ici la palme. Le duc de Lorraine et le duc de Guise touchèrent ainsi plus d'un million d'écus chacun. Les grands capitaines monnayèrent aussi leur allégeance. Le maréchal de Brissac, gouverneur de Paris, reçut 492 800 écus pour sa soumission. Le maréchal de La Châtre, qui commandait les forteresses d'Orléans et de Bourges, y gagna 250 000 écus, et d'autres en touchèrent presque autant. Henri IV disait que leur loyauté tenait du *pas rendu, vendu*. Mais la plupart servirent ensuite le roi fidèlement[43].

C'était une politique ruineuse. Henri IV eut d'ailleurs à essuyer de vifs reproches de quelques monarques européens qui jugeaient que c'était donner le mauvais exemple que d'acheter la loyauté de ses sujets. Mais comme le roi disait à son ministre, le duc de Sully, il lui en aurait coûté dix fois plus s'il avait arraché ces soumissions par l'épée, et il avait probablement raison[44].

La politique d'Henri se fit sentir dans la vie de Champlain et la ville où il avait grandi. Brouage était passée sous la domination de la famille Saint-Luc, des nobles catholiques. Après avoir guerroyé contre les huguenots, François d'Espinay Saint-Luc se rallia à Henri IV et fut généreusement récompensé. Sa famille devint en fait propriétaire héréditaire du gouvernement de la ville. En 1596 lui succéda Timoléon d'Espinay Saint-Luc, « un esprit plutôt libertin » qui préférait vivre à la cour. La paix et la prospérité revinrent à Brouage, comme dans de nombreuses villes de Saintonge et de France. L'idée d'unité nationale commençait à gagner en force[45].

Henri IV faisait également appel à l'intérêt matériel de la bourgeoisie. Il versa de fortes sommes aux villes catholiques pour obtenir leur allégeance et signa des traités de réconciliation qui reconnaissaient des franchises, des privilèges et des institutions autonomes. Nombre de crimes furent pardonnés. Le catholicisme était la religion officielle du royaume, mais les protestants obtinrent le droit de culte. Les familles qui soutenaient le roi furent récompensées[46].

On promit la prospérité et l'abondance aux paysans et aux journaliers. Dans une conversation avec le duc de Savoie, Henri IV aurait dit : « Il n'y aura point de laboureur en mon royaume, qui n'ait moyen d'avoir une poule dans son pot. » D'autres se souvinrent que le roi avait promis « aux plus pauvres des paysans de ce pays d'avoir une poule dans leur pot tous les dimanches ». Le mot allait connaître une longue postérité. Les précepteurs de Louis XIV le répétèrent à leur souverain élève, mais sans grand effet. Aux États-Unis, le républicain Herbert Hoover en fit une promesse électorale, « à chacun une poule dans son pot », lors de la campagne présidentielle de 1928[47].

Henri IV rêvait de prospérité et d'abondance pour tous les peuples de France. Il devint aussi un grand bâtisseur et embellit de beaucoup sa capitale, Paris. Héritage magnifique, encore visible aujourd'hui : les berges et les quais le long de la Seine, le splendide Pont-Neuf, les jardins des Tuileries avec l'allée qui conduit au Louvre, les Champs-Élysées, la place Royale et la rue Dauphine. Le style Henri IV, une architecture privilégiant la brique et la pierre, donna le ton à Paris. Henri IV posa aussi les bases de la grande bibliothèque royale[48]. C'est à lui qu'on doit aussi le palais et les jardins de Fontainebleau, les résidences royales de Monceaux et de Saint-Germain.

Il adorait recevoir ses amis à Fontainebleau, déambuler et causer avec eux dans le vaste parc boisé qui entourait le palais. Le roi Henri tenait ses compagnons par la main, alors que d'autres monarques faisaient de la distance un instrument de leur pouvoir ; rien de tel pour Henri, qui cultivait l'intimité. Nombreux furent ceux qui notèrent cette habitude chez lui. Son biographe David Buisseret dit qu'il faut y voir le style culturel de ces Méridionaux du sud-ouest de la France qui s'étaient hissés au pouvoir avec la maison de Bourbon[49].

Henri s'employa aussi à unir les régions de France par tout un réseau de canaux et de routes. Avec le concours de son principal ministre, Sully (celui-là n'était pas des amis de Champlain), il lança des projets comme les canaux entre la Garonne et l'Aude qui devaient lier le golfe de Gascogne et la Méditerranée. Il conservait une armée forte mais lui tenait la bride sur le cou. Il avait interdit à ses soldats de piller les populations civiles. Il dit un jour à des capitaines qui permettaient à leurs troupes de piller les paysans : « Qui payera vos pensions, messieurs ? Vive Dieu ! s'en prendre à mon peuple, c'est s'en prendre à moi[50] ! »

Sa politique étrangère gagna bien des adhésions en France. Comme l'a écrit un grand historien français, la diplomatie du roi Henri créa un « nouvel équilibre » dans les affaires européennes. Il tenta de mettre fin à des années de guerre entre la France et l'Espagne au moyen de traités qui furent ratifiés par d'autres États européens. Henri IV était un homme aux grandes visées, dont certaines étaient très avant-gardistes. Il entrevoyait une union européenne qui en finirait avec la violence sur ce continent ravagé par les guerres. À la fin du XXe siècle, les artisans français de l'Europe communautaire reconnurent en lui un précurseur[51].

Cette ampleur de vues inspira beaucoup de jeunes Français, catholiques aussi bien que protestants, qui se rallièrent aux causes qu'Henri le Grand avait épousées. Après un siècle de violences et de cruautés, Henri IV proposait un idéal de paix, de générosité et d'humanité. Champlain compta parmi ces nombreux jeunes hommes qui se modelaient sur leur roi. Et pour des raisons que personne n'a jamais pu expliquer par des preuves historiques, le jeune Champlain eut le privilège de connaître autrement ce grand roi, de l'avoir pour mentor, bailleur de fonds, protecteur et ami. Quelle qu'en fût l'origine, cette amitié fut un élément fondamental dans sa vie.

CHAPITRE 4

Un soldat en Bretagne

L'armée, école du commandement, 1594-1598

*À Samuel de Champlain, aide du sieur Hardy [...] la somme
de neuf écus pour certain voyage secret qu'il a fait important
le service du Roy.*

Livres de comptes de l'armée d'Henri IV en Bretagne[1]

Indifférents à la conversion du roi, certains ligueurs refusaient de désarmer. Le jeune roi s'imposant de plus en plus, ses ennemis catholiques prirent tous les moyens pour lui barrer la route, entrant même en rébellion ouverte. D'où une nouvelle guerre civile, la neuvième et la plus sanglante de toutes : la guerre de la Ligue. Les combats embrasèrent toutes les provinces du royaume et dégénérèrent en une véritable guerre européenne[2].

Une fois de plus, le parti catholique sollicita le concours d'armées espagnoles et italiennes, et recruta même des volontaires en Irlande et ailleurs. La France fut envahie par le nord, le sud et l'ouest. Une grande armée espagnole débarqua en Bretagne et fortifia certaines villes stratégiques. Une autre armée envoyée par Madrid franchit les Alpes au sud et pénétra en Bourgogne en 1595. Dans le nord-ouest, l'infanterie espagnole prit Calais sur la Manche. Un contingent composé d'Espagnols, d'Italiens et de Wallons, dirigé par le comte de Fuentes, général réputé pour sa cruauté, s'empara d'Amiens au printemps suivant. Ces armées se livrèrent à des pillages, des viols, et ravagèrent de nombreuses provinces. L'une d'elles parvint presque aux portes de Paris[3].

Ces invasions mettaient en péril la jeune dynastie bourbonienne et la souveraineté de la France. Elles causèrent d'atroces souffrances dans tout le pays. Une fièvre patriotique s'empara alors de la nation. Les protestants, qui soutenaient ardemment le roi, profitèrent cette fois-ci de l'appui d'un grand nombre de bons catholiques las des querelles religieuses et horrifiés par la conduite de la Ligue. Les petites gens se rallièrent au roi, en qui ils voyaient un chef capable d'unir leur pays dévasté et de chasser ces armées étrangères qui dépouillaient amis aussi bien qu'ennemis.

Le roi rassembla autour de sa personne les meilleurs officiers du royaume. Les maréchaux de France, dont beaucoup étaient catholiques, le soutinrent sans faille contre la Ligue. Henri prit lui-même la tête de la campagne et la dirigea en première ligne. Il agit avec résolution, avança avec énergie, s'avéra meilleur capitaine que ses adversaires, et ses armées furent victorieuses. Il commença par neutraliser la menace venue du sud. En 1595, il remporta une victoire brillante à Fontaine-Française, en Bourgogne, et écrasa l'ennemi dans le Midi. Il porta ensuite son regard vers le nord et, après un siège pénible, reprit la forteresse névralgique de La Fère en 1596. Le 15 septembre, il libéra Amiens. Chaque victoire lui valait de nouvelles adhésions. Puis Henri dépêcha une armée dans l'ouest de la France, où son pouvoir était le plus menacé. La Ligue catholique y était fermement implantée, et les Espagnols occupaient quelques grands ports de mer bretons. La monarchie espagnole n'avait épargné ni hommes ni argent pour remporter la campagne. Elle avait fait ériger des fortifications massives à Crozon, dans l'ouest de la Bretagne, et à Blavet (aujourd'hui Port-Louis), dans le Morbihan. Ce furent cinq années d'âpres combats, qui ne se terminèrent qu'en 1598[4].

Samuel Champlain fut de ces nombreux jeunes Français qui portèrent les couleurs du roi en Bretagne. Il s'était engagé dans l'armée royale comme volontaire et son nom apparut pour la première fois dans les livres de comptes de l'armée en 1595 : il était alors attaché au sieur Jean Hardy, officier au logis du roi, le service de ravitaillement de l'armée royale. Le tout premier de ces registres de solde le dit fourrier. Le jeune Champlain fit donc ses débuts comme sous-officier chargé des subsistances et touchait la somme modeste mais non négligeable de trente-trois écus par mois[5].

Les officiers supérieurs du logis du roi ne tardèrent pas à le distinguer. Le gros du ravitaillement de l'armée en Bretagne était assuré par mer, et Champlain avait été formé au commerce et avait navigué le long de la façade atlantique de la France. Antécédents qui le rendaient parfaitement apte à accomplir cette tâche difficile qui consistait à ravitailler une armée du XVIe siècle[6]. Il semble avoir plu à ses chefs car l'avancement ne tarda pas. L'année n'était pas écoulée que le fourrier avait été promu

« aide du sieur Hardy ». Un peu plus tard, il se dit lui-même « maréchal des logis », l'officier responsable du ravitaillement[7]. On se mit alors à lui confier des missions. En 1595, il toucha une solde supplémentaire « pour certain voyage secret qu'il a fait important le service du Roy[8] ». On ignore en quoi consistaient ce « voyage secret » et ce « service important », mais désormais, les officiers payeurs de l'armée parlaient du « sieur de Champlain[9] ».

Le haut commandement de l'armée le remarqua. Champlain nous dit qu'il fut aide de camp de trois maréchaux : Jean d'Aumont, François d'Espinay, seigneur de Saint-Luc, et Charles de Cossé-Brissac, beau-frère de Saint-Luc. Ces hommes étaient des maréchaux de France, très proches du roi. Ils se trouvaient au cœur des combats très durs qui ponctuèrent la campagne de Bretagne[10].

Champlain combattait lui aussi. Il n'était pas homme à rester à l'arrière. Une armée au XVIe siècle opérait d'une manière bien différente d'une armée moderne. Le jour de la bataille, aides de camp et officiers d'état-major du logis du roi délaissaient la plume pour l'épée. Une gravure d'un camp fortifié qui fut attaqué dans une zone de combat nous montre le logis du roi en première ligne[11].

Champlain prit part à l'une des campagnes les plus âpres de la guerre : le siège de Crozon, sur la côte occidentale de Bretagne. L'enjeu était une péninsule stratégique qui commandait l'accès à Brest et aux rivières de l'ouest. L'extrémité de la presqu'île de Crozon était un promontoire aux falaises abruptes qui en faisaient une forteresse naturelle. C'est aujourd'hui un lieu tranquille avec des échappées sur la mer qui s'étendent jusqu'à la base navale de Brest. L'été, les familles y vont piqueniquer, et les enfants jouent au milieu des fortifications en ruines.

En 1594, la presqu'île de Crozon fut le théâtre d'affrontements féroces. Un officier espagnol très habile, Don Juan d'Aguila, y commandait cinq mille hommes. Ses ingénieurs avaient bâti un fort massif appelé El León, avec un mur extérieur de onze mètres d'épaisseur. Don Juan y installa une batterie qui dominait les approches de Brest et s'entoura d'un solide corps d'infanterie[12].

La reine Élisabeth Ire d'Angleterre avait dépêché un contingent imposant pour soutenir Henri IV dans une opération combinée contre les Espagnols à Crozon. Il s'ensuivit une furieuse campagne au cours de laquelle Champlain fit le coup de feu. L'armée française avait pour chef son supérieur immédiat, le maréchal Jean d'Aumont. La flotte anglaise,

Dans la dernière guerre de religion, les escarpements de la péninsule de Crozon détenaient la clé du port de Brest et assuraient le contrôle de la Bretagne occidentale. C'est ici, en 1594, que les troupes françaises et anglaises défirent une armée espagnole après de durs combats. Aux yeux du jeune Champlain, ces falaises nues étaient chargées de lauriers à prendre.

forte de onze navires, était conduite par Martin Frobisher, explorateur déjà célèbre.

Les forces alliées tentèrent de prendre le fort d'assaut mais furent repoussées plusieurs fois avec de lourdes pertes. On essaya alors de creuser un tunnel sous le mur du fort et de le détruire avec une mine. Le 7 novembre, la mine explosa et ouvrit une petite brèche. Les troupes anglaises et françaises s'y précipitèrent, menées par Frobisher et d'Aumont, et l'on présume que le maréchal français avait ses aides de camp à ses côtés. Il fut noté que Champlain avait montré une bravoure exemplaire[13].

Les quatre cents défenseurs espagnols combattirent avec un courage léonin. Le dos à la falaise, ils résistèrent jusqu'au dernier homme. D'après le commandant anglais, « jamais ils ne demandèrent grâce, si bien qu'ils furent tous passés au fil de l'épée ». Après la bataille, on retrouva cinq ou six survivants espagnols sur les rochers d'en bas. Ils furent faits prisonniers et renvoyés avec tous les honneurs à leur com-

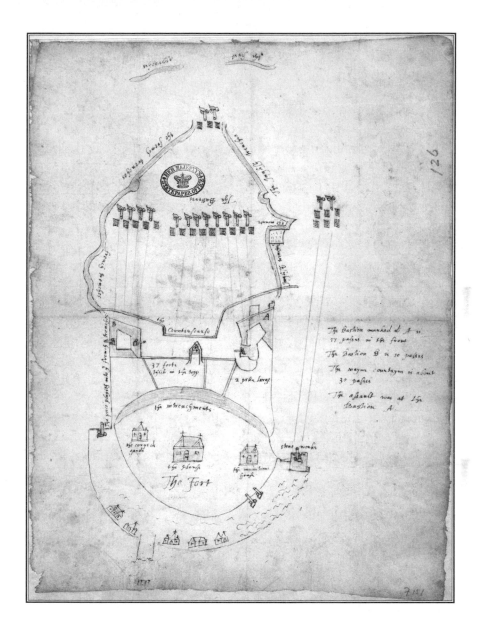

Le fort espagnol El León à Crozon, d'après un croquis tracé par l'officier anglais John Norreys (1594). Après avoir été repoussé plusieurs fois, Martin Frobisher conduisit les troupes anglaises du côté droit de cette carte et tomba mortellement blessé. Champlain et les troupes françaises attaquèrent de la gauche et remportèrent la bataille.

mandant, qui les fit pendre parce qu'ils n'avaient pas combattu jusqu'à la mort. En hommage au courage des vaincus, on baptisa le lieu la Pointe des Espagnols. Le nom est resté[14].

Les combats durèrent encore cinq ans en Bretagne. Deux des supérieurs de Champlain tombèrent au champ d'honneur : le maréchal d'Aumont à l'été 1595, et le maréchal de Saint-Luc à Amiens, au nord. Champlain fit toute la campagne[15]. En 1597, il apparaît dans les registres de l'armée avec le grade de « capitaine d'une compagnie » à la garnison de Quimper, ville fluviale fortifiée du sud-ouest de la Bretagne, à mi-chemin entre Brest et Blavet[16].

Champlain ne cessa de monter en grade pendant son service. Il passa de simple engagé à sous-officier, fut nommé aide de camp d'un officier du ravitaillement et fut bientôt fait officier chargé d'une mission secrète pour le service du roi ; puis il fut admis dans l'entourage des premiers maréchaux de l'armée royale, après quoi il obtint son propre commandement. On observe un avancement tout aussi rapide dans sa carrière américaine. Le roi lui-même avait peut-être favorisé son ascension. Mais si la faveur royale lui ouvrit peut-être quelques portes, c'est par son mérite que Champlain en franchit le seuil.

Pour Champlain, l'armée royale en Bretagne devint l'école du commandement. Il y apprit la fidélité que l'on doit à ses camarades, l'obéissance aux supérieurs, la responsabilité que l'on assume pour ses subordonnés, la loyauté à une cause et l'endurance qu'exige une longue lutte. Cette expérience lui enseigna à être maître de lui-même, la première étape à atteindre dans l'apprentissage du commandement. Il y apprit aussi l'importance de la force, de l'énergie et de la fermeté dans ses desseins. Un bon capitaine, écrivit-il plus tard, « doit être robuste, dispos » et « infatigable aux peines et travaux[17] ». Surtout, ce fut l'école du courage, de l'honneur et du devoir. Plus tard, il écrivit que le capitaine doit « montrer un courage mâle, se moquer de la mort bien qu'elle se présente, et il faut d'une voix assurée et d'une résolution gaie, inciter un chacun à prendre courage, faire ce que l'on pourra pour sortir du danger[18] ».

Champlain apprit autre chose aussi. Certains hommes qui combattaient à ses côtés en Bretagne avaient une longue expérience de l'Amérique. Parmi eux, le commandant anglais au siège de Crozon, Martin Frobisher. Il était plus âgé que Champlain, mais les deux avaient beaucoup en commun. Tous deux étaient gens d'armes et de mer. Les deux avaient été les émissaires secrets de leur roi dans les années 1590. Les deux étaient à Crozon[19]. Ils se sont peut-être rencontrés lorsque Frobisher consultait le commandant français, Jean d'Aumont, Champlain étant alors affecté à l'état-major d'Aumont. Ils ont probablement combattu ensemble lors de l'assaut final contre le fort El León, où Anglais et Français chargèrent côte à côte sur l'étroit pont-jetée menant au fort espagnol. Atteint d'une balle à la jambe, Frobisher mourut de sa blessure plus tard[20].

Les deux auraient pu faire connaissance et discuter au cours de la campagne de Crozon. Ils avaient encore autre chose en commun. Tous deux s'intéressaient à l'exploration de l'Amérique du Nord. Des années plus tard, Champlain parla de son compagnon d'armes « Messire Martin Frobisher » comme on l'aurait fait d'un familier. Il était parfaitement au courant des trois voyages nordiques de Frobisher vers l'Amérique à la recherche d'or, d'un passage vers la Chine et de lieux de colonisation. Frobisher n'avait atteint aucun de ses buts, mais Champlain dit de ses aventures qu'elles avaient inspiré sa vision d'une nouvelle France en Amérique du Nord[21].

Pour Henri IV, les guerres de religion connurent leur aboutissement en 1598, entre autres grâce à certains événements décisifs en Bretagne. Les Espagnols ayant été repoussés à Crozon, les armées bretonnes de la Ligue furent mises en pièces dans les affrontements qui suivirent. Les combats prenant fin, le roi s'employa à faire la paix avec la même détermination qu'il avait mise à faire la guerre. Il y arriva à sa manière à lui, inimitable comme toujours, c'est-à-dire avec un mélange de coercition et de conciliation. Le dernier chef de la Ligue défaite, le duc de Mercœur, fut invité à se rendre et obligé de donner sa fille en mariage au fils illégitime du roi, César, duc de Vendôme.

Pierre de l'Étoile, le célèbre diariste parisien, raconte une anecdote révélatrice sur le roi victorieux et le duc vaincu : « Sa composition [le traité] eût été avantageuse et honorable […] la conclusion du traité fut le mariage du petit César avec la fille de ce duc […] ladite dame ayant, un jour, trouvé Sa Majesté qui s'ébattait à faire les cheveux à son petit César, lui demanda, en riant, s'il était bien possible qu'un grand roi comme lui fût son barbier. À laquelle Sa Majesté répliqua sur-le-champ : "Pourquoi non, ma cousine ? C'est moi qui fais la barbe à tout le monde. Voyez-vous point comme je l'ai bien faite ces jours passés, à M. de Mercœur votre mari[22] ?" »

Henri s'empressa de consolider sa victoire en Bretagne. Le 13 avril 1598, il régla le contentieux religieux avec l'adoption de l'édit de Nantes. Les chefs protestants et catholiques de France acceptèrent le compromis qui leur était offert : un État officiellement catholique mais tolérant de la dissidence protestante, avec une latitude très large pour les hégémonies locales. C'était un accord complexe, comptant quatre-vingt-douze articles généraux et cinquante-six dispositions secrètes qui, pour la plupart, exemptaient certaines villes et certains particuliers de l'application des conditions générales. En outre, deux mandats royaux octroyaient de fortes sommes à des villes huguenotes pour leurs « dépenses lourdes » qu'elles auraient à faire et assuraient la rémunération annuelle des troupes huguenotes. Des deux côtés, calviniste et catholique, certains murmurèrent contre ce compromis, qui ne tarda pas cependant à s'imposer[23].

Le mois suivant, le roi conclut un autre accord qui, cette fois, assura la paix à toute l'Europe. En mai 1598, des dirigeants français et espagnols en grand nombre se rencontrèrent dans la ville de Vervins et signèrent un traité. On ne se souvient guère aujourd'hui de la « paix de Vervins », mais ce fut un événement marquant dans les débuts de l'histoire moderne. Dans la plupart des provinces françaises, elle mit fin à quarante années de guerres religieuses féroces et inaugura une longue période de paix intérieure. Philippe d'Espagne accepta de retirer ses troupes du territoire français. Les forces portugaises et italiennes suivirent, tout comme les volontaires irlandais et écossais[24].

La paix de Vervins fut un événement européen dans la mesure où de larges pans du traité furent ratifiés par d'autres souverains. Élisabeth d'Angleterre et les gouvernants des Pays-Bas devinrent parties au traité de paix de diverses manières. Le grand accord de Vervins fut suivi d'autres traités entre l'Angleterre et l'Espagne, la France et la Savoie, et aussi l'Espagne et les Pays-Bas. Les rois catholiques de France et d'Espagne et les dirigeants protestants d'Angleterre et de Hollande admirent à contrecœur l'idée d'une coexistence pacifique. Édifice bien fragile mais qui survécut pendant tout le règne d'Henri IV[25].

Le biographe du roi Henri, David Buisseret, écrit que « l'année 1598 fut pour Henri une *annus mirabilis* lorsque Mercœur mit fin à sa résistance obstinée, les protestants admirent le compromis de l'édit de

Nantes et l'Espagne accepta une paix honorable ». Pour la première fois depuis des années, le roi de France devenait maître de tout son territoire. Le pays se rallia autour du jeune roi triomphant et de son rêve pour la France, soit un pays où régneraient la paix et le pluralisme. Henri se faisait de la France l'idée d'un pays uni par la tolérance de la diversité et le respect mutuel des différences. Nombreux furent ceux qui en vinrent à partager cette vision en 1598. Sous le gouvernement d'Henri IV, le peuple divisé de France se mit à se considérer comme une nation unie[26].

La paix de Vervins s'avéra aussi un événement charnière dans l'histoire de l'Amérique. La fin des hostilités avec l'Espagne ouvrit de nouvelles possibilités dans le Nouveau Monde pour la France, l'Angleterre et la Hollande. Plusieurs historiens croient que les négociations de Vervins comportaient un accord secret concernant l'Amérique. On pense qu'Henri IV et Philippe II en profitèrent pour reconnaître l'existence des « lignes d'amitié » en Atlantique qui allaient réduire les conflits entre les grandes puissances européennes.

Il n'existe aucun document prouvant cela dans le traité de Vervins ou dans les archives des hommes qui l'ont négocié. Le brillant historien français Éric Thierry doute qu'une ligne d'amitié ait été tracée dans le cadre des négociations de Vervins. Il a probablement raison, mais il semble que quelque chose se soit passé là-bas, et ce quelque chose pesa lourd dans la carrière de Champlain.

Les monarques européens avaient tracé de nombreuses lignes sur les cartes de l'océan Atlantique bien avant le traité de Vervins ; ils ne se privèrent pas non plus de le faire par la suite. Le 4 mai 1493, le pape Alexandre VI avait émis une bulle établissant une « ligne de démarcation » qui allait du nord au sud à cent lieues à l'ouest des Açores. Sa Sainteté décrétait que toutes les terres découvertes à l'est appartiendraient au Portugal et que celles à l'ouest iraient à l'Espagne. Les Portugais étant mécontents de cette décision, le traité de Tordesillas traça une nouvelle ligne, à 370 lieues (1 100 milles marins) à l'ouest des îles du Cap-Vert, ce qui consolidait les prétentions du Portugal sur le Brésil. D'autres États tinrent ce traité pour nul et non avenu. En 1598, Henri IV fit savoir aux autorités espagnoles qu'il ne s'estimait nullement lié par les accords qui avaient permis à l'Espagne et au Portugal de se partager le monde. Il voulait un système plus ouvert[27].

Après 1598, une autre série de lignes fut reconnue officiellement par les successeurs du roi Henri. En 1634, Louis XIII mentionna dans une lettre une « ligne d'amitié et d'alliance » qui avait été tracée « depuis quelques années ». On les appelait aussi « lignes d'enclos et d'amitié ». Louis XIII semblait croire que l'une de ces lignes allait du nord au sud « au méridien » de 18 degrés de longitude ouest, passant par la ville de Ferro [Hierro], sur l'île à l'extrémité sud-ouest des Canaries. Une autre ligne allant d'est en ouest le long du tropique du Cancer passait entre la Floride et Cuba en Amérique, et à mi-chemin entre les Canaries et les îles du Cap-Vert au large de la côte africaine. Au nord et à l'est de ces lignes, tout acte d'hostilité entre navires français et espagnols était interdit. Mais cette règle ne s'appliquait pas au sud et à l'ouest de cette ligne d'amitié[28].

Il ne semble pas y avoir eu de texte définitif à ce sujet. En conséquence, les successeurs d'Henri IV ont tracé des lignes d'amitié en divers endroits. Marie de Médicis, reine régente de France après la mort du roi Henri, croyait que la ligne nord-sud se trouvait plus à l'ouest, et qu'elle passait par la longitude des Açores et non des Canaries. Mais elle admettait que la ligne est-ouest suivait le tropique du Cancer.

Peu importe où ces lignes étaient tracées, les souverains de France et d'Angleterre reconnaissaient le principe d'amitié au nord et à l'est, leur rivalité pouvant s'exprimer librement au sud et à l'ouest. En 1611, Marie de Médicis écrivit au roi Jacques Ier d'Angleterre : « Tous les actes d'hostilité qui se feraient au-delà du Méridien des Açores pour l'Aval, et du tropique du Cancer pour le Midi, ne seront sujets à complaintes et répétition, et les plus forts en ces quartiers là seront les maîtres[29]. »

Marquant leur accord, les Anglais résumaient leur position brutalement en ces termes : « Point de ligne, point de paix » (no peace beyond the line). D'après l'historien Carl Bridenbaugh, cette maxime guida les actes officiels et la conduite privée des Anglais, Français, Hollandais et Espagnols dans les Antilles pendant tout le XVIIe siècle[30].

Henri IV alla plus loin et fit savoir à l'Espagne qu'il n'admettait pas son hégémonie dans le Nouveau Monde. Il était manifestement décidé à la contester — par des moyens pacifiques autant que possible, mais par la force aussi si nécessaire. Après 1598, il encouragea les Français à s'établir au Brésil et à commercer aux Indes occidentales, et il menaça de représailles les navires espagnols qui s'attaqueraient aux Français dans ces eaux[31]. Immédiatement après la paix de Vervins, Henri IV manda également aux autres souverains qu'il entendait exercer sa souveraineté dans cette région de l'Amérique du Nord appelée

Nouvelle-France sur toutes les mappemondes européennes. La France faisait valoir son titre de propriété en invoquant le droit de découverte qui s'était exercé lors des voyages de Jacques Cartier et d'autres. Henri IV avait une vision de la Nouvelle-France qui lui ressemblait : il la voulait ample, vaste. Il en arrêtait la frontière méridionale au quarantième parallèle, environ à la hauteur de Philadelphie. Il réclamait pour la France toute la côte et l'intérieur de l'Amérique situés au-dessus de cette ligne[32].

Cette activité était liée à un autre grand dessein qu'Henri IV cherchait à mettre en œuvre avec plus d'ardeur après 1598. Il s'intéressait depuis longtemps aux diverses régions de l'Amérique et s'imaginait souvent imitant l'exemple de François Ier, qui avait parrainé les voyages de Cartier et des autres explorateurs français. Dès les années 1570, avant de monter sur le trône, le prince de Navarre avait soutenu la colonisation française dans certaines parties de l'Amérique du Sud[33]. En août 1588, il correspondit avec Sir Francis Drake, l'appelant son « très affectionné et meilleur ami », à propos des possibilités que renfermait le Nouveau Monde. À ce stade, il s'agissait surtout de questions et non de prétentions[34].

Après avoir accédé au trône, il montra plus de fermeté dans la résolution qu'il avait de faire de la France une puissance mondiale, et il déploya une énergie considérable dans la promotion des établissements en Nouvelle-France. Il s'efforça au même moment de créer une marine puissante, cette marine qui n'avait été qu'une vue de l'esprit pendant sa jeunesse. Si l'on en croit un historien français, avant l'avènement d'Henri IV, la marine de France était « parfaitement impuissante contre les corsaires ou pirates ». Elle s'était même avérée incapable de conduire un diplomate français à l'étranger : en 1579, le gouvernement français avait dû affréter un navire de guerre vénitien pour transporter l'ambassadeur de France à Constantinople[35]. Le grand historien de la marine française Étienne Taillemite a écrit que la faiblesse de la marine obligeait les marchands français à armer leurs vaisseaux comme s'il s'était agi de bâtiments de guerre. Tout marin français qui s'aventurait en haute mer devait savoir aussi jouer du fusil[36].

Henri IV ne réussit pas à doter la France d'une marine puissante. Il fallut attendre le règne de Louis XIII et le gouvernement de Richelieu pour qu'apparaisse l'embryon d'une vraie force navale. Mais il eut plus de succès dans l'exploration française à l'étranger. Il visita les provinces maritimes de France et rencontra les hommes qui allaient en mer. En 1601, il était à Calais dans le nord ; en 1602, il se rendit à Saint-Jean-de-Luz tout au sud. Dans l'année qui suivit, on le vit à Rouen, au Havre, à Dieppe, Dives et Caen. Il s'agissait dans certains cas de visites officielles. Dans d'autres, il s'agissait d'enquêtes d'un autre genre. Dans les premières années de son règne, le roi aimait voyager incognito, habillé de haillons qu'il préférait souvent aux parures royales. Il recherchait la compagnie des pêcheurs au parler franc dans les tavernes portuaires et leur parlait en toute simplicité, sans révéler son identité[37].

Ses desseins ne visaient pas un continent ou un océan en particulier. Il soutint ardemment l'exploration arctique et accorda une charte à une compagnie du Pôle Nord qu'il chargea de trouver un passage vers l'Orient dans le nord-ouest ou le nord-est. Cette compagnie ne trouva pas la route de l'Asie mais elle développa une industrie baleinière dans l'océan Arctique, aux abords du Groenland et du Spitzberg[38]. Le roi encouragea aussi des expéditions qui partirent de Normandie et se rendirent au cap de Bonne-Espérance. En 1604, il tenta de fonder une Compagnie française des Indes orientales en s'inspirant des modèles hollandais et anglais, mais sans grand succès. Le premier marchand à la tête de l'entreprise mourut subitement, et celle-ci échoua. Scénario qui allait souvent se répéter dans l'histoire des explorations françaises outre-mer. Le roi fit de nouvelles tentatives mais se heurta à une forte opposition chez lui et à l'étranger, et celle de son propre ministre, le duc de Sully, ne fut pas la moindre, lui que l'on croyait à la solde des intérêts hollandais. Le projet des Indes orientales n'avait pour seul moteur que le roi lui-même. Le projet mourut avec lui et ne fut pas ranimé avant de nombreuses années[39].

Mais il y avait quand même de hardis marins français prêts à explorer les rivages lointains. En 1586, un capitaine de Dieppe, Jean Sauvage, se mit en frais de découvrir la route de la Chine par le nord-est. Il doubla le cap Nord de Norvège et parvint jusqu'à Archangelsk, cette ville qui avait été ouverte au commerce occidental par Boris Godounov. À Saint-Malo, un autre petit groupe de marchands fonda une compagnie destinée à commercer avec l'Extrême-Orient et y dépêcha deux navires en 1601. L'un des vaisseaux atteignit Madagascar puis s'échoua aux îles Maldives, dans l'océan Indien. L'autre gagna Ceylan, poursuivit sa route jusqu'à Sumatra et regagna l'Europe après bien des aventures, pour finir capturé par un navire hollandais au large du cap Finisterre, en Espagne. Le regard du roi Henri embrassait littéralement le monde. Toutes les régions de la terre excitaient son intérêt[40].

Henri IV fit des efforts importants pour accroître la présence française en Amérique du Nord, et il s'entêta dans ce sens malgré les nombreuses difficultés. L'historien Bernard Barbiche écrit : « Avec une persévérance remarquable, qu'aucun de ses prédécesseurs n'avait eue, en dépit des obstacles et des échecs, Henri IV a finalement réussi à installer durablement la présence française au Canada[41]. »

Comme dans ses nombreux autres projets, le roi savait très bien ce qu'il voulait. Son objectif premier était d'encourager la colonisation en Nouvelle-France. Dans ses lettres patentes régissant les établissements français en Amérique, le roi ordonna que des terres soient concédées à des gens de mérite « en fiefs, seigneuries, châtellenies, comtés, vicomtés, baronnies et autres dignités relevant de Nous ». Sa vision de la société idéale était fondée sur le modèle féodal et monarchique, mais dans une version améliorée. Ce monde nouveau aurait une hiérarchie fondée sur une cascade de rangs sociaux, tous ancrés dans le sol. Il voulait que cette société soit régie du haut vers le bas, par la noblesse du mérite et de la vertu. Henri IV voulait aussi que la Nouvelle-France soit ouverte aux protestants aussi bien qu'aux catholiques, tous unis dans leur foi dans le même Dieu et leur allégeance à la même couronne. Cette colonie aurait une économie diversifiée mais serait privée de la liberté de commercer. Le roi accorda des monopoles pour les pêches et la traite des fourrures à des particuliers et des groupes qui sauraient se rendre utiles à la concrétisation de ses desseins[42].

Henri IV fut un « ardent partisan de l'expansion française outre-mer », comme l'écrit Bernard Barbiche, et « la politique coloniale de la France sous son règne a été son œuvre ». Politique fort éloignée de celle de ses successeurs. Sous Louis XIII et Louis XIV, les maîtres d'œuvre de ces entreprises furent les grands commis de l'État, Richelieu et Colbert. Les rois approuvaient les grands projets de colonisation mais n'y mettaient jamais la main. Henri IV fut lui-même le principal artisan de la colonisation outre-mer, en dépit de vives résistances parmi son entourage.

Son très puissant ministre, le duc de Sully, n'avait pas de mots assez durs pour condamner les entreprises coloniales. Il considérait que les colonies lointaines étaient « disproportionnées au naturel et à la cervelle des Français, que je reconnais à mon grand regret n'avoir ni la prévoyance requise pour telles choses, et ne portent ordinairement leur vigueur, leur esprit et leur courage qu'à la conservation de ce qui leur touche de proche en proche[43] ». Il croyait aussi que les colonies privaient la France des énergies nécessaires à la mise en valeur des plus importantes sources de richesse domestiques. Dans ses *Économies royales* de 1638, il faisait valoir que « le labourage et le pâturage étaient les deux mamelles dont la France était alimentée, et les vraies mines et trésors du Pérou[44] ».

Sully détestait tout particulièrement le projet nord-américain, alléguant que « l'on ne tire jamais de grandes richesses des lieux situés au-delà de quarante degrés » de latitude. Non seulement il s'opposait aux desseins que nourrissait son roi pour la Nouvelle-France, mais il fit tout en son pouvoir pour les faire avorter. Comme l'écrit Barbiche, Sully, « qui tenait les cordons de la bourse, n'a pas dépensé un denier pour le Canada ». Sully maintenait que la colonisation ne devait pas émarger au trésor royal et exigeait que toute entreprise soit entièrement financée par des capitaux privés. Il appuya même des groupes commerciaux rivaux pour miner les efforts déployés par les hommes que le roi avait choisis pour piloter le développement de la Nouvelle-France. Sully était peut-être de mèche avec des marchands hollandais, peut-être était-il même à leur solde. Il est surprenant que le roi ait toléré cela, mais les deux hommes étaient de vieux compagnons d'armes et avaient bien d'autres sujets de concorde[45].

Les fondateurs de la Nouvelle-France connaissaient leurs ennemis, et ils savaient le rôle fondamental que jouait Henri IV dans leur entreprise. Samuel de Champlain aborda cette question dans ses *Voyages de la Nouvelle France* de 1632, louant avec affection et gratitude « Henri le Grand (d'heureuse mémoire) qui avait de l'amour pour ce dessein[46] ».

Le « dessein » de Champlain est né de la vision qu'Henri IV avait de la Nouvelle-France. Les deux hommes avaient beaucoup en commun sur ce point. Les deux avaient réprouvé les horreurs dont ils avaient été témoins pendant les guerres de religion. Les deux rêvaient d'une nouvelle France en Amérique du Nord qui tablerait sur le meilleur du Vieux Monde qu'ils connaissaient et sur une idée généreuse de l'humanité qui embrassait des gens différents d'eux-mêmes. Certains mauvais esprits qui font métier d'écrire l'histoire aujourd'hui n'ont que moqueries pour une telle pensée. Mais ces Français extraordinaires qui vivaient il y a quatre siècles de cela avaient vu de leurs yeux vu les pires cruautés que les hommes peuvent s'infliger les uns aux autres. Ils savaient aussi quelque chose à propos de la condition humaine que d'autres n'apprendraient jamais. Ils avaient vu la bonté et la noblesse dont les êtres sont capables dans les pires moments, d'où l'espoir qu'ils avaient de fonder un monde meilleur.

CHAPITRE 5

Espion en Nouvelle-Espagne

Au service secret de Sa Majesté, 1599-1601

> *Au commencement de ses conquêtes, le roi* [d'Espagne] *avait établi l'inquisition entre* [les Indiens], *les rendait esclaves, ou les faisait cruellement mourir en si grand nombre que le récit seulement en fait pitié.*

Champlain, à propos des Indiens en Nouvelle-Espagne[1]

On était en 1598. La guerre en Bretagne était finie, et le jeune capitaine de Saintonge se trouvait, comme il l'écrivit lui-même, « sans aucune charge ni emploi[2] ». Champlain était alors à Blavet, port de mer sur la côte sud de la Bretagne. Ce lieu aujourd'hui s'appelle Port-Louis, petite ville très jolie, toute faite de pierre, où l'on a préservé bon nombre des vieux édifices et des éléments de la forteresse massive édifiée par les Espagnols pendant la guerre de la Ligue[3].

La garnison espagnole y était toujours, et elle s'apprêtait à être rapatriée conformément au traité de Vervins. Pendant la guerre, Champlain y avait commandé un détachement chargé de la surveiller. Déambulant sur le front de mer, il avait devant lui un vaste estuaire avec deux passages s'ouvrant sur la mer. La passe du sud pointait vers le golfe de Gascogne et l'Espagne. La passe de l'ouest s'ouvrait vers l'Amérique. Derrière lui, une campagne sombre et ruinée par des décennies de guerres religieuses. Devant lui, la mer libre et un monde scintillant aux promesses infinies[4].

C'est dans ce contexte que le remuant jeune homme ourdit un plan, qui s'articulait autour d'une vision de l'Amérique. Il avait beaucoup entendu parler du Nouveau Monde. À Brouage et en Bretagne, il avait connu des hommes qui y avaient été et dont les récits avaient dû charmer cet auditeur si réceptif. Il savait que le roi s'intéressait de plus en plus à l'Amérique. Le jeune Champlain voulait en savoir davantage. La question était de savoir où commencer.

Du front de mer de Blavet, il était évident qu'il suffisait d'emprunter la passe de l'ouest et de suivre Jacques Cartier et Martin Frobisher jusqu'aux latitudes élevées de l'Amérique du Nord. Ils avaient été nombreux à chercher de ce côté le passage du nord-ouest vers la Chine, mais personne n'y était arrivé. Même après un siècle de courses auxquelles avaient pris part pêcheurs et traiteurs de fourrures, cette vaste région demeurait largement inexplorée.

Il y avait aussi la passe du sud, qui donnait sur les régions américaines où Espagnols et Portugais avaient édifié leurs empires. Les rois de France et d'Espagne venaient de signer une paix générale pour la première fois depuis fort longtemps. Pour un jeune Français disposant de bonnes relations, le moment était bien choisi pour aller voir les possessions espagnoles en Amérique et tirer quelque leçon de cette aventure impériale.

Après réflexion, Champlain porta son choix sur la passe du sud. « Je me résolus, pour ne demeurer oisif, de trouver moyen de faire un voyage en Espagne, en y étant, pratiquer et acquérir des connaissances pour, par leur faveur et entremise, faire en sorte de pouvoir m'embarquer dans quelqu'un des navires de la flotte que le roi d'Espagne envoie tous les ans aux Indes occidentales[5]. » Aucune équivoque quant à son but : « [...] afin d'y pouvoir m'y embarquer [sic] des particularités qui n'ont pu être reconnues par aucuns Français, à cause qu'ils n'y ont nul accès libre, pour à mon retour en faire rapport au vrai à Sa Majesté ». On se demande si Henri IV lui-même mit la main à ce plan. Champlain avait déjà exécuté au moins une mission secrète pour le service de Sa Majesté. Peut-être que le roi lui avait confié cette nouvelle mission, mais Champlain nous assure que l'idée était de lui seul[6].

Quelle que fût son origine, ce plan était audacieux et périlleux. Les monarques de France et d'Espagne avaient peut-être fait la paix, les vieilles inimitiés étaient lentes à disparaître. Les hommes cruels qui dirigeaient l'empire espagnol en Amérique étaient loin de Madrid, et certains d'entre eux étaient encore plus éloignés de Dieu. Quiconque pénétrait en Nouvelle-Espagne sans passeport était passible de la peine capitale. Champlain lui-même a écrit que les intrus y étaient mis à mort. Les autres étaient relégués aux galères et enchaînés à leur rame, ou emprisonnés dans quelque donjon tropical, autre variante de la peine capitale. Tout cela pour s'être introduit là-bas sans permission. Et le châtiment pour espionnage était pire que la mort. Mais

En 1598, la forteresse mélancolique de Blavet (aujour-d'hui Port-Louis), avec sa vue sur la mer, symbolise le contraste dramatique dans l'esprit de Champlain. Derrière lui, un Vieux Monde dévasté par quarante ans de guerres de religion; devant, un Nouveau Monde scintillant aux promesses infinies.

le danger ne dissuada nullement Champlain. Au contraire, il y voyait un attrait de plus.

La seule question qui subsistait dans son esprit était le comment. Qui pourrait l'inviter à visiter un empire fermé à l'étranger? Champlain savait que les autorités espagnoles étaient constamment à court de navires et de marins, et elles étaient parfois contraintes d'employer des étrangers issus des autres pays catholiques. Ce genre d'arrangement avait parfois l'aval des hautes autorités. Mais il s'agissait le plus souvent de transactions privées qui n'étaient pas signalées à la bureaucratie impériale à Séville[7].

À l'été de 1598, l'occasion attendue se présenta. Le traité de Vervins prévoyait l'évacuation de toutes les troupes espagnoles du sol français, et l'une des garnisons les plus importantes se trouvait à Blavet. Les deux pays s'étaient entendus pour que l'évacuation se fasse par mer, mais les autorités espagnoles manquaient de navires pour le transport des troupes. Elles proposèrent donc d'affréter plusieurs vaisseaux français. Il y avait justement un navire libre du côté français, le *Saint-Julien*, vaisseau imposant de cinq cents tonneaux. Son capitaine était nul autre que l'oncle de Champlain[8].

Personnage fabuleux que cet oncle : un être à la vie si ombragée que plus d'un historien s'est demandé s'il ne s'agissait pas de plusieurs hommes portant le même nom. Son nom avait d'ailleurs plus d'une graphie, chose commune à l'époque. Dans les registres français, on hésite entre Guillaume Allène, Guillaume Helaine et Guillaume Elene. Dans les archives espagnoles, on trouve Guillermón Elena et Guillermo Elena. Dans les ports de nombreux pays, il était simplement « le capitaine Provençal », du fait du lieu de naissance qu'on lui prêtait, Marseille. Le capitaine Provençal avait souvent changé de port d'attache et fait fortune en mer. Il avait navigué sous de nombreux pavillons, dont certains étaient des pavillons de complaisance. À une certaine époque de sa vie, il s'était fait connaître comme corsaire, écumant la mer et les côtes d'Angleterre. À un autre moment, il avait été officier des armées de mer de France et avait reçu à ce titre des marques de faveur d'Henri IV. Il avait également été nommé pilote général dans la marine espagnole. À l'occasion d'une autre entreprise, il avait pénétré au Brésil portugais aux commandes du bien nommé *L'Espérance*, et il avait aussi trafiqué sur la côte de l'Afrique. On ne savait trop quel Dieu il priait. À un moment, on le disait huguenot ; à un autre, catholique. Chose certaine, il était devenu un homme riche qui possédait des biens commerciaux en Espagne ainsi qu'un domaine en France, près de La Rochelle[9].

Le capitaine Provençal avait vécu pendant un certain temps à Brouage, où il avait épousé la sœur de la mère de Champlain. En bon neveu, le jeune Samuel clamait que son oncle était « tenu pour un des bons mariniers de France ». Affection bien rendue, car le capitaine Provençal s'occupa de sa carrière[10].

Dans l'une de ses nombreuses aventures, le capitaine Provençal avait acquis le huitième d'un grand navire français appelé le *Saint-Julien* (*San Julian* en espagnol). Un navire qui n'était plus de prime jeunesse et qui n'était pas dans le meilleur état non plus. Sa cale devait encore puer le poisson car il avait trafiqué longtemps au large de Terre-Neuve. Il y avait plusieurs années que le navire avait été retiré du service, et il était resté pendant tout ce temps en cale sèche dans un port français. Certains doutaient même qu'il pût reprendre la mer, mais de l'avis de Champlain, c'était « un fort navire et bon de voile[11] ».

Son principal propriétaire avait nom Julien de Montigny de La Hautière, aristocrate aux convictions élastiques, qui avait été l'un des dirigeants du parti catholique en Bretagne avant de soutenir la nouvelle dynastie des Bourbons. Homme aux relations impeccables, il avait accès aussi bien à Philippe II d'Espagne qu'à Henri IV de France. Le gouverneur de La Hautière franchissait allègrement les frontières nationales et religieuses, et détenait des postes de confiance dans les deux pays, ce qui faisait de lui un candidat idéal pour la mission de Blavet[12].

En 1598, La Hautière et le capitaine Provençal acceptèrent d'effectuer le rapatriement dc troupes espagnoles de France, et ce, avec la bénédiction des deux gouvernements, et moyennant bien sûr espèces sonnantes et trébuchantes. Il se peut que le jeune Champlain ait eu quelque chose à voir avec la négociation de ce contrat. Dans les derniers jours de la campagne de Bretagne, il était attaché à l'état-major du maréchal de Brissac, qui était chargé de voir au retour des soldats espagnols[13].

Le capitaine Provençal arma le *Saint-Julien* et le conduisit à Blavet, point de rassemblement d'une flotte franco-espagnole. Le commandant suprême de l'expédition était le capitaine général Pedro de Zubiaur, homme coriace qui s'était fait un nom dans ses courses contre les Anglais[14]. Au cours de sa carrière, le capitaine général Zubiaur avait déjà eu le capitaine Provençal pour associé. À Blavet, les deux hommes s'associèrent de nouveau dans des transactions secondaires d'une légalité douteuse, chargeant leurs navires de denrées précieuses, par exemple du vin et de la soie[15].

Le *Saint-Julien* fut dûment affrété pour faire le voyage jusqu'en Espagne avec la flotte de Zubiaur. Le capitaine Provençal était en mesure d'aider son neveu : il l'invita à le suivre. Le jeune homme sauta sur l'occasion. Le statut de Champlain à bord du navire est incertain. Il ne détenait aucun grade comme tel, sauf la qualité de gentilhomme. Peut-être a-t-il suivi son oncle à titre d'assistant ou simplement comme compagnon de voyage. Champlain écrit laconiquement : « Je m'embarquai avec lui », bout de phrase qui laisse entrevoir un objectif personnel ainsi qu'une relation privilégiée[16].

À Blavet, le *Saint-Julien* prit à son bord un grand nombre de soldats espagnols avec leur artillerie. La flotte comptait dix-huit navires, tous bondés. Le 23 août 1598, la flotte quitta la Bretagne et emprunta la passe du sud pour se rendre à Cadix, sur la côte sud-ouest de l'Espagne[17].

Le voyage commença avec un bon vent et la traversée s'annonçait tranquille avec le beau temps de l'été. Mais au XVIe siècle, tout voyage pouvait prendre un mauvais tournant imprévu. Comme la flotte traversait le golfe de Gascogne, un mal se répandit dans les navires surchargés d'hommes. Zubiaur écrivit à ses supérieurs : « J'ai jeté à la mer de mes propres mains le cadavre d'un gentilhomme irlandais qui mourut sur ma capitane. » Ils furent si nombreux à contracter ce mal que le général de la flotte convertit l'un des vaisseaux en navire-hôpital pour y mettre les victimes en quarantaine[18].

La flotte atteignit le cap Finisterre sur la pointe nord-ouest de l'Espagne. Ici les eaux du golfe de Gascogne rencontrent les courants de l'océan Atlantique, avec des changements brusques dans la température de la mer. Soudain, la flotte se trouva enveloppée d'une brume épaisse près d'une côte sous le vent et cernée de hauts-fonds rocheux. Champlain devait se souvenir : « Tous nos vaisseaux se séparèrent et même notre admirande de la flotte se pensa perdre, ayant touché à un rocher et pris force eau[19]. »

La brume se dissipa enfin, et les navires se regroupèrent. Ils firent route vers la baie de Vigo, où ils restèrent à l'ancre pendant dix jours, le temps de radouber le vaisseau amiral. C'est là que Zubiaur donna l'ordre d'incendier et de couler le navire-hôpital afin d'éviter toute contagion ultérieure. On se demande ce qu'il advint des malades et des moribonds. Cet ordre cruel ayant été exécuté, la flotte reprit son chemin. Elle mit le cap au sud le long de la côte atlantique de la péninsule ibérique, doubla le cap Saint-Vincent et reprit vers l'est pour atteindre sa destination finale. Le 14 septembre 1598, le *Saint-Julien* jetait l'ancre dans les eaux claires de la baie de Cadix[20].

Le *Saint-Julien* y resta environ un mois, et Champlain en profita pour explorer Cadix, centre névralgique du commerce hispano-américain. Cadix était alors une île au bout d'une longue péninsule. Elle avait été attaquée par Sir Francis Drake en 1587 et avait été depuis lourdement fortifiée avec des murs massifs et des tours de guet[21].

Champlain descendit à terre et décrivit sa visite avec les mots de l'espion qui opère une « reconnaissance » dans Cadix. Il traça plus tard un croquis complet de la ville en portant une attention particulière aux fortifications. En déambulant dans ses rues, il découvrit une population très bigarrée. Il y avait une rue, appelée encore Calle de Bretonnes, où se rencontraient des marins et des marchands de Bretagne. Il aurait ainsi pu rencontrer nombre de personnes capables de lui parler de l'empire espagnol. Tout au long de sa carrière, Champlain réunit des connaissances par tous les moyens qui s'offraient à lui, en partant de ses propres observations et de l'information que d'autres lui communiquaient[22].

Après un mois à Cadix, le *Saint-Julien* reçut l'ordre de changer de mouillage pour aller de l'autre côté de la baie, vers la prospère ville fluviale de Sanlucar de Barrameda. C'était en cet endroit que s'assemblait chaque année la flotte des Indes pour son voyage annuel en Amérique. C'était là aussi que les armadas retournaient, par centaines de navires ou plus chargés des richesses du Nouveau Monde[23].

Une fois de plus, alors que son navire mouillait dans le port, Champlain en profita pour faire de nouvelles reconnaissances dans cette autre ville stratégique et en étudier les défenses. Sa curiosité fut amplement récompensée. Sanlucar jouait un rôle essentiel dans les communications impériales avec l'Amérique, car c'était le point d'entrée vers la fabuleuse Séville, à quatre-vingts kilomètres en amont du Guadalquivir. De Sanlucar à Séville, toutes les industries du commerce maritime s'activaient sur les rives du fleuve : chantiers navals, avitailleurs, entrepôts, tavernes et bordels.

Séville elle-même était une ville fabuleuse en 1599. C'était l'une des villes les plus grandes et les plus dynamiques de la péninsule ibérique, avec une population frisant les 150 000 âmes. C'était aussi le cœur commercial de l'empire espagnol. Pendant que Champlain y était, en 1598, on avait entrepris la construction d'un nouvel édifice abritant la Casa de Contratación, cette puissante institution qui régulait le commerce impérial de l'Espagne. La ville était renommée également pour ses tours médiévales et ses murs imprenables, et pour la majesté de l'Alcàzar, qui avait hébergé le roi Ferdinand d'Aragon et la reine Isabelle de Castille. La ville était connue pour la beauté de ses palais et jardins mauresques, le dynamisme de sa culture. Le peintre Vélasquez y est né en 1599, et Murillo quelques années plus tard.

Champlain descendit à terre pour étudier la ville. On n'imagine pas un touriste comme les autres flânant dans ses rues anciennes. Plus tard, il dessina de petits croquis dans un angle oblique et plongeant que privilégieraient les analystes du renseignement du XVIe jusqu'au XXe siècle. Ses dessins nous montrent l'emplacement des murs de la ville, la construction des tours, la situation des portes et la hauteur des murailles crénelées. Champlain semble avoir fait tout cela discrètement, sans éveiller les soupçons des autorités espagnoles, constamment méfiantes à l'égard des étrangers trop curieux[24].

Pendant que Champlain étudiait les villes fortifiées qui contrôlaient le commerce de l'empire espagnol, le *Saint-Julien* évitait dans l'inaction sur le Guadalquivir. Il devait y rester trois mois, beaucoup plus longtemps que prévu. Le jeune homme et son oncle cherchaient à s'employer de nouveau, et ils espéraient que leur navire serait affrété pour le voyage annuel de la flotte des Indes. Ainsi, Champlain aurait le loisir de voir un pan important de l'empire espagnol d'Amérique.

Mais le départ de la flotte des Indes fut retardé cette année-là. À l'été de 1598, un navire dépêché d'urgence débarqua à Cadix avec la nouvelle que le comte de Cumberland avait attaqué Porto Rico. Ce n'était pas un simple raid. Le comte anglais s'était placé à la tête de six cents corsaires répartis à bord de vingt vaisseaux équipés par des armateurs privés. Les envahisseurs avaient mis à sac la capitale, San Juan, s'étaient égaillés sur la vaste île et avaient fait main basse sur tout ce qui pouvait avoir la moindre valeur[25].

Cette agression représentait une menace grave pour l'empire espagnol. Porto Rico était au carrefour des grandes artères commerciales reliant l'Espagne et l'Amérique, et la chute de San Juan mettait en péril les principales voies de communication impériales. Les autorités espagnoles réagirent sans tarder. Elles repoussèrent le départ de la flotte des Indes et mobilisèrent les ressources voulues pour reprendre Porto Rico. Dans le cadre de cet effort, le capitaine général Zubiaur reçut l'ordre de prolonger l'affrètement des navires français de Blavet et de préparer son escadre pour l'expédition de Porto Rico. Une opération d'envergure se préparait. L'escadre de Zubiaur serait bientôt rejointe par une seconde des Açores et une troisième de Lisbonne, d'autres navires devant suivre de Cadix, Séville et Sanlucar[26].

Le *Saint-Julien* et son équipage furent engagés, et le capitaine Provençal devait en être le maître. Les autorités jugeaient que le général Zubiaur et le capitaine Provençal étaient tout particulièrement qualifiés pour cette mission étant donné leurs antécédents dans la lutte contre les corsaires anglais. Le jeune Champlain se félicitait de cette mission inattendue, qui lui offrait un autre moyen de gagner les colonies espagnoles d'Amérique[27].

Ces plans étant sur le point d'aboutir à la fin de l'automne, une autre nouvelle parvint à Sanlucar. Les Anglais avaient été défaits à Porto Rico, non par des forces espagnoles, mais par les fièvres tropicales. Au cours de l'été et au début de l'automne, le comte de Cumberland et la plupart des survivants anglais avaient abandonné Porto Rico[28]. Aussitôt les plans de l'Espagne changèrent. L'expédition spéciale qui devait reprendre Porto Rico fut contremandée. Le général Zubiaur reçut une nouvelle mission en Méditerranée et il invita son ami le capitaine Provençal à l'y suivre. La nouvelle mortifia Champlain. Il désespérait de voir un jour la Nouvelle-Espagne et écrivit à ce propos : « Ledit voyage fut rompu à mon grand regret pour me voir frustré de mon espérance[29]. »

Mais il avait été également décidé que la flotte des Indes pourrait faire voile vers l'Amérique, et elle fut placée sous le commandement d'un officier qui avait une longue expérience du Nouveau Monde, don Francisco Coloma. Il commanderait la flotte pour la troisième fois, le seul officier espagnol à avoir eu cet honneur aussi souvent. Une fois de plus, les commandants espagnols se retrouvaient à court de grands navires aux équipages adéquats. Don Francisco proposa d'affréter le *Saint-Julien* avec ses marins français. Comme le capitaine Provençal ne pourrait pas faire lui-même le voyage, il voulut confier le navire à des officiers espagnols aguerris et lui donna pour maître le capitaine Jeronimo de Vallebrera[30].

Champlain rapporte que le capitaine Provençal et lui rencontrèrent don Francisco. On imagine la scène : un cabinet austère aux murs de craie, avec au centre une table de chêne massif, jonchée de cartes du Nouveau Monde et de dépêches d'Amérique. Général de la flotte très digne, à la courtoisie imparable, don Francisco aurait été vêtu de noir avec une fraise d'une blancheur irréprochable. Une seule décoration sur sa personne, suspendue à son cou par une chaîne d'or : la croix à huit pointes de l'ordre de Malte, symbolisant les huit béatitudes du Sermon sur la montagne. Emblème d'honneur, de courage et de foi catholique[31].

Puis les deux Français auraient fait leur entrée : le vieux capitaine Provençal, au visage hâlé, fièrement vêtu de la *bizarria* bariolée qu'affectionnaient tous les marins du monde et, suivant un pas derrière, son jeune neveu, Samuel de Champlain[32]. Après les amabilités d'usage, don Francisco aurait posé ses conditions pour l'affrètement du *Saint-Julien*, qui allait devenir le *San Julian*. Le capitaine Provençal donna son accord, mais à une condition. Champlain : « Mon oncle, ayant été retenu par le général Zubiaur pour servir ailleurs, et ne pouvant faire le voyage, me commit la charge dudit vaisseau pour avoir égard à icelui[33]. » Le jeune homme serait donc du voyage.

Don Francisco accepta, et un arrangement fut conclu à la satisfaction de toutes les parties. Le commandant ajouterait un grand navire à sa flotte, et en échange ses propriétaires toucheraient cinq cents couronnes par mois. Le capitaine Provençal aurait à bord un jeune compatriote qui avait sa confiance et verrait à ses intérêts. Et Champlain aurait le loisir de voir l'Amérique espagnole avec la protection du général de la flotte. Champlain écrit : « Nous fûmes trouver le général Colombe pour savoir s'il aurait agréable que je fisse le voyage ; ce qu'il me promit librement, avec des témoignages d'en être fort aise, m'ayant promis sa faveur en assistance, qu'il ne m'a depuis déniés aux occasions[34]. »

L'intérêt bien compris de chacun avait favorisé la conclusion de cet accord. Mais il est permis de penser que les qualités personnelles des hommes en présence y furent aussi pour quelque chose. Don Francisco était un gentilhomme et un courtisan, reconnu pour ses manières exquises. Ses lettres nous font entrevoir un homme intelligent, cultivé, digne et chaleureux. Le jeune Champlain, d'après tous les témoignages dont on dispose, était un jeune homme sérieux, aux vues amples, très attachant avec ses manières saintongeaises et toujours disposé à la concorde. La collaboration lui venait aisément : avec catholiques et calvinistes, marchands et prêtres, savants et soldats, corsaires français et aristocrates espagnols.

L'arrangement était de nature privée. Les parties ne semblent pas avoir demandé l'avis de la Casa de Contratación, et jamais on n'a trouvé dans les archives d'Espagne la moindre mention du nom de Champlain. C'était une entente de gré à gré, comme il y en avait bien d'autres dans la marine. Rien qu'à bord du *San Julian*, il n'y avait pas moins de six passagers « clandestins » espagnols et italiens, sans compter Champlain et son valet[35].

Le nom de Champlain n'apparaît pas non plus sur les listes des officiers du navire. Il n'était pas officiellement reconnu comme subrécargue ou mandataire du propriétaire avec délégation de pouvoirs. Champlain explique son rôle autrement : « Mon oncle [...] me commit la charge dudit vaisseau pour avoir égard à icelui, que j'acceptai fort volontiers. » L'historien François-Marc Gagnon traduit : « La charge confiée à Champlain était donc plus une tâche de surveillance que de commandement. » Campé dans ce rôle singulier, Champlain regagna sa cabine à bord du *San Julian* et se prépara au voyage. Il écrivit, le cœur heureux : « J'eus occasion de me réjouir, voyant naître mon espérance[36]. »

Le 3 février 1599, la flotte des Indes leva l'ancre à Sanlucar de Barrameda et franchit la barre à l'embouchure du fleuve. Sa nouvelle odyssée américaine venait de commencer. Les navires offraient un spectacle magnifique au moment où ils entraient dans les eaux bleues de la haute mer. Les grands galions étaient peints d'écarlate et de safran, les couleurs nationales de l'Espagne. Frappés le long des lisses flamboyaient sous le soleil des rangées d'écus rouges et or. Au haut des mâts flottaient les drapeaux d'Espagne, les bannières royales, les couleurs impériales avec les aigles bicéphales de la maison des Habsbourg, les larges oriflammes des amiraux et généraux et les longues oriflammes de chaque navire. Derrière les galions venaient les grands navires marchands comme le *San Julian*, et chacun de ces vaisseaux était accompagné d'un petit navire que Champlain appelait « patache ». Celle du *San Julian* avait nom *Sandoval*[37].

En haute mer, les pilotes espagnols établirent un parcours avec une brise favorable derrière eux. À bord de chaque vaisseau, les timoniers s'arc-boutaient sur le lourd gouvernail de la dunette tandis que les maîtres d'équipage, soucieux d'obtenir le maximum de vitesse, réglaient au plus fin les voiles déjà bien gonflées. Aux lisses étaient affectés des navigateurs aguerris qui n'ignoraient rien des vents et courants de leur « mer océane », comme le voulait leur expression chauvine. Pour eux, l'Atlantique était une sorte de lac espagnol et ils conservaient leur savoir comme s'il s'était agi d'un secret d'État, ce qui était d'ailleurs le cas[38].

Champlain observa ces marins espagnols à l'œuvre et fut sidéré par leur savoir. Il porta toute son attention sur le parcours de la flotte lorsque celle-ci tenait un cap sud-sud-ouest en suivant une route loxodromique depuis Sanlucar, « trouvant toujours le vent fort aigre » sur près de huit cents kilomètres le long de la côte de l'Afrique, en direction des îles Canaries. Les vents dominants et les courants leur offrirent une traversée rapide. Au bout de six jours, si l'on en croit Champlain, les vigies crièrent terre[39].

Les navigateurs longèrent les Canaries et repérèrent soigneusement les amers dans ce que les Espagnols appelaient « le goulphe de Las Damas », le golfe des Dames. Ils surveillaient attentivement le vent car ils approchaient d'un point déterminant de leur voyage. Derrière les îles, ils rencontrèrent les puissants alizés qui soufflent en cette latitude. Une fois encore, les timoniers s'arc-boutèrent sur leur lourd timon, et les hommes de pont larguèrent bras et écoutes. Les grands galions virèrent vent arrière pour faire route franc ouest en direction du soleil couchant[40].

Une fois de plus, Champlain s'émerveilla du « vent en pouppe » qui les poussait sur l'océan en direction des Indes occidentales. Tous les jours, à midi précis, les navigateurs faisaient une lecture du soleil avec leurs astrolabes. Au crépuscule, lorsque la ligne de l'horizon était encore visible et que les étoiles commençaient à apparaître dans le ciel au nord, ils sortaient leurs bâtons de Jacob pour calculer la hauteur de l'étoile Polaire. Ils se servaient de ces méthodes pour trouver le seizième parallèle, qui était la latitude de la petite île des Antilles que Christophe Colomb avait baptisée Deseade, la Désirée, aujourd'hui La Désirade, une possession française à huit kilomètres à l'est de la Guadeloupe[41].

Telle était la destination de la flotte, et après six semaines en mer, celle-ci toucha terre exactement comme elle l'avait prévu. Les vigies devaient avoir été les premières à apercevoir le promontoire de Deseade, visible de très loin en mer. Champlain fit un croquis de l'île et nota que les navigateurs espagnols en faisaient depuis toujours un point de repère dans leurs voyages aux Indes occidentales. Il étudia les gestes de ces hommes très expérimentés, et c'est d'eux qu'il apprit à naviguer dans l'Atlantique Nord[42].

Navigateur espagnol se servant d'un astrolabe pour trouver sa latitude à partir du soleil à midi. En 1599, Champlain vogua vers l'Amérique avec de tels hommes et profita grandement de leur expérience de la navigation dans l'Atlantique Nord.

À Deseade, la flotte se sépara. Don Francisco Coloma se faisait du souci pour Porto Rico. Il avait l'ordre d'y débarquer le plus vite possible une nouvelle garnison de quatre cents hommes. Presque toute sa flotte fit voile en cette direction sans même s'arrêter à la Guadeloupe, comme le voulait la coutume, pour y faire eau. Le *San Julian* prit une route différente. Don Francisco note que le vieux navire avait commencé à prendre l'eau dès le début du voyage, et ce, à un rythme inquiétant. L'équipage avait toutes les peines du monde à pomper suffisamment vite. Peut-être les coutures s'étaient-elles ouvertes, ou les bordés s'étaient-ils disjoints, à moins que la carie ne se fût installée dans le bordage. Le général de la flotte espagnole signale qu'il fut tenté d'abandonner le *San Julian* à son sort « une centaine de fois[43] ». Après que la flotte eut changé de cap pour faire route au nord vers Porto Rico, raconte Champlain, son navire fit halte à la Guadeloupe et jeta l'ancre dans un havre qu'il appelle Nacou, aujourd'hui Grand-Baie. On avait sans doute ordonné au navire de s'y arrêter afin d'inspecter la carène et de la radouber. La patache *Sandoval* suivait toujours[44].

En Guadeloupe, des membres de l'équipage mirent pied à terre pour faire provision d'eau et de fruits. Champlain les accompagna pour explorer l'île, qu'il nous décrit comme étant « fort montagneuse, habitée de sauvages ». Il ajoute : « Comme nous mettions pied à terre, nous vîmes plus de trois cents sauvages qui s'enfuirent dans les montagnes sans qu'il fût à notre puissance d'en attraper un seul, étant plus dispos à la course que tous ceux des nôtres qui les voulurent suivre[45]. »

Champlain ne leur voulait aucun mal. Il voulait seulement les voir et leur parler. On le voit ici fasciné par la variété humaine et la diversité des mœurs. Mais les Indiens de la Guadeloupe étaient déjà entrés en contact avec des Européens qui avaient eu d'autres vues sur eux. Ils avaient donc pris leurs jambes à leur cou. On imagine la scène sur cette splendide plage de Guadeloupe. Le jeune Champlain pataugeant dans la mer, le sabre peut-être au côté, qui s'approche de la foule d'Indiens curieux. Ils le voient venir de loin, puis ils lui tournent le dos et courent vers la montagne. Champlain agite son épée et avance péniblement sur le sable pour les rattraper, avec ses compagnons derrière qui se tordent de rire[46].

Cette scène comique soulève en fait une question des plus sérieuses dans la vie de Champlain. Il faut y voir le premier signe d'un thème récurrent dans sa carrière : son intérêt marqué pour les Indiens d'Amérique. Il les considéra toujours comme des êtres humains comme lui-même, et maintes fois il fit état de leur intelligence dans ses écrits. Il fit de nombreux commentaires sur leur physique et leur apparence, qu'il jugeait de loin supérieurs à ceux de leurs contemporains européens. Champlain s'intéressait aux Indiens pour eux-mêmes et aussi pour ce qu'ils pouvaient lui apprendre du Nouveau Monde. Toujours il se mit à leur école, surtout pour en apprendre davantage sur l'humanité. Cette attitude se manifesta pour la première fois en 1599, dans cette scène comique sur une plage de Guadeloupe, mais lui, il était sérieux, très sérieux, et il le resta toute sa vie[47].

*   *   *

Alors que Champlain tentait en vain de nouer des liens avec les Indiens, les équipages du *San Julian* et de la patache *Sandoval* faisaient le plein de provisions. Il est probable que les réparations urgentes furent faites et que les deux vaisseaux purent reprendre la route de Porto Rico. Ils firent route jusqu'aux îles Vierges. C'est peut-être à ce moment qu'il devint évident que le *San Julian* pourrait atteindre Porto Rico sans aide, et que l'on pourrait détacher le *Sandoval* pour l'affecter à une mission de la plus haute importance pour l'empire espagnol. Chaque année, la flotte des Indes dépêchait un petit vaisseau à l'île Margarita, à huit cents kilomètres au sud, au large du Venezuela[48].

Margarita est le mot latin pour « perle ». L'île était alors le haut lieu de la pêche perlière dans l'empire espagnol. Champlain nous dit qu'il obtint la permission de faire ce petit voyage à bord du *Sandoval,* ce qui lui permit de voir une autre région de l'empire et d'y observer une source importante de sa richesse. La petite patache traversa sans encombre la mer des Caraïbes, des îles Vierges à la côte de l'Amérique du Sud. Champlain traça de l'île une carte exacte. Il décrivit aussi la pêche perlière qu'on y pratiquait. Tous les jours, on envoyait en mer trois cents canots transportant des esclaves qu'on obligeait à faire des « plongées libres » en eaux profondes, avec un petit panier sous le bras. Ils rapportaient ainsi des huîtres et autres mollusques d'où l'on extrayait des perles en grandes quantités, certaines de taille impressionnante[49].

Les pêcheries perlières étaient un enfer. Les « plongées libres » n'avaient de libre que le nom. Les plongeurs indiens avaient été conscrits par les Espagnols et furent bientôt anéantis par une exploitation sans

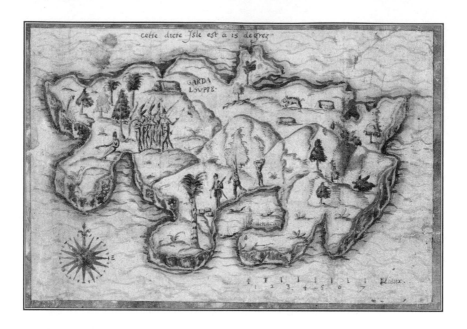

En 1599, Champlain débarqua sur l'île de Guadeloupe, vit des Indiens pour la première fois et en fut tout de suite curieux. Il s'en approcha amicalement, mais ils fuirent aussitôt dans les collines. Cette aquarelle de Champlain illustre ce moment, qui marque le début d'un intérêt pour les Indiens d'Amérique qui allait durer toute sa vie.

pitié. À l'époque de Champlain, ils furent remplacés par des esclaves africains ; ce sont eux qu'il vit là-bas. Il s'intéressa beaucoup au sort de ces sous-classes ethniques de l'empire espagnol, et son intérêt pour elles s'affermit avec chaque contact. La cruauté des pêcheries perlières avait déjà inspiré le premier mouvement anti-esclavagiste en Amérique, incarné par le moine espagnol Bartolomé de Las Casas, qui traça un portrait émouvant des esclaves plongeurs. Cette industrie eut aussi des conséquences tragiques au niveau écologique. Lorsque Champlain visita Margarita en 1599, la pêche perlière était déjà en déclin. L'un de ses historiens a écrit que ce fut le premier cas connu du déclin d'une ressource marine causé par la surpêche[50].

Le *Sandoval* recueillit sa précieuse cargaison à l'île Margarita et fit voile pour Porto Rico. Ce fut un autre long voyage de huit cents kilomètres dans la mer des Caraïbes, qui était chose commune dans la vie de l'empire espagnol et essentiel à sa prospérité. Chaque année, la récolte de perles de Margarita était envoyée par petits vaisseaux rapides aux

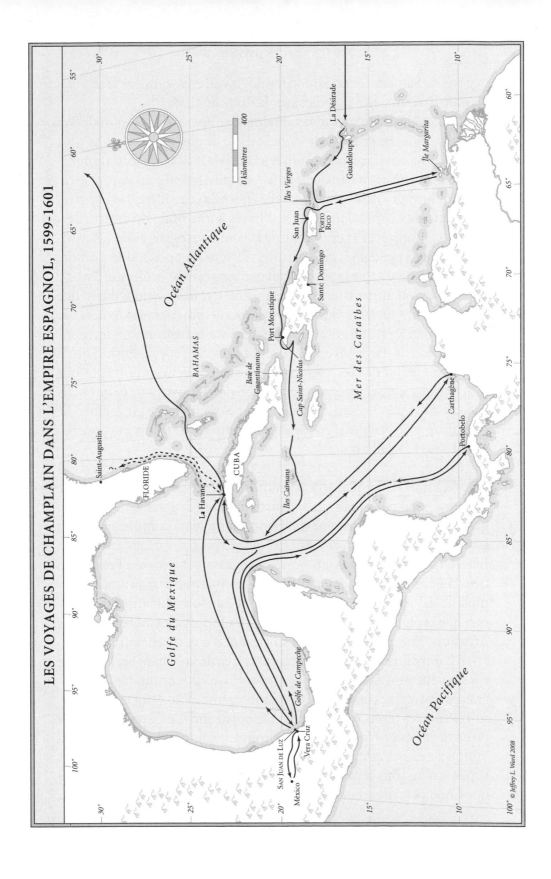

LES VOYAGES DE CHAMPLAIN DANS L'EMPIRE ESPAGNOL, 1599-1601

Océan Atlantique

Océan Pacifique

Mer des Caraïbes

Golfe du Mexique

Golfe de Campeche

BAHAMAS

FLORIDE

CUBA

PORTO RICO

Saint-Augustin

La Havane

Iles Caïmans

Baie de Guantánamo

Cap Saint-Nicolas

Port Moustique

Santo Domingo

Iles Vierges

San Juan

La Désirade

Guadeloupe

Ile Margarita

Carthagène

Portobelo

SAN JUAN DE LUZ

Vera Cruz

México

0 kilomètres   400

100° © Jeffrey L. Ward 2008

experts de San Juan et de Santo Domingo, qui en assuraient le tri et les classaient avant de les expédier avec la flotte des Indes[51].

Le *Sandoval* fit le voyage sans mal et alla s'ancrer dans le port de San Juan aux côtés des grands galions de la flotte de don Francisco. « Le port est bien bon, observa Champlain, et à l'abri de tous vents forts de nord-est qui donnent droit dans ledit port », ce qui est d'ailleurs encore le cas aujourd'hui[52]. La désolation de la ville l'horrifia cependant. Les corsaires du comte de Cumberland s'étaient livrés à une orgie de destruction insensée. Ayant jeté l'ancre le long de la côte, les Anglais avaient surpris les défenseurs pendant la nuit, détruit la forteresse et pris son seul canon. Champlain nota « que la plupart des maisons étaient brûlées, et il ne s'y trouvait pas quatre personnes outre quelques nègres qui nous dirent que les marchands du lieu avaient été la plupart emmenés prisonniers par les Anglais, et les autres qui avaient pu fuir s'étaient sauvés dans les montagnes, d'où ils n'avaient encore osé sortir pour l'appréhension qu'ils avaient du retour desdits Anglais ». Les pirates avaient emporté presque tout ce qui avait quelque valeur et rempli douze navires de ce butin. Ils avaient laissé derrière eux d'immenses piles de sucre, de gingembre, de « canifiste » [fruit du cassier], de miel de canne et de peaux qui pourrissaient sous le soleil tropical[53].

Champlain nota que la reconstruction de San Juan avait déjà commencé. Effort remarquable qui démontrait l'énergie et les ressources de l'empire espagnol au faîte de sa puissance. Don Francisco remplaça la garnison de San Juan par une troupe de quatre cents hommes et réarma la forteresse avec quarante-sept canons de bronze qui avaient servi à Blavet. Les autorités espagnoles avaient également envoyé à Porto Rico trois cents soldats de la colonie de Saint-Domingue (dans l'île d'Hispaniola), avec ordre de rebâtir la forteresse de San Juan. Champlain remarqua que la plupart des ouvriers étaient des Indiens, les autres étant des Africains. Une fois de plus, il alla au-devant d'eux, et leur parla[54].

Champlain eut le loisir d'explorer en partie la grande île. Il écrivit : « Porto-Rico est assez agréable, combien qu'elle soit un peu montagneuse[55] », et traça une charmante petite carte de l'île. Il fut fort impressionné par les forêts magnifiques et la profusion d'espèces qu'il voyait pour la première fois de sa vie. Explorer aujourd'hui la forêt d'El Yunque, avec ses arbres immenses et les *impatiens* qui fleurissent dans la pénombre sous le dense couvert végétal, c'est partager l'impression que Champlain dut ressentir. Il dessina nombre de plantes et d'animaux,

Champlain fit voile vers le sud jusqu'à l'île Margarita, le centre de la pêche perlière de l'empire espagnol. Il vit comment l'on y exploitait les esclaves indiens et africains, que l'on contraignait à plonger pour rapporter des perles. Son Brief Discours *comprend plusieurs dessins dépeignant la cruauté révoltante des Espagnols envers les Indiens d'Amérique.*

précisant qu'il s'agissait d'observations directes. Parmi les nombreuses merveilles notées par Champlain, il y avait un arbre « que l'on nomme soubiade, lequel comme il croît, le sommet de ses branches tombant à terre prend aussitôt racine, et fait d'autres branches qui tombent et prennent racine en la même sorte, et ai vu un de ces arbres de telle étendue qu'il tenait plus d'une lieue en carré ». Champlain décrivit aussi les mangroves, qu'on peut toujours voir dans le même état sur la côte de Porto Rico entre San Juan et l'établissement historique de Loiza Alda à l'est. Les merveilles du Nouveau Monde s'offraient à son regard[56].

Alors que Champlain étudiait le paysage de Porto Rico, don Francisco Coloma divisait sa flotte en trois escadres et les envoyait dans des directions différentes. Le général prit lui-même la tête de l'une d'elles pour aller à Carthagène (en Colombie aujourd'hui) et en dépêcha une autre à Panamá. Une troisième escadre, commandée par Joannes de Urdayre, reçut l'ordre d'appareiller pour Vera Cruz, au Mexique. Elle comptait trois grands navires, dont le *San Julian*. Chaque galion avait une patache avec lui. Une fois de plus, le *San Julian* était accompagné du *Sandoval*[57].

L'escadre d'Urdayre quitta San Juan et fit voile en direction ouest, le long de la côte nord de Porto Rico. Sa première destination était l'île d'Hispaniola[58]. Longeant la côte nord de cette île, elle fit halte à Puerto Plata, Manzanello, Port Moustique, dans la baie de Monte Christi et au cap Saint-Nicolas. Champlain traça des croquis des villes et de leurs fortifications[59]. La côte marquait l'extrémité nord de la mer des Caraïbes, et elle recevait souvent la visite d'intrus venus d'Angleterre, de France et des Pays-Bas, dont des pirates venus guerroyer et piller. Dans d'autres cas, il s'agissait de marchands désireux de commercer. Il y avait aussi nombre de corsaires qui jouaient un rôle ou l'autre. Leurs navires étaient taillés pour la vitesse et leur gréement leur permettait aussi bien de serrer le vent que de courir vent arrière. C'étaient des navires légers, lourdement armés et difficiles à arraisonner. L'escadre d'Urdayre avait ordre de chasser ces intrus du nord des Caraïbes. Malheur à ceux qui tombaient entre les mains des Espagnols. Ils étaient torturés, exécutés ou mis aux galères, et rares étaient ceux qui en revenaient. Les rameurs esclaves étaient traités avec tant de cruauté qu'il fallait leur enfoncer dans la bouche une poire d'angoisse pour étouffer leurs cris quand ils hurlaient sous le fouet.

À Port Moustique, aujourd'hui une baie magnifique sur la côte d'Haïti, les navires espagnols s'emparèrent de deux petits vaisseaux français originaires de Dieppe. Leurs équipages fuirent à terre et disparurent dans la forêt, exception faite d'un pauvre marin trop infirme pour courir. Les Espagnols le firent parler, et il avoua « qu'il y avait treize grands vaisseaux tant français, anglais que flamands, armés moitié en guerre moitié en marchandise » qui mouillaient au cap Saint-Nicolas sur la côte ouest de l'île. Le commandant espagnol n'hésita pas une seconde même s'il se trouvait à un contre deux. Urdayre ordonna à ses trois grands navires et à ses quatre pataches d'attaquer. Ils contournèrent aussitôt le cap Saint-Nicolas et repérèrent les intrus dans une baie. Le vent soufflait du rivage, interdisant l'entrée de la baie aux Espagnols. Urdayre fit jeter l'ancre pour la nuit, comptant attaquer au matin. Au cours de la nuit, il dépêcha des soldats à terre pour bloquer la fuite des équipages[60].

Mais les intrus n'attendirent pas. À l'aube, ils saisirent l'initiative et firent voile avec audace au beau milieu de l'escadre espagnole demeurée à l'ancre. Les équipages espagnols s'employèrent frénétiquement à se remettre en route, tranchant les cordages des ancres à coups de hache, mais il était trop tard. Les intrus filèrent entre les grands navires espagnols, qui ne purent que les canonner un peu à distance. Une fois en mer, comme l'écrit Champlain, ils « nous gagnèrent le vent », laissant derrière eux les lourds navires poursuivre péniblement leur course contre le vent. Mais les intrus n'en avaient pas terminé avec les poursuivants. Ils semèrent la confusion chez les Espagnols en recourant à un autre stratagème. Un petit vaisseau, toutes voiles dehors, se jeta au beau milieu de l'escadre espagnole. Champlain écrit que bien qu'on « lui eut tiré des coups de canon, [il] allait toujours au gré du vent ». Finalement, deux pataches espagnoles s'en approchèrent, et l'on constata qu'il n'y avait personne à bord. Les marins superstitieux refusèrent de monter à bord, affirmant que « ce petit vaisseau était gouverné par un diable ». Champlain nota que cela « donna matière de rire à tous », sauf au capitaine Urdayre, qui ne trouva pas la chose comique. Il blâma deux officiers subalternes qui furent durement punis. Champlain blâma pour sa part le capitaine Urdayre et les officiers supérieurs. Il éprouvait ainsi plus de sympathie pour les intrus, même s'il était sur le pont d'un navire espagnol[61].

Champlain s'intéressait vivement au sort des esclaves africains et indiens de Saint-Domingue. Une fois de plus, tout comme à la Guadeloupe, à Porto Rico et à l'île Margarita, il leur tendit la main. À Puerto Plata et peut-être aussi aux Gonaïves ou au cap Saint-Nicolas, il semble avoir trouvé le moyen d'entrer en contact avec des esclaves africains et de rencontrer des Indiens caraïbes. Il leur parla et écrivit qu'ils étaient « gens de bonne nature et qui aiment fort la nation française, avec laquelle ils trafiquent le plus souvent qu'ils peuvent en faire, toutefois c'est à desçu des Espagnols[62] ».

Champlain étudia aussi le dispositif de sécurité que les Espagnols avaient mis en place à Saint-Domingue pour se garder des intrus, et il découvrit ainsi un réseau secret de guetteurs sur la côte. Il s'agissait d'esclaves africains qui repéraient les navires étrangers et à qui on avait promis l'affranchissement s'ils en apercevaient un. Champlain écrivit : « Il y a tel nègre qui fera cent cinquante lieues à pied, nuit et jour, pour donner semblable avis et acquérir sa liberté[63]. »

L'escadre du capitaine Urdayre quitta Saint-Domingue avec le *San Julian* et fit voile vers le sud et l'ouest en direction de Vera Cruz. Champlain écrivit : « Nous allâmes côtoyer l'île de Cuba, à la bande du sud, terre assez haute », et il décrivit avec exactitude cette côte aride derrière laquelle se dresse la Sierra Maestra[64]. L'escadre passa au large des eaux vert pâle de la baie de Guantánamo et fila vers l'ouest où l'attendaient de « petites îles qui s'appellent les Caymanes ». On y fit relâche une journée, et Champlain profita une fois de plus de son temps libre pour explorer deux de ces îles. Il en décrivit avec exactitude la flore et la faune, et se dit fasciné par les nuées d'oiseaux et les iguanes géants qui y résident toujours[65].

Des îles Caïmans, les Espagnols poursuivirent vers l'ouest le long du golfe de Campeche qui débouche sur la côte du Mexique. Leur parcours les conduisit dans un chenal sinueux aux hauts-fonds dangereux. « Il faut toujours avoir la sonde en la main en passant ce canal, à la sortie duquel l'une de nos pataches se périt en la mer sans que nous en pussions savoir l'occasion », écrivit Champlain. Au milieu du chenal, nota Champlain, le vaisseau fit relâche pendant deux heures, et l'équipage en profita pour pêcher. Les marins pêchèrent en grandes quantités un poisson magnifique qu'il n'avait jamais vu, « ce poisson est de la grosseur d'une dorée, de couleur rouge, fort bon si on le mange frais ». Il décrivait en fait le rouget qui abonde en ces eaux. Champlain en apprécia fort la saveur. Il remarqua que ce poisson ne se prêtait pas au salage et à la conservation mais qu'il alimentait l'équipage en nourriture fraîche, chose toujours importante pour la santé et le moral des marins. Ainsi, les capitaines espagnols aguerris voyaient toujours à s'approvisionner en eau fraîche, fruits, légumes, viandes et poissons. Du fait de leur longue expérience, ils arrivaient mieux que leurs homologues d'Europe du Nord à éviter les maladies alimentaires comme le scorbut, qu'ils appelaient d'ailleurs le mal anglais ou hollandais. Exemple de prévoyance qui ne quitta jamais Champlain[66].

Après un voyage de huit jours, l'escadre parvint à la côte du Mexique et mit le cap sur le port de San Juan de Luz[67]. C'était un lieu extraordinaire, une île à environ huit cents mètres de la côte, connu également sous le nom de San Juan de Ulúa. À l'époque de Champlain, ce lieu était, dit-il, « le premier port de la Neuve-Espagne, où les galions du roi d'Espagne vont tous les ans pour charger l'or, l'argent, pierreries et la cochenille, pour porter en Espagne[68] ».

L'emplacement avait été choisi pour des raisons de sécurité et non de commodité. Il était entouré de hauts-fonds et très difficile d'approche par terre ou par mer. Les autorités espagnoles avaient fait de l'île entière une forteresse. Les galions de la flotte des Indes étaient amarrés directement à de lourds anneaux de bronze fichés dans des murs de pierre massifs, ce qui n'était guère confortable pour les marins. Champlain écrit : les « vaisseaux sont quelque fois si pressés les uns contre les autres, que quand il vente quelque vent de nord, qui est fort dangereux, lesdits vaisseaux se froissent, encore qu'ils soient amarrés devant et derrière ». Autour du fort une ville maritime grandissait, avec d'étranges maisons bâties sur pilotis[69].

Sur le continent, à vingt-cinq kilomètres de là, sur la côte, se dressait Vera Cruz, la première étape du long chemin qui menait à México, à environ trois cent cinquante kilomètres de là. Champlain tenait beaucoup à s'y rendre. L'occasion se présenta lorsque le capitaine Urdayre y dépêcha deux officiers ayant pour ordre d'organiser l'envoi de la cargaison d'argent à l'escadre. Le commandant de cette mission était le capitaine Jeronimo de Vallebrera, le maître du *San Julian.* Champlain nous dit qu'Urdayre lui permit de l'accompagner et qu'il resta « un mois entier » au Mexique. Les archives espagnoles confirment que le voyage prit trente-neuf jours mais ne mentionnent pas Champlain[70].

Champlain fut fasciné par le Mexique. Près de la moitié de son récit est consacré à ce voyage. Son périple le mena dans les denses forêts tropicales près de la côte, où il admira les « belles forêts que l'on rencontre, remplies des plus beaux arbres que l'on saurait souhaiter » et d'oiseaux au plumage chatoyant. La route se poursuivait dans des plaines « unies à perte de vue, chargées d'infinis troupeaux de bestial, comme chevaux, mulets, bœufs, vaches, moutons et chèvres, qui ont les pâtures toujours fraîches en toutes saisons, n'y ayant aucun hiver ». Il s'émerveilla de la fertilité du sol mexicain avec ses champs qui rapportaient deux récoltes de grains par année et ses vergers où « en quelque saison que ce soit il se trouve toujours du fruit nouveau très bon dans les arbres ». Il vit des raisins gros comme des pruneaux et d'autres fruits et légumes en proportion. De manière générale, écrivait-il, on « ne peut voir ni désirer un plus beau pays[71] ».

Une bonne part du récit de Champlain est vouée à la flore, qui le fascinait. Il décrivit avec exactitude les principaux fruits et légumes ainsi que les récoltes. La faune l'intéressait encore plus : crotales, lucioles, bernard-l'ermite, lamas du Pérou, crocodiles de « trente pieds de long et fort dangereux », ainsi que « des tortues d'émerveillable grosseur, et telles que deux chevaux avaient affaire à en traîner une[72] ».

Comme tant d'autres naturalistes de son temps, Champlain tenait à décrire les « vraies merveilles » qu'il découvrait. Mais il y avait toujours une tension entre le vrai et le merveilleux. Son approche témoignait d'un intérêt croissant pour la recherche et la description de la vérité, attitude fondamentale dans l'histoire de la science à l'époque de Champlain. On voit sa curiosité pour les vraies merveilles à l'œuvre lorsqu'il entend parler au Mexique de dragons à la forme étrange, avec une tête d'aigle, des ailes de chauve-souris, le corps ressemblant à celui d'un lézard, de grands pieds et une queue couverte d'écailles. Champlain raconte fidèlement ce qu'il a entendu mais fait savoir qu'il n'a pas vu de ses yeux vu l'animal[73]. Avec la même prudence, il décrit l'oiseau légendaire appelé Quetzal, dont on disait qu'il n'avait pas de pattes et qu'il passait toute sa vie à voler. Champlain écrit avec retenue : « Je n'en ai vu qu'un que notre général acheta cent cinquante écus. » Mais il savait que des entrepreneurs mexicains gagnaient une fortune à amputer les pattes des oiseaux morts pour en vendre les restes aux visiteurs crédules. Champlain est prudent lorsqu'il parle de ces vraies merveilles, ce qu'il fera aussi au Canada plus tard, mais il rapporte ce qu'il a entendu[74].

Lorsque Champlain atteignit les hauts plateaux du Mexique, il vit que les merveilles naturelles du pays n'étaient rien à côté de la splendeur de México. « Tous les contentements que j'avais eus à la vue de choses si agréables n'étaient que peu de chose au regard de celui que je reçus lorsque je vis cette belle ville de Mechique, que je ne croyais si superbement bâtie de beaux temples, palais et belles maisons. » Avant de voir la ville, il n'avait aucune idée de sa taille, et il estima sa population à douze ou quinze mille Espagnols, auxquels s'ajoutaient des Indiens six fois plus nombreux, donc cent mille habitants au total.

Poursuivant son périple, Champlain vit sa sympathie croître pour les autochtones du Mexique. Il les dit parfaitement égaux aux Européens en intelligence, et il ajouta : « Tous ces Indiens sont d'une humeur fort mélancolique, et ont néanmoins l'esprit fort vif[75]. » Il fut horrifié cependant par le traitement que leur infligeaient les conquérants espagnols. Dans toutes les possessions espagnoles, Champlain vit que l'exploitation cruelle des indigènes était généralisée. Il signala que les mines d'argent du Mexique employaient des forçats, tout comme les pêches perlières, les villes qu'on bâtissait, les galères et nombre d'autres industries. Champlain imputa la responsabilité de cet état de choses au roi d'Espagne, qui « s'est réservé d'y employer un grand nombre d'esclaves pour tirer à son profit tout ce qu'ils pourront des mines, et outre le dixième de tout ce que tirent les fermiers. Par ainsi ces mines sont de très bon revenu audit roi d'Espagne[76] ».

Il fut encore plus horrifié par la tyrannie religieuse que les Espagnols imposaient aux Indiens. Il écrit que le roi d'Espagne « au commencement de ses conquêtes, avait établi l'Inquisition entre eux, et les rendait esclaves, ou faisait mourir cruellement en si grand nombre que le récit seulement en fait pitié[77] ». Champlain était très favorable à la propagation du christianisme dans le Nouveau Monde, mais non par le fouet et la potence. Il observa que les Indiens étaient si indignés par ces mauvais traitements qu'ils faisaient la guerre aux Espagnols, qu'ils les tuaient et les mangeaient. Leur résistance était si forte que « lesdits Espagnols furent contraints de leur ôter ladite Inquisition, et leur donner liberté de leur personne, leur donnant une règle de vie plus douce et tolérable ».

Mais même sous ce régime plus modéré, Champlain signale que les Indiens qui n'assistaient pas à la messe étaient sauvagement battus par les prêtres catholiques : « Trente ou quarante coups de bâton aux défaillants [à donner hors l'église]. Voilà l'ordre que l'on tient à les maintenir en religion, en laquelle ils vivent partie pour crainte d'être battus. » L'horreur que ce système inspire à Champlain s'exprime non seulement dans le texte mais aussi dans ses dessins, où il montre des Indiens brûlés par les inquisiteurs catholiques et battus à la porte de l'église parce qu'ils n'ont pas assisté à la messe[78].

Le récit mexicain de Champlain comporte nombre d'erreurs. Certaines choses lui avaient été cachées. Il ne pouvait pas connaître, par exemple, l'emplacement des mines d'argent, et on ne lui permit pas de s'en approcher. Il ne comprenait pas d'où provenait la cochenille, une teinture écarlate de la plus haute valeur dont le mode de fabrication était conservé comme un secret d'État en Amérique espagnole. Champlain a cru à tort qu'elle provenait d'une plante ; peut-être que ses informateurs espagnols l'ont induit délibérément en erreur. Il a aussi confondu le cacao et l'agave[79]. Mais dans l'ensemble, il s'est montré un observateur très attentif, et ce qu'il a vu a marqué profondément sa pensée. Le séjour de Champlain en Nouvelle-Espagne a influencé durablement sa carrière en Nouvelle-France. Il en est ressorti avec l'idée nouvelle d'un empire où Indiens et Européens pourraient vivre ensemble dans un esprit différent.

À son retour de México, l'escadre de Champlain resta encore quelque temps à San Juan de Luz. Il en profita pour s'embarquer « dans une patache qui allait à Porto Bello, où il y a quatre ou cinq cents lieues », près de l'isthme de Panamá. « Je rencontrai bien une mauvaise terre, étant ce lieu de Porto Bello la plus méchante et malsaine demeure qui soit au monde. » Il décrivit un climat aux pluies constantes et aux chaleurs extrêmes, un pays si insalubre « que la plupart des soldats ou mariniers nouveaux venus y meurent ». Il nota que le havre était superbe, gardé par deux châteaux solides, mais il observa aussi qu'on pourrait l'attaquer par un côté qui n'était pas gardé[80].

Champlain s'intéressait à l'isthme de Panamá, mais il semble qu'il n'ait pas eu le temps de l'explorer. Peut-être le lui a-t-on interdit. L'or et l'argent du Pérou et de la Bolivie étaient transportés par mer jusqu'à la côte Pacifique de Panamá et ensuite acheminés à dos de mulets jusqu'à Portobelo. Champlain nota : « Si un ennemi du roi d'Espagne tenait ledit Porto Bello, il empêcherait qu'il ne sortît rien du Pérou qu'à grande difficulté et risque, et plus de dépenses qu'il ne reviendrait de profit[81]. »

Champlain ne tarda pas à entrevoir le potentiel d'un canal traversant l'isthme et d'un passage vers la « mer du sud ». Il calcula que le canal n'aurait qu'à faire quatre lieues de distance pour relier deux rivières. Il a sous-estimé la distance ici et commis une erreur dans son récit lorsqu'il a écrit que l'une de ces rivières irriguait Portobelo alors qu'elle baignait Colón. Hormis cette exception, sa description des lieux était exacte[82].

La patache de Champlain retourna en hâte à San Juan de Luz, où les grands navires de l'escadre étaient carénés et leurs coques réparées en préparation pour le grand voyage de retour. Lourde tâche pour des équipages déjà surtaxés, qui devaient décharger chaque navire, le hisser à terre et le mettre sur le flanc au moyen de palans. Il fallait ensuite gratter et nettoyer les œuvres vives pour en enlever les algues et les coquillages qui s'y étaient incrustés et qui ralentissaient la vitesse du navire et minaient le bordage. Champlain écrit que le travail fut fait en quinze jours, et l'escadre du capitaine Urdayre fut prête à faire voile pour La Havane, où la flotte des Indes se rassemblait pour le retour en Espagne[83].

Les Espagnols avaient bien fait de radouber leurs navires. En traversant la mer des Caraïbes, ils se butèrent à une violente tempête telle que

Champlain n'en avait jamais vu : « Un ouragan nous prit d'une telle furie d'un vent de nord, que nous nous pensâmes tous perdre. » Le *San Julian* se remit à faire eau, plus dangereusement que jamais : « Notre vaisseau faisait telle quantité d'eau, que nous ne pensions pas éviter ce péril, se souvint Champlain, car si nous avions une demi-heure de repos sans tirer l'eau, il fallait travailler deux heures sans relâche[84]. »

Les navires se perdirent de vue, et le pilote du *San Julian* n'avait pas la moindre idée où il était. Par chance, ils rencontrèrent un petit vaisseau qui leur fit savoir qu'ils couraient droit au danger. Intervention miraculeuse : « Sans la rencontre que nous fîmes d'une patache, qui nous remit à notre route, nous allions nous perdre à la côte de Campeche […]. Notre pilote avait perdu toute la connaissance de la navigation, mais par la grâce de Dieu, qui nous envoya rencontre de cette patache, nous nous rendîmes à La Havane[85]. » Ils y retrouvèrent don Francisco Coloma, qui y était arrivé sain et sauf de Carthagène avec ses galions le 27 juillet. Les navires de l'escadre d'Urdayre, battus par les tempêtes, accostèrent péniblement à La Havane en août[86].

À partir de ce moment, le récit de Champlain s'amincit et comporte de grands trous. Après l'ouragan, dit-il, il est demeuré en territoire espagnol d'août 1599 au printemps 1601. Son *Brief Discours* ne consacre que trois pages à cette période de vingt et un mois. En comparaison, il accorde trente-six pages à ses voyages de janvier à août 1599, soit sept mois. Son compte rendu sommaire de la dernière période est précipité et fort incomplet. Contrairement à l'essentiel du *Brief Discours*, ces trois dernières pages ne sont pas corroborées par des informations d'autres sources. Nous savons, d'après les documents trouvés dans les archives espagnoles, que don Francisco Coloma avait inspecté le *San Julian*, l'avait jugé impropre à prendre la mer et l'avait vendu à La Havane. Ses officiers avaient été assignés à d'autres vaisseaux de la flotte. Le récit de Champlain ne fait aucune mention du sort du *San Julian* et il ne nomme aucun autre navire par son nom[87]. Il nous dit qu'il a fait un autre voyage de La Havane à Carthagène avec un sauf-conduit de Coloma qui lui donnait libre accès à ce port magnifique. Il y aurait séjourné un mois et demi et serait rentré à Cuba en décembre 1599. « Partant dudit lieu de Carthagène, je m'en retournai à La Havane trouver notre général, qui me fit fort bonne réception, pour avoir vu par son commandement les lieux où j'avais été[88]. »

Champlain nous dit qu'il est resté à Cuba encore quatre mois, qu'il a exploré l'île et admiré la ville et le port de La Havane, « l'un des plus beaux que j'aie vu en toutes les Indes ». Il en étudia les fortifications et la grande chaîne de fer qui en gardait l'entrée étroite. Son intérêt pour les esclaves indiens et africains se renouvela et il décrivit avec force détail les *rancheros* esclaves qui chassaient le bétail avec des lances « où il y a un croissant au bout fort tranchant » pour trancher les jarrets des bœufs, tuaient les animaux et les écorchaient, laissant les carcasses aux chiens sauvages. Autre image sombre de la vie dans l'empire espagnol[89].

Ce séjour de quatre mois à Cuba nous l'amène au printemps de 1600. Certains chercheurs disent qu'il a alors visité la Floride. Champlain a ajouté à son récit des notes sur les ressources, le territoire, le sol et la végétation de cette région, quelques phrases qui ont le mérite d'être exactes et très révélatrices de ses desseins. Champlain dit de la Floride : « Je dirai encore ici que c'est l'une des bonnes terres que l'on saurait désirer, étant très fertile si elle était cultivée ; mais le roi d'Espagne n'en fait pas d'état, pour ce qu'il n'y a point de mines d'or ou d'argent. » Comme toujours, il étudiait le Nouveau Monde dans la perspective d'un établissement permanent et il méprisait les visées espagnoles. Comme d'habitude, il s'intéressa aussi aux Indiens de la Floride et mentionna « la grande quantité de sauvages, lesquels font la guerre aux Espagnols ». Il décrivit le fort de Saint-Augustin, et sa description du paysage a les accents d'un témoignage direct[90].

Au printemps de 1600, Champlain nous dit que « toute la flotte des Indes s'était assemblée de toutes parts » dans l'immense port de La Havane. Il rentra avec elle, probablement dans la même saison. Il fait état d'un voyage sans histoire, la flotte franchissant le détroit entre la Floride et Cuba, longeant les Bahamas, dont il a confondu la longue masse de l'île d'Andros avec l'île d'Hispaniola. La flotte fit voile ensuite vers le nord avec les vents dominants jusqu'à la latitude des Bermudes (environ 32 degrés), puis vers l'est jusqu'aux Açores (à environ 39 degrés), dont les hauts pains de sucre sont visibles à plusieurs kilomètres en mer. Il marqua son étonnement devant les tempêtes rageant autour des Bermudes, avec des vagues « hautes comme les montagnes », et dit sa fascination pour les poissons volants et leurs ennemis les requins. La flotte poursuivit son chemin dans des eaux infestées de corsaires et captura « deux vaisseaux anglais qui étaient en guerre », c'est-à-dire armés pour la course. La flotte arriva dans la baie de Cadix vers le 11 août 1600[91].

En route pour Cuba, de retour du Mexique, l'escadre de Champlain fut presque anéantie par un ouragan et faillit s'échouer sur la côte traîtresse de Campeche. Son navire, le San Julian, *fut très secoué et s'en tira de justesse. Le navire fut condamné à La Havane, mais l'idée que Champlain se faisait de sa mission grandissait avec chaque épreuve.*

Champlain alla rendre visite à son oncle le capitaine Provençal, qui vivait à Cadix dans la « maison pourpre » d'un ami du nom d'Antonio de Villa. Le vieux capitaine était alors très malade, et Champlain s'installa chez lui pour le soigner. Les affaires du capitaine Provençal étaient en désordre, et le vieillard demanda à son neveu de les prendre en main. Tâche considérable. Des documents officiels conservés aux archives espagnoles nous donnent une idée de l'ampleur du travail à faire. Il fallait liquider un navire de commerce de cent cinquante tonneaux et « les marchandises à bord du vaisseau » qui avaient été confiées à des associés du village de San Sebastián, au Pays basque, sur la côte nord-est de l'Espagne, très loin de Cadix, qui est située à l'extrémité sud-ouest[92].

Le capitaine Provençal croyait que les autorités espagnoles lui devaient de l'argent pour l'affrètement du *San Julian*, ses munitions et sa cargaison. L'oncle avait fait des investissements dans diverses régions de l'Espagne et possédait des biens immobiliers en France. Tout cela constituait un écheveau difficile à démêler. Champlain eut sans doute à faire de nombreux voyages d'affaires. Il était encore attelé à sa tâche le 26 juin 1601 lorsque le capitaine Provençal était sur son lit de mort. Le mourant réunit alors un grand nombre d'amis et de voisins et dicta un nouveau testament où il faisait de Champlain son héritier.

Le testament fut rédigé en espagnol et enregistré au nom de Guillermo Elena. Champlain héritait de biens considérables. Le ton du document en dit long sur les deux hommes. Le mourant fit écrire : « Je déclare que le Français Samuel Zamplen, que j'aime beaucoup et qui est né à Brouage dans la province appelée Santonze, est mon héritier, lui qui m'a fait le plus grand bien pendant ma maladie et qui est accouru à mon chevet quand j'ai eu besoin de lui. » Le capitaine ajouta qu'il avait fait de Champlain son héritier « aussi parce que j'aimais beaucoup sa tante, la sœur de sa mère, qui a été mon épouse, et aussi pour d'autres raisons et aussi simplement parce que j'ai du respect pour lui ; toutes ces raisons m'amènent à le combler de biens, parce que je veux qu'il en soit ainsi, et je sais que je le remercie avec ce legs dont ledit Samuel Zamplen a grand besoin ».

Une semaine après que le testament fut signé, le capitaine Provençal mourut. Conformément à ses dernières volontés, sa succession passa tout de suite entre les mains de Champlain. On n'a pas retrouvé d'inventaire des biens mais il semble que la succession était imposante. Le testament fut rédigé en vertu d'une loi espagnole traitant des successions qui étaient de cinq cents fois supérieures au salaire moyen d'un journalier. Le mourant avait juré que « ce don excède la quantité mentionnée de cinq cents salaires ». Champlain héritait d'un domaine près de La Rochelle, « avec assez de terres pour faire un verger », des champs, des vignes, des maisons et des entrepôts, qui sont pourvus de « routes, sorties, usages, coutumes et serviteurs ». Il héritait aussi de biens commerciaux en Espagne et d'un navire de cent cinquante tonneaux, ainsi que de liquidités, placements et marchandises. La générosité de l'oncle fit de Champlain un propriétaire foncier et le détenteur de nombreux autres biens[93].

Pendant qu'il était à Cadix, Champlain entreprit la rédaction de son *Brief Discours* sur ses voyages dans l'empire espagnol. Le texte était destiné à un seul lecteur, Henri IV. Dans un ouvrage ultérieur, il parla de sa relation avec le « feu roi, Henri le Grand, d'heureuse mémoire, qui me commanda de faire les recherches et découvertures les plus exactes qu'il me serait possible[94] ».

Champlain n'avait probablement pas pu tenir un journal ou consulter des cartes pendant ses déplacements, ce qui se comprend étant donné le caractère délicat de sa mission. Au moment d'écrire, les faits commençaient à se brouiller dans sa mémoire. Il mentionne rarement des dates mais il a construit une chronologie sommaire et souvent inexacte, marquée par le passage des jours et des semaines. Les circonstances dans lesquelles il a écrit son texte expliquent peut-être le caractère du document, qui était très brouillon et inégal. Les premières sections sont plus achevées. Les dernières parties portent la marque de la hâte, de lourdes obligations et de distractions fréquentes. Les trois dernières pages sont très minces, truffées d'omissions et d'erreurs. Champlain combinait toujours ses observations avec des comptes rendus d'autres sources, méthode qu'il allait suivre tout au long de sa carrière. Il tâchait de s'en tenir aux observations de première main mais, à défaut, il n'hésitait pas à utiliser d'autres sources. L'objet de sa mission transparaît dans ses modes descriptifs. Il a observé attentivement les défenses de la Nouvelle-Espagne, en a décrit les principales fortifications et noté la vulnérabilité des villes de la côte de Panamá. Dans l'ensemble, il a constaté la solidité des défenses de la Nouvelle-Espagne et y a vu très peu de possibilités pour la France[95]. Il a également dépeint une Nouvelle-Espagne régie par un système de violence et d'exploitation fort éloigné du gouvernement idéal d'un empire.

Après avoir rédigé son texte, Champlain rentra en France et vit tout de suite Henri IV. Une fois de plus, il ne semble avoir éprouvé aucune difficulté à voir le roi : « Je me trouvai en cour, venu fraîchement des Indes occidentales, où j'avais été près de deux ans et demi, après que les Espagnols furent partis de Blavet, et la paix faite en France. » Champlain remit au roi son *Brief Discours,* un rapport d'espionnage de la taille d'un livre, enrichi de nombreuses cartes et illustrations. Le roi dut en être fort content, car il octroya à Champlain une pension annuelle et lui ordonna de rester à la cour[96].

Champlain écrivit lui-même plus tard qu'il se sentait lié à Sa Majesté, « à laquelle j'étais obligé tant de naissance, que d'une pension de laquelle elle m'honorait ». Champlain commença à toucher une pension régulière d'Henri IV pour signalés services[97]. La faveur royale eut un effet sur la condition matérielle de Champlain. Il avait déjà fait un héritage appréciable de son oncle, et il hérita aussi plus tard de plusieurs maisons à Brouage qui lui venaient de sa famille. Sa pension royale lui assurait également un revenu annuel. En somme, Champlain était devenu un homme fortuné vers l'âge de trente ans. Voilà pourquoi il pouvait écrire, en 1632, à propos de ses relations avec les marchands et les grands bailleurs de fonds de la Nouvelle-France : « Je ne dépends pas d'eux. » Il pouvait agir comme s'il était seul maître à bord dans sa vie, uniquement sujet de Dieu et de son roi, et acquis aux obligations qu'il avait choisi d'assumer. C'est dans cet esprit qu'il se mit à vivre après son retour de Nouvelle-Espagne[98].

L'indépendance de fortune conférait à Champlain une liberté nouvelle. S'il l'avait voulu, il aurait pu se retirer dans son domaine de La Rochelle, s'y établir, fonder une famille et mener la vie tranquille d'un gentilhomme campagnard. Il aurait pu aussi se faire courtisan et se vouer au service quotidien du roi. Ou il pouvait faire autre chose, par exemple se consacrer à l'exploration et à la découverte du Nouveau Monde. Il pouvait le faire à ses conditions à lui. Champlain était désormais son propre maître, libre de poursuivre ses rêves.

L'explorateur de l'Acadie

CHAPITRE 6

Géographe au Louvre

Un dessein pour la Nouvelle-France, 1602

Il y a bien de la différence à bâtir de tels desseins en des discours de table, parler par imagination de la situation des lieux [...] ce n'est pas là le chemin de sortir à l'honneur de l'exécution des découvertes : il faut auparavant mûrement considérer les choses qui se présentent en de telles affaires, communiquer avec ceux [...] qui savent les difficultés et les périls qui s'y rencontrent.

CHAMPLAIN, à propos de son grand dessein[1]

À l'hiver 1602-1603, Champlain se trouvait à Paris, à la cour d'Henri IV. Lieu fascinant pour le jeune homme ambitieux qu'il était. « Gentilshommes, prélats, capitaines, cadets avides de faire fortune s'y précipitent, écrit l'historien Philippe Erlanger. La Cour semble un Eldorado. Là s'obtiennent les charges, les pensions, les régiments, là un sourire royal suffit à changer le destin. Là se trouve aussi le modèle suprême. Il faut penser, marcher, danser, parler comme à la Cour[2]. »

D'autres allaient à la cour animés d'une volonté qui illustre la distance entre leur monde et le nôtre : ils désiraient servir leur roi, rien de plus. Erlanger cite le poète de la cour du roi Henri, François de Malherbe : « Les bons sujets sont à l'endroit de leur prince comme les bons serviteurs à l'endroit de leurs maîtresses. Ils aiment ce qu'il aime, veulent ce qu'il veut, sentent ses douleurs et ses joies et généralement accommodent tous les mouvements de leur esprit à ceux de sa passion[3]. »

Tous ces motifs — ambitieux et altruistes, intéressés ou désintéressés — devaient agiter l'âme du jeune Samuel Champlain, désormais fixé à la cour d'Henri IV. C'était une institution dont la complexité défie l'entendement. On l'appelait parfois la maison du roi, et il est vrai qu'elle présentait un air de domesticité. Mais c'était aussi le haut lieu du pou-

125

voir en France et le cœur de sa civilisation. En l'année 1602, plus de quinze cents personnes « de rang » appartenaient à la maison du roi, sans compter les quatorze cents soldats de la garde du roi et une pléthore de laquais anonymes[4].

Toute cette humanité encombrait les édifices du Louvre, vaste enceinte blottie entre la rue Saint-Honoré et la Seine. Dans le cœur fourmillant de passions du roi Henri, l'architecture du Louvre occupait une place de choix, et il n'avait de cesse de rénover ses palais. En 1594, il avait commandé à ses artisans une immense galerie longeant le fleuve du pont des Arts jusqu'au pont Royal. La facture s'élevait à huit millions de livres. Mais le roi se moquait bien de la dépense : « On m'accuse d'être chiche ; je fais trois choses bien éloignées de l'avarice : je fais la guerre, je fais l'amour et je bâtis[5]. »

Le chantier de la Grande Galerie fut l'affaire de quinze ans. L'étage supérieur était un magnifique espace ouvert sur toute la longueur de l'édifice. Le roi aimait y déambuler parmi ses sujets. En dessous se trouvaient une mezzanine avec des boutiques élégantes, le rez-de-chaussée avec ses studios pour les artistes et les musiciens, et sous les voûtes du sous-sol, les quartiers de la garde du palais. En 1603, la Grande Galerie n'était qu'à moitié achevée. Le long hall était bondé d'artisans et de journaliers qui peinaient au milieu d'un concours de nobles élégants, dames au visage peint, grands ecclésiastiques aux robes rouge et pourpre, mousquetaires en uniforme bleu et blanc, savants en toge noire, laquais en livrée, marchands opulents et requérants faméliques de tous poils. Sous le règne d'Henri IV, le Louvre exsudait la beauté et le raffinement. La place était également laide, bruyante, sale et malodorante. Malgré tout, un lieu bruissant de vie et d'énergie[6].

Les officiers de la cour avaient la main sur les multiples leviers du pouvoir. Même dans cette monarchie qui aspirait au pouvoir absolu, l'autorité était répartie plus largement qu'on pourrait l'imaginer. Pour aboutir, même le projet le plus noble devait gagner l'adhésion d'un grand nombre de personnes. L'opposition d'un seul de ces puissants personnages suffisait à le faire avorter, et ils étaient nombreux dans ce cas. Ces messieurs pouvaient peser lourd sur la carrière d'un jeune homme aux vastes espérances.

En 1602, la cour comptait quatre cents ecclésiastiques qui assistaient le roi dans son rôle de *rex sacerdos,* le souverain prêtre qui régnait sur la

Rentré d'Espagne, Champlain fit rapport au roi, ce qui lui valut une pension, et il reçut l'ordre de rester à la cour. Lieu idéal pour un jeune aventurier désireux d'apprendre les usages du monde. À l'étage du Louvre, le roi se prêtait à des rituels ennuyeux comme ce banquet-ci. Dans les caves, le roi et Champlain conféraient avec des experts en cartographie et en navigation.

France par la grâce de Dieu. Le clergé avait un rôle public d'une haute importance au début de l'Europe moderne. Rien ne se faisait sans son concours. Champlain ne tarda pas à comprendre que ces hommes pouvaient infléchir l'exécution de ses desseins, et il prit soin de cultiver ses relations catholiques aussi bien que protestantes[7].

La haute noblesse était tout aussi importante. Des centaines de nobles vivaient à la cour et servaient Henri dans sa fonction de *rex princeps,* ou chef d'État. Ils gouvernaient les rituels raffinés qui légitimaient la nouvelle dynastie des Bourbons. Parallèlement, la vie cérémoniale de la cour avait pour effet de convertir une noblesse indocile en une aristocratie maniérée. Ces hommes agités s'assujettissaient ainsi à la volonté du roi[8].

D'autres nobles en grand nombre soutenaient le roi dans sa mission de *rex gubernator,* chef de gouvernement. Il s'agissait des ministres, des conseillers et des surintendants qui voyaient à l'administration du royaume. Les plus capables gouvernaient des provinces ou commandaient des forteresses, ces hommes ayant une longue expérience de la gestion des institutions. Parmi eux se trouvaient le sieur de Chaste et le sieur de Mons, qui partageaient les desseins de Champlain.

Parmi les hommes les plus puissants à la cour, on comptait des soldats qui servaient le roi à titre de *rex dux*, c'est-à-dire commandant suprême des forces armées. Henri IV réussit comme aucun de ses prédécesseurs à attacher à sa personne les grands militaires de France, chose essentielle à la survie de sa dynastie naissante. Le jeune Champlain en connaissait quelques-uns. Il avait servi au sein de l'état-major d'au moins trois maréchaux de France et avait combattu avec eux en Bretagne. Ils pouvaient l'aider à avancer, et ils ne s'en privèrent pas.

Encore plus nombreux que ces nobles et ecclésiastiques étaient ces hommes et ces femmes du tiers état. Rien que dans le domaine médical, Henri IV comptait quatre-vingts médecins autour de lui, l'équivalent de toute une faculté de médecine. Plusieurs se spécialisaient dans le traitement des maladies vénériennes qui affligeaient le Vert Galant et ses maîtresses. D'autres artisans du tiers état étaient experts dans les arts qui ajoutaient à la « douceur de vie » qu'Henri le Grand appréciait tant. Le souverain viveur mobilisait ainsi des pelotons entiers de peintres, des compagnies de sculpteurs et des bataillons de musiciens. Il employait des cuisiniers doués, aussi bien les Italiens au service des dames de la famille Médicis que les cuisiniers dans la tradition du grand Taillevent, l'inventeur de la haute cuisine française. Les couturiers royaux étaient au cœur du tourbillon constant de la mode qui allait marquer les rythmes complexes de la modernité[9]. Les parfumeurs royaux prenaient soin de rendre l'odeur de la cour moins pestilentielle, à commencer par le roi lui-même, qui n'était pas réputé pour son hygiène (les courtisans aguerris l'approchaient avec le vent dans le dos). Un autre corps, les plumassiers royaux, fournissait la cour en panaches à plumes blanches, l'emblème de la nouvelle dynastie des Bourbons[10].

Parmi les personnes les plus intéressantes se trouvaient les savants et les scientifiques. Le roi recrutait des experts dans de nombreux domaines et leur réservait des appartements dans les sous-sols du Louvre, où ils se consacraient à des projets d'importance stratégique. On songe entre autres aux armuriers qui inventèrent au cours de ces années le très efficace mousquet à rouet, appelé à devenir l'arme normale de l'infanterie européenne pour plusieurs générations.

Sur la mappemonde d'Oronce Fine, Description récente et intégrale du monde *(Paris, 1536), la Terre prend la forme du cœur humain et devient un symbole du Sacré-Cœur. Cette fusion de la science, de l'humanisme et de la foi occupait une place centrale dans la pensée de Champlain. La carte montre que le moins connu des continents habités est l'Amérique du Nord.*

Il y avait aussi des géographes. Henri IV était fasciné par les cartes, les globes et la cartographie moderne. Il commandita la confection d'un grand atlas appelé le *Théâtre français,* qui cartographia soigneusement pour la première fois toutes les provinces du royaume. Le roi fonda aussi un musée géographique et hydrographique qui réunissait six cartes géantes de la France, des continents et des océans. Il créa un centre sous la Grande Galerie du Louvre pour le développement des compétences nécessaires à l'exploration, la découverte et la colonisation de toutes les régions du globe. Les experts en astronomie, en arpentage, en cartographie, en navigation et en géographie y œuvraient[11].

L'un d'entre eux avait nom Samuel de Champlain. Il n'était pas un simple visiteur à la cour mais un pensionné royal exerçant une fonction précise. Un proche dit de lui qu'il était « géographe du roi », soit l'un des nombreux géographes employés par Henri IV au sous-sol du Louvre[12]. Le rôle de géographe était beaucoup plus qu'un emploi pour Champlain. C'était sa vocation. Il était fasciné par le Nouveau Monde, à plus forte raison depuis ses aventures dans l'empire espagnol. Mais ce qu'il avait vu aux Indes occidentales et au Mexique avait diminué son intérêt pour ces régions comme champ d'avenir pour l'ambition française. Il avait vu de ses yeux le joug atroce des Indiens d'Amérique et la cruauté qui était le lot des esclaves africains en Nouvelle-Espagne. Il savait qu'un effort soutenu de la France dans cette région du Nouveau Monde conduirait à d'incessantes luttes, et il avait trop vu de ces choses chez lui, en France.

*   *   *

À Paris, les pensées de Champlain se portèrent sur l'Amérique du Nord, particulièrement la vaste région au-dessus du quarantième parallèle qui portait le nom de *Nova Francia* depuis les voyages de Jacques Cartier. En ces lieux, l'activité française pouvait se déployer sans risque de heurts avec l'Espagne ou le Portugal. Les Anglais et les Hollandais commençaient à y pénétrer, et chacun de leurs voyages constituait un avertissement, mais la France y avait des prétentions qui étaient admises par les autres nations. Champlain était parfaitement conscient de l'intérêt du roi pour la *Nova Francia*. Il savait qu'Henri IV était décidé à convertir cette abstraction géographique en un vrai pays qui aurait nom Nouvelle-France.

Champlain fut mis au courant de nombreux projets, passés et à venir. Avec l'encouragement du roi, il s'employa à en apprendre davantage. De 1601 à 1603, il visita des ports de mer français et réunit des informations de pêcheurs normands et bretons qui étaient actifs en Amérique. Il interrogea peut-être des armateurs de Dieppe qui équipaient les navires pour les voyages du Nouveau Monde. Ces hommes avaient de vieux souvenirs des tentatives précédentes[13]. Il parla aussi à ces marins français qui avaient été en Amérique du Nord depuis le début du XVIe siècle, peut-être même avant. Il écrivit lui-même : « Ce furent les Bretons et les Normands qui en l'an 1504 découvrirent, les premiers des Chrétiens, le grand Banc des Morues et les îles de Terre neuve[14]. »

Les hommes de Brouage et de La Rochelle étaient eux aussi très présents dans le commerce américain. La propre famille de Champlain y avait été mêlée. Dès 1570, son oncle Guillaume Allène, homme fortuné, avait envoyé le navire *L'Espérance* à Terre-Neuve avec un capitaine et un pilote de Saintonge. Le vaisseau d'Allène était assez gros pour transporter douze « pièces d'artillerie » et avait un équipage capable de se défendre dans des mers dangereuses. Le voyage avait été financé par un partenariat international de marchands de La Rochelle et de Bristol. Le voyage d'Allène témoigne de la hardiesse et de l'envergure de l'entreprise française en Amérique du Nord au XVIᵉ siècle[15].

Chaque année, même au pire temps des guerres de religion, des centaines de bateaux de pêche français quittaient Dieppe, Saint-Malo, Honfleur, Le Havre, La Rochelle et bien d'autres ports. Ces pêcheurs parcouraient les côtes de l'Amérique, du Labrador à Nantucket. Ils arrivaient à la fin du printemps, restaient quelques mois et rentraient chez eux à la fin de l'été, avant les tempêtes d'automne qui agitent l'Atlantique Nord. Quelques-uns hivernaient parmi les Indiens, mais ce n'était pas toujours par choix. En 1602, un équipage de Honfleur trouva trois pêcheurs dans la vallée du Saint-Laurent qui y avaient été abandonnés par un patron de pêche de Saint-Malo. D'autres choisissaient librement de vivre parmi les Indiens, apprenaient leurs coutumes et formaient des unions avec des Indiennes. Ces marins français avaient ainsi acquis une grande connaissance de l'Amérique[16].

Certaines des meilleures sources de Champlain étaient des pêcheurs et des baleiniers basques — Basques français et Basques espagnols, comme il dit. Leurs stations baleinières étaient parsemées sur la côte américaine du Labrador au golfe du Maine depuis fort longtemps. Ils avaient mis au point la technologie de la chasse à la baleine et inventé les légères et gracieuses baleinières qu'on emploierait pour les siècles à venir[17]. Plus tard, Champlain fit la connaissance d'un Basque appelé le capitaine Savalette, marin aguerri qui était originaire du port de Saint-Jean-de-Luz. Ils se rencontrèrent la première fois en 1607, lorsque Savalette en était à son quarante-deuxième voyage en Amérique du Nord. Il faisait annuellement la traversée de l'Atlantique depuis 1565, avant même que Champlain soit né. Le capitaine Savalette et son équipage de seize hommes pêchaient près de Canseau, en Nouvelle-Écosse aujourd'hui, dans une petite anse à laquelle Champlain donna plus tard son nom en marque d'hommage. Cette pêche était périlleuse mais très rentable. Les bonnes années, ils rapportaient en France cent mille grandes morues, qui se vendaient cinq couronnes pièce sur le marché de Paris[18].

Tout au long du XVIᵉ siècle, les Basques avaient également commercé avec les Indiens, qui leur prenaient des pots de fer, des poêles de cuivre, des couteaux d'acier, des fers de flèche et des laines comme les couvertures rouges de Catalogne[19]. Les Basques repartaient avec des fourrures. La demande européenne était alors si forte que le taux de change pour une belle peau de castor était passé d'un couteau à quatre-vingts pendant la carrière du capitaine Savalette. Les Européens convoitaient aussi les produits de la forêt : le sassafras était un thé médicinal en demande et le ginseng était tenu pour un tonique sexuel. En 1600, les autochtones américains étaient devenus des commerçants avisés. Certains déjouaient la concurrence en se procurant des chaloupes européennes à bord desquelles ils allaient à la rencontre des vaisseaux européens en mer, l'équivalent maritime de l'anticipation commerciale[20].

Un réseau complexe de relations culturelles s'était tissé entre Européens et Indiens américains bien avant que Champlain n'entre en scène. Sur la côte nord-est était apparue une langue propre au troc, une sorte

Les Basques avaient inventé cette baleinière au XVIᵉ siècle, et celle-ci a été retrouvée intacte par des spécialistes de l'archéologie sous-marine au large du Labrador. Champlain les tenait pour les meilleurs baleiniers du monde, et il apprit beaucoup à leur contact.

de pidgin composé d'apports de plusieurs langues, notamment le basque et l'algonquien. Exemple frappant, le mot *iroquois*. Les linguistes ont conclu que c'était une invention du pidgin parlé sur la côte nord-américaine : l'équivalent algonquien, prononcé à la française, de deux mots basques qui voulaient dire « les gens qui tuent ». Le terme était déjà usité lorsque Champlain le fit entrer dans la langue française en 1603[21].

En marge de ce commerce atlantique florissant, la France avait fait plusieurs tentatives de colonisation au cours du XVIᵉ siècle. Toutes avaient échoué. Dans certains cas, la catastrophe avait été totale. Champlain fut consterné de découvrir « tant de navigations et descouvertures vainement entreprises, avec beaucoup de travaux et dépenses[22] ». Il étudia leur histoire attentivement. Pourquoi ces entreprises avaient-elles échoué ? Quelles erreurs avait-on commises ? Que pouvait-on retenir de ces leçons ?

Il enquêta sur la cause des échecs passés dans le but de réussir lui-même un jour. Il s'intéressa principalement aux choix que leurs responsables avaient faits. Quatre de ces tentatives avortées marquèrent durablement sa pensée : Jacques Cartier au Canada (1534-1543), Jean Ribault et René Goulaine de Laudonnière en Floride (1562-1567), le marquis de La Roche à l'île de Sable (1597-1602) et Pierre de Chauvin à Tadoussac (1599-1600). Chaque cas renfermait une leçon sur ce qu'il ne faut pas faire quand on fonde une colonie.

Champlain s'intéressa surtout à la carrière de Jacques Cartier, le Malouin dont les voyages avaient fondé les prétentions françaises en Amérique du Nord. Champlain lut les journaux de Cartier avec respect et en retint que l'homme était « fort entendu et expérimenté au fait de la marine, autant qu'autre de son temps[23] ». En 1534, Cartier franchit l'Atlantique en un temps record de deux semaines et six jours, se rendant de France à Terre-Neuve. Il avait exploré la côte et était entré dans l'estuaire du fleuve Saint-Laurent. Sur la péninsule de Gaspé, il avait trouvé un camp où deux cents Iroquoiens du Saint-Laurent étaient venus pêcher le maquereau pendant l'été. Cartier avait traité les Indiens de façon brutale et en avait enlevé quelques-uns pour les ramener en France[24].

Cartier avait fait un second voyage en 1535. Cette fois, il avait remonté le Saint-Laurent jusqu'à Tadoussac et avait poursuivi jusqu'à

l'île d'Orléans, à Cap-Rouge et au site actuel de Québec. Il avait poursuivi sa route, jusqu'à l'amont ultime du fleuve, où il avait découvert le
bourg imposant d'Hochelaga, à l'emplacement actuel de Montréal. Ses
hommes y avaient bâti un fort, où ils avaient hiverné et souffert cruellement du scorbut. Les Indiens leur avaient alors donné un remède fait
des feuilles d'un arbre qu'ils appelaient *annedda,* mais Cartier était rentré en France fort ébranlé par ce premier hiver. Il avait de nouveau capturé des Indiens, dont Donnacona, un puissant chef des Iroquois laurentiens, qu'il avait emmené en France avec ses fils. On ne les revit jamais
au Canada[25].

   Une troisième mission suivit en 1542, cette fois dirigée par Cartier
et Jean-François de La Roque, seigneur de Roberval. Venus au Canada
avec trois navires, ils avaient fondé un établissement à Cap-Rouge, près
de Québec, où Cartier et Roberval croyaient avoir découvert des diamants et de l'or. Il s'avéra qu'il s'agissait de quartz et de pyrite de fer, et

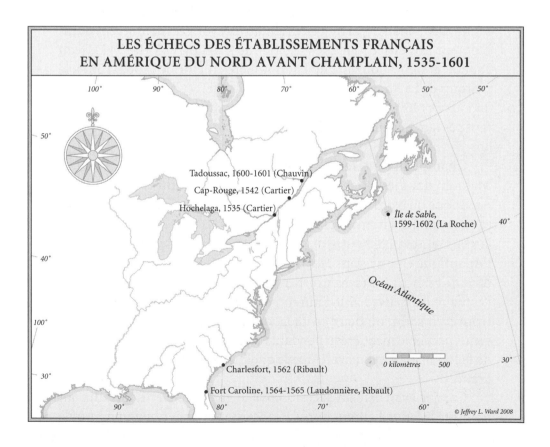

LES ÉCHECS DES ÉTABLISSEMENTS FRANÇAIS
EN AMÉRIQUE DU NORD AVANT CHAMPLAIN, 1535-1601

Tadoussac, 1600-1601 (Chauvin)
Cap-Rouge, 1542 (Cartier)
Hochelaga, 1535 (Cartier)
Île de Sable, 1599-1602 (La Roche)
Océan Atlantique
Charlesfort, 1562 (Ribault)
Fort Caroline, 1564-1565 (Laudonnière, Ribault)
0 kilomètres   500
© Jeffrey L. Ward 2008

Les découvertes de Jacques Cartier fondèrent les prétentions françaises en Amérique du Nord. Il avait exploré le Saint-Laurent jusqu'au mont Réal mais avait cruellement trompé les Indiens, et ses établissements s'étaient soldés par des échecs.

la déception des Français donna naissance au proverbe « faux comme diamants de Canada ». Les Iroquois laurentiens se méfiaient alors des Français, essentiellement parce que Cartier les avait traités cruellement. Lui et ses hommes avaient maintes fois menti aux Indiens, avaient enlevé au moins dix d'entre eux, acquérant en Amérique la réputation peu enviable d'être de « merveilleux voleurs » capables de « voler tout ce qu'ils pouvaient emporter[26] ».

À l'été 1543, Cartier et Roberval abandonnèrent leur colonie et rentrèrent en France, laissant derrière eux trente colons sans chef. Conduite surprenante qui attrista Champlain : « Cette entreprise peu à peu ne sortit à aucun effet, pour n'y avoir apporté la vigilance requise. » Puis François Ier mourut en 1547, Cartier périt de la peste en 1557 et Roberval fut tué pendant les guerres de religion. La colonisation française dans la vallée du Saint-Laurent fut laissée en friche pendant de nombreuses années[27].

Champlain se demanda pourquoi les voyages de Jacques Cartier n'avaient pas débouché sur un établissement français permanent. Il répondit à cela que Cartier lui-même avait été la cause de cet échec parce qu'il avait perdu foi en sa propre entreprise : « Cartier reçut tant de mécontentement en ce voyage, qu'en l'extrême maladie du mal de scorbut, dont ses gens la plupart moururent, que le printemps revenu il s'en retourna en France assez triste et fâché de cette perte[28]. » Champlain fait observer que Cartier croyait que le « mal de scorbut » était un « mal de

terre » en Amérique du Nord. Cartier en avait conclu erronément que
« l'air [du pays] était contraire à notre naturel » et c'est pour cette raison
qu'il avait renoncé à son entreprise. Ainsi, écrit Champlain, Cartier perdit courage et « l'entreprise fut infructueuse ». En voici la vraie raison,
dit-il : « À dire vrai, ceux-là qui ont la conduite des descouvertures, sont
souventes fois ceux qui peuvent faire cesser un louable dessein [...].
Voilà le sujet qui a empêché dès ce temps-là que de cette entreprise sortit effet. » Cartier avait également indisposé les Indiens en les maltraitant
et en les trompant, autre erreur fatale[29].

Champlain se pencha aussi sur l'histoire calamiteuse des tentatives
françaises de colonisation en Floride, où Jean Ribault avait conduit deux
navires à la rivière de Mai (aujourd'hui la Saint Johns) et fait un établissement en 1562. Le bref récit que donne Champlain de cette entreprise
est un nouveau recueil d'erreurs fatales. Les chefs n'avaient pas emporté
suffisamment de provisions et n'avaient pas su défricher de terres pour
les semailles. Le désordre s'était installé parmi les colons. Un officier
ayant ordonné qu'un homme soit pendu pour « un bien petit sujet », les
autres s'étaient révoltés. Certains avaient bâti une petite barque et avaient
essayé de rentrer en France, mais comme ils n'avaient rien à manger, ils
en avaient été réduits à dévorer un des leurs. Champlain avait conclu de
cette entreprise qu'elle « avait été mal conduite en toutes choses[30] ».

Nouvelle tentative en 1564 sous la conduite du capitaine René de
Laudonnière et de Ribault. Champlain constata encore « de grands
défauts et manquements » au niveau du commandement. On n'avait
emporté « des vivres que pour dix mois », puis on avait essayé de défricher les terres pour les ensemencer mais on n'avait pas eu le temps d'en
tirer une récolte. La nourriture venant à manquer, les colons s'étaient
nourris de racines qu'ils avaient trouvées dans la forêt. « Le désordre et
la désobéissance » régnaient parmi eux, écrit Champlain[31]. Ribault
décida d'attaquer les Espagnols contre l'avis des autres chefs de l'expédition. Champlain dit à ce propos que c'était chez lui « un trait d'opiniâtreté, ne voulant faire qu'à sa volonté, sans conseil[32] ». Les Espagnols
contre-attaquèrent et, usant de la dernière cruauté, anéantirent l'établissement et exécutèrent certains colons. L'établissement français ne survécut pas à cette escalade de violences et de représailles. Champlain
en conclut de nouveau que la cause de l'échec se situait dans l'instabilité
du commandement et le manque de préparation[33].

Le pire de tous ces désastres fut la colonie française de l'île de Sable aux abords des bancs de pêche. Après le traité de Vervins, Henri IV parraina les entreprises de colonisation d'un personnage excentrique au nom exotique de Troilus de Mesgouez, marquis de La Roche-Helgomarche. En 1597, La Roche envoya à l'île de Sable une expédition de pêche qui parut être de bon rapport. L'année suivante, Henri IV accordait à La Roche des lettres patentes pour implanter une colonie en Amérique du Nord. Le roi investit plus tard douze mille écus dans l'entreprise.

Le projet se buta aussitôt à des difficultés. Peu de gens s'étaient portés volontaires, problème récurrent dans l'histoire de la colonisation française. La Roche se vit obligé de conscrire des gueux et des vagabonds. Il persuada aussi les autorités royales de lui vendre des criminels condamnés à mort et à qui on avait donné le choix entre la potence ou l'Amérique.

La Roche recruta un capitaine du nom de Thomas Chefdostel et lui ordonna de débarquer les colons à l'île de Sable. On n'aurait pu imaginer pire emplacement : une dune de sable désolée sur les confins du Grand Banc, à cent soixante kilomètres de la côte, battue par d'âpres vents et enveloppée des brumes épaisses de l'Atlantique[34]. En 1599, les soixante colons de La Roche mirent pied à terre avec leur chef, le commandant Querbonyer, qu'accompagnait un petit détachement de soldats chargé de maintenir l'ordre. La Roche leur laissa des matériaux pour se bâtir des abris et un magasin, resta quelque temps et rentra en France[35]. Il avait promis d'envoyer des navires de ravitaillement chaque année, et il tint parole en 1600 et en 1601. Les navires revenaient au moment convenu, mais la colonie ne put prendre racine, et La Roche perdit son crédit en métropole. En 1602, les colons se mutinèrent, assassinèrent les officiers dans leur sommeil et pillèrent le magasin. La Roche apprit ce qui s'était passé de pêcheurs qui étaient passés par là et retint le navire de ravitaillement. Les colons réussirent à tirer une maigre subsistance du poisson, des loups marins et du bétail ensauvagé qui avait été abandonné sur l'île par un navire espagnol. Il n'y avait pas de bois ou de pierre sur l'île, et les colons se mirent bientôt à vivre « comme des renards dans la terre ». Les vivres venant à manquer, ils s'étaient mis à s'entre-tuer. Au bout de quelques années, la plupart des colons étaient morts. Un navire retrouva onze survivants aux visages émaciés, aux cheveux emmêlés et vêtus de peaux de loups marins et les ramena en France[36].

La Roche était un homme « au louable dessein », mais de tous les désastres coloniaux en Amérique du Nord, la tentative de l'île de Sable fut sans doute la pire. Champlain étudia l'affaire et en conclut que l'entreprise présentait deux lacunes fatales, l'une en Amérique et l'autre en Europe. À son avis, le marquis de La Roche s'était trompé lourdement dans le choix du lieu « en ce que ledit marquis n'avait fait découvrir et reconnaître le lieu par quelque homme entendu en telle affaire ». Par ailleurs, il n'avait pu préserver ses appuis en France. Champlain nota que des « envieux » avaient intrigué contre la colonie, détourné le roi de l'entreprise et « empêchèrent l'effet et la bonne volonté qu'avait Sa Majesté de lui faire du bien ». Leçon que Champlain n'allait jamais oublier[37].

Champlain étudia aussi un autre échec, plus récent celui-là. Il s'agissait de l'entreprise menée par Pierre de Chauvin, sieur de Tonnetuit, un huguenot dieppois et traiteur de fourrures qui avait fait de bonnes affaires dans la vallée du Saint-Laurent. C'était, disait Champlain, un homme « très expert et entendu au fait de la navigation, et un capitaine qui avait servi Sa Majesté aux guerres passées[38] ». En 1599, Henri IV accorda une commission à Chauvin pour qu'il implante une colonie dans la vallée du Saint-Laurent, en échange de quoi il recevrait un monopole de dix ans sur la traite des fourrures. L'année suivante, Chauvin assembla une flotte de quatre navires. Un noble de Saintonge s'embarqua avec lui à titre d'observateur : Pierre Dugua, sieur de Mons. Il en résulta un autre désastre que Champlain attribua aux erreurs de jugement commises par Chauvin lui-même. La première avait trait au recrutement des colons et des chefs. Chauvin avait insisté pour n'emmener que des « ministres et pasteurs calvinistes » alors que les colons étaient tous catholiques. Il en était résulté des dissensions profondes et des querelles constantes[39].

Cette erreur commise en France avait été aggravée par d'autres fautes, commises celles-là en Amérique. La plus grave, de l'avis de Champlain, avait été le choix du site. Le sieur de Mons voulait qu'on aille plus loin sur le Saint-Laurent, mais Chauvin avait tenu à s'établir en aval, à l'embouchure du Saguenay, un centre important pour la traite des fourrures. Champlain écrit qu'on avait choisi « le lieu le plus désagréable et infructueux qui soit en ce pays ». Une des terres les plus froides aussi : « Les froidures sont si excessives, que s'il y a une once de froid à quarante lieues à mont la rivière, il y en a là une livre[40]. »

On n'avait pas donné aux colons assez de vivres pour passer l'hiver, manquement commun à tous les premiers établissements selon Champlain. Le pire, c'est que les chefs étaient partis avant la tombée des neiges et avaient laissé seize colons dans un même logis avec « peu de commodités ». Les colons avaient manqué de nourriture et souffert terriblement de la maladie. Seulement cinq avaient réussi à survivre, en abandonnant la colonie et en vivant de la charité des Indiens[41].

Champlain en déduisit que la cause de tous ces problèmes était un manquement flagrant au niveau du commandement, du gouvernement et de la discipline. La colonie de Chauvin, nota-t-il, était comme « la cour du Roi Pétaud », vieux dicton français qui dit qu'« à la cour du Roi Pétaud, chacun veut commander ». Le nom Pétaud vient du mot *peto* ou gueux. Champlain ajouta : « La paresse et la fainéantise, avec les maladies qui les surprirent, ils se trouvèrent réduits en de grandes nécessités et contraints de s'abandonner aux sauvages, qui charitablement les retirèrent avec eux[42]. »

Cet échec eut cependant un résultat constructif. Les responsables avaient ramené en France deux jeunes Montagnais. Ils n'avaient pas été enlevés, ils y étaient allés de leur propre gré, avec l'encouragement de leurs chefs, pour y apprendre le français et étudier la culture européenne. Ils furent bien traités et survécurent aux maladies du Vieux Monde. Ils rentrèrent plus tard en Amérique du Nord, ce qui eut des conséquences bénéfiques pour la Nouvelle-France, comme nous le verrons plus loin.

De cette série d'échecs, Champlain retira nombre de leçons. D'abord, la nécessité d'une planification minutieuse. Dans les tentatives avortées, il constata que la préparation avait été insuffisante, qu'il y avait eu trop de « discours de table » et de chimères. « Se former ainsi de telles chimères en l'esprit, conclut-il, faisant des voyages et des navigations idéales et imaginaires, ce n'est pas là le chemin de sortir à l'honneur des découvertes[43]. »

Deuxième leçon : il faut reconnaître les lieux avant de s'établir. Champlain écrit à ce sujet : « Il sert peu de courir les terres lointaines et les aller habiter, sans les avoir premièrement découvertes, y avoir demeuré du moins un an entier, pour apprendre la qualité des pays et la diversité des saisons, pour par après y jeter les fondements d'une colonie. » Et il ajoute : « Ce que ne font pas la plupart des entrepreneurs et voyageurs, qui se contentent seulement de voir les côtes et les élévations des terres en passant, sans s'y arrêter. » En ces matières, dit-il, un seul maître : le vécu ou le connu. Et voici en quoi consiste l'erreur commune : « D'autres entreprennent telles navigations sur de simples relations [...] et croient que toutes choses se doivent gouverner selon les élévations [les latitudes] des lieux où ils sont, et c'est en quoi ils se trouvent grandement trompés[44]. »

Troisième leçon : l'obligation absolue de faire respecter l'autorité. Les nombreux désastres français convainquirent Champlain qu'une colonie, pour réussir, doit être unie et assujettie à une discipline sévère. Les catastrophes de la Floride prouvaient que les chefs doivent collaborer et harmoniser leurs desseins. L'échec de Tadoussac montrait hors de tout doute qu'il faut établir un régime d'autorité ferme et juste. Champlain n'avait pas les mêmes notions de liberté et d'égalité que nous. Il croyait dans l'ordre et la subordination, et les désordres qui avaient dévasté la France au XVIe siècle n'avaient fait que renforcer ses convictions.

Il y avait également des leçons de logistique à retenir. On ne peut maintenir l'ordre et la paix dans les colonies que si l'on dispose de provisions abondantes. Presque toutes les colonies avortées avaient manqué cruellement de vivres. Pour remédier à cela, il fallait des capitaux, de la prévoyance et une planification très minutieuse.

Il fallait aussi voir au problème religieux. Champlain retint de l'échec de Chauvin que la religion de la colonie devait se modeler sur la solution qu'Henri IV avait imposée à la France. À son avis, la Nouvelle-France ne devait avoir qu'une seule religion officielle, et celle-ci devait être la foi catholique, mais il fallait néanmoins être tolérant des autres confessions. Persécutions et querelles sectaires étaient néfastes et devaient être évitées à tout prix.

Et il y avait les Indiens. L'exemple malheureux de Cartier, Roberval, Laudonnière, Ribault et Chauvin avait illustré la nécessité de traiter les peuples indigènes avec humanité et respect. Les rapports avec les indigènes devaient donc être fondés sur le respect de la parole donnée et l'équité dans les échanges.

Enfin, il était manifeste que le cours des événements dans la métropole pouvait faire ou défaire la colonie. En France, « les envieux » avaient intrigué contre les entreprises coloniales. Ces ennuis étaient venus des marchands rivaux, des ports de mer concurrents, des courtisans jaloux et des mandataires des puissances étrangères. L'adversaire le plus puis-

La Nouvelle-France avait des ennemis à la cour. Le plus puissant d'entre eux était le duc de Sully, le principal ministre du roi, qui était convaincu qu'il ne pouvait sortir rien de bon d'établissements coloniaux au nord du quarantième parallèle (soit la latitude de Philadelphie). Des témoins ont affirmé que Sully s'était laissé soudoyer par des Hollandais pour s'opposer à la colonisation française.

sant de tout établissement en Nouvelle-France était nul autre que le principal ministre du roi, le duc de Sully, qui pensait que les colonies détournaient l'attention des affaires du royaume et n'avait de cesse de monter le roi contre elles. De Mons et Champlain croyaient que Sully avait été soudoyé par des marchands hollandais, mais en fait, si le ministre n'aimait pas la Nouvelle-France, c'était parce qu'il se faisait une tout autre idée de l'intérêt national. À l'époque d'Henri IV, il y avait un débat à la cour du roi de France entre ceux qui favorisaient la réforme intérieure et d'autres qui soutenaient l'expansion du royaume outre-mer. Débat qui rappelle à certains égards celui qui opposa plus tard les impérialistes victoriens et les tenants de la Petite Angleterre, et les conflits aux États-Unis relatifs à la politique étrangère au XXe siècle.

Dans chacun de ces conflits, il y avait aussi moyen d'en venir à un compromis. Les centristes et les modérés préconisaient une position mitoyenne : une politique étrangère dynamique conjuguée avec le progrès en métropole. Telle fut la politique de dirigeants britanniques comme Pitt l'Ancien et Winston Churchill, ou américains comme Theodore Roosevelt, Franklin Roosevelt, Harry Truman et le groupe des « sages » durant la guerre froide. Ce fut aussi le choix que fit Henri IV en France. En 1602, il favorisa la réforme du royaume et l'expansion étrangère, convaincu que ces deux politiques allaient de pair.

Champlain croyait aussi que la colonisation de l'Amérique était condamnée si elle était privée d'appuis en France, particulièrement à la cour du roi Henri IV, où le bon vouloir du roi était absolument nécessaire à la réussite de toute entreprise : « Les rois sont souvent déçus par ceux en qui ils ont quelque confiance. » Il consacra ainsi une bonne partie de sa carrière à promouvoir l'idée d'une France nouvelle dans le Vieux Monde[45].

*   *   *

En 1602, une occasion se présenta pour les amis de la Nouvelle-France. Cette année-là, Chauvin renonça à son monopole sur la traite des fourrures dans la vallée du Saint-Laurent. La cour donna des ordres et fit appel à deux personnages éminents. L'un était le sieur de La Cour, président du Parlement de Normandie, et l'autre était le sieur de Chaste, vice-amiral de la marine et officier de grande valeur. Les deux commissaires royaux proposèrent le lancement de deux missions commerciales : l'une pour les marchands de Rouen et l'autre pour les commerçants de Saint-Malo. En échange de privilèges de traite, chaque groupe contribuerait pour un tiers à la fondation d'une colonie permanente en Nouvelle-France.

Le roi donna son accord et nomma Aymar de Chaste à la tête de toute l'entreprise[46]. C'est un nom aujourd'hui totalement oublié, et c'est sans doute la plus obscure des grandes figures de la fondation de la Nouvelle-France. Il n'est jamais venu en Amérique et n'a commandé l'entreprise coloniale que très brièvement, mais l'homme n'en a pas moins joué un rôle capital dans l'histoire de la Nouvelle-France et la carrière de Samuel Champlain.

Soldat, marin, chevalier et commandeur de l'ordre de Malte, fidèle serviteur de Catherine de Médicis, le sieur de Chaste avait commandé une expédition militaire aux Açores et avait été nommé gouverneur de la ville et de la forteresse de Dieppe. Il s'était distingué dans les guerres de religion. Après la mort d'Henri III, en 1589, De Chaste avait ouvert les portes de Dieppe à Henri IV et rassemblé les dirigeants catholiques modérés autour du jeune roi. Champlain dit de lui qu'il était « homme très honorable, bon Catholique, grand serviteur du Roy, qui avait dignement et fidèlement servi Sa Majesté en plusieurs occasions signalées ». D'autres firent écho à ce sentiment[47].

En 1602-1603, De Chaste était en fin de carrière. Au crépuscule de sa vie, il s'intéressa vivement à la fondation d'une colonie française en Amérique, songeant davantage à l'avenir qu'au passé. Il avait une vision claire

PORTS FRANÇAIS ET PÊCHERIES AMÉRICAINES, 1600-1635

Bristol

Londres

Tamise

ANGLETERRE

Douvres

Dunkerque

Calais

PAYS-BAS
ESPAGNOLS

Étaples

Plymouth

Manche

Dartmouth

Tréport

Fécamp   Dieppe

Cherbourg

Le Havre
de Grace

Rouen

Caen   Honfleur

Seine

Granville

NORMANDIE

Paris

Saint-Brieuc

Roscof   Saint-Malo

Brest

BRETAGNE

Crozon

Quimper

Loire

Blavet (Port-Louis)

Tours

Nantes

FRANCE

VENDÉE

Les Sables-d'Olonne

Île de Ré

La Rochelle

Oléron   *Charente*   SAINTONGE

Brouage

Gironde

Bordeaux

Golfe de Gascogne

Rhône

PAYS
BASQUE

Montpellier

Bayonne

Béziers

Saint-Jean-de-Luz

Marseille

ESPAGNE

Mer Méditerranée

© Jeffrey L. Ward 2008

PART DES VOYAGES DE PÊCHE
EN AMÉRIQUE DU NORD

40-50 %   20-25 %   env. 5 %

0 kilomètres   100   200

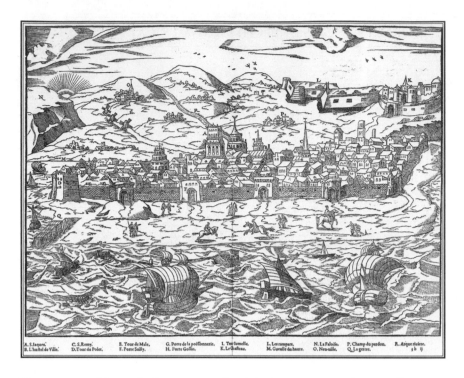

| A. S. Iaqora. | C. S. Remy. | E. Tour de Male. | G. Porte de la poiffonnerie. | I. Tete Iumelle. | L. Les rampars. | N. La Faloife. | P. Champ du pardon. | R. Arque riuiere. |
| B. L'hoftel de Ville. | D. Tour du Polet. | F. Porte Sailly. | H. Porte Goffin. | K. Le Chafteau. | M. Gueulle du haure. | O. Neu-uille. | Q. La gerree. | ₃ b ij |

En 1602-1603, Dieppe devint un centre d'activité important pour la Nouvelle-France. L'initiative était passée entre les mains du très capable Aymar de Chaste, gouverneur de ce port fortifié. Champlain s'y rendit pour s'assurer le concours d'armateurs et de marchands qui avaient une longue expérience de l'Amérique.

de ce que devait être cette Nouvelle-France : un lieu d'harmonie et de prospérité. Il voulait aussi que la colonie soit autosuffisante et qu'elle devienne même une source de revenus pour la couronne. Champlain écrit : « Bien qu'il eût la tête chargée autant de cheveux gris que d'années, il voulait encore laisser à la postérité par cette louable entreprise, une remarque très charitable en ce dessein, et même s'y porter en personne, pour consommer le reste de ses ans au service de Dieu et de son Roi. »

Le roi lui accorda avec plaisir une commission qui en faisait le maître de la Nouvelle-France. De Chaste reçut aussi une charte qui lui donnait le monopole du commerce et de la colonisation (mais non de la pêche) en Amérique, du quarante-sixième parallèle au nord (le cap Breton) au quarantième (Philadelphie). De Chaste était le premier choix de tous pour cette entreprise, et par l'envergure de sa personne, il renforçait à maints égards le projet américain. Il jouissait d'excellentes relations à la cour et du respect d'Henri IV et de son Conseil ; en outre, il était bon catholique et très apprécié des autorités ecclésiastiques.

Chose très importante, De Chaste était en relation étroite avec des marchands qui commerçaient en Amérique. Il créa ainsi une société d'investisseurs dans le nord de la France. Plusieurs familles nobles en furent. Au cœur de ce groupe se trouvaient des marchands éminents des ports prospères de Normandie. Ils acceptèrent « certaines conditions » inhabituelles pour ces investisseurs aguerris. De Chaste les persuada d'armer des vaisseaux « tant pour l'exécution de cette entreprise, que pour découvrir et peupler le pays[48] ».

Lorsque Champlain apprit que ce projet était en cours, il alla tout de suite trouver De Chaste. Les deux hommes s'étaient déjà rencontrés, apparemment. Leurs routes s'étaient peut-être croisées dans l'armée, à l'époque de la guerre en Bretagne. Ou ils s'étaient vus à Dieppe quand De Chaste était gouverneur de la ville et que Champlain était en rapport avec des armateurs sur place. Champlain nous dit qu'ils se revirent à la cour en 1602 et que, par après, il allait le « voir de fois à autre ».

Champlain remit probablement à De Chaste un exemplaire de son *Brief Discours* sur les Indes occidentales et la Nouvelle-Espagne, et c'est très probablement cet exemplaire du livre qui a fini par faire le chemin de Dieppe à la bibliothèque John Carter Brown de Providence, au Rhode Island. De Chaste lui parla de son projet. En discutant de l'Amérique, les deux hommes se découvrirent de nombreux points de convergence, entre autres, une vision commune de la religion et de la politique, de l'exploration et de la colonisation, de la France et du monde. Comme dit Champlain, « jugeant que je lui pouvais servir en son dessein, [le commandeur de Chaste] me fit cette faveur de m'en communiquer quelque chose, et me demanda si j'aurais agréable de faire le voyage, pour voir ce pays, et ce que les entrepreneurs y feraient[49] ».

Champlain accepta sans hésiter. « Je lui dis que j'étais son serviteur », écrit-il. Mais il y avait un problème. En tant que pensionné du roi, Champlain n'avait pas le loisir d'accepter un autre emploi sans la permission de Sa Majesté. Il proposa à De Chaste d'en toucher mot au roi et « que s'il lui en plaisait parler, et me le commander, que je l'aurais très agréable[50] ». De Chaste alla trouver le roi, et tous les obstacles furent levés. Sa Majesté non seulement approuva son voyage, mais ordonna à Champlain de « faire ce voyage et lui en faire fidèle rapport » en personne. Le secrétaire du roi, Louis Potier de Gesvres, fit remettre à Champlain une lettre adressée aux dirigeants de l'expédition, leur ordonnant au nom du roi de le recevoir en son vaisseau, « et me faire voir et reconnaître tout ce qui se pourrait en ces lieux, en m'assistant de ce qui lui serait possible en cette entreprise[51] ».

Tout se noua ainsi. Aymar de Chaste, le fondateur oublié, était un homme à l'esprit large qui avait gagné le respect et l'affection de tous ceux qui l'approchaient. Champlain tenait le second rôle, mais il avait l'oreille du roi et son soutien non équivoque. Quant à Henri IV, il marquait l'entreprise de son auguste faveur en lui insufflant sa propre vision généreuse, son énergie et sa résolution. Ainsi groupés, ces hommes donnaient à une grande entreprise un cadre qui mettait en valeur l'exploration, le commerce et la colonisation. Son but était d'accroître la puissance et la prospérité de la France et de propager la foi chrétienne, d'en apprendre davantage sur le monde et d'unir ses nombreux peuples dans un esprit d'humanité.

CHAPITRE 7

Tadoussac

La grande tabagie de 1603

La rencontre diplomatique [de Tadoussac] *constitue un événement historique de grande importance.* [...] *Elle établit les
fondements de la politique indienne de la France dans cette
région.*

ALAIN BEAULIEU[1]

Muni de la lettre du roi, Champlain quitta la cour pour le port de
Honfleur, à l'embouchure de la Seine. En quête de son navire, il arpenta
les vieux quais de pierre où se côtoyaient marins au visage hâlé, marchands, prostituées, toute cette faune bruyante qui s'employait sur le
front de mer. Il finit par le trouver : un petit navire battu par les tempêtes
qui portait un nom de bon augure, la *Bonne Renommée*[2].

Champlain trouva aussi son capitaine, François Gravé, sieur du
Pont. Personnage de légende, très aimé de ses hommes pour sa libéralité
et fort craint de ceux qui le contrariaient. Ses compagnons de navigation
l'appelaient Pont-Gravé ; nous en ferons autant. Il aimait la bonne compagnie, la bonne chère et le calvados brûlant de sa Bretagne bien-aimée,
qu'il buvait sec et auquel il devait la goutte douloureuse qui allait l'accabler des années durant. On l'imagine aisément : géant joyeux, fort en
gueule, cordial et gai compagnon, avec une voix de stentor qui se faisait
entendre au milieu des bourrasques hurlantes. Il était natif de Saint-
Malo, rude port fait pour les vieux loups de mer comme lui ; il y avait été
baptisé à la cathédrale, et il était fier comme pas un de son patrimoine
breton. En mer, lorsqu'il croisait un bateau de pêche à l'apparence familière, il montait sur le gréement et hurlait « Malouins ! » Puis il entonnait
à pleins poumons un chant joyeux de sa Bretagne[3].

Un historien l'a baptisé le Falstaff de la Nouvelle-France, et plus d'un
biographe le place en effet dans ce rôle, comparaison injustement réduc-

En 1603, le petit port de Honfleur à l'embouchure de la Seine devient le principal port d'embarquement pour la Nouvelle-France. Certaines de ses vieilles rues autour de son bassin intérieur n'ont guère changé depuis l'époque de Champlain.

trice. Il était en fait d'une famille riche et considérée de Saint-Malo. On avait fait savoir au roi que l'« homme de créance » de sa ville natale était son cousin, Thomas Gravé[4]. Pont-Gravé était un navigateur courageux appelé à devenir une figure importante dans la colonisation de la Nouvelle-France. En 1603, il avait quarante-trois ans, soit une dizaine d'années de plus que Champlain, et il avait une longue expérience de l'Atlantique Nord. Il avait récemment commandé un navire lors de l'expédition malheureuse de Chauvin, et il avait mis en garde ses supérieurs contre certaines erreurs, mais on l'avait écouté trop tard. Champlain ne demandait pas mieux que de se mettre à l'école de cet homme « fort entendu aux voyages de mer, pour en avoir fait plusieurs[5] ».

Les deux hommes firent connaissance et Champlain lui remit la lettre du roi qui définissait son rôle dans l'expédition. Champlain n'occuperait aucun poste de commandement, et il était assigné à un rôle d'observateur, mais pas n'importe quel observateur : il devait faire rapport personnellement au roi. Ce qui aurait pu gêner ses rapports avec plus d'un commandant, mais Champlain était un homme qui parlait franc, Pont-Gravé était d'un naturel bon, et les deux hommes ne tardèrent pas à s'estimer. Pont-Gravé le devançait en âge, en rang et en service.

Il devint donc un mentor pour Champlain et lui enseigna les leçons qui s'acquièrent à la dure école de l'Atlantique Nord. « Que pour le sieur du Pont, j'étais son ami, écrivit Champlain, et que son âge me le ferait respecter comme mon père[6]. »

*   *   *

À Honfleur, Champlain rencontra aussi deux jeunes gens intéressants qui allaient être du voyage. Il s'agissait de deux Montagnais, « des jeunes hommes de rang dans leur pays » qui rentraient chez eux après avoir passé une année en Europe. Pont-Gravé, lors de son dernier voyage au Canada, avait persuadé les anciens de leur nation de les envoyer en France pour qu'ils puissent voir le pays et en apprendre la langue. À leur retour en Amérique, ils pourraient ainsi servir d'interprètes et de médiateurs entre les deux cultures. Leur séjour en France avait été un grand succès. Ils avaient été invités à la cour, où ils avaient été présentés au roi, qui leur avait témoigné sa bonté et son amitié. Les grandes maisons de France leur avaient ouvert leurs portes, et ils avaient été reçus comme des « princes indiens ». Ils s'étaient ainsi fait une haute idée du peuple de France et conservaient un beau souvenir de leur réception, chose qui allait revêtir une grande importance pour l'histoire du Canada, comme nous allons le voir[7].

Aymar de Chaste était l'âme dirigeante de l'entreprise. Un homme très capable et estimé, mais qui était âgé et en mauvaise santé. Il avait décidé de rester en France afin de voir aux affaires embrouillées de la compagnie. De Chaste avait de bons rapports avec ses investisseurs. Il était allé de l'avant avec les préparatifs du voyage et avait réuni assez d'argent pour affréter trois navires de taille moyenne. La *Bonne Renommée,* le vaisseau amiral, était un vaisseau jaugeant entre cent vingt et cent cinquante tonneaux, mesurant au total vingt-sept mètres de long, en comptant sa belle poulaine qui s'élançait sous le beaupré. C'était un solide bâtiment de mer qui avait été bien armé par les marchands de Honfleur. Il serait accompagné de deux vaisseaux plus petits, dont *La Françoise,* de cent tonneaux, qui était équipé par des marchands de Rouen. Le troisième navire, au nom et au tonnage inconnus, appartenait à Jean Sarcel de Prévert, de Saint-Malo[8].

L'expédition avait deux objectifs, le commerce et l'exploration. En premier lieu, il était essentiel que les promoteurs financent leur entreprise avec les profits de la pêche et des fourrures. Étant donné l'état du trésor royal, il était hors de question pour Henri IV et ses ministres que le grand dessein de Champlain pour la Nouvelle-France obère les finances de l'État. De Chaste avait donc rassemblé les capitaux voulus pour le voyage en s'adressant à des marchands et à des gentilshommes de Honfleur, de Saint-Malo, de Dieppe, du Havre et probablement aussi d'autres villes. Le risque commercial était très élevé. Le prix de l'assurance, qui donne une idée du danger qu'entrevoyaient ces commerçants aguerris et très au fait de l'Amérique, était de 35 %. Mais De Chaste avait promis un bon rendement à ses financiers, et ceux-ci avaient confiance dans son jugement[9].

S'il fallait que le voyage fût rentable, son but premier était cependant d'établir la viabilité d'un établissement en Nouvelle-France. Il ne s'agissait pas d'y implanter une colonie pour le moment mais de préparer une colonisation prochaine. Ainsi, les instructions d'Aymar de Chaste et du roi commandaient l'établissement de bonnes relations avec les Indiens, l'exploration des grandes rivières du Canada et l'examen des sites susceptibles d'accueillir des colonies permanentes. L'expédition avait six mois pour accomplir sa mission[10].

Pour les besoins de l'exploration, les navires avaient à leur bord deux bâtiments de taille moyenne que Champlain appelait des « moyennes barques » et qui jaugeaient selon lui entre douze et quinze tonneaux. On emporterait également de petites embarcations non pontées de cinq à sept tonneaux qui serviraient à reconnaître les eaux et à dresser des cartes. Elles étaient faites de sections préfabriquées qui seraient assemblées en Amérique du Nord[11].

Les navires se mirent en route aux ides de mars 1603, qui n'est pas le moment le plus propice pour braver la mer océane. C'était la fin de l'hiver dans l'Atlantique Nord : le temps des suroîts cycloniques sur la côte de l'Europe, des nordets furieux en Amérique, avec des icebergs entre les deux. Mais Pont-Gravé et ses lieutenants étaient pressés de partir. Dans le petit port étroit de Honfleur, ils hissèrent les voiles et quittèrent leur mouillage pour faire route vers la haute mer en évitant les bancs de sable de la Seine.

Lorsque la flotte dépassa l'embouchure du fleuve, le vent commença à refuser, la contraignant à jeter l'ancre en rade du Havre sur le banc nord. Le lendemain, les vents étant favorables, la flotte repartit sur un cap sud-ouest en virant les îles anglo-normandes de Guernesey et d'Alderney. Le soir du 19 mars, la flotte était au large d'Ouessant, le point le plus à l'ouest de la France. Elle tournait le dos à l'Europe et l'océan Atlantique s'ouvrait à elle, moment magique pour tout vrai marin.

Deux jours plus tard, l'humeur changea lorsqu'on repéra un étrange navire à l'horizon. D'autres bâtiments apparurent, sept au total, faisant route vers eux en tenant ce qui, pour un marin moindrement attentif, ne pouvait être qu'un cap collision. À cette époque, on ne savait jamais à quoi s'attendre des navires voguant au large des côtes de France. Il y avait la menace constante des pirates et des corsaires qui battaient toutes sortes de pavillons, et parfois s'en passaient. La flotte se rapprocha et se prépara au combat. Champlain vit alors qu'il s'agissait de navires flamands rentrant d'un long voyage de commerce aux Indes orientales. Les deux escadrilles se croisèrent sans heurts, au grand soulagement de tous[12].

La *Bonne Renommée* et les deux autres navires poursuivirent leur route et purent profiter d'une semaine de beau temps et de navigation stable. Puis le vent tourna, la mer se mit à s'agiter et le ciel s'obscurcit. Les marins se trouvèrent soudain au beau milieu d'un suroît d'une violence terrible qui leur soufflait droit au visage. Sur la mer verte et profonde, le navire de Champlain tanguait et roulait avec une telle force qu'il était impossible d'allumer un feu, et l'équipage n'avait rien de chaud à manger ou à boire. La tempête sévit pendant dix-sept jours, et comme Champlain devait le noter, « nous eûmes plus d'eschet que d'avancement ». Tous les marins étaient transis, et bon nombre étaient terrorisés[13].

Enfin, le dix-huitième jour, « le temps commença à s'adoucir, et la mer plus belle qu'elle n'avait été, avec contentement d'un chacun ». La flotte poursuivit son chemin pendant encore deux semaines. Les eaux devinrent plus chaudes à l'arrivée dans le Gulf Stream, puis elles se refroidirent de nouveau dans le courant du Labrador. Le 28 avril, les voyageurs se retrouvèrent devant un iceberg, un banc de glace comme dit Champlain, plus haut que les navires. Le lendemain, ils longèrent une île de glace qui faisait plus de huit lieues de long et « une infinité d'autres moindres, qui fut l'occasion que nous ne pûmes passer ». L'officier de quart estima leur latitude à 45 degrés, 40 minutes nord, et la flotte fut incapable de se frayer un passage entre les glaces.

Les navires virèrent vers le sud, et à quarante-quatre degrés purent « trouver passage » vers l'ouest, ce qui les conduisit vers « le banc », comme on appelait le Grand Banc de Terre-Neuve. Ils filèrent vers l'ouest et se butèrent à des brumes épaisses. Dans le silence inquiétant de la nuit opaque, ils entendirent un bruit lointain qu'ils reconnurent soudain pour être celui des vagues qui se brisent sur la côtc. L'alarme fut donnée et l'équipage se précipita sur le pont. Les gabiers montèrent en toute hâte dans la mâture. Le bruit des brisants devenant de plus en plus fort, le timonier s'arc-bouta sur son timon, les hommes de pont coururent aux manœuvres et, peu à peu, le navire vint face au vent, toutes voiles fasseyantes, pour finir par virer lof pour lof. Enfin, les voiles prirent au vent sous la nouvelle amure et le navire commença à s'éloigner des brisants. Il s'en était fallu de peu ! Le lendemain, la brume se dissipa, et les voyageurs se rendirent compte qu'ils longeaient les falaises rocheuses du cap Sainte-Marie qui jaillit de la péninsule d'Avalon de Terre-Neuve. Ils avaient frôlé le désastre, leçon que Champlain allait retenir pour la vie[14].

Après cette première approche de la terre, ils avaient encore un long chemin devant eux dans les eaux côtières de l'Amérique du Nord. Ils mirent dix jours à doubler Terre-Neuve et furent « assaillis » par un autre grain, un nordet américain typique, si l'on en croit Champlain. Ils finirent par gagner le détroit de Cabot, large d'environ cent kilomètres, entre Terre-Neuve et l'île du Cap-Breton. La *Bonne Renommée* s'engagea bravement dans ce passage gigantesque et pénétra dans le golfe du Saint-Laurent, cette immense mer intérieure. L'officier de quart donna l'ordre de prendre un cap ouest-nord-ouest, esquivant de nouvelles banquises. Champlain fut sidéré par la majesté de ce monde nouveau. Même comparée à la Nouvelle-Espagne, la côte nord-américaine était un pays de géants.

Enfin, les voyageurs pénétrèrent dans la « rivière de Canada », comme l'appelait Champlain, le Saint-Laurent d'aujourd'hui. L'embouchure du fleuve fait environ cent soixante kilomètres de large. Elle est divisée par la grande langue de l'île d'Anticosti, qui fait deux cents kilomètres de long, à l'époque l'habitat d'immenses ours blancs à la férocité légendaire qui s'attaquaient aux humains à vue. Les marins européens aussi bien que les Indiens s'assuraient d'éviter autant que possible l'île d'Anticosti. Nos voyageurs longèrent la rive sud de l'estuaire, doublant les grandes arches de pierre de l'île « Percée » qui constituait une borne

L'île Percée, à l'extrémité est de la péninsule de Gaspé, est un rocher géant de grès rouge qui mesure quatre cents mètres de long et fait plus de quatre-vingt-dix mètres de haut. Célèbre pour ses arches énormes (il n'y en a plus qu'une maintenant), elle servait de borne marine à Champlain et ses capitaines.

importante. Ils voguèrent le long de la péninsule de Gaspé dont les montagnes surprirent Champlain par leur hauteur, plus de mille deux cents mètres au-dessus du niveau de la mer.

Ils mirent encore une semaine à remonter le majestueux Saint-Laurent. Le 26 mai 1603, ils atteignirent l'embouchure du Saguenay et jetèrent l'ancre dans le havre étroit de Tadoussac. La traversée avait pris dix semaines et avait été ponctuée de nombreux moments périlleux. Mais comparativement à d'autres équipées du même genre, Champlain conserva le souvenir d'un « heureux voyage ». La présence de Pont-Gravé et des deux jeunes princes montagnais avait peut-être atténué les tourments de la traversée[15].

Dans le havre de Tadoussac, Champlain et Pont-Gravé songèrent à se mettre en rapport avec les Indiens. Le lendemain, l'occasion se présenta par un pur hasard. Juste avant que les Français n'arrivent, des Indiens par centaines s'étaient massés sur l'autre rive du Saguenay, à

Le petit havre circulaire de Tadoussac était depuis longtemps un centre de troc dans le Bas-Saint-Laurent. La gravure de Théodore de Bry (1592) nous montre un canot et un baleinier jaugeant entre cinquante et soixante tonneaux. La baleine est un béluga blanc à la tête ronde et sans dorsale, ce qui lui permet de briser la glace l'hiver. Un troupeau de bélugas habite toujours ces eaux.

seulement quelques kilomètres de Tadoussac. Ils avaient bâti leur campement d'été en tentes d'écorce à la pointe Saint-Mathieu, aujourd'hui la pointe aux Alouettes[16].

C'était une assemblée monstre. Champlain compta au moins deux cents grands canots et calcula qu'il y avait au moins un millier d'Indiens présents. Ils étaient de plusieurs nations. Parmi eux, il y avait plusieurs groupes de Montagnais, qui se nomment Innus aujourd'hui (à ne pas confondre avec les Inuits au nord). Les hôtes étaient les Montagnais de Tadoussac qui vivaient non loin de là. Les Montagnais bersiamites venaient du bas du fleuve Saint-Laurent et les Montagnais attikamègues avaient descendu le fleuve depuis Québec. Les Porcs-épics étaient de la vallée du Saguenay[17]. Il y avait aussi des nations algonquines de la rivière des Outaouais, dans le lointain nord-ouest, et des Etchemins qui avaient

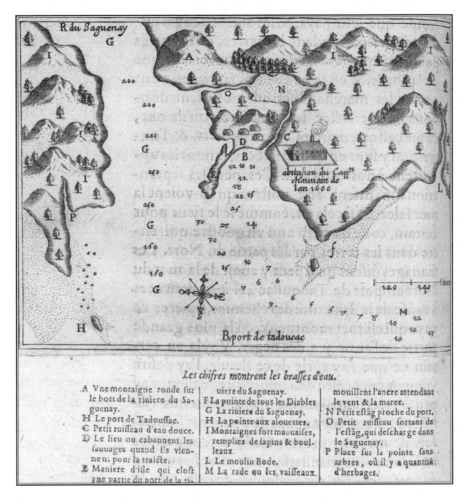

La carte très exacte que Champlain a tracée de Tadoussac et de l'embouchure du Saguenay, avec la pointe Saint-Mathieu (pointe aux Alouettes) à l'ouest. À noter : la profondeur de la rivière, à deux cent cinquante brasses françaises, ou quatre cent cinquante-sept mètres. Sur la rive, les cabanes d'écorce des Indiens et les ruines de la colonie de Chauvin.

fait tout le chemin depuis la rivière Penobscot, dans le Maine. Ces nations s'étaient réunies pour fêter leur victoire sur l'ennemi commun, l'Iroquois[18].

Champlain et Pont-Gravé agirent sans tarder. Les deux hommes, accompagnés de leurs deux interprètes montagnais, prirent une chaloupe, traversèrent le Saguenay battu par les vents et se rendirent au vaste campement indien. Ce fut une scène pittoresque : on imagine des nuages de fumée s'échappant des tentes d'écorce, un tourbillon de couleurs et de mouvements dans le camp, des foules de jeunes guerriers et de jeunes Indiennes magnifiquement vêtues se mêlant les uns aux autres, des hordes d'enfants et des meutes de chiens courant dans tous les sens. Les tambours indiens rendaient un bruit de joie. Plus d'une centaine de scalps iroquois encore sanglants étaient étalés à la vue de tous. Les captifs iroquois étaient solidement attachés à des pieux, et leur tourment avait déjà commencé. Le sang dégouttait de leurs doigts tranchés et fracassés, et ils attendaient stoïquement le sort qu'on leur réservait.

Les deux chefs français mirent pied à terre avec leurs compagnons montagnais et pénétrèrent hardiment dans le camp. Ils ne montrèrent pas le moindre signe de crainte ou d'hostilité, comportement bien différent de celui de nombreux Européens en de semblables circonstances. Ils étaient peut-être vêtus d'une armure légère et coiffés d'un casque d'acier brillant, celui-ci décoré du plumet blanc du roi Bourbon, mais ils n'avaient pas d'armes à feu, fait qui dénotait encore une fois une approche différente[19].

Pont-Gravé, Champlain et les jeunes Montagnais furent conduits à un chef qu'ils appelèrent Anadabijou. Ils le trouvèrent dans une grande cabane d'écorce qui mesurait entre soixante et quatre-vingts pas de long, faisant tabagie (mot « qui veut dire festin », dit Champlain) avec « quelque quatre-vingts ou cent de ses compagnons ». Champlain dit que ces chefs étaient des *sagamos* et qu'Anadabijou des Montagnais de Tadoussac était le « grand sagamo » et l'hôte de la cérémonie[20].

Anadabijou reçut les Français « selon la coutume du pays » et les invita à occuper une place d'honneur. Lorsque tous eurent pris place, un silence mêlé de curiosité s'installa. Puis l'un des deux jeunes Montagnais qui avaient séjourné en France se leva et commença sa harangue. Il décrivit les châteaux et les villes qu'il avait vus, parla en termes chaleureux de sa rencontre avec Henri IV et s'attarda longuement sur les bons traitements que lui avaient réservés les Français. Champlain se souvint que le jeune Indien fut écouté avec « un silence si grand qu'il ne se peut dire de plus ». Après que le jeune homme eut achevé sa harangue, le grand sagamo alluma une longue pipe qu'il passa ensuite aux autres sagamos et à Pont-Gravé, et il se mit à « faire sa harangue à tous, parlant posément ». Il dit que, « véritablement, ils devaient être fort contents d'avoir Sa Majesté pour grand ami ». Les Indiens « répondirent tous d'une voix, *ho, ho, ho,* qui est à dire, *oui, oui* ».

Anadabijou marqua une pause, puis il reprit. Il dit aux chefs des nations indiennes réunis qu'il « était fort aise que sa dite Majesté peuplât leur terre, et fît la guerre à leurs ennemis, qu'il n'y avait nation au monde à qui ils voulussent plus de bien qu'aux Français ». D'après Champlain, le sagamo « fit entendre à tous tout le bien et utilité qu'ils pourraient recevoir de sa dite Majesté[21] ».

Après les discours, les Indiens retournèrent à leur festin et invitèrent les Français à y prendre part. Les chaudières étaient remplies de « chair d'orignac », dont le goût parut voisin de celui du bœuf pour Champlain. Il y avait aussi de la chair d'ours, de loup marin et de castor ainsi que du gibier d'eau « en quantité ». Puis les cérémonies suivirent. Fasciné, Champlain vit un guerrier se lever, s'emparer d'un chien et s'en aller « sauter autour des dites chaudières d'un bout de la cabane à l'autre ». Lorsqu'il parvint à la hauteur d'Anadabijou, il jeta violemment le chien sur le sol. Puis tous d'une voix s'écrièrent « ho, ho, ho ! » D'autres guerriers l'imitèrent. Après le festin, les Indiens firent la danse du scalp « en prenant les têtes de leurs ennemis, qui leur pendaient par derrière ». La danse se poursuivit jusque dans la nuit, puis tous se retirèrent[22].

À la pointe du jour, le grand sagamo sortit de sa cabane et fit le tour du campement endormi en poussant des cris. Anadabijou déclara d'une voix forte que tous devaient lever le camp pour aller à Tadoussac rendre visite à leurs amis français. Champlain relata que « tout aussi tôt un chacun défit sa cabane, en moins d'un rien ». Il nota cependant que « ledit capitaine le premier commença à prendre son canot, et le porter à la mer, où il embarqua sa femme et ses enfants, et grande quantité de fourrures ». Champlain n'avait pas été long à voir que le rang et la puissance obéissaient à des règles différentes chez les Indiens[23].

Au grand émerveillement des Français, deux cents canots entrèrent dans la rivière et se mirent à glisser à une vitesse étonnante sur les eaux agitées du Saguenay, en direction de Tadoussac. Relisons Champlain : « car encore que notre chaloupe fût bien armée, si allaient-ils plus vite que nous ». Il resta fasciné par leurs canots d'écorce, si légers qu'un seul homme pouvait porter le sien sur terre, mais si robustes et flottant haut sur l'eau qu'ils pouvaient porter plusieurs hommes ou une charge de mille livres[24].

Les canots convergèrent vers le havre de Tadoussac où était ancrée la *Bonne Renommée*. Les Indiens mirent pied à terre, rebâtirent leur camp et entreprirent une autre célébration. Champlain n'avait rien vu de tel de sa vie. « Après avoir fait bonne chère, les Algoumekins [Algonquins], une des trois nations, sortirent de leurs cabanes, et se retirèrent à part dans une place publique, firent arranger toutes leurs femmes et filles les unes près des autres, et eux se mirent derrière chantant tous d'une voix. »

Champlain fut ravi par leurs chants et leurs danses. « Ils ne bougent d'un lieu en dansant, et font quelques gestes et mouvements du corps, levant un pied, et puis l'autre, en frappant contre terre. » Soudain, poursuit-il, « toutes les femmes et filles commencèrent à quitter leurs robes de peaux, et se mirent toutes nues montrant leur nature, néanmoins parée de matachia, qui sont patenôtres et cordons entrelacés, faits de poils de porc-épic, qu'ils teignent de diverses couleurs ». Champlain décrit la beauté de ces jeunes filles et femmes, leurs corps souples ondulant sous ses yeux. « Tous ces peuples, ce sont gens bien proportionnés de leurs corps, sans aucune difformité ; ils sont dispos, et les femmes bien formées, remplies et potelées, de couleur basanée. » Leur chant terminé, les guerriers indiens se tournèrent vers les femmes et poussèrent un *ho, ho, HO !* Les danseuses se recouvrirent de leurs robes sans dire mot, refirent leur danse et laissèrent « aller leurs robes comme auparavant[25] ».

Après que les Algonquines eurent dansé, un sagamo de leur nation du nom de Bessouat ou Tessouat se leva et dit : « Voyez comme nous nous réjouissons de la victoire que nous avons obtenue sur nos ennemis : il faut que vous en fassiez autant, afin que nous soyons contents. » Les Indiens poussèrent un nouveau cri. Puis Anadabijou et tous les Montagnais et Etchemins se levèrent et « se mirent nus sauf pour une petite peau qui couvrait leur nature. Chacun prit un objet de valeur, comme matachias, haches, chaudrons, chair d'orignal ou de loup marin, et le donna aux Algonquins[26] ».

Après d'autres danses et célébrations, les Indiens se retirèrent dans leurs cabanes. Champlain se plaisait parmi eux. Il était fasciné par leur caractère et leur culture, et il ne tarda pas à en saisir toute la complexité. « Tous ces peuples sont tous d'une humeur assez joyeuse ; ils rient le plus souvent ; toutefois ils sont quelque peu saturniens. » Par « saturnien », il entend qu'il y avait dans leur joie un accent de mélancolie. Cette tension émotive l'intriguait, et il en fait souvent mention dans ses écrits. Il écouta aussi attentivement leurs discours, dont l'interprétation devait sans doute être assurée par les deux jeunes Montagnais. « Ils parlent fort posément, comme se voulant bien faire

LES NATIONS INDIENNES ET LES ROUTES DU COMMERCE, 1600

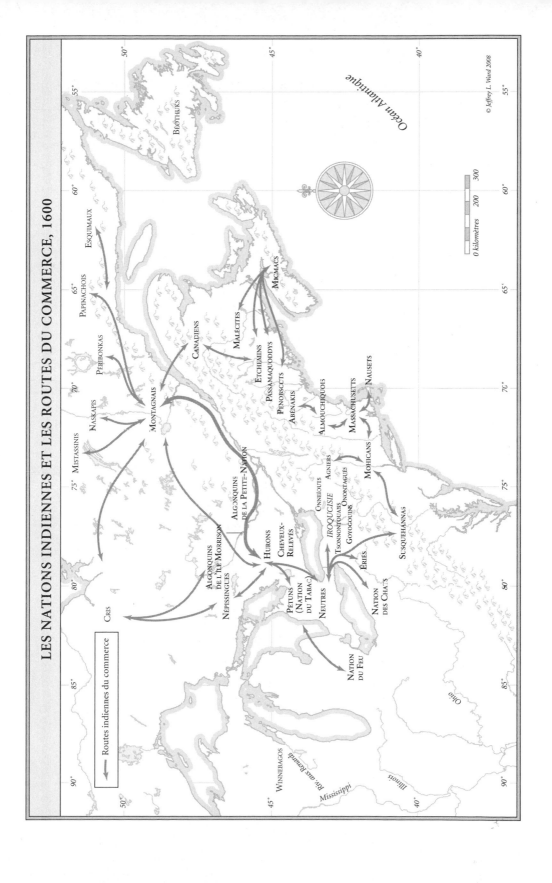

Routes indiennes du commerce

BÉOTHUKS

ESQUIMAUX

PAPINACHOIS

PERIBONKAS

CANADIENS

MALÉCITES

MICMACS

ÉTCHEMINS

PASSAMAQUODDYS

PENOBSCOTS

ABÉNAKIS

ALMOUCHIQUOIS

NAUSETS

MASSACHUSETTS

MOHICANS

AGNIERS

ONNEÏOUTS

TSONNONTOUANS

ONONTAGUÉS

GOYOGOUINS

IROQUOISIE

SUSQUEHANNAS

ÉRIÉS

NATION
DES CHATS

NATION
DU FEU

NEUTRES

PÉTUNS
(NATION
DU TABAC)

HURONS

CHEVEUX-
RELEVÉS

NÉPISSINGUES

ALGONQUINS
DE L'ÎLE MORRISON

ALGONQUINS
DE LA PETITE-NATION

MONTAGNAIS

NASKAPIS

MISTASSINIS

CRIS

WINNEBAGOS

Riv. aux Renards

Mississippi

Illinois

Ohio

Océan Atlantique

0 kilomètres   200   300

© Jeffrey L. Ward 2008

entendre, et s'arrêtent aussitôt en songeant une grande espace de temps, puis reprennent leur parole[27]. »

Champlain était attiré par les Indiens et heureux en leur compagnie. Ses hôtes lui rendaient son amitié, mais au beau milieu de toute cette chaleur, une certaine méfiance subsistait de part et d'autre. Français et Indiens demeuraient sur leurs gardes, et avec raison. Mais de cette rencontre allait tout de même naître une relation qui serait l'une des plus longues et des plus fermes dans l'histoire des rapports entre Européens et Indiens d'Amérique.

Ce moment fut un événement de la plus haute importance dans l'histoire de l'Amérique. Cette rencontre n'avait absolument rien d'organisé, mais de chaque côté, les chefs avaient tout de suite entrevu les promesses qu'elle renfermait. La Grande Tabagie marqua le début d'une alliance entre les fondateurs de la Nouvelle-France et trois nations indiennes. L'adhésion de chacun était libre, et chacun y trouva son profit. Les Indiens recrutaient un allié potentiel contre leurs ennemis mortels, les Iroquois. Les Français trouvaient un appui pour leur établissement, l'exploration et le commerce. L'alliance formée ce jour-là allait durer longtemps parce qu'elle reposait sur l'intérêt matériel bien compris de chacun[28].

Les chefs qui s'étaient rencontrés à la pointe aux Alouettes avaient réussi autre chose encore. Ils avaient fixé le ton de leur alliance. Pont-Gravé, Champlain, Anadabijou, les autres sagamos présents, et surtout les deux jeunes Montagnais qui avaient vu Paris, avaient fait œuvre commune. La dignité et le respect avaient marqué leurs échanges. Ils avaient ainsi créé une atmosphère de confiance qui était essentielle aux relations entre Européens et Indiens. Plus tard, ils veillèrent aussi à nourrir cette confiance. Quand la confiance régnait, tout devenait possible. Quand elle se perdait, elle revenait rarement. Il faut retenir de cette rencontre aussi bien son esprit que sa substance : elle marqua le début d'une relation unique dans la longue histoire de la colonisation européenne en Amérique. Il est d'ailleurs resté quelque chose de cet esprit au Canada entre Européens et Indiens, même de nos jours : ce qui constitue en soi un exploit extraordinaire[29].

*   *   *

160

Au lendemain de la tabagie, Champlain porta son attention sur une autre tâche, l'exploration des rivières du Canada. Il s'agissait pour lui de situer les artères commerciales les plus prometteuses et de repérer le meilleur emplacement pour un établissement permanent. Son point de départ fut l'anse étroite de Tadoussac. En 1603, c'était véritablement le carrefour du Canada, le lieu où convergeaient les deux grandes lignes de communication. Le grand historien canadien Marcel Trudel explique que la Nouvelle-France aurait pu se développer sur deux axes. L'un allant du nord-est vers le sud-ouest, suivant le Saint-Laurent jusqu'aux Grands Lacs ; l'autre du sud-est au nord-ouest, épousant le Saguenay et ses affluents jusqu'à la baie d'Hudson[30].

Chaque axe avait ses attraits. Le Saint-Laurent avait pour lui l'avantage du climat et du sol, et il constituait un boulevard menant à l'intérieur du continent. Le Saguenay était la source des fourrures les plus lustrées et les plus précieuses étant donné qu'elles provenaient d'animaux vivant dans les régions plus froides du nord. Il promettait aussi un passage vers l'Asie par le nord-ouest[31]. Champlain voulait explorer les deux axes. Le commandant de la mission, Pont-Gravé, ordonna aux charpentiers d'armer l'une des barques de douze à quinze tonneaux qui se trouvaient à bord de la *Bonne Renommée*. Ce ne fut pas une mince affaire que d'assembler ce vaisseau, calfater son bordage, le mettre à l'eau, gréer le gouvernail, emplanter les mâts, capeler le gréement, monter les voiles et le préparer pour le voyage. Alors que les artisans étaient au travail, Champlain ne chômait pas. L'oisiveté était inconnue de ce jeune homme dynamique. Il commença par étudier le relief autour de Tadoussac. S'étant mis à la recherche des traces des premiers visiteurs français, il retrouva la maison que Chauvin avait bâtie en 1600 et d'autres vestiges de cette colonie éphémère. Il découvrit aussi les traces des trois marins français qui avaient hiverné à Tadoussac après y avoir été abandonnés par leur capitaine malouin.

Champlain dessina une carte du havre de Tadoussac. Il dessina le tracé de la rive avec un grand souci du détail et en vérifia l'exactitude par de multiples relèvements au compas. Il releva ensuite les eaux du havre lui-même avec un plomb de sonde, depuis la proue d'une chaloupe. Après qu'il eut dessiné sa carte, il se mit à sonder le Saguenay. C'était plus un fjord qu'une rivière, flanqué de collines rocheuses et de montagnes escarpées qui s'enfonçaient droit dans l'eau. Il commença sans doute par utiliser une ligne de sonde légère, et à son grand étonnement il ne put atteindre le fond. Il employa alors la grande sonde de la *Bonne Renommée,* qui avait des centaines de brasses de ligne. Avec ce matériel en main, Champlain et son équipe se mirent à sonder les profondeurs du Saguenay, dont l'embouchure faisait un kilomètre et demi. Les marins qui lançaient la lourde sonde crièrent que le fond était à deux cent cinquante brasses, soit quatre cent cinquante-sept mètres. Champlain écrivit que l'embouchure du Saguenay était d'une « profondeur incroyable[32] ». Il fut aussi étonné par la température très froide de cette rivière qui coulait du nord. Il nota l'impétuosité du courant : « Il y a un courant si grand qu'il est trois quarts de marée couru dedans la rivière, qu'elle porte encore hors ».

L'eau glaciale et profonde du Saguenay nourrissait une vie marine abondante. C'était l'habitat d'un grand troupeau de magnifiques bélugas blancs. Il y était bien avant l'arrivée de Champlain. Pendant plusieurs générations, les pêcheurs basques les ont pourchassés, mais ils y sont encore aujourd'hui, nageant avec une grâce exquise, comme des esprits venus d'une autre planète. Ce nouveau monde recelait décidément bien des merveilles[33].

Champlain acheva sa carte de l'embouchure du Saguenay, et le 12 juin 1603, il se mit à remonter la rivière. Il y passa en tout une semaine, parcourant entre « douze et quinze lieues », à mi-chemin avant la grande chute de Chicoutimi. Champlain dit du Saguenay que c'était une « belle rivière », mais la contrée ne l'enthousiasma guère. « Toute la terre que j'y ai vue n'est que montagnes et promontoires de rochers, la plupart couverts de sapins et bouleaux, terre fort mal plaisante, tant d'un côté que d'autre. » Les eaux coulant du nord en faisaient un des lieux les plus froids de la vallée du Saint-Laurent. En bref, dit Champlain de ces rives, « ce sont de vrais déserts inhabités d'animaux et d'oiseaux[34] ».

Champlain en conclut que le cours inférieur du Saguenay était impropre à un établissement permanent, mais il voulut en apprendre davantage sur son potentiel commercial, en savoir peut-être aussi davantage sur la possibilité d'atteindre le passage du nord-ouest. Il espérait remonter la rivière jusqu'à sa source, mais ses alliés montagnais lui firent savoir en termes peu équivoques qu'il ne devait pas s'aventurer plus loin sur le Saguenay. « J'ai désiré souvent faire cette descouverture, devait écrire Champlain plus tard, mais je n'ai pu sans les sauvages, qui n'ont voulu que j'allasse avec eux ni aucuns de nos gens[35]. »

Les Montagnais étaient les intermédiaires d'un lucratif commerce de fourrures, acquérant les épaisses peaux subarctiques des nations que Champlain nomme les Péribonkas, les Mistassinis et les Ashuapmouchouans. Les Montagnais leur achetaient leurs fourrures et les revendaient aux Européens et à d'autres nations indiennes à Tadoussac. Ce commerce était leur source de revenus la plus importante, et ils interdisaient aux autres trafiquants — indiens ou européens — de remonter le Saguenay, sous peine de mort. La maîtrise de cette artère était indispensable à leur prospérité. Les autres nations indiennes en faisaient autant : les Attikamègues de la vallée du Saint-Maurice, les Népissingues au nord-ouest, et les Hurons dans l'arrière-pays, à l'ouest[36].

Champlain évita de mécontenter les Montagnais à cc sujet. Toujours il sut gagner l'estime des Indiens en reconnaissant leurs intérêts vitaux et en les respectant scrupuleusement. Mais les Montagnais comprenaient aussi son intérêt pour le Saguenay, et ils acceptèrent de lui décrire en termes généraux le pays qu'il y avait au nord. Ils le laissèrent aussi arpenter à sa guise le cours inférieur du Saguenay[37].

Dans ses explorations, Champlain s'assurait toujours le concours des Indiens, les interrogeant sur leur pays, notant soigneusement leurs dires et soulignant clairement ce qu'il n'avait pas vu de ses propres yeux. Il apprit ainsi beaucoup à leur contact, les écouta d'une oreille critique, leur demandant même à l'occasion de tracer des croquis avec du charbon sur de l'écorce de bouleau blanc. Il retint tout leur savoir, et les informations qu'il se procura ainsi se révélèrent d'une grande exactitude. Les Montagnais de Tadoussac lui mentionnèrent la chute de Chicoutimi, ils lui dirent où se situait la limite de la navigation dans le Saguenay et lui indiquèrent les nombreuses autres chutes et rivières qui se trouvaient au-delà. Champlain apprit ainsi qu'il y avait d'autres nations qui vivaient plus au nord, non loin de la grande mer salée. « Lesdits Sauvages du Nord disent qu'ils voient une mer qui est salée. Je tiens, si cela est, que c'est quelque gouffre de cette mer qui dégorge par la partie du Nord dans les terres, et de vérité il ne peut être autre chose[38]. »

Champlain avait tout de suite compris que la grande mer salée des Indicns était la baie d'Hudson. Il savait que les Anglais y avaient déjà été dans leur recherche d'un chemin vers la Chine. En une semaine ou deux sur le Saguenay, il s'était fait une idée remarquablement exacte du pays qui s'étendait à treize cents kilomètres au nord de la vallée du Saint-Laurent. Il en traça un croquis à partir des descriptions faites par les Indiens, notant cependant qu'il n'y était pas allé lui-même.

Après avoir passé une semaine sur le cours inférieur du Saguenay, Champlain retourna à Tadoussac. La barque était prête, et le moment était venu d'explorer le Saint-Laurent. Pont-Gravé décida de diriger cette expédition de reconnaissance lui-même, avec Champlain à ses côtés. Il s'agissait maintenant de trouver le site d'un futur établissement et d'en apprendre davantage sur le territoire qui s'étendait à l'ouest. Champlain avait pour tâche de cartographier le fleuve. Il nous dit qu'il avait emporté des sondes, un compas et probablement un petit astrolabe de voyage pour calculer les latitudes. La barque contenait aussi des esquifs pouvant transporter sept ou huit hommes et qui étaient utiles pour reconnaître les eaux peu profondes et les petits ruisseaux[39].

Ils n'étaient pas les premiers Européens à étudier la vallée du Saint-Laurent. Champlain découvrit plus tard les cheminées de l'habitation de Cartier. Il trouva aussi des croix de bois pourries et des traces d'autres visiteurs européens. Mais Champlain procéda à son exploration d'une manière plus systématique que ses prédécesseurs. Il s'agissait d'une expédition importante, bien planifiée et parfaitement équipée, avec des provisions suffisantes pour tenir plus de deux mois sur le fleuve.

C'était aussi une opération de reconnaissance en règle menée par une forte troupe de Français armés, guidée par des Indiens, commandée par Pont-Gravé mais de plus en plus orientée par Champlain. Ces hommes entraient dans un territoire dangereux, proche du pays iroquois. Champlain espérait d'ailleurs les rencontrer. Toujours optimiste, il voulait, nous dit-il, « rendre lesdits Iroquois et autres Sauvages amis ». Réaliste aussi : il comprenait que tout ami des Algonquins et des Montagnais risquait d'être traité en ennemi par les Iroquois. Les Français cheminaient en paix avec leurs guides indiens, mais ils étaient disposés à se défendre si on les attaquait[40].

Le 18 juin 1603, ils quittèrent Tadoussac et remontèrent lentement le Saint-Laurent, à cause des courants et des vents contraires. Les rives présentaient à l'abord un aspect désolant. « Toute cette côte n'est que montagnes tant du côté du sud, que du côté du nord, la plupart ressemblant à celle du Saguenay », devait écrire Champlain[41].

Le dimanche 22 juin, ils parvinrent à l'île d'Orléans, ainsi nommée par Jacques Cartier, et trouvèrent le paysage cette fois « fort plaisant et uni ». À la hauteur de l'extrémité ouest de l'île, ils découvrirent sur l'autre rive une chute de quatre-vingts mètres de haut qui porte encore le nom que Champlain lui donna, les chutes Montmorency, en l'honneur de l'homme qui était amiral de France en 1603. Ayant dépassé l'île d'Orléans, ils jetèrent l'ancre à l'endroit que les Indiens appelaient Kebec, mot algonquin qui signifie « l'endroit où le fleuve se rétrécit », en l'occurrence à moins d'une portée de canon. Sur la rive nord, Champlain vit « une montagne assez haute qui va en abaissant des deux côtés », et « tout le reste est pays uni et beau, où il y a de bonnes terres pleines d'arbres, comme chênes, cyprès, bouleaux, sapins, trembles, et autres arbres fruitiers, sauvages et vignes : qui fait qu'à mon opinion, si elles étaient cultivées, elles seraient bonnes comme les nôtres ». C'est là, à l'endroit où le fleuve se rétrécit, que Champlain allait fixer le site de son établissement[42].

Le lendemain, ils quittèrent Québec. Le grand fleuve s'élargit de nouveau, à près de huit kilomètres, et il écrivit : « Le pays va de plus en plus en embellissant. » Ils mouillèrent à quarante-huit kilomètres de Québec, sur la rive sud. Champlain mit pied à terre, creusa le sol et le trouva doux, friable, riche et noir. Il écrivit de cette terre qu'elle était « fort tendre, et si elle était bien cultivée, elle serait de bon rapport[43] ».

Plus ils remontaient le fleuve, plus le paysage s'embellissait : « Plus nous allions en avant, plus le pays est beau. » Le pays était sillonné de petites rivières et de ruisseaux. À cent cinquante kilomètres de Québec, ils atteignirent la vaste embouchure de la rivière Saint-Maurice qui était divisée par de petites îles. Ils baptisèrent le lieu Trois-Rivières, le nom qu'il porte encore aujourd'hui. Champlain tenta d'explorer la Saint-Maurice à bord d'un esquif mais fut arrêté par les rapides au bout d'environ deux lieues. Les guides indiens lui dirent que la source de la rivière était proche du Saguenay. Champlain entrevit aussitôt l'importance stratégique de cette rivière comme lieu d'échange avec les nations du nord[44]. Il nota autre chose à propos des Trois-Rivières : « Il commence d'y avoir température de temps quelque peu dissemblable […] d'autant que les arbres y sont plus avancés qu'en aucun lieu que j'eusse encore vu. » En remontant le fleuve, nos voyageurs avançaient vers le sud-ouest. La longue distance parcourue expliquait la différence de latitude[45].

Champlain et ses compagnons poursuivirent leur chemin sur le grand fleuve et atteignirent un lac qui faisait trente-cinq kilomètres de long et dix de large, et au-delà de ce lac se trouvait une rivière très large que les Indiens appelaient la rivière des Iroquois. Ils lui expliquèrent qu'elle provenait de deux très grands lacs au sud. Ils parlèrent aussi d'une autre grande rivière au-delà de ces lacs, qui coulait dans le sens contraire, vers « la Floride ». En fait, les guides décrivaient le lac Champlain, le lac George et le fleuve Hudson. Une fois de plus, Champlain se fit rapidement une idée exacte du pays qui se trouvait à des centaines de kilomètres au sud, essentiellement à partir de ses conversations avec les indigènes[46].

Ils reprirent leur voyage vers l'amont et se trouvèrent bientôt entourés d'îles, de rapides et d'eaux peu profondes. Le courant était si impétueux que la barque ne pouvait plus avancer. Champlain et cinq marins prirent l'esquif mais se butèrent à « une infinité de petits rochers qui étaient à fleur d'eau » et ne purent aller plus loin, même lorsqu'on ordonna aux marins de se mettre à l'eau pour alléger l'embarcation. Champlain écrivit cependant que « le canot des Sauvages passait aisément ». Il jeta l'ancre près d'une grande île sur la rive nord. Derrière se trouvait une élévation que Cartier avait baptisée le « mont Réal », qui a donné son nom à la métropole qu'on connaît aujourd'hui[47].

Champlain poursuivit son chemin à pied et en canot et parvint à des rapides impressionnants. « Je vous assure que jamais je ne vis un torrent d'eau déborder avec une telle impétuosité comme il fait, bien qu'il ne soit pas beaucoup haut, n'étant en d'aucuns lieux que d'une brasse ou de deux et au plus de trois. Il descend comme de degré en degré, en chaque lieu où il y a quelque peu de hauteur, il s'y fait un ébouillonnement étrange de la force et raideur que va l'eau en traversant ledit sault[48] ».

C'était là le point extrême de la navigation sur le Saint-Laurent en 1603. « Il est hors de la puissance d'homme d'y passer un bateau, pour petit qu'il soit », écrivit Champlain. Les voyageurs poursuivirent à pied jusqu'au bout des rapides, dans un « bois fort clair, où l'on peut aller aisément, avec armes, sans beaucoup de peine[49] ». Il semble que Champlain ait utilisé son astrolabe pour prendre une méridienne, à une latitude de « 45 degrés et quelques minutes ». La latitude de Montréal est de 45 degrés et 30 minutes. En comparaison, le versant nord de l'estuaire du Saint-Laurent est à 50 degrés à l'embouchure, soit une différence de trois cents milles marins en latitude. Dans cette contrée située entre Québec et Montréal, avec son climat « plus doux et tempéré », Champlain crut avoir trouvé non seulement le site d'un établissement mais aussi le foyer futur d'une nation[50].

Champlain interrogea les Indiens sur le pays qui s'étalait au-delà des grands rapides. Ils lui décrivirent le fleuve en détail et lui parlèrent des

Grands Lacs, des chutes du Niagara et de la rivière Détroit, mais précisèrent qu'eux-mêmes n'étaient jamais allés plus loin. Une fois de plus, les entretiens avec les Indiens lui avaient suffi pour lui donner une idée remarquablement nette des Grands Lacs. En deux semaines d'exploration, et après force conversations avec les Indiens, il s'était fait une image exacte de l'Amérique du Nord, de la baie d'Hudson au fleuve du même nom, et du Saint-Laurent aux Grands Lacs[51].

Champlain avait trouvé l'essentiel de ce qu'il cherchait, et il lui tardait d'en faire rapport au roi. Le 4 juillet 1603, les voyageurs redescendirent le fleuve. Favorisés comme ils l'étaient par le courant et le vent, ce fut chose vite faite. Ils s'arrêtèrent à l'île d'Orléans pour rendre visite à un parti d'Algonquins, qui parlèrent à Champlain de la rivière des Outaouais, au-delà de laquelle se trouvait une autre grande mer d'eau douce, dont on sait aujourd'hui qu'il s'agit du lac Huron. D'autres Indiens lui parlèrent des rivières qu'il y avait au sud des lacs, dans le pays des Iroquois, qui était une bonne terre pour le maïs et d'autres cultures impraticables au nord. Les Algonquins mentionnèrent aussi une autre nation qu'ils appelaient les « bons Iroquois », qui étaient domiciliés à l'ouest et avaient accès à une mine de cuivre pur. Certains mentionnèrent également une grande mer salée, mais beaucoup plus à l'ouest, que Champlain crut être l'océan Pacifique[52].

Le 11 juillet, les explorateurs étaient de retour à Tadoussac, où la *Bonne Renommée* les attendait. Ils avaient encore un mois pour explorer, et ils décidèrent de le passer sur la côte Atlantique de la péninsule de Gaspé. Champlain rencontra en chemin le commerçant malouin Prévert, qui lui parla d'une « fort haute montagne, avançant quelque peu sur la mer » où se trouvaient des gisements de cuivre, ainsi que d'une autre mine plus au sud qui renfermait du fer et de l'argent[53]. Puis ils firent voile pour la France, traversée rapide grâce aux vents de l'ouest dominants et au Gulf Stream qui les poussèrent sur l'Atlantique. Quinze jours après avoir doublé le Grand Banc, ils débarquaient au Havre[54].

La mission avait été une réussite à tous égards. Les bailleurs de fonds avaient gagné de l'argent avec les fourrures et le poisson que les autres membres de l'expédition s'étaient procurés à Tadoussac. Un chercheur a calculé que le rendement de l'équipée avait été de 30 à 40 % sur l'investissement, toutes dépenses payées[55]. Pont-Gravé et Champlain avaient approfondi la connaissance de la côte, du Saguenay et de la vallée du

Saint-Laurent. Ils avaient pris contact avec les Indiens, et le ton était bon. Le temps passant, l'importance de la Grande Tabagie de Tadoussac ne cessa de s'affirmer. Cette rencontre fortuite nourrirait le grand dessein de Champlain. Elle soutiendrait sa vision d'un monde nouveau où diverses nations pourraient coexister dans la paix. Champlain n'était officiellement présent qu'à titre d'observateur, mais il avait prouvé son aptitude à s'entendre avec d'autres. Cet événement marquant met aussi en lumière l'apparition d'un thème récurrent dans sa vie et son œuvre. La tabagie de Tadoussac avait été une occasion inattendue. Il avait agi rapidement pour en tirer le meilleur parti. Attitude qu'il qualifiait de « prévoyante ». Il n'avait pas le don de prophétie, mais il savait tirer profit des événements fortuits dans un monde où régnait l'incertitude.

Champlain, comme Churchill, était sûr que l'histoire le traiterait bien, car il entendait se faire lui-même historien. À son retour en France, il publia un livre sur ce qu'il avait vu. Il en avait probablement composé le premier jet pendant le voyage de retour, car il fut imprimé très peu de temps après. Les censeurs lui accordèrent la permission de le publier le 15 novembre 1603, soit seulement huit semaines après que son navire eut touché Le Havre.

Le manuscrit de Champlain fut publié par Claude de Monstr'œil, libraire attitré de l'Université de Paris et propriétaire d'une librairie à la mode « en la Cour du Palais, au nom [à l'enseigne] de Jésus ». Quatre siècles plus tard, le livre est encore en librairie et se vend bien, tant en français qu'en anglais. C'est un classique dans l'histoire de l'Amérique du Nord coloniale[56].

C'est peut-être l'éditeur qui lui a donné son double titre à saveur sensationnaliste, *Des Sauvages, ou, Voyage de Samuel Champlain, de Brouage.* Champlain avait entre autres pour but de décrire les « vraies merveilles » du Nouveau Monde. Il y décrivait la majesté de la grande « rivière de Canada », la profondeur du Saguenay, la hauteur des chutes Montmorency et l'impétuosité des rapides de Lachine. Il y reprenait les témoignages des Indiens concernant la chute de Niagara, annonçait l'existence des Grands Lacs et décrivait les dimensions de la grande forêt américaine qui était plus vaste que tout le continent européen. Il traduisait en mots l'immense espace américain, la splendeur du paysage, le jeu des saisons.

Dans toutes ces merveilles, Champlain entrevoyait la main de la

Providence. Il croyait qu'en les révélant il honorait Dieu et ses œuvres. Bon nombre d'autres découvreurs partageaient ce sentiment, et la plupart des actes de la vie de Champlain étaient pour lui les instruments de cette volonté. Certains critiques modernes ont vu dans son livre un tract promotionnel, mais c'était beaucoup plus que cela. Champlain entendait éveiller chez les autres la passion qu'il ressentait pour l'exploration du monde et les inviter à prendre part à son grand dessein, à sa vision pour la Nouvelle-France.

Le livre faisait largement état de ses rencontres avec les Indiens d'Amérique. À cet égard, le titre induit en erreur le lecteur moderne. Beaucoup, de nos jours, croient que le mot *sauvage* a le sens qu'on lui prête aujourd'hui. Dans l'usage moderne, le « sauvage » est un être primitif, grossier, simple d'esprit, barbare, brutal, violent, vicieux, traître, féroce et inférieur aux gens civilisés.

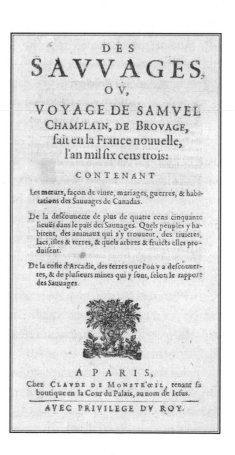

Le premier livre de Champlain, Des Sauvages, ou, Voyage de Samuel Champlain (1603), *combine le récit de son séjour avec la description des* « mœurs, façon de vivre, mariages, guerres et habitations des Sauvages de Canadas ». *Par* sauvage *ou* salvage *(du latin* silva*), il entendait* « habitant des bois ». *C'était une notion écologique, et non raciste. Les Indiens exerçaient un grand attrait sur Champlain, et réciproquement.*

Champlain appelait ces indigènes nord-américains « sauvages », mais sans donner au mot le sens qu'il a acquis depuis. En ancien français (ou en vieil anglais pour le mot *savage*), « sauvage » était parfois écrit *salvage,* graphie qui révèle sa véritable signification. Le mot est dérivé du latin *silva,* qui veut dire « forêt ». Au XVIIᵉ siècle, le terme *sauvage* avait préservé ce sens, et on s'en servait pour nommer tout être qui habitait la forêt. Quand Champlain écrivait « sauvages », il avait à l'esprit des gens vivant dans la forêt. Fait intéressant, il employait ce mot pour désigner les Indiens d'Amérique du Nord, mais l'utilisait rarement pour parler des peuples des Indes occidentales. Il appelait ceux-ci « Indiens », ou gens des Indes, et non « sauvages », ou habitants des bois, exception faite de ceux qui vivaient en effet dans la forêt comme ceux qu'il avait vus en Guadeloupe[57].

Quand Champlain parlait des « sauvages », il ne songeait pas à quelque race humaine inférieure. Il n'y avait rien de raciste dans son esprit, rien de désobligeant non plus quant aux capacités intellectuelles des personnes qu'il décrivait dans son livre. L'idée moderne de race est née bien après l'époque de Champlain. En français comme en anglais, l'idéologie aboutie de la race n'est pas apparue avant le XIXᵉ siècle, avec les thèses d'auteurs comme Joseph Arthur de Gobineau et ses contemporains.

Champlain considérait les Indiens d'Amérique comme étant parfaitement égaux aux Européens en intelligence et en jugement, et leurs qualités intellectuelles l'avaient profondément impressionné : « Je vous assure qu'il s'en trouve assez qui ont bon jugement, et répondent assez bien à propos sur ce que l'on leur pourrait demander[58]. » Il devait aussi écrire : « Si leur esprit ne pouvait comprendre l'usage de nos arts, sciences et métiers, [...] leurs enfants qui sont jeunes le pourront faire, comme ils nous avaient souvent dit[59]. » Champlain n'était pas seul à penser de la sorte. Par exemple, son contemporain, l'historien et humaniste Marc Lescarbot, avait le même respect marqué pour les Indiens, lui qui écrivait : « Ils ont de la valeur, fidélité, et humanité, et leur hospitalité est si naturelle et recommandable qu'ils reçoivent avec eux tout homme qui ne leur est ennemi. Ils ne sont point niais[60]. »

Champlain (et la plupart de ses contemporains) ont également noté la beauté physique des Indiens d'Amérique. Il observait que leurs membres étaient droits, leurs muscles forts, leurs dents parfaitement droites et blanches, que leur santé semblait meilleure et qu'ils avaient

plus fière allure que les Européens. Champlain avait beaucoup d'empathie pour les Indiens. Il comprenait les conditions difficiles de leur vie,
particulièrement la cruauté des hivers canadiens : « Tous ces peuples
pâtissent tant quelques-fois qu'ils sont presque contraints de se manger
les uns les autres pour les grandes froidures et neiges[61]. »

Si Champlain tenait des propos sympathiques et respectueux à
l'égard des Indiens, il estimait cependant que certaines de leurs coutumes étaient inférieures aux pratiques des nations civilisées. Il avait
discuté avec le sagamo Anadabijou de leurs valeurs et croyances, et il lui
en était resté une impression complexe. Il concluait par exemple que les
Indiens adoraient un Grand Esprit, qu'ils croyaient dans l'immortalité
de l'âme et qu'ils se faisaient une certaine idée du diable. Mais à son avis,
ces gens n'avaient jamais été exposés à la vraie foi. Il avait tenté de persuader le sagamo que la foi chrétienne et la religion catholique étaient
plus vraies et plus universelles, apparemment sans grand succès[62].

Le sagamo lui avait dit qu'ils « n'usaient point autrement de cérémonies, sinon qu'un chacun priait dans son cœur comme il voulait ».
Champlain note à ce sujet : « Voilà pourquoi je crois qu'il n'y a aucune
loi parmi eux, [ils] ne savent ce que c'est d'adorer et prier Dieu, et vivent
la plupart comme bêtes brutes, et [je] crois que promptement ils seraient
réduits bons Chrétiens si l'on habitait leurs terres, ce qu'ils désireraient
la plupart. » Il croyait sincèrement que les Indiens étaient des âmes per-
dues, sans espoir de rédemption tant qu'on ne leur aurait pas enseigné
la vraie foi. Mais à d'autres égards, il les considérait comme les égaux des
Européens en intelligence et en esprit[63].

S'étant enquis de l'idée que les Indiens se faisaient de la loi, Champlain avait déduit que, dans un sens européen, « ce sont la plupart gens
qui n'ont point de loi ». Il entendait par là qu'ils vivaient sous le régime
primitif de la loi coutumière, où dominait la loi du talion[64]. Décrivant
les tortures sadiques qu'ils infligeaient à leurs captifs, il écrivait : « Ils ont
une méchanceté en eux, qui est, user de vengeance et être grands men-
teurs, gens en qui il ne fait pas trop bon s'assurer, sinon qu'avec raison
et force à la main ; promettent assez et tiennent peu[65]. »

Champlain étudia aussi la structure de l'autorité chez les Indiens et
observa que les chefs détenaient très peu de pouvoir sur les leurs. Il nota
à maintes reprises que les chefs exprimaient des opinions marquées
mais que les Indiens agissaient et jugeaient par eux-mêmes[66]. Surtout,

il était d'avis que les Indiens jouissaient d'une trop grande liberté. « Sauvage » pour lui voulait également dire vivre dans un état de liberté totale. Il avait un mot pour décrire cette liberté excessive : *libertinage,* avec le sens licencieux que nous prêtons à ce terme. Décrivant leur liberté sexuelle, il notait que, lorsque la jeune fille indienne prenait autant d'amants qu'elle voulait et voyait qui elle voulait, c'était une certaine façon de se faire courtiser, et qu'ainsi elle choisissait le compagnon qu'elle voulait pour mari et que les deux passaient ensuite le reste de leur vie ensemble[67]. Sur ce plan, le jugement que Champlain portait sur les Indiens était défavorable, mais ce jugement coexistait avec bien d'autres qui étaient nettement plus positifs. Il prenait plaisir à découvrir l'humanité dans son infinie variété.

En 1615, Champlain écrivit à propos de « l'extrême affection que j'ai toujours eue aux découvertes de la Nouvelle-France ». Et il dit comment cette passion l'avait mené à « traverser les terres, pour enfin avoir une parfaite connaissance du pays, par le moyen des fleuves, lacs et rivières, qui y sont en grand nombre ». Et aussi, que ces voyages l'avaient conduit à faire la connaissance des peuples qui y vivaient « à dessein de les amener à la connaissance de Dieu[68] ».

Dans ses pensées comme dans ses actes, on trouve toujours une curiosité dévorante pour le monde. Cet esprit balayait le monde occidental au XVIe siècle. Cela était lié en partie à la Réforme protestante, à la Contre-Réforme catholique et à la recherche de l'esprit de Dieu dans le monde naturel. Cela découlait aussi de la Renaissance et de sa faim de savoir. Cet esprit inspirait une fascination pour la *scientia,* qui n'est pas l'idée moderne de la science mais son ancêtre épistémique, qui était l'idée plus vaste d'un savoir ordonné. À cela s'ajoutaient l'idée d'une enquête rigoureuse, un esprit d'observation systématique, un amour de l'étude et une croyance profonde selon laquelle le savoir serait immédiatement utile et bénéfique. Ces valeurs s'expriment dans une autre qualité qu'ont les livres de Champlain : le plaisir qu'il prend à l'acte de découvrir, non pas au sens où il est le premier à trouver quelque chose, mais le plaisir de le révéler à d'autres. Comme bien d'autres contemporains, Champlain se servait de toutes les disciplines et de tous les arts à sa portée. Son instrument le plus important était l'imprimerie.

À certains égards, la pensée de Champlain rejoignait celle de son jeune contemporain, René Descartes. Les deux appartenaient à la haute bourgeoisie de France. Les deux, comme disait Champlain, étaient « hommes adonnés à la piété, doués d'un grand zèle, et affection, à l'honneur de Dieu ». Les méditations de Descartes visaient à prouver l'existence de Dieu et l'immortalité de l'âme. Les deux hommes croyaient que le diable était un démon malveillant qui habitait l'univers. Les horreurs de leur époque les avaient convaincus que le mal est une réalité dans le monde, un adversaire à combattre et à terrasser. Les deux avaient porté l'uniforme, et cette expérience en avait fait des hommes de paix. Ils avaient vu la guerre de près et avaient été témoins de ses horreurs, de ses cruautés et de ses ravages. Mais ils croyaient aussi qu'il y avait des choses pires que la guerre, et que le pire était le triomphe du mal dans le monde[69].

Les deux hommes pensaient que la vérité et le savoir pouvaient vaincre le mal. Ils prenaient plaisir à la découverte, se vouaient à la raison et recherchaient la science (au sens de *scientia*) dans le sens large de la connaissance et de la vérité. Champlain et Descartes croyaient dans la vérité absolue et méprisaient le scepticisme, le cynisme, l'obscurantisme et les vices du savoir. Dans leurs écrits, tous deux cultivaient une langue qui était simple, directe, précise et limpide. Ils vivaient dans la lumière et partageaient l'idéal d'une vie éclairée par la raison.

Par-dessus tout, Champlain et Descartes se voyaient comme des hommes parmi les humains. Ils croyaient que tous les êtres de la terre étaient les enfants de Dieu et que chacun était doué d'une âme immortelle. Cette reconnaissance d'une humanité commune aux peuples d'Amérique et d'Europe — et du monde entier — était au cœur du rêve de Champlain. Elle était aussi au centre de sa vision d'un monde nouveau. Elle dérivait en partie de l'idée d'une véritable Église catholique, dans le sens le plus positif et le plus littéral du terme *catholique,* à savoir qui embrasse tout le genre humain. Et elle dérivait également de l'esprit libéral de la Renaissance.

Ce principe humaniste n'était pas fondé sur l'idée de liberté ou d'égalité. Ces mots apparaissent rarement sous la plume de Champlain, et jamais avec une portée idéologique. Comme la plupart de ses contemporains européens, il croyait dans une hiérarchie des ordres et des états. Mais il croyait aussi que, de par la volonté de Dieu, les êtres de toutes les nations devaient être traités avec respect.

Bon nombre des compagnons de Champlain partageaient cette pensée : des protestants comme le sieur de Mons aussi bien que des

173

catholiques comme Lescarbot. À bien d'autres égards, ces hommes étaient profondément influencés par l'exemple d'Henri IV. Ce cercle d'humanistes français était formé de figures marquantes à plus d'un égard. Dans l'histoire de l'Europe, ils transformèrent le propos de la Renaissance en un programme pour le Siècle des Lumières. En Amérique, ils jouèrent aussi un rôle vital. Après les nombreux échecs de la colonisation française au XVIe siècle, ils furent les premiers à réussir. Ils plantèrent la semence de la Nouvelle-France et imposèrent un tuteur au semis pour qu'il pousse droit. Leur histoire témoigne de l'importance des commencements, même modestes, dans l'histoire des grandes nations.

CHAPITRE 8

L'île Sainte-Croix

La pire erreur de Champlain, 1604-1605

Il était fort mal aisé de reconnaître ce pays sans y avoir hiverné.
[…] Il y a six mois d'hiver en ce pays.

SAMUEL DE CHAMPLAIN, 1605[1]

Lorsque Champlain et ses compagnons rentrèrent en France à la fin de l'été 1603, une très mauvaise nouvelle les attendait : leur protecteur, Aymar de Chaste, était décédé subitement. Champlain écrivit que son décès l'affligea, « reconnaissant que mal aisément un autre pourrait entreprendre cette entreprise, qu'il ne fût traversé [contré], si ce n'était un seigneur de qui l'autorité fût capable de repousser l'envie[2] ».

Champlain regagna la cour sans tarder et, comme par le passé, il n'eut aucun mal à voir le roi. Il le vit même souvent, lui remit une carte de la Nouvelle-France tracée de sa main et fit à Sa Majesté « un discours fort particulier, qu'elle eut fort agréable[3] ». Les deux hommes discutèrent de leur grand dessein pour l'Amérique. Le roi lui promit, dit Champlain, « de ne laisser ce dessein, mais de le faire poursuivre et favoriser[4] ».

Peut-être eurent-ils aussi à discuter du choix d'un nouveau chef. Personne ne pouvait remplacer Aymar de Chaste, mais il fallait bien lui trouver un successeur, et vite. Le projet nord-américain de la France dérivait depuis cinq mois. Ce n'était pas chose aisée que de trouver une nouvelle âme dirigeante aux qualités idoines. Il fallait un noble qui commanderait le respect, un gentilhomme qui saurait trouver du soutien, un proche du roi ayant libre accès à la cour, un homme fortuné capable de s'entendre avec les bailleurs de fonds, formé aux armes et à la mer, un chef riche en savoir et en sagesse, un administrateur compétent, et par-dessus tout, cet homme devait être le visionnaire dont la Nouvelle-France avait besoin.

Cette longue liste de qualités supposait une courte liste de candidats.

Représentation imaginaire de Pierre Dugua, sieur de Mons. Il était de ces soldats qui avaient soutenu Henri IV et combattu pour la paix et la tolérance en France et qui adhéraient à la vision d'une nouvelle France en Amérique.

Il n'y avait guère qu'un choix possible : Pierre Dugua, sieur de Mons, un homme à qui l'on connaissait toutes ces qualités. C'était un noble de vieille famille, un soldat qui avait combattu bravement pour le roi, fort d'une longue expérience de l'administration et homme en moyens qui saurait commander le respect des investisseurs. Protestant mais marié à une catholique, il incarnait la tolérance. En Saintongeais qu'il était, il avait aussi l'habitude de la concorde. Ayant accompagné Chauvin dans sa malheureuse équipée en Amérique, il connaissait les difficultés et les promesses de la Nouvelle-France. Mais le plus important, comme le souligna le roi, était que le sieur de Mons était un homme de « grande prudence et en la connaissance et l'expérience[5] ».

De Mons était très proche d'Henri IV. Depuis 1594, il était « gentilhomme de la Chambre du roi », c'est-à-dire l'un des quelque vingt chambellans qui étaient autorisés à pénétrer dans les appartements les plus privés du roi. De Mons était souvent à la cour et il accompagnait le roi dans ses déplacements entre le Louvre à Paris, Fontainebleau et sa grande forêt au sud et Saint-Germain-en-Laye à l'ouest[6].

À la cour, à l'automne 1603, De Mons et Champlain profitèrent de leur accès au roi Henri IV pour faire avancer le projet américain. De Mons adressa au roi un mémoire sur la fertilité du sol de Nouvelle-France. Champlain fit un exposé sur « le moyen de trouver le passage de la Chine ». Il fit valoir que les cours d'eau de la Nouvelle-France pourraient constituer un chemin intermédiaire vers l'Asie, « sans les incommodités des glaces du nord, ni les ardeurs de la zone torride, sous laquelle nos mariniers passent deux fois en allant et deux fois en retournant, avec des travaux et périls incroyables[7] ».

De Mons et Champlain collaboraient aussi avec ce qu'on pourrait appeler le cercle américain de la cour. Trois hommes en formaient l'âme. Tous étaient de la génération antérieure à celle de Champlain. Pierre Jeannin était l'intendant des finances et président du Parlement de Bourgogne. Nicolas Brûlart, marquis de Sillery, était un grand juriste, qui serait bientôt nommé chancelier de France. L'ancien supérieur de Champlain aux armées, Charles II de Cossé-Brissac, était maréchal de France et gouverneur de la Bretagne. Ces trois hommes de confiance étaient membres du Conseil restreint du roi. Ils occupaient de nombreuses charges dans son gouvernement et exerçaient une influence considérable à la cour. Tous étaient hommes de savoir, et tous avaient une vision mondiale qui embrassait le Nouveau Monde. Ces humanistes participaient aux courants intellectuels de leur époque. Ils partageaient le rêve de Champlain et soutenaient son projet pour la Nouvelle-France[8].

Forts du soutien de ces êtres d'exception, Champlain et le sieur de Mons pouvaient discuter du site d'un établissement en Amérique du Nord. Sur cette question, leurs avis étaient partagés. Champlain était attiré par la vallée du Saint-Laurent à cause de son grand fleuve et de l'abondance des fourrures. En remontant le fleuve, plaidait-il, on se rapprocherait du sud avec son climat plus chaud et ses terres plus fertiles. Et si l'on se fiait aux témoignages des Indiens concernant les grandes masses d'eau à l'ouest, on trouverait peut-être de ce côté un passage vers la Chine.

Tout en reconnaissant la valeur de ces arguments, le sieur de Mons favorisait un autre emplacement. L'expérience pénible de son voyage avec Chauvin à Tadoussac, écrivit Champlain, « lui avait fait perdre la volonté d'aller dans le grand fleuve Saint-Laurent, n'ayant vu en ce voyage qu'un fâcheux pays[9] ». De Mons préférait un site plus au sud, le long de la côte américaine, « pour jouir d'un air plus doux et agréable ». Il était attiré par une région côtière qui avait la même latitude que la Saintonge, des hivers plus cléments qu'à Tadoussac, un sol plus fertile que celui de la vallée du Saint-Laurent et un très beau nom : la Cadie, ou l'Acadie[10].

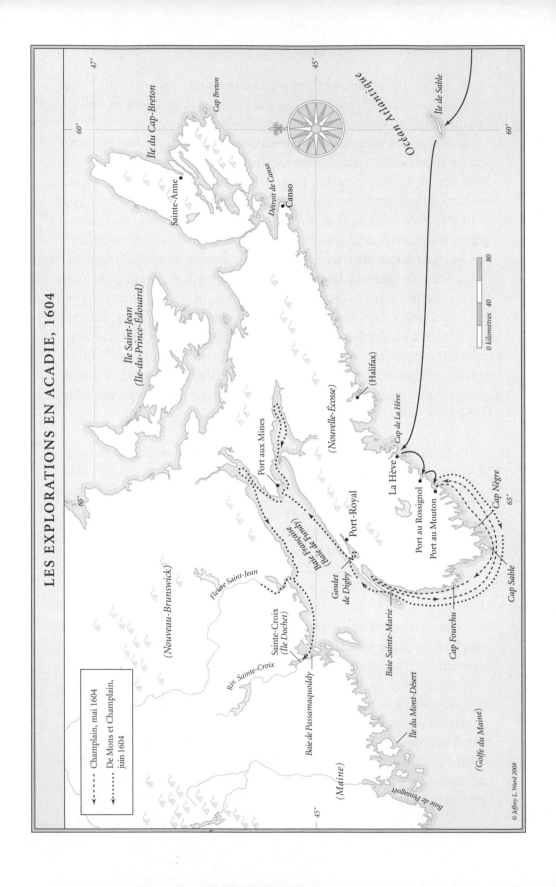

LES EXPLORATIONS EN ACADIE, 1604

Île du Cap-Breton

Cap Breton

Détroit de Canso

Canso

Sainte-Anne

 Océan Atlantique

Île de Sable

Île Saint-Jean
(Île-du-Prince-Édouard)

(Nouvelle-Écosse)

(Halifax)

Port aux Mines

Baie Française
(Baie de Fundy)

Port-Royal

La Hève

Cap de La Hève

Port au Rossignol

Port au Mouton

Cap Nègre

(Nouveau-Brunswick)

Fleuve Saint-Jean

Goulet
de Digby

Baie Sainte-Marie

Cap Fourchu

Cap Sable

Sainte-Croix
(Île Dochet)

Riv. Sainte-Croix

Baie de Passamaquoddy

Île du Mont-Désert

(Maine)

(Golfe du Maine)

Baie de Pentagoët

Champlain, mai 1604
De Mons et Champlain,
juin 1604

0 kilomètres   40   80

© Jeffrey L. Ward 2008

Le nom était apparu pour la première fois sur les cartes de l'Amérique au début du XVIe siècle. Les historiens ont deux interprétations sur l'origine du nom. Une version met en vedette l'Arcadie de la Grèce antique à laquelle aurait songé Giovanni da Verrazzano, le navigateur florentin qui avait longé le premier les côtes de l'Amérique du Nord et avait donné le nom d'Arcadie ou Acadie à ce qui constitue aujourd'hui la Caroline du Nord, à cause des beaux arbres qu'on y voyait. Samuel Eliot Morison a étudié l'origine du nom. Il a constaté qu'il désignait au départ les deux Carolines, et qu'il s'était élevé lentement vers le nord-est, « suivant les caprices des cartographes[11] ».

D'après l'autre version, « Acadie » serait un mot indien. Dans les langues algonquiennes, *cadie* est un suffixe qui veut dire « lieu », dans des combinaisons comme Tracadie ou Shubenacadie. On trouve de nombreux « cadie » et « quoddy » dans les toponymes de la Nouvelle-Angleterre ou de l'est du Canada[12]. Les deux idées sont justes, mais la première a l'avantage de l'antériorité. Dès le début du XVIIe siècle, l'Acadie désignait cette terre des deux côtés de ce qu'on appelle aujourd'hui la baie de Fundy, et que Champlain nomma la baie Française. Elle englobait les côtes de la Nouvelle-Écosse actuelle, du Nouveau-Brunswick et une partie de l'est du Maine. Un bon exemple : la carte de Lavasseur de 1601 qui mentionne la « coste de Cadie[13] ».

En octobre 1603, le sieur de Mons alla trouver le roi et lui proposa de fonder un établissement en Acadie. Il avait trouvé aussi un moyen de financer l'entreprise sans qu'il en coûtât un sou au trésor royal : des investisseurs privés assumeraient les dépenses de la colonisation en échange d'un monopole sur la traite des fourrures en Nouvelle-France. Le voyage très rentable de Tadoussac cette année-là démontrait qu'un tel projet pourrait même générer un excédent. Cette proposition avait pour effet de supprimer un obstacle de taille à la cour : l'opposition de Sully, qui ne voulait pas que le trésor débourse un sou pour le Canada. Le roi trouva l'idée excellente. Le 31 octobre 1603, De Mons reçut une commission de vice-amiral « en toutes mers, côtes, îles, rades et contrées maritimes qui se trouveront vers ladite province et région de Lacadie[14] ».

Une négociation ardue s'engagea entre De Mons et le roi. Le 6 novembre 1603, De Mons lui soumit « Sept Articles pour la découverte et l'habitation des côtes et terres de l'Acadie » et proposa des changements aux termes de sa commission. Il demanda « très humblement » à être fait vice-roi plutôt que vice-amiral de France. Henri IV refusa au motif que De Mons n'était pas « prince du sang ». Mais il accepta d'élever De Mons au rang de lieutenant général, nanti de pouvoirs quasi royaux qui lui permettraient d'agir comme s'il avait été vice-roi en Amérique[15].

De Mons voulait aussi relever directement du Conseil du roi, où le cercle américain jouissait d'une grande influence. Henri IV accepta mais ajouta une exception, peut-être à la demande d'un lobby de marchands. Il exigea que les questions juridiques soient d'abord soumises aux fonctionnaires du centre financier de Rouen. Cette décision allait causer des ennuis à De Mons dans les années à venir, car elle conférait un avantage aux grands bailleurs de fonds, comme De Mons et Champlain le voyaient bien ; mais ils durent se soumettre à la volonté du roi[16].

D'autres problèmes se posaient. De Mons, cherchant à contrer l'opposition de Sully, demanda la permission d'emmener des artisans en Nouvelle-France et de recruter des gueux et des bagnards. Il voulait aussi avoir toute liberté de mettre à l'amende les trafiquants sans permis et de bâtir des forteresses en Amérique, sans doute pour renforcer sa position face aux bailleurs de fonds. Le roi lui donna gain de cause, mais ajouta personnellement une exigence. Il avait appris qu'on avait trouvé du cuivre en Acadie. Il demanda donc à ce que l'on procède à une recherche méticuleuse des mines et minéraux, condition qui fut acceptée. Le 8 novembre 1603, le roi signa la commission de son « cher et bienaimé le sieur de Mons, Notre Lieutenant Général, représentant notre personne ès côtes, terres et confins de l'Acadie[17] ».

*   *   *

Pour le sieur de Mons, Champlain et leurs amis, l'Acadie n'était pas seulement un lieu. C'était une idée, une émotion même. Ils y voyaient un lieu d'abondance naturelle, avec des ressources infinies en poisson, fourrures, bois d'œuvre et terres : un lieu où l'on pouvait vivre à l'aise. Voire, ils envisageaient une Acadie où catholiques et protestants pourraient vivre en harmonie : vision qui leur venait du roi lui-même. Henri IV avait ordonné sans équivoque à De Mons de « coloniser le pays à la condition d'y établir la religion catholique, apostolique et romaine, tout en permettant à chacun de pratiquer sa propre religion ». Cette politique américaine s'inspirait du compromis qu'Henri IV avait imposé à la France[18].

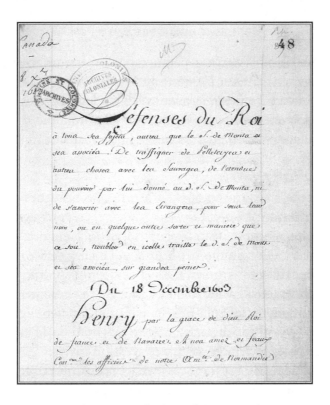

Concession de pouvoirs absolus et d'un monopole commercial par Henri IV au sieur de Mons, 18 décembre 1603. Depuis la catastrophe de l'île de Sable, le roi insistait pour que la colonisation française en Amérique du Nord s'autofinançât. Exigence utopique.

De Mons et Champlain rêvaient également d'une Acadie où colons européens et Indiens d'Amérique pourraient vivre en harmonie, soit exactement le contraire de ce que Champlain avait vu en Nouvelle-Espagne. Ces humanistes ne voulaient pas réduire les Indiens en servitude, ou les chasser de leurs terres. Ils respectaient l'humanité foncière des Indiens, même dans leur « état sauvage », n'ayant « ni foi, ni loi, ni roi », selon le mot de Champlain. Ils espéraient les convertir au christianisme et coexister avec eux.

Ce n'était pas des utopistes. Ils n'espéraient nullement bâtir une cité divine sur terre. Quarante ans de guerres civiles et de conflits religieux en avaient fait des réalistes. Mais les horreurs dont ils avaient été témoins leur avaient également inculqué le désir brûlant de donner corps à ces nobles idées qu'étaient l'humanité et la tolérance. C'était un phénomène générationnel. Semblable à la génération des fondateurs américains, qui fut témoin des atrocités de la guerre au XVIIIe siècle, et à celle des « *wise men* » de la guerre froide, qui avaient vécu les deux guerres mondiales, la génération constituée des De Mons et Champlain entrevoyait un monde meilleur, vision qui se nourrissait de réalisme aussi bien que d'idéalisme[19].

Avant de fonder une colonie en Acadie, ces hommes devaient se constituer une base d'opérations en France. Ils savaient que le roi les soutiendrait puissamment sur le plan moral, qu'il leur accorderait une assistance matérielle minime, et pas un sou. Le sieur de Mons se retrouvait avec un problème important sur ce dernier point : l'octroi du monopole commercial par le roi ne plaisait guère à certains marchands français. En Bretagne, les États provinciaux continuaient de réclamer la pleine « liberté de trafic du Canada ». En Normandie, le Parlement de Rouen refusa même d'enregistrer la concession royale.

Henri IV fit aussitôt savoir à ces messieurs de Rouen que le projet de la Nouvelle-France était essentiel à l'« avancement de notre puissance et autorité », et que le monopole de la traite des fourrures en était un instrument nécessaire. Le roi déclara aux marchands qui réclamaient la liberté de commerce qu'il leur était parfaitement loisible de se joindre à la compagnie du sieur de Mons[20]. Ce qu'ils furent nombreux à faire. De Mons réussit alors à rassembler 90 000 livres d'investisseurs provenant de quatre centres commerciaux : Rouen, Saint-Malo, La Rochelle et Saint-Jean-de-Luz. Tous ces cotisants furent encouragés à dépêcher leurs vaisseaux en Nouvelle-France. Au terme de la première année, les profits devaient être réinvestis dans la colonisation. Par la suite, des dividendes seraient versés aux investisseurs. Des capitaux considérables furent donc investis dans l'entreprise, et l'avenir de la compagnie du sieur de Mons parut tout à coup des plus brillants[21].

Dans les premiers mois de 1604, le sieur de Mons commença à organiser l'expédition. L'un des premiers qu'il invita à se joindre à lui fut Champlain, qui écrivit : « Ledit Sieur de Mons me demanda si j'aurais agréable de faire ce voyage avec lui. » Champlain accepta sans hésiter, mais à titre de bénéficiaire d'une pension royale, il lui fallut obtenir de nouveau l'autorisation du roi. « Le désir que j'avais eu au dernier [voyage] s'était accru en moi, qui me fit lui accorder, avec la licence que m'en donnerait Sa Majesté. » Champlain alla trouver le roi, « qui me le permit, pour toujours en voyant et découvrant lui en faire fidèle rapport[22] ».

Le statut de Champlain n'était pas clair, chose qui lui arriva souvent dans sa vie et qui ne paraissait pas lui déplaire, car cela lui donnait une plus grande marge de manœuvre. Comme au dernier voyage, il n'occupait pas de poste de commandement, mais il avait rang de gentilhomme pensionné du roi, et l'ordre de faire rapport directement au souverain sur tout ce qu'il verrait et découvrirait. Champlain reconnut toujours le sieur de Mons pour maître de l'expédition et lui fut d'une loyauté sans faille. Cela étant dit, il pouvait jouer son propre jeu avec l'appui du roi lui-même.

Il s'agissait maintenant de recruter des colons. Aucun rôle n'a survécu, mais plusieurs peuvent être identifiés par leur nom, leur rang ou leur occupation. Le tout constituait un échantillon de la diversité française au début de l'époque moderne. Parmi les chefs, « bon nombre de gens de qualité, tant gentilshommes qu'autres », selon le mot de Lescarbot. Neuf de ces gentilshommes aventuriers peuvent être identifiés par leur nom, tous ayant le titre honorifique de « sieur ». Parmi eux, le sieur de Mons, commandant de l'expédition, accompagné de son secrétaire, l'habile Jean Ralluau, son serviteur Artus Daniel et son garde François Addenin, qui avait peut-être été choisi par Henri IV et dont il était dit qu'il « portait aussi les armes sous sa charge pour le service de Sa Majesté[23] ».

Il y avait un autre noble, Jean de Biencourt, sieur de Poutrincourt. Originaire de Picardie, il se plaisait à dire qu'il était du voyage « par plaisir », mais il était également à la recherche d'un lieu en Amérique « où il pourrait se retirer avec sa famille, femme et enfants ». Poutrincourt était un gentilhomme lettré, musicien doué et vaillant soldat. Tous appréciaient sa compagnie[24].

Les autres messieurs de rang élevé étaient les sieurs d'Orville, de Genestou, de Sourin, de Beaumont, La Motte Bourgjoli, Fougeray de Vitré et Pierre du Bosc-Douyn, appelé du Boullay, premier capitaine du régiment de Poutrincourt. On sait peu de choses de ces hommes outre leurs noms et titres à rallonge. Aucun ne semble avoir possédé de compétence particulière. La plupart étaient indépendants de fortune et s'étaient portés volontaires pour ce qui promettait d'être une grande aventure. On leur avait réservé des quartiers à eux, comme le voulait leur condition[25].

Sous ces gentilshommes se trouvaient des hommes de rang moyen qui avaient été recrutés pour leurs compétences. Il y avait au moins sept marins ayant une longue expérience des voyages en mer. Le capitaine à bord, et premier lieutenant du sieur de Mons à terre, était François Gravé, sieur du Pont, ainsi qu'on l'a noté dans les archives du port de Honfleur. Nous l'avons déjà rencontré : c'était le même Pont-Gravé qui avait accompagné Champlain lors de son premier voyage au Canada. Il était très respecté pour sa connaissance de l'Atlantique Nord. Sous ses ordres se trouvaient le capitaine Timothée le Barbier, du Havre, le capitaine Nicolas Morel, de Dieppe, le capitaine Guillaume Foulques et aussi les maîtres Guillaume Duglas et Cramolet. Ces hommes figurent dans les registres de nombreux voyages en Amérique[26]. Parmi les autres disposant d'une compétence professionnelle, il y avait Pierre Angibault, sieur de Champdoré, habile charpentier naval et pilote amateur. Henri, sieur de Beaufort, était un jeune et prospère apothicaire, le fils d'un marchand en vue de Paris. Aucun de ces hommes n'était noble, mais tous portaient le titre de sieur[27].

Champlain nous dit que le sieur de Mons avait recruté également « environ cent vingt artisans ». Parmi eux plusieurs chirurgiens, lesquels n'avaient pas la qualité de gentilshommes, contrairement aux apothicaires et aux médecins qui étaient mieux considérés. Il y avait aussi des maîtres charpentiers, des scieurs, des maçons, des forgerons, des armuriers et des serruriers experts dans la réparation des platines. À la demande du roi, le sieur de Mons avait engagé deux maîtres mineurs, maître Simon et maître

Jean de Biencourt de Poutrincourt était un noble catholique de Picardie qui avait combattu Henri IV jusqu'à ce que le roi se convertisse, après quoi il avait rallié le Bourbon. Il entrevoyait dans l'Acadie sa propre utopie féodale, mais c'était aussi un humaniste, un lettré, un mathématicien et un musicien. Certains croient que c'est son portrait que l'on voit ici ; d'autres pensent qu'il s'agit de son cousin. Quoi qu'il en soit, ce costume donne une idée de l'apparence qu'avaient ces hommes.

Jacques, qui étaient originaires de Slavonie, dans les Balkans. Il s'agissait peut-être de Croates catholiques. Ils avaient pour tâche de trouver des gisements de minerai[28].

On comptait aussi toute une série d'artisans semi-qualifiés, d'ouvriers non qualifiés et des garçons qui n'avaient pas plus de dix ou douze ans. Seuls quelques noms figurent dans les archives notariales du Havre et de Honfleur. L'un d'eux avait nom Anthoine Lemaire, âgé de dix-neuf ans, plâtrier de son métier[29]. Certains étaient peut-être des bagnards ou des gueux que De Mons avait eu la permission de recruter, et peut-être avaient-ils été tirés de leur prison après qu'on leur eut donné le choix entre l'échafaud et l'aventure en mer[30]. Plusieurs groupes tendaient à vivre et à manger à part des autres. Par exemple, ce détachement de soldats suisses, qui étaient à l'époque les meilleurs mercenaires d'Europe, très respectés pour leur discipline et souvent recrutés pour protéger les rois contre leurs propres sujets. Ils avaient probablement été engagés pour maintenir l'ordre parmi les artisans et les journaliers. Ces soldats occupaient des chambrées distinctes situées entre les quartiers des officiers et ceux des gens des « autres rangs ». Leur commandant était peut-être le capitaine du Boullay, soldat aguerri[31].

Les matelots faisaient également bande à part. La plupart d'entre eux devaient rentrer à la fin du premier été, mais au moins douze resteraient dans la colonie pour manœuvrer les barques et les chaloupes. Autre catégorie digne de mention : des chasseurs de métier, probablement recrutés parmi les gardes-chasse de grands domaines de France. Ceux-ci semblaient se démarquer aussi par leur esprit d'indépendance. Ils préféraient passer le plus de temps possible au grand air, à se promener dans la contrée.

Un membre de l'expédition, un des plus intéressants, avait été recruté pour communiquer avec les Indiens. Il avait nom Mathieu Da Costa, ou De Coste dans les documents français qui le décrivaient comme étant un « nègre » ou « naigre » d'origine africaine qui parlait « les langues de l'Acadie ». On se demande comment il les avait apprises. D'après son nom, il aurait été baptisé au Portugal ou en Espagne, ou peut-être même aux îles du Cap-Vert. Da Costa s'était retrouvé en Acadie, on ne sait comment, peut-être avec un navire portugais, espagnol ou basque. Peut-être qu'il avait fait naufrage sur la côte, ou qu'il avait déserté, ou encore qu'il y avait été abandonné par un capitaine mécontent de lui. Peu importe comment, l'Africain Mathieu Da Costa semblait avoir vécu un certain temps parmi les Indiens d'Acadie et appris les langues algonquiennes. Ses services étaient très en demande parmi les marchands pratiquant le commerce en Amérique. En au moins une occasion, il aurait été kidnappé par des corsaires hollandais. Le sieur de Mons avait pu l'engager, et il eut plus tard maille à partir avec des concurrents qui tenaient à s'assurer les services de Da Costa[32].

Il y avait trois ministres du culte, comme le voulait un des buts de la mission. Ils avaient été recrutés expressément pour cela, peut-être sur les ordres du roi. L'un était un jeune prêtre catholique, Nicolas Aubry, d'une « bonne famille » de Paris. Il s'était joint à l'expédition en dépit de la vive opposition de ses parents, qui étaient terrorisés à l'idée de le voir partir. Ils le suivirent même jusqu'à Honfleur pour le faire renoncer à son voyage[33]. Aubry était accompagné d'un autre prêtre catholique que Champlain appelait « le curé » et d'un pasteur protestant nommé « le ministre ». Leurs noms n'ont jamais été retrouvés[34].

Les chefs de l'expédition adhéraient totalement à l'esprit de tolérance, tant les protestants comme le sieur de Mons que les catholiques comme Champlain. Ils respectaient la politique religieuse du roi, qui faisait du catholicisme la religion officielle du royaume et garantissait la tolérance de la dissidence protestante. Malheureusement, le curé et le ministre ne partageaient pas ce point de vue. Dès le départ, ils se querellèrent, et en vinrent même aux coups, pour le plus grand dégoût des autres membres de l'expédition, qui exprimaient mieux l'esprit chrétien que ces deux religieux.

L'expédition ne comptait que des hommes et des garçons. Il n'y avait pas de femmes à bord, ni de familles, ni d'agriculteurs. Ce fait exprime très clairement le but de la mission. Son objet n'était pas d'implanter un établissement permanent dont la population pourrait croître de façon naturelle, mais bien de bâtir l'avant-poste d'un empire en Amérique du Nord. Le sieur de Mons entendait construire une tête de pont au cœur de l'Acadie, semblable aux stations spatiales de notre époque, une plateforme sûre et stable, suffisamment forte pour se défendre contre une attaque des Espagnols ou des Anglais. Son objet était d'assurer une base pour les missions exploratoires, de cartographier la côte et de trouver des emplacements où des familles françaises pourraient un jour s'établir et peupler le pays petit à petit.

Tous ces aventuriers se rassemblèrent dans les ports normands de Honfleur et du Havre et s'entassèrent à bord des deux navires partants. L'un d'eux était encore une fois la *Bonne Renommée,* cent vingt tonneaux, dirigé par trois navigateurs expérimentés : Pont-Gravé, le capitaine, Nicolas Morel, de Honfleur, le maître, et Guillaume Duglas, le pilote[35]. L'autre vaisseau était le *Don de Dieu,* cent cinquante tonneaux, trente mètres de long. C'était le vaisseau amiral de l'expédition. À bord se trouvaient le sieur de Mons, son capitaine, le capitaine Timothée le Barbier, du Havre, le maître, Louis Coman, le pilote, et Champlain[36].

C'étaient de petits navires comparativement aux hauturiers des époques ultérieures, mais ils étaient grands pour l'époque. Le *Don de Dieu* était décrit comme étant « l'un des plus grands navires de Normandie, allant tous les ans pêcher la morue aux terres neuves[37] ». Leurs cales étaient chargées de tout ce qui était essentiel à la vie, comme si la destination du voyage avait été la lune. Il y avait des tonnes de provisions : des barriques de vin, de cidre et d'eau ; des barils de porc salé, de hareng et de morue, des sacs de grains, des légumes et des fruits séchés, des moutons, des porcs et des poulets vivants. Les navires transportaient des matériaux de construction, des maisons préfabriquées, du bois scié, des fenêtres et des portes, et tout ce dont un charpentier naval avait besoin pour réparer le navire ou en construire un autre. À bord se trouvaient également des pièces préfabriquées pour plusieurs chaloupes et esquifs. Ces grands vaisseaux étaient peut-être accompagnés d'une patache de douze mètres de long jaugeant dix-sept ou dix-huit tonneaux[38].

Les préparatifs avaient été ardus, et il avait fallu remplir bien des formalités — certaines de ces écritures ont d'ailleurs survécu jusqu'à nos jours —, mais l'expédition était enfin prête. Le 7 avril 1604, le *Don de Dieu* largua les amarres au Havre. Pont-Gravé suivit avec la *Bonne Renommée* le 10 avril. Les deux navires voguaient indépendamment l'un de l'autre avec pour ordre de faire jonction au port de pêche de Canseau, à l'extrémité nord-est de ce qui est aujourd'hui la Nouvelle-Écosse[39]. Leur départ avait toutes les allures d'une occasion solennelle. Ils faisaient voile à titre de navires du roi sous le pavillon de la marine française avec la bannière royale d'Henri IV. Des salves furent tirées en leur honneur par les autres vaisseaux et les forts du Havre. Les autres navires français leur cédaient le pas. Marc Lescarbot a écrit à ce propos : « C'est la coutume en mer que quand quelque navire particulier rencontre un navire royal (comme était le nôtre) de se mettre au dessous du vent, et le présenter non point côte à côte, mais en biaisant ; même d'abattre son enseigne[40]. »

Le *Don de Dieu* naviguait bien. Une fois en mer, il vogua rapidement, mais ce fut une traversée mouvementée et probablement difficile pour ceux qui n'avaient jamais été en mer. Les voyageurs eurent des vents favorables de l'est dans l'Atlantique Nord, chose rare au début du printemps, mais ils se butèrent ensuite à une mer en furie et à des vagues si fortes qu'elles fracassèrent la galerie de poupe du navire amiral. Lescarbot devait écrire plus tard : « Un menuisier [...] d'un coup de vague fut porté au chemin de perdition, hors le bord, mais il se retint à un cordage qui d'aventure pendait hors icelui navire. » On ne peut qu'imaginer les conditions de vie dans les cales qui étaient bondées d'animaux apeurés et de passagers souffrant du mal de mer[41].

Pétroglyphe micmac d'un navire européen à la poupe élevée, témoin des premiers contacts, gravé dans la pierre du parc Kejimkujik, en Nouvelle-Écosse. Cette nation indienne connaissait les Européens bien avant l'arrivée de Champlain. Un de ses chefs, Membertou, avait acquis sa propre chaloupe française, peint son totem sur ses voiles et allait commercer en haute mer avec les pêcheurs.

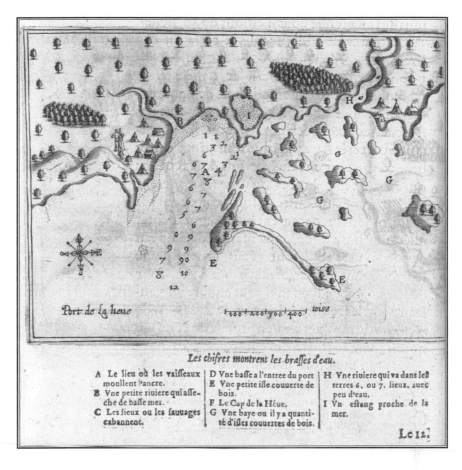

Les chifres montrent les braſſes d'eau.

A Le lieu où les vaiſſeaux moullent l'ancre.
B Vne petite riuiere qui aſſeche de baſſe mer.
C Les lieux ou les ſauuages cabannent.
D Vne baſſe a l'entree du port
E Vne petite iſle couuerte de bois.
F Le Cap de la Héue.
G Vne baye ou il y a quantité d'iſles couuertes de bois.
H Vne riuiere qui va dans les terres 6, ou 7. lieux, auec peu d'eau.
I Vn eſtang proche de la mer.

Le 12.

La carte dessinée par Champlain du Port de La Hève (aujourd'hui La Have), un joli havre de la côte atlantique. Ce fut le premier lieu où lui et De Mons mirent pied à terre en Acadie, le 8 mai 1604. On remarque les habitations indiennes et européennes, côte à côte.

À l'approche du Nouveau Monde, les navires se mirent à croiser des banquises. Le sieur de Mons ordonna que le *Don de Dieu* fît route plus au sud, vers la côte inférieure de l'Acadie. Le navire avançait très vite, et l'officier de quart avait plus de mal que d'habitude à calculer sa position. Le 1er mai, les voyageurs furent surpris de voir les basses plages sablonneuses de l'île de Sable, au large des grands bancs de pêche. Les navigateurs étaient d'autant plus surpris qu'ils n'avaient quitté Le Havre que trois semaines auparavant, et leur estime était fausse. Champlain écrivit qu'ils faillirent s'échouer sur l'île désolée, dont les plages étaient jonchées des débris de navires naufragés[42].

La chance aidant, ils s'en éloignèrent et voguèrent jusqu'à la côte de l'Acadie. Le 8 mai 1604, ils aperçurent un promontoire avec des falaises de plus de trente mètres de haut. Champlain baptisa le lieu cap de La Hève d'après une borne près du Havre en France avec le même nom et une apparence semblable. Cela marqua le début de la carrière de Champlain comme toponymiste de l'Amérique du Nord. Nombre de ces toponymes sont encore en usage. La plupart des premiers noms qu'il donna au territoire étaient français. Plus tard, du fait de la collaboration des guides indiens, il se mit à leur donner des noms empruntés aux langues autochtones[43].

Le *Don de Dieu* pénétra dans une longue baie et jeta l'ancre. On était le 8 mai 1604, et la traversée avait été très rapide. Champlain écrivit : « Le temps nous fut si favorable que nous ne fûmes qu'un mois à parvenir jusques au Cap de la Hève. » La vitesse normale du *Don de Dieu* était d'environ cinq nœuds, mais cette fois il avait marché à une moyenne quotidienne supérieure à huit nœuds, ce qui était plus rapide que certains convois transatlantiques pendant la Seconde Guerre mondiale[44].

Heureux d'avoir touché terre, les passagers et l'équipage louèrent Dieu. Champlain prit un esquif et dressa un relevé méticuleux de la baie. Il en sonda la profondeur, calcula sa latitude, mesura la déclinaison magnétique et dressa une carte fort précise[45]. Des deux côtés de la baie, il cartographia deux grands campements indiens où les Micmacs (qu'il appelait Souriquois) venaient pêcher l'été. Ils retournaient à leurs territoires de chasse dans la forêt l'hiver. Tout un réseau de sentiers empruntés par les Indiens témoignait de l'importance du lieu, et des cimetières anciens prouvaient qu'il était fréquenté depuis longtemps[46].

Les Micmacs avaient rencontré des Européens sur la côte bien avant la venue de Champlain et du sieur de Mons. Leurs légendes faisaient état de souvenirs et de rêves de contacts antérieurs. L'un de ces récits mettait clairement en vedette des Vikings. Un autre était le rêve d'une jeune Micmaque qui, un matin, avait porté son regard sur la mer et aperçu une « petite île » qui avait « dérivé près du rivage » avec « des arbres dessus et des branches dans ces arbres sur lesquelles des ours étaient juchés ». Les Micmacs s'étaient emparés de leurs arcs et de leurs flèches pour aller tuer les ours, et ils avaient eu la surprise de découvrir que « ceux qu'on avait pris pour des ours étaient en fait des hommes, et que certains d'entre eux mettaient à l'eau un canot bizarrement fait, dans lequel plusieurs hommes s'étaient jetés et avaient pagayé jusqu'à la rive ». Parmi eux, il y avait un homme habillé de blanc qui « était allé à eux en faisant des signes d'amitié, levant les mains vers le ciel et leur parlant avec sérieux, mais dans une langue qu'ils ne pouvaient pas comprendre ». La jeune femme dit que les autres hommes étaient vêtus de peaux, ce qui laisse supposer qu'ils étaient basques. Dans les récits européens traitant des pêcheries de la côte Atlantique, il était dit que les Basques portaient « de bons vêtements de peaux » et qu'ils avaient atteint la côte de l'Acadie longtemps avant Champlain.

Le littoral atlantique de l'Amérique du Nord était déjà achalandé en 1604, avec les Indiens qui allaient souvent trafiquer en mer, les pêcheurs européens, les baleiniers basques et les vaisseaux de commerce de diverses nationalités. Selon tous les témoignages dont on dispose, les Micmacs firent bon accueil aux Français et leur offrirent leur concours[47].

Le havre de La Hève était un lieu propice à un établissement, mais en 1604, il semblait dangereusement exposé aux attaques maritimes des prédateurs de plus d'une nation. Les Français y restèrent quatre jours et poursuivirent leur route, vers le sud, le long de la côte, en quête de lieux plus propices.

Le 12 mai, ils parcoururent encore quarante kilomètres jusqu'à un autre havre, aujourd'hui appelé Liverpool. Ils y surprirent un petit bâtiment de commerce français jaugeant environ cinquante tonneaux, *La Levrette*. Son capitaine, Jean de Rossignol, du Havre, y achetait des fourrures des Indiens. Il affirma détenir un permis de l'amirauté française, mais celui-ci ne parlait que de commerce sur la côte de Floride. Le sieur de Mons lui fit savoir qu'il contrevenait à la commission du roi et lui offrit probablement de régler cela à l'amiable, mais Rossignol se montra insolent. De Mons saisit le navire et emprisonna le capitaine pour le ramener en France. Champlain cartographia le port et le baptisa Port au Rossignol[48].

Le souvenir de cet événement subsiste dans la tradition orale des Micmacs de la réserve de Bear River. Au début du XXe siècle, un guide métis du nom de Henry Peters en a dicté le texte. « Eh bien, dit-il en parlant du navire de Champlain, ils sont arrivés à Liverpool un jour et il y avait là un vaisseau qui n'était pas censé y être. Ils sont montés à bord du bateau, où il n'y avait que le second et le cuisinier. Eh bien, ils ont été obligés de dire où étaient passés le capitaine et l'équipage. Ils trafiquaient en amont avec les Indiens, et ils n'avaient pas la permission du gouverneur pour faire ça. Alors, lorsque les traiteurs ont redescendu la rivière, ils les ont arrêtés, ils ont confisqué les canots de fourrures et mis l'équipage en état d'arrestation. Ils pensaient qu'ils les avaient tous arrêtés. Rossignol, c'était le capitaine, et c'est de lui que le lac Rossignol, le plus grand lac de Nouvelle-Écosse, tire son nom. » Peters se rappelait que deux des marins de Rossignol s'appelaient Peter et Charles. Ils s'étaient glissés hors de leur canot et avaient « nagé jusqu'à la rive sous l'eau pour éviter de se faire tirer dessus. Donc où sont-ils allés ? Ils ont remonté la rivière jusqu'à Kedgie[49] ».

Il y avait des Micmacs dans les îles du lac Rossignol. Peters se rappelait que chaque famille possédait sa propre île. Les deux marins européens y avaient pris femme, mais il ne restait plus d'île pour eux, donc ils s'étaient établis sur la rive du lac, dans des endroits qui ont fini par s'appeler Peter's Point et Charles Point. Henry Peters lui-même était le descendant du marin Peter, et il avait appris cette histoire de son père, qui la tenait lui aussi de son père. Voilà comment une population unique a pris naissance en Acadie dès 1604 : un mélange d'Indiens, de Français, d'Écossais, de Basques, de Portugais et d'Africains[50].

Cette affaire étant réglée, le sieur de Mons et Champlain reprirent la route, avec la petite *Levrette* à sa remorque et le capitaine Rossignol qui rageait d'être emprisonné dans la cale. Ils voguèrent pendant environ quinze kilomètres le long de la côte Atlantique de l'Acadie et entrèrent dans une autre magnifique baie bordée de prairies. Champlain baptisa le lieu Port au Mouton parce qu'un mouton était tombé par-dessus bord et avait ensuite été mangé « de bonne guerre » par les matelots. Le lieu était invitant, avec son eau douce en abondance, son gibier, ses oiseaux. De Mons décida de faire descendre ses hommes à terre pour leur procurer un peu de distraction. Il leur ordonna de dresser un camp sur une élévation entre la baie et deux lacs. Les hommes s'improvisèrent des cabanes à la mode indienne, « chacun selon sa fantaisie », selon le mot de Champlain[51].

De Mons décida de s'y installer quelques semaines avec le *Don de Dieu* et *La Levrette* ancrés dans la baie, et il envoya deux embarcations plus petites explorer la côte dans les deux directions. Une chaloupe avec des guides indiens fut envoyée vers le nord-est à la recherche de Pont-Gravé et de la *Bonne Renommée,* qui avait à son bord une bonne part des

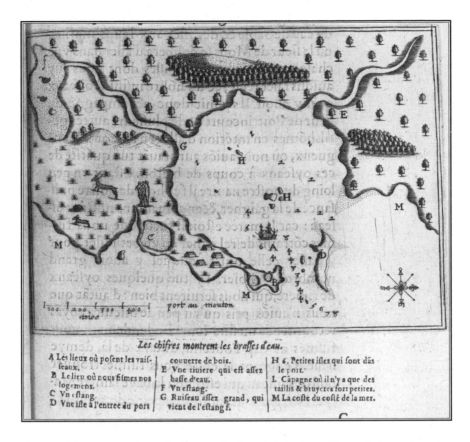

Les chifres montrent les braffes d'eau.

A Les lieux où pofent les vaiffeaux.
B Le lieu où nous fîmes nos logemens.
C Vn eftang.
D Vne ifle à l'entree du port

couverte de bois.
E Vne riuiere qui eft affez baffe d'eau.
F Vn eftang.
G Ruifeau affez grand, qui vient de l'eftang f.

H 6. Petites ifles qui font dâs le port.
L Câpagne où il n'y a que des taillis & bruyeres fort petites,
M La cofte du cofté de la mer.

Port au Mouton, en Nouvelle-Écosse, fut baptisé ainsi par Champlain après qu'un mouton fut tombé par-dessus bord et se fut noyé. De Mons mena ses hommes à terre et l'on s'y bâtit un abri, « chacun selon sa fantaisie », pendant que Champlain allait explorer.

vivres de l'expédition. De Mons confia à Champlain le commandement d'une barque de huit tonneaux avec ordre d'aller en compagnie de Jean Ralluau, secrétaire de l'expédition, et de maître Simon, l'un des mineurs des Balkans, « reconnaître la côte et les ports propres pour la sûreté de notre vaisseau[52] ».

Champlain partit le 19 mai 1604 et se retrouva en des eaux dangereuses, avec de nombreux caps et rochers et des hauts-fonds traîtres qui s'étendaient à bonne distance de la côte. Il devait avancer loin dans l'océan pour les éviter, puis se rapprocher du littoral afin de le dessiner. Ensuite, tous trois mettaient pied à terre : maître Simon cherchait ses mines pendant que lui et Jean Ralluau examinaient la fertilité du sol. Puis il devait reprendre la mer, éviter les obstacles immergés qui pouvaient couler son embarcation et répéter l'opération à l'anse suivante. C'était une tâche lente et dangereuse, sur une mer houleuse, avec des remous de marée et des courants violents[53].

Suivant cette méthode laborieuse, Champlain explora la côte profondément échancrée de l'Acadie et trouva plus de dix anses et baies sur une distance de soixante-cinq kilomètres. Il parvint enfin à cap Sable, île située à l'extrémité sud-est de la péninsule acadienne. Non loin de là, Champlain trouva un refuge « où les vaisseaux peuvent aller en assurance ». C'était un lieu prometteur où l'on pourrait ériger un fort et un poste de traite.

Il contourna ensuite la pointe sud de l'Acadie et découvrit des îles qui abritaient des oiseaux nicheurs en nombre inimaginable. Champlain baptisa l'une d'entre elles l'île aux Cormorans, « à cause du nombre infini qu'il y a de ces oiseaux, où nous prîmes plein une barrique de leurs œufs ». Sur une autre île, il trouva des oiseaux qu'il appelait *tangueux* (peut-être des fous de Bassan) en si grandes quantités « que nous les tuions aisément à coups de bâton ». Sur deux autres îles, nota-t-il, « il y a une telle abondance d'oiseaux de différentes espèces qu'on ne pourrait se l'imaginer si l'on ne l'avait vu, comme cormorans, canards de trois sortes, oies, marmettes, outardes, perroquets de mer, bécassines, vautours et autres oiseaux de proie ; mouettes, alouettes de mer de deux ou trois espèces ; hérons, goélans, courlieux, pies de mer, plongeons, huards, appoils, corbeaux, grues, et autres sortes que je ne connais point, lesquels y font leurs nids[54] ».

Les plages de ces îles étaient également « toutes couvertes de loups marins, desquels nous prîmes autant que bon nous sembla », et Champlain se découvrit alors un goût pour le loup marin, chair délicieuse une fois macérée. Devant cette abondance de vie sauvage, le réflexe de ces hommes affamés fut de tuer autant de bêtes que possible pour le plaisir et la marmite, puis de s'empiffrer, de tuer de nouveau et de manger encore[55].

Champlain et son équipage reprirent leur route le long de la petite côte sud-ouest de l'Acadie et y découvrirent d'autres havres. Ils examinèrent particulièrement le cap Fourchu (ainsi nommé parce que le relief ressemblait aux dents d'une fourchette) et Champlain examina un havre attrayant qui est aujourd'hui Yarmouth en Nouvelle-Écosse. Non loin de là, maître Simon découvrit ce qu'il croyait être des mines de fer et d'argent. Puis ils virèrent au nord et s'engagèrent dans le long goulet de la baie Sainte-Marie, où Champlain trouva un emplacement propice à un établissement, avec des prairies et un sol dont il dit que « le terroir est des meilleurs que j'aie vu ». Il baptisa l'endroit Port Sainte-Marguerite. Maître Simon découvrit aussi ce qu'il crut être un gisement de fer et d'argent[56].

Ils ne purent aller plus loin. Les vivres s'étant mis à manquer, Champlain fit demi-tour et rentra par le chemin qu'il avait emprunté. Sur la côte Atlantique, il fut surpris par un grain violent et ne parvint à sauver la barque qu'en la conduisant sur le rivage, en un lieu sûr. La tempête étant passée, les explorateurs reprirent la mer et parvinrent à Port au Mouton le lendemain. Champlain devait écrire : « Le sieur de Mons nous attendait de jour en jour ne sachant que penser de notre séjour, sinon qu'il nous fut arrivé quelque fortune[57]. »

Champlain s'était bien acquitté de cette première mission où il avait été seul maître à bord. Ce n'était pas une mince tâche que de naviguer sur une côte aussi difficile avec douze hommes dans une petite barque. Mais il avait suivi à la lettre les instructions du sieur de Mons. Le sieur de Ralluau, navigateur chevronné lui-même, fit à son supérieur un rapport favorable, semble-t-il, et Champlain se vit confier de nouvelles responsabilités[58].

De Mons voulait explorer lui-même la côte de l'Acadie, des deux côtés de la baie Française, aujourd'hui la baie de Fundy. Il fit monter les gentilshommes aventuriers à bord du *Don de Dieu,* alors que lui et Champlain prenaient une petite chaloupe pour explorer les secteurs prometteurs de la côte[59]. Ils atteignirent rapidement l'extrémité sud de l'Acadie en suivant le chemin que Champlain avait déjà ouvert. De Mons tenait à voir de lui-même la longue étendue d'eau qui est aujourd'hui la baie Sainte-Marie, probablement du fait des gisements de fer et d'argent que maître Simon disait y avoir trouvés. Ils trouvèrent peu de minerais et « aucun lieu pour nous fortifier[60] ».

Ils quittèrent la baie Sainte-Marie et entrèrent dans la vaste baie Française en quête de sites favorables. Après avoir parcouru deux lieues le long de la côte, ils pénétrèrent dans une étroite échancrure entre deux pointes de terre escarpées et se retrouvèrent sur une magnifique étendue d'eau, presque une mer intérieure. Champlain nota : « Nous entrâmes en l'un des beaux ports que j'eusse vu en toutes ces côtes, où il pourrait avoir deux mille vaisseaux en sûreté. » Ils baptisèrent le lieu Port-Royal, aujourd'hui Annapolis Basin[61]. Y entrer par la mer aujourd'hui, c'est ressentir soi-même l'émerveillement des découvreurs.

Les terres environnantes les séduisirent autant que le havre. Champlain ajouta : « De l'entrée de la rivière jusques au lieu où nous fûmes, il y a nombre de prairies ; mais elles sont inondées aux grandes marées, y ayant quantité de petits ruisseaux qui traversent de part et d'autre […]. Ce lieu était le plus propre et plaisant pour habiter que [nous] eussions vu[62]. »

Ils auraient pu s'établir là, mais De Mons voulait connaître le reste de la baie Française avant de prendre une décision définitive. Songeant peut-être à l'intérêt que le roi avait exprimé pour les mines, ils s'avancèrent dans la baie jusqu'à un autre grand bassin où l'on disait avoir trouvé du minerai. Ils descendirent à terre, firent un peu de prospection et trouvèrent des traces prometteuses de cuivre, d'où le nom qu'ils donnèrent à l'endroit, Port aux Mines, aujourd'hui le bassin des Mines[63].

Champlain et De Mons poursuivirent leur chemin jusqu'au fond de la baie et furent sidérés par ses marées prodigieuses, qui sont parmi les plus élevées du monde. Ils commencèrent à explorer la rive ouest, avançant de plus en plus vite. Le 24 juin, ils parvinrent à « une rivière des plus grandes et profondes qu'eussions encore vues, que nommâmes la rivière Saint-Jean : pour ce que ce fut ce jour-là que nous y arrivâmes ». Ils entrèrent dans le fleuve, découvrant à leur grande surprise des chutes inversées qui changeaient de direction lorsque la marée montante submergeait les rapides, comme c'est encore le cas aujourd'hui. Ils attendirent la renverse de la marée et, profitant de la marée montante, ils remontèrent les chutes. En amont, ils découvrirent une autre grande baie mais ne purent aller plus loin. Leurs guides indiens leur dirent que le fleuve Saint-Jean permettait de rejoindre le Saint-Laurent si l'on se donnait la peine de portager un peu. Sur la rive nord, ils trouvèrent un havre accueillant qui abrite aujourd'hui la jolie ville de Saint-Jean au Nouveau-Brunswick[64].

Du fleuve Saint-Jean, ils filèrent vers le sud, longeant tant de petites îles qu'ils ne purent les compter. Comme ils voyageaient avec des guides indiens, ils nommèrent une grande île Grand Manan, d'après le mot algonquien pour « île[65] ». Ils parvinrent à la baie de Passamaquoddy, entrèrent dans un vaste estuaire et le suivirent en amont jusqu'à un lieu magnifique où trois rivières se rencontraient pour épouser la forme

A Trois iſles qui ſont par de-
la le ſaut.

B Montaignes qui paroiſſent
par deſſus les terres deux
lieues au ſu de la riuiere.

C Le ſaut de la riuiere.

D Baſſes quand la mer eſt perdue, ou vaiſſeaux peuuent
eſchouer.

E Cabanne où ſe fortifient les
ſauuages.

F Vne pointe de cailloux, où y
a vne croix.

G Vne iſle qui eſt a l'entree
de la riuiere.

H Petit ruiſſeau qui vient
d'vn petit eſtang.

I Bras de mer qui aſſeche de
baſſe mer.

L Deux petits iſlets de rocher.

M Vn petit eſtang.

N Deux Ruiſſeaux.

O Baſſes fort dangereuſes le
long de la coſte qui aſſe-
chent de baſſe mer.

P Chemin par où les ſauuages
portent leurs canaux quand
ils veulent paſſer le ſaut.

Q Le lieu où peuuent mouiller l'ancre où la riuiere a
grand cours.

Le fleuve Saint-Jean, dans ce qui est aujourd'hui le Nouveau-Brunswick, a été baptisé de ce nom par Champlain en l'honneur de la Saint-Jean, le 24 juin 1604, lorsqu'il était sur les lieux pour les cartographier. Il s'intéressa aux chutes réversibles (C) et à la vallée environnante, qui permettait de rejoindre le Saint-Laurent moyennant portage. Le fort indien (E) devint plus tard un poste de traite français puis anglais.

d'un crucifix, et juste en bas, il y avait une jolie petite île boisée d'environ deux hectares qu'ils appelèrent l'île Sainte-Croix.

Champlain vit tout de suite que le lieu serait « aisé à fortifier ». Il était très conscient de la nécessité de se défendre, non pas contre les Indiens mais contre les Européens. Champlain se souvenait trop bien du sort de la colonie de Laudonnière en Floride, anéantie par un gouverneur espagnol qui avait ordonné à ses hommes d'assassiner de sang-froid les colons français. Sinistre destin que l'expédition acadienne de 1604 tenait à éviter.

Sainte-Croix était une forteresse naturelle qui pouvait avoir « huit ou neuf cents pas de circuit ». Des trois côtés, les falaises de granit faisaient de six à neuf mètres de haut, si abruptes qu'elles étaient inexpugnables. Sur le dernier côté de l'île, orienté vers l'aval, ils trouvèrent une petite anse de sable et d'argile, cernée par des falaises de granit capables d'accueillir des remparts et des pièces d'artillerie[66].

L'île était attrayante à d'autres égards. En juin, elle avait l'air luxuriante et très fertile. Champlain et le sieur de Mons explorèrent les rives des deux rivières environnantes et y trouvèrent un bon sol pour l'exploitation agricole, avec des ruisseaux d'eau fraîche, d'excellents sites pour

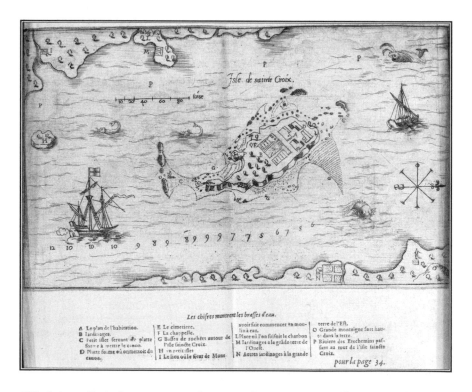

L'île Sainte-Croix fut occupée par les Français en juin 1604. Elle était située dans la rivière du même nom sur ce qui constitue aujourd'hui la frontière entre le Canada et les États-Unis. La chaloupe de Champlain est ancrée en amont de l'île, et une patache à trois mâts évite en aval.

l'érection de moulins avec une bonne eau d'amont et du bois à couper en abondance. En amont, ils découvrirent des dépôts de cuivre, de sable, d'argile et de pierres de taille. La rivière grouillait de gaspareaux, d'achigans et d'aloses. À marée basse, Champlain trouva « quantité de coquil-

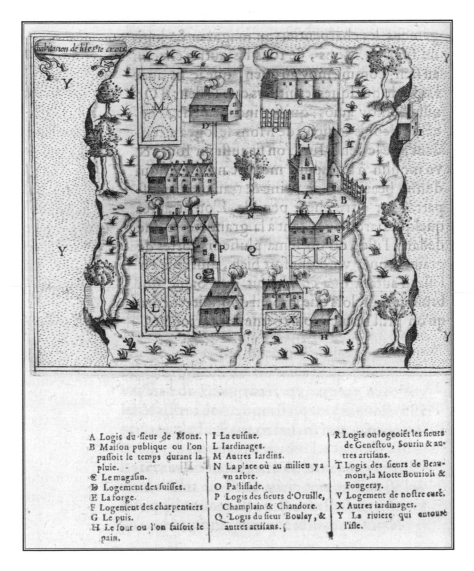

Plan de l'établissement sur l'île Sainte-Croix, par Champlain. La maison élégante du sieur de Mons est à la droite de l'arbre. Au nord se trouvent le magasin et la caserne des Suisses. Au sud, les maisons des gentilshommes et les dortoirs des artisans.

lages, comme coques, moules, oursins et brégaux, qui faisaient grand bien à chacun[67] ».

Il fut donc décidé que ce lieu abriterait leur premier établissement. Après une longue recherche, De Mons et Champlain avaient pris leur décision sans le bénéfice d'une mûre réflexion. Non seulement ils étaient très las, ils devaient voir aussi que le temps allait leur manquer. Ils étaient arrivés à l'île Sainte-Croix la dernière semaine de juin. Le printemps était fini, il fallait se décider[68].

Les colons gagnèrent la rive, où ils furent immédiatement assaillis par un ennemi inconnu : les « mousquittes (qui sont petites mouches) ». « Il y eut plusieurs de nos gens qui eurent le visage si enflé par leur piqûre qu'ils ne pouvaient presque voir. » Les habitants de Nouvelle-Angleterre et du Nouveau-Brunswick auront reconnu les mouches noires, ces nuées de carnivores minuscules qui persécutent les humains à la fin juin[69].

Les autres navires firent bientôt leur apparition sur la rivière : le *Don de Dieu* accompagné de la petite *Levrette* et de plusieurs chaloupes. Ils avaient été envoyés par Pont-Gravé de Canseau, sur la côte Atlantique, où il chargeait du poisson et des fourrures. À bord se trouvaient les maîtres des navires basques arrêtés par Pont-Gravé pour trafic illégal. Le sieur de Mons « les reçut humainement », selon le mot de Champlain, et ordonna leur rapatriement[70].

À Sainte-Croix, leur première tâche fut de fortifier l'île. Champlain écrit : « Nous commençâmes à faire une barricade sur un petit islet un peu séparé de l'île, qui servait de plate-forme pour mettre notre canon. » Encore aujourd'hui, on appelle ce lieu Cannon Nubble, et il ressemble beaucoup à la description qu'en a faite Champlain. Le canon faisait face à la rivière en aval, en direction de la mer, d'où le plus grand danger était à craindre. La plateforme avec son canon dominait la rivière sur toute sa largeur, ainsi que l'aire de mouillage où Champlain trouva dix-huit mètres d'eau, une profondeur suffisante pour qu'un gros navire hauturier pût éviter en toute sécurité sur son ancre. Après que le canon fut mis en place, on érigea une palissade le long de l'extrémité sud de l'île qui restait vulnérable, et au bout de quelques jours, l'établissement fut déclaré « rendu en défense[71] ».

On passa ensuite à l'établissement proprement dit. De Mons donna l'ordre de faire abattre les bois de l'île, « exception faite des arbres bordant la rive » ; on épargna également un grand arbre qui resta seul debout au milieu de l'établissement, comme sur la place d'un village. On logea le gouverneur dans une très jolie maison faite « de beau bois scié avec la bannière de France flottant au-dessus ». Elle avait un toit à la Mansart élégant et son intérieur était fait de « beau bois artistiquement ouvré ». On y installa une cheminée bâtie de belles briques jaunes importées de France, tout comme le bois d'œuvre d'ailleurs, les lourdes portes et les croisées. Les colons bâtirent aussi un grand magasin, la structure la plus imposante de l'île, car les provisions qu'il contenait assuraient « la vie et la sûreté de chacun ». Ses fondations étaient de pierre, sa cave était profonde, et il était bâti aussi « de beau bois et son toit était revêtu de bardeaux[72] ».

On érigea une galerie couverte « où nous trouvions refuge quand il pleuvait » ainsi qu'un four, une cuisine, une forge et un atelier pour la charpenterie. Les habitations suivirent, « chacun bâtissant la sienne ». Les gentilshommes et leurs valets bâtirent eux-mêmes leurs petites maisons. Champlain écrit qu'il construisit son habitation « avec l'aide de quelques serviteurs que le sieur d'Orville et moi avions ». Les artisans et les ouvriers se construisirent des dortoirs et les Suisses eurent leur logement. Un four fut ajouté, puis un moulin à bras, et on tenta de creuser un puits mais sans trop de succès, semble-t-il. Sur la rive en face de l'île, un village indien apparut, et les Français y bâtirent une chapelle à « la manière indienne[73] ».

On aménagea des champs sur le continent et un grand potager dans l'île. « On sema plusieurs sortes de graines, écrit Champlain, qui y vinrent fort bien, hormis en l'île ; d'autant que ce n'était que sable qui brûlait tout, lors que le soleil donnait, encore qu'on prit beaucoup de peine à les arroser[74]. »

De nombreuses fouilles archéologiques ont été réalisées à l'île Sainte-Croix, du XVIIIe au XXIe siècle. En général, ces travaux ont confirmé le texte du journal de Champlain. La gravure de l'établissement dans les *Voyages* de Champlain dépeint une image idéalisée, mais qui est exacte dans ses grandes lignes[75].

En septembre, le sieur de Mons renvoya en France le *Don de Dieu* et *La Levrette*. Soixante-dix-neuf hommes s'apprêtèrent à hiverner, avec De Mons à leur tête et Champlain à ses côtés. La latitude de Sainte-Croix étant à peu près la même que celle de la Saintonge, les Français s'attendaient donc à un hiver doux. Une première averse de neige au début d'octobre les désillusionna. En janvier, il y avait près d'un mètre de neige sur le sol, et un vent mauvais soufflait du haut de la rivière. Les températures chutèrent, et la froidure s'installa pour y rester[76]. La rivière Sainte-Croix gela pendant la première semaine de décembre. Le mouvement de la marée cassait la glace pour former des débris acérés qui gelaient aussitôt, et la rivière ne fut bientôt qu'un impénétrable champ de ruines glacées. Les hommes de l'île ne pouvaient plus franchir la rivière à pied ou en bateau, ils étaient isolés du continent. Les cidres et les vins gelèrent, à l'exception du vin fortifié d'Espagne. Ils n'avaient aucune source d'eau fraîche, sauf la neige fondue, et ils se mirent à manquer de bois de chauffage. Leur régime de provisions sèches et de viande salée en faisait souffrir plus d'un. Les hommes se mirent à faiblir à cause de la malnutrition, et les symptômes du scorbut apparurent.

Au milieu de l'hiver, les hommes se mirent à mourir, souvent dans d'atroces souffrances. Des soixante-dix-neuf hivernants, nous dit Champlain, trente-cinq décédèrent et vingt autres étaient à l'article de la mort au printemps. La preuve archéologique confirme ses dires. Les corps furent enterrés dans des fosses si peu profondes que les squelettes ressortirent de terre plus tard. Pendant longtemps après, les Indiens appelleraient ce lieu hanté l'île aux Os[77].

Les chirurgiens français n'arrivaient pas à expliquer ces décès. Ils pratiquèrent des autopsies méticuleuses sur les victimes dans l'espoir d'en découvrir la cause. « L'on en fit ouverture de plusieurs pour reconnaître la cause de leur maladie. » Au XXᵉ siècle, des archéologues ont retrouvé le corps d'un colon autopsié, soit la première autopsie européenne pratiquée en Amérique du Nord. Une fois de plus, l'archéologie a confirmé l'exactitude du propos de Champlain. Des pathologistes judiciaires ont examiné ces restes en 2003 et se sont dits impressionnés par l'adresse des chirurgiens français. Mais les autopsies ne purent en rien éclairer les colons sur la cause du mal qui les frappait[78].

Champlain était persuadé que le scorbut était une maladie d'origine alimentaire, et il en attribuait la cause à l'excès de provisions salées et à la pénurie d'aliments frais. Il fallut attendre le XXᵉ siècle pour en identifier la cause, qui est une carence en vitamine C, mais bien avant le désastre de l'île Sainte-Croix, les médecins des navires au long cours avaient entrevu le remède. Dès 1602-1603, un auteur du nom de François Pyrard signala des épidémies de scorbut sur les navires faisant le voyage aux Indes et en conclut « qu'il n'y a pas de meilleure cure que les

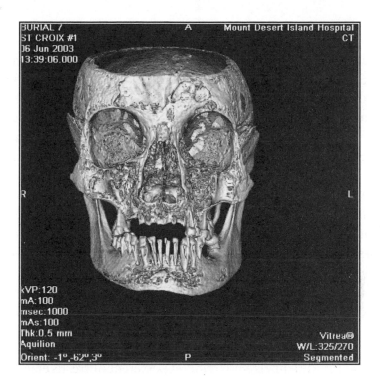

Ce crâne d'un colon français a été retrouvé à l'île Sainte-Croix par des archéologues. L'homme était mort du scorbut en 1604, et une autopsie fut pratiquée par un chirurgien français qui voulait connaître la cause de son décès. Ce tomodensitogramme (CAT scan) confirme le récit que donne Champlain dans ses Voyages.

oranges et les citrons ». Champlain en avait entendu parler. Il a d'ailleurs écrit à ce sujet : « Les Flamands [...] ont trouvé un remède fort singulier contre cette maladie, qui nous pourrait bien servir ; mais nous n'en avons point la connaissance pour ne l'avoir recherché[79]. »

Voyant que les Indiens ne connaissaient pas le scorbut, Champlain en avait déduit que la chair d'animaux fraîchement tués pouvait servir de remède. Un jésuite qui avait interrogé les survivants de Sainte-Croix nota : « De toutes les gens du sieur de Mons qui premièrement hivernèrent à Sainte Croix, onze seulement demeurèrent en santé : c'étaient les chasseurs, qui en gaillards compagnons aimaient mieux la picorée que l'air du foyer, courir un étang que de se renverser paresseusement dans un lit, de pétrir les neiges en abattant le gibier, que non pas de deviser de Paris et de ses rôtisseurs auprès du feu[80]. »

À la fin mars, la rivière dégela. De Mons et Champlain se procurèrent de la viande fraîche auprès des Indiens, et les colons commencèrent à reprendre du mieux, avant la maturation des plantes forestières[81]. Mais lorsque le printemps arriva enfin à l'île Sainte-Croix, il ne restait plus que onze colons debout sur soixante-dix-neuf. Presque tous avaient péri. Le choix de l'emplacement s'était avéré catastrophique : dans leur hâte, les chefs n'avaient pas vu que l'île était dépourvue de source sûre en eau et en combustible. Ils ne savaient pas que les communications avec le continent seraient difficiles en hiver ou que le concours des Indiens leur serait essentiel. Ils savaient pourtant que les colonies qui avaient été implantées dans des îles et qui avaient été coupées de tout secours avaient toutes échoué. En 1560, l'amiral français Nicolas Durand de Villegaignon avait fondé un établissement sur une petite île dans la baie de la rivière de Janvier (le *rio de Janeiro*) au Brésil, et il avait dû déclarer forfait. La même chose s'était produite à l'île de Sable[82].

De Mons et Champlain auraient choisi Sainte-Croix d'un commun accord. Mais l'on n'entendit aucune récrimination. Les deux hommes avaient appris de leur erreur terrible et passèrent outre. Ils étaient résolus à persévérer, mais ailleurs.

CHAPITRE 9

La Norembègue

Trois capitaines, trois résultats, 1604-1606

*Ce sera la dernière exploration française le long de cette côte :
l'histoire de la Nouvelle-France en ces lieux prenait fin, celle
de la Nouvelle-Angleterre allait commencer.*

MARCEL TRUDEL[1]

À l'été 1604, alors que prenait forme l'établissement de l'île Sainte-Croix, Champlain reçut une autre mission. Le sieur de Mons lui demanda d'aller « découvrir le long de la côte de Norembègue », le Maine d'aujourd'hui. La France et l'Angleterre avaient toutes deux des prétentions sur cette région qui s'étendait au sud jusqu'à la vallée du Delaware. Son destin fut scellé par trois voyages qu'y firent les Français de 1604 à 1606. Champlain était des trois expéditions. Il pilota la première, De Mons la deuxième et Poutrincourt la troisième. Les trois chefs avaient le même objectif mais aboutirent à des résultats différents[2].

Lors du premier voyage, Champlain avait l'ordre de trouver des emplacements propices à un établissement, sous un climat plus doux. On lui avait confié un vaisseau très spécialisé appelé patache, qui est défini dans un texte français de 1628 comme étant « un petit navire de guerre conçu pour la surveillance des côtes ». Champlain dit qu'il s'agissait d'un bateau à quille de « dix-sept ou dix-huit tonneaux », probablement d'une longueur d'environ douze mètres, avec un tirant d'eau d'un mètre et demi. Elle était entièrement pontée et faite pour les voyages en mer dangereuse, contrairement aux chaloupes, plus petites et non pontées, dont il se servait pour reconnaître les eaux mieux protégées[3].

La carte que Champlain a tracée de l'île Sainte-Croix contient des dessins de ces deux types de bateaux : une petite chaloupe à la proue renflée au-dessus de l'établissement, et en dessous, un élégant petit vaisseau qui pourrait être sa patache. Il était bâti comme un bâtiment de guerre avec une proue fine, de longues lignes assurant une marche vive, un gaillard d'avant et une poupe élevée qu'on avait armée de couleuvrines, avec en tête de mâts des huniers de bonne dimension. Son grand mât arborait le pavillon de la marine française, ce qui révélait un autre objectif : montrer les couleurs de la France sur une côte contestée[4].

Le croquis de Champlain nous montre trois mâts et un gréement très intéressant. Le mât de misaine portait une vergue transversale oblique sur laquelle était frappée une voile à bourcet, comme il l'appelait. Le grand mât portait une grande voile carrée et peut-être aussi un hunier. Un petit mât d'artimon permettait en plus d'envoyer une voile latine. Ces voiles pouvaient être utilisées dans diverses combinaisons qui étaient essentielles au travail de Champlain. La voile latine et le bourcet pouvaient être bordés au plus près, permettant ainsi au navire de très bien remonter au vent. La grande voile et le bourcet pouvaient être utilisés par vent arrière. Par petit temps, toutes les voiles pouvaient être envoyées de manière à profiter du moindre souffle d'une brise incertaine. C'était un gréement utilisable en toutes circonstances, très prisé des explorateurs[5].

La patache était idéale pour sa méthode d'exploration, qui consistait à « fureter par tout ». Dans ses pérégrinations côtières, Champlain ne perdait jamais un instant et longeait sans s'arrêter les bouts de la côte qui ne revêtaient aucun intérêt pour lui. Il cherchait les lieux prometteurs, les explorait attentivement et les reconnaissait dans tous les détails. C'était un travail dangereux sur une côte hérissée de rochers et battue par des marées énormes et de forts courants, mais Champlain trouvait la tâche « fort agréable[6] ».

La patache de Champlain avait un équipage de douze matelots. Dans les longs voyages d'exploration, il emmenait plusieurs valets, un canonnier, un charpentier, un serrurier, un maître mineur pour la prospection et quelques arquebusiers. Lors de ce voyage-ci, il avait également deux Indiens etchemins « pour nous servir de guides aux lieux de leur connaissance ». Il devait y avoir une vingtaine d'hommes en tout à bord de la patache. La cale transportait pour un mois de provisions — biscuit, pois, farine, viande et poisson salés, vin et eau, armes et munitions, bois et cordages, voiles et pièces de rechange[7]. Les Etchemins avaient apporté leur canot d'écorce, et Champlain s'était muni d'esquifs pour effectuer le relevé des côtes[8]. Le 2 septembre 1604, Champlain quitta Sainte-Croix et descendit le fleuve. Il était heureux d'être en mer, à bord d'un bon

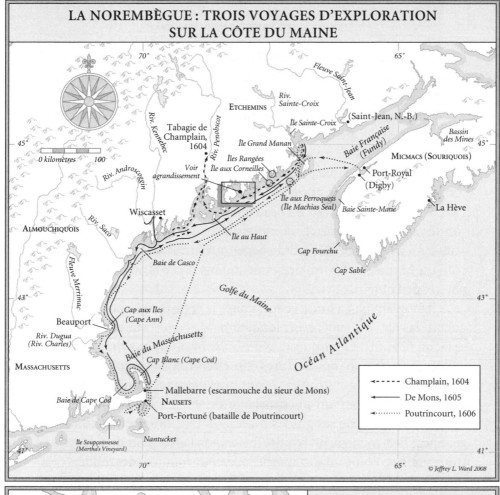

LA NOREMBÈGUE : TROIS VOYAGES D'EXPLORATION
SUR LA CÔTE DU MAINE

70°   65°

Fleuve Saint-Jean

ETCHEMINS   Riv.
Sainte-Croix   (Saint-Jean, N.-B.)   Bassin
des Mines

Île Sainte-Croix   Baie Française   45°
(Fundy)

Riv. Kennebec   Tabagie de
Champlain,
1604   Île Grand Manan   MICMACS (SOURIQUOIS)

Riv. Penobscot   Îles Rangées   Port-Royal
Île aux Corneilles   (Digby)

Riv. Androscoggin   Voir
agrandissement

Île aux Perroquets   La Hève
(Île Machias Seal)

Wiscasset   Baie Sainte-Marie

ALMOUCHIQUOIS   Île au Haut   Cap Fourchu

Riv. Saco   Cap Sable

Fleuve Merrimac   Baie de Casco

43°   Golfe du Maine   43°

Cap aux Îles
(Cape Ann)

Beauport   Océan Atlantique

Riv. Dugua   Baie du Massachusetts
(Riv. Charles)

MASSACHUSETTS   Cap Blanc (Cape Cod)

Mallebarre (escarmouche du sieur de Mons)

Baie de Cape Cod   NAUSETS

Port-Fortuné (bataille de Poutrincourt)

Île Soupçonneuse   Nantucket
(Martha's Vineyard)

41°   41°

70°   65°   © Jeffrey L. Ward 2008

◀ - - - -	Champlain, 1604
◀──────	De Mons, 1605
◀········	Poutrincourt, 1606

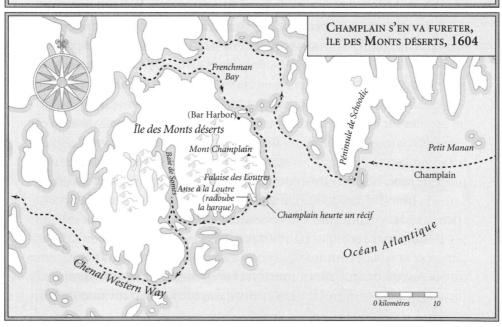

CHAMPLAIN S'EN VA FURETER,
ÎLE DES MONTS DÉSERTS, 1604

Frenchman
Bay

(Bar Harbor)   Péninsule de Schoodic

Île des Monts déserts   Petit Manan

Mont Champlain   Champlain

Falaise des Loutres
Anse à la Loutre
(radoube   Champlain heurte un récif
la barque)

Baie de Somes

Chenal Western Way

Océan Atlantique

0 kilomètres   10

bateau, s'adonnant à ce qu'il appelait sa « passion de la découverte ». À lire son récit, on a l'impression qu'il n'aurait voulu être ailleurs pour rien au monde : raison de plus pour laquelle il était si doué pour cette tâche[9].

Il ne fut pas long à découvrir que la côte du Maine était une rude école pour un jeune capitaine. À l'embouchure de la rivière Sainte-Croix, il vit que les vaisseaux de Poutrincourt étaient encore à l'ancre et incapables de faire voile pour la France « à cause du mauvais temps », probablement quelque nordet coutumier de cette côte. Champlain jeta l'ancre et attendit le retour du beau temps. Trois jours plus tard, il reprit son voyage et vogua sans encombre sur deux ou trois lieues, puis il se buta à un banc de brouillard du genre qui surgit soudainement sur la côte du Maine. Le brouillard était si dense qu'on ne voyait plus les navires de Poutrincourt.

Champlain passa outre et entra dans le golfe du Maine pour s'éloigner de la côte[10]. C'était un explorateur hardi, certes, mais prudent dans sa façon de contrer le risque. Il se servait souvent de sa sonde de plomb et découvrit des « bancs, battures et rochers qui jettent plus de quatre lieues à la mer par endroits ». Ayant plus d'espace pour manœuvrer, Champlain fit cap au sud-ouest au large d'une « grande quantité d'îles ». Avec le concours de ses guides indiens, il leur donna des noms. Un groupe d'îlets rocheux fut baptisé les îles aux Perroquets du fait qu'on y trouvait une colonie importante de macareux moines : des milliers d'oiseaux splendides avec un plumage noir et lustré, le poitrail blanc, les yeux bridés et un gros bec rouge et jaune comme celui des perroquets. On appelle aujourd'hui ces rochers l'île Machias Seal, et deux pays en revendiquent la possession. La colonie de macareux y est toujours, moins abondante, mais néanmoins la seule propriétaire légitime[11].

Champlain poursuivit sa route et longea un autre petit archipel dont les façades sur la mer étaient toutes d'une rangée. Il les appela justement les isles Rangées. Non loin d'elles se trouve l'île Roque, l'une des plus belles sur la côte du Maine, avec une anse aux eaux bleues et vertes et une plage de sable blanc, le tout épousant parfaitement la forme d'un croissant de lune[12]. Plus au sud, il barra vers le continent, étudia la côte rocheuse de la péninsule de Schoodic et découvrit « force beaux et bons ports, mais mal agréables pour y demeurer[13] ». Champlain ne s'attarda pas en ces lieux. Il contourna la pointe Schoodic, traversa la belle étendue d'eau qu'on appelle aujourd'hui Frenchman Bay, et « ce mesme jour », le 5 septembre 1604, « nous passâmes proche d'une île qui contient environ quatre ou cinq lieues de long ». Spectacle extraordinaire : une île de vingt kilomètres de diamètre avec de nombreuses montagnes, « fort hautes, coupées par endroits », avec des pics qui dépassaient le niveau de la mer jusqu'à quatre cent soixante mètres de haut. À première vue, Champlain compta « comme sept ou huit montagnes rangées les unes proches des autres », puis il en aperçut d'autres, vingt-sept pics au total. Il nota : « Le sommet de la plupart d'icelles est dégarni d'arbres ; parce que ce ne sont que rochers. Les bois ne sont que pins, sapins et bouleaux[14]. »

Champlain nomma le lieu l'isle des Monts-Déserts, aujourd'hui Mount Desert Island. Il affectionnait l'adjectif *désert* pour nommer les lieux qu'il jugeait inhabitables, « terre fort mal plaisante », comme il disait. L'idée qu'il se faisait de la beauté naturelle était celle d'un jardin et non d'un lieu sauvage, attitude qui diffère de la nôtre aujourd'hui. Rappelons toutefois que *désert* désignait ici le sommet dégarni des montagnes, et non l'île elle-même. Champlain se dit fasciné par le lieu, impression qu'ont ressentie des milliers de visiteurs au cours des siècles qui ont suivi[15].

Dans l'après-midi du 5 septembre 1604, il approcha par l'est et vogua vers le nord jusqu'à la tête de Frenchman Bay, assez loin pour se rendre compte que l'île des Monts déserts était bel et bien une île, séparée du continent : « De cette île jusques au nord de la terre ferme il n'y a pas cent pas de large. » Toutes les cartes antérieures désignaient une péninsule. Champlain fut le premier à la cartographier dans son état véritable[16].

Au fond de Frenchman Bay, Champlain fit virer de bord pour courir le long de la côte orientale de l'île toute hérissée de roches, furetant comme à son habitude, très près du rivage. Il se faisait tard et le soleil était au plus bas dans le ciel. Le versant oriental de l'île des Monts déserts était alors à l'ombre de ses montagnes. Champlain nous dit que depuis l'aube ils avaient parcouru vingt-cinq lieues[17]. La journée avait été ardue, et les vigies étaient peut-être moins alertes que d'habitude, ou alors leur attention était attirée par autre chose. Peut-être étaient-ils saisis d'admiration par le panorama grandiose de l'île lorsqu'ils longèrent la crête qui porte aujourd'hui le nom bien mérité de mont Champlain. Ils remarquèrent peut-être aussi les faucons qui nichent sur ses falaises abruptes et que l'intrus voit parfois fondre au-dessus de sa tête à la vitesse de l'éclair, si agiles qu'ils se transmettent leur pâture en plein vol. Juste au sud, ces Français aperçurent peut-être des familles de loutres au pelage lustré, s'ébattant dans la mer, près de ce qu'on appelle aujourd'hui Otter Point[18].

Alors que Champlain furetait le long de la côte, il ressentit un coup violent et entendit ce bruit grinçant que les marins redoutent tant. Sa patache avait heurté une barre de granit et avait rebondi avec un trou dans sa coque de bois. Champlain écrivit : « Nous cuidâmes perdre [faillîmes faire naufrage] sur un petit rocher à fleur d'eau, qui fit une ouverture à notre barque proche de la quille. » Les habitants de l'île soupçonnent qu'il avait heurté une barre rocheuse tristement célèbre au large d'Otter Point, qui a longtemps malmené les embarcations locales. À marée basse, elle est visible, et on voit la mer se briser dessus ; à marée haute, elle guette sous la surface les marins insoupçonneux[19]. Ce fut un coup dur, et la patache se mit à couler. L'équipage dut pomper et écoper pendant que Champlain cherchait un refuge. Non loin d'Otter Point, il parvint à un goulet appelé aujourd'hui Otter Cove, où se trouve un replat de marée recouvert de galets. À marée basse, le lieu serait idéal pour mettre la patache en carène. Ils la conduisirent dans le passage à marée haute et la couchèrent doucement sur le flanc tandis que la mer se retirait. Les pieds dans l'eau, Champlain et son charpentier étudièrent la coque du navire et repérèrent le trou près de la quille. Heureusement, la quille elle-même et le gouvernail étaient intacts[20].

Tandis que certains membres de l'équipage voyaient à réparer la patache, d'autres explorèrent probablement le rivage à la recherche de quoi manger. Il y avait des oiseaux à abattre, des mollusques à prendre dans les cuvettes de marée et des baies à cueillir à profusion. Aujourd'hui encore, un petit bosquet de cerisiers de Virginie se dresse près de la laisse de marée d'Otter Cove. Fin août et début septembre, ils sont chargés de fruits — plusieurs générations de ma propre famille les ont cueillis avec joie chaque année. Champlain tenait à compléter avec des aliments frais les rations de son équipage chaque fois qu'il lui était loisible de le faire.

Le lendemain, 6 septembre 1604, la patache s'éleva avec la marée montante, et Champlain reprit son voyage. Il fit cap au sud-ouest, contourna la partie inférieure de l'île des Monts déserts, doubla le lieu aujourd'hui appelé Seal Harbor, où les estivants de 1904 ont érigé un petit monument de granit et de bronze en son honneur. Environ deux lieues plus loin, Champlain « aperçut une fumée dedans une anse qui était au pied des montagnes ci-dessus ». Il devait s'agir de la baie de

Somes, qui est flanquée de montagnes et des havres sûrs que sont aujourd'hui Northeast Harbor et Southwest Harbor, des deux côtés de l'entrée.

Quelques Indiens approchèrent dans leurs canots et examinèrent la patache, mais en restant à une portée de mousquet de distance. Champlain leur délégua ses guides indiens « pour les assurer de notre amitié », mais « la crainte qu'ils eurent de nous les fit retourner[21] ». Champlain laisse entendre qu'il passa cette journée-là et une autre nuit près de l'île. Il explora probablement la baie de Somes, dont certains disent que c'est l'un des rares fjords du côté ouest de l'océan Atlantique. S'il avait fait cela, il aurait vu des ruisseaux à l'eau limpide dévaler des montagnes et se précipiter dans l'eau profonde. L'un d'eux, appelé de nos jours Man O'War Brook, était un endroit parfait pour un navigateur désireux de remplir ses barriques d'eau fraîche[22].

Le lendemain matin, 7 septembre, Champlain était encore à l'île des Monts déserts lorsque les Indiens revinrent dans leurs canots. Ils s'approchèrent de la patache, discutèrent avec les compagnons indiens de Champlain et échangèrent des présents : du poisson et du castor en échange de biscuit et de « quelques autres bagatelles ». Les Indiens offrirent à Champlain de le conduire à leur chef, Bessabez, sur une rivière qu'ils appelaient la Pentagouet, de nos jours la Penobscot. Ils entrèrent ainsi dans le chenal Western Way qui mène à la baie de Penobscot. « Et presque au milieu à la mer, écrivit Champlain, y a une autre île fort haute et remarquable. » Il la baptisa isle au Haut, nom qui lui est resté[23].

Le panorama était saisissant à l'entrée de la baie de Penobscot, avec Deer Island et Castine à l'est, Islesboro à l'ouest et North Haven et Vinalhaven droit devant. Champlain travaillait sans carte, et il nous dit qu'il frayait son chemin « la sonde en la main » pour éviter les nombreux rochers et brisants. La beauté des lieux le ravit : « Entrant dans la rivière il y a de belles îles, qui sont fort agréables, de belles prairies. » On voit ici encore qu'il était plus prompt à remarquer les belles clairières que les forêts denses[24].

Champlain baptisa la rivière Norembègue. Il mit le cap au nord, où se trouvaient de magnifiques passes, avec des bois élevés sur chaque rive. Il admira l'actuel site de Bucksport, alla le plus loin qu'il put avec sa patache, et parvint à une chute imposante qui faisait deux cents pas de large et sept ou huit de haut. Il venait d'atteindre la limite de navigation de la rivière Penobscot, où se trouve aujourd'hui le centre-ville de Bangor, dans le Maine[25]. « Mais passé le sault, la rivière est belle, et continue jusques au lieu où nous avions mouillé l'ancre. Je mis pied à terre pour voir le pays. » Il alla chasser, probablement accompagné de ses guides indiens, et trouva la contrée « fort plaisante et agréable en ce que j'y fis de chemin ». Près de la rivière, il vit une jolie futaie de vieux chênes : « Il semble que les chênes qui y sont aient été plantés par plaisir. » C'est aujourd'hui la rue Oak de Bangor, un quartier dévasté par la rénovation urbaine, ce qui en dit long sur l'intendance lamentable de ce lieu pourtant si beau[26].

Les Indiens commencèrent à se rassembler, et les guides de Champlain leur dirent que les Français étaient venus en paix. D'autres Indiens se joignirent à eux, une trentaine, puis le sagamo Bessabez arriva, un chef influent de la région. D'autres Européens feraient sa connaissance plus tard ; ils l'appelleraient Betsabes ou Bashaba, et s'en diraient fort impressionnés. Un missionnaire jésuite le rencontra en 1611 et dit de lui qu'il était « homme discret [sage] et fort modéré ». Il ajoutait : « Sans mentir, on reconnaît souvent en ces Sauvages des vertus naturelles et politiques qui font rougir quiconque n'est éhonté, lorsqu'en comparaison ils regardent une bonne partie des Français qui viennent en ces quartiers[27]. »

Les Indiens aussi tenaient Bessabez en haute estime. Champlain observa que, lorsqu'il arriva, « ils se mirent tous à chanter, danser et sauter, jusques à ce qu'il eût mis pied à terre ». Puis ils s'assirent tous en rond « suivant leur coutume lorsqu'ils veulent faire quelque harangue ou festin[28] ». Un autre groupe arriva avec à sa tête un chef appelé Cabahis, avec « vingt ou trente de ses compagnons ». Ils « se retirèrent à part » et ne s'assirent pas avec les Indiens de Bessabez. Manifestement, il y avait eu quelque querelle entre eux, mais eux aussi firent bon accueil à Champlain. « Ils se réjouirent fort de nous voir : d'autant que c'était la première fois qu'ils avaient vu des Chrétiens[29]. »

La rencontre se déroulait sur une étendue de terre plate où la rivière Kenduskeag rejoint la Penobscot. Champlain s'avança avec deux Français et deux interprètes indiens. Contrairement aux autres explorateurs français, il se faisait un point d'honneur de n'approcher les Indiens qu'entouré de peu de monde, pour éviter d'inquiéter ses interlocuteurs. Champlain avait agi avec une témérité hors du commun, mais il avait fait savoir qu'il venait en paix. Fidèle à lui-même, il s'était cependant préparé au pire. « J'avais donné charge à ceux de notre barque d'approcher près des sauvages, et tenir leurs armes prêtes pour faire leur devoir s'ils apercevaient quelque émotion de ces peuples contre nous. » Mais les armes restèrent dissimulées, et il n'y eut aucun signe d'hostilité de part ou d'autre[30].

Son approche lui valut le respect et la confiance des Indiens. Bessabez adressa un signe à Champlain et à ses compagnons et les « fit asseoir ». Ils entreprirent le long rituel de la tabagie et se mirent à pétuner ensemble, « comme ils font ordinairement auparavant que faire leurs discours ». Il y eut échange de cadeaux : venaison et sauvagine de la part des Indiens, biscuit et pois de la part des Français. Puis ils se mirent à parler. Champlain parla par la voix d'un interprète. Il dit qu'il désirait voir les peuples qui habitaient cette région magnifique et qu'il voulait « les tenir en amitié et les mettre d'accord avec les Souriquois [Micmacs] et les Canadiens [branche des Montagnais], leurs ennemis ». Il espérait aussi « habiter leur terre et la cultiver, afin qu'ils ne traînassent plus une vie si misérable qu'ils faisaient[31] ».

Bessabez lui fit une réplique courtoise. Il se dit « fort content » des propos de Champlain et ajouta « qu'il ne leur pourrait arriver plus grand bien que d'avoir notre amitié ». Le chef indien dit aussi qu'il voulait voir les Français s'établir dans son pays, que son peuple et lui tenaient à vivre en paix avec leurs ennemis indiens, pour ainsi être en mesure de chasser le castor plus qu'ils ne l'avaient fait par le passé et échanger des fourrures pour des choses qui leur seraient utiles. Après les harangues, Champlain leur fit cadeau de « haches, patenôtres, bonnets, couteaux et autres jolivetés ». Le reste de la journée se passa en chants, danses et bonne chère.

La fête se poursuivit toute la nuit. Champlain disposait manifestement d'un atout important pour ce genre de rencontre : une sociabilité des plus endurantes. À l'aube, Indiens et Français échangèrent peaux de castor et marchandises de traite dans un esprit d'amitié et de paix, et promirent de commercer davantage à l'avenir. Puis ils se séparèrent. Champlain écrivit que Bessabez et ses compagnons s'en retournèrent de leur côté et « nous du nôtre, fort satisfaits d'avoir eu connaissance de ces peuples[32] ».

Le lendemain, Champlain prit ses instruments et calcula la latitude à 45 degrés, 25 minutes au nord. Il ne se trompait que d'une soixantaine de kilomètres, résultat tout de même passable pour un navigateur qui avait fêté bien tard la veille et ne disposait que d'un astrolabe de voyage[33]. Puis il remonta dans sa patache et redescendit la rivière Penobscot avec le sagamo Cabahis comme invité à bord. Ils parcoururent vingt lieues jusqu'à une « petite rivière », probablement la Passagassawakeag, qui coule non loin de la petite ville de Belfast aujourd'hui, avec son joli rivage et ses vues dégagées donnant sur une grande baie[34].

Champlain interrogea Cabahis sur un lieu mythique de l'intérieur appelé Norembègue, dont un voyageur européen avait écrit qu'il s'agissait d'une ville faite d'or. Le mot venait probablement du wabenaki *nolumbeka,* qui désigne un mélange de rapides et d'eaux tranquilles, chose qui se voit souvent en amont de la Penobscot, mais il n'y avait point de ville, point d'or non plus. Champlain vit tout de suite qu'il avait affaire à une fable. Mais il n'était pas venu en Amérique du Nord pour y chercher de l'or[35]. Les rivières l'intéressaient beaucoup plus. Les Indiens lui parlèrent de portages depuis la tête de la Penobscot jusqu'à un affluent du Saint-Laurent. Champlain les interrogea aussi sur la grande rivière qui coulait plus au sud, que les Indiens appelaient Quini-be-quy, la majestueuse Kennebec d'aujourd'hui, d'où l'on pouvait également rejoindre le Saint-Laurent en faisant un court portage. Ces conversations lui donnèrent une idée nette de la région[36].

À l'emplacement actuel de Belfast, Champlain se sépara de Cabahis et poursuivit sa route sur la Penobscot, qui s'élargissait en une grande baie. Il longea les élévations qu'on appelle les montagnes de Bedabedec, aujourd'hui Camden Hills, mouilla peut-être à Camden Harbor, et fit voile de là vers ce qui est aujourd'hui la petite ville de Rockland[37]. Puis il vira vers le sud en longeant la côte, en direction de la rivière Kennebec. Il parcourut une dizaine de lieues, mais le vent lui était contraire, le temps était mauvais et il commençait à manquer de vivres. L'heure était venue de faire demi-tour : « Et considérant le peu de vivres que nous avions, nous résolûmes de retourner à notre habitation, attendant l'année suivante où nous espérions y revenir pour reconnaître plus amplement. » Le 23 septembre, il commanda au timonier de virer de bord et de reprendre la route de l'île Sainte-Croix. Les explorateurs rentrèrent sans encombre, en suivant la côte à bonne vitesse par vent arrière, poussés par le vent dominant qui soufflait de l'ouest. Le 2 octobre 1604, un mois jour pour jour après son départ, Champlain était de retour à Sainte-Croix[38].

Champlain n'avait pas su trouver de nouvel endroit plus propice à l'implantation d'une colonie, mais à d'autres égards, sa mission avait été une grande réussite. Sa rencontre avec les Indiens à Kenduskeag marqua un événement important dans la région. Champlain et les groupes d'Indiens dirigés par Bessabez et Cabahis avaient jeté les bases fermes d'une amitié animée par la confiance et l'intérêt bien compris de chacun. Comme à Tadoussac, il en résulta une autre alliance franco-indienne durable. Celle-ci naquit sur les rives de la Penobscot en 1604 et dura près de deux siècles. Champlain avait un talent rare pour ce genre de diplomatie. Il avait la manière franche d'un soldat, et les guerriers indiens l'aimaient et le respectaient spontanément. Il avait peu de goût pour leurs croyances religieuses ou leurs lois, et il le leur faisait probablement savoir. Mais il traitait toujours ses interlocuteurs autochtones avec respect, et les uns et les autres surent collaborer et concilier leurs intérêts névralgiques[39].

Malheureusement, les autres expéditions dans la même région connurent une tournure différente. Huit mois plus tard, au printemps 1605, après l'hiver pénible à l'île Sainte-Croix, une nouvelle exploration eut lieu le long de la côte. Cette fois, le sieur de Mons était de la partie, pour « aller chercher un lieu plus propre pour habiter et de meilleure température que la nôtre ». De Mons prit le commandement de l'expédition, avec Champlain à ses côtés. Il avait également avec lui plusieurs gentilshommes aventuriers de haut rang et d'autres compagnons : au total, une trentaine d'hommes, tous entassés dans un vaisseau semblable à la patache de Champlain, avec des provisions pour six semaines.

Il y avait avec eux deux interprètes indiens. L'un était un trafiquant etchemin du nom de Panounias, qui pouvait dialoguer avec les Indiens du Nord. L'autre était sa femme almouchiquoise, qui connaissait les langues des Indiens du Sud. On ne sait pas son nom, mais cette femme était sans doute un être hors du commun. C'est la seule fois dans toutes ses explorations que Champlain dit avoir été accompagné par une femme, et il a écrit sur elle en termes respectueux. Plus tard, il a embelli une de ses cartes avec le dessin d'une Almouchiquoise d'une grâce et d'une beauté frappantes. On se demande s'il ne s'agit pas justement de la femme de Panounias[40].

Du début, Champlain et De Mons ne s'entendirent pas sur le plan de l'expédition. Champlain proposait d'aller directement à la rivière Kennebec et de reprendre sa recherche à l'endroit où il s'était arrêté

Guerrier etchemin apparaissant sur la page titre des Voyages *de Champlain de 1619. Il s'agit peut-être du guerrier Panounias qui avait accompagné Champlain à titre d'interprète.*

l'année précédente. Mais De Mons voulait voir la côte nord, et sa volonté fut faite. Champlain était un loyal subordonné, mais dans son récit, on le sent contrarié.

Les deux bons amis ne se faisaient pas la même idée du commandement. Champlain privilégiait la discipline, s'en tenait rigoureusement à son ordre de mission et n'épargnait aucune peine pour parvenir à ses fins. De Mons était un excellent capitaine à certains égards, et il était aimé de ses hommes. On le devine d'un abord plus facile. Sous son commandement, l'expédition vogua sans se presser le long de la côte, s'attardant dans des îles attrayantes qui ne présentaient aucune utilité. Les voyageurs en visitèrent une appelée aujourd'hui Head Harbor, un endroit curieux avec un bassin intérieur tellement étroit que les mariniers de la région l'appellent encore Cow's Yard (le clos des vaches)[41]. Champlain remarqua que l'île était habitée par une « grande multitude de corneilles ». Les gentilshommes aventuriers s'amusèrent à en massacrer des nuées, et De Mons leur permit de rester quelques jours dans le secteur pour qu'ils puissent s'adonner à ce sport. Champlain baptisa le lieu l'île aux Corneilles[42].

De là ils firent voile pour l'île des Monts déserts. Champlain, lors de sa dernière visite, avait trouvé son sol peu prometteur, et son emplacement n'offrait aucun accès à l'intérieur du continent. Mais De Mons voulait reconnaître les lieux, et peut-être que ses fougueux gentilshommes aventuriers voulaient eux aussi voir du pays[43]. Ils séjournèrent quelque temps à l'île des Monts déserts, puis voguèrent vers la baie de Penobscot et traversèrent son ample embouchure. Trois Indiens à bord d'un canot arrivèrent du cap appelé aujourd'hui Owl's Head et leur dirent que leur chef désirait rencontrer les Français. Une conversation s'ensuivit, mais il n'y eut pas de rencontre ou de tabagie, ce qui devint la norme dans les expéditions commandées par De Mons.

De Mons se rendit compte tout à coup que le temps pressait. Il avait mis deux semaines à gagner la rivière Penobscot, qui n'était pourtant qu'à deux jours de voile de Sainte-Croix. Le tiers de ses provisions avait été dissipé, et il était loin d'avoir fait autant de chemin que la dernière expédition. Il accéléra le pas brusquement. Nos voyageurs quittèrent Owl's Head le 1er juillet 1605 et parcoururent vingt-cinq lieues en une journée pour atteindre la rivière Kennebec[44]. Ils étaient enfin parvenus au lieu où avait pris fin le dernier voyage, et le récit de Champlain commence à être plus détaillé. Il explora l'embouchure de la Kennebec et en cartographia les îles et les chenaux. Ils rencontrèrent deux canots d'Indiens qui chassaient le cygne et l'outarde. Les Français demandèrent à la femme de Panounias de leur expliquer le « sujet de notre venue[45] ».

Les Indiens leur offrirent de les conduire en amont pour y rencontrer leur chef. Les Français pénétrèrent avec surprise dans le labyrinthe de chenaux sinueux qui relie trois grandes rivières sur la côte centrale du Maine : la Kennebec (près de la ville moderne de Bath), la Sheepscot à l'est (Wiscasset) et la rivière Androscoggin à l'ouest (Brunswick). Les Indiens conduisirent les Français à l'est de la Kennebec dans un passage appelé aujourd'hui Back River, chose aisée pour un canot mais difficile pour une patache[46]. Ils atteignirent la rivière Sheepscot près de Wiscasset, et un sagamo du nom de Manthoumermer

figure des sauvages

L'image que Champlain donne de cette ravissante Almouchiquoise est peut-être celle de la femme de Panounias, qui l'accompagna sur la côte du Maine — la seule femme dont il mentionne la présence à bord au cours de ses explorations. Elle apparaît dans sa Carte géographique *de 1612. Son image orne aussi la page titre des* Voyages *de 1619.*

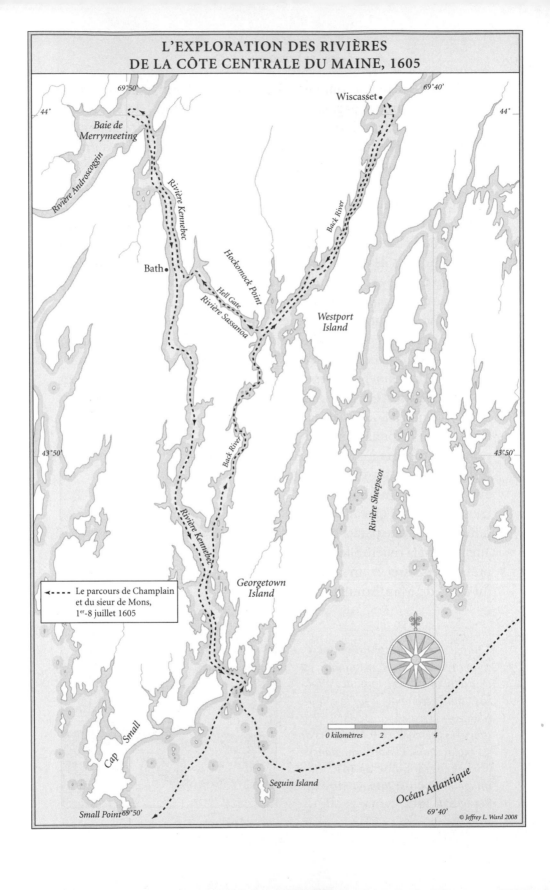

L'EXPLORATION DES RIVIÈRES
DE LA CÔTE CENTRALE DU MAINE, 1605

69°50'

44°

Wiscasset •

69°40'

44°

*Baie de
Merrymeeting*

Rivière Androscoggin

Rivière Kennebec

Back River

Bath •

Hockomock Point

Hell Gate

*Westport
Island*

Rivière Sassanoa

43°50'

43°50'

Back River

Rivière Sheepscot

Rivière Kennebec

*Georgetown
Island*

- - - - Le parcours de Champlain
et du sieur de Mons,
1er-8 juillet 1605

0 kilomètres   2   4

Cap Small

Seguin Island

Océan Atlantique

Small Point 69°50'

69°40'

© Jeffrey L. Ward 2008

vint à leur rencontre en canot. La femme de Panounias parla avec lui, et le sagamo « fit une harangue, où il faisait entendre l'aise qu'il avait de nous voir, qu'il désirait avoir notre alliance », et il promit d'envoyer un message à des chefs nommés Marchin et Sasinou, celui qu'il appelait « le chef de la rivière Quinibequy ».

En guise de réponse, le sieur de Mons leur fit cadeau de galettes et de petits pois, mais cette fois non plus, il n'y eut pas de tabagie ou de discussion prolongée. De Mons n'aimait pas mettre pied à terre comme Champlain. Il était resté à bord de son vaisseau pendant que les Indiens venaient à lui. Il semblait mal à l'aise en leur présence et conservait ses distances, contrairement à Champlain, qui circulait librement parmi eux[47].

Les guides indiens ramenèrent les Français à la rivière Kennebec par un passage encore plus difficile, jusqu'à l'actuelle baie de Merrymeeting. Les voyageurs devaient y rejoindre les chefs de la rivière, Marchin et Sasinou, mais ceux-ci n'étaient pas au rendez-vous. Les choses n'allaient pas bien avec les Indiens, et les guides ne leur disaient pas pourquoi. De Mons était incapable de nouer des liens d'amitié avec eux[48].

Il s'éloigna, descendit la Kennebec jusqu'à son embouchure et vira vers le sud-est, longeant la côte, jusqu'à une grande « baie où il y a quantité d'îles », qui est de nos jours la baie de Casco. Champlain écrivit qu'à une certaine distance de la côte, on aperçoit « de grandes montagnes à l'ouest » : les montagnes Blanches du New Hampshire. Ils relâchèrent pour la nuit près du site actuel de Portland. Le lendemain, ils poursuivirent leur exploration vers le sud.

Le 10 septembre, ils parvinrent à une baie et une petite rivière que Champlain appela Choüacoet, la Saco d'aujourd'hui. Les Français traversèrent la barre du fleuve pour jeter l'ancre dans un profond bassin, et Champlain vit avec intérêt « quantité de sauvages sur le bord de la rivière, qui commencèrent à danser ». Quelques heures plus tard, leur chef, Onemechin, arriva avec deux canots, « puis s'en vint tournoyant tout autour de notre barque ». Champlain écrivit que le chef était « de bonne façon, jeune et bien disposé », mais les Français ne purent entrer en communication avec lui. Il était de la nation almouchiquoise, et Champlain nota que leur langue « diffère du tout de celle des Souriquois et Etchemins ». Leur guide, l'Etchemin Panounias, ne pouvait « entendre que quelques mots », et sa femme almouchiquoise avait tout à coup disparu. Champlain n'explique pas pourquoi. Peut-être était-il arrivé quelque malheur à cette femme qui était seule à bord d'un petit navire avec trente Français éloignés de leur foyer depuis bien des mois. Elle s'était peut-être fatiguée du voyage, ou elle avait voulu revoir les siens. Quelle que fût la raison, elle n'était plus là, justement au moment où l'on avait le plus besoin d'un interprète[49].

Les Sacos étaient différents des Indiens situés au nord et à l'est. Ils ne se disaient pas eux-mêmes « almouchiquois ». Ce nom leur avait été attribué par des voisins chasseurs et cueilleurs au nord, et il semble que le mot voulait dire « les chiens qui font pousser du maïs ». Relisons Champlain : « Ils labourent et cultivent la terre, ce que nous n'avions encore vu. » Il avait mis pied à terre et admiré leurs champs « nets de mauvaises herbes », avec le blé d'Inde qui était planté en monticules espacés d'un mètre, et les fèves du Brésil qui s'entrelaçaient autour du blé d'Inde, avec « force courges, citrouilles et pétun ». Comme outils de labourage, ils avaient un « instrument de bois fort dur, fait en façon d'une bêche », et des écailles de limules, une variété de crabe[50].

Champlain décrivit aussi leurs « demeures arrêtées » et leurs réserves alimentaires. Il aperçut des réserves imposantes de noix qui avaient été cueillies l'année précédente et « force vignes, qui apportent de beaux raisins en leur saison ». Il nota : « Les sauvages se tiennent toujours en ce lieu, et ont une grande cabane entourée de palissades, faites d'assez gros arbres rangés les uns contre les autres, où ils se retirent lorsque leurs ennemis leur viennent faire la guerre. [...] Ce lieu est fort plaisant et aussi agréable que lieu que l'on puisse voir. » Mais les Français ne pouvaient communiquer avec eux. Ils ne purent contracter d'alliance avec les Sacos[51].

Les Français poursuivirent vers le sud, jusqu'à une « baie longue » entre deux caps et une longue série de plages sablonneuses sur la côte actuelle du New Hampshire[52]. Au terme de la journée, ils firent le tour du « cap aux Îles » au sud, de nos jours le cap Ann. À l'approche de la nuit, ne trouvant aucun mouillage sûr, ils continuèrent toute la nuit sous voilure réduite. Le lendemain matin, ils se retrouvèrent dans la baie du Massachusetts, non loin du site actuel de Boston. Les indigènes étaient accueillants et voulaient commercer avec eux. De Mons resta à bord du vaisseau et envoya Champlain à terre pour leur parler. Champlain donna « à chacun un couteau et du biscuit, ce qui fut cause qu'ils redansèrent mieux qu'auparavant[53] ».

Champlain tenta de communiquer avec eux, et en s'aidant de signes

Chauacoit ~ R.

Les chifres montrent les brasses d'eau.

A La riuiere.

B Le lieu ou ils ont leur forteresse.

C Les cabannes qui sont parmy les champs ou auprés ils cultiuent la terre & sement du bled d'Inde.

D Grãde compaigne sablonneuse, neantmoins remplie d'herbages.

E Autre lieu où ils font leurs logemés tous en gros sans estre separez aprés la semence de leur bleds estre faite.

F Marais où il y a de bons pasturages.

G Source d'eau viue.

H Grande pointe de terre toute deffrichee horsmis quelques arbres fruitiers & vignes sauuages.

I Petit islet a l'entree de la riuiere.

L Autre islet.

M Deux isles où vesseaux peuuent mouiller l'ancre à l'abry d'icelles auec bon fons.

N Pointe de terre deffrichee où nous vint trouuer Marchim.

O Quatre isles.

P Petit ruisseau qui asseche de basse mer.

Q Basses le long de la coste.

R La rade où les vaisseaux peuuent mouiller l'ancre attendant le flot.

La carte que Champlain a faite de la rivière Choüacoet, aujourd'hui Saco. C'est ici que les Français rencontrèrent les Almouchiquois, peuple d'agriculteurs aux effectifs importants. Les Français ne purent communiquer avec eux. De Mons n'était pas à son aise parmi les Indiens et poursuivit sa route. Il n'y eut pas de tabagie à la rivière Saco, contrairement à ce qui avait été fait sur le Saguenay, le Saint-Laurent et la Penobscot.

et de croquis, il y parvint. Il prit un bout de charbon et fit un croquis de la baie Longue et du cap aux Îles. Il demanda aux Indiens de lui montrer « comment allait la côte ». Ils prirent le même crayon de charbon et dessinèrent « une autre baie qu'ils représentaient fort grande, où ils mirent six cailloux d'égale distance, me donnant par là à entendre que chacune des marques était autant de chefs et peuplades », toutes de la nation des Massachusetts. Les Indiens dessinèrent aussi une longue rivière et une petite baie qui sont aujourd'hui la rivière Charles et Back Bay, à Boston[54].

Champlain s'entretint par gestes avec les Indiens pendant plusieurs heures. Il observa leurs embarcations en connaisseur et vit que les Indiens au sud du cap Ann se servaient de pirogues creusées dans des troncs d'arbres qu'ils « raclent de toutes parts avec des pierres, dont ils se servent au lieu de couteaux ». Champlain tenta manifestement de manœuvrer une pirogue et constata que ces « canots faits d'une pièce sont fort sujets à tourner, si on n'est bien adroit à les gouverner ». On l'imagine tâchant de rester en équilibre sous le regard amusé des Indiens[55].

Les rapports étaient bons, mais De Mons décida de repartir. Ils voguèrent encore sept ou huit lieues, mouillèrent près d'une île dans la baie du Massachusetts et virent des colonnes de fumée et des Indiens en grand nombre qui accouraient vers eux. Champlain fut surpris d'en voir autant et nota que ces lieux étaient plus habités que ceux qu'ils avaient vus auparavant. Les Français leur envoyèrent un canot contenant des petits présents comme couteaux et biscuit, mais Champlain devait écrire tristement : « Nous ne pûmes savoir le nom de leur chef, à cause que nous n'entendions pas leur langue[56]. »

Le 17 juillet, ils quittèrent la baie du Massachusetts sans avoir vraiment pris contact avec les Indiens. Le récit de Champlain masque mal un mécontentement croissant. Ils filèrent vers le sud à Scituate, puis à Brand Point, où d'autres Indiens en pirogues vinrent les accueillir. Champlain parle des « grands signes de réjouissance » qu'ils manifestèrent. Un chef apparut. Champlain crut comprendre qu'il avait nom Honabetha : « L'on reçut le chef fort humainement, et lui fit-on bonne chère. » Il leur rendit les honneurs en leur faisant cadeau de « petites citrouilles de la grosseur du poing, que nous mangeâmes en salade comme concombres, qui sont très bonnes ». Après cet échange, les communications tournèrent court encore une fois[57]. Le lendemain, les Français longèrent un « long cap », nommé de nos jours Gurnet, et entrèrent dans la baie de Plymouth. Une fois de plus, Champlain nota le grand nombre de cabanes et de jardins. Ils croisèrent de longues pirogues qui rentraient de la pêche à la morue le long de la côte. Les Indiens attrapaient ces poissons aisément avec des os taillés en hameçons et attachés à des lignes de chanvre. De nouveau, Champlain souligna que bon nombre d'Indiens les « reçurent fort gracieusement », mais les rencontres étaient brèves et les entretiens impossibles[58].

Les Français poursuivirent vers le sud, en direction de la grande péninsule sablonneuse qu'ils appelèrent le cap Blanc ; on dit aujourd'hui Cape Cod. Champlain écrivit des eaux de la baie qu'elles étaient très limpides, et que le cap était recouvert d'arbres magnifiques, « fort agréables et plaisants à voir[59] ». Le lendemain, 20 juillet, ils longèrent les bancs extérieurs du cap, sur l'océan Atlantique. Près de son coude, ils

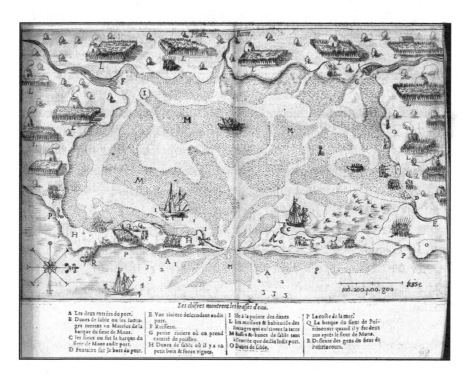

Mallebarre, aujourd'hui Nauset Harbor à Cape Cod. Là comme ailleurs, De Mons fut incapable de nouer des liens avec les Indiens. Le malaise fit place à la suspicion, qui déboucha sur l'hostilité. Français et Indiens en vinrent aux mains, comme on le voit sur cette carte.

virent une « baie et des cabanes qui les bordaient tout à l'entour ». Ils entrèrent dans un petit port « fort dangereux, à cause des basses et des bancs, où nous voyions briser de toutes parts » ; ils virent aussi une barre traîtresse à l'embouchure du port. Champlain baptisa le lieu Mallebarre. C'est aujourd'hui Nauset.

Champlain écrivit : « Il vint à nous quantité de sauvages, tant hommes que femmes, qui accouraient de toutes parts en dansant. » Il devait ajouter : « Tous ces sauvages depuis le cap des îles ne portent point de robes, ni de fourrures, que fort rarement, encore les robes sont faites d'herbes et de chanvre, qui à peine leur couvrent le corps, et leur vont jusques aux jarrets. Ils ont seulement la nature cachée d'une petite peau […] tout le reste du corps est nu. » Il trouva les naturels fort beaux et de belle tenue : « Je vis entre autres choses une fille coiffée assez proprement, d'une peau teinte de couleur rouge, brodée par dessus de petites patenôtres de porcelaine[60]. »

Le lendemain, De Mons prit la résolution d'aller voir leur habitation, « et l'accompagnâmes neuf ou dix avec nos armes », précaution que Champlain lui-même aurait eu la sagesse d'omettre. De Mons et sa troupe armée parcoururent environ une lieue, dans des champs où le maïs était en fleur, les plantes atteignant près d'un mètre soixante-dix de haut. C'était une contrée fertile, où poussaient le tabac, les fèves et des courges d'une grande variété. Les Français cueillirent des fruits de la récolte sans demander la permission[61]. Peut-être sur les instances du sieur de Mons, Champlain demanda aux Indiens par gestes s'il neigeait abondamment l'hiver. Les Indiens lui expliquèrent, par gestes eux aussi, que le port « ne gelait jamais » et que la neige « venait sur la hauteur d'un pied ». Champlain nota : « Mais nous ne pûmes savoir si la neige était de longue durée. Je tiens néanmoins que le pays est tempéré, et que l'hiver n'y est pas rude. » De Mons et ses hommes se mirent à discuter entre eux pour savoir si la colonisation de l'Acadie ne devrait pas commencer plus au sud[62].

Au début, les Indiens s'étaient montrés aimables, mais le ton commençait à changer. Les Français étaient venus armés comme à la guerre. Ils avaient mangé des fruits de leurs récoltes sans demander de permission et s'étaient conduits en maîtres du pays. La méfiance s'installa. Le 23 juillet 1605, un parti de matelots français alla à terre faire provision d'eau douce avec de grands chaudrons de métal qui attisèrent la convoitise des Indiens. Comme les Français les remplissaient, un Indien se

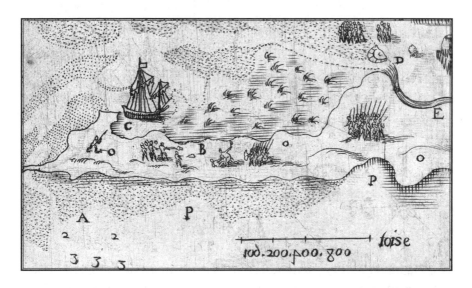

Le détail de l'escarmouche mettant aux prises les hommes du sieur de Mons et les Nausets de Cape Cod. Les guerriers indiens tuèrent un charpentier français. Champlain mena un parti armé à terre pour le secourir, mais en vain, car d'autres Indiens étaient arrivés en renfort. Le vaisseau français est une barque à deux mâts.

précipita sur eux et en prit un « de force ». Un matelot le prit en chasse mais ne put le rattraper. D'autres Indiens s'approchèrent avec des intentions qui parurent menaçantes. Les matelots firent demi-tour et coururent vers le navire en hurlant aux autres de tirer « quelques coups de mousquet sur [les Indiens], qui étaient en grand nombre ». Il y avait alors à bord plusieurs Indiens en visite. Ils « se jetèrent à la mer » et nagèrent vers la rive pour avoir la vie sauve. Les Français se saisirent cependant de l'un d'eux et le gardèrent captif. Sur la plage, les Indiens s'en prirent au matelot à qui ils avaient arraché son chaudron, le criblèrent de flèches et « l'achevèrent à coups de couteau[63] ».

Champlain se trouvait alors à bord du navire. Il rallia l'équipage et « fit diligence d'aller à terre », armes à la main. Pour couvrir les matelots qui étaient restés sur la plage, ils firent feu sur les Indiens. Champlain pointa son arquebuse et fit feu. L'arme lui explosa entre les mains, manquant de le « perdre », selon son mot. Les Indiens, « oyant cette escopetterie, se remirent à la fuite ». Les Français les poursuivirent, mais « il n'y avait point d'apparence de les attraper : car ils sont vites comme des chevaux ». Les matelots furent sortis de ce mauvais pas et celui qui avait été tué fut enterré. C'était un charpentier de Saint-Malo[64].

Les Indiens se réunirent à quelque distance de là, et les Français braquèrent leurs armes sur eux, mais De Mons leur ordonna de ne point tirer car les vrais meurtriers avaient déjà fui. Il fit également libérer l'Indien captif étant donné « qu'il n'y avait point de sa faute[65] ». De Mons avait su maîtriser ses hommes, mais non sans mal, et encore là, il n'avait pas su communiquer avec les Indiens. De part et d'autre, la colère et la méfiance s'amplifièrent. Même Champlain ne fut pas épargné, écrivant : « Il se faut garder de ces peuples, et vivre en méfiance avec eux. » Triste journée pour les dirigeants de l'expédition, qui eurent à pleurer leur camarade disparu, et surtout pour Champlain, qui dut faire son deuil du rêve qu'il avait d'une coexistence harmonieuse avec les Indiens, du moins à Mallebarre[66].

Les Indiens leur étaient désormais franchement hostiles, et les Français comprirent qu'il leur fallait partir. Le 25 juillet 1605, De Mons donna le signal du départ. Ils reprirent la mer, évitant la côte du Massachusetts, car des feux derrière eux envoyaient des colonnes de fumée le long de la côte. Ils s'arrêtèrent à Saco et de nouveau à Kennebec, dans l'espoir de rencontrer le chef Sasinou, qui une fois de plus ne se manifesta pas. Ils rencontrèrent cependant un autre Indien du nom d'Anassou, troquèrent avec lui des marchandises contre des fourrures, et les uns et les autres purent se comprendre. Anassou avait de mauvaises nouvelles pour les Français. « Il nous dit qu'il y avait un vaisseau à dix lieues du port, qui faisait pêche de poisson, et que ceux dedans avaient tué cinq sauvages d'icelle rivière, sous ombre d'amitié : et selon la façon qu'il dépeignait les gens du vaisseau, nous les jugeâmes être Anglais. » Il s'agissait du vaisseau de l'Anglais George Weymouth, l'*Archangel*. Les cinq Indiens n'avaient pas été tués mais enlevés avec leurs armes et leurs canots[67].

Les Indiens de Nouvelle-Angleterre étaient désormais sur leurs gardes, et avec raison. Lors d'un voyage que Martin Pring avait fait au Maine en 1603, les Anglais avaient emmené avec eux « deux excellents mastiffs ». Un explorateur anglais écrivit : « Quand nous voulions nous défaire du voisinage des sauvages, nous lâchions les mastiffs, et tous fuyaient aussitôt en poussant des cris. » Voilà qui aurait offert aux Français une façon de se démarquer des Anglais, mais la mésaventure de Mallebarre avait estompé les différences entre les deux nations[68].

De Mons et ses hommes épuisés rentrèrent à l'île Sainte-Croix. Ils avaient échoué sur toute la ligne. Le sieur de Mons, malgré sa grande humanité, n'avait pas su s'entendre avec les Indiens. Il avait repéré plusieurs sites pour un établissement futur, mais les Indiens s'étaient dressés contre lui. Plusieurs facteurs étaient intervenus, entre autres la barrière linguistique et les prédateurs anglais. L'autre grand problème, c'était l'approche du sieur de Mons lui-même à l'égard des Indiens. Il ne se sentait pas en sécurité parmi eux. Aux yeux indigènes, sa distance et son malaise dégageaient une apparence d'hostilité, qui ne lui ressemblait pourtant pas. Il ne suffisait pas de se montrer humain pour réussir en cette contrée.

*   *   *

Il y eut un troisième voyage sur la côte de Norembègue, en 1606, sous le commandement cette fois du sieur de Poutrincourt. C'était un noble de haut rang, un soldat au courage éprouvé, un catholique très pieux et un gentilhomme qui était bon envers ses semblables. Mais c'était aussi un chef faible. À certains moments critiques, ses hommes refusaient de le suivre ou de lui obéir. C'était arrivé à l'automne 1604 quand il commandait les navires de sa compagnie au retour en France. La traversée avait été rude, et ils s'étaient presque échoués sur les Casquets dans la Manche. Poutrincourt avait ordonné à l'équipage de l'aider à « changer les voiles ». Un ami de Poutrincourt écrivit : « ce que firent deux ou trois seulement[69] ». L'équipage avait refusé d'obéir.

La même chose se produisit en septembre 1606, lorsque Poutrincourt dirigea la troisième expédition le long de la côte de Nouvelle-Angleterre, toujours à la recherche de sites de colonisation. Il avait proposé de prendre une barque de la même taille que la fois précédente, mais elle n'était pas en bon état. D'autres lui dirent qu'elle n'était pas prête à prendre la mer, mais Poutrincourt était opiniâtre. Il décida que les réparations se feraient en cours de route, et il prit à son bord le charpentier naval Champdoré, quelques artisans, une « provision de planches » et une chaloupe[70].

Sourd à tout conseil, Poutrincourt décida de faire cap à l'ouest-nord-ouest de Port-Royal à l'île Sainte-Croix, puis de se diriger vers le sud ensuite. Champlain jugea que ce n'était « pas très bien considéré ». « Il eut été plus à propos, selon mon opinion, de traverser du lieu où nous étions jusques vers Malebarre, dont on savait le chemin, puis employer le temps jusques au quarantième degré, ou plus au sud, et au retour revoir toute la côte à son plaisir. » Mais Poutrincourt imposa ses vues[71]. Ils firent voile le 5 septembre 1606, mais le voyage fut fort lent. Les voyageurs durent s'arrêter plus d'une fois pour réparer la barque qui prenait l'eau, et Poutrincourt s'attarda longtemps à Sainte-Croix. Ils mirent seize jours à gagner Saco. Le témoignage de Champlain : « Nous perdîmes beaucoup de temps à repasser sur les descouvertures que le sieur de Mons avait faites jusques au port de Malebarre[72]. »

À Saco, Poutrincourt convoqua trois puissants chefs indiens : le Souriquois Messamouet et les Almouchiquois Onemechin et Marchin. C'étaient de vieux ennemis jurés, et Champlain jugea l'idée mauvaise. Lorsque ces trois adversaires âgés et matois furent mis en présence l'un de l'autre, les Français perdirent la maîtrise des événements. Messamouet prononça un discours en faveur de la paix, puis il poursuivit les hostilités en pratiquant une guerre des cadeaux[73]. D'un geste dramatique, il jeta des marchandises pour une valeur de trois cents couronnes dans le canot d'Onemechin. En échange, Onemechin lui fit présent de maïs, courges et fèves, que Messamouet méprisa ouvertement car ces cadeaux n'étaient pas d'égale valeur. Onemechin relâcha un prisonnier souriquois mais remit le captif entre les mains de Poutrincourt et non de Messamouet. Ce geste fut interprété comme une insulte. Le ton et le geste revêtaient une grande importance dans ce monde. Les chefs étaient désormais plus mécontents que jamais, et ils se séparèrent résolus à poursuivre la guerre. Champlain voyait que la situation se dégradait, mais Poutrincourt maintenait qu'il était le seul habilité à parler au nom des Français. Peut-être que Champlain n'aurait pas fait mieux, mais quoi qu'il en soit, une occasion de plus avait été perdue[74].

Après cette rencontre, les Français filèrent vers le sud-ouest en direction du cap aux Îles (le cap Ann) et entrèrent dans un magnifique havre qu'ils baptisèrent Beauport. C'est aujourd'hui le site de Gloucester, au Massachusetts. Des centaines d'Indiens se rassemblèrent et se montrèrent amicaux, mais encore une fois, les choses se passèrent mal. Les cadeaux des Français furent refusés. Un Indien au pied blessé refusa d'être soigné par les Français, sa méfiance étant évidente. Les Français leur offrirent du jus de raisin que les Indiens recrachèrent, « pensant que c'était du poison[75] ».

Le lendemain, des membres de l'équipage faisaient leur lessive sur le rivage tandis que d'autres réparaient les avaries à la barque. Poutrincourt aperçut « quantité de sauvages » dans les bois, les armes à la main. Ils semblaient vouloir surprendre les Français qui étaient occupés à leur

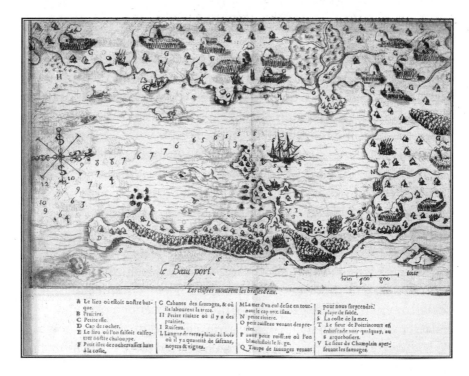

En septembre 1606, Poutrincourt dirigea une troisième expédition. Ils découvrirent un joli havre qu'ils baptisèrent Beauport (aujourd'hui Gloucester, au Massachusetts). Des centaines d'Indiens apparurent, et Champlain entreprit d'entrer en rapport avec eux, mais Poutrincourt s'approcha avec des arquebusiers. Les Indiens s'enfuirent aussitôt, « avec appréhension qu'on ne leur fît quelque mauvais parti ». Les Français repartirent tout de suite.

lessive, « en intention de nous faire quelque déplaisir ». Champlain alla à leur rencontre pour les détourner de leurs mauvais desseins. Ils le reçurent aimablement et se mirent à danser. Il leur demanda de danser de nouveau, « ce qu'ils firent en rond, mettant toutes leurs armes au milieu d'eux », et la tension se dissipa. Mais tout à coup, les Indiens virent Poutrincourt s'avancer vers eux à la tête de quelques arquebusiers, et « ils se retirèrent d'un côté et d'autre, avec appréhension qu'on ne leur fît quelque mauvais parti ». Voilà qui résume les deux approches qu'avaient les Français : celle de Champlain fonctionnait, celle de Poutrincourt, non. Les tensions se ravivèrent[76]. Les Français apprirent qu'une centaine de canots s'approchaient, avec à leur bord six cents hommes. Poutrincourt ordonna de battre en retraite. Ils reprirent la mer et naviguèrent toute la nuit. À l'aurore, ils étaient parvenus à la baie de Cape Cod, où ils explorèrent l'intérieur du cap, et Champlain admira le paysage, avec ses champs de maïs, ses prairies, ses plages magnifiques, ses petites anses et ses beaux arbres[77]. Ils découvrirent un « beau et bon port » où il y avait « force huîtres qui étaient très bonnes », et ils nommèrent le lieu Port-aux-Huistres. C'est aujourd'hui Wellfleet, et les huîtres y sont toujours aussi succulentes.

Après une brève visite, ils sortirent de la baie, virèrent le cap Cod et firent route au sud, le long de la côte Atlantique de la péninsule. Ils aboutirent alors à un port qu'ils appelèrent Port-Fortuné, aujourd'hui Stage Harbor, dans la ville de Chatham. L'entrée du port était à peine assez profonde pour accueillir leur barque. Ils heurtèrent un haut-fond et endommagèrent leur gouvernail, mais ils purent trouver un endroit où mouiller. Champlain était impressionné par la densité du peuplement indien et par leur mode de vie. Commentant leur système politique et social, il écrivit : « Ils ont des chefs à qui ils obéissent en ce qui est de la guerre, mais non autrement, lesquels travaillent, et ne tiennent non plus de rang que leurs compagnons. Chacun n'a de terre que ce qui lui en faut pour sa nourriture[78]. »

Champlain jugea que le lieu était très propice à l'établissement d'une colonie, mais les Indiens ne l'entendirent pas de cette oreille. Poutrincourt décida de rester quelque temps. Il ne semblait pas du tout pressé de repartir, donnant même l'impression de vouloir s'installer. Les Français construisirent un four sur la plage, cueillirent du bois sans demander de permission et se mirent à faire cuire du pain. Dans le havre, le charpentier Champdoré réparait le gouvernail pendant que Champlain sondait le lieu de mouillage et cartographiait l'endroit. Tous les jours, Poutrincourt allait à terre à la tête d'une dizaine ou d'une quinzaine d'arquebusiers armés jusqu'aux dents et parcourait le pays à pied. Il entrait dans des villages indiens et passait « par des cabanes, où il y avait quantité de femmes, à qui on avait donné des bracelets et bagues[79] ».

Les Français virent des colonnes de fumée s'élever sur la côte. Champlain écrivit : « Quelque huit ou neuf jours après, le sieur de Poutrincourt s'allant promener, comme il avait fait auparavant, nous aperçûmes que les sauvages abattaient leurs cabanes et envoyaient dans les bois leurs femmes, enfants et provisions et autres choses qui leur étaient nécessaires pour leur vie, qui nous donna soupçon de quelque mauvaise intention[80]. » Tous les jours, Poutrincourt patrouillait avec ses arquebusiers, parcourant entre quatre et cinq lieues au milieu des campements indiens. Les tensions montant, il envoya deux hommes devant l'épée

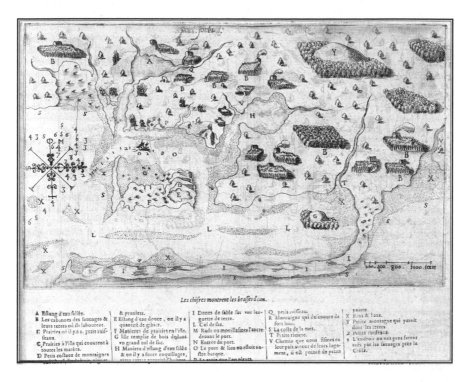

Les chifres montrent les brasses d'eau.

A Eftang d'eau fallée.
B Les cabannes des fauuages & leurs terres où ils labourent.
C Prairies où il y a 2. petis ruiffeaux.
C, Prairies à l'ifle qui couurent à toutes les marées.
D Petis cofteaux de montaignes

& pruniers.
E Eftang d'eau douce, où il y a quantité de gibier.
F Manieres de prairies en l'ifle.
G Ifle remplie de bois dedans vn grand cul de fac.
H Maniere d'eftang d'eau falée & on il y a force coquillages.
D Le rui á eau que l'on plantã.

I Dunes de fable fur vne leu-guette de terre.
L Cul de fac.
M Rade ou mouillafmes l'ancre deuant le port.
N Entrée du port.
O Le port & lieu où eftoit no-ftre barque.

Q petit cuiffeau.
R Montaigne qui defcouure de fort loin.
S La cofte de la mer.
T Petite riuiere.
V Chemin que nous fifmes en leur païs autour de leurs loge-ment, ü eft poité de petits

poins.
X Bãs & bafe.
Y Petite montaigne qui paroît dans les terres.
z Petis ruiffeaux.
9 L'endroit ou nos gens furent tuès par les fauuages près la Croix.

Poutrincourt vogua vers le sud jusqu'à Cape Cod et entra dans le havre de Port-Fortuné (aujourd'hui Stage Harbor, dans la ville de Chatham). Ici Champlain dessina une autre carte et cartographia les nombreux campements indiens, mais de nouveaux troubles éclatèrent.

tirée, avec pour ordre de se livrer un duel factice, ce qui étonna les Indiens. Il ordonna également des démonstrations de mousqueterie pour faire voir que leurs balles pouvaient pénétrer un tronc d'arbre. Tout cela avait pour objet d'intimider les Indiens. On ne réussit ainsi qu'à les alarmer. Champlain nota : « Passant près de nous, ils tremblaient de crainte qu'on ne leur fit déplaisir[81]. »

Le 14 octobre 1606, Poutrincourt remit pied à terre. Cette fois, il fit ériger une croix, geste que les Indiens interprétèrent comme une prise de possession. Poutrincourt érigeait souvent des croix sans demander la permission aux naturels du lieu. Champlain faisait cela moins souvent, la plupart du temps en demandant la permission au préalable, et il invitait les Indiens à participer à sa cérémonie. Les tensions avaient atteint un point dangereux. Poutrincourt ordonna que « toutes choses soient en état » afin de repousser une attaque, et que tous les Français passent la nuit à bord de la barque. Une fois de plus, ses hommes refusèrent de lui obéir. Un parti de quatre hommes resta sur la plage pour voir au four à pain. Trois défièrent l'ordre de Poutrincourt de retourner à bord. Deux autres désobéirent aussi à leur chef et quittèrent le navire pour se joindre à ceux de la plage. Acte d'insubordination qui outra Champlain : « Ils refusèrent, quelques remontrances qu'on leur pût faire, et des risques où ils se mettaient, et de la désobéissance qu'ils portaient à leur chef[82]. »

Le lendemain, 15 octobre 1606, à l'aube, des éclaireurs indiens se glissèrent vers les Français qui étaient sur la plage et les trouvèrent tous endormis, sauf un qui veillait sur le feu. « Les voyant en cet état, écrivit Champlain, ils vinrent doucement par-dessus un petit coteau au nombre de quatre cents et leur firent une telle salve de flèches, qu'ils ne leur donnèrent pas le loisir de se relever, sans être frappés à mort : et se sauvant le mieux qu'ils pouvaient vers notre barque, criant, à l'aide, on nous tue[83] ! »

Deux Français périrent sur la plage, et un troisième dans l'eau. Un quatrième fut mortellement blessé, et un cinquième parvint à gagner la barque avec une flèche dans la poitrine. Une sentinelle sur la barque hurla : « Aux armes ! L'on tue nos gens ! » L'équipage se précipita hors de la cale, et quinze ou seize hommes se rendirent à terre à bord de la chaloupe. Leurs chefs étaient Champlain, Robert Gravé, Daniel Hay, l'apothicaire Hébert, le chirurgien, un trompette, Poutrincourt lui-même et son fils, Charles de Biencourt de Poutrincourt[84].

Les Indiens prirent la fuite. « Tout ce que nous pûmes faire fut de retirer les corps morts et les enterrer auprès d'une croix qu'on avait plantée le jour d'auparavant. » L'un des Français morts fut trouvé avec un petit chien sur le dos, les deux tués par la même flèche. Les victimes furent ensevelies avec leurs chemises pour linceuls. Pendant l'enterrement, les Indiens « dansaient et hurlaient au loin[85] ». Les Français regagnèrent la barque, et trois heures plus tard les Indiens étaient de retour. Les Français firent feu sur eux. « Comme ils entendaient le bruit, ils se tapissaient en terre pour éviter le coup. En dérision de nous, ils abattirent la croix, et désenterrèrent les corps : ce qui nous donna un grand déplaisir, et fit que nous fûmes à eux pour la seconde fois. » Les corps furent inhumés de nouveau et les Indiens les déterrèrent une nouvelle fois et, « tournant le dos au bateau, ils se jetaient du sable entre les fesses pour se moquer de nous, en hurlant comme des loups ». En désespoir de cause, quelqu'un parla de faire des prisonniers et de les enchaîner avec des chapelets ! Les Français tendirent leur piège, mais les Indiens connaissaient trop bien ce genre d'astuce. Ils leurrèrent les Français eux-mêmes et en tuèrent quelques autres.

Finalement, le 16 octobre 1606, Poutrincourt ordonna à ses hommes de lever l'ancre, et ils s'en furent sur les flots, barrant vers le sud en direction du passage de Nantucket. Une fois hors de vue des terres, il ordonna un changement de cap, et ils filèrent vers le nord. Mais la guigne les pourchassait, et de nouveaux malheurs s'abattirent sur eux en mer. Dan-

A Le lieu ou estoiët les Fran-
çois faisans le pain.
B Les sauuages surprenans les François en tirant sur eux à coups de flesches.
C François bruslez par les sauuages.
D François s'enfuians à la barque tout lardés de flesches.
E Trouppes de sauuages faisans brusler les François

qu'ils auoient tués.
F Montaigne sur le port.
G Cabannes des sauuages.
H François à terre chargeans les sauuages.
I Sauuages desfaicts par les François.
L Chalouppe où estoient les François.
M Sauuages autour de la chalouppe qui furent surpris par nos gens.

N Barque du sieur de Poitrincourt.
O Le port.
P Petit ruisseau.
Q François tombez morts dans l'eau pensans se sauuer à la barque.
R Ruisseau venant de certins marescages.
S Bois par où les sauuages venoient à couuert.

À Port-Fortuné, Poutrincourt mena ses soldats à travers les villages indiens, prit des fruits de leurs récoltes sans permission et éleva une croix sans demander leur avis aux Indiens, qui en furent mécontents. Poutrincourt riposta par une démonstration de force, ce qui provoqua l'attaque du 15 octobre 1606. Les Français perdirent des hommes en grand nombre, sans parler de toute une région de l'Amérique du Nord.

Après les expéditions du sieur de Mons et de Poutrincourt, les Français se tournèrent vers le nord, vers l'Acadie, et les Anglais redoublèrent d'activité au sud. Barthélemy Gosnold (qu'on voit dans cette gravure de De Bry) explora la côte et ouvrit un poste à l'île Cuttyhunk en 1602. En 1625, trente établissements anglais avaient suivi, et la Norembègue devint ainsi la Nouvelle-Angleterre.

sant au bout de sa remorque, leur chaloupe rattrapa le trois-mâts et en percuta le gouvernail, obligeant Champdoré à opérer une nouvelle réparation miraculeuse en pleine mer. Ils réussirent à regagner Port-Royal.

Nous sommes en présence de trois expéditions menées par trois chefs français, avec des résultats fort différents. Champlain, De Mons et Poutrincourt partageaient largement les mêmes valeurs et desseins. Tous trois adhéraient à un idéal d'humanité sincère et tenaient à nouer de bons rapports avec les Indiens. Mais une fois en présence de ceux-ci, ils se comportaient différemment.

Lors de son premier voyage sur la côte de Norembègue, en 1604, Champlain réédita son exploit de Tadoussac en 1603. Il s'approcha des Indiens avec quelques hommes seulement et sans armes (même si ses hommes étaient prêts à intervenir à bord du vaisseau). Il s'était prêté à une autre tabagie avec les Indiens, s'était intéressé à leurs façons de faire, avait honoré leurs coutumes et les avait traités avec respect. Ils avaient réagi avec le même esprit, et la chaleur et la confiance s'étaient installées de part et d'autre. Ils avaient ainsi formé une alliance qui allait durer des années.

Les résultats obtenus par De Mons en 1605 étaient mitigés, c'est le moins qu'on puisse dire : un début lent, un manque de résolution, des communications ratées et une perte de contact avec les Indiens. Il n'y eut aucune tabagie, aucune autre rencontre. Il conserva ses distances et parut se méfier des Indiens. Ceux-ci prirent sa distance pour de l'arrogance et son insécurité pour de la malveillance. L'appréhension et l'hostilité se nourrirent l'une l'autre, et il en résulta un affrontement inutile.

Les relations de Poutrincourt avec les Indiens furent désastreuses. Il ne sut maîtriser ses hommes et s'aliéna les nations indiennes de la Norembègue. Il les craignait manifestement et n'avait pas d'égards pour eux. Poutrincourt était allé parmi les Indiens lourdement armé, menant ses hommes sur leurs terres sans avertissement, se nourrissant des fruits de leurs récoltes sans permission, et il avait érigé des croix qui furent perçues comme des emblèmes de prise de possession. Les Indiens en étaient venus à se méfier de ses intentions. Les choses prenant une mauvaise tournure, Poutrincourt s'était livré à une démonstration de force. Il ordonna à ses hommes de dégainer leurs épées et de tirer des coups d'arquebuse pour montrer leur puissance. Les Indiens en furent terrifiés, et tremblaient littéralement de peur. Ils envoyèrent leurs femmes et leurs enfants au loin, puis, tout à coup, ils s'en prirent aux Français. Il en résulta une rupture définitive dans les relations franco-indiennes.

Ces échecs marquèrent la fin des velléités de colonisation française au sud de la rivière Penobscot et le début de l'hégémonie anglaise dans la région. Mais Champlain s'étant brillamment acquitté de sa mission au nord de la Penobscot, un nouveau chef était né en Nouvelle-France. Son attitude envers les Indiens faisait toute la différence.

CHAPITRE 10

Port-Royal

La métropole condamne une colonie modèle, 1605-1607

> *Si nous les appelons communément sauvages, c'est par un terme abusif, et qu'ils ne méritent pas. […] Ils ont de la valeur, fidélité, et humanité, et leur hospitalité* [est] *si naturelle et recommandable qu'ils reçoivent avec eux tout homme qui ne leur est ennemi. Ils ne sont point niais comme plusieurs de deça, ils parlent avec beaucoup de jugement et de raison.*

> MARC LESCARBOT, à propos des Indiens d'Acadie[1]

Au printemps de 1605, le sieur de Mons décida de déplacer son habitation de l'île Sainte-Croix. Le choix du nouveau site se porta sur Port-Royal, près de l'actuelle petite ville d'Annapolis Royal, en Nouvelle-Écosse. C'était (et c'est toujours) un lieu splendide, au havre magnifique. Le sol de cette partie de l'Acadie est fertile, et les hivers y sont plus doux qu'à l'île Sainte-Croix. Marc Lescarbot écrivit à ce propos : « Le paradis terrestre n'eût su être plus agréable que ce séjour[2]. »

Chose très importante : les Indiens du lieu étaient amicaux. Les Micmacs (que Champlain appelait Souriquois) voulaient commercer avec les Français et obtenir leur alliance contre leurs ennemis. Ils accueillirent les colons français, leur demandèrent de fonder une colonie sur place et leur prodiguèrent souvent une assistance vitale. Lescarbot encore : « Nous n'étions [pas] dégradés comme le sieur de Villegagnon au Brésil. Car ce peuple aime les Français, et en un besoin s'armeront tous pour les soutenir[3]. »

Une fois que De Mons eut décidé de s'établir à Port-Royal, son petit effectif de colons se mit au travail sans délai. Étant donné « le peu de temps que nous avions à nous loger et bâtir des maisons à cet effet, [De

Mons] nous fit équiper deux barques, que l'on chargea de la charpenterie des maisons de Sainte-Croix, pour la porter à Port-Royal, à vingt-cinq lieues de là ». Toutes les structures de l'île furent démantelées, sauf le magasin, trop gros, qu'on laissa sur place. Il fallut de nombreux voyages pour faire passer la baie à toute la charpenterie[4].

Le sieur de Mons resta à Port-Royal jusqu'à ce que « tout fût mis en ordre », puis rentra en France promptement. La colonie avait de puissants ennemis à la cour, et des marchands rivaux contestaient son monopole. Ses propres bailleurs de fonds s'impatientaient. Après l'hiver désastreux de Sainte-Croix, les tropiques paraissaient plus attrayants pour la colonisation. À l'été 1605, Henri IV songeait sérieusement à implanter une colonie française entre le Brésil portugais et la Nouvelle-

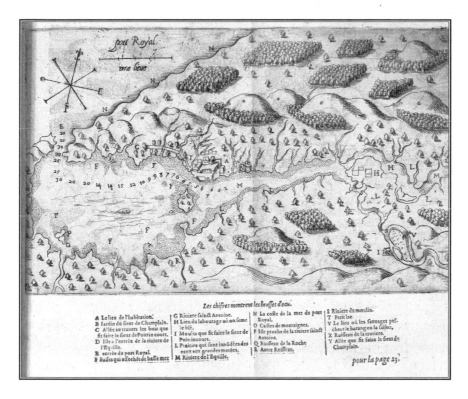

La carte de Port-Royal faite par Champlain est sur une échelle différente des autres cartes. Le havre protégé faisait vingt-quatre kilomètres de long, le sol était plus fertile, le climat moins dur qu'à Sainte-Croix, et la nation micmaque était très accueillante.

Espagne. Il avait nommé un militaire du nom de Daniel de La Revardière lieutenant général du territoire s'étendant de l'Amazone à Trinité[5].

La Nouvelle-France était menacée en métropole, et De Mons devait obtenir de Sa Majesté « ce qui avait de besoin à son entreprise ». D'où les nombreux cadeaux qu'il emporta avec lui dans l'espoir de raviver l'intérêt du roi pour l'Amérique du Nord. Son présent le plus marquant était un grand canot d'écorce de neuf mètres de long, teint d'un rouge vif. Il fut lancé sur la Seine par les matelots de retour d'Amérique, qui pagayèrent devant le Louvre à une « vitesse incroyable », au grand plaisir du roi et du petit dauphin, âgé de quatre ans, qui régnerait un jour sous le nom de Louis XIII. Parmi les autres présents, un petit orignal (qui avait six mois et qui était déjà « grand comme un cheval »), un caribou (qui fit entrer le mot dans la langue française), un rat musqué, un panache d'orignal énorme, un oiseau-mouche vivant, toute une collection d'oiseaux empaillés, sans parler des arcs et des flèches, des portraits d'Indiens et autres merveilles qui allaient enrichir la collection royale[6].

Avant son départ, De Mons avait nommé un lieutenant qui gouvernerait l'Acadie en son absence. Son premier choix s'était porté sur le noble sieur d'Orville, mais celui-ci souffrait encore des effets du scorbut et était incapable d'assumer la charge. Pont-Gravé, le suivant sur la liste, accepta de le remplacer[7]. Champlain aurait pu rentrer avec De Mons, mais il voulait rester à Port-Royal « sur l'espérance que j'avais de faire de nouvelles descouvertures vers la Floride : ce que le sieur de Mons trouva fort bon ». Champlain jouissait ainsi de nombreux privilèges et fut fort bien soutenu dans ses explorations[8].

L'habitation de Port-Royal prit forme rapidement. Champlain en traça un croquis et écrivit de son plan qu'il formait un rectangle serré, de dix-huit mètres de long et de quatorze de large. Il l'appelait « le fort ». Les militaires comme lui pensaient toujours en termes de défense : non pas contre les Indiens mais contre les agresseurs européens. Le souvenir qu'ils avaient des guerres incessantes dans leur pays natal leur inspirait une insécurité compréhensible[9]. L'habitation de Port-Royal ressemblait à un hameau fortifié de France. Elle était située sur la crête d'une petite colline, et les murs qui l'entouraient formaient un périmètre d'environ soixante mètres. Sur un coin du rectangle, les bâtisseurs ajoutèrent un bastion en saillie avec quatre canons qui dominaient l'aire de mouillage et couvraient deux murs du fort. À un autre coin, une plateforme de rondins de semblable conception protégeait la porte et un troisième mur[10].

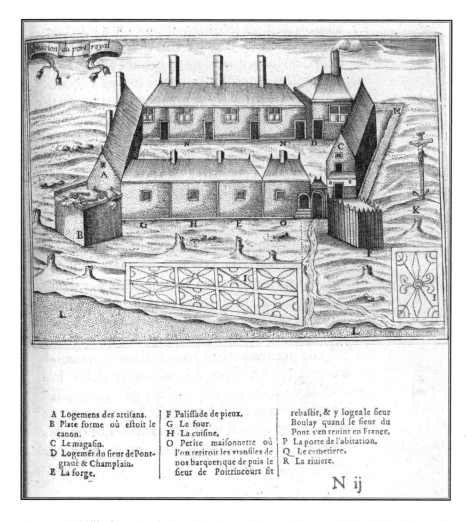

Le croquis de l'habitation de Port-Royal par Champlain, vers 1605-1606, où l'on voit un établissement fortifié entouré de jardins fertiles sur la crête qui domine le port. Ce fut une colonie florissante jusqu'à ce que la métropole lui coupe les vivres.

L'intérieur était fait pour maintenir le respect du rang social et de l'ordre. Seule dans le coin nord du fort se trouvait une élégante maisonnette au toit élevé en croupe et « d'assez belle charpenterie ». C'était la maison qui avait été préfabriquée en France et érigée pour loger le sieur de Mons à l'île Sainte-Croix. À Port-Royal, elle servit de résidence à Pont-Gravé et Champlain. Ces deux vieux amis s'entendaient bien, et leur bonne entente donna le ton à tout l'établissement.

À côté de cette maison, du côté nord-ouest, il y avait une rangée de maisons plus petites pour les officiers. Le prêtre catholique et le pasteur protestant y logeaient, ainsi que le chirurgien Deschamps et l'habile charpentier naval Champdoré. Au sud-ouest se trouvait un dortoir pour les artisans[11]. Au sud-est étaient la boulangerie, la cuisine, la forge et une « maisonnette » abritant les petites embarcations et les gréements. Il y avait peut-être des artisans et des valets qui dormaient dans la cuisine, la boulangerie et la forge, lieux qui devaient être chauds l'hiver. Du côté nord-est, il y avait le magasin, structure toujours vitale, avec « une fort belle cave de cinq à six pieds de haut » où l'on retrouvait les provisions de la colonie comme vin, cidre et grains. La partie la plus rapprochée de la maison du commandant servait peut-être d'armurerie et de chambrée pour le petit détachement de Suisses, qui étaient logés entre les officiers et les « autres rangs[12] ».

Pont-Gravé pressa les colons d'achever l'habitation pour qu'elle soit prête à affronter l'hiver. C'était un meneur d'hommes mais qui n'était pas impopulaire pour autant. On admirait son esprit libéral tout en craignant son caractère. Lescarbot écrivit de lui que « le sieur du Pont n'était pas homme pour demeurer en repos[13] ». Après que les bâtiments furent remontés, les colons déblayèrent l'extérieur de la palissade et créèrent une sorte de glacis autour du fort. Un an plus tard, un visiteur dit de l'habitation de Port-Royal qu'« en regard des campagnes, il y en a presque tout à l'environ dudit Port Royal[14] ».

Champlain et Pont-Gravé se mirent à aménager des jardins autour du fort. Ils encouragèrent les colons à cultiver la terre, chacun pour son propre profit. Champlain lui-même adorait jardiner et s'employa avec ses valets à préparer le terrain. Il faisait l'essai de diverses cultures, expérience qu'il répéta partout où il alla en Nouvelle-France. À Port-Royal, nous dit-il, il sema « quelques graines, qui profitèrent bien : et y [prenant] un singulier plaisir : mais auparavant il y avait bien fallu travailler. »

Champlain entoura son jardin de « fossés pleins d'eau, esquels [dans lesquels] y avait de fort belles truites que j'y avais mises, et où descendaient trois ruisseaux de fort belle eau courante, dont la plupart de notre habitation se fournissait. J'y fis une petite écluse contre le bord de la mer, pour écouler l'eau quand je voulais ». Ses valets avaient installé aussi « un petit réservoir pour y mettre du poisson d'eau salée, que nous prenions quand nous en avions besoin[15] ».

Il prit soin aussi d'attirer les oiseaux dans son jardin, et il ne fut pas déçu sur ce point. Il écrivit sur un ton joyeux : « Il semblait que les petits oiseaux d'alentour en eussent du contentement : car ils s'y amassaient en quantité, et y faisaient un ramage et gazouillis si agréable, que je ne pense pas jamais en avoir ouï de semblable. » Près de son jardin, de son ruisseau et de son étang à poissons, Champlain fit construire un petit « cabinet » ou tonnelle où il pouvait travailler à ses cartes ou écritures, ou causer avec Pont-Gravé et ses autres amis. « Nous y allions souvent passer le temps », se souvint-il[16].

Un jour, Champlain et Pont-Gravé discutaient de l'intérêt que le roi montrait pour les minéraux. Un navigateur breton du nom de Prévert avait repéré plus tôt un gisement de cuivre à Port aux Mines. Champlain et le sieur de Mons y avaient fait une brève excursion l'année précédente, mais sans succès. À l'automne 1605, Pont-Gravé permit à Champlain d'aller y voir de plus près avec maître Jacques, l'un des mineurs de Slavonie[17].

Ils prirent une barque et traversèrent la baie Française jusqu'à l'embouchure du fleuve Saint-Jean, à la recherche du sagamo etchemin Secoudon, l'ami de Champlain et le guide de Prévert. « L'ayant trouvé, je le priai d'y venir avec nous, ce qu'il m'accorda fort librement ; et nous la vint montrer. » Ils se rendirent ensemble à Port aux Mines et y trouvèrent « quelques petits morceaux de cuivre de l'épaisseur d'un sou ; et d'autres plus [gros], enchâssés dans des rochers grisâtres et rouges ». Maître Jacques découvrit aussi des veines de « cuivre rose ». Sa pureté exceptionnelle témoignait d'un gisement imposant, mais la marée recouvrait le site deux fois par jour. Alors que le mineur jouait du marteau, Champlain se porta à la rencontre des chefs indiens et approfondit ses rapports avec eux. Cet effort constant comptait pour beaucoup dans le succès de ses entreprises[18].

Lorsque Champlain rentra à Port-Royal, où quarante-cinq colons se préparaient pour l'hiver, il découvrit à sa grande consternation que certains d'entre eux montraient déjà les symptômes du scorbut. Tous se souvenaient de la catastrophe de l'année précédente et en nourrissaient de mauvais pressentiments. Heureusement, la première neige ne tomba que le 20 décembre, deux mois plus tard qu'à Sainte-Croix. De petites banquises longèrent la rivière qui baignait l'habitation de Port-Royal, mais au grand soulagement des colons, « l'hiver ne fut si âpre qu'il avait été l'année d'auparavant, ni les neiges si grandes, ni de si longue durée[19] ».

La colonie disposait de grains et de provisions sèches en quantité suffisante, et cette fois-ci, Champlain obtint du gibier frais des Indiens. Mais l'hiver s'allongeant, le scorbut reprit sa propagation. Les pertes furent moins épouvantables qu'à Sainte-Croix mais malgré tout éprouvantes. Des quarante-cinq colons, douze moururent de cette terrible maladie. Cinq autres tombèrent malades et se rétablirent seulement le printemps venu[20].

Tout de même, le taux de mortalité avait diminué comparativement à l'année précédente. C'était peut-être parce que l'hiver avait été tardif et le printemps précoce. Les Indiens avaient fait bonne chasse et rapporté de la viande fraîche en abondance à Port-Royal. Les Indiens les avaient aussi aidés d'une autre façon. Lescarbot écrivit plus tard : « Ils emmenèrent un des nôtres lequel véquit [vécut] quelque six semaines comme eux sans sel, sans pain, et sans vin, couché à terre sur des peaux, et en ce temps de neiges. Au surplus ils avaient soin de lui (comme d'autres qui sont souvent allés avec eux plus que d'eux-mêmes, disant que s'ils mouraient on leur imposerait qu'ils les auraient tués). » Les indigènes disposaient probablement aussi de plantes antiscorbutiques et de remèdes à base de plantes médicinales[21].

À l'arrivée du printemps 1606, on attendait des navires de ravitaillement de France. Ils n'apparurent pas, et les colons de Port-Royal virent leurs provisions diminuer. On manqua d'abord de vin, puis les autres réserves commencèrent à s'épuiser. Le premier mois de l'été passa, sans nouvelles de la France. À la mi-juillet, Pont-Gravé et Champlain constatèrent avec effroi qu'il leur restait tout juste assez de nourriture pour gagner les pêcheries, d'où ils pourraient trouver un passage jusqu'en France. Il y avait deux barques à l'habitation. Les colons s'entassèrent dans les deux vaisseaux, tous sauf deux intrépides qui avaient accepté de rester derrière pour voir à l'entretien du fort.

Le 17 juillet 1606, les colons partirent pour Canseau sur la côte Atlantique, où ils espéraient trouver des pêcheurs capables de les aider. La première nuit, ils mouillèrent pour une raison quelconque dans le passage de l'île Longue, qui donne sur la baie Sainte-Marie, au sud de Port-Royal. Décision malheureuse. À la renverse de la marée, une des chaloupes rompit son câblot d'ancre, et ses passagers se tirèrent tout juste de ce mauvais pas. Ils manœuvrèrent pour s'éloigner de la côte et furent assaillis par un grain subit. Les fortes vagues gauchirent les ferrures du gouvernail. Un seul homme pouvait y remédier, le providentiel Champdoré, qui « accommoda fort dextrement le gouvernail ».

Ils poursuivirent leur route, mais ils étaient encore loin de Canseau et au bord de la famine. Ils allaient désespérer lorsque, tout à coup, une voile apparut à l'horizon. Elle était française, et bientôt les voyageurs furent salués par la voix familière de Jean Ralluau, le secrétaire du sieur de Mons. Il leur fit savoir qu'un navire de ravitaillement était enfin parvenu à Canseau, chargé de provisions, et avec à son bord cinquante colons et un nouveau gouverneur ayant pour ordre de « demeurer au pays ».

Le sieur de Mons demeurait le maître, mais il avait décidé de rester en France pour gagner des appuis à la cour et calmer ses bailleurs de fonds. Il avait choisi Pont-Gravé pour diriger les pêcheries et nommé Poutrincourt gouverneur de Port-Royal. Nous avons déjà fait connaissance avec ce dernier personnage lors de la mission malheureuse sur la côte de Norembègue.

Homme intéressant que ce Poutrincourt. Il était le quatrième fils d'une vieille famille noble de Picardie, étroitement liée à la maison de Guise, et sa famille avait servi les Valois pendant près de trois siècles[22]. Les siens avaient été durement éprouvés par les guerres de religion. Ses deux frères aînés avaient été tués, l'un en 1562 et l'autre en 1569. Sa sœur Jeanne avait été dame de compagnie de Marie Stuart, reine d'Écosse, et mêlée à son destin tragique. Il avait combattu Henri IV, mais lorsque le nouveau roi s'était converti au catholicisme, il avait rompu avec la Ligue, ce qui lui avait valu de nombreuses charges en récompense.

En 1605, Poutrincourt avait quarante-huit ans. Il avait hérité de la seigneurie de Marcilly-sur-Seine et de la baronnie de Saint-Just sur la Marne, en Champagne, mais l'administration de ses domaines s'avérait difficile. C'était aussi un homme aux intérêts étendus et à l'esprit libéral : un renaissant et un humaniste amoureux des lettres et des arts. La musique était sa passion première ; il composait d'ailleurs des œuvres profanes et sacrées[23].

Poutrincourt avait pour compagnon un autre personnage hors série : le lettré Marc Lescarbot, son avocat et ami de la famille. Lescarbot nous dit qu'il avait été victime des juges corrompus de Paris et qu'il avait décidé de « fuir » en Acadie, où il entrevoyait un refuge pour ceux qui « aiment la justice et ont en haine l'iniquité ». C'était lui aussi un authentique renaissant, un exemple vivant de l'*uomo universale* idéal. Il était poète, dramaturge, historien, bref, un homme de savoir imprégné de valeurs humanistes qui avait beaucoup lu en latin, grec, hébreu, italien et français. Passionné de littérature classique, il rêvait d'imiter les gloires anciennes à l'ère moderne[24].

Poutrincourt et Lescarbot s'étaient joints au cercle d'humanistes qui avaient fondé la Nouvelle-France. Ils avaient beaucoup en commun avec De Mons et Champlain : la passion du savoir, la curiosité pour le Nouveau Monde, un intérêt marqué pour les Indiens, une vision d'une entreprise éclairée, un rêve d'humanité nouvelle, un âpre désir de paix, la fidélité à l'idéal noble d'Henri IV et le ferme espoir de faire rayonner la gloire de la France en Amérique. Ils élargirent ce cercle en l'enrichissant de leurs propres desseins, qui n'étaient pas les mêmes que ceux du sieur de Mons et de Champlain. Comme les autres arrivants en Nouvelle-France, ils rêvaient eux aussi, mais d'autres choses.

Lescarbot rêvait de gloire littéraire en Acadie. Fort de l'encouragement de Poutrincourt et du sieur de Mons, il voulait être le Virgile de cette entreprise de colonisation, et il s'attela à la composition d'une *Énéide* acadienne en poésie et en prose de son temps. Son navire étant sur le point d'appareiller, il s'écarta du groupe, « me tenant quelquefois à quartier de la compagnie », comme il dit, et écrivit un long poème intitulé « Adieu à la France ». Il y combinait habilement une nostalgie profonde de l'Ancien Monde et l'anticipation exaltée du Nouveau, exprimant ainsi le sentiment de nombreux immigrants sur les rivages américains. Lescarbot le fit imprimer à La Rochelle et se souvint avec fierté qu'il avait été reçu dans l'enthousiasme « avec tant d'applaudissements[25] ».

Poutrincourt se faisait lui aussi une idée bien différente de l'Acadie. Il espérait fonder une utopie féodale dans le Nouveau Monde, sur laquelle lui et sa famille régneraient avec bienveillance pour le bénéfice de tous. Poutrincourt demanda au sieur de Mons de lui accorder des terres à Port-Royal, se proposant de « vivre là et d'y établir sa famille et sa fortune, et par-dessus tout le nom de Dieu ». De Mons acquiesça, et le 25 février 1606, Henri IV accorda à Poutrincourt « la seigneurie de Port-Royal et des terres adjacentes ». En échange, il devait y installer une colonie dans les deux années qui suivraient[26].

Poutrincourt recruta une cinquantaine de colons. La moitié d'entre eux peuvent être identifiés selon leur nom ou leur profession. Ici comme en France, la hiérarchie sociale décidait de tout. Au haut de la pyramide se tenait un cercle étroit de parents et d'amis : Poutrincourt lui-même, son fils Charles de Poutrincourt de Biencourt et leurs cousins de la baronnie de Saint-Just en Champagne, Claude Turgis de Saint-Étienne de La Tour et son fils Charles de Saint-Étienne de La Tour, qui devinrent des figures dominantes dans l'histoire acadienne. Appartenait aussi à ce cercle le Parisien Louis Hébert, cousin germain de Poutrincourt et maître pharmacien issu d'une famille prospère de marchands-apothicaires et de négociants en épices[27].

Parmi les autres gentilshommes et officiers, il y avait Jean Ralluau, secrétaire du sieur de Mons. On retrouvait aussi Robert Gravé, le fils de l'ami de Champlain, Pont-Gravé. Ce jeune homme était « doué d'un physique splendide, d'une belle apparence et d'une intelligence vive et pratique ». C'était un esprit libre qui n'en faisait qu'à sa tête et qui se querellait parfois avec Poutrincourt, mais au bout du compte, les deux finirent par s'entendre[28]. On dénombrait enfin trois officiers du contingent de l'année précédente qui avaient décidé de rester : Samuel Champlain, le charpentier naval Pierre Angibault, dit Champdoré, et le sieur du Boullay, capitaine dans le régiment de Poutrincourt[29].

Ces hommes de rang avaient des serviteurs en grand nombre qui sont rarement nommés dans les sources. Poutrincourt avait un valet du nom d'Estienne. Champlain avait plusieurs « laquais » à son service. Il mentionnait rarement leurs noms, pratique courante chez les gentilshommes humanistes des débuts de l'époque moderne.

Après les gentilshommes venaient les gens travaillant de leurs mains, des artisans qualifiés comme le chirurgien Estienne et le serrurier Jean Duval. Poutrincourt avait aussi recruté plusieurs jeunes compagnons artisans. Au moins trois compagnons charpentiers disposaient d'un contrat de travail, et trois bûcherons avaient signé pour un an au tarif de cent livres[30]. Au bas de l'échelle se trouvaient les journaliers non qualifiés. Lescarbot les regardait de bien haut. Nombre d'entre eux étaient turbulents. À La Rochelle, avant l'embarquement, Lescarbot se souvint : « Je ne les veux toutefois mettre tous en ce rang, d'autant qu'il y en avait quelques-uns respectueux et modestes. [...] Mais les ouvriers parmi la bonne chère (car ils avaient chacun vingt sols par jour) faisaient de merveilleux tintamarres au quartier de Saint Nicolas, où ils étaient logés. [...] De fait il y en eut quelques-uns prisonniers, lesquels on garda à l'hôtel de ville jusqu'à ce qu'il fallût partir[31]. »

Même à bord d'un petit navire ou dans une colonie tissée serré, un abîme séparait les gentilshommes des simples mortels. L'humanisme classique de Marc Lescarbot faisait une grande place aux Indiens mais non au menu fretin transplanté de France. « Je puis dire que c'est un étrange animal qu'un menu peuple », écrivait-il, privant ainsi d'un trait de plume tout le peuple de son humanité et de son individualité, avant d'ajouter : « Et [il] me souvient à ce propos de la guerre des Croquants, entre lesquels je me suis trouvé une fois étant en Querci. C'était la chose la plus bizarre au monde que cette confusion de porteurs de sabots, d'où ils avaient pris le nom de Croquants, parce que leurs sabots cloués devant et derrière faisaient Croc à chaque pas. Cette sorte de gens confuse n'entendait ni rime ni raison, chacun y était maître. »

Les gentilshommes de Nouvelle-France n'éprouvaient aucune sympathie pour les « croquants », et n'avaient que répugnance pour les notions de démocratie et d'égalité. Ils étaient plus prompts à reconnaître l'humanité des Indiens que celle de leurs propres serviteurs et journaliers, attitude que Champlain partageait[32].

Cette hiérarchie d'ordres et d'états fut transplantée en Acadie, mais non sans que des changements s'y opèrent. Ainsi, certains hommes d'humble condition gravirent rapidement l'échelle sociale dans le Nouveau Monde. Par exemple, le charpentier Daniel Hay se couvrit d'honneurs par la constance de son courage. Lescarbot célébrait en lui « l'homme qui se plaît à montrer la vertu aux périls de la mer ». Champlain louait sa bravoure et sa présence d'esprit. Il semble avoir été un chef-né, et ces gentilshommes qui n'auraient jamais eu un regard pour lui en France en vinrent à le traiter avec respect. Autre exemple : celui de François Addenin, « domestique du sieur de Mons », un soldat qui était chargé de le protéger. Il acquit la réputation d'être l'un des plus habiles chasseurs de la colonie et avait sa place à la table des gentilshommes. Nous le retrouverons[33]. Le parcours de ces hommes fait ressortir un paradoxe propre à la Nouvelle-France, qui fut à ses débuts très stratifiée et en même temps très propice à l'avancement social. Les ordres sociaux étaient bien démarqués, mais des hommes comme Daniel Hay et François Addenin pouvaient franchir les barrières du rang plus aisément que dans le vieux pays[34].

De 1604 à 1607, l'Européenne fut absente en Acadie. Ce qu'on déplorait vivement d'ailleurs. Lescarbot raconte la tentative faite pour coloniser le cap Breton. « Ledit sieur de Mons y avait envoyé des vaches dès il y a deux ans et demi, mais faute de quelque femme de village qui entendit le gouvernement d'icelles, on en a laissé mourir la plupart en se déchargeant de leurs veaux. En quoi se reconnaît combien une femme est nécessaire en une maison. »

Lescarbot regrettait l'absence de femmes, à l'instar de nombre de ses compagnons. D'autres, étant d'avis contraire, ne s'en plaignaient aucunement. Ces entreprises de colonisation exerçaient un grand attrait sur les misogynes. Manifestement, Lescarbot n'en était pas : « Je ne sais pourquoi tant de gens rejettent [la femme], et ne peuvent s'en passer. Quant à moi je serai toujours d'avis qu'en quelque habitation que ce soit on ne fera jamais fruit sans la compagnie des femmes. Sans elles la vie est triste, les maladies viennent, et meurt-on sans secours. C'est pourquoi je me moque des mysogames qui leur ont voulu tant de mal, et particulièrement j'en veux à ce fol [...] lequel disait que la femme est un mal nécessaire, vu qu'il n'y a bien au monde comparable à elle[35]. »

Le 27 juillet 1606, Poutrincourt débarqua ses cinquante colons à Port-Royal. Il revit ceux qui avaient hiverné sur place et leur expliqua ses projets. Dans sa vision de l'Acadie, leur dit-il, il entrevoyait une colonie agricole autosuffisante, et il se mit en frais de réaliser cet objectif. De grands champs réservés à la culture céréalière furent défrichés dans le riche sol alluvionnaire le long de la rivière. Sur un ruisseau près d'une chute, il fit bâtir un moulin à eau avec une meule qu'il avait dû apporter de France. On croit que ce fut la première meunerie hydraulique du pays. La vieille meule qu'on trouve au parc de Fort Anne aujourd'hui serait cette meule originale[36].

Il fit aussi aménager des vergers, « et ces arbres fruitiers furent peut-être les premiers dans une région qui allait devenir célèbre pour ses pommes ». Poutrincourt avait importé tellement d'animaux que son navire, le *Jonas*, ressemblait à l'Arche de Noé. Il introduisit un petit troupeau de bétail, mais sans grand succès, comme le déplora Lescarbot, peut-être en effet parce qu'on manquait de fermières expérimentées. Poutrincourt avait aussi emmené des porcs, qui se multiplièrent aussitôt, à l'instar des pigeons et des volailles. Un mouton solitaire avait la permission de vivre dans la cour du fort, et on lui prenait sa laine. Parmi les autres créatures de cette ménagerie, il y avait des rats qui avaient fait le voyage dans la cale du navire de Poutrincourt et qui frayèrent leur chemin jusqu'à la rive. Il en résulta une infestation de rats, problème commun aux colonies à leurs débuts. Ceux qui en souffrirent le plus furent les Micmacs, quand les rats s'installèrent dans les villages indiens et dévorèrent leurs maigres provisions[37].

Poutrincourt donna à Port-Royal un ton différent des autres utopies féodales en Amérique, qui étaient très communautaristes. Convaincu par l'exemple de Champlain et de Pont-Gravé, il encouragea les colons à œuvrer à la fois pour la colonie et pour leur propre compte. Il en résulta un système d'entreprise mixte. Les hommes devaient s'employer aux tâches collectives pour une petite partie de la journée. Ils firent des fossés et des douves autour du fort pour en consolider les défenses et en améliorer l'hygiène. Un puits fut creusé au milieu de la cour du fort et maçonné de briques faites de l'« argile de Port-Royal[38] ».

Le travail collectif était limité à deux ou trois heures par jour. Le reste de la journée, les hommes cultivaient leurs propres jardins avec l'encouragement de leurs chefs. Lescarbot donna l'exemple en labourant sa propre parcelle de terre, comme Champlain l'avait fait un an plus tôt. Lescarbot écrivit : « Je puis dire sans mentir que je n'ai jamais tant travaillé du corps[39]. »

L'établissement de Port-Royal avait une personnalité duale. Poutrincourt et Lescarbot en avaient fait une seigneurie féodale soumise au roi de France. L'un de leurs premiers gestes avait été de monter les armes de France et du roi au-dessus de la porte, jointes aux armoiries du sieur de Mons et du sieur de Poutrincourt. Mais ces chefs avaient vite compris que les colons seraient plus productifs s'ils travaillaient pour leur propre compte. Ces deux idéaux, le féodal et l'entrepreneurial, coexistaient à Port-Royal.

Les artisans et les journaliers enrichissaient Port-Royal de compétences nombreuses, comme Lescarbot l'a noté. « Nous avions nombre de menuisiers, charpentiers, maçons, tailleurs de pierres, serruriers, taillandiers, couturiers, scieurs d'ais, matelots, etc., qui faisaient leurs exercices. » Chacun travaillait à son rythme, et tous étaient bien nourris. Lescarbot se souvint que les hommes passaient une bonne partie de leur temps « à recueillir des moules qui sont de basse mer en grande quantité devant le fort, ou des houmars (espèce de langoustes) ou des crappes [crabes], qui sont abondamment sous les roches au Port Royal, ou des coques qui sont sous la vase de toutes parts et rives dudit port. Tout cela se prend sans filets et sans bateaux[40] ».

Le lieu était poissonneux. Lescarbot nota que « toutes et quantes fois que les sauvages habitués près de nous avaient pris quelque quantité d'esturgeons, saumons, ou menus poissons, item quelques castors, élans ou caribous, ou autre animaux [...] ils nous en apportaient la moitié : et ce qui restait ils l'exposaient quelquefois en vente en place publique, et ceux qui en voulaient troquaient du pain alencontre[41] ». Une économie de troc s'institua rapidement, et l'esprit d'initiative fut encouragé. « Quelques maçons et tailleurs de pierres se mirent à la boulangerie, lesquels nous faisaient d'aussi bon pain que celui de Paris. [...] De pain nul n'en manquait : et avait chacun trois chopines de vin pur et bon. » En 1606, les colons manquèrent de vin, et Poutrincourt fut contraint de réduire la ration à une pinte de vin par jour. « Et néanmoins bien souvent il y a eu de l'extraordinaire[42]. »

L'abondance des vivres résultait en partie de l'effort individuel et en partie de la planification méticuleuse du sieur de Mons en France, qui s'était assuré le concours de marchands de La Rochelle. Lescarbot, pour sa part, en était fort heureux. « Nous devons beaucoup de louanges audit sieur de Mons et à ses associés, les sieurs Macquin et Georges, Rochelois, qui nous en pourvurent tant honnêtement. [...] Pour la pitance, nous avions pois, fèves, riz, pruneaux, raisins, morues sèches, et chairs salées, sans comprendre les huiles et le beurre. » L'approvisionnement en combustible ne posait pas de difficulté. « Un de nos scieurs d'ais nous fit plusieurs fois du charbon en grande quantité[43]. »

À la fin de l'été et à l'automne 1606, comme nous l'avons vu, Poutrincourt et Champlain allèrent explorer la côte de Norembègue. Les autres colons restèrent à Port-Royal sous le commandement de Lescarbot. Il maintint la paix, s'entendit bien avec les Indiens, nourrit la vie spirituelle de la colonie et passa beaucoup de temps à son écritoire.

Le 16 novembre 1606, le sieur de Poutrincourt et Champlain rentrèrent péniblement à Port-Royal à bord de leur barque abîmée, avec son gouvernail brisé et trois hommes blessés des suites de l'affrontement sanglant avec les Indiens de Cape Cod[44]. Ils eurent la surprise d'être accueillis par un spectacle de théâtre de Lescarbot, un jeu de masques raffiné qu'il avait composé pour l'occasion. La pièce fut jouée sur l'eau, avec de la musique, des vers, des costumes et des décorations sur les murs du fort. Les artisans français étaient vêtus de costumes indiens. Les vrais Indiens étaient présents, certains à bord de leurs canots ; plusieurs d'entre eux portaient probablement des accessoires vestimentaires européens qu'ils avaient acquis par le troc[45].

Lescarbot avait intitulé sa pièce *Le Théâtre de Neptune*. La pièce était jouée par une troupe de onze acteurs : le dieu de la mer, Neptune, six tritons et quatre Français vêtus à l'indienne, plus au moins un trompette et un tambour. Poutrincourt et Champlain furent invités à s'asseoir dans leur barque, alors qu'une chaloupe approchait, avec à son bord Neptune vêtu d'une robe bleu roi, coiffé d'une couronne et arborant un trident. Il accueillit le sieur de Poutrincourt en lui adressant un poème qui louait son courage :

> *Arrête, Sagamos, arrête-toi ici*
> *Et regarde un Dieu qui a de toi souci.*

Neptune et ses tritons récitèrent tour à tour de nombreux vers d'un genre classique composés par Lescarbot, ponctués par le son de la trompette et du tambour, et enrichis par des plaisanteries parisiennes moquant les manières et le parler des colons originaires des provinces du sud et de l'ouest. Le jeu de masque atteignit son point culminant lorsque fut récité un panégyrique en l'honneur de Poutrincourt.

> *Va donc heureusement, et poursuis ton chemin*
> *Où le sort te conduit : car je vois le destin*
> *Préparer à la France un florissant Empire*
> *En ce monde nouveau, qui bien loin fera bruire*
> *Le renom immortel de De Monts et de toi*
> *Sous le règne puissant de Henri votre roi.*

Ce fut la première production théâtrale jouée en Nouvelle-France. L'historien Marcel Trudel a cité à ce propos ce commentaire d'un contemporain de Champlain : « Quand les Français s'établissent quelque part, la première chose qu'ils font, montent un théâtre ; les Anglais, un comptoir, les Espagnols, un couvent[46]. »

Ce jeu de masque ne fut pas la première production théâtrale européenne en Amérique du Nord, comme on l'a souvent prétendu. Les Espagnols avaient joué au moins trois pièces avant *Le Théâtre de Neptune* : en Floride dès 1567, à Cuba en 1590 et au Nouveau-Mexique en 1598. Aucun de ces textes n'a survécu. On sait seulement que la pièce

jouée au Nouveau-Mexique avait été « composée par un militaire désireux de célébrer les conquêtes espagnoles[47] ». *Le Théâtre de Neptune*
contraste avec cette pièce espagnole dans la mesure où l'œuvre de Lescarbot ne vise nullement à honorer les armes françaises. Poutrincourt
et les colons français sont accueillis par quatre Indiens qui « rendent les
hommages » à la fleur de lys et espèrent que s'installera dans le pays
« toute chose qui sert à l'établissement de ce qui est beau ». Après les
harangues de bienvenue, les Indiens sont invités à leur tour dans l'habitation des Français et tous rompent le pain ensemble[48]. La pièce fait
l'apologie de la culture française mais traite les Indiens avec respect ; elle
célèbre une rencontre pacifique en tous points et s'achève avec le spectacle des Indiens et des Européens vivant en paix[49].

La musique et la fête occupaient une place importante dans la vie de
Port-Royal. Au jeu de masque de Lescarbot s'ajoutèrent les amusements
de Poutrincourt. C'était un musicien doué qui, selon le mot d'un historien, « est un aspirant sérieux au titre de premier compositeur de l'Amérique du Nord[50] ». Il composait des pièces sacrées aussi bien que profanes qui étaient jouées à Port-Royal. Lescarbot écrivit : « Me souvient
que le quatorzième de ce mois [janvier 1607] par un dimanche après-
midi nous nous réjouissions, chantant musique sur la rivière de
l'Équille : et qu'en ce même mois nous allâmes voir les champs de blé à
deux lieues de notre fort, et dînâmes joyeusement au soleil[51]. »

Les colons marquaient les fêtes des saints et les anniversaires royaux
par des manifestations musicales. Au printemps 1607, ils apprirent que
la reine avait donné naissance à un second fils, Monseigneur le duc
d'Orléans (un bien long titre pour un petit bébé). Sa venue au monde
fut cause de réjouissances pour les hommes de Port-Royal. La naissance
d'un second fils signifiait que leur bon roi Henri avait deux fils pouvant
hériter du trône, ce qui donnait à ses sujets de meilleurs espoirs de paix
et de stabilité. Champlain écrivit que la nouvelle donna lieu à de
« grandes réjouissances ». Lescarbot se souvint de la fête : « Nous fîmes
les feux de joie de la naissance de Monseigneur le Duc d'Orléans, et
recommençâmes à faire bourdonner les canons et fauconneaux, accompagnés de force mousquetades, le tout après [avoir] sur ce sujet chanté
le *Te Deum*[52]. »

* * *

Les chefs de Port-Royal étaient résolus à faire de l'Acadie un lieu où il faisait bon vivre. À l'hiver 1606-1607, Champlain y alla de sa propre initiative. Il expliqua : « Nous passâmes cet hiver fort joyeusement, et fîmes bonne chère, par le moyen de l'Ordre de Bon Temps que j'y établis, qu'un chacun trouva utile pour la santé, et plus profitable que toutes sortes de médecines dont on eût pu user[53]. »

Champlain avait voulu en faire un ordre dans le sens d'une distinction, signalée par une médaille. « Cet ordre était une chaîne que nous mettions avec quelques petites cérémonies au col d'un de nos gens, lui donnant la charge pour ce jour d'aller chasser : le lendemain on la baillait à un autre, et ainsi consécutivement : tous lesquels s'efforçaient à l'envi à qui ferait le mieux et apporterait la plus belle chasse : Nous ne nous en trouvâmes pas mal, ni les sauvages qui étaient avec nous[54]. »

Lescarbot confirme que Champlain fut bien l'inventeur de cet ordre et donna plus de détails : « Fut établi un Ordre en la Table dudit sieur de Poutrincourt, qui fut nommé l'Ordre du bon temps, mis premièrement en avant par Champlain, suivant lequel ceux d'icelle table étaient maîtres d'hôtel chacun à son tour, qui était en quinze jours une fois. Or avait-il le soin de faire que nous fussions bien et honorablement traités. Ce qui fut si bien observé que (quoi que les gourmands de deça nous disent souvent que là nous n'avions point la rue aux Ours de Paris) nous y avons fait ordinairement aussi bonne chère que nous saurions faire en cette rue aux Ours, et à moins de frais. » La rue aux Ours était une rue de Paris célèbre pour ses rôtisseries[55].

Il poursuit : « Car il n'y avait celui qui deux jours devant que son tour vint ne fût soigneux d'aller à la chasse, ou à la pêcherie, et n'apportât quelque chose de rare, outre ce qui était de notre ordinaire. Si bien que jamais au déjeuner nous n'avons manqué de saupiquets de chair ou de poissons : et au repas de midi et du soir encore moins : car c'était le grand festin, là où l'Architriclin, ou maître d'hôtel (que les Sauvages appellent *Atoctegic*), ayant fait préparer toutes choses au cuisinier, marchait la serviette sur l'épaule, le bâton d'office en main, le collier de l'Ordre au col, et tous ceux d'icelui Ordre après portant chacun son plat. Le même était au dessert, non toutefois avec tant de suite. Et au soir avant rendre grâces à Dieu, il résignait le collier de l'Ordre avec un verre de vin à son successeur, et buvaient l'un à l'autre[56]. »

Champlain fonda l'Ordre du bon temps, une société dînatoire, à Port-Royal. Cette reconstruction de C. W. Jeffreys est fidèle aux témoignages de Champlain et de Lescarbot.

Lescarbot achève ainsi son portrait enthousiaste : « J'ai dit ci-devant que nous avions du gibier abondamment, canards, outardes, oies grises et blanches, perdrix, alouettes, et autres oiseaux : Plus des chairs d'élans, de caribous, de castors, de loutres, d'ours, de lapins, de chats-sauvages, ou léopards, de *nibachés,* et autres telles que les Sauvages prenaient, dont nous faisions chose qui valait bien ce qui est en la rôtisserie de la rue aux Ours : et plus encore : car entre toutes les viandes il n'y a rien de si tendre que la chair d'élan (dont nous faisions aussi de bonne pâtisserie) ni de si délicieux que la queue du castor. Mais nous avons eu quelquefois demie douzaine d'esturgeons tout à coup que les Sauvages nous ont apportés, desquels nous prenions une partie en payant, et le reste on le leur permettait vendre publiquement et troquer contre du pain, dont notre peuple abondait. Et quant à la viande ordinaire portée de France cela était distribué également autant au plus petit qu'au plus grand. Et ainsi était du vin, comme a été dit[57]. »

Champlain voulait que son Ordre du bon temps soit plus qu'une simple société dînatoire. Il croyait que le scorbut pouvait être tenu en échec par une alimentation quotidienne en viande fraîche, et que l'exercice et les distractions étaient nécessaires à la santé des hommes. L'Ordre du bon temps favorisait aussi la concorde entre les dirigeants de la colonie et encourageait l'entraide. Ce fut, au total, une réussite brillante[58].

La plupart de ses membres peuvent être identifiés. À la tête de la table se trouvait Poutrincourt, « commandant » de la colonie. Il y avait son fils Charles de Biencourt et ses cousins Charles et Claude de La Tour, le capitaine du Boullay, le chirurgien Estienne, l'apothicaire Hébert, le noble Fougeray de Vitré, Robert du Pont-Gravé, fils du vieil ami de Champlain, Daniel Hay, Marc Lescarbot et Champlain lui-même. En était membre également François Addenin, l'un des meilleurs tireurs de la colonie, qui « fournissait abondamment » la colonie en sauvagine[59].

Les colons français appartenant aux ordres inférieurs n'y étaient pas invités, mais les Indiens occupaient une place prépondérante à ces fêtes. « En telles actions, écrit Lescarbot, nous avions toujours vingt ou trente Sauvages, hommes, femmes, filles, et enfants, qui nous regardaient officier. On leur baillait du pain gratuitement comme on ferait à des pauvres. Mais quant au sagamo Membertou et autres sagamos (quand il en arrivait quelqu'un), ils étaient à la table mangeant et buvant comme nous : et avions plaisir de les voir, comme au contraire leur absence nous était triste : ainsi qu'il arriva trois ou quatre fois que tous s'en allèrent ès endroits où ils savaient y avoir de la chasse[60]. »

La relation privilégiée entre Français et autochtones compta pour beaucoup dans la réussite de Port-Royal. Les Indiens de l'Acadie formaient quatre nations, si l'on en croit les calculs de Champlain, et six selon les nôtres aujourd'hui. Champlain et Lescarbot appelaient *Souriquois* (de nos jours les Micmacs) ceux qui vivaient surtout sur la côte est de la baie de Fundy, *Etchemins* (aujourd'hui les Malécites, Penobscots et Passamaquoddys) les habitants de la côte ouest, *Abenaquioits* (de nos jours les Abénaquis ou Wabenakis) ceux qui étaient à l'ouest, à l'intérieur des terres, et *Canadiens* les occupants du nord de l'Acadie et de la région au sud du Saint-Laurent. Ces Canadiens étaient probablement une branche méridionale du peuple que Champlain nommait les *Montagnais*. Ces Indiens étaient surtout des chasseurs et des cueilleurs, mais ils n'avaient rien de primitif, comme on l'a trop souvent laissé entendre. C'étaient des commerçants très habiles, qui se jugeaient supérieurs aux nations agricultrices au sud et à l'ouest. Tous parlaient des langues algonquiennes mais des dialectes différents. Tous étaient ennemis des Iroquois, mais ils guerroyaient aussi les uns contre les autres. Ils espéraient que les Français deviendraient des partenaires commerciaux ainsi que des alliés dans leurs guerres incessantes. Champlain s'efforça de maintenir la paix entre eux[61].

Les Français s'étaient délibérément installés à proximité des Indiens et ils les fréquentaient volontiers. Dans cet immense pays, ils n'ont pas essayé de déposséder les Indiens ou de les éloigner. Au contraire, les chefs français à Port-Royal invitaient les sagamos indiens à leur table et ils mangeaient et buvaient régulièrement avec eux comme s'il s'était agi de leurs égaux. En retour, les Micmacs traitaient les Français en bons voisins. Les uns invitaient les autres à leurs festins et tabagies, comme Champlain l'avait fait à Tadoussac et plus tard sur la Penobscot. Dans ces festivités, les Français étaient prompts à adopter les coutumes indiennes, avec leurs harangues, leurs danses et leur tabac. Les Micmacs organisèrent des fêtes, et les Français leur rendirent la pareille. On était ici très loin des Anglais du Massachusetts et de la Virginie qui s'étaient installés à l'écart des Indiens, les tenaient à distance, annexaient de vastes terres et les considéraient avec méfiance et mépris.

Les Français envoyèrent aussi de jeunes gentilshommes de la colonie vivre parmi les Indiens afin qu'ils puissent apprendre leurs langues et leurs coutumes. Trois d'entre eux se signalèrent en Acadie. L'un était le fils de Poutrincourt, Charles de Biencourt, qui avait quinze ans en 1606, et il y eut son jeune cousin, Charles de La Tour, qui avait environ quatorze ans. Le troisième, Robert, le fils de Pont-Gravé, avait à peu près le même âge[62]. Les trois ne demandaient pas mieux que d'aller vivre chez les Indiens. Biencourt et La Tour apprirent le souriquois et l'etchemin ; Gravé maîtrisa la langue des Etchemins. Mais tous trois apprirent beaucoup plus qu'une langue. Comme l'écrit Marjorie Anne Mac Donald, « les jeunes Français apprirent à façonner le bois, visitant les camps indiens et épousant aisément les coutumes de leurs hôtes ». Elle nous dit comment ils apprirent à fabriquer un canot d'écorce et à le conduire sans faire de vagues ou de bruit. On leur enseigna à se déplacer dans la forêt sans bruit, et « ils maîtrisèrent l'art de marcher en raquettes, de traquer l'orignal dans les neiges profondes, de maintenir tous leurs sens en alerte, d'être conscients du moindre signe : la direction du vent, une brindille cassée, les nuances faciales ». Tous trois devinrent des pionniers de la colonisation française en Acadie. Ils passaient aisément d'une culture à l'autre, la française et l'indienne, et comprenaient les coutumes du pays[63].

Champlain encouragea les relations franco-indiennes d'une autre manière. Plus que tout autre haut dirigeant en Nouvelle-France, il se porta à la rencontre des Indiens sur leur propre territoire, leur rendant visite parfois seulement accompagné d'un ou deux hommes. Il forma des liens durables avec de nombreux chefs indiens. Parmi ses amis se trouvaient Secoudon, le sagamo de la vallée du fleuve Saint-Jean, Bessabez de la vallée de la Penobscot, Sasinou du pays de Quinibequy (la Kennebec aujourd'hui) et bien d'autres[64].

La plus importante de ces relations fut celle qu'il eut avec le sagamo souriquois Membertou, qui vivait non loin de Port-Royal. Certains historiens ont cherché à minimiser son rôle et accusé Champlain d'avoir exagéré son statut, mais Lescarbot et les missionnaires lui prêtaient la même importance que Champlain. Presque tous ont écrit qu'il était un homme très influent, le chef d'un groupe de quatre cents Indiens et le fondateur d'un « bourg entouré de hautes palissades ». Le jésuite Pierre Biard le rencontra et le décrivit ainsi : « Ç'a été le plus grand, renommé et redouté sauvage qui ait été de mémoire d'homme : de riche taille, et plus haut et membru que n'est l'ordinaire des autres, barbu comme un Français, étant ainsi que quasi pas un des autres n'a du poil au menton ; discret et grave, ressentant bien son homme de commandement[65]. » Il apparaissait vêtu d'une « magnifique robe de loutre » qui faisait l'admiration des chefs français et ajoutait beaucoup à sa dignité. Membertou jouait plusieurs rôles : guerrier, magistrat, guérisseur et devin. C'était aussi un chaman ou *aoutmoin* : un prophète et un guérisseur. Son biographe écrit que le « prestige de l'*aoutmoin* doublait celui du *sagamo* et lui donnait une autorité particulière dans les conseils ». Membertou était aussi un commerçant aguerri, et il avait acquis une chaloupe européenne qu'il avait ornée de ses propres totems et dont il se servait pour naviguer sur les côtes de l'Acadie[66]. Il se rendait loin en haute mer, se portait à la rencontre des navires et offrait les marchandises indiennes au prix fort, court-circuitant ainsi le marché côtier.

À l'arrivée des Français, Membertou était âgé mais encore très robuste. Lescarbot, dont l'arithmétique n'était pas le fort, lui donnait « plus de cent ans » et disait qu'il avait un fils de soixante ans mais qui « ne paraît point avoir plus de cinquante ans[67] ». Les Français admiraient l'acuité de ses sens. Un matin, il cria aux Français qu'une voile s'approchait de Port-Royal. « À cette joyeuse nouvelle chacun va voir, mais encore ne se trouvait-il personne qui eût si bonne vue que lui », se souvint Lescarbot. « C'était tant seulement une petite barque », précisa-t-il[68].

Lescarbot, Poutrincourt et Champlain avaient le plus grand respect pour Membertou, mais chacun le comprenait à sa manière. Lescarbot se souciait surtout d'écrire une œuvre littéraire qui célébrerait l'humanité des Indiens d'Amérique : « Les Sauvages étaient (du moins civilement) plus humains et plus gens de bien que beaucoup de ceux qui portent le nom de chrétien[69]. » Il appliqua cette idée à Membertou et en fit le modèle du noble sauvage qui conduit son peuple avec sagesse : « Il a sous soi plusieurs familles, auxquelles il commande, non point avec tant d'autorité que notre roi sur ses sujets, mais pour haranguer, donner conseil, marcher à la guerre, faire raison à celui qui reçoit

Cette « gourde de Membertou » fut sculptée pour symboliser l'alliance entre le sagamo micmac Membertou et les Français. Elle arbore aussi les armes de la famille Robin, qui avait contribué à financer la fondation de Port-Royal et envoyé plusieurs hommes en Acadie.

quelque injure, et choses semblables. » Et Lescarbot d'ajouter : « Il ne met point d'impôt sur le peuple. Mais s'il y a de la chasse, il en a sa part sans qu'il soit tenu d'y aller. Vrai est qu'on lui fait quelquefois des présents de peaux de castors, ou autre chose, quand il est employé pour la guérison de quelque maladie, ou pour interroger son démon afin d'avoir nouvelle de quelque chose future, ou absente. […] Membertou est celui qui de grande ancienneté a pratiqué cela entre ceux parmi lesquels il a conversé. Si bien qu'il est en crédit par-dessus tous les autres sagamos du pays[70]. »

Poutrincourt voyait les Indiens autrement. Il considérait que ce qui « regardait le principal but de la transmigration [était] de procurer le salut de ces pauvres peuples sauvages et barbares ». Dans ce dessein, il voyait en Membertou le moyen de convertir les « sauvages d'Acadie » au christianisme, et le persuada de se faire baptiser avec toute sa famille. Poutrincourt lui-même lui servit de parrain et choisit les prénoms chrétiens des convertis. Membertou, sa femme et son fils aîné furent prénommés Henri, Marie et Louis, comme les trois membres de la première famille de France. D'autres membres de la famille de Membertou reçurent des prénoms de nobles français[71].

Poutrincourt voulut aussi supprimer les rites mortuaires des Indiens, mais n'y arriva pas. Membertou tenait à pratiquer ses deux religions simultanément. Sans abandonner sa foi première, il avait adhéré au christianisme avec le zèle coutumier du converti et proposé de déclarer la guerre « à tous ceux qui refuseront d'être chrétiens ». Les Français le prièrent d'opérer ses conversions par la persuasion plutôt que par le bras, car ils connaissaient trop bien ce genre de zèle[72].

Champlain avait son idée bien à lui sur Membertou. Il reconnaissait ses nombreuses vertus et le jugeait honorable et digne de confiance dans ses rapports avec ses amis, voisins et invités. Mais il essayait de cerner la pensée du chef indien. Il comprenait que Membertou était guidé par une éthique bien différente de celle des Français. Dans un monde régenté par le droit du plus fort, il observait le code impitoyable que les Romains appelaient *lex talionis,* soit un ordre fondé sur la vengeance, souvent exécutée à l'occasion d'attaques-surprises contre l'ennemi. Champlain écrivit que, dans la guerre, Membertou avait la réputation « d'être le plus méchant et traître qui fût entre ceux de sa nation[73] ». À l'été 1607, par exemple, Membertou alla porter la guerre chez les Indiens de Saco. Champlain nota que « toute cette guerre ne fut que pour le sujet de Panounias, sauvage de nos amis, lequel, comme j'ai dit ci-dessus, avait été tué à Norembègue[74] ». Après qu'ils eurent récupéré le cadavre de son compatriote, Membertou organisa des obsèques en règle. Les amis et membres de la famille de l'homme assassiné se peignirent le visage en noir, « qui est la façon de leur deuil ». Le corps fut placé dans une catalogne rouge que Champlain leur avait donnée. Plutôt que de chercher à supprimer les coutumes funéraires des Micmacs, à l'instar de Poutrincourt, Champlain les accompagnait dans leurs rites[75].

Telles étaient les conceptions fort différentes que les humanistes fondateurs de Port-Royal se faisaient des Indiens d'Amérique[76].

L'hiver 1606-1607 tirant à sa fin, les hommes de Port-Royal se préparèrent pour les semailles. On les imagine besognant autour du feu le soir, réparant leurs outils, affûtant leurs lames et remplaçant des manches. Une fois de plus, les dirigeants pressèrent chaque colon de cultiver son propre jardin. Ils encourageaient un esprit de concurrence qui incitait chacun à redoubler d'efforts. Lescarbot : « Les froidures étant passées, sur la fin de mars, tous les volontaires d'entre nous se mirent à l'envi l'un de l'autre à cultiver la terre, et faire des jardins pour y semer, et en recueillir des fruits[77]. »

Les Français furent surpris par les résultats de leur labeur. « Quand chacun eut fait ses semailles, c'était un merveilleux plaisir de les voir croître et profiter chacun jour, et encore plus grand contentement d'en user si abondamment que nous fîmes : si bien que ce commencement de bonne espérance nous faisait presque oublier notre pays originaire. » Les colons se mirent à pêcher dans le même esprit « quand le poisson commença à rechercher l'eau douce et venir à foison dans nos ruisseaux, tant que nous n'en savions que faire[78] ».

Le 24 mai 1607, les habitants de Port-Royal aperçurent une voile qui entrait dans le havre majestueux. C'était une petite barque de six ou sept tonneaux battant pavillon français. Le maître à bord était un jeune capitaine de Saint-Malo du nom de Chevalier[79]. Il apportait des lettres du sieur de Mons, et les nouvelles étaient mauvaises. Les colons furent consternés d'apprendre que la compagnie avait fait faillite. Elle avait succombé aux nombreux coups qu'on lui avait portés. Certains bailleurs de fonds avaient fraudé la compagnie ; ils avaient dépêché leurs propres navires pour pratiquer la pêche et la traite des fourrures, gardant tous les profits pour eux. Puis était venu le coup fatal. Le Conseil du roi avait statué que De Mons n'avait pas respecté les termes de sa commission et mis fin à son monopole sur la traite des fourrures. Sans cela, la compagnie ne pouvait plus soutenir une colonie en Acadie. Le cœur lourd, le sieur de Mons ordonnait à Poutrincourt d'abandonner l'Acadie et de rapatrier les colons[80].

Certains colons étaient ravis à l'idée de rentrer, mais les chefs ne voulaient pas partir précipitamment. Les récoltes promettaient d'être splendides, et le sieur de Poutrincourt tenait à les voir parvenir à maturité. Champlain n'avait pas achevé ses travaux d'arpentage et de cartographie. D'autres croyaient qu'il y avait moyen de recueillir du poisson et des fourrures en quantité suffisante pour aider le sieur de Mons à surmonter cette crise financière. Ils décidèrent donc de rester en Acadie trois mois de plus et de tirer le plus grand parti du temps qui leur resterait[81].

En juillet, un autre messager arriva de France. C'était Ralluau encore, avec des ordres plus formels concernant le retour en métropole. Un navire avait été dépêché dans ce but, le mal nommé *Jonas,* qui attendait à Ingonish, au cap Breton. Les colons fermèrent l'habitation et montèrent à bord des navires de la compagnie. La plupart s'en allèrent à bord de deux barques le 30 juillet 1607, mais les chefs hésitaient encore à partir. Poutrincourt voulait rester quelques semaines de plus afin de voir mûrir les premiers grains. Ils tenaient également à faire leurs adieux à Membertou, qui était allé guerroyer contre les Almouchiquois à Saco[82].

Le 10 août 1607, Membertou rentra en triomphe. Le lendemain, les Français récoltèrent du grain de leurs champs, le chargèrent dans leur petite chaloupe et s'apprêtèrent à partir. Membertou et les Indiens étaient désolés de les voir s'en aller. Il y eut des pleurs et des lamentations. Les Indiens promirent de protéger l'habitation, ce qu'ils firent avec une fidélité exemplaire. Les chefs français firent voile le 11 août et rejoignirent le *Jonas* à Canseau pour le retour en France[83]. Les habitants avaient le fier sentiment d'avoir accompli quelque chose. Ils n'avaient que des louanges pour leurs chefs. Même si Poutrincourt n'avait pas su diriger correctement les expéditions d'exploration, il avait réussi hors de tout doute à commander un poste fortifié en pays indien, et les indigènes lui avaient témoigné leur amitié à maintes reprises.

Champdoré rapporta d'Acadie une magnifique améthyste bleue qu'il avait rompue en deux et « en bailla l'une au sieur de Mons et l'autre au sieur de Poutrincourt » en gage d'estime. Les deux hommes firent monter les pièces magnifiquement et en firent cadeau au roi et à la reine pour que Leurs Majestés aient en mains les plus beaux symboles de la Nouvelle-France et des « belles choses [qui se trouvent] dans les terres, dont la connaissance n'est encore venue jusques à nous ». Les chefs étaient d'avis qu'ils avaient bien fait les choses à Port-Royal : avec les Indiens, entre eux, et dans l'habitation elle-même. Port-Royal était dans leur esprit un établissement idéal, et ils y voyaient un modèle de réussite, bien adapté aux conditions de la vie en Amérique du Nord. Ils étaient résolus à recommencer, à implanter une colonie durable. Mais pour le moment, des affaires pressantes les attendaient en France[84].

Le fondateur de Québec

CHAPITRE 11

Québec

Le premier établissement permanent, 1608-1609

Ceux qui ont le moins de connaissance crient le plus fort.

CHAMPLAIN, 1607[1]

À l'automne 1607, Champlain rentra en France à bord du piteux *Jonas* avec le sieur de Poutrincourt, Marc Lescarbot, les colons de Port-Royal et un jeune Indien converti. Rude traversée : le navire était bondé, les rations suffisaient à peine et les cent mille morues dans la cale dégageaient l'odeur qu'on imagine. De mauvais vents avaient contraint le navire à se réfugier dans le port de Roscoff sur la côte ouest de la Bretagne où, selon Lescarbot, « nous demeurâmes deux jours à nous rafraîchir ». Les passagers descendirent à terre pour se dégourdir les jambes, et Champlain prit plaisir à regarder son compagnon indien découvrir l'Europe. Le jeune homme fut « assez étonné de voir les bâtiments, clochers et moulins à vent de France : même les femmes qu'il n'avait oncques vues vêtues à notre mode[2] ».

Lorsque le bon vent reprit, tous remontèrent à bord, et le navire mit le cap sur l'est, vers Saint-Malo. Arrivés à destination, les passagers se dispersèrent. Poutrincourt et Lescarbot emmenèrent le jeune Indien à la cour afin de montrer à Sa Majesté que les indigènes étaient disposés à accepter la foi chrétienne. Ils offrirent aussi au roi les fruits des premières récoltes de Port-Royal — maïs, blé, seigle, orge et avoine —, qui témoignaient du potentiel agricole de la colonie. Toujours aussi théâtral, Poutrincourt fit cadeau au souverain de cinq outardes qu'il avait emmenées à peine sorties de la coquille. Ces volatiles indestructibles allèrent aussitôt glisser sur les étangs de Fontainebleau.

Le roi reçut aimablement le jeune Indien et se montra ravi de ses

Après la faillite de Port-Royal, Poutrincourt rentra en France, vit Henri IV et lui fit présent de quelques outardes canadiennes. Dans les jardins de Fontainebleau, le chœur des outardes tournait en dérision le spectacle tragique de la Nouvelle-France.

présents, mais il avait été le premier à apprendre que la compagnie du sieur de Mons avait fait faillite et que sa colonie avait été abandonnée. Une fois de plus, après tant d'efforts, il ne subsistait aucun établissement français en Amérique du Nord. Dans les jardins de Fontainebleau, le cri des outardes canadiennes s'ajoutait au chœur de dérision dont la Nouvelle-France était de nouveau l'objet[3].

Champlain n'était pas à la cour. Pour la première fois, il s'était abstenu d'y accourir. L'échec de la compagnie De Mons le troublait, et il voulait savoir ce qui en était. Comme Churchill, Champlain était homme à aller tout de suite au fond des choses. Avant de voir le roi, il lui fallait prendre connaissance des faits. Il alla donc trouver le sieur de Mons, qui habitait une jolie rue de Paris, la bien nommée Beaurepaire. Champlain salua son ami et lui fit part des « choses les plus singulières que j'eusse vues depuis son départ[4] ».

Il lui remit aussi « la carte et plan des côtes et ports » de l'Acadie. Il s'agit peut-être de la carte qu'on trouve aujourd'hui à la bibliothèque du Congrès à Washington, qui porte la signature de Champlain et la

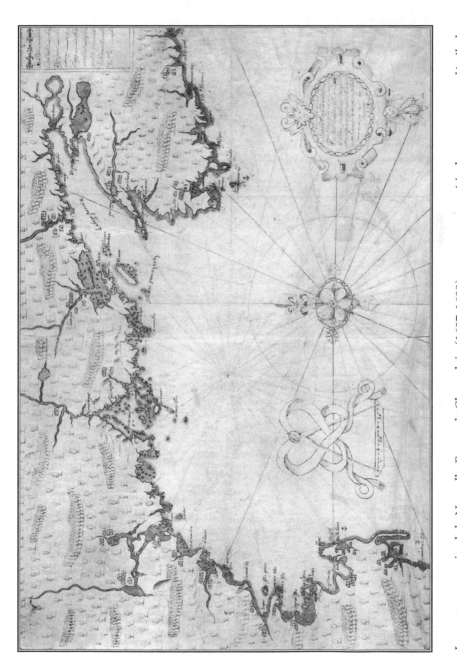

La carte manuscrite de la Nouvelle-France de Champlain (1607-1608) est une œuvre méticuleuse quant aux détails des côtes qu'il a explorées en Acadie et en Norembègue, mais elle l'est moins à partir de Cape Cod. Sa carte est attentive au territoire lui-même et aux villages indiens. On n'y trouve aucun symbole de domination impériale, et elle ne vante nullement son auteur.

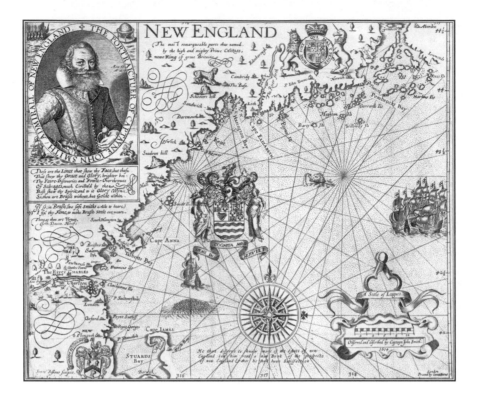

En comparaison, la carte de la Nouvelle-Angleterre de John Smith (1614) est exacte dans ses grandes lignes, mais vague et oublieuse du détail. Elle néglige la présence amérindienne et porte les emblèmes de la souveraineté anglaise sur le territoire, avec une armada sur mer. L'élément dominant est un autoportrait à la gloire de John Smith.

date, 1607. C'est la seule carte manuscrite originale connue de lui, dont la survie est un miracle, et une œuvre superbe de l'art cartographique[5]. De Mons dut l'examiner avec un vif intérêt. L'historien David Buisseret soutient que sa qualité saute aux yeux quand on compare le « travail sobre de Champlain » avec la carte de la Nouvelle-Angleterre dressée par le capitaine John Smith (1614), qui est aussi de l'excellent ouvrage, mais pour d'autres raisons. Selon Buisseret, la carte de Champlain cherche « simplement à faire ressortir les principaux aspects géographiques » tout en accordant une grande importance à la présence indienne. Sa cartographie est méticuleuse, et elle ne peut être que l'œuvre d'une « série d'observations faites dans une petite embarcation voguant le long de la côte ». La carte de Smith est une magnifique gravure, mais souvent inexacte dans son détail. Les Indiens y sont peu présents. Les aspects

Le castor était bon deuxième derrière la morue dans l'économie de la Nouvelle-France. Les philosophes demeuraient fascinés par cet animal sympathique et célébraient sa vie active, son œuvre collective et son éthique sociale. On en trouve un exemple heureux dans cette image tirée de la « Carte très curieuse » d'Henri Chatelain (1719).

dominants sont un grand portrait de Smith lui-même et les armes d'Angleterre. Comme dit Buisseret, Smith « semble résolu à imposer sa présence sur le territoire qu'on s'apprête à accaparer[6] ». Champlain maîtrisait extrêmement bien l'art de la cartographie. Il utilisait les derniers travaux mathématiques de Guillaume de Nautonier sur la déclinaison du compas pour orienter sa carte et ses éléments, parfois avec des résultats moins qu'heureux mais tout de même avec un degré très élevé d'exactitude et d'intégrité. Le sieur de Mons pouvait étudier sa carte sous deux angles : pour ce qu'elle lui apprenait de la côte américaine, et aussi pour ce qu'elle lui révélait de son auteur. Examen qui a peut-être pesé lourd sur le cours des événements qui ont suivi[7].

Après que les deux hommes eurent discuté de la carte, De Mons raconta à Champlain ce qui était arrivé à sa compagnie : une longue litanie de malheurs. L'un des facteurs qui avaient provoqué sa chute était la mode : Paris ne portait plus les mêmes chapeaux qu'avant. Fini les plumes, vive le castor ! La demande européenne en peaux de castor de grande qualité était désormais insatiable, et elle croissait sans cesse. Étaient également du dernier cri les fourrures lustrées provenant des hautes latitudes d'Amérique du Nord : martre, lynx, renard blanc et la

PERRUQUES et COIFFURES au 17^{m} S.

gentilhomme en 1605
Recueil de Gaignières

d'après une gravure ancienne
1610

vers 1596 d'ap. une gravure ancienne

Vers 1630 d'ap. Ab. Bosse
Bib. nat. estampes

A.B.

Le tourbillon de la mode parisienne avait suscité un appétit insatiable pour les peaux de castor et créé des ennuis au sieur de Mons et à Champlain. Les chapeliers, les marchands de fourrures et leurs amis à la cour brisèrent le monopole commercial qui finançait la colonisation de la Nouvelle-France.

magnifique loutre. La meilleure source en était la vallée du Saint-Laurent, où l'on pouvait se procurer des fourrures pour une fraction de leur prix à Paris. Paradoxalement, la vogue de la fourrure américaine avait considérablement nui à la colonisation de la Nouvelle-France. De nombreux marchands voulaient leur part de ce commerce lucratif, et ils s'étaient ligués pour briser le monopole du sieur de Mons. Celui-ci confia à Champlain : « Les Bretons, Basques, Rochelois et Normands renouvellent les plaintes, étant ouïs de ceux qui les veulent favoriser. » À Paris, la puissante guilde des chapeliers avait jeté son poids dans la balance. Certains gémissaient que le monopole américain faisait grimper le prix de la fourrure. D'autres espéraient mettre eux-mêmes la main sur ce monopole[8].

Ces rivaux disposaient de moyens importants, et de l'argent changea de mains dans les couloirs obscurs du Louvre. Champlain : « Il ne manque en cour de personnes qui promettent que, pour une somme de deniers, l'on ferait casser la commission du sieur de Mons. [...] Donc en peu de temps, la commission de Sa Majesté fut révoquée, pour le prix de certaine somme qu'un certain personnage eut, sans que sadite Majesté en sût rien[9]. »

De Mons connaissait l'identité de ce « certain personnage ». C'était, encore une fois, son vieux rival, le duc de Sully. Dans un procès, De Mons témoigna plus tard que « ledit octroi [de son monopole] fut révoqué par le roi environ la quatrième année [en 1607] parce qu'il le plut ainsi à monsieur le duc de Sully sur le réquisitoire de quelques chapeliers de cette ville de Paris[10] ». En 1607, Sully était au faîte de sa carrière et le ministre le plus puissant d'Henri IV. Sa charge lui avait permis d'accumuler une vaste fortune. Une bonne part de ses biens provenait d'un roi reconnaissant, mais les chapeliers parisiens y contribuèrent également[11]. Sully était de ces hommes qui pratiquaient ce qu'on appela plus tard en Amérique la « prévarication honnête ». Il acceptait des pots-de-vin mais seulement en faveur de mesures qu'il estimait justes pour le roi et le royaume[12]. Sully n'avait jamais été un fervent de la colonisation et faisait valoir que « les choses qui demeurent séparées de notre corps par des terres et des mers étrangères ne nous seront jamais qu'à grand'charge et de peu d'utilité ». Il maintenait que rien de bon ne pouvait sortir des colonies américaines situées au-dessus du quarantième parallèle (soit la latitude de Philadelphie)[13].

Sully souhaitait depuis longtemps mettre un terme à la colonisation française en Amérique du Nord mais, connaissant les sentiments du roi à cet égard, il avait attendu son heure. En 1607, l'occasion se présenta. Sur la côte d'Acadie, des agents du sieur de Mons avaient saisi des navires français sans autre forme de procès. Il en était résulté une vague de colère dans les ports français et tout un imbroglio judiciaire. Pour chaque navire saisi, de nombreux autres bravaient le monopole avec impunité. En 1607, Champlain estimait que quatre-vingts vaisseaux pratiquaient illégalement la traite des fourrures dans le Saint-Laurent. La plupart battaient pavillon français ; il y avait aussi quelques navires hollandais mais guidés par des pilotes français. Le monopole était inopérant, et cela causait de vifs ressentiments[14].

De Mons perdait aussi ses bailleurs de fonds. Ceux-ci n'avaient pas touché les dividendes qu'on leur avait promis après la première année, et ils répugnaient à absorber les dépenses pour la colonisation qu'on leur avait imposées. Champlain nota plus tard que De Mons avait dépensé plus de cent mille livres pour fonder les établissements de Sainte-Croix et de Port-Royal, avec très peu de bénéfices en retour. La colonie de Sainte-Croix avait été un échec, sans parler des lourdes pertes humaines. Port-Royal avait été un mauvais placement. Les deux habitations étaient éloignées des foyers les plus rentables du commerce des fourrures. Même certains associés importants du sieur de Mons, ayant à leur tête un marchand de Rouen du nom de Daniel Boyer, homme aux procédés indélicats, dépêchaient leurs propres trafiquants au Canada en violation du monopole[15].

Fort de ces preuves accablantes, Sully avait persuadé le Conseil du roi que De Mons n'avait pas respecté les conditions de sa commission et exigé la révocation de son monopole. Le Conseil eut tout de même pitié du sieur de Mons et l'autorisa à toucher six mille livres en compensation des pertes occasionnées par les « navires qui étaient allés à la traite des fourrures ». Mais lorsque De Mons essaya de se faire payer, les tribunaux hostiles de Saint-Malo et des autres villes lui firent savoir qu'il s'était trompé de noms, ou que les intimés avaient disparu, ou que les procédures étaient invalides pour quelque raison d'ordre technique. Il lui fut impossible de récolter le moindre sou de ces habiles contrebandiers, comme on les appelait[16]. Champlain devait écrire : « Pour recouvrer cette somme, s'informer de ceux qui auraient traité, et le département qu'il faudrait, sur plus de quatre-vingts vaisseaux qui fréquentent ces côtes ? C'était lui donner la mer à boire[17]. »

Tous ces revers avaient coulé la compagnie du sieur de Mons, et le grand dessein qu'il partageait avec Champlain s'en trouvait gravement compromis. D'autres auraient abandonné la partie, et De Mons fut bien près de renoncer à l'automne 1607. Champlain écrivit que « plusieurs fois le sieur de Mons m'eut discouru de son intention touchant les descouvertures ». Le sujet devait être pénible, mais ils continuèrent d'en discuter, et De Mons décida de ressayer. Selon le mot de Champlain, il « prit résolution de continuer une si généreuse et vertueuse entreprise, quelques peines et travaux qu'il y eût par le passé[18] ».

De Mons prit une autre décision. Pour protéger l'entreprise, il n'avait d'autre choix que de rester en France. Un autre que lui piloterait le projet en Amérique, mais qui ? Les hauts responsables n'avaient pas l'étoffe voulue. Pont-Gravé était un excellent navigateur et un commerçant aguerri, mais sa santé lui donnait du souci et son comportement s'en ressentait de plus en plus. Poutrincourt avait son propre dessein, avec son utopie féodale en Amérique, et il avait échoué en tant que commandant en Norembègue. Un troisième candidat commençait à émerger. Le sieur de Mons avait vu Champlain à l'œuvre en 1604 et 1605. Champlain s'était bien tiré d'affaire lorsqu'il avait eu son propre commandement, mieux que ses supérieurs dans le même rôle. D'autres commençaient à entrevoir son talent de meneur d'hommes. L'un de ceux-là était Marc Lescarbot, qui avait écrit un sonnet sur Champlain :

Que si tu viens à chef de ta belle entreprise
On ne peut estimer combien de gloire un jour
Acquerras à ton nom que desja chacun prise[19]

Mais un obstacle subsistait. Champlain n'était pas noble, et en France les grandes entreprises étaient rarement dirigées par des roturiers. Mais plus De Mons y réfléchissait, plus il voyait que Champlain était l'homme de la situation. À l'automne 1607, il pria son jeune ami de prendre le commandement en Nouvelle-France. C'était là une belle occasion pour Champlain et son grand dessein. Une opportunité de taille, certes, mais lourde de risques. Toutes les colonies françaises en Amérique du Nord avaient échoué, sans exception. Mais Champlain croyait qu'il pouvait réussir. Il accepta l'offre du sieur de Mons en posant une condition : les deux devaient regagner l'appui du roi pour la Nouvelle-France. En vérité, il n'y avait pas d'autre solution[20].

*   *   *

Avec l'encouragement de Champlain, le sieur de Mons retourna à la cour à l'hiver 1607-1608 et se mit en campagne pour obtenir l'oreille du roi. Il plaida vigoureusement la nécessité d'établir une colonie permanente et de rétablir un monopole sur la traite pour la financer. Champlain et lui disposaient d'un nouvel argument de poids, et les événements récents les aidèrent à le mettre de l'avant. Alors que les Français peinaient à faire valoir leurs prétentions en Amérique du Nord, les Anglais progressaient. En 1607, des investisseurs londoniens avaient fondé des colonies à Jamestown en Virginie et à Sagadahoc dans le Maine, cette dernière région faisant partie du territoire revendiqué pour la Nouvelle-France. Si ces initiatives réussissaient, la France serait contrainte de renoncer à ses revendications en Amérique du Nord. Si cela était, les marchands de Rouen et de Paris ne pourraient plus jamais profiter de la traite des fourrures. Si l'on faisait droit aux exigences des investisseurs français, qui désiraient pratiquer le commerce libre, payer le moins possible de taxes et ne pas dépenser un sou pour les colonies, il était écrit que l'Angleterre et la Hollande constitueraient de nouveaux monopoles dont les Français seraient exclus : « Ce sont peuples envieux, écrivit Champlain à propos des Français, qui ne demandent pas leur bien, ainsi plutôt leur ruine[21]. »

Le roi les écouta. Il avait également été sensible au récit de Poutrincourt concernant le potentiel agricole de Port-Royal et les progrès du christianisme en Nouvelle-France. Le 7 janvier 1608, Henri IV prit un nouveau décret : « Sur l'avis qui nous a été donné par ceux qui sont venus de la Nouvelle France, de la bonté et fertilité des terres dudit pays, et que les peuples d'icelui sont disposés à recevoir la connaissance de Dieu, nous avons résolu de faire continuer l'habitation qui avait été ci-devant commencée audit pays. »

Le roi avait passé outre à Sully et à son Conseil. Il approuvait « l'offre que le sieur de Monts, Gentilhomme ordinaire de notre chambre, et notre lieutenant général audit pays, nous aurait proposée de faire ladite habitation, en lui donnant quelque moyen et commodité d'en supporter la dépense ». Dans ce but, Henri IV décrétait en outre qu'il « ne serait permis à aucuns de nos sujets qu'à lui de trafiquer de pelleteries et autres marchandises, durant le temps d'un an seulement[22] ». C'était un compromis typique du roi. Le sieur de Mons récupérait son monopole, mais seulement pour douze mois, le temps de relancer ses affaires. Pour la suite, le roi privilégierait le commerce libre. C'était un appui bien mince pour une entreprise aussi grandiose, mais De Mons et Champlain étaient prêts à agir.

Prochaine mission : trouver de l'argent, affaire malaisée. De Mons eut recours à un mélange de coercition et de persuasion. À Rouen, il recruta un marchand respecté du nom de Lucas Le Gendre qu'il nomma « procureur général » avec tous droits pour intenter des procès aux trafiquants français sans permis. De Mons poursuivit en justice un certain nombre d'entre eux et eut gain de cause suffisamment de fois pour dissuader les contrevenants. Au cours de l'année à venir, tout traiteur de fourrures devrait transiger avec le sieur de Mons[23].

Puis De Mons fit la tournée des ports de l'Atlantique et conclut des accords avec des marchands de ses amis. Au pays basque, un petit groupe accepta d'envoyer de Saint-Jean-de-Luz un vaisseau imposant muni d'un permis du sieur de Mons. De Mons se rendit ensuite à Saint-Malo et signa des ententes de même nature avec cinq marchands. D'autres accords furent conclus à Dieppe, Le Havre, Honfleur, Rouen, La Rochelle et Paris. Une disposition commune à chaque accord portait que le quart des profits serait versé à la compagnie de Mons[24].

On sait aujourd'hui qu'au total plus de vingt et un vaisseaux quittèrent les ports français pour le « Canada » au printemps 1608, sans compter bien d'autres destinés aux pêches de la « Terre Neuve ». Bon nombre de ces voyages de commerce semblent avoir été réalisés aux termes de quelque accord avec le sieur de Mons. Cette manière de rassembler des capitaux était différente de celle qu'on avait employée pour les expéditions acadiennes de 1603 à 1605. Remplaçant la compagnie basée sur trois grands centres, cette nouvelle initiative était un réseau d'accords provisoires qui avaient été conclus avec des marchands qui étaient tous à leur compte. Plus de quarante ont été identifiés par leur nom. Tous ces accords requirent de grands efforts de la part du sieur de Mons[25]. Contrairement à l'expérience acadienne, cette nouvelle mission s'appuyait sur des billets promissoires, et les dépenses de la colonisation furent acquittées au moyen d'emprunts. Le crédit de la compagnie n'était pas solide. Bon nombre des prêts furent contractés par des particuliers sur la foi de leur propre crédit, avec des taux d'intérêt se situant entre 25 et 50 %[26].

Ces arrangements précaires étant mis en place, Champlain et le sieur de Mons avaient un choix difficile à faire. Où implanter la prochaine colonie ? Après l'hiver douloureux de l'île Sainte-Croix en 1604, le sieur de Mons « s'était promis d'aller plus au midi pour faire une habitation plus saine et tempérée ». Champlain voulait aller plus au nord et s'établir sur le Saint-Laurent[27]. Les deux hommes acceptèrent d'en conférer, et Champlain, fidèle à lui-même, construisit soigneusement son argumentaire. Il réunit des preuves sur la vallée du Saint-Laurent et « lui fit goûter les raisons pourquoi il était plus à propos et convenable d'habiter ce lieu qu'aucun autre ». En tête de liste venait le problème de la défense, et au vu des activités récentes des Anglais et des Hollandais, il était sage de se prémunir contre les attaques des autres puissances européennes. Il prédit que l'Acadie serait « mal aisée à conserver, à cause du nombre infini de ses ports, qui ne se pouvaient garder que par de grandes forces ». La vallée du Saint-Laurent, par contre, pouvait être verrouillée au moyen de quelques goulots d'étranglement fortifiés le long du fleuve[28].

Champlain préférait le Saint-Laurent pour une autre raison : la future colonie serait plus proche du cœur de la traite des fourrures « pour le commerce et trafic qui s'y pouvait faire par le moyen du grand fleuve Saint-Laurent ». Il avait à l'esprit ici les nombreuses nations indiennes qui avaient leurs propres réseaux de traite. Par contraste, écrivit-il, en Acadie, « le terroir y est peu peuplé de Sauvages, qui pour leur petit nombre ne pouvaient pas pénétrer par ces lieux dans les terres, où étaient des habitants sédentaires ». Il entrevoyait un vaste territoire de traite exploité par de petits groupes de Français et les nombreuses nations indiennes, qui œuvreraient main dans la main, sans coercition, dans une relation ouverte fondée sur l'intérêt bien compris de chacun. Cette vision de la Nouvelle-France était aux antipodes de celle qui animait la Nouvelle-Espagne ou la Nouvelle-Angleterre[29].

À tout ce raisonnement, Champlain ajouta l'argument selon lequel il y avait davantage d'âmes à sauver dans la vallée du Saint-Laurent. Il fit valoir que les nations indiennes de la région étaient réceptives à la colonisation française et que la terre était propice à un établissement. Enfin, ce qui était tout particulièrement important dans la pensée de Champlain, il y avait la promesse d'un passage vers l'Asie, qui conduirait de la vallée du Saint-Laurent et des Grands Lacs vers l'ouest[30].

Le sieur de Mons comprenait la force du raisonnement de Cham-

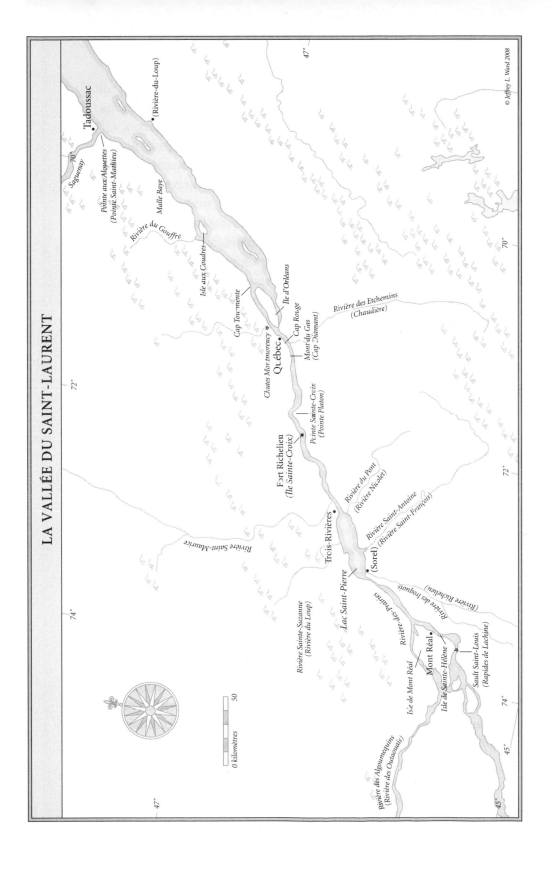

LA VALLÉE DU SAINT-LAURENT

Tadoussac

Saguenay

Pointe aux Alouettes
(Pointe Saint-Mathieu)

Rivière du Gouffre

Malle Baye

(Rivière-du-Loup)

Isle aux Coudres

Cap Tourmente

Île d'Orléans

Cap Rouge

Chutes Montmorency

Québec

Mont du Gas
(Cap Diamant)

Rivière des Etchemins
(Chaudière)

Pointe Sainte-Croix
(Pointe Platon)

Fort Richelieu
(Île Sainte-Croix)

Rivière du Pont
(Rivière Nicolet)

Rivière Saint-Antoine
(Rivière Saint-François)

Trois-Rivières

Rivière Saint-Maurice

(Sorel)

Lac Saint-Pierre

Rivière des Iroquois
(Rivière Richelieu)

Rivière Sainte-Suzanne
(Rivière du Loup)

Rivière-des-Prairies

Isle de Mont Réal

Mont Réal

Isle de Sainte-Hélène

Sault Saint-Louis
(Rapides de Lachine)

Rivière des Algoumequins
(Rivière des Outaouais)

0 kilomètres   50

© Jeffrey L Ward 2008

47°

70°

72°

72°

74°

74°

45°

47°

70°

plain, mais il persistait dans son propre dessein. Il en résulta un autre compromis. La compagnie dépêcherait trois navires au printemps 1608 : deux qui fonderaient un établissement permanent dans la vallée du Saint-Laurent, et un troisième qui redonnerait vie à l'habitation de Port-Royal. Champlain écrivit que De Mons « s'y résolut, et pour cet effet il en parla à Sa Majesté, qui lui accorda et lui donna commission d'aller loger dans le pays[31] ».

En tant que responsable de la mission, Champlain reçut « lieutenance au pays de la Nouvelle-France ». Il avait pour ordre de négocier un « traité d'amitié » avec les nations indiennes, d'implanter un établissement permanent et de « jeter les fondements d'un édifice perpétuel, tant pour la gloire de Dieu, que pour la renommée des Français ». Après tant d'échecs, la permanence était devenue un objectif incontournable[32].

Pour la première fois dans sa carrière coloniale, Champlain était aux commandes. Son mentor, Pont-Gravé, l'accompagnerait dans un rôle secondaire, avec pour instructions de commercer au port de Tadoussac et de rentrer à l'automne avec les fourrures et le poisson qui acquitteraient les dépenses de la colonie. En 1603, Pont-Gravé avait été le commandant et Champlain son subordonné. Cinq ans plus tard, les rôles étaient inversés. Les deux hommes sont d'autant plus à louer qu'ils réussirent dans ce partenariat nouveau. Les deux s'entendirent sur le partage des tâches. Pont-Gravé s'occuperait de la traite des fourrures ; Champlain fonderait la colonie[33].

Dans les premières semaines de 1608, Champlain et le sieur de Mons recrutèrent leurs colons. Les expéditions acadiennes de 1604 et 1606 comptaient gens issus des couches supérieures et inférieures de la société française. La recrue de 1608 serait plutôt issue des classes intermédiaires. Il n'y aurait pas beaucoup de nobles et de gentilshommes aventuriers cette fois-ci. Les chefs de la nouvelle expédition étaient des navigateurs aguerris qui avaient été longtemps officiers de marine : Champlain, Pont-Gravé et le capitaine Guillaume Le Testu. L'historien John Dickinson note que l'administration de cette colonie épousait le modèle naval et les coutumes de la vie en mer, chose qu'on n'avait pas connue à Port-Royal[34].

La plupart des colons étaient des artisans qualifiés et des ouvriers du bâtiment. Nous avons encore les contrats pour les bûcherons, les scieurs, les charpentiers, les maçons, les forgerons, les ouvriers et le chirurgien.

Champlain recruta aussi un jardinier du nom de Martin Béguin. Ces hommes s'engageaient à rester deux ans à des salaires annuels allant jusqu'à cent cinquante livres pour les artisans qualifiés et soixante-cinq livres pour les simples ouvriers. Environ la moitié de ces hommes purent signer leur contrat, soit une proportion de littératie plus élevée que celle de la France de 1608[35].

Plusieurs jeunes gens seraient du voyage, et deux d'entre eux allaient jouer un rôle important dans l'histoire de la Nouvelle-France : Étienne Brûlé et Nicolas Marsolet. Leurs contrats n'ont pas été retrouvés. Ils étaient peut-être partis comme « engagés », c'est-à-dire des serviteurs à gages. Champlain avait aussi ses propres valets dans la plupart de ses voyages, de 1599 à 1635, mais il les mentionne rarement par leur nom, ce sont des laquais anonymes. Comme par le passé, il n'y aurait pas de femme à bord, omission surprenante pour qui veut fonder une colonie permanente. Il n'y avait pas non plus cette fois-ci de mercenaires suisses, peut-être par mesure d'économie[36].

Pas de ministres du culte non plus, ce qui était également surprenant. L'un des grands buts avoués de la colonie était pourtant la conversion des Indiens au christianisme. Cette idée figurait en bonne place dans les arguments de Champlain, dans les instances au sieur de Mons et dans la commission du roi. Mais comment opérer cette œuvre de conversion ? Quel ordre religieux allait-on inviter ? Qui paierait la note ? Sur ces questions, il n'y avait pas eu d'entente.

Les responsables de la dernière tentative se rappelaient trop bien l'expérience malheureuse de la tolérance religieuse en Acadie qui avait été marquée par des querelles constantes entre le prêtre catholique et le pasteur protestant. Champlain écrivit, le cœur lourd : « Deux religions contraires ne font jamais un grand fruit pour la gloire de Dieu parmi les infidèles que l'on veut convertir. » La même situation pénible résulterait des tentatives de tolérance au Maryland, au Rhode Island et à l'île d'Éleuthère (Bahamas) dans la première moitié du XVIIe siècle[37].

Champlain et le sieur de Mons s'entendirent pour suivre une autre piste. Sur les instances d'Henri IV, ils pressentirent les Jésuites. De Mons alla trouver le confesseur du roi, le père Pierre Coton de la Société de Jésus. Henri IV voulait voir les Jésuites œuvrer en Nouvelle-France et leur avait promis deux mille livres pour ce faire. Une pieuse dame, Mme de Guercheville, avait également fait don aux Jésuites d'une somme importante, trois mille six cents livres, pour leurs œuvres d'évangélisation en Amérique. De Mons tenta de persuader le père Coton de vouer cet argent aux missions de la vallée du Saint-Laurent, mais ils ne purent s'entendre sur les conditions. On invita Champlain à se joindre à la discussion, mais sans plus de succès. Lui et De Mons décidèrent alors d'aller de l'avant sans missionnaires ni aumônier. Décision qui augurait mal pour toute entreprise en cette époque de grande piété[38].

Au début du printemps 1608, le sieur de Mons et Champlain s'installèrent à Honfleur, le port situé à l'embouchure de la Seine. Ils affrétèrent au moins trois navires[39]. Le vaisseau amiral de Champlain était imposant, entre cent cinquante et deux cents tonneaux si l'on juge par sa cargaison. Son capitaine était Guillaume Le Testu. On n'a pas retrouvé le nom du vaisseau. Quelques saisons auparavant, Le Testu avait été maître à bord de la *Fleur-de-lys*; c'était peut-être le même navire. Le vaisseau était bondé de colons et chargé des « choses nécessaires et propres à un établissement », selon le mot de Champlain[40].

Les autres navires étaient très petits. L'un était le *Lévrier*[41], de seulement quatre-vingts tonneaux, avec Nicolas Marion (ou Marien) comme maître et Pont-Gravé comme commandant. Il transportait des vivres destinés à l'établissement mais devait servir principalement de navire de commerce à Tadoussac[42]. Un troisième vaisseau avait été affrété pour une mission différente. Son capitaine était l'ami de Champlain, le charpentier naval Champdoré. Il avait ordre de faire voile vers Port-Royal, de recoloniser l'Acadie, d'explorer la côte et de renouer les alliances avec les nations indiennes[43].

La petite taille des navires et les lourds emprunts contractés à des taux d'intérêt élevés témoignaient de la précarité financière de la Compagnie de Mons. Cette mission ne tenait qu'à un fil. Les difficultés d'argent expliquent aussi pourquoi le départ fut si tardif. Champlain aurait préféré partir en mars, mais il semble avoir pris beaucoup de retard à rassembler ses hommes et son matériel[44]. Pont-Gravé fit voile le premier, le 5 avril 1608. Champlain lui emboîta le pas le 13 avril, très tard dans la saison. Il avait perdu un mois de température favorable, mais la traversée de l'Atlantique fut rapide et se fit sans encombre. Champlain doubla le Grand Banc de Terre-Neuve le 15 mai. Deux semaines plus tard, il avait atteint l'île Percée et ses deux grandes arches naturelles. Même les repères de la navigation avaient quelque chose de gigantesque dans ce vaste Nouveau Monde[45].

Champlain poursuivit sa route sur le Saint-Laurent et parvint à Tadoussac le 3 juin 1608. Il y trouva plusieurs navires qui mirent son commandement à rude épreuve. Pont-Gravé était arrivé avant lui et avait rencontré un baleinier basque qui mouillait dans le havre. Son capitaine achetait des fourrures des Indiens sans permis. Il s'agissait probablement de Martin Darretche, un homme d'une grande famille basque basée à Saint-Jean-de-Luz[46].

Pont-Gravé avait fait savoir aux Basques qu'ils contrevenaient à un ordre du roi. Darretche avait peut-être déjà eu maille à partir avec lui, Basques et Malouins étant rivaux depuis longtemps sur la côte nord-américaine. Les deux étaient du genre à en venir aux poings d'abord et à s'expliquer après[47]. Les Basques étaient armés jusqu'aux dents et résolus à se défendre, surtout du fait qu'ils étaient appréhendés par un concurrent de Saint-Malo. Pont-Gravé avait exhibé la commission du roi, et les Basques avaient accouru à leurs canons. Selon Champlain, Pont-Gravé avait attaqué le premier et les Basques « se maintenaient si bien sur leur vaisseau » qu'ils avaient « fait jouer tous leurs canons sur celui de Pont-Gravé ». Dans le premier échange de coups de feu, Pont-Gravé était tombé, grièvement blessé. Trois de ses hommes avaient également été atteints, et l'un d'entre eux avait été tué. Les trafiquants basques avaient abordé le navire français, fait Pont-Gravé prisonnier et « enlevé tout le canon et les armes qui étaient dedans, disant qu'ils traiteraient nonobstant les défenses du roi, et que quand ils seraient près de partir pour aller en France, ils lui rendraient son canon et son amonition[48] ».

Puis Champlain arriva. Il en voulut autant aux Basques qu'à Pont-Gravé. Il devait écrire plus tard : « Entendant toutes ces nouvelles, cela me fâcha fort, pour le commencement d'une affaire, dont nous nous fussions bien passés. » Les Basques lui firent comprendre qu'il ne pourrait pénétrer dans le havre que « par force ». Champlain n'était pas suffisamment armé pour imposer sa volonté. Il proposa de discuter, et les chefs basques acceptèrent[49].

Le dialogue aidant, le capitaine Darretche se mit à avoir des doutes sur la sagesse qu'il y avait à user de la force contre des hommes détenant une commission du roi. Les Basques savaient fort bien qu'Henri IV n'hésiterait pas à réprimer toute résistance armée à son autorité, et qu'il était homme à récompenser généreusement la loyauté. Les Basques avaient pu défaire le premier navire français, mais là, il y en avait un deuxième, et un troisième suivait non loin derrière. Champlain poursuivit la négociation avec patience et dignité. « Après plusieurs discours, je fis l'accord entre Pont-Gravé et [Darretche]. » Les Basques admirent qu'ils avaient fauté. Ils craignaient surtout, semble-t-il, qu'on « ne leur laissât faire la pêche à la baleine », chose que la commission du sieur de Mons n'interdisait pourtant pas. Champlain proposa un compromis. On autoriserait la chasse à la baleine, et peut-être aussi le troc avec les Indiens en vertu de quelque permis. Champlain leur promit aussi que Pont-Gravé « n'entreprendrait aucune chose contre eux ». En échange, le capitaine basque jura que lui non plus « n'entreprendrait aucune chose sur Pont-Gravé ni au préjudice du roi et du sieur de Mons ». Toutes les parties s'entendirent pour soumettre leurs litiges en souffrance aux tribunaux français où « justice se ferait[50] ». Les factions déposèrent les armes, signèrent une entente et se mirent à vivre en bonne intelligence. Champlain était un conciliateur habile, un pacificateur doué qui savait combiner fermeté et retenue, talent qu'il eut maintes fois l'occasion d'exercer au cours de sa carrière.

La paix ayant été faite avec les Basques, Champlain mouilla à côté d'eux dans le petit cercle que forme le havre de Tadoussac. Il nous dit qu'il fit « mettre les charpentiers au travail à accommoder une petite barque du port de douze ou quatorze tonneaux » qu'il avait emmenée de France pour explorer le Saint-Laurent. En attendant son embarcation, Champlain rencontra les chefs montagnais, qui se souvenaient de sa dernière visite de 1603. Ils échangèrent des fourrures contre des marchandises françaises, et Champlain les interrogea sur le pays au nord de Tadoussac. Les Montagnais lui refusèrent de nouveau l'accès à cette contrée, mais lui permirent de reconnaître le cours inférieur du Saguenay. Il se peut qu'il se soit rendu jusqu'aux chutes de Chicoutimi, environ cent soixante kilomètres en amont, ce qui lui permit de confirmer que cette vallée n'était pas propice à un établissement : « Toute la terre que j'y ai vue ne sont que montagnes et promontoires de rochers, la plupart couverts de sapins et bouleaux[51]. »

Pendant que Champlain explorait le Saguenay et que Pont-Gravé se remettait de ses blessures, leur ami Champdoré conduisait le troisième navire vers la côte d'Acadie. À Port-Royal, où le chef Membertou l'accueillit chaleureusement, il trouva l'habitation intacte. Les Indiens avaient pris soin des bâtiments et cultivé les champs et les jardins, qui donnaient désormais beaucoup. Membertou avait récolté six ou sept barils de grains et en donna une partie aux Français[52].

Les chefs français voulaient encourager des colons à s'installer en Acadie à titre individuel au moyen de petites concessions foncières, afin d'assurer leurs prétentions dans la région et d'en éloigner les Anglais. Certains de ces établissements échouèrent, mais même ces échecs eurent pour résultat de laisser derrière quelques Français qui occupèrent les bâtiments, épousèrent des Indiennes et restèrent sur la côte. En 1610, un navire français fit relâche à Sainte-Croix et y trouva « un certain Français [qui] entretenait une fille sauvage[53] ».

Champdoré traversa la baie Française (Fundy) et longea la côte en direction sud jusqu'au « pays des Almouchiquois », où il s'employa à réconcilier les Almouchiquois, les Etchemins et les Souriquois. Nouveau démenti de la thèse selon laquelle les Français auraient cherché à dominer la région au début du XVIIe siècle en dressant une nation indienne contre l'autre. De Mons, Champlain et Champdoré croyaient tous trois que la paix entre les Indiens était essentielle à la concrétisation de leurs desseins.

Sur la côte du futur Maine, Champdoré rencontra aussi une nouvelle génération de chefs indiens, notamment le sagamo penobscot Asticou, « homme grave, vaillant et redouté », qui passait l'été sur l'île des Monts déserts. Encore une fois, Français et Indiens nouèrent des relations qui connurent une durée remarquable. On se souvient encore du chef Asticou à l'île des Monts déserts, où Indiens, insulaires, estivants et touristes continuent de se lier et commercent tous les étés sur le campus du College of the Atlantic de Bar Harbor, fidèles en cela à l'esprit d'Asticou et de Champdoré[54].

* * *

Dans la dernière semaine de juin 1608, Champlain acheva son travail sur le Saguenay et se prépara à remonter le Saint-Laurent en quête du site qui accueillerait la colonie. Sa barque fut enfin prête le 30 juin, et il partit le jour même explorer l'immense fleuve. Il ne voguait pas au milieu du fleuve comme d'autres l'auraient fait, préférant étudier attentivement les rives et les affluents. Méthode qui exigeait une grande habileté et une vigilance constante, car il exposait ainsi son embarcation aux rochers à fleur d'eau et aux battures mouvantes du fleuve lorsqu'il sondait, esquissait, entrait dans chaque rivière d'importance, mettait pied à terre, étudiait le sol, recueillait des spécimens de la flore et de la faune. Le ton du récit de Champlain révèle le plaisir qu'il prenait à cette tâche agréable.

Il prenait aussi grand plaisir à nommer tous les repères saillants sur le fleuve, souvent avec des mots qui faisaient image. Il donna ainsi à l'un de ces affluents le nom de rivière du Gouffre du fait de ses courants dangereux. Un promontoire reçut le nom de cap Tourmente à cause des vents et des courants contraires qui l'entouraient. Ces toponymes ornent encore les cartes du Canada et des États-Unis.

Au-delà de Tadoussac, lieue après lieue, le paysage ne lui paraissait guère propice à un établissement. « Toute cette côte, tant du nord que du sud, depuis Tadoussac jusques à l'île d'Orléans, est terre montueuse et fort mauvaise, où il n'y a que des pins, sapins et bouleaux, et des rochers très mauvais, où on ne saurait aller en la plupart des endroits. » Les touristes d'aujourd'hui sont charmés par les lieux, mais Champlain avait une esthétique différente de la nôtre, sans parler de ses préoccupations immédiates[55].

Parvenu à l'île d'Orléans, environ cent soixante kilomètres au-dessus de Tadoussac, il en examina les rivages attentivement et cartographia ses battures très dangereuses. Puis il mit pied à terre pour explorer l'île et en admira les prairies fertiles et les bois ouverts, « où il y a quantité de beaux chênes, et des noyers », et « des vignes et autres bois comme nous en avons en France ». C'était là un site très prometteur pour un établissement d'avenir[56].

À l'extrémité est de l'île, il traversa le fleuve près de l'immense chute à laquelle il avait plus tôt donné le nom de l'amiral de France, Montmorency, qui l'avait soutenu dans son projet. Champlain se rendit au haut de la chute, marcha sur une terre « unie et plaisante » et trouva un « lac qui est quelque dix lieues dedans les terres ». De cette élévation, écrivit-il, « on voit de hautes montagnes, qui paraissent [distantes] de quinze à vingt lieues[57] ». Champlain retourna à sa barque et avança en amont, notant que le paysage commençait à changer de caractère. « Ce lieu est le commencement du beau et bon pays de la grande rivière, où il y a de son entrée cent vingt lieues[58]. »

*   *   *

Le 3 juillet, Champlain et ses hommes parcoururent un kilomètre et demi au-delà de l'île d'Orléans et parvinrent à un lieu que les Indiens appelaient Kebec, c'est-à-dire « l'endroit où le fleuve se rétrécit ». Il y avait été cinq ans auparavant. Cette fois, il jugea que le lieu était celui qui se prêtait le mieux à un établissement. La force de sa position capta l'œil du militaire en lui. Le promontoire élevé commandait toute la largeur

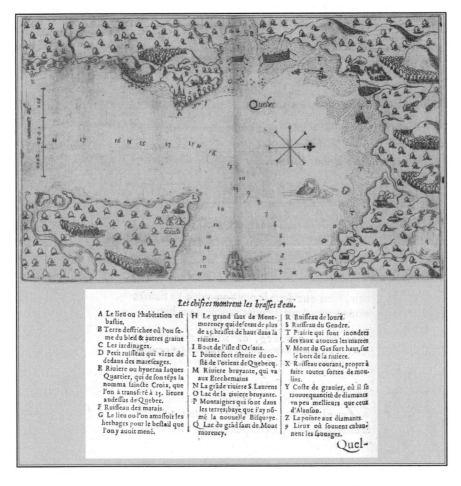

La carte de Québec dessinée par Champlain en 1613. Au centre, en haut, se trouve la ville française, avec les champs au nord, les prairies à l'ouest et les grilles pour prendre le poisson sur la rivière Saint-Charles à l'est. En face, sur l'autre rive du Saint-Laurent, on voit le village indien qui est aujourd'hui Lévis, et la rivière des Etchemins qui conduit à la Norembègue. En aval (au bas de la carte), l'île d'Orléans.

du fleuve. Un fort bien armé pourrait de là contrôler toute la circulation sur le Saint-Laurent.

Sous le promontoire se trouvait un secteur plat, parfait pour un poste de traite. C'est aujourd'hui la Basse-Ville du Vieux-Québec. Champlain le trouva recouvert de noyers dont le parfum lui rappela celui des noix de France. Les colons descendirent à terre et entreprirent la dure tâche qui consistait à défricher la terre. Champlain divisa ses hommes en plusieurs détachements : un groupe était chargé d'abattre les arbres, un autre sciait le bois en planches et un troisième creusait les caves et les fossés. Le quatrième avait la tâche plus aisée de faire l'aller-retour fréquent entre Québec et Tadoussac pour le transport des vivres[59].

Il fallait en priorité bâtir un magasin sûr, ce qui fut « promptement fait par la diligence d'un chacun ». Ce magasin avait deux fonctions : satisfaire aux besoins du commerce et conserver les provisions pour l'hiver. Comme toujours, Champlain insista pour que l'on stocke des vivres en abondance, se souvenant des famines qui avaient frappé plusieurs colonies françaises[60]. Puis les hommes édifièrent la structure que Champlain devait appeler « l'habitation ». Celle-ci serait différente de celle qu'on avait bâtie en Acadie, où l'établissement avait pris la forme d'un fort quadrilatéral. À Québec, Champlain fit construire trois édifices interreliés. L'un était réservé aux artisans. Un autre, du côté sud, avec vue sur le fleuve, était la résidence de Champlain. Le troisième abritait la forge et les ateliers. À l'ouest s'élevait le magasin avec sa cave profonde. Dans la cour, il fit bâtir un colombier portant l'écu du sieur de Mons et probablement aussi les armes du roi[61]. Chaque élément de l'habitation était une structure imposante de deux étages. Sur l'un d'eux, Champlain fit poser un grand cadran solaire symbolique, emblème de la lumière, du temps, de la symétrie et de l'ordre. Il fit également hisser le drapeau de la France sur une hampe au-dessus du toit. Fouetté par les forts vents du fleuve, le drapeau flotta bravement au-dessus de l'établissement bourdonnant d'activité[62].

L'habitation était faite pour soutenir un siège. Tout le complexe était ceinturé d'une palissade (qui ne fut achevée qu'en 1610), avec un fossé large de près de cinq mètres et profond de deux qui ne pouvait être franchi qu'avec un pont-levis. Le fossé était gardé par des pièces d'artillerie installées sur des bastions triangulaires. Marcel Trudel a écrit à ce propos que Champlain avait « reproduit en miniature une forteresse européenne ». La puissance de la forteresse démontrait aussi la résolution qu'avait le fondateur de bâtir un établissement durable et de le défendre contre tout ennemi[63].

Champlain ordonna également aux colons d'aménager des jardins autour de l'habitation. Il avait fait la même chose dans les établissements précédents : à l'île Sainte-Croix et à Port-Royal. « Pendant que les charpentiers, scieurs d'aix [de planches] et autres ouvriers travaillaient à notre logement, je fis mettre tout le reste à défricher autour de l'habitation, afin de faire des jardinages pour y semer des grains et graines pour voir comment le tout succéderait, d'autant que la terre paraissait fort bonne[64]. »

Ses gravures montrent le plan des jardins. Encore ici, comme dans les autres tentatives de Champlain, les jardins n'étaient pas ordonnés en collines fonctionnelles ou en rangées mais épousaient une conception raffinée rappelant les jardins classiques de France. Le dessin de Champlain montre six jardins, et il y en avait sans doute plus. Lui-même jardinait encore à l'automne. « Le premier octobre, je fis semer du blé, et au 15 du seigle. » Il nota que le gel était arrivé tôt, avec « quelques gelées blanches » le 3 octobre. Loin d'en être découragé, il continua de semer. « Le 24 du mois, écrivit-il, je fis planter des vignes du pays, qui vinrent fort belles[65]. »

Champlain portait un grand intérêt aux plantes indigènes, en dressant une liste des variétés les plus attrayantes : « noyers, cerisiers, pruniers, vignes, framboises, fraises, groseilles vertes et rouges, et plusieurs autres petits fruits qui sont assez bons ». Les bleuets attirèrent également son attention. Il ajouta : « Aussi y a-t-il plusieurs sortes de bonnes herbes et racines. » Champlain découvrit promptement le savoir botanique des Indiens et se mit à leur école. Il introduisit de nombreuses semences et plantes de France. On fit l'essai d'une grande variété de grains, particulièrement le blé et le seigle. Les semailles d'automne et du printemps donnèrent de beaux fruits[66].

Champlain introduisit également des fleurs, et il aimait particulièrement les roses. Il se fit le promoteur du jardin à la française en Amérique. Mais les hommes qui faisaient le travail ne partageaient pas tous sa passion. Il se plaignit souvent du fait que ses jardins étaient laissés en friche : « Après que je fus parti de l'habitation pour venir en France, on les gâta toutes [ses vignes], sans en avoir eu soin, qui m'affligea beau-

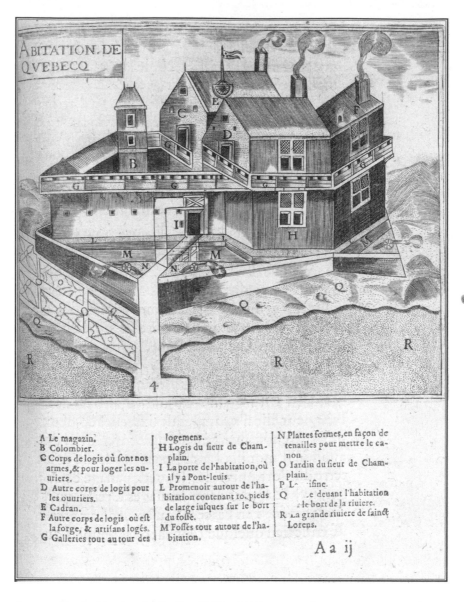

A Le magazin.
B Colombier.
C Corps de logis où sont nos armes, & pour loger les ouriers.
D Autre corps de logis pour les ouuriers.
E Cadran.
F Autre corps de logis où est la forge, & artisans logés.
G Galleries tout au tour des logemens.
H Logis du sieur de Champlain.
I La porte de l'habitation, où il y a Pont-leuis.
L Promenoir autour de l'habitation contenant 10. pieds de large iusques sur le bort du fossé.
M Fossés tout autour de l'habitation.
N Plattes formes, en façon de tenailles pour mettre le canon.
O Iardin du sieur de Champlain.
P L...isine.
Q ...ce deuant l'habitation ...le bort de la riuiere.
R La grande riuiere de sainct Lorens.

Aa ij

La première habitation de Québec (1608-1610), avec sa forteresse, son magasin, ses corps de logis (C, D, F) et le logement de Champlain (H). On voit au-dessus le colombier (B), le cadran solaire (E) et un drapeau avec les lys de la dynastie des Bourbons. Au bord de l'eau, un quai (4) et le jardin de Champlain (O).

coup à mon retour[67]. » Les jardins de Champlain n'étaient pas seulement utiles et ornementaux. Ils étaient des symboles de la souveraineté française et de l'ordre[68].

Champlain menait une course contre le calendrier et conduisait ses hommes avec une énergie qui ne leur laissait guère de repos. Le travail était dur et incessant. On mangeait mal, et les hommes se mirent à s'agiter. À la fin de l'été et au début de l'automne 1608, quatre d'entre eux se révoltèrent. Le meneur était Jean Duval, serrurier spécialisé dans la réparation des platines, ce qui lui donnait accès à l'arsenal de l'habitation. Il avait déjà eu maille à partir avec l'autorité. Lorsque Poutrincourt avait exploré la côte atlantique vers le sud jusqu'à Nauset (Cape Cod) en 1606, c'était ce même Duval qui avait refusé d'obéir à l'ordre qui avait été donné de rester à bord du navire la nuit, et qui avait préféré dormir sur la plage avec ses amis. Tous avaient été tués, sauf Duval[69].

À Québec, Duval gagna à sa cause trois ouvriers. Les quatre résolurent d'assassiner Champlain. Ils avaient décidé d'agir dans le plus grand secret, ce qui témoigne de la force de caractère de Champlain et de sa vigilance extrême. Il allait probablement armé et savait se servir d'une arme. Les conspirateurs s'entendirent pour le tuer mais non sur la manière de le faire. Ils se rencontrèrent dans l'obscurité et se demandèrent si le mieux était de l'empoisonner, de le faire sauter avec une bombe, de l'étrangler dans son lit ou de sonner l'alerte et de l'abattre dans une embuscade quand il sortirait de son logement[70]. Champlain mort, ils comptaient s'emparer de la colonie et s'allier avec les Basques, ou même l'Espagne. Les meneurs trouvèrent de nombreux appuis parmi les ouvriers à Québec. Même un des valets de Champlain se joignit à la conspiration, preuve peut-être du ressentiment que le zèle de Champlain avait suscité à ce stade de sa carrière. Ils s'entendirent sur une date, et tous jurèrent de garder le secret, sous peine de périr sous les coups de dague des conjurés[71].

La veille du jour fatal, une barque arriva de Tadoussac et son équipage se mit en frais de la décharger. Son capitaine, Guillaume Le Testu, était, selon le mot de Champlain, un « homme très discret », et très respecté de ses subordonnés. Un ouvrier de l'établissement, un serrurier du nom de Natel, alla trouver le capitaine Le Testu et l'avertit de ce qui se tramait. Le capitaine alla tout de suite trouver Champlain, qui besognait dans ses jardins, totalement absorbé par sa tâche. Les deux hommes allèrent se promener dans les bois, et Champlain fut alors mis au courant du complot.

Champlain ne tarda pas à réagir. D'abord, il s'entretint en secret avec l'informateur, Natel, qui tremblait de peur. On lui offrit le pardon absolu s'il acceptait de révéler l'identité des conspirateurs. Il nomma quatre hommes. Champlain leur tendit alors un piège habile. Il fit en sorte qu'un jeune marin invite les meneurs à bord du vaisseau de Le Testu, leur promettant deux bouteilles d'alcool. Les conspirateurs le suivirent et furent aussitôt appréhendés par l'équipage loyal de Champlain et de Le Testu. Tous quatre furent mis aux fers.

Puis Champlain redescendit à terre. Il était dix heures du soir, et il faisait noir comme dans un four. Il convoqua tous les colons. Dans l'ombre l'entouraient Le Testu et certains de ses hommes, tous armés jusqu'aux dents. Une lumière falote éclairait à peine leurs armes. Champlain apprit aux hommes rassemblés que Duval et ses complices avaient été mis aux fers. Il leur donna à tous le choix : le pardon s'ils disaient la vérité ; la mort dans le cas contraire. Tous avouèrent et dénoncèrent les meneurs. Champlain conduisit les quatre coupables à Tadoussac et rentra avec Pont-Gravé (presque totalement remis de ses blessures) et avec une troupe plus nombreuse et bien armée. Il réunit un tribunal composé de quatre officiers : lui-même, Pont-Gravé, Le Testu et le chirurgien Bonnerme. Tous ces hommes avaient une longue expérience de la discipline navale[72].

Ils constituèrent un tribunal en règle, et un procès public s'ensuivit, avec des dépositions détaillées. Les hommes de Québec témoignèrent à la charge des conspirateurs. Ébranlé par la preuve accablante, Duval fit des aveux complets et demanda la miséricorde du tribunal. Il n'en était pas question pour lui. Le tribunal condamna Duval à mort, et Champlain ordonna son exécution immédiate : Jean Duval fut pendu, étranglé et décapité. Sa tête fut plantée sur une pique à Québec en signe d'avertissement pour les autres[73].

Les trois complices de Duval furent également condamnés à la peine capitale, mais sur la recommandation de Champlain, le tribunal ordonna qu'ils fussent ramenés en France enchaînés et que leur sentence fût étudiée par les tribunaux du roi. Le 19 septembre, Pont-Gravé les ramena en métropole, et beaucoup plus tard ils furent graciés, chose courante sous le règne d'Henri IV. Champlain avait contré un danger mortel pour la colonie. Il avait réagi avec énergie et célérité, mais avec modération aussi. Il avait fait exécuter un homme, renvoyé trois autres en France, pardonné aux autres habitants et ainsi regagné leur loyauté. Par la suite, Champlain écrit que tous les autres se conduisirent correctement et firent leur devoir. Il avait repris son ascendant sur la colonie par une combinaison de force, de résolution et de pondération qui avait également refait l'unité des colons[74].

Les mutineries étaient fréquentes dans les colonies françaises naissantes, et elles en détruisirent plus d'une, comme dans le cas, notamment, du meurtre de La Pierria à Charlesfort (actuelle Caroline du Sud), de l'attaque sur Laudonnière à Fort Caroline, en Floride, et des révoltes répétées à l'île de Sable, au large du Grand Banc. Champlain, contrairement à ses prédécesseurs, sut tuer la révolte dans l'œuf et rétablir l'ordre sans perdre le respect de ses hommes. Cette menace, mortelle pour la colonie, n'avait fait que renforcer l'établissement, et le prestige de Champlain[75].

À la fin de l'été, des Indiens visitèrent Québec et s'entretinrent avec Champlain. La plupart étaient des Montagnais, et Champlain s'intéressait vivement à eux. « Je considérai fort particulièrement leurs coutumes[76]. » Il savait que les Montagnais étaient des chasseurs et des cueilleurs ; il estimait même qu'ils étaient les meilleurs chasseurs qu'il eût jamais vus. C'était aussi des commerçants astucieux qui avaient édifié des réseaux complexes d'échange. Il admirait leur beauté et les disait « bien proportionnés de leurs corps, sans difformité, et sont dispos ». Il trouvait les femmes très jolies, « bien formées, potelées, et de couleur basanée, à cause de certaines peintures dont elles se frottent, qui les fait paraître olivâtres[77] ».

On vit également apparaître à Québec des Algonquins, des gens de nombreuses nations qui vivaient sur les berges du Haut-Saint-Laurent, de Québec jusqu'aux Grands Lacs. Parmi eux, le fils d'Iroquet, chef de la Petite-Nation qui vivait dans l'ouest lointain, près de l'actuelle baie Georgienne, sur les rives du lac Huron. Ces nations, Algonquins et Montagnais, étaient en guerre « de longtemps » avec leurs ennemis ancestraux, les Iroquois, particulièrement les Agniers, ou Mohawks, la nation iroquoise établie le plus à l'est. Personne ne se souvenait quand ces guerres avaient commencé. Elles avaient débuté bien avant l'arrivée des Européens. Mais avec l'expansion du commerce des fourrures, elles n'en étaient devenues que plus violentes. Il en était résulté un cycle de vio-

C'est Champlain qui a dessiné ce guerrier montagnais avec sa femme et leur bébé. Il admirait cette « grande nation » faite de chasseurs adroits et de commerçants astucieux capables de créer des réseaux de traite complexes. Ils se jugeaient supérieurs aux Indiens agriculteurs, qu'ils appelaient les « chiens qui font pousser du maïs ».

lences et de représailles qui maintenaient toutes ces nations sur le pied de guerre. Les Algonquins et les Montagnais voulaient que Champlain se joigne à leur lutte contre les Agniers[78].

Champlain leur fit « bonne réception » à tous, selon le mot d'un sagamo algonquin. Français et Indiens se mirent alors à faire alliance, mais avec des desseins bien différents. Les Montagnais et les Algonquins voulaient que Champlain les aide à défaire leurs ennemis mortels, les Agniers. Le commandant français était d'accord, disant vouloir « les assister contre leurs ennemis », mais avec un but différent à l'esprit. Il espérait rompre ce cycle d'agressions en frappant les Iroquois avec force, car il les considérait comme les agresseurs. Il ne comptait pas anéantir leur puissance guerrière ; il s'agissait de faire en sorte qu'ils y réfléchissent à deux fois avant de lancer leurs raids dans la vallée du Saint-Laurent. Au cours de l'été et de l'automne 1608, Champlain et les Indiens du Saint-Laurent contractèrent donc une alliance, mais avec des objectifs dissemblables. Accord qui allait peser longtemps sur le cours des choses[79].

Alors que Champlain négociait avec les Indiens, les saisons filaient. Québec connut un hiver précoce en 1608. Le 18 novembre, l'établissement fut submergé par un « grand coup de vent » et « quantité de neiges[80] ». Cela marqua le début d'un long hiver qui faillit détruire la colonie. Les mois d'octobre à décembre furent très durs, avec des vents féroces, un temps humide et un fleuve en furie. Puis le temps céda le pas à un froid âpre et très sec, ce qui est la pire des combinaisons. Les maisons se trouvaient dépourvues de l'isolant qu'est la neige. Les communications se compliquèrent. Des glaces épaisses étouffaient le fleuve et il n'y avait pas moyen de marquer des sentiers dans la neige. Sans neiges épaisses, la chasse aux grands cervidés était plus ardue.

Tout cela fut très dur pour les colons français et encore plus pour les chasseurs indiens. À l'approche de l'hiver, les Montagnais s'étaient rapprochés de Québec, comme ils le faisaient chaque année. Champlain observa qu'ils vivaient à la limite de la subsistance et selon un cycle annuel complexe dans la pratique de la chasse et de la pêche. Ils étaient venus à Québec pêcher les anguilles qui commençaient à remonter le fleuve en grand nombre à compter de la mi-septembre à peu près, pêche qui durait jusqu'à la mi-octobre. « En ce temps, écrivit Champlain, tous les Sauvages se nourrissent de cette manne, et en font sécher pour l'hiver jusques en février. » C'était une source alimentaire vitale[81].

Après la migration des anguilles, les Montagnais allaient chasser le castor de la fin d'octobre à décembre. Puis, dans les mois les plus froids de l'année, ils chassaient le gros gibier comme l'orignal, plus aisé à traquer quand les neiges sont épaisses[82]. Champlain avait le plus grand respect pour l'adresse des Montagnais et leur maîtrise de l'environnement dans lequel ils vivaient. Il s'intéressa à leurs vêtements, qu'il trouvait beaux et chauds. « L'hiver, ils sont habillés de bonnes fourrures, comme de peaux d'élans, loutres, castors, ours, loups marins, cerfs et biches, qu'ils ont en quantité. » Leurs raquettes le fascinaient. « Quand les neiges sont grandes, ils font une manière de raquettes, qui sont grandes deux ou trois fois plus que celles de France, qu'ils attachent à leurs pieds, et vont ainsi dans les neiges, sans enfoncer : car autrement ils ne pourraient chasser, ni aller en beaucoup de lieux[83]. »

Quand les Montagnais faisaient des chasses heureuses, ils avaient de quoi manger pendant tout un hiver nord-américain. Mais l'échec d'une seule chasse pouvait les condamner à la famine. Les Montagnais n'avaient aucune réserve alimentaire, contrairement aux Hurons ou aux Iroquois, agriculteurs habiles qui produisaient des excédents avec leurs champs[84]. Champlain pressa les Montagnais de s'adonner à la culture du sol, non pas en s'inspirant du modèle européen mais suivant l'exemple de leurs voisins indiens. « La terre est fort propre et bonne au labourage, s'ils voulaient prendre la peine d'y semer des blés d'Inde, comme font tous leurs voisins Algonquins, Hurons et Iroquois, qui ne sont attaqués d'un si cruel assaut de famine, pour y savoir remédier par le soin et prévoyance qu'ils ont, qui fait qu'ils vivent heureusement au prix de [comparativement à] ces Montagnais, Canadiens et Souriquois[85]. »

À l'automne 1608, Champlain s'inquiéta du sort des Montagnais. La famine les guettait. Leurs chasses avaient été insuffisantes. La saison des anguilles avait été plus brève que de coutume. La chasse au castor n'avait rien donné à cause d'un automne trop pluvieux. Les eaux étant trop hautes, les chasseurs n'avaient pu avoir accès aux cabanes des castors. Les Montagnais dirent à Champlain qu'ils « ne firent pas grand chasse de castors pour les eaux être trop grandes, et les rivières débordées ».

L'automne pluvieux fut suivi par un long hiver sec avec très peu de neige. La chasse à l'orignal ne rapporta presque rien, la troisième mauvaise campagne consécutive pour les Montagnais. Champlain observa : « Tous ces peuples pâtissent tant, que quelquefois, ils sont contraints de vivre de certains coquillages, et manger leurs chiens et peaux de quoi ils se couvrent contre le froid[86]. » La crise éclata en février 1609. Des familles montagnaises se mirent à apparaître sur la rive sud du Saint-Laurent, en face de l'habitation de Champlain. Les eaux étaient hautes et le courant était fort, avec de grands bancs de glace qui dévalaient le fleuve. Les Montagnais appelèrent les Français à leur secours et, désespérés, se jetèrent avec leurs canots dans le fleuve en furie. Leurs canots fragiles furent enserrés par les glaces et « pris et brisés en mille morceaux ». Les Français, horrifiés, virent ces hommes, femmes et enfants affaiblis par la faim tomber dans l'eau et s'accrocher aux bancs de glace.

Ces petites raquettes avaient été faites pour un enfant montagnais. Champlain était fasciné par la manière dont cette nation de chasseurs s'était adaptée à un environnement aussi dur, mais il fut profondément attristé par leurs souffrances extrêmes à l'hiver 1608-1609, lorsque les chasses furent mauvaises.

Soudain, le courant poussa les glaces vers la rive, et ils purent prendre pied sur le rivage. Champlain écrivit qu'ils « vinrent à notre habitation si maigres et si défaits, qu'ils semblaient à des anathomies[87] ».

Champlain leur fit servir du pain et des pois, et leur donna de l'écorce pour qu'ils puissent bâtir des cabanes. Certains étaient si affamés qu'ils s'emparèrent des carcasses pourries d'un chien et d'une truie et dévorèrent leurs chairs avariées à moitié cuites. Au sujet de leurs vivres, Champlain devait écrire : « Quand ils en ont, ils ne mettent rien en réserve, et en font chère continuelle jour et nuit, puis après ils meurent de faim. » Il observa la misère des Montagnais avec une grande tristesse, ainsi que leurs écarts d'humeur qui allaient de l'exaltation à un désespoir profond. L'instabilité de leur vie et leur insécurité chronique faisaient des victimes en grand nombre. Champlain écrivit qu'ils appréhendaient « infiniment leurs ennemis » et qu'ils dormaient « presque point en repos ». Ils étaient affligés de rêves terribles qui les hantaient[88].

L'hiver se faisant plus cruel, les Français se mirent eux aussi à en pâtir. Ils avaient fait ample provision de pain et de pois, et il leur restait du poisson et des viandes salés, mais presque rien d'autre. À la fin de novembre, certains commencèrent à montrer des symptômes graves de ce que Champlain appelait la « dysenterie ». Les Indiens en souffraient également. Champlain écrivit qu'à son avis cette maladie était venue « à force de manger des anguilles mal cuites ». La « dysenterie » fit tant de ravages qu'elle tua de nombreux Français, dont le serrurier Natel, le même qui avait sauvé la vie de Champlain en éventant le complot[89].

Au milieu de l'hiver, le scorbut s'attaqua aux survivants. Pendant trois mois, ils avaient réussi à tenir cette maladie en échec, peut-être grâce à la chasse à la fin de l'automne et au début de l'hiver qui les avait alimentés en viande fraîche, laquelle, de l'avis de nombreux explorateurs, possédait des vertus antiscorbutiques ; peut-être aussi du fait qu'ils se nourrissaient de racines et de feuilles de blé d'Inde qui étaient une source de vitamine C. Mais en février, ils commencèrent à manquer d'aliments protecteurs. Champlain écrivit que « les maladies de la terre commencèrent à prendre fort tard, qui fut en février jusqu'à la mi-avril ». Le scorbut fit de terribles ravages. Champlain ordonna au chirurgien Bonnerme de pratiquer des autopsies « pour voir s'ils [les victimes] étaient offensés comme ceux que j'avais vus dans les autres habitations ; on trouva le même ». Puis ce fut au tour du chirurgien lui-même de tomber gravement malade et d'en mourir : « Tout cela nous donna beaucoup de déplaisir, pour la peine que nous avions à panser les malades. » En tout, sept Français moururent du scorbut et treize de dysenterie[90].

Après quatre mois de souffrances, le printemps revint enfin. La première migration des poissons dans le fleuve Saint-Laurent avait annoncé son retour. Des bancs d'aloses nageaient en amont, plus que l'on pouvait en manger, et les Français découvrirent alors un délice gastronomique : les œufs d'aloses, toujours abondants, qu'ils mélangeaient à un peu de lard pour leur donner de la saveur. Les dernières plaques de neige disparurent, et la contrée se mit à reverdir. Seule une poignée de colons avaient survécu à l'hiver. Champlain écrivit que des vingt-huit habitants, huit étaient en vie, et la moitié des survivants étaient encore très malades. Mais l'établissement de Québec avait tenu. Pourtant, un autre défi l'attendait.

CHAPITRE 12

L'Iroquoisie

La guerre avec les Agniers, 1609-1610

Ils étaient las et fatigués des guerres qu'ils avaient eues, depuis plus de cinquante ans [...]. Ils m'en ont parlé plusieurs fois, et assez souvent m'ont prié d'en donner mon avis, leurs ayant donné, et trouvé bon qu'ils vécussent en paix les uns avec les autres, et que nous les assisterions.

CHAMPLAIN, à propos des guerres indiennes[1]

Le 5 juin 1609, les Indiens alliés de Champlain à Québec signalèrent l'arrivée d'une voile. Les colons se précipitèrent sur le rivage et aperçurent une petite barque dont la mâture arborait fièrement les couleurs de la France. Elle doubla l'île d'Orléans, prit vers la rive et dès qu'elle accosta son jeune capitaine sauta à terre. C'était le sieur Claude Godet des Marctz, jeune homme de noblesse percheronne, plein d'allant, et de surcroît gendre du prolifique Pont-Gravé. Il avait avec lui Pierre Chauvin de La Pierre, le pilote Jean Routier et quelques matelots qui se mirent à décharger des provisions[2].

Les quelques survivants leur firent fête. Surtout lorsqu'ils apprirent que Pont-Gravé était à Tadoussac avec des hommes et des vivres, et que l'on pourrait ainsi combler les lourdes pertes de l'hiver. « Cette nouvelle m'apporta beaucoup de contentement, écrivit Champlain avec sa retenue habituelle, pour le soulagement que nous espérions en avoir. » Sans perdre un instant, Champlain pria Godet des Maretz d'assumer le commandement à Québec et réquisitionna la barque pour redescendre aussitôt le fleuve, aussi vite que le vent et le courant pourraient l'y aider[3].

À Tadoussac, il revit Pont-Gravé, qui lui apprit les dernières nouvelles de France. Il y avait du bon et du mauvais. On s'y attendait, le monopole d'un an de la compagnie sur la traite des fourrures n'avait pas

Le croquis fait par Champlain d'un allié indien « montre l'habit de ces peuples allant à la guerre », avec un arc dans une main et un casse-tête dans l'autre. Il dessinait souvent des Indiennes avec des pagaies et leurs enfants emmaillotés ; les Algonquins et les Montagnais, ces deux « grands peuples », avaient une apparence fort semblable, écrivait-il.

été renouvelé, et le fleuve serait bientôt rempli de trafiquants. Les bailleurs de fonds avaient réuni des capitaux pour les vivres et les colons, mais seulement assez pour augmenter à seize hommes le nombre d'hivernants, effectif très précaire. Le sieur de Mons avait envoyé aussi un petit détachement de soldats pour maintenir l'ordre dans la colonie[4].

Puis vinrent les mauvaises nouvelles. Pont-Gravé lui remit une lettre du sieur de Mons. Champlain la décacheta, la lut et blêmit : il était rappelé ! De Mons lui ordonnait de rentrer à l'automne et de lui faire un rapport sur Québec. Pont-Gravé avait pour instructions de commercer à Tadoussac tout l'été et de prendre le commandement à Québec au début de l'hiver. Champlain vacilla sous le coup. Qu'est-ce que cela signifiait ? Après la conspiration de Duval et son exécution, De Mons avait-il perdu confiance en son jeune lieutenant ? Ou voulait-il seulement assurer une rotation dans le commandement et accorder à Champlain un repos bien mérité ? Quoi qu'il en fût, Champlain était relevé de ses fonctions[5].

Tout autre chef aurait été assommé. Plus d'un aurait démissionné sur-le-champ, mais pas Champlain. Il était toujours en poste et ne pouvait rentrer en France qu'au retour des navires commerçants, à la fin de l'été. Il préféra donc porter sa réflexion sur les quelques mois qui lui restaient au Canada.

Notre homme avait un très grand projet à l'esprit. Au cours de l'hiver, alors que l'établissement de Québec frôlait la ruine, il avait formé un dessein ambitieux pour la belle saison. L'idée qu'il se faisait de la Nouvelle-France était hypothéquée par la guerre incessante que se livraient les nations indiennes dans la vallée du Saint-Laurent. Cette lutte opposait la ligue iroquoise, en particulier les Agniers, aux Algonquins et Montagnais au nord, aux Hurons à l'ouest et aux Etchemins à l'est[6]. Ce conflit endémique risquait de compromettre irrémédiablement la vision de Champlain. Tant qu'il durerait, la paix serait impossible sur les rives du Saint-Laurent, la sécurité nécessaire au commerce n'existerait pas, et son rêve de coexistence pacifique entre Indiens d'Amérique et Européens ne serait que velléité.

Champlain se proposait d'agir sur plusieurs fronts. Il croyait que la principale cause de toute guerre était la crainte de l'autre, et que le remède consistait à rechercher la paix par la voie diplomatique. Voilà pourquoi il avait forgé des alliances entre les Montagnais, les Algonquins, les Hurons et d'autres nations de l'Acadie et de la Norembègue. Mais c'était une autre affaire avec la ligue iroquoise, notamment les Agniers. Un historien de l'Iroquoisie a écrit qu'au début du XVIIe siècle les Iroquois étaient déjà « en mauvais termes avec tous leurs voisins, notamment les Algonquins et les Hurons au nord, les Mahicans à l'est et les Andastes au sud ». La plupart des nations indiennes du nord-est étaient en guerre avec certains de leurs voisins ; les Iroquois étaient en guerre contre presque tous leurs voisins. Parmi ces nombreuses nations belliqueuses, leur adresse guerrière était connue. Ils étaient aussi réputés pour leur cruauté, et ce, dans un monde déjà très cruel[7].

En 1608, Champlain avait promis son concours aux nations indiennes de la vallée du Saint-Laurent dans le cas où elles seraient attaquées par les Iroquois. Cela étant, il savait que les Iroquois étaient aussi bien victimes qu'agresseurs dans ce conflit, et il leur avait envoyé un message de paix par l'entremise d'une captive de la nation des Agniers qu'il avait prise sous sa protection à Québec précisément dans ce but. Ces ouvertures n'avaient abouti à rien. Les partis de guerre agniers s'en prenaient toujours aux Indiens du Saint-Laurent[8].

Au printemps 1609, Champlain en était venu à la conclusion que la paix ne se ferait qu'au prix d'une action militaire concertée contre les Agniers. Ce n'était pas une guerre de conquête qu'il avait à l'esprit. Il songeait plutôt à quelque coup de main que mènerait une coalition de Montagnais, Algonquins et Hurons, avec le soutien des Français, afin de décourager les raids des Agniers sur le Saint-Laurent. Champlain espérait ainsi rompre le cycle de la violence et instaurer la paix dans la grande vallée[9].

Champlain espérait aussi élargir les relations commerciales avec les nombreuses nations indiennes, non pas dans un but strictement lucratif mais dans le cadre d'un projet plus vaste. Le commerce était pour lui un facteur de paix. Les Indiens d'Amérique partageaient cette conviction. Selon l'ethnographe Bruce Trigger, « durant la période historique, toutes les tribus voisines ou bien étaient en guerre les unes contre les autres, ou bien commerçaient entre elles ». L'historien William Fenton cite pour sa part un Indien qui disait : « Le commerce et la paix, c'est pour nous la même chose[10]. »

Champlain était résolu à aller de l'avant avec son plan au printemps, en dépit de l'affaiblissement de son effectif. Après cet hiver cruel, il n'avait plus sous son commandement à Québec que quatre hommes en santé, mais Pont-Gravé avait d'autres hommes avec lui. Lorsque les deux hommes se revirent à Tadoussac le 7 juin, Champlain lui proposa son plan audacieux pour faire « quelques descouvertures dans les terres » et lui fit clairement savoir qu'il entendait pénétrer dans le « pays des Iroquois » avec ses alliés les Montagnais. Les deux savaient qu'ils auraient à livrer bataille à des guerriers qui comptaient parmi les plus redoutés d'Amérique du Nord. Projet d'une audace folle considérant la petite taille de la troupe de Champlain. Mais ce qui manquait à Champlain en effectifs, il le compenserait par sa rapidité d'action. Il avait aussi l'arquebuse, ce que les Agniers n'avaient pas. Le sieur de Mons lui avait envoyé quelques bons éléments formés à l'usage de cette arme difficile. Champlain avait aussi pour lui des alliés indiens qui se comptaient par centaines.

Pont-Gravé écouta Champlain et l'approuva de tout cœur. Ces deux vieux compagnons de mer avaient toujours su s'entendre. Il fut décidé que Champlain prendrait une chaloupe et vingt hommes : beaucoup de

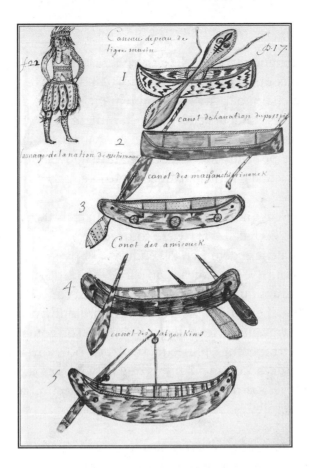

Les canots indiens étaient adaptés aux conditions locales. Ce manuscrit du XVIIe siècle nous montre un kayak inuit en peau de phoque ponté et des canots d'écorce des Montagnais (Bas-Saint-Laurent), des Têtes-de-Boule (rivière Saint-Maurice), des Amikaoues (rivière des Outaouais) et des Algonquins (Haut-Saint-Laurent). Les Iroquois fabriquaient pour leur part de lourds canots en orme.

monde pour une mission d'exploration, mais bien peu pour une campagne militaire contre les Agniers. Il compenserait la faiblesse de son effectif avec ses alliés indiens de la vallée du Saint-Laurent[11]. « Après avoir pris cette résolution, je partis aussitôt de Tadoussac, et m'en retournai à Québec. » Pendant deux semaines, l'équipage de la chaloupe eut à transporter des hommes et des vivres pour l'habitation ainsi que pour l'expédition en pays iroquois[12].

Le 18 juin 1609, tout était prêt. Champlain quitta Québec avec sa chaloupe et ses vingt hommes. Un grand nombre de Montagnais suivaient en canots. D'entrée de jeu, il combina audace et prudence, le secret de sa longue carrière. « Pour la rivière, écrivit-il, elle est dangereuse en beaucoup d'endroits, à cause des bancs et des rochers qui sont dedans. » La chaloupe avançait péniblement, ralentie par le courant printanier, et ses sondeurs étaient constamment en alerte, jaugeant la profondeur du fleuve. Champlain avait probablement fait installer un poste de vigie pour lui-même et étudiait le fleuve attentivement. Il découvrit son chenal principal du côté sud, à environ un kilomètre et demi de la rive[13].

Le grand fleuve ne cessa jamais de le fasciner. Au-delà du détroit qui longe Québec, écrivit-il, « la rivière commence à s'élargir, quelquefois d'une lieue et lieue et demie en tels endroits. Le pays va de plus en plus en s'embellissant. Ce sont coteaux en partie le long de la rivière et terres unies sans rochers que fort peu » et le pays « tout couvert de grandes et hautes forêts ». Il examina le sol et le trouva profond, meuble et fertile. Pendant qu'il travaillait à terre, des membres de son équipage se mirent à pêcher et attrapèrent « plusieurs sortes de poissons, tant de ceux qu'avons par deçà, comme d'autres que n'avons pas ». Les meilleurs furent conservés à titre de spécimens pour la collection royale, le reste passa à la casserole[14].

Près de cinquante kilomètres en amont de Québec, Champlain parvint à un endroit qu'il baptisa Sainte-Croix, où l'attendaient deux ou trois cents Indiens, pour la plupart des Hurons et des Algonquins de la Petite-Nation qui avaient descendu le fleuve pour se porter à sa rencontre. Le personnage de Champlain avait piqué leur curiosité, ils songeaient à aller guerroyer avec lui en pays iroquois, mais ils n'étaient pas sûrs de ce Français extraordinaire et voulaient en savoir davantage[15].

Champlain mit pied à terre et se présenta aux deux chefs : Iroquet de la Petite-Nation algonquine et Ochasteguin des Hurons arendarhonons. Il s'ensuivit une rencontre où se conjuguèrent savamment spontanéité et rituel. Les chefs, le Français et les Indiens, échangèrent des visites et fumèrent ensemble le calumet cérémonial. Champlain leur expliqua le plan qu'il avait formé pour pénétrer en pays iroquois et laissa les chefs en discuter entre eux. Ce qu'ils firent, après quoi ils lui rendirent visite à leur tour. Les deux chefs indiens montèrent à bord de la chaloupe de Champlain, alors que des centaines de guerriers indiens s'assemblaient sur la rive pour les observer attentivement. Nombreux étaient ceux qui voyaient un Européen pour la première fois de leur vie[16].

D'autres palabres eurent lieu à bord de la chaloupe. Les deux chefs ressortirent leurs calumets et se mirent à « pétuner et méditer » en silence. Soudain, ils se levèrent, se tournèrent vers leurs guerriers sur la rive et leur crièrent que Champlain était venu les aider contre leurs ennemis ancestraux. Les chefs proposèrent d'aller à Québec.

Les Indiens tenaient beaucoup à observer Champlain lui-même et à mesurer la force de son esprit vital, ce que les Hurons appelaient l'*orenda*. Ils croyaient que toutes les choses naturelles possédaient un *orenda* à divers degrés. C'était une forme de puissance spirituelle qui pouvait servir à faire le mal autant que le bien. Les bons chasseurs étaient doués d'un *orenda* fort, plus puissant que celui des animaux qu'ils tuaient. Les grands guerriers possédaient un *orenda* très vigoureux. La question que se posaient donc Iroquet et Ochasteguin était celle-ci : quelle était la nature de l'*orenda* de Champlain[17] ? Était-il solide ? Était-il bienfaisant ?

Les chefs lui adressèrent une requête surprenante. Ils demandèrent à Champlain de faire tirer de l'arquebuse. Ce qui fut fait, et les Indiens poussèrent « de grands cris avec étonnement ». Selon un ethnohistorien, les Indiens croyaient que « l'*orenda* peut résider dans un objet, et manifestement, les armes à feu étaient douées de puissance[18] ». Après que les Français eurent tiré de l'arquebuse, Champlain harangua les Indiens, soulignant que ses compagnons et lui étaient venus en guerriers et non en trafiquants. Ils avaient apporté des armes et non des marchandises. D'un grand geste accueillant, il invita tous les Indiens à Québec. C'était un acte d'une générosité extravagante, ainsi qu'une manifestation magnifique de son *orenda*[19].

Tous marquèrent leur accord, et ils descendirent aussitôt à Québec. On imagine le beau spectacle sur le fleuve : Champlain et ses hommes dans leur chaloupe avec leurs arquebuses, leurs armures luisantes, leurs casques empanachés, leurs chapeaux à plumes, leurs oriflammes flamboyantes, toute la panoplie de l'art guerrier européen. Autour d'eux, des Indiens de plusieurs nations, trois ou quatre cents Montagnais, Algonquins et Hurons formant une armada de plus de cent canots de guerre. Certains canots étaient teints de couleurs vives. D'autres arboraient les restes sanglants d'ennemis tués et scalpés[20].

Quand ils parvinrent à Québec, Champlain envoya d'urgence un message à Pont-Gravé à Tadoussac, le priant de descendre tout de suite à Québec avec tous les effectifs dont il disposait et autant de nourriture qu'il pouvait en emporter. Quelques jours plus tard, Pont-Gravé apparut avec deux chaloupes « pleines d'hommes ». Tous prirent part à un grand festin de cinq ou six jours marqué par des danses rituelles. Chaque élément de cet événement révélait l'*orenda* de Champlain. Pont-Gravé et lui étaient conscients de l'importance capitale des rituels dans ce genre de choses, aussi ils ne lésinèrent sur rien. Le ton du récit de Champlain donne à entendre que ces deux chefs s'étaient bien amusés et qu'ils avaient hautement apprécié la bonhomie de leurs alliés indiens[21].

Tout le monde ayant bien fêté et bien dansé, Français et Indiens quittèrent Québec le 28 juin 1609. Les deux chaloupes françaises étaient remplies d'hommes armés jusqu'aux dents, et la flottille de canots transportait des centaines de guerriers indiens. Champlain était heureux d'avoir autant d'hommes avec lui, mais le calendrier l'inquiétait. Le temps lui glissait entre les doigts. Le 1er juillet, ils n'avaient parcouru que la cinquantaine de kilomètres séparant Québec du lieu appelé Sainte-Croix. Pont-Gravé ne pouvait plus rester bien longtemps. Il devait voir au poste de traite de Tadoussac, et Québec devait être protégé. À Sainte-Croix, les deux chefs français conférèrent. Ils se mirent d'accord pour que Pont-Gravé rentre à Tadoussac et qu'on affecte une partie des soldats à la garde de Québec[22].

Champlain poursuivit sa route accompagné des Indiens et de douze Français. Le 3 juillet, ils doublèrent les Trois-Rivières, « pays fort plaisant », et franchirent le lac Saint-Pierre, qui fait trente-cinq kilomètres de long et dix de large, qui était bordé de belles prairies abritant plus de gibier qu'aucune autre région de la grande vallée. C'était le *no man's land* qui séparait le pays iroquois des autres nations du nord, un endroit, dit Champlain, « où il n'y habite aucuns sauvages, pour le sujet des guerres[23] ». Le 5 ou le 6 juillet, ils parvinrent à l'embouchure de ce que Champlain appelait la rivière des Iroquois, aujourd'hui la rivière Richelieu. Les voyageurs prirent deux jours de repos et se régalèrent de venaison, sauvagine et poissons dont les Indiens firent cadeau aux Français. Profitant de ce répit, ils réfléchirent aux difficultés qui les attendaient. Champlain et ses alliés s'apprêtaient à entrer dans le « pays des Iroquois[24] ». Ils allaient s'attaquer aux Agniers, l'une des nations les plus puissantes de la ligue iroquoise, ceux qu'on appelait les « gardiens de la Porte orientale » de l'Iroquoisie. Leur territoire s'étendait jusqu'au fleuve Hudson à l'est et aux lacs des Adirondacks. Dans la ligue iroquoise, les

Agniers étaient appelés « les grands frères », les premiers entre égaux. Les lois non écrites de l'Iroquoisie leur réservaient une place d'honneur. Ils comptaient aussi parmi les meilleurs combattants de l'Amérique du Nord[25].

Pendant que Champlain et ses compagnons méditaient ces graves questions, certains de leurs alliés se rappelèrent tout à coup qu'ils avaient autre chose à faire ailleurs. Champlain écrivit : « Il s'émut entre eux quelque différend sur le sujet de la guerre, qui fut occasion qu'il n'y en eut qu'une partie qui se résolurent de venir avec moi, et les autres s'en retournèrent en leur pays avec leurs femmes et marchandises qu'ils avaient traitées. » Il était parti avec trois ou quatre cents guerriers et plus de cent canots. Au bout de quelques jours, il ne lui restait plus que soixante hommes et vingt-quatre canots. Mais Champlain ne se découragea pas. Sans hésitation, il quitta la vallée du Saint-Laurent avec sa petite troupe et remonta la rivière des Iroquois. « Aucuns Chrétiens n'étaient encore parvenus jusques en cedit lieu[26]. »

La rivière des Iroquois était belle mais la chaloupe française n'avançait que péniblement. Il fallait toujours ramer à contre-courant. Ils parcoururent ainsi une cinquantaine de kilomètres et débouchèrent sur un lac (aujourd'hui le bassin de Chambly). Champlain eut la surprise de voir qu'au-delà sa chaloupe ne passait plus, à cause des rapides. Il écrivit : « Les sauvages m'avaient assuré que les chemins étaient aisés : mais nous trouvâmes le contraire. » Les canots pouvaient passer, la chaloupe française non[27].

Champlain songea un moment à renoncer, mais la détermination l'emporta. La chaloupe devrait rester derrière. Le seul recours consistait à monter à bord des canots indiens

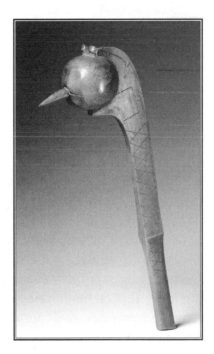

Massue iroquoise de bois franc durci au feu. Ce casse-tête servait aussi bien au guerrier qu'au bourreau. Un seul coup suffisait pour occire un captif, châtiment véritablement miséricordieux dans ce monde violent.

pour le reste du voyage, perspective qui effraya certains de ses compatriotes. Champlain leur ordonna de rentrer à Québec, « sous l'espérance qu'en bref, avec la grâce de Dieu, je les reverrais ». Il ne prit avec lui que « deux hommes de bonne volonté ». L'un devait être François Addenin, soldat aguerri que le roi avait envoyé en Acadie pour assurer la protection du sieur de Mons et qui était resté avec Champlain à Port-Royal. Addenin était un vieux militaire de métier, un tireur d'élite et le chasseur le plus adroit de la colonie française[28].

Champlain dit aux Indiens que « je m'en irais à la guerre avec eux dans leurs canots pour leur montrer que, quant à moi, je ne voulais manquer de parole en leur endroit, bien que je fusse seul, et que pour lors je ne voulais forcer personne de mes compagnons de s'embarquer, sinon ceux qui en auraient la volonté, dont j'en avais trouvé deux, que je mènerais avec moi ». Les Indiens furent heureux de le voir dans de telles dispositions et lui promirent de lui « faire voir choses belles ». Champlain s'apprêtait donc à attaquer des centaines de guerriers agniers sur leur propre territoire, avec seulement soixante Indiens et deux Français à ses côtés. Décision courageuse. D'autres y auraient vu une folle témérité. Champlain était habituellement homme prudent, mais il était également capable de risquer le tout pour le tout dans les moments critiques. Sa décision fut peut-être influencée par son rappel en France. C'était sans doute la dernière chance qu'il avait de se distinguer en Amérique.

Champlain et ses alliés portagèrent pendant plusieurs centaines de mètres pour contourner les rapides de la rivière Richelieu et parvinrent de là à la pinède de l'île Sainte-Thérèse. Ils étaient à présent en plein territoire iroquois, et les Agniers étaient connus pour avoir « toujours des sentinelles sur les avenues de leurs ennemis[29] ». Le sachant, les alliés modifièrent leur façon de cheminer. À la fin de chaque journée, ils bâtissaient un fort en hémicycle sur le bord de la rivière. Certains arrachaient l'écorce des arbres pour se fabriquer des abris, alors que d'autres abattaient de grands arbres pour se faire un abattis de branches emmêlées et ainsi ceinturer le camp, ne laissant que la rivière comme issue de retraite. Champlain observa que les Indiens pouvaient édifier un fort de bois en moins de deux heures, forteresse qui était si bien faite que « cinq cents de leurs ennemis auraient bien de la peine à les forcer, sans qu'ils en fissent beaucoup mourir ». Après, ils envoyaient en éclaireur un parti de trois canots avec neuf hommes à leur bord à deux ou trois lieues. Si les éclaireurs ne remarquaient rien de suspect, tous se retiraient pour la nuit[30].

C'était l'une des premières fois qu'un militaire européen accompagnait un important parti de guerre indien en Amérique du Nord. Champlain étudia leurs méthodes. Il avait noté l'adresse avec laquelle ils édifiaient des fortins, mais fut troublé par le fait qu'ils n'accordaient aucune importance aux patrouilles. Il les pressa de placer des sentinelles : « Ils devaient veiller, comme ils nous avaient vu faire toutes les nuits, et avoir des hommes aux aguets, pour écouter et voir s'ils n'apercevraient rien. » Les Indiens lui expliquèrent patiemment qu'ils avaient des coutumes différentes. Leurs partis étaient normalement divisés en trois groupes : l'un pour la chasse, un autre qui était toujours armé, et un troisième, formé d'éclaireurs à la recherche de ces marques « que les chefs se donnent d'une nation à l'autre[31] ».

Le 14 juillet 1609, ils parvinrent au grand lac d'où s'écoulait la rivière. Champlain exerça son droit de découvreur en lui donnant son nom, le lac Champlain, sur sa carte, étant donné qu'il était le premier Européen à le voir[32]. Les Indiens n'avaient pas exagéré en parlant de sa taille et de sa beauté. Champlain estima qu'il faisait entre quatre-vingts et cent lieues de long, calcul qu'il corrigea plus tard à cinquante ou soixante lieues, ce qui est à peu près exact. Le lac Champlain fait deux cents kilomètres de long[33]. Il fut fasciné par ses bois magnifiques, ses îles enchanteresses, ses prairies superbes et la grande abondance de gibier, « cerfs, daims, faons, chevreuils, ours et autres sortes d'animaux » qui nageaient de la grande terre jusqu'aux îles. Champlain observa que cette abondance tenait au fait que « ces lieux ne sont habités d'aucuns sauvages, bien qu'ils soient plaisants, pour le sujet de leurs guerres ». Il explora les deux rives du lac, aperçut les montagnes Vertes de ce qui est aujourd'hui le Vermont à l'est, et à l'ouest les Adirondacks, qui sont visibles de la rive orientale. Il prit plaisir à observer la flore et la faune de cette région splendide. Sur toutes ses cartes, cet endroit est le seul auquel il ait donné son nom[34].

Champlain eut deux semaines pour étudier le lac parce que les Indiens avaient soudainement ralenti la cadence de leur marche. Ils s'étaient mis à avancer très lentement, probablement à cause des phases lunaires. Ils avaient atteint le lac la veille d'une pleine lune, et des ennemis tapis dans les bois les auraient aisément repérés sur la surface du lac.

Tant que la lune demeura pleine et brillante, ils restèrent sur les coteaux du lac, sur sa rive orientale. Enfin, le 26 juillet, la lune n'était plus qu'un mince croissant, et les nuits étaient redevenues noires. Champlain vit alors ses explorations interrompues par ses alliés indiens, qui lui dirent que le moment était venu d'avancer. Les Indiens avaient calculé qu'ils n'étaient plus qu'à « deux ou trois journées de la demeure de leurs ennemis[35] ».

Ils modifièrent de nouveau leur cadence et se mirent à marcher seulement la nuit, tous d'un bloc, mis à part les éclaireurs. À l'approche de l'aube, ils se retiraient profondément dans les bois, dormaient sans feu et se nourrissaient strictement de pains de maïs froids et d'eau. Ils consultaient leurs sorciers (appelés *pilotois,* ou *ostemoy,* comme l'écrivait Champlain) et planifiaient leur attaque en se servant de bâtons qu'ils plantaient dans le sol. Tous les guerriers prenaient part aux discussions, et ils répétaient sans cesse les mouvements de l'attaque. Planification qui impressionna Champlain : « Ils commencent à se mettre en ordre, ainsi qu'ils ont vu lesdits bâtons : puis se mêlent les uns parmi les autres, et retournent derechef en leur ordre, continuant deux ou trois fois, et à tous leurs logements sans qu'il soit besoin de sergent pour leur faire tenir leurs rangs, qu'ils savent fort bien garder, sans se mettre en confusion. Voilà la règle qu'ils tiennent à leur guerre. » Toutes les nuits, les Indiens reprenaient rapidement le sentier de la guerre. Champlain fut impressionné par leur habileté à façonner le bois et leur adresse sans pareille comme pisteurs[36].

Dans les camps cachés au fond des bois, la tension se mit à monter à mesure que l'on approchait du pays agnier. Les Indiens attendaient des signes de la part de leurs sorciers, qui avaient accompli divers rituels et « leurs superstitions accoutumées pour savoir ce qui leur pourrait succéder de leurs entreprises ». Ils étudiaient également leurs rêves, qu'ils considéraient comme l'expression ultime de la réalité. Souvent, ils demandaient à Champlain s'il avait « songé et vu leurs ennemis » dans ses rêves. Sa réponse était toujours la même : « Je leur disais que non : néanmoins ne laissais de leur donner du courage et bonne espérance[37]. »

La nuit suivante, ils firent un autre trajet éprouvant, et à l'approche de l'aube campèrent dans le plus grand secret au fond de la forêt profonde. Une fois les fortifications achevées, Champlain inspecta le camp, toujours sur le qui-vive. Vers dix ou onze heures du matin, il prit quelque

LA GUERRE CONTRE LES AGNIERS : L'ALLIANCE DU NORD, 1609

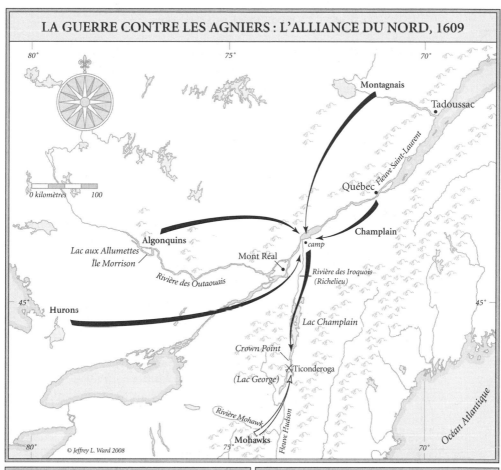

La bataille du lac Champlain, 30 juillet 1609

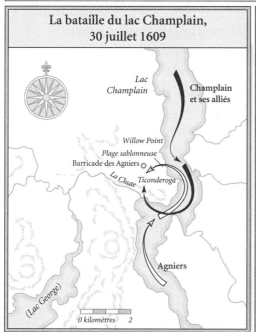

La bataille de Sorel, 19 juin 1610

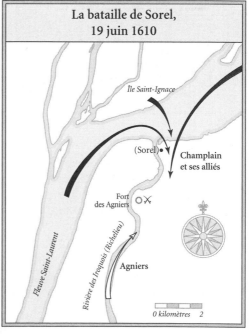

repos et dormit à même le sol. À son réveil, les Indiens lui demandèrent encore une fois s'il avait fait un rêve. Cette fois, il leur répondit que oui, et aussitôt les Indiens l'entourèrent dans l'attente d'un signe quelconque. « Je leur dis que je voyais les Iroquois, nos ennemis, dedans le lac, proche d'une montagne, qui se noyaient à notre vue ; et les voulant secourir, nos sauvages alliés me disaient qu'il les fallait tous laisser mourir et qu'ils ne valaient rien. » Les Indiens reconnurent dans le rêve de Champlain un endroit qui se trouvait justement sur leur route, et ils en exprimèrent un grand soulagement. Il écrivit : « Cela leur apporta une telle créance qu'ils ne doutèrent plus de ce qui leur devait advenir pour leur bien. » Pour ses alliés indiens, non seulement le rêve révélait l'avenir, il le gouvernait. La nuit suivante, tous reprirent leur marche animés d'un courage nouveau[38].

Notons la date : 29 juillet 1609. À l'approche du soir, les attaquants démontèrent leur campement, s'avancèrent vers le lac et mirent leurs canots à l'eau. Champlain admira leur maîtrise étonnante du silence. Ils pagayèrent tous « sans mener bruit », sans le moindre clapotis, sans que jamais leurs pagaies ne heurtent leurs canots. Soixante Indiens et trois Français glissèrent comme des esprits sur les eaux tranquilles du lac. La nuit était claire, les étoiles brillaient dans le ciel nordique. Champlain observa un moment les constellations autour de l'étoile Polaire et calcula

Un guerrier huron prêt au combat. Champlain a écrit que Hurons et Iroquois avaient des boucliers « tissus de fil de coton et de bois à l'épreuve des flèches ». Ils bataillaient en rangs serrés, du moins jusqu'à ce qu'ils se butent à Champlain et à ses arquebusiers en 1609. La bataille du lac Champlain opéra une révolution dans l'art indien de la guerre.

qu'il était dix heures. Ils approchaient de l'extrémité sud du lac, au cœur du pays mohawk. Ils longèrent sur leur droite une péninsule basse couverte de saules pleureurs, avec une plage sablonneuse sous une rive rendue abrupte par l'érosion. Au-delà de la plage, Champlain vit se dresser un promontoire. Il lui donna le nom de cap, ce qui dans son français de l'époque signifiait « une pointe de terre souvent élevée[39] ».

Champlain eut la surprise d'apercevoir au loin, se découpant dans la nuit étoilée, la montagne qui lui était apparue en rêve. Ses alliés la connaissaient bien. Les Iroquois l'appelaient « le lieu où deux eaux se rencontrent », *tekontaró:ken* ou, pour une oreille européenne, Ticonderoga. Le nom venait de la jonction de deux lacs magnifiques, le lac George au sud et à l'ouest, et le lac Champlain soixante mètres plus bas. Le premier se déversait dans le second par une chute d'une hauteur supérieure à celle de la Niagara. L'eau s'acheminait par un réseau de cascades et de rapides et entrait dans le lac Champlain à Ticonderoga[40]. Ticonderoga fut pendant des siècles l'un des lieux les plus stratégiques en Amérique du Nord. C'était la clé de voûte d'une longue chaîne de lacs et de rivières qui s'étendait du fleuve Saint-Laurent jusqu'au fleuve Hudson[41]. Pour les Agniers, c'était aussi un endroit sacré et magique. Ils croyaient que le promontoire, avec sa façade élevée faite de calcaire et ses grottes, était habité par des esprits. La plage sablonneuse au nord, près de Willow Point, était, disaient-ils, visitée par des artisans invisibles qui vivaient au fond du lac et y apportaient des fragments de pointes de flèche en pierre et des pointes de lance, qu'ils laissaient sur place en cadeau pour les Agniers qui, en échange, leur faisaient des offrandes de tabac. On y trouve encore aujourd'hui des éclats de pierre en grand nombre[42].

Dans la nuit du 29 juillet, Champlain et ses alliés s'approchèrent de ce lieu légendaire. Alors qu'ils doublaient le promontoire de Ticonderoga, les pagayeurs de proue aperçurent des ombres s'agitant sur l'eau, non loin d'eux. Ils fixèrent intensément l'obscurité un moment, et les ombres se mirent à prendre une forme reconnaissable. C'étaient des embarcations d'apparence singulière, plus imposantes que leurs canots d'écorce de bouleau, et bondées d'hommes. Les éclaireurs les reconnurent tout de suite : Agniers[43] !

Chaque groupe aperçut l'autre au même moment, les deux avaient été pris par surprise. « Au bout d'un cap, écrivit Champlain, nous fîmes rencontre des Iroquois [...]. Eux et nous commençâmes à jeter de grands cris, chacun se para de ses armes. » Les deux partis firent demi-tour et se mirent à pagayer dans le sens contraire. « Nous nous retirâmes vers l'eau », dit Champlain, c'est-à-dire vers le centre du lac. Les Indiens du nord avaient l'avantage nautique : leurs canots d'écorce étaient légers et très rapides, alors que les canots des Agniers étaient faits de l'écorce épaisse de l'orme, souvent prise à un seul arbre. Ces canots étaient grands et robustes, mais lents et difficilement manœuvrables. Sur le lac, les Montagnais, les Algonquins et les Hurons pouvaient imposer les conditions du combat[44].

Les Agniers décidèrent d'éviter l'affrontement sur le lac et prirent la direction du rivage, dont ils connaissaient bien le terrain. Ils mirent pied à terre sur la plage sablonneuse entre le promontoire de Ticonderoga et Willow Point au nord, où un bosquet de saules pleureurs se dresse encore au bord de l'eau. Ils rangèrent leurs canots, puis gravirent un petit escarpement et se rassemblèrent dans une clairière, dos à la forêt. Ils se mirent à abattre des arbres à la lisière de la forêt pour se faire un fortin ou une barricade. À ce travail, ils étaient tout aussi habiles que les alliés de Champlain, et, comme il dit, ils « se barricadèrent fort bien[45] ».

Champlain et ses alliés demeurèrent sur le lac, leurs canots étant reliés entre eux par des perches pour éviter d'être séparés pendant la nuit. À sa grande surprise, des pourparlers eurent lieu dans l'obscurité. Les Montagnais, Algonquins et Hurons dépêchèrent deux canots « pour savoir de leurs ennemis s'ils voulaient combattre ». Les Agniers « répondirent qu'ils ne désiraient autre chose : mais que pour l'heure, il n'y avait pas beaucoup d'apparence, et qu'il fallait attendre le jour pour se connaître : et qu'aussitôt que le soleil se lèverait, ils nous livreraient le combat : ce qui fut accordé par les nôtres[46] ».

« Nous étions, écrivit-il, à la portée d'une flèche vers l'eau du côté de leurs barricades. » Les chants et les cris transperçaient la nuit. Les Agniers insultaient leurs ennemis. « Les nôtres aussi ne manquaient de répartie, nota-t-il, leur disant qu'ils verraient des effets d'armes que jamais ils n'avaient vus, et tout plein d'autres discours, comme on a accoutumé à un siège de ville[47]. »

L'aube approchant, les deux camps se préparèrent pour la bataille[48]. Dans l'obscurité, avant les premières lueurs du jour, les alliés contournèrent le promontoire et débarquèrent dans un lieu isolé où ils étaient sûrs de ne pas être vus. « Mes compagnons et moi étions toujours cou-

verts, de peur que les ennemis nous vissent », écrivit-il. Ses alliés envoyèrent des éclaireurs observer le fortin iroquois. Les autres s'assemblèrent
en formation de combat et avancèrent vers l'ennemi.

Les trois Français restèrent bien cachés derrière eux. Chacun prépara son arme, une arquebuse à rouet à canon court, qui était une arme
d'épaule. Cette arme très perfectionnée ne nécessitait pas de mèche
incandescente pour la mise à feu, ce qui aurait pu trahir la position des
attaquants. Champlain chargea quatre balles dans le canon de son
arquebuse, manœuvre dangereuse car, on s'en souvient, il avait fait la
même chose à Cape Cod en 1605, et l'arme lui avait explosé entre les
mains, venant près de le tuer. Cependant, une telle surcharge était très
efficace dans un combat rapproché, et il accepta ce jour-là de prendre ce
risque à nouveau[49].

Quelques guerriers montagnais, usant de leur adresse extrême à la
chasse, rampèrent jusqu'au fortin agnier. Dès que le soleil apparut, un
éclaireur agnier se dressa et scruta les lieux autour de lui. Un archer
montagnais lui décocha une flèche, et l'éclaireur s'écroula sans bruit,
probablement la gorge percée par la flèche[50]. Les guerriers agniers battirent aussitôt le rappel et sortirent du fortin, bon nombre d'entre eux
étant munis d'une armure de bois pour se garder des flèches à pointe de
pierre. Les deux troupes s'assemblèrent en formations serrées dans une
clairière entre le lac et la forêt[51].

Champlain regarda au travers des rangs de ses alliés et observa les
Agniers au moment où ils quittaient leur barricade. Il dénombra deux
cents guerriers, « hommes forts et robustes à les voir », et il les vit s'avancer « au petit pas au-devant de nous, avec une gravité et une assurance
qui me contenta fort ». Les Agniers s'approchaient en rangs serrés, mouvement de phalange qui leur avait permis de défaire nombre de leurs
ennemis en combat rapproché. Ils se protégeaient le corps avec des
armures et des boucliers de bois. En première ligne, il y avait trois chefs,
chacun coiffé d'un panache à trois plumes. Les alliés de Champlain lui
dirent que les hommes à panache étaient des chefs et « que je fisse ce que
je pourrais pour les tuer[52] ».

Ses alliés étaient maintenant à deux cents mètres des Agniers et se
mirent à avancer eux aussi en formation serrée. Ses alliés le gardaient en
réserve à l'arrière pour qu'il ne puisse être vu de l'ennemi. Les deux
autres Français, sur les ordres de Champlain, se glissèrent silencieuse-
ment dans la forêt afin de surprendre les Agniers sur leur flanc droit. Ils

avaient pour instructions de rester dissimulés jusqu'à ce que Champlain tire. Ils devaient ensuite s'avancer et faire feu dans le flanc de la formation iroquoise.

Champlain resta caché pendant que ses alliés avançaient. Lorsqu'ils furent à une quarantaine de mètres de l'ennemi, se souvint Champlain, « les nôtres commencèrent à m'appeler à grands cris ». Tout à coup, ses alliés se séparèrent pour lui donner passage, et Champlain apparut aux Agniers. Il avança seul, s'éloignant de ses alliés d'une vingtaine de mètres et s'approchant à environ trente mètres de l'ennemi. Le casque et la cuirasse de Champlain luisaient dans la lumière matinale.

Les Agniers restèrent interdits un moment, étudiant ce personnage singulier qui leur était soudainement apparu, comme s'il était sorti de terre. Ils l'observèrent pendant un moment qui dut paraître une éternité. Puis un chef agnier banda son arc et, nous dit Champlain, « je couchai mon arquebuse en joue, et visai droit à un des trois chefs ». Les Iroquois s'apprêtant à décocher une volée de flèches aux alliés, Champlain fit feu. Un bruit assourdissant retentit, et un nuage de fumée blanche enveloppa les combattants. Deux chefs agniers tombèrent morts et un autre guerrier fut mortellement blessé : trois hommes abattus d'un seul coup. Les alliés de Champlain poussèrent une longue clameur, si retentissante « qu'on n'eut pas ouï tonner[53] ».

Les Agniers étaient stupéfaits. « Les Iroquois furent fort étonnés, que si promptement deux hommes avaient été tués, bien qu'ils fussent armés d'armes tissues de fil de coton, et de bois à l'épreuve de leurs flèches. Cela leur donna une grande appréhension. » Mais les Agniers ripostèrent bravement. De part et d'autre, les flèches volaient pendant que Champlain rechargeait son arme. Au même moment, ses deux compagnons apparurent à la lisière de la forêt. Il devait s'agir de soldats chevronnés, sachant manier l'arquebuse, et très disciplinés. Se mettant à couvert des arbres, ils mirent tous deux genou en terre et visèrent. Champlain devait écrire : « Comme je rechargeais, l'un de mes compagnons tira un coup dedans le bois. » Cette seconde charge qui frappa le flanc de la formation iroquoise eut un effet dévastateur. Un troisième chef mordit la poussière. La formation serrée des Agniers fut comme secouée et se défit soudainement. « Voyant leurs chefs morts, ils perdirent courage, et se mirent en fuite, et abandonnèrent le champ, et leur fort, s'enfuyant dedans le profond des bois. » Champlain mena alors la charge des alliés. « Les poursuivant, j'en fis demeurer encore d'autres. »

Ces guerriers agniers, si célèbres pour leur ardeur au combat, furent atterrés par ce tournant soudain dans les événements. Les alliés montagnais, algonquins et hurons avaient remporté la victoire. Champlain nota : « Nos sauvages en tuèrent aussi plusieurs, et en prirent dix ou douze prisonniers. Le reste se sauva avec les blessés. » Les Agniers avaient perdu une cinquantaine des leurs. En face, Champlain et ses arquebusiers n'avaient pas une égratignure. Quant à ses alliés, « il y en eut des nôtres, quinze ou seize, de blessés de coups de flèches, qui furent promptement guéris[54] ».

Champlain fut peut-être le premier Européen à prendre part à une bataille rangée entre Indiens en Amérique du Nord. Ce qu'il avait vu était fort éloigné de ce qu'il s'était imaginé. En 1609, ces Indiens du nord menaient encore de grandes batailles en formations serrées. Les combattants étaient recouverts d'armures de bois dur et portaient des boucliers qui, selon Champlain, résistaient fort bien aux coups de lances et aux flèches à pointe de pierre. Dans de tels affrontements, les pertes n'étaient pas élevées.

Tout cela changea du jour au lendemain avec l'entrée en scène de Champlain et de ses deux arquebusiers. Armures et boucliers de bois s'avéraient incapables d'arrêter les balles, et les formations serrées des Agniers étaient des cibles idéales pour des tireurs d'élite français munis d'armes pouvant tirer quatre projectiles d'un coup. Lors de la bataille du lac Champlain, les Européens s'étaient dispersés et avaient profité de l'abri forestier pour attaquer, alors que les Iroquois étaient en formation serrée. Dès qu'ils furent au fait de cette réalité nouvelle, les Indiens passèrent à la guerre d'embuscade. Ce fut donc un événement charnière dans l'histoire de la guerre à l'indienne.

Les combats terminés, les alliés pillèrent le camp des Agniers et « s'amusèrent à prendre force blé d'Inde, et les farines des ennemis, et de leurs armes, qu'ils avaient laissés derrière pour mieux courir ». Après quoi suivit le festin rituel avec chants et danses pour apaiser les esprits des vivants et des morts[55].

Pendant que les Indiens observaient leurs cérémonies sacrées, Champlain reprit son rôle d'explorateur. Il prit son astrolabe et calcula la latitude du champ de bataille à quarante-trois degrés et quelques minutes[56]. Ses alliés lui avaient parlé de la chute où l'eau du lac George se déverse dans le lac Champlain[57]. Elle était très proche du champ de bataille, et Champlain profita de l'occasion pour aller l'examiner de plus près. En à peine quelques heures, il suivit la rive du lac, trouva la chute et l'explora en partie[58].

Les Indiens lui avaient également parlé d'un grand fleuve au-delà des lacs, qui coulait vers le sud. Champlain interrogea les captifs iroquois « par le moyen de quelques truchements algoumequins, qui savaient la langue des Iroquois ». Les prisonniers lui expliquèrent qu'ils pouvaient gagner ce fleuve en deux jours de canot[59]. Par pure coïncidence, en plein cœur de l'été de cette année 1609, alors que Champlain se déplaçait vers le sud sur le lac qui porte son nom, le navigateur anglais Henry Hudson voguait vers le nord sur le fleuve nommé en son honneur. Hudson atteignit les sites actuels d'Albany et de Troy le 19 septembre 1609. Il aurait fallu quelques kilomètres et quelques semaines de plus à ces deux grands explorateurs pour se rencontrer dans la région chevauchant le lac Champlain, le lac George et le fleuve Hudson[60].

Exploration, pillage, festin, le tout fut expédié en quelques heures fort chargées après la bataille. Champlain et ses alliés étaient bien décidés à lever le camp le plus vite possible, sachant que les Agniers pouvaient rassembler un contingent imposant. Trois heures après la fin des combats, les vainqueurs remontèrent dans leurs canots avec leurs captifs solidement ligotés[61]. Ils parcoururent environ vingt-cinq kilomètres, vers le nord du lac, en direction de la rivière des Iroquois qui les ramènerait chez eux. À la nuit tombée, ils dressèrent leur camp, probablement sur la rive droite du lac où ils étaient à l'abri de toute poursuite. Les vainqueurs s'en prirent alors à leurs captifs et commencèrent une « harangue », selon le mot de Champlain, sur la cruauté que les Iroquois témoignaient à leurs prisonniers. Ils firent savoir aux Agniers captifs qu'un sort analogue les attendait, et ils commandèrent à l'un d'entre eux de chanter. Champlain se souvint plus tard d'un « chant fort triste à ouïr[62] ».

La suite se devine aisément. On fit un feu, et Champlain, horrifié, vit s'avancer de nombreux guerriers, chacun réclamant le droit qu'a le vainqueur de se faire tortionnaire. « Ils prirent chacun un tison, faisaient brûler ce pauvre misérable peu à peu pour lui faire souffrir plus de tourments. Ils le laissaient quelques fois, lui jetant de l'eau sur le dos : puis lui arrachèrent les ongles, lui mirent du feu sur les extrémités des doigts et de son membre. Après ils lui écorchèrent le haut de la tête, et lui firent dégoutter dessus certaine gomme toute chaude : puis lui percèrent les bras près des poignets, et avec des bâtons tiraient les nerfs et les arrachaient à force : comme ils voyaient qu'ils ne les pouvaient avoir, ils les coupaient. Ce pauvre misérable jetait des cris étranges, et me faisait pitié de le voir traiter de la façon, toutefois avec une telle constance, qu'on eut dit quelques fois qu'il ne sentait presque point de mal[63]. »

Les Indiens invitèrent Champlain à les imiter. Il refusa. « Je leur remontrai que nous n'usions point de ces cruautés, et que nous les faisions mourir tout d'un coup, et que s'ils voulaient que je lui donnasse un coup d'arquebuse, j'en serais content. Ils dirent que non, et qu'il ne sentirait point de mal. Je m'en allai d'avec eux comme fâché de voir tant de cruautés qu'ils exerçaient sur ce corps. Comme ils virent que je n'en étais content, ils m'appelèrent et me dirent que je lui donnasse un coup d'arquebuse : ce que je fis, sans qu'il en vit rien ; et lui fit passer tous les tourments qu'il devait souffrir, d'un coup, plutôt que de le voir tyranniser[64]. »

Mais ce ne fut pas la fin pour autant. « Après qu'il fut mort, ils ne se contentèrent pas, ils lui ouvrirent le ventre, et jetèrent ses entrailles dedans le lac : après ils lui coupèrent la tête, les bras et les jambes, qu'ils séparèrent d'un côté et d'autre, et réservèrent la peau de la tête, qu'ils avaient écorchée, comme ils avaient fait de tous les autres qu'ils avaient tués à la charge. Ils firent encore une méchanceté, qui fut de prendre le cœur qu'ils coupèrent en plusieurs pièces et le donnèrent à manger à un sien frère, et autres de ses compagnons qui étaient prisonniers, lesquels le prirent et le mirent en leur bouche, mais ils ne le voulurent avaler : quelques sauvages algoumequins qui les avaient en garde le firent recracher à aucuns, et le jetèrent dans l'eau. Voilà comme ces peuples se gouvernent à l'endroit de ceux qu'ils prennent en guerre [...]. Après cette exécution faite, nous nous mîmes en chemin pour nous en retourner avec le reste des prisonniers, qui allaient toujours chantant, sans autre espérance que celui qui avait été ainsi mal traité[65]. »

La torture et l'anthropophagie étaient d'anciennes coutumes chez ces nations. Mais elles n'étaient pas le fait de toutes les nations du nordest. Les nations de l'Acadie n'avaient pas pour habitude de traiter ainsi les captifs. Mais la preuve archéologique indique que les Iroquois et leurs voisins du nord ont eu recours à la torture pendant des siècles. Certains chercheurs ont expliqué que cette coutume ancienne était une cérémonie ou un rituel, ancrée dans la pratique culturelle et la croyance reli-

Champlain a dessiné cette scène de torture indienne (1619). Les femmes figurent parmi les tortionnaires, et il observa à ce propos qu'elles déployaient plus d'ingéniosité que les hommes dans les tourments qu'elles infligeaient aux prisonniers. Il s'efforça, mais en vain, de mettre fin à ces pratiques et écrivit que les nations indiennes n'avaient pas de vrai régime de droit, sauf la lex talionis, où tout méfait était puni par une exaction pire encore.

gieuse. Chacun devait jouer son rôle : l'auditoire, les tortionnaires et surtout la victime, qui devait endurer ses tourments avec courage, dignité et un calme stoïque. Ce que beaucoup faisaient avec une force et une résolution sans pareilles[66].

Champlain comprit cette atrocité rituelle mieux que ne l'ont fait certains ethnographes, et il refusa catégoriquement d'y prendre part. Il détestait cette coutume indienne qui heurtait ses idéaux les plus intimes et posait un obstacle de taille à son grand dessein. Il voyait que le but explicite de la torture était de venger les tortures passées en excédant leur horreur[67]. C'est pour cette raison que Champlain disait que les Indiens n'avaient pas de loi. Il voulait dire par là que leur conception de la justice était de punir un méfait par pire méfait. Attitude qui était très éloignée d'une conception du droit fondée sur la primauté du juste.

Il admettait aussi que la torture chez les Indiens répondait à des impératifs rationnels et fonctionnels, mais il en entrevoyait aussi les conséquences sinistres. Dans les cultures guerrières de l'Amérique du Nord, la pratique soutenue de la torture garantissait un état de guerre permanent. Car il y aurait toujours des représailles à exercer, tâche qui nécessiterait l'apport de nouveaux guerriers. Aux yeux de Champlain, la paix et la justice universelle n'avaient pas d'avenir dans ce contexte.

Après la séance de torture, Champlain et ses alliés reprirent la route, se dirigeant vers le nord sur la rivière des Iroquois. Ils voyageaient « avec une telle diligence, que chacun jour nous faisions vingt-cinq à trente lieues », c'est-à-dire entre quatre-vingts et cent kilomètres[68]. Les Indiens étaient aiguillonnés par la peur, qui semble avoir été accentuée par les tortures qu'ils avaient infligées à leurs captifs. Dans les nuits noires sur le lac, les bourreaux faisaient d'épouvantables cauchemars. Puis, le matin, ils modifiaient leur comportement en conséquence. « Comme nous fûmes à l'entrée de la rivière des Iroquois, il y eut quelques sauvages qui songèrent que leurs ennemis les poursuivaient : ce songe les fit aussitôt lever le siège […] et furent passer la nuit dedans de grands roseaux, qui sont dans le lac saint Pierre, jusqu'au lendemain, pour la crainte qu'ils avaient de leurs ennemis[69]. »

Ils arrivèrent enfin au bout de la rivière des Iroquois et atteignirent le Saint-Laurent. Les guerriers algonquins et hurons prirent la route de l'ouest avec une partie des captifs. Champlain et les Montagnais se dirigèrent vers l'est et descendirent le fleuve. Voyageant très rapidement, ils gagnèrent Québec deux jours plus tard. Les Montagnais tinrent à ce que Champlain les accompagne jusqu'à leurs villages pour y assister à des cérémonies d'un autre genre. Ils décorèrent les scalps de leurs victimes et les pendirent à des bâtons fixés sur leurs canots. Lorsque leurs villages furent en vue, ils entamèrent le chant de la victoire. Champlain vit alors les Montagnaises qui « se dépouillèrent toutes nues, et se jetèrent en l'eau, allant au devant des canots pour prendre les têtes de leurs ennemis qui étaient au bout de longs bâtons devant leurs bateaux ». Les femmes les pendaient « à leur col comme si c'eût été quelque chaîne précieuse, et ainsi chanter et danser ». Les Montagnais firent cadeau à Champlain d'un scalp et d'une paire de boucliers

« afin de les montrer au roi ». Champlain écrivit avec un soupçon de honte : « ce que je leur promis pour leur faire plaisir[70] ».

De retour à Québec, Champlain obéit à l'ordre qu'il avait reçu du sieur de Mons, et il s'apprêta à rendre son commandement à Pont-Gravé et à rentrer en France. Mais un problème se posait. Pont-Gravé était mal en point et trop malade pour hiverner en Amérique. Champlain et lui décidèrent d'un commun accord de laisser deux officiers en poste à Québec : le capitaine Pierre Chauvin de La Pierre, marin et soldat de Dieppe, resterait « jusques à ce que le sieur de Mons en eut ordonné ». Il aurait pour second un jeune noble très capable, Jean Godet du Parc[71].

Ayant laissé la colonie en bonnes mains, Champlain prit le chemin de la métropole. La traversée fut rapide, et en octobre il était en sol français. Henri IV et le sieur de Mons se trouvaient tous deux au palais de Fontainebleau, à quatre-vingts kilomètres au sud-est de Paris. Champlain prit aussitôt la poste et fut reçu par le roi. Comme toujours, il avait aisément accès au souverain. « Aussitôt je fus trouver Sa Majesté, à qui je fis le discours de mon voyage, à quoi il prit plaisir et contentement. » Champlain remit au roi des cadeaux dignes d'un monarque. Il avait avec lui « deux petits oiseaux gros comme des merles, qui étaient incarnats », et « une ceinture faite de poils de porc-épic, qui était fort bien tissue, selon le pays, laquelle Sa Majesté eut pour agréable[72] ».

Le récit des aventures de Champlain eut également l'heur de plaire au souverain. Le roi lui marqua son encouragement. À Fontainebleau, Champlain se mit à exceller dans un rôle nouveau, celui de promoteur de la Nouvelle-France. Il connaissait bien la partition, et il apprit aussi à jouer la carte de la courtisanerie, jeu parfois meurtrier à la cour. Il avait heureusement le don d'élargir son auditoire avec ses cartes et ses livres. Champlain n'était pas un manipulateur d'images, métier en vogue aujourd'hui, essentiellement parce qu'à son époque on ne faisait pas de distinction entre l'image et l'objet. Son action de promoteur portait toujours sur la substance des choses et non l'ombre qu'elles projetaient. En ce sens, il vivait dans un monde fort éloigné du nôtre[73].

À Fontainebleau, Champlain s'entretint également avec le sieur de Mons. S'il subsistait le moindre doute quant au talent du jeune homme pour le commandement, il n'en est resté aucune preuve. Champlain écrivit : « Je lui représentai fort particulièrement tout ce qui s'était passé, tant en mon hivernement, que des nouvelles descouvertures, et l'espérance de ce qu'il y avait à faire à l'avenir touchant les promesses des sauvages appelés Ochateguins [les Hurons]. » Champlain les appelait aussi « les bons Iroquois ». « Les autres Iroquois, leurs ennemis, sont plus au sud. Les premiers entendent, et ne diffèrent pas beaucoup de langage aux peuples découverts de nouveau, et qui nous avaient été inconnus ci-devant[74]. »

Après l'audience royale de Fontainebleau, Champlain et De Mons s'empressèrent d'aller trouver leurs bailleurs de fonds à Rouen. Ils s'entretinrent avec deux associés importants, le sieur Collier et Lucas Le Gendre, « pour adviser ce qu'ils avaient à faire l'année ensuivant ». La rencontre se passa bien. Champlain nous dit que les deux tenaient à soutenir l'habitation de Québec et l'exploration du pays. Ils approuvèrent aussi l'alliance avec les Hurons et autorisèrent Champlain à les assister « en leurs guerres comme nous l'avions promis ». Il fut entendu que Le Gendre aurait « soin de faire tant l'achat des marchandises que vivres, de la frette des vaisseaux, équipages et autres choses nécessaires pour le voyage[75] ».

Puis De Mons et Champlain rentrèrent à Paris, où ils s'efforcèrent d'obtenir une « nouvelle commission [monopole] pour les traites des nouvelles descouvertures, que nous avions faites, où auparavant personne n'avait traité ». Sur cette question, le jugement du roi leur fut défavorable : l'un des rares cas du genre[76]. De Mons résolut alors de rester à la cour et de poursuivre son action. « Et se voyant hors d'espérance d'obtenir icelle commission, il ne laissa de poursuivre son dessein, pour le désir qu'il avait que toutes choses réussissent au bien et à honneur de la France. » Champlain nota aussi : « Pendant ce temps, le sieur de Mons ne m'avait dit encore sa volonté pour mon particulier, jusques à ce que je lui eus dit qu'on m'avait rapporté qu'il ne désirait pas que j'hivernasse en Canada, ce qui n'était pas, car il remit le tout à ma volonté. » Ainsi, Champlain conserverait son commandement à Québec[77].

Champlain resta en France six mois. Au printemps 1610, il rentra vite en Nouvelle-France, désireux de reprendre son œuvre là-bas. Il quitta Honfleur début mars et parvint à Tadoussac le 26 avril, où il trouva d'autres navires qui étaient arrivés pour le début de la saison. Comme le nouveau système de commerce libre les y autorisait, des navires basques, normands et bretons mouillaient dans le petit havre, et Tadoussac bourdonnait d'activité. Les Montagnais y étaient aussi, en grand nombre et en santé. L'hiver avait été doux, et il y avait eu peu de glace dans le havre. Des vieillards lui racontèrent qu'il ne s'était rien vu de tel depuis soixante ans[78].

Champlain accourut en amont, à Québec. Il revit les commandants en poste, Pierre Chauvin de La Pierre et le jeune Jean Godet du Parc, qui ont laissé peu de souvenirs dans l'histoire de Québec mais contribuèrent néanmoins à sa survie. Ils lui firent savoir que toute la garnison se portait bien et « qu'il n'y en avait eu que quelques-uns de malades, encore fort peu ». Comme l'écrivit Champlain, en ce pays « ayant de la viande fraîche, la santé y est aussi bonne qu'en France[79] ».

Peu après l'arrivée de Champlain à Québec, un parti de guerre de soixante Montagnais fit son apparition. Ils lui firent savoir que de nombreux Basques et « Mistigoches » (ainsi nommaient-ils les Malouins et les Normands) leur avaient promis de les suivre sur le sentier de la guerre.

« Que t'en semble ? lui demanda un Montagnais. Disent-ils la vérité ? »

« Non, répondit Champlain, car je sais ce qu'ils ont au cœur. Ils ne disent cela que pour avoir vos commodités. »

« Tu dis vrai, répondit le Montagnais. Ce sont femmes et ne veulent faire la guerre qu'à nos castors[80]. »

Champlain assura aux Montagnais qu'il les accompagnerait dans une seconde campagne contre leurs ennemis les Iroquois, comme il l'avait fait par le passé, mais il voulait avoir quelque chose en échange. Il leur rappela qu'ils lui avaient promis de l'aider à explorer les rivières au nord et à l'ouest jusqu'à la grande mer, ce qu'on appelle aujourd'hui la baie d'Hudson. Il proposa alors un nouvel accord avec les Algonquins et les Hurons : il leur assurerait son concours dans leurs guerres s'ils acceptaient de l'emmener dans leur pays et au grand lac au-delà (le lac Huron) et de lui montrer des mines de cuivre et autres choses qu'ils avaient mentionnées. « Si bien que j'avais deux cordes à mon arc : de façon que si l'une faillait, l'autre pouvait réussir[81]. »

Champlain quitta Québec le 14 juin. Il avait parcouru environ soixante-cinq kilomètres vers l'amont lorsqu'il rencontra un canot avec un Algonquin et un Montagnais qui s'étaient mis à sa recherche. Ils le prièrent de forcer sa marche le plus vite possible. Deux cents guer-

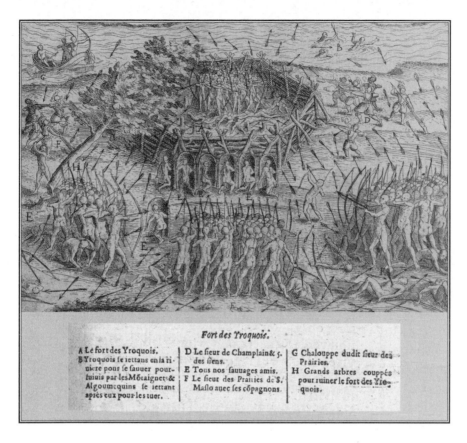

La deuxième bataille de Champlain contre les Agniers, le 19 juin 1610, sur la rivière des Iroquois (Richelieu), à l'emplacement actuel de la ville de Sorel. Ses alliés et lui attaquèrent un fortin de bois et tuèrent presque tous ses défenseurs. Cette victoire engendra dix-sept années de paix entre Français et Agniers. Champlain est marqué par la lettre D, avec ses arquebusiers.

riers attendaient déjà à la rivière des Iroquois, et deux cents autres se joindraient à eux sous peu[82]. Champlain s'empressa de gagner Trois-Rivières, où les Montagnais l'attendaient. On était le 19 juin 1610, un temps sans lune comme celui dont les Indiens profitaient pour attaquer[83].

Tout à coup, un canot s'approcha d'eux à grande vitesse. Les pagayeurs hurlèrent que les Algonquins et les Hurons étaient déjà arrivés et s'étaient aventurés sur la rivière des Iroquois sans attendre les autres. Ils s'étaient butés à un parti de guerre agnier comptant une centaine d'hommes qui s'étaient « fort bien barricadés ». La bataille faisait rage et leur message était pressant : venez vite !

Les Indiens supplièrent Champlain et les Français de les suivre. Champlain donna son accord et se jeta dans un canot avec quatre arquebusiers[84]. Ils parcoururent un peu moins de deux kilomètres, puis ils mirent pied à terre et rassemblèrent leurs armes. Certains alliés étaient armés d'arcs et de flèches. D'autres avaient des massues ou des lances que Champlain décrivit comme étant des épées fixées à de longs manches. Tous se précipitèrent dans la forêt et avancèrent très rapidement. Champlain et ses quatre compagnons français étaient coiffés de leurs casques et revêtus d'un plastron et d'une dossière. Ils ne pouvaient pas marcher aussi vite que leurs alliés, et ceux-ci disparurent vers l'avant. Champlain essaya de suivre leurs traces mais s'égara souvent. Ses soldats et lui peinaient à marcher dans les bois épais et les marais, avec de l'eau jusqu'aux genoux, alourdis par « un corcelot de piquier qui nous importunait beaucoup ». Ils furent également assaillis par des nuées de moustiques « qui étaient si épaisses qu'elles ne nous permettaient point presque de reprendre notre haleine, tant elles nous persécutaient, et si cruellement que c'était chose étrange[85] ».

Les Français s'égarèrent de nouveau, puis ils tombèrent sur deux Indiens qu'ils appelèrent à la rescousse. Plus loin, ils virent un chef algonquin qui les exhorta à se dépêcher. Les Algonquins et les Montagnais avaient essayé de forcer la barricade iroquoise et avaient été repoussés. Des guerriers montagnais, parmi les plus braves, avaient été tués ou blessés. « Notre espérance est du tout en vous », dirent-ils à Champlain[86].

Les Français firent encore quelques centaines de pas et se mirent à entendre « les hurlements et les cris des uns et des autres, qui s'entredisaient des injures, escarmouchant toujours légèrement en nous attendant ». Ils finirent par atteindre le champ de bataille dans un bois profond sur une rive de la rivière des Iroquois, à environ cinq kilomètres du fleuve Saint-Laurent. « Aussitôt que les sauvages nous aperçurent ils commencèrent à s'écrier de telle façon qu'on n'eût pas entendu tonner[87]. »

Il ordonna à ses quatre arquebusiers de rester avec lui, et les cinq allèrent reconnaître la barricade iroquoise, qui « était faite de puissants arbres, arrangés les uns sur les autres en rond, qui est la forme ordinaire de leurs forteresses ». Les Montagnais et les Algonquins s'en approchèrent eux aussi. Champlain et ses hommes se mirent à tirer à travers le mur de branches, mais, dit-il, « nous ne pouvions les voir comme eux nous ». Tandis qu'il tirait son premier coup d'arquebuse, Champlain fut atteint par une flèche qui lui fendit le bout de l'oreille et lui entra dans le cou, frôlant son artère carotide. Quelques millimètres et c'en était fait de lui.

Champlain raconte : « Je pris la flèche qui me tenait encore au col et l'arrachai. » Même dans le feu de la bataille, il admira l'art avec lequel la pointe de la flèche iroquoise était faite : la flèche « était ferrée par le bout d'une pierre bien aiguë », mais, d'ajouter Champlain, « ma blessure ne m'empêcha pas de faire le devoir ; et nos sauvages aussi de leur part ». Une fois de plus, il admira le courage de ses adversaires agniers : « pareillement les ennemis, tellement qu'on voyait voler les flèches d'une part et d'autre, menu comme grêle[88] ».

Les arquebusiers français commencèrent à faire des ravages chez l'ennemi. Ils chargeaient leurs armes de trois balles, les appuyaient sur le rebord de la barricade et tiraient à bout portant. « Les Iroquois eurent tellement l'épouvante de l'effet qu'elles faisaient, voyant plusieurs de leurs compagnons tombés morts et blessés [...] croyant ces coups être sans remède. » Chaque fois qu'ils entendaient le bruit de l'arquebuse, les Agniers se jetaient par terre, puis se relevaient et reprenaient le combat. « Nous ne tirions guère à faute, et deux ou trois balles à chacun coup », écrivit Champlain[89].

Mais les arquebusiers commençaient à manquer de munitions. Champlain dit à ses alliés indiens qu'il fallait prendre le fortin d'assaut. Pour ce faire, il leur fallait s'approcher de la barricade en se protégeant de leurs boucliers afin de passer des cordes autour des poteaux qui soutenaient la barricade. Il les pressa aussi d'abattre quelques grands arbres à proximité de la barricade « afin de les renverser dessus pour les accabler ». Il commanda à d'autres de protéger les bûcherons de leurs boucliers, « ce qu'ils firent fort promptement[90] ».

Alors qu'ils étaient sur le point de prendre la barricade d'assaut, d'autres Français arrivèrent des barques restées sur le fleuve à cinq kilomètres de là, avec armes et munitions. Ils avaient entendu l'arquebusade et étaient accourus au bruit de la bataille. À leur tête se trouvait un trafiquant du nom de Des Prairies, « un jeune homme plein de courage », selon le mot de Champlain, qui avait dit à tous ceux qui restaient « que c'était une grande honte à eux de me voir battre de la façon avec des sauvages, sans qu'ils me vinssent secourir, et que pour lui il avait trop l'honneur en recommandation, et qu'il ne voulait point qu'on lui put faire ce reproche[91] ».

Champlain recommanda aux Indiens de suspendre l'assaut. Les Français arrivés en renfort se mirent à tirer et abattirent d'autres guerriers agniers. Puis Champlain et les Indiens s'avancèrent avec les arquebusiers sur leurs flancs et taillèrent une brèche dans la barricade. Champlain lança un ordre : « Ne tirez plus ! » Au même instant, vingt ou trente Indiens et Français se faufilèrent dans la brèche, l'épée à la main, « sans trouver beaucoup de résistance ». Champlain raconte : « Voilà donc avec la grâce de Dieu la victoire obtenue[92]. »

Quelques Agniers tentèrent de s'échapper « mais ils n'allaient pas loin, car ils étaient défaits par ceux qui étaient à l'entour de ladite barricade : et ceux qui échappèrent se noyèrent dans la rivière ». Presque tout le parti de guerre agnier, une centaine d'hommes, avait été anéanti, sauf une quinzaine de malheureux qui furent pris vivants. Du côté des Montagnais et des Algonquins, on dénombrait trois morts et cinquante blessés. Chez les Français, on comptait deux blessés, dont Champlain lui-même. Les trafiquants français venus en renfort étaient apparemment tous indemnes[93]. Au grand dégoût des combattants, d'autres trafiquants français arrivèrent, « trop tard, toutefois assez à temps pour la dépouille du butin, qui n'était pas grand-chose : il n'y avait que des robes de castor, des morts, pleins de sang, que les sauvages ne voulaient prendre la peine de dépouiller, et se moquaient de ceux qui le faisaient[94] ».

Champlain monta à bord d'une barque et fit panser ses blessures par le chirurgien appelé Boyer. Il avait l'oreille et le cou profondément lacérés. Au cours des vingt-cinq années qui suivirent, les Indiens de la vallée du Saint-Laurent reconnaîtraient sa cicatrice à l'oreille et la toucheraient comme s'il s'agissait d'un talisman. Après ses deux victoires sur les Agniers, Champlain devint un personnage mythique. Les Montagnais et Algonquins victorieux rentrèrent chez eux « en chantant », avec leurs prisonniers solidement ligotés. Tout le monde savait quel sort les attendait. Champlain intervint et demanda qu'on lui donne un captif agnier, ce qu'ils firent. « Je ne fis pas peu pour lui, car je le sauvai de plusieurs tourments qu'il lui eut fallu souffrir. » Petit à petit, Champlain accorda plus de liberté à son prisonnier dans l'espoir d'en faire un émissaire pour une mission de paix, mais en fin de compte il « s'en fuit et se sauva, pour la crainte et appréhension qu'il avait ».

Deux jours après la bataille, les Indiens se mirent à torturer leurs captifs, les soumettant au supplice du feu et de l'eau, leur infligeant des brûlures avec des flambeaux d'écorces de bouleau. « Les pauvres misérables, sentant ce feu, faisaient des cris si haut que c'était chose étrange à ouïr ». Puis les bourreaux « prenaient de l'eau et leur jetaient sur le corps pour les faire languir davantage ». Après quoi ils recommençaient à les torturer avec des tisons « de telle façon que la peau tombait de leurs corps, et continuaient avec grands cris et exclamations, dansant jusques à ce que ces pauvres misérables tombassent morts sur la place[95] ».

On maintint en vie certains captifs pour qu'ils puissent être torturés par les femmes et les filles « qui en cela, nota Champlain, ne se montrent pas moins inhumaines que les hommes, encore elles les surpassent de beaucoup en cruauté : car par leur subtilité elles inventent des supplices plus cruels, et y prennent plaisir, les faisant ainsi finir leur vie en douleurs extrêmes ». Après ces événements, les vainqueurs se réunirent sur une île dans le fleuve Saint-Laurent et festoyèrent pendant trois jours. Les Hurons, les Algonquins et les Montagnais fêtaient leur victoire. Les Français et les Indiens échangèrent des jeunes gens pour former des interprètes, après quoi ils se séparèrent[96].

Nombreux sont les historiens qui ont reproché à Champlain d'être allé guerroyer contre les Iroquois. Certains ont même écrit qu'il avait été à l'origine d'un conflit qui durerait près de deux siècles. Vers la fin du XXe siècle, des ethnohistoriens ont étudié la question sous un éclairage nouveau et en sont venus à une conclusion différente. La plupart ont admis que Champlain n'avait pas ouvert les hostilités, et que les Agniers et leurs voisins du nord étaient déjà en guerre bien longtemps avant son arrivée.

En outre, nous dit l'ethnologue de l'Iroquoisie William N. Fenton, « contrairement à ce qu'ont affirmé les historiens du XIXe siècle, cet incident n'a pas marqué le début de quelque guerre de Cent Ans entre les Iroquois et la Nouvelle-France[97] ». Au contraire, cet épisode fit en sorte que Français et Iroquois vécurent en paix pendant toute une génération. L'ethnologue de la Huronie Bruce Trigger est d'accord, lui qui a dit de ces deux batailles : « Ce fut la dernière fois que les Iroquois posèrent une menace sérieuse le long du Saint-Laurent, et cette paix dura jusque dans les années 1630. Ayant subi de lourdes pertes dans deux affrontements successifs, ils évitèrent ensuite tout conflit avec les armes françaises[98]. »

Les deux campagnes de Champlain, celle de 1609 et celle de 1610, coûtèrent aux Agniers entre cent cinquante et deux cent cinquante hommes. Leur population totalisait alors entre cinq et huit mille âmes, dont moins du quart était formé de guerriers, peut-être mille ou deux mille hommes. Ils avaient ainsi perdu entre 10 et 20 % de leurs effectifs guerriers à une époque où ils devaient également lutter contre des nations indiennes au sud et à l'est. On ne s'étonne donc pas qu'ils aient été peu enclins à se frotter de nouveau aux Français pendant de nombreuses années[99].

Après la bataille de Ticonderoga et l'affrontement de la rivière des Iroquois, les Agniers adressèrent quelques offres de paix aux Français. Champlain esquissa des approches semblables, mais jamais il ne put trouver le moyen d'installer une paix durable avec les Iroquois sans mécontenter les Montagnais, les Algonquins et les Hurons. Cela dit, il espérait trouver un *modus vivendi* entre Français et Iroquois, et il y arriva. C'était une quasi-paix très fragile, gagnée par la force des armes, mais qui dura une génération, soit jusqu'en 1634. Les gouvernants qui succédèrent à Champlain, à Paris comme à Québec, ne surent pas la maintenir. Ils y employaient trop de force, ou alors trop peu. La paix de Champlain était un compromis obtenu par l'usage soigneusement calibré d'une force limitée. C'est seulement maintenant que l'on commence à comprendre sa méthode.

CHAPITRE 13

Marie de Médicis

Échec et recommencement, 1610-1611

*Je fus bien affligé d'entendre de si mauvaises nouvelles. [...]
Cela, dis-je, m'a comme animé.*

CHAMPLAIN, cn 1610[1]

À l'été 1610, Champlain se dépensait à Québec, et tout semblait lui réussir. Comme toujours, sa priorité consistait à maintenir de bons rapports avec les nations indiennes, notamment les Montagnais, les Algonquins et les Hurons. Effort incessant. Il avait beau leur tendre la main de l'amitié, et eux lui rendre la pareille, tous savaient que ce bel édifice pouvait s'effondrer en un instant. Il suffirait d'un seul fauteur de troubles, français ou indien, pour anéantir des années de patient labeur. Mais pour le moment les alliances tenaient bon, les Agniers se faisaient rares depuis leurs deux défaites, et dans l'ensemble la paix régnait sur le Saint-Laurent.

Champlain avait une autre tâche à accomplir : améliorer les fortifications de Québec en prévision d'une attaque de quelque ennemi européen. Les Anglais s'étaient récemment installés en Virginie et dans le Maine. Champlain suivait de près leurs activités. Les trafiquants illégaux se multipliaient aussi sur le fleuve. Certains de leurs vaisseaux étaient mieux armés que ceux qui battaient pavillon royal. C'est avec toutes ces menaces à l'esprit que Champlain avait mis ses hommes au travail à Québec : il s'agissait de bâtir une palissade résistante, creuser un fossé plus profond, construire un nouveau pont-levis, renforcer les batteries et remettre le magasin en état. La colonie se fortifiait lentement, et c'était le meilleur moyen d'éloigner les prédateurs.

Ces réfections avaient leur importance, certes, mais l'ennemi le plus redoutable demeurait l'hiver, et la colonie devait s'en prémunir. Au printemps, Champlain avait ordonné à son petit groupe de colons d'aménager de grands jardins, et l'été arrivé, ils étaient « bien garnis d'herbes potagères de toutes sortes ». Il leur avait également demandé de cultiver les champs, et ils se retrouvèrent avec « de fort beau blé d'Inde, et du froment, seigle et orge qu'on avait semé, et des vignes que j'avais fait planter durant mon hivernement ». Champlain voulait voir la colonie assurer elle-même son approvisionnement dans un avenir prochain, et elle en prenait le chemin. Ainsi, l'avenir de la Nouvelle-France paraissait prometteur à l'été 1610, plus brillant même qu'il ne l'avait jamais été[2].

Puis tout changea en un clin d'œil. Un navire arriva de France avec de mauvaises nouvelles. Le roi était mort ! Alors qu'il était au sommet de sa puissance, Henri IV avait été assassiné par un fanatique qui haïssait sa politique de tolérance religieuse. D'instinct, Champlain se montra sceptique. Son esprit refusait catégoriquement d'admettre qu'une telle chose eût pu se produire. D'autres récits leur parvinrent, accompagnés de maintes rumeurs et alarmes. Il resta incrédule : « Pour moi, il m'était fort malaisé de le croire, pour les divers discours qu'on en faisait, qui n'avaient pas beaucoup d'apparence de vérité[3]. »

Mais, petit à petit, la vérité se fit jour, et ce fut un dur coup. Le couteau d'un fou avait ôté à la France l'un de ses plus grands rois. Champlain perdait aussi son protecteur, son mentor et son ami. Le roi qui avait été son soutien le plus fidèle n'était plus. « Je fus bien affligé d'entendre de si mauvaises nouvelles », écrivit-il. Nombreux étaient ceux en France et à Québec qui partageaient sa tristesse. Il se souvint, chagrin, que « toutes ces nouvelles apportèrent un grand déplaisir aux Français qui étaient lors en ces quartiers-là[4] ».

Le plus troublant, c'était l'incertitude quant à la suite des choses. Après tant d'années de guerre civile en France, personne ne pouvait imaginer ce qui s'ensuivrait, et beaucoup craignaient le pire. Puis arriva une lettre du sieur de Mons pressant Champlain de rentrer afin de régler certains problèmes en métropole[5].

Champlain expédia ses affaires à Québec et nomma une nouvelle fois un mandataire très capable à la tête de la colonie : Jean Godet du Parc, ce jeune noble sympathique qui avait fait ses preuves à titre de commandant à l'hiver 1609-1610. Sa famille était présente en Amérique depuis fort longtemps, et il croyait en la Nouvelle-France. Comme Du Parc, les seize habitants promirent d'hiverner de nouveau. Champlain leur fit prêter serment lors d'une cérémonie dont le rituel revêtait une grande importance pour les hommes de cette époque. Le 8 août 1610, Champlain quitta Québec et gagna Tadoussac en toute hâte. Cinq jours plus tard, un navire l'emmenait en France[6].

Ce fut une lente traversée de sept semaines, avec vents contraires. Au milieu de l'océan, le navire entra en collision avec une baleine endormie. La coque ne fut guère abîmée, mais la baleine fut grièvement blessée. De grandes nappes de sang rouge vif flottaient autour du navire. Mauvais présage pour ces marins déjà inquiets. Ils poursuivirent leur route, le cœur chargé d'appréhension[7]. Enfin, le 27 septembre 1610, le navire atteignit Honfleur. Les six mois qui suivirent comptèrent parmi les moments les plus sombres de la vie de Champlain. Ses livres font rarement mention de cette période. Ce long silence voilait un temps de luttes et d'angoisses, marqué de multiples revers en France comme en Amérique[8].

En 1610, Louis XIII, âgé de neuf ans, devient roi de France, avec sa mère comme régente. Dans ce portrait de Frans Pourbus, ses yeux semblent vigilants, distants et très soupçonneux, chose qui ne surprend pas dans cette cour franco-italienne qui recelait plus de dangers que la forêt américaine.

Henri IV avait bel et bien été assassiné. On avait maintes fois attenté à sa vie, et le 4 mai 1610, un fanatique avait enfin eu raison de lui. Le tueur était un instituteur du nom de Ravaillac : fou de Dieu, clerc illuminé rageant contre les édits de tolérance du roi, un raté aux rancunes meurtrières.

Lorsque la nouvelle du meurtre parvint à la cour, la reine Marie de Médicis s'effondra en larmes. « Le roi est mort ! » s'écria-t-elle. À ses côtés le chancelier Nicolas Brûlart, marquis de Sillery, se permit de la corriger : « Voilà le roi vivant, madame. » Et il désigna le fils de la reine, le petit dauphin, qui, en cette heure sombre, était devenu Louis XIII de France[9].

L'héritier de la couronne était encore un enfant, âgé d'à peine neuf ans. Sa mère, qui était étrangère, fut proclamée reine régente, charge qu'elle occupa jusqu'à ce que son fils fût en âge de régner. Marie de

Médicis avait alors trente-sept ans, et sa beauté était sans égale. Elle ressemblait davantage à sa mère autrichienne qu'à son père italien, avec sa chevelure blonde éclatante et sa peau parfaite. Ses traits raffinés et ses formes plantureuses étaient tout à fait du goût de son époque. Un admirateur loua son exceptionnelle poitrine, « belle et bien formée », et elle ne ratait jamais l'occasion de la montrer, surtout dans les vingt-quatre toiles gigantesques représentant sa vie que Rubens avait reçu l'ordre de peindre. On disait de son visage qu'il était envoûtant, et que sa bouche « aggravait les ravages que ses yeux causaient ». De nombreux observateurs ont écrit que Marie de Médicis était l'une des femmes les plus exquises de son temps. Usant de sa beauté comme d'un instrument de pouvoir, elle ne tarda pas à s'imposer à la tête du gouvernement[10].

La reine régente maintint en poste nombre des ministres d'Henri IV — notamment Brûlart et Sillery — et pratiqua essentiellement la même politique intérieure. L'un de ses premiers gestes fut d'ailleurs la reconduction de l'édit de Nantes, l'une des grandes œuvres du défunt roi, qui donnait la suprématie à l'Église catholique et assurait la tolérance aux protestants dans tout le royaume[11].

Il en fut autrement dans le domaine des affaires étrangères. Marie de Médicis se rapprocha de Rome et de l'Espagne. Elle s'entoura d'un cercle d'amis d'origine italienne et faisait grand cas de leurs conseils, particulièrement ceux de sa sœur de lait, Leonora Galigaï Concini, et de son mari, Concino Concini. Les Concini étaient détestés à la cour, et la reine elle-même était considérée comme une étrangère, entre autres parce qu'elle ne sut jamais maîtriser le français. Ses lettres étaient écrites dans une langue bien à elle, où se mêlaient le français et l'italien, avec une orthographe fantaisiste[12].

Marie de Médicis avait peu de sympathie pour le grand dessein d'Henri IV pour l'Europe, et l'Amérique l'intéressait peu. En 1610, elle informa le sieur de Mons, qui était protestant, rappelons-le, qu'il n'appartenait plus à la chambre du roi à Fontainebleau. Son renvoi fut un coup dur, non pas tant pour l'intéressé lui-même que pour la cause de la Nouvelle-France[13].

Champlain gagna la cour mais ne put voir la reine. Certains tentèrent de supprimer la pension annuelle de six cents livres que lui avait accordée Henri IV. Plus tard, Champlain devait écrire qu'il s'était buté à « toutes sortes d'ennuis et altérations, qui provenaient d'aucuns mal veillants ». Il ne nomma jamais personne, mais nous savons que certains

étaient des marchands qui voulaient un libre accès à la fourrure canadienne ou s'arroger le monopole de ce trafic. D'autres s'opposaient aux
entreprises américaines de manière générale, comme Sully l'avait fait à
la cour d'Henri IV. Plusieurs étaient des ennemis personnels du prince
de Condé. Sully était de ceux-là, et le resterait même après sa chute,
en 1611. Les conseillers italiens de la reine avaient peu de goût pour une
France élargie en Amérique du Nord. Les espions anglais et espagnols
étaient partout. Le clergé était une caste instable où s'agitaient des factions rivales. La cour elle-même était un creuset de rivalités où des
nobles obsédés d'honneurs se livraient une âpre lutte pour l'oreille de la
reine et la faveur de son fils, le petit roi[14].

Les difficultés qui attendaient Champlain à la cour de la régente
étaient semblables en un sens à celles qu'il avait affrontées dans les
conseils des Indiens d'Amérique. Former une alliance avec une nation,
c'était se faire l'ennemi d'une autre. Dans les deux mondes, les gens
observaient des rituels de politesse raffinés, mais derrière cet écran de
courtoisie ils se livraient des combats d'une cruauté inimaginable. Dans
les deux mondes de Champlain, ses adversaires les plus dangereux portaient sequins et diamants.

Ce furent des moments difficiles pour la cause de Champlain, et
l'avenir de la Nouvelle-France était en grand péril. Champlain vécut
souvent des moments semblables au cours de sa longue et tumultueuse
carrière. La moindre de ces mésaventures aurait pu compromettre son
dessein irrémédiablement. Mais il réagissait toujours de la même façon.
La résistance aiguillonnait Champlain et le poussait à aller de l'avant. Le
danger l'appelait à se surpasser. Toute défaite armait sa résolution.
« Cela, dis-je, m'a comme animé et redoublé le courage en la continuation de mes labeurs aux descouvertures de ladite nouvelle France[15]. »

Champlain ne fit rien dans l'immédiat, semble-t-il, pour approcher
la reine. Il s'employa plutôt à cultiver ses relations avec trois des plus
puissants « seigneurs de la cour », comme il disait. L'un d'eux était son
ancien supérieur à l'armée, Charles de Cossé, qu'Henri IV avait fait
maréchal de Brissac en 1594. Champlain le consulta sur les affaires américaines et profita de ses conseils à la cour[16].

Champlain se tourna de nouveau vers Pierre Jeannin, l'estimé président du Parlement de Bourgogne qui, sous Henri IV, avait été conseiller
et contrôleur général des finances du roi. Champlain l'appelait « mon-

sieur le président Jeannin » et écrivit de lui qu'il était homme à désirer le succès des grandes entreprises. C'était un savant et un humaniste dont la quête de savoir ne connaissait pas le repos. En 1609, Lescarbot lui dédia son histoire de la Nouvelle-France : « vous qui aimez les belles entreprises et navigations ». Comme l'a écrit l'historien W. L. Grant, Jeannin s'était fait le « mécène des géographes et des explorateurs », et de Champlain tout particulièrement[17].

L'ami et le conseiller le plus influent de Champlain fut le chancelier Nicolas Brûlart, marquis de Sillery, un homme qui tâchait de maintenir la paix à la cour et dont les sages avis jouissaient de la considération générale. Champlain le consultait souvent sur les affaires américaines. Son nom apparaît fréquemment sous la plume de Lescarbot et de Champlain, toujours en ami fidèle de la Nouvelle-France[18].

À Paris, de 1610 à 1611, Champlain s'efforça également de gagner de solides appuis à la cour en recourant à une autre méthode. Tout en cultivant ses relations avec les membres de la haute noblesse, il contracta des alliances avec des fonctionnaires et des administrateurs. Selon l'historien Victor Tapié, « sous la régence de Marie de Médicis, les pratiques gouvernementales demeuraient celles du feu roi. À quelques détails près, le personnel était le même et toute l'administration. Ce qui fit le mal et très rapidement, ce fut l'absence d'une autorité régulatrice ». Les fonctionnaires royaux avaient ainsi accru leur pouvoir à certains égards, et Champlain était parfaitement conscient qu'ils pouvaient faire la pluie et le beau temps sur ses entreprises.

En 1610, Champlain décida tout à coup de prendre femme, et son choix nous en dit long sur le dessein qui l'animait. Elle se prénommait Hélène, et elle était la fille de Nicolas Boullé. Son père était un protestant apparemment converti au catholicisme, un homme de la haute bourgeoisie de Paris qui occupait une fonction le plaçant au cœur du régime royal. On l'appelait « monsieur le contrôleur Boullé ». Ses fonctions portaient des titres divers : huissier des finances du roi, huissier collecteur des finances ou secrétaire de la chambre du roi. À la cour, un huissier était un officier de haut rang, chargé d'exécuter les décisions du monarque. Sa fonction le situait donc au centre du pouvoir en France. Ce poste lui avait apporté influence et argent, et il avait fortifié sa position sociale avec les mariages de ses enfants. L'une de ses filles, Marguerite, avait épousé Charles Deslandes, secrétaire du prince de Condé, ce qui donnait à la famille Boullé ses entrées chez l'un des hommes les plus puissants du royaume[19].

Champlain était déjà un ami de la famille. Il avait connu Nicolas Boullé à l'armée de Bretagne. Le frère d'Hélène Boullé, Eustache, avait été son compagnon en Acadie et avait servi avec lui dans la vallée du Saint-Laurent[20]. Ces hommes arrangèrent donc le mariage qu'ils assortirent d'un contrat très détaillé et d'une dot généreuse. Nicolas Boullé offrit à Champlain six mille livres, dont quatre mille cinq cents furent versées tout de suite. De son côté, l'époux s'engageait à verser mille huit cents livres par année pour assurer le soutien de sa femme lorsqu'il serait hors du pays.

Champlain avait environ quarante ans en 1610 ; Hélène Boullé en avait à peine douze. Elle était tellement jeune que les parties s'étaient entendues pour attendre deux ans avant que le mariage soit consommé. Hélène continuerait de vivre chez ses parents pendant ce temps, et elle ne gagnerait le domicile conjugal que le jour de ses quatorze ans[21].

Le tout fut rondement expédié. Le contrat de mariage, qui fut signé le 27 décembre 1610, exigeait que les futurs époux se prennent « l'un et l'autre par nom et loi de mariage dedans le plus bref temps que faire se pourra ». Le mariage fut célébré trois jours plus tard, le 30 décembre 1610, en l'église de Saint-Germain l'Auxerrois, directement face au Louvre. C'était l'église où Henri IV assistait à l'office. Les documents furent signés par les notaires et les garde-notes du roi. La liste des témoins nous apprend qu'il y avait à la cérémonie bon nombre de personnes autrefois attachées à la personne du défunt roi. Son médecin, des apothicaires et des conseillers royaux figuraient sur la liste. Le sieur de Mons et quelques grands marchands de Paris étaient également présents[22].

Cette union cimentait une alliance entre Champlain et de hauts administrateurs de la cour. Elle jetait aussi un pont avec le milieu financier de Paris, contrepoids utile face aux marchands des ports de Normandie et de Bretagne qui auraient pu trouver à redire d'une entreprise commerciale dominée par un colonisateur. Ce mariage promettait à Champlain de nombreux appuis dans la réalisation de son grand dessein.

Tout le monde semblait ravi, exception faite de l'épousée, qui ne décolérait pas. Elle avait beau n'avoir que douze ans, cette jeune personne volontaire et têtue n'entendait pas qu'on joue ainsi avec son destin. Champlain ne semble pas avoir fait grand cas des larmes de cette enfant qu'on unissait à lui contre sa volonté.

À Paris, pendant que Champlain veillait à renforcer ses liens avec des fonctionnaires de la cour comme Nicolas Boullé, il fit une autre tentative dans un autre sens. Sous la régence, les grands de l'Église catholique élargirent leur pouvoir et leur influence en France. Il devint évident pour Champlain que son projet américain ne pourrait se passer de l'approbation de l'Église. Il lança donc une autre offensive pour gagner des appuis au sein de l'Église et des ordres religieux. Tâche ardue. À Paris, prêtres et pasteurs voyaient d'un mauvais œil cette colonie qui avait vécu sans direction spirituelle pendant plusieurs années. Un cercle grandissant de catholiques tenaient aussi à bannir de Nouvelle-France tous les protestants, action qui aurait eu pour effet d'exclure nombre de marins et de colons.

Champlain se mit en quête d'appuis parmi les seigneurs spirituels de France : les cardinaux et les évêques, les supérieurs des ordres et les dévots influents. Cette opération prit forme en 1609-1610 et se buta à de nombreux obstacles. La structure complexe de l'Église française faisait problème. La fragmentation de son action et la dispersion de ses maigres ressources compromettaient son avenir[23].

Un bon exemple : cette affaire qui avait commencé en 1610 et qui mettait en vedette un petit groupe de jésuites et l'une des plus jolies femmes de France. Henri IV avait expulsé les Jésuites en 1594, mais leur ordre s'était maintenu dans certaines provinces, et en 1603 le roi était revenu sur son interdiction de séjour. Il s'était lié avec Pierre Coton, jésuite des plus talentueux, qui était devenu son confesseur. Henri IV avait permis aux disciples de Loyola de rentrer en France, mais à la condition qu'ils soient nés français et jurent fidélité à la couronne. Mesure qui s'inscrivait dans une campagne générale que menait le roi, et plus tard la régente, pour faire la paix avec les grands ordres et les encourager à exercer leur ministère en France dans l'espoir que « la différence qui est dans la nature conserve la paix dans la nature ». Parmi les bénéficiaires de cette action se trouvaient les Augustins, les Jésuites, les Capucins et les Franciscains récollets. La plupart de ces ordres allaient jouer un rôle important en Nouvelle-France[24].

En France, les Jésuites s'étaient liés à la haute aristocratie. Parmi leurs partisans, il se trouvait un personnage extraordinaire qui ne mit jamais les pieds en Amérique mais qui pesa lourd sur le cours de son histoire. Elle avait nom Antoinette de Pons, marquise de Guercheville, une jeune veuve connue pour son intelligence formidable, sa fortune immense, sa piété profonde et une sensualité qui inspirait aux hommes des désirs fous. Certains de ses hauts faits auraient été dignes des contes de Rabelais[25].

L'une de ces fables mettait en scène Henri IV lui-même, qui faisait une cour assidue à Mme de Guercheville. Elle repoussa ses avances et se retira dans son château de La Roche Guyon sur la Seine, cinquante kilomètres à l'ouest de Paris. Le roi organisa un jour une grande chasse dans le voisinage de son château et dépêcha un gentilhomme de sa suite chez la marquise pour lui demander de l'héberger pour la nuit. Elle lui fit répondre qu'elle en serait grandement honorée et qu'elle le recevrait de son mieux. Pour l'occasion, elle commanda un dîner fastueux, fit placer des torches à toutes les fenêtres pour illuminer le château et se revêtit d'une robe magnifique sertie de diamants pour accueillir Sa Majesté[26].

Sa chasse terminée, le roi accourut au château le cœur battant, et Mme de Guercheville alla à sa rencontre, précédée de pages porteurs de flambeaux et entourée des dames et des gentilshommes de la région. Le roi la trouva « plus belle que jamais, au milieu des ombres de la nuit et des feux que jetaient les flambeaux et ses diamants ». Il lui dit : « Est-ce vraiment vous, madame, et suis-je ce roi que vous aimez si peu ? » Elle le conduisit, ravi, directement à sa chambre, ouvrit la porte, puis se retira. Le roi était sûr qu'elle allait leur préparer un petit dîner intime. Puis il l'entendit dans la cour qui appelait son

Antoinette de Pons, marquise de Guercheville (1570-1632) était une femme pieuse, riche et belle, qu'Henri IV poursuivit de ses assiduités, mais en vain. Elle se consacra aux missions jésuites et devint propriétaire de l'Acadie. Champlain la supplia de soutenir l'effort commun en Nouvelle-France, tentative qui compta parmi ses nombreux échecs.

carrosse. Le roi dévala aussitôt les escaliers et lui cria : « Quoi, madame ? C'est moi qui vous fais fuir votre propre maison ? » Elle lui répondit avec la plus grande fermeté : « Sire, le roi doit être maître partout où il est. Pour ma part, j'aime à conserver quelque empire quel que soit le méchant lieu où je me trouve. » Sans attendre la réplique royale, elle monta dans son carrosse et alla se réfugier chez une dame du voisinage. On dit que le roi témoigna le plus grand respect à Mme de Guercheville dans les années qui suivirent[27].

La passion qu'elle avait refusée au roi, Mme de Guercheville la reporta au centuple sur l'Église, et encore plus sur la Société de Jésus et ses nombreuses missions. Son directeur spirituel était un jeune jésuite, le père Énemond Massé, un ami de Pierre Coton. Après la mort d'Henri IV, elle devint la dame patronnesse des missions jésuites. Elle s'intéressa tout particulièrement à la conversion des Indiens d'Amérique. Le jésuite Charlevoix écrivait que « la seule difficulté chez elle était de borner son zèle à des limites raisonnables ». Elle conscrit dans cet effort la régente et la marquise de Verneuil. La reine autorisa une dépense de deux mille couronnes, dont le gros fut réuni par le biais d'une souscription auprès des princesses royales et des dames en vue de Paris et de Rouen[28].

Avec l'illustre parrainage de Mme de Guercheville et le soutien de la régente, deux jésuites, Énemond Massé et Pierre Biard, furent recrutés en 1610 pour fonder une mission en Acadie. Deux marchands huguenots de Dieppe, Du Jardin et Du Quesne, devaient armer leur navire, mais lorsqu'ils découvrirent qu'ils devaient prendre à leur bord les deux jésuites, ils refusèrent leur concours. Les supérieurs jésuites allèrent trouver Mme de Guercheville, qui régla la question en achetant le navire et en finançant la mission à hauteur de cinq mille sept cents livres[29].

Cette entreprise avait deux objectifs : la piété et le profit. Le contrat des jésuites autorisait les prêtres à pratiquer la traite des fourrures depuis leurs missions, et Mme de Guercheville insista pour que tous les profits en découlant soient aussitôt réinvestis dans la mission. Il s'agissait ici de créer ce qu'on a appelé un « Paraguay acadien » dans le golfe du Maine, les auteurs du projet s'inspirant du pays d'Amérique du Sud qui était dirigé par les Jésuites depuis déjà plusieurs générations. Massé et Biard firent voile pour l'Amérique le 26 janvier 1611 et eurent à pâtir d'une traversée hivernale des plus pénibles. Les deux pères étaient les premières robes noires à pénétrer en Nouvelle-France. La colonie fut baptisée Saint-Sauveur et installée dans l'île des Monts déserts, peut-être en un endroit magnifique et protégé du côté ouest de la baie de Somes, qu'on appelle encore aujourd'hui Jesuit Point[30].

Mme de Guercheville collabora aussi pendant un temps avec le sieur de Poutrincourt et son fils Biencourt, mais ils se disputèrent à propos de titres fonciers en Amérique. Elle reçut pour sa part une concession immense en Acadie, qui s'étendait jusqu'en Floride. Alarmés, les autorités impériales anglaises ordonnèrent la suppression de la mission. Deux ans plus tard, la colonie des jésuites français fut attaquée et anéantie par une force anglaise venue de Jamestown, en Virginie. Le commandant anglais, Samuel Argall, avait reçu l'ordre de chasser les Français, de brûler leur établissement et de faire valoir les prétentions de l'Angleterre sur ce qui constitue de nos jours le littoral du Maine[31].

Ces événements consternèrent Champlain. On avait englouti une fortune dans la colonie jésuite de Saint-Sauveur, en pure perte. Champlain alla trouver le père Coton deux ou trois fois et le pressa de se joindre à un effort collectif de colonisation visant le Saint-Laurent et non l'Acadie méridionale. Les deux hommes ne purent s'entendre. La discussion achoppait sur l'argent, mais surtout sur la conduite future de la colonie. Champlain écrivit que Coton posait des conditions « qui ne pouvaient être à l'avantage dudit sieur de Mons, qui fut le sujet pourquoi rien ne se fit, quoi que je pusse représenter audit Père ». Selon lui, l'entreprise fut compromise par de nombreux malheurs qui auraient fort bien pu être évités si Mme de Guercheville avait versé trois mille six cents livres au sieur de Mons, qui préférait l'établissement de Québec. La colonie de Saint-Sauveur dans l'île des Monts déserts ne fut jamais ressuscitée. Son histoire est révélatrice des malheurs qui affligèrent la Nouvelle-France et Champlain pendant la régence de Marie de Médicis[32].

Ainsi, sur tous ces plans, Champlain eut à se débattre dans les sombres années de 1610 à 1612. Privé de l'accès à la régente, il avait tout de même construit plusieurs axes de soutien en s'appuyant sur son vieux cercle américain, ses amis en ville et un réseau de fonctionnaires de la cour qui allait s'élargissant. Mais il n'avait guère connu de succès auprès des ordres religieux et de leur bienfaitrice, Mme de Guercheville.

Il tint bon, cependant. Les efforts qu'il multiplia pour élargir la rampe de lancement de son projet américain furent marqués par la structure du pouvoir en France. Comparativement à l'empire de Nouvelle-Espagne, les colonies françaises en Amérique du Nord furent à leurs débuts un laboratoire de l'entreprise mixte. Champlain avait besoin du soutien de la monarchie, de l'Église, des ordres religieux, des grands nobles, des ministres, des fonctionnaires de la cour, des Parlements provinciaux, des tribunaux, des marchands, des compagnies de commerce, des avocats et d'autres. Une difficulté importante résidait dans la fragmentation du pouvoir et l'entremêlement des voies hiérarchiques en France. Même dans les petites choses, il lui fallait gagner le soutien de nombreuses personnes. Cela dit, il continuait de suivre le cours des événements en Amérique du Nord. Dans les premiers mois de 1611, Champlain se tourna de nouveau vers la Nouvelle-France.

Allers-retours, hauts et bas

Le front diplomatique, 1611-1615

*J'en parlai à monsieur de Monts, qui trouva bon ce que je lui
en dis : mais ses affaires ne lui permettant pas d'en faire la
poursuite en cour, m'en laissa toute la charge.*

CHAMPLAIN, à propos du sieur de Mons, 1611[1]

Alors que Champlain se démenait en France, l'habitation embryonnaire de Québec était environnée de périls. Chaque hiver mettait en jeu la vie de ses habitants. Chaque printemps ramenait son lot de trafiquants et de pêcheurs qui considéraient les habitants comme des rivaux et leurs chefs comme des gêneurs. Les marchands-capitalistes ne voyaient que folie dans cet établissement permanent. Les voisins anglais y voyaient une menace.

Même pour ses amis, l'avenir de Québec paraissait bien sombre en 1611. On savait peu de chose sur l'intérieur de la Nouvelle-France. On savait qu'il était traversé de grands cours d'eau, mais où menaient-ils ? C'était un pays riche en ressources, mais comment les exploiter ? La contrée était peuplée de nombreuses nations indiennes numériquement supérieures aux colons européens, mais se lier d'amitié avec l'une, c'était se fâcher avec les autres.

Pour Champlain, comme toujours, la croissance était le remède à tous ces maux. La première chose à faire était d'élargir sa base de soutien des deux côtés de l'Atlantique. En Amérique, il fallait étendre les fondements de la Nouvelle-France en s'alliant à d'autres nations indiennes à l'ouest. Il songeait ici tout particulièrement aux Hurons, ceux qu'il appelait les « bons Iroquois », et aux nombreux rameaux de la nation algonquine au nord-ouest de Montréal. Tout était affaire de communication dans ce domaine. Pour faciliter sa tâche, Champlain recruta d'autres jeunes hommes pour son « corps d'interprètes », indiens aussi bien qu'européens. L'un était un Huron nommé Savignon, qui avait passé une année en France. L'autre était un Français du nom de Nicolas de Vignau, qu'on avait envoyé vivre chez les Indiens du nord[2].

*   *   *

Pour réussir, Champlain dut faire la traversée de l'Atlantique à maintes reprises au cours de ces années, profitant de chaque occasion qui lui était donnée. Il fallait une âme opiniâtre pour supporter toutes ces pérégrinations transatlantiques. Le nombre de traversées montre bien qu'il était prêt à tout pour faire avancer son projet. Et comme il devait faire le trajet de plus en plus souvent en mauvaise saison, au milieu de l'hiver même, c'est que les circonstances lui étaient souvent défavorables.

En février 1611, Champlain organisa un voyage avec le concours de Thomas et Lucas Le Gendre, des marchands de Rouen qui avaient une longue expérience du commerce outre-mer et des liens solides avec le sieur de Mons. Sans ces partisans discrets de la Nouvelle-France, jamais Champlain n'aurait été aussi actif pendant ces mauvaises années. Thomas Le Gendre, qui finançait le voyage à titre d'entreprise commerciale, alla lui-même à Honfleur pour voir à l'armement du navire. Champlain parvint aussi, Dieu sait comment, à recruter « plusieurs artisans » pour l'habitation de Québec et acquit des vivres pour une autre année[3].

Il fit voile de Honfleur le 1er mars 1611. Il était rarement parti aussi tôt dans l'année : une traversée hivernale dans les eaux tumultueuses de l'Atlantique Nord où il faillit laisser sa vie. Son petit navire fut fouetté par de gros grains qui le firent dériver vers le nord : « Nous fûmes contrariés du vent du sud-sud-ouest et ouest-nord-ouest qui nous fit aller jusques à la hauteur de quarante-deux degrés de latitude, sans pouvoir élever sud. » On ne peut qu'imaginer les conditions de vie à bord de son vaisseau exigu, s'élevant et plongeant dans les eaux grises et sombres, l'écume coulant à flots du pont. Le bateau ne put avancer qu'« avec peines et travaux, à force de tenir à un bord et à l'autre[4] ».

Alors que le navire se trouvait à quatre-vingts lieues du Grand Banc, il se buta à des brumes épaisses et des montagnes de glace flottantes. Plus d'une fois, ils évitèrent de justesse la collision avec un iceberg. Champlain calcula qu'ils mesuraient entre cinquante-cinq et soixante-quinze mètres de haut, trois fois plus que les mâts du navire, et ces montagnes de glace avançaient rapidement, poussées par le vent. Alors qu'ils esquivaient les grands icebergs, de petits bancs de glace flottante venaient dangereusement s'écraser sous les œuvres vives. Le vaisseau parvint à traverser le Grand Banc, mais Champlain vit que les vents et les courants l'avaient poussé encore plus au nord. Le bateau n'arrivait pas à descendre au-dessous des 44 degrés 30 minutes[5].

L'Atlantique Nord était si froid que, même à la latitude d'Halifax aujourd'hui, le bateau évita de peu « un grand banc de glace contenant toute l'étendue de notre vue[6] ». Le navire fut vite cerné de glaces. La nuit tomba, et avec elle la pluie, la neige, et il s'éleva un vent si fort que le navire « ne pouvait presque porter notre grand papefi ». Au prix de grands efforts, l'équipage parvint à virer vers le sud et à s'éloigner du danger pour ensuite se retrouver devant « mille glaces qui étaient de tous côtés et plus de vingt fois ne pensions sortir nos vies sauves[7] ».

« Le froid était si grand, se souvint-il, que tous les manœuvres dudit vaisseau étaient si gelés et pleins de gros glaçons, qu'on ne pouvait manœuvrer, ni se tenir sur le tillac dudit vaisseau[8]. » À un moment donné, le capitaine fit carguer les voiles et laissa le navire dériver avec les glaces. La nuit, il envoya à nouveau les voiles mais ne put trouver de passage, et les glaces se mirent à enserrer le bateau. Les marins essayèrent de se frayer un chemin en s'aidant de barres de fer et d'avirons pour repousser les plus dangereux bourguignons, « qui sont morceaux de glace séparés des grands bancs par la violence des vents ». Mais les glaces poursuivaient le navire comme un prédateur sa proie. C'était la dernière semaine d'avril, et il y avait près de deux mois qu'ils naviguaient dans l'Atlantique Nord. Dans la brume épaisse, dit Champlain, « nous fîmes cent bordées d'un côté et d'autre, et pensâmes nous perdre par plusieurs fois[9] ».

Puis, sans prévenir, la brume se dissipa. « Regardant au tour de nous, nous nous vîmes enfermés dedans un petit étang, qui ne contenait pas lieue et demie en rondeur. » Ils virent terre au loin, et Champlain reconnut le cap Breton. Les glaces étaient enfin derrière les voyageurs, et ils atteignirent Tadoussac le 13 mai 1611, après onze semaines en mer. Champlain avait vécu une de ses traversées les plus éprouvantes[10].

En remontant le Saint-Laurent, Champlain fut surpris de voir que « tout le pays était encore presque couvert de neige », et ce, à la mi-mai. L'hiver avait été l'un des plus durs de mémoire d'homme. Il trouva les

Indiens au bord du désespoir, surtout les Montagnais qui se portèrent à la rencontre de son navire, et qui « n'avaient à traiter que pour avoir seulement des rafraîchissements, qui était fort peu de chose[11] ».

Champlain leur donna de quoi manger et poursuivit sa route aussitôt. Il avait pour objectif de remonter le Saint-Laurent jusqu'au grand sault au-delà de Montréal où il espérait rencontrer « les Algonquins et les autres nations qui avaient promis d'être au rendez-vous avec le jeune garçon qu'il leur avait confié ». Il s'agissait d'Étienne Brûlé, celui qu'on avait envoyé vivre chez les Indiens et découvrir les terres qui étaient plus à l'ouest et au nord. Rendez-vous avait été pris pour le 20 mai. Champlain était dévoré de curiosité à l'idée « d'apprendre de lui ce qu'il avait vu pendant l'hiver qu'il avait passé à l'intérieur[12] ».

Champlain était dans une si grande hâte qu'il laissa le navire à Tadoussac pour l'achat des fourrures et remonta le fleuve dans une méchante barque qui tenait à peine la mer. À moitié chemin vers Québec, l'embarcation se mit à prendre l'eau et faillit sombrer. Il parvint à Québec juste à temps. Champlain eut l'agréable surprise de voir que l'habitation n'avait pas perdu un seul homme. Le commandant Jean Godet du Parc et ses seize compagnons « se portaient fort bien, sans avoir eu aucune maladie », exploit qui témoignait de la valeur du sieur du Parc. Une fois de plus, ce jeune gentilhomme capable et effacé avait maintenu la colonie en vie. Les habitants dirent à Champlain que la chasse avait été bonne tout l'hiver. Champlain y vit à nouveau la preuve que l'abondance de viande fraîche prévenait le scorbut[13].

Champlain fit réparer la barque et repartit aussitôt avec ses hommes. Ils parvinrent au grand sault de Montréal le 28 mai, mais huit jours trop tard pour revoir les Indiens. On ne les avait pas attendus[14]. Champlain trouva cependant un canot en mauvais état. Accompagné de deux hommes, il s'en servit pour explorer les rives du fleuve au pied des rapides. Il cherchait un « lieu propre pour la situation d'une habitation » près de la limite de navigation sur le Saint-Laurent. Champlain étudia les rives sur huit lieues ainsi que la haute colline que Cartier avait baptisée le mont Réal. Il finit par trouver une bande de terre plane à une lieue en aval, près d'un petit affluent appelé la rivière Saint-Pierre. Il y avait là plus de soixante arpents qu'on avait défrichés il y avait de cela fort longtemps pour y cultiver le maïs, et le tout était devenu une clairière où poussaient de jeunes arbres. On expliqua à Champlain qu'autrefois « des sauvages y avaient labouré, mais qu'ils les avaient quittés pour les guerres ordinaires qu'ils avaient[15] ». Il étudia le terrain de son œil de militaire et songea qu'un large secteur pourrait être fortifié et entouré de fossés. Champlain nomma le lieu « place Royalle » et ordonna à ses hommes de le défricher. Il fit bâtir une petite maison et un mur de maçonnerie de neuf mètres de long « pour voir comment elle se conserverait durant l'hiver quand les eaux descendraient ». Puis, fidèle à lui-même, il fit aménager deux jardins pilotes, « l'un dans les prairies et l'autre au bois », et il y sema quantité de graines. Il eut le bonheur de constater plus tard qu'elles « sortirent toutes en perfection, et en peu de temps[16] ».

Champlain cartographia la région soigneusement : le fleuve, ses îles et les terres environnantes. Sur la rive nord du fleuve, il plaça le nom que Cartier avait donné à l'île, « Montréal », sa première apparition sous forme imprimée[17]. Il remarqua aussi une île fort jolie qui faisait trois quarts de lieue de circonférence, où l'on serait « capable de bâtir une bonne et forte ville ». Il la baptisa île de Sainte-Hélène, probablement en l'honneur de sa récalcitrante épouse[18]. Champlain et ses hommes furent surpris par la fertilité de la terre. Tout autour d'eux, la faune était d'une abondance inimaginable. Ils virent entre autres une île où il y avait « si grande quantité de hérons que l'air en était tout couvert[19] ».

Au-dessus de Montréal se trouvaient les rapides, une cataracte rugissante d'eau écumante. Il en décrivit un secteur ainsi : « Il est impossible d'y passer pour avoir sept à huit chutes d'eau qui descendent de degré en degré, le moindre de trois pieds de haut [...] et une partie dudit saut était toute blanche d'écume, qui montrait le lieu le plus effroyable, avec un bruit si grand que l'on eût dit que c'était un tonnerre, comme l'air retentissait du bruit de ces cataractes[20]. » Le lieu était beau ; dangereux aussi. Alors que Champlain s'y trouvait, un jeune Français téméraire du nom de Louis et deux Indiens tentèrent de franchir les rapides en canot. Ils chavirèrent, et deux des hommes se noyèrent. Champlain et le seul survivant se mirent à la recherche des corps : « Quand il me montra le lieu les cheveux me hérissèrent en la tête, de voir ce lieu si épouvantable. » Les mots qu'il emploie pour décrire les rapides — *fort dangereux, effroyable, épouvantable* — traduisent une frayeur qui se voit rarement dans ses écrits. Les rapides étaient si violents qu'on ne retrouva jamais le cadavre du Français. Champlain baptisa le lieu Grand Sault Saint-Louis, peut-être pour marquer le souvenir du jeune homme. On les appelle aujourd'hui les rapides de Lachine, rappel ironique de sa quête du passage vers la Chine[21].

Le 1ᵉʳ juin 1611, pendant que Champlain explorait le fleuve au-dessus de Montréal, Pont-Gravé arriva de Tadoussac pour commercer. Il avait traversé l'Atlantique après Champlain et avait été suivi par des trafiquants de fourrures en nombre inattendu. Le 12 juin, treize barques et pataches mouillaient au pied des rapides. Le lendemain, les Hurons se mirent à arriver, deux cents guerriers menés par trois chefs qui étaient des amis de Champlain. Il alla leur souhaiter la bienvenue en canot, et ils l'accueillirent avec des exclamations de joie. Les Français répliquèrent par une salve d'arquebuse qui alarma les Hurons, certains d'entre eux n'ayant jamais vu d'arme à feu de leur vie.

Champlain fit s'avancer Savignon, qui dit du bien de la réception qu'on lui avait faite en France. Les Hurons avaient avec eux Étienne Brûlé, qui était habillé à l'indienne et avait appris le huron et l'algonquin[22]. Le lendemain, les Indiens invitèrent Champlain et Brûlé à leur camp. Les Hurons insistèrent pour qu'ils vinssent seuls, autre marque de la relation particulière que Champlain avait formée avec eux. Les Indiens lui dirent qu'ils désiraient « faire une étroite amitié avec lui », mais ils étaient mécontents de voir autant de trafiquants sur le fleuve, disant « qu'ils voyaient bien qu'il n'y avait que le gain et l'avarice qui les y amenaient ». Ils craignaient que « les autres pataches ne leur fissent du déplaisir[23] ». Champlain défendit les trafiquants et assura aux Indiens qu'ils étaient tous « sous un roi et d'une même nation ». Après une longue discussion, les Hurons remirent un cadeau princier à Champlain, cent peaux de castor de la meilleure qualité, et il leur fit des présents lui aussi. Il les interrogea sur la source du fleuve, et ils lui parlèrent « de la source de la grande rivière et de leur pays, dont ils me discoururent fort particulièrement, tant des rivières, sauts, lacs et terres, que des peuples qui y habitent ». Quatre Hurons lui dirent qu'ils avaient vu une mer loin de leur pays, mais qu'il y avait beaucoup d'ennemis en chemin et que le pays était difficile : « Ils m'en discoururent fort exactement, me démontrant par figures tous les lieux où ils avaient été, prenant plaisir à m'en discourir : et moi je ne m'ennuyais pas à les entendre[24]. »

La nuit suivante, les Hurons convoquèrent Champlain de nouveau, et il les trouva réunis en grand conseil. Ils lui expliquèrent cette coutume qu'ils avaient de tenir conseil la nuit : « Leur coutume était que quand ils voulaient s'assembler pour proposer quelque chose, ils le faisaient la nuit afin de n'être divertis par l'aspect d'aucune chose, et que l'on ne pensait qu'à écouter, mais à mon opinion, précise Champlain, ils me

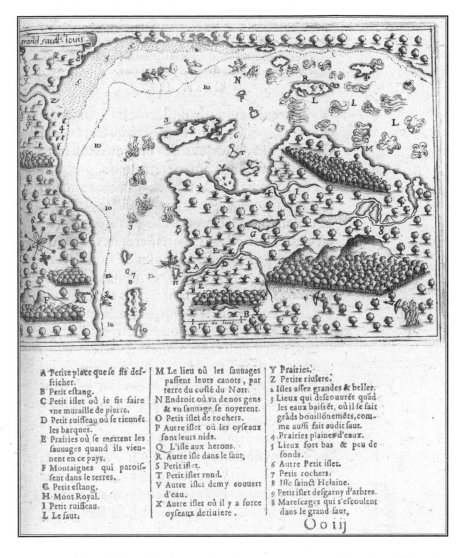

Au point ultime de la navigation sur le Saint-Laurent se trouvaient ces rapides rugissants, que Champlain baptisa le Grand Sault Saint-Louis. Uniquement vêtu de sa chemise, il les descendit dans un canot d'écorce conduit par d'habiles pagayeurs hurons, et il survécut tout juste à cette épreuve. Près des rapides, il fit tabagie avec de nombreux Indiens de l'ouest avec qui il tissa un réseau d'alliances.

voulaient dire leur volonté en cachette, se fiant en moi. » Ils lui redirent qu'ils « craignaient les autres pataches » et qu'ils « étaient fâchés de voir tant de Français qui n'étaient pas bien unis ensemble ». Ils ajoutèrent qu'ils « se méfiaient fort des autres ». Ils lui remirent d'autres cadeaux et l'invitèrent dans leur pays. La discussion dura toute la nuit[25].

Le matin, les Hurons se replièrent, s'éloignant ainsi des trafiquants français, et de nouveau ils invitèrent Champlain à venir les voir seul. Ils voulaient discuter cette fois d'une alliance contre les Iroquois. Champlain constata alors la complexité de leurs sentiments et l'autonomie des guerriers. L'un des Hurons avait été torturé par les Iroquois et voulait se venger. Les chefs n'approuvaient pas son dessein mais ne pouvaient l'en écarter. Champlain promit de les aider s'ils étaient attaqués, mais il marqua aussi son profond désir de paix, qu'ils partageaient eux aussi[26].

Après la rencontre, Champlain demanda aux Hurons de le raccompagner à sa barque au pied des rapides. Ils acceptèrent et prirent huit canots pour descendre les rapides, ce qui alarma fort Champlain. Il ne voulait pas faire le trajet en canot mais avait le sentiment qu'il ne pouvait pas reculer sans perdre le respect de ses interlocuteurs : « Ils se dépouillèrent tous nus, et me firent mettre en chemise : car souvent il arrive que d'aucuns se perdent en le passant [le rapide]. » Les Hurons se tenaient « les uns près des autres pour se secourir promptement si quelque canot arrivait à renverser ». Ils dirent à Champlain : « Si par malheur le tien venait à tourner, ne sachant point nager, ne l'abandonne en aucune façon, et te tiens bien à de petits bâtons qui y sont par le milieu, car nous te sauverons aisément. »

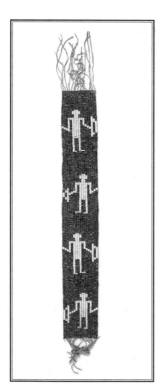

Champlain était un homme courageux, mais il avoua à ses lecteurs que la cataracte en furie le terrifiait : « Je vous assure que ceux qui n'ont pas vu ni passé ledit endroit en des petits bateaux comme ils ont, ne le pourraient pas sans grande appréhension[27]. » Feignant le plus grand calme, Champlain se mit en chemise et monta dans le canot. Ce fut l'un des moments les plus trépidants de sa vie. L'eau bouillon-

Cette ceinture de wampum finement tissée représente quatre chefs hurons ou leurs clans. Ces chefs en firent cadeau à Champlain en 1611 en gage d'estime et d'alliance. Champlain la remit au roi, et on la trouve encore aujourd'hui dans les collections de France.

nante s'empara du canot et le propulsa entre des rochers massifs qui l'auraient fracassé au moindre contact. L'esquif fragile se fraya un chemin sinueux sur le fleuve mugissant, et Champlain crut maintes fois que leur dernière heure était venue. Mais les pagayeurs hurons le firent passer, et leur adresse l'émerveilla. « Ces nations sont si addextres à passer les sauts, que cela leur est facile. Je le passai avec eux, ce que je n'avais jamais fait, ni autre chrétien, hormis mondit garçon [Brûlé][28]. »

Les Hurons rentrèrent dans leur pays, et Champlain resta aux rapides pour rencontrer les Algonquins qui arrivèrent le 12 juillet. Une grande fête suivit, avec d'autres tabagies. Champlain voulut s'allier à eux aussi. Comme d'habitude, il n'en avait que pour l'avenir. Français et Algonquins échangèrent d'autres jeunes gens pour que les uns et les autres se familiarisent avec les coutumes de chacun. Après de longues palabres, la rencontre prit fin[29].

Champlain reprit aussitôt le chemin de Québec. Il parcourut trente lieues le premier jour, atteignant les Trois-Rivières, et il parvint à Québec le 19 juillet. Champlain n'y resta qu'une journée mais tira le meilleur parti de son temps là-bas. Il inspecta l'établissement, « puis y fit faire quelques réparations » et planifia d'autres améliorations. Lui qui voyait le monde comme un jardin, il fit planter aussi des rosiers. En quête d'autres débouchés pour la Nouvelle-France, il fit « charger du chêne de fente pour faire l'épreuve en France, tant pour le marrin lambris que fenestrages ». Il espérait trouver dans la forêt américaine un nouveau produit d'exportation [30]. Toute cette activité bourdonnante fut menée en une seule journée. Champlain mit donc « ordre à ce qui dépendait de notre habitation, suivant la charge que ledit sieur de Mons m'avait donnée ». Il repartit aussi subitement qu'il était venu et fit voile pour la France à bord d'un vaisseau rochelais. Il débarqua à La Rochelle le 10 septembre 1611[31].

*　　*　　*

De La Rochelle, Champlain alla rendre visite au sieur de Mons en son château près de Pons, en Saintonge. Les choses allaient mal, très mal. Ses investisseurs l'avaient informé qu'ils ne voulaient plus « continuer en l'association » du fait que la perte du monopole des fourrures paraissait irrémédiable. Il avait racheté leurs actions avec ses propres deniers, espérant reprendre l'affaire à son compte. « Mais comme il était en cette poursuite, quelques affaires de conséquence lui survinrent, qui la lui firent quitter », probablement quelque revers de fortune.

Par-dessus le marché, De Mons n'avait plus accès au trône. Marie de Médicis lui avait fait savoir qu'il n'était plus le bienvenu en sa présence. Le compagnon protestant d'Henri IV était désormais *persona non grata* dans la camarilla catholique de la régente. De Mons confia à Champlain avec tristesse qu'en ce qui concernait la Nouvelle-France, il ne lui était plus permis « d'en faire la poursuite en la cour ». Le gentilhomme vieillissant promit à son jeune protégé de l'aider en coulisses, comme ami et comme conseiller. L'ange protestant de la Nouvelle-France tint parole. Mais il fit comprendre à Champlain qu'il fallait trouver une autre âme dirigeante pour la Nouvelle-France.

Les deux hommes s'entendirent pour désigner quelqu'un d'autre à la tête du projet, préférablement quelque noble catholique qui trouverait grâce aux yeux de la régente. Le sieur de Mons pria alors son jeune ami de trouver les moyens voulus pour conserver la Nouvelle-France, et selon le mot de Champlain, lui « en laissa toute la charge ». De Mons lui conseilla aussi de rentrer à la cour « pour mettre ordre à cette affaire[32] ».

Champlain quitta son ami le cœur lourd. Il entreprit le long voyage, parcourant à cheval les dures routes des campagnes de France. Le destin semblait conspirer contre lui. En chemin, écrivit-il, « un malheureux cheval tomba sur moi et me pensa tuer. Cette chute me retarda beaucoup[33] ».

Mais dès qu'il fut en état de reprendre la route, Champlain repartit, songeant à la tâche qui l'attendait. La cour de Marie de Médicis était dominée par les grands nobles, et il n'était qu'un roturier. Champlain décida d'aller trouver d'abord les membres de son cercle américain. Ils l'aidaient déjà depuis plusieurs années. Il nous dit qu'il alla voir « monsieur le président Jeannin », à qui il remit un « mémoire » résumant les récents événements en Nouvelle-France, soulignant ses nouvelles alliances avec les Hurons et les nations algonquines de l'ouest. Champlain plaida de nouveau l'importance de l'entreprise américaine. Jeannin lui fit bon accueil : « Il loua mon dessein et m'encouragea à la poursuite d'icelui. » Jeannin était un homme avec qui compter à la cour. Même la reine l'écoutait, et les marchands le traitaient avec déférence[34].

Champlain nous dit qu'il alla voir aussi d'autres puissants « seigneurs de la cour », qu'il ne nomme pas. L'un de ceux qui l'aida le plus fut le sieur de Beaulieu, conseiller et aumônier ordinaire du roi, le jeune Louis XIII. Avec son concours, Champlain put se rapprocher de l'enfant roi et s'efforça de gagner son amitié par des attentions, de menues bontés et des cadeaux de Nouvelle-France[35].

Il discuta également avec ses conseillers du problème le plus pressant : à savoir, obtenir un revenu sûr pour la Nouvelle-France afin de surmonter les rivalités des marchands-investisseurs et de gagner leur adhésion à la colonie. Champlain et ses amis à la cour trouvèrent une solution ingénieuse à ce problème. Comme l'écrit l'historien Lanctot, c'est Champlain lui-même qui « conçut l'idée de remettre l'entreprise canadienne aux mains d'un grand personnage, dont l'influence l'emporterait sur celle des égoïstes "mercadants" ». Ses conseillers et lui convinrent de recruter un prince du sang, un grand aristocrate apparenté à la dynastie régnante des Bourbons et situé en droite ligne de la succession du trône. Il serait invité à régner sur la Nouvelle-France et à en réguler le commerce avec une autorité que les marchands pourraient difficilement contester[36].

Charles de Bourbon, comte de Soissons, gouverneur de Normandie et du Dauphiné, était un candidat intéressant et intéressé : l'Amérique le fascinait. Champlain le pressentit par l'entremise du sieur de Beaulieu et lui demanda s'il accepterait de servir la cause de la Nouvelle-France en en devenant le maître titulaire. Soissons accepta sans hésiter. Un par un, Champlain et ses amis gagnèrent le soutien des nobles les plus puissants de la cour. Puis il soumit une proposition au « roi en conseil », et le 8 octobre 1612 le jeune Louis XIII accorda une commission royale au comte de Soissons, qu'il nommait gouverneur de la Nouvelle-France. Celui-ci nomma aussitôt Champlain au poste de lieutenant. Tout était arrangé. Puis, nouvelle catastrophe : le comte de Soissons tomba malade et mourut subitement, peut-être de la vérole, le 12 novembre 1612, après avoir exercé sa charge un peu moins d'un mois[37].

Champlain se tourna aussitôt vers un autre prince du sang : Henri de Bourbon, prince de Condé et duc d'Enghien, le neveu de Soissons et le cousin du jeune Louis XIII. Condé avait vingt-quatre ans et il était très populaire au sein de son imposant cercle d'amis, mais il était d'un tempérament difficile et considéré comme une forte tête au sein de la famille royale. Champlain et ses conseillers s'entendirent pour pressentir Condé, et des approches furent faites. Le prince avait des goûts extravagants, dont un passe-temps très coûteux : une écurie de purs-sangs.

Condé crut entrevoir la source d'un pactole en Nouvelle-France. D'autres à la cour souhaitaient peut-être aussi que ses nouveaux devoirs américains lui ôtent l'occasion de nuire en France[38].

Condé marchanda son appui âprement. Il exigea le titre de vice-roi de la Nouvelle-France. Champlain avait cependant un autre objectif à l'esprit. Il souhaitait que le prince du sang en poste ait l'autorité absolue pour réguler le commerce en Nouvelle-France dans l'espoir de procurer un revenu stable à la colonie. Il nous dit qu'il présenta « à Sa Majesté, et à Nos Seigneurs de son Conseil une requête avec des articles, tendant à ce qu'il lui plut vouloir apporter un règlement en cette affaire ». Le jeune roi donna son accord, et la régente ne fit aucune opposition. Les lettres patentes émises le 22 novembre 1612 nommaient Condé vice-roi de la Nouvelle-France et lui conféraient le droit de régir le commerce dans la vallée du Saint-Laurent pour une période de douze ans[39].

Qui de ce Prince icy voit l'Auguste aparence
Croies en le courage et l'Esprit si parfait
Que tout le mesme rang qu'il tient du sang de France
Au monde il le luy faut en ce qu'il dit et fait.

Sur les instances de Champlain, et avec le concours ardent de son cercle américain à la cour, ce prince du sang devint vice-roi de Nouvelle-France et son protecteur. Il ne vint jamais en Amérique et il ne tarda pas à faire de Champlain son lieutenant, à l'instar de tous les vice-rois avant et après lui, jusqu'en 1635.

Soissons et Condé furent les deux premiers vice-rois d'une longue série de titulaires au règne court. La plupart étaient des parents du roi ; tous achetèrent et revendirent leur charge en France. Aucun ne mit les pieds au Canada. Ils ne savaient presque rien de l'immense domaine qu'ils prétendaient gouverner. Le prince de Condé n'avait lui-même nullement l'intention de s'installer en Amérique. Le jour où il reçut sa commission, il nomma Champlain son « lieutenant pour la Nouvelle-France », avec des pouvoirs très étendus pour gouverner le pays. Champlain accepta tout de suite et remercia monsieur le prince qui « nous maintenait contre toutes sortes d'envies, et altérations, qui provenaient d'aucuns mal veillants ».

Champlain pria tout de suite les autorités portuaires de la côte ouest de reconnaître l'autorité du vice-roi sur la Nouvelle-France. Le Parlement de Rouen et les marchands de Saint-Malo protestèrent vigoureusement et intentèrent des procédures pour obtenir le droit de commercer librement outre-Atlantique. Le roi contraignit le Parlement à cesser toute opposition et ordonna aux Malouins de reculer. Obligés de céder devant un prince du sang, les mécontents se rabattirent sur Champlain. Ils rédigèrent des mémoires accablants sur son compte, faisant savoir à Condé que « Champlain n'était qu'un simple peintre qui était allé au Canada par curiosité et n'y avait rien découvert ; l'y renvoyer ne servirait que sa propre gloire aux frais du trésor royal[40] ».

Condé ne se contenta pas de soutenir son lieutenant, il renforça même ses attributions. Lanctot écrit que Condé conféra à Champlain « une quasi absolue autorité dans tout le pays avec plein pouvoir d'établir des habitants, de pousser aux explorations des terres et finalement de conclure une association de finance et de commerce pour le succès de l'entreprise[41] ». En retour, Champlain travailla étroitement avec le vice-roi et le défendit contre nombre d'attaques, ce qui « me traversa fort, dit-il, et me contraignit de faire trois voyages à Rouen sur les ordres de Sa Majesté ». Il fit publier la commission du roi dans tous les ports de Normandie. Mais si c'était une chose que d'avoir gain de cause en France, c'en était une autre que de faire respecter un jugement en Amérique[42].

Champlain écrit que ces tribulations lui laissèrent peu de temps pour l'habitation de Québec. Le petit établissement pâtit, mais il survécut, et Champlain s'efforça de suivre le cours des événements sur place[43]. Il s'intéressa comme toujours à l'exploration du territoire, même s'il en était loin. À Paris, il s'entretint avec Nicolas de Vignau, un jeune interprète qui avait vécu chez les Algonquins. Vignau était rentré en France, et il dit à Champlain que la « mer du Nord » était à dix-sept jours de marche du Sault Saint-Louis : il s'agissait de remonter la rivière des Outaouais jusqu'à un grand lac qui s'y déversait. Champlain avait ses doutes. Par ses conversations avec les Montagnais, il s'était fait une vague idée des distances, et plus il y songeait, plus il se méfiait de Vignau[44]. Il fit part des propos de l'interprète à ses amis de la cour, le maréchal de Brissac, le chancelier de Sillery et le président Jeannin. Tous lui dirent « qu'il me fallait voir la chose en personne[45] ».

C'est avec cette mission à l'esprit que Champlain décida de retourner en Amérique à la fin de l'hiver 1613. Le 6 mars, Champlain et Pont-Gravé firent voile de Honfleur. Ils parvinrent à la côte du cap Breton le 21 avril et gagnèrent en peu de temps le Saint-Laurent. Dès qu'ils furent en vue de Tadoussac, les Montagnais, « nous apercevant, se jetèrent dans leurs canots, et vinrent au-devant de nous ». Champlain hasarda un manège pour étudier leurs réactions. « Quand ils furent dans notre vaisseau ils regardaient chacun au visage, et comme je ne paraissais point, ils demandèrent où était monsieur de Champlain. » Il était déguisé et se tenait à l'écart. Puis « il y eut un vieillard qui vint à moi en un coin, où je me promenais, ne désirant encore être connu, et me prenant l'oreille (car ils se doutaient qui j'étais), vit la cicatrice du coup de flèche que je reçus à la défaite des Iroquois : alors il s'écria, et tous les autres après lui, avec grandes démonstrations de joie, disant : tes gens sont au port de Tadoussac qui t'attendent[46] ».

Les Montagnais avaient une fois de plus grandement souffert de l'hiver. Champlain les trouva « si maigres et si hideux, que je les méconnaissais ». Il poursuivit tristement : « À l'abord ils commencèrent à crier du pain, disant qu'ils mouraient de faim. » Des marins français étaient justement à apprêter trois outardes et deux lapins et « jetèrent les tripailles à bord, sur lesquelles se ruèrent ces pauvres sauvages, et ainsi que bêtes affamées les dévorèrent sans les vider ». Puis ils s'accroupirent et raclèrent « avec les ongles la graisse dont on avait suiffé notre vaisseau, et la mangeaient gloutonnement comme s'ils y eussent trouvé quelque grand goût ». Champlain soulagea de nouveau leurs misères[47].

Champlain poursuivit jusqu'au havre de Tadoussac, où son navire jeta l'ancre le 29 avril 1613. Il se buta aussitôt à un autre genre d'ennui, qui lui vint cette fois des trafiquants sans permis. Peu après son arrivée, d'autres navires de commerce apparurent. Un vaisseau de Rouen arriva avec la même marée, et le lendemain 30 avril, il y avait deux autres vaisseaux de Saint-Malo dans le havre. Leurs capitaines avaient quitté la France avant que soit publiée la commission du roi et n'étaient pas au courant de sa teneur. Champlain monta à bord des navires et leur expliqua la situation. « Je fus à bord d'eux [...] et fis lecture de la Commission du Roi, et des défenses d'y contrevenir sur les peines portées par icelles. » Les Malouins répondirent qu'ils « étaient sujets et fidèles serviteurs de Sa Majesté, et qu'ils obéiraient à ses commandements ». Champlain parvint à conclure, semble-t-il, quelque accord avec les deux capitaines malouins, le sieur de la Mainerie et le sieur de La Tremblaye, et tous trois trouvèrent une solution pacifique à leur contentieux. « Dès lors je fis attacher sur le port à un poteau, les armes et Commissions de Sa Majesté, afin qu'on n'en prétendit cause d'ignorance. »

Champlain avait cependant des difficultés d'un autre genre avec d'autres capitaines français. On se plaignit à lui de trafiquants qui avaient maltraité les Indiens. Comme par le passé, Champlain s'employa non seulement à encourager le commerce mais aussi à protéger les Indiens contre les commerçants sans scrupules. Il avait surtout à cœur d'empêcher toute vente d'alcool ou d'armes à feu[48].

Pendant que Champlain réglait ces questions, ses charpentiers s'affairaient à équiper deux chaloupes pour remonter le fleuve. Le 2 mai, les embarcations étaient prêtes, et Champlain en prit une pour se rendre à Québec. Il partit par mauvais temps et affronta une tempête. Le vent était si violent que la chaloupe fut démâtée. Autre moment d'angoisse où il crut sa dernière heure venue. « Si Dieu ne nous eut préservés, nous nous fussions perdus, comme fit devant nos yeux une chaloupe de Saint-Malo qui allait à l'île d'Orléans, de laquelle les hommes se sauvèrent. » Ils gréèrent un mât de fortune et atteignirent Québec le 7 mai[49].

À Québec, Champlain trouva les colons « qui y avaient hiverné en bonne disposition, sans avoir été malades ». Ils lui dirent que l'hiver avait été doux et que le fleuve n'avait pas gelé. Le printemps était bien avancé, « les arbres commençaient aussi à se revêtir de feuilles, et les champs à s'émailler de fleurs[50] ». Il séjourna à Québec une semaine. Le 13, il s'en fut aux rapides de Montréal et y arriva le 21. Une barque de commerce y était déjà à négocier avec de petits partis d'Algonquins munis de leurs armes et de leurs boucliers faits de bois et de peaux d'orignal. Les Indiens lui firent bon accueil mais lui signalèrent que les Iroquois de l'ouest s'agitaient, et ils se plaignirent eux aussi d'avoir été maltraités par des trafiquants[51].

Il promit de les assister contre les Iroquois, mais leur dit qu'au préalable il voulait traverser leur pays pour aller explorer le nord-ouest. Il leur demanda de lui fournir trois canots et trois guides. Les Algonquins n'étaient pas enclins à collaborer. Après avoir déployé de nombreux efforts et leur avoir fait toutes sortes de présents, Champlain obtint deux canots et un seul guide[52].

Du fait de sa taille réduite, son expédition s'exposait à de grands périls, mais Champlain était résolu à voir l'intérieur du pays. Il comptait remonter le fleuve Saint-Laurent jusqu'à la « rivière des Algonquins », soit la rivière des Outaouais, et d'en suivre le cours en direction nord-ouest. Il revit le jeune interprète Vignau, qui lui répéta qu'il avait été à la baie d'Hudson et qu'il en était revenu en dix-sept jours, et qu'il avait vu là-bas les restes d'un navire anglais. Champlain avait lu le récit du voyage d'Henry Hudson de 1612, qui avait été publié la même année à Amsterdam. Il savait que les hommes d'Hudson avaient pénétré dans la grande baie qui portait désormais son nom, qu'il était descendu jusqu'à 53 degrés de latitude nord pour hiverner et qu'il avait perdu des navires là-bas. Mais on était très loin de Montréal. Champlain doutait de la véracité du récit de Vignau, et il lui fit savoir brutalement que « s'il donnait quelque mensonge à entendre, il se mettait la corde au col ». Le jeune Français jura qu'il avait dit vrai[53].

Le 27 mai 1613, Champlain et Vignau quittèrent Montréal avec un autre interprète du nom de Thomas, un guide algonquin et deux autres Français. Leurs canots étaient lourdement chargés de provisions, d'armes, de marchandises de traite et d'outils nécessaires à l'exploration. Ils avançaient lentement, et le temps leur était défavorable. Ils mirent une journée entière à se rendre de l'île Sainte-Hélène aux grands rapides autour desquels ils portagèrent, « ce qui ne se fait sans suer », précisa Champlain. Au-dessus des rapides, ils entrèrent dans le grand lac des Deux-Montagnes, où la rivière des Outaouais arrive du nord. La contrée était splendide et fertile, mais on y sentait le danger. Des partis onontagués et onneïouts rôdaient dans cette région. Toutes les nuits, Champlain et ses compagnons campaient sur une île pour mieux se défendre, bâtissaient une barricade et montaient la garde jusqu'au matin avec vigilance. Précautions qui alourdissaient les peines du voyage.

Du lac, ils virèrent vers le nord et entrèrent dans la rivière des Outaouais. Champlain prit une méridienne et calcula la latitude à 45 degrés, 18 minutes, mesure remarquablement exacte. Champlain vit ainsi que la « mer du Nord », ou baie d'Hudson, était à au moins huit cents kilomètres en ligne droite, et encore plus loin par voie fluviale. Manifestement, le calcul du temps de voyage et de la distance donné par Vignau était inexact[54].

Bien d'autres rapides les attendaient sur la rivière des Outaouais, et ils en franchirent quelques-uns « à force d'avirons » et certains en portageant. En quelques endroits, les rives étaient si accidentées qu'ils ne

L'EXPLORATION DE LA VALLÉE DE L'OUTAOUAIS, 1613

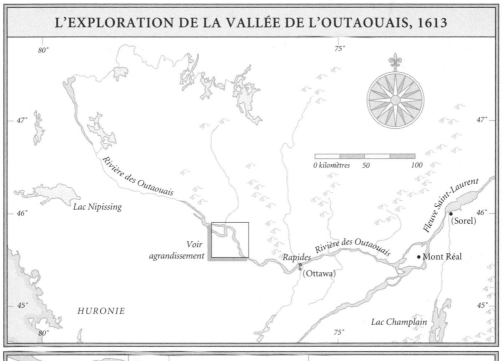

80° 75°

47° 47°

Riviè re des Outaouais

46° 46°

Lac Nipissing

0 kilomètres   50   100

Fleuve Saint-Laurent

(Sorel)

Rivière des Outaouais

Rapides ● Mont Réal

(Ottawa)

45° 45°

HURONIE

Lac Champlain

80° 75°

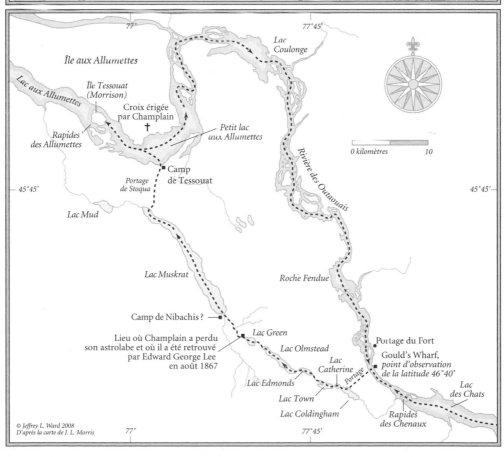

77° 77°45'

Lac Coulonge

Île aux Allumettes

Île Tessouat
(Morrison)

Lac aux Allumettes

Croix érigée
par Champlain ✝

Petit lac
aux Allumettes

Rivière des Outaouais

Rapides
des Allumettes

0 kilomètres   10

Camp
de Tessouat

Portage
de Stoqua

45°45' 45°45'

Lac Mud

Lac Muskrat

Roche Fendue

Camp de Nibachis ?

Lieu où Champlain a perdu
son astrolabe et où il a été retrouvé
par Edward George Lee
en août 1867

Lac Green

Portage du Fort

Lac Olmstead

Gould's Wharf,
point d'observation
de la latitude 46°40'

Lac
Catherine

Portage

Lac Edmonds

Lac
des Chats

Lac Town

Lac Coldingham

Rapides
des Chenaux

© Jeffrey L. Ward 2008
D'après la carte de J. L. Morris

77° 77°45'

pouvaient avancer qu'en tirant leurs canots avec des cordes sur les flots tumultueux. Tâche dangereuse. Champlain traînait le sien avec une corde nouée à son poignet lorsque, soudain, le canot fut happé par un tourbillon. Champlain fut jeté entre deux rochers. Le canot tirait sur la corde avec une force telle qu'il eut la main presque arrachée. « En ce danger je m'écriai à Dieu, et commençai à tirer mon canot, qui me fut renvoyé par le remouil de l'eau qui se fait en ces sauts [...]. Étant échappé je louai Dieu, le priant nous préserver[55]. »

Les autres Français souffrirent aussi épouvantablement « et par plusieurs fois pensaient être perdus », eux qui apprenaient lentement l'art de canoter en eau vive avec la « dextérité à passer ces sauts pour éviter les bouillons et brisants qui les traversent, ce que les sauvages, nota Champlain, font d'une telle adresse, qu'il est impossible de plus, cherchant les détours et lieux plus aisés qu'ils connaissent à l'œil[56] ».

Le lendemain, ils franchirent un lac et rencontrèrent quinze canots d'une nation algonquine que Champlain appelle Quenongebins. Ceux-ci, écrit-il, « s'étonnaient de me voir avec si peu de gens en ce pays, et avec un seul sauvage ». Ils se saluèrent « à la mode du pays », et Champlain les invita à s'arrêter et à palabrer. Il leur dit qu'il désirait traverser leur pays et se porter à la rencontre d'autres nations indiennes. Ils l'en découragèrent vivement, lui disant que le pays était encore plus difficile en amont. Il leur demanda un guide et leur offrit de leur laisser un Français en otage. Ils acceptèrent. Bien des choses étaient réglées d'un coup à la faveur de cette brève rencontre[57].

Champlain et son groupe poursuivirent leur route et parvinrent à une autre rivière « fort belle et spacieuse » dont les rives étaient « garnies de beaux bois clairs ». En amont vivait une peuplade algonquine appelée les Ouescharinis. Champlain les appelait la Petite-Nation. Les Français continuèrent, franchissant ou contournant nombre de rapides ou de chutes, et ils se retrouvèrent dans un lac magnifique qui faisait plusieurs lieues de long, le lac des Chats. Champlain y rencontra une nation qu'il appelle Matou-Ouescarini, les Madawaskas d'aujourd'hui. Il fut émerveillé par les bosquets de cèdres mais remarqua que le lac était entouré de pins « presque tous brûlés par les sauvages[58] ».

Écoutant le conseil de leurs guides, Champlain et ses hommes quittèrent la rivière des Outaouais et s'engagèrent sur une route comportant une chaîne de lacs avec des portages très ardus. Lors de l'un d'entre eux, alors qu'ils avançaient péniblement dans un enchevêtrement de pins abattus par le vent, les hommes « plus grevés des mousquites que de leur charge », Champlain perdit son petit astrolabe de voyage. Il fut retrouvé en 1867 près du lac Green en Ontario. Il a aujourd'hui rang de trésor national au Musée canadien des civilisations, qui est situé justement sur le bord de la rivière que Champlain explora lors de cette expédition de 1613[59].

Ils pagayèrent jusqu'au lac du Rat musqué, où ils rencontrèrent une autre nation algonquine dont le chef, Nibachis, fut « émerveillé comment nous avions pu passer les sauts et mauvais chemins qu'il y avait pour parvenir à eux ». Il dit à ses compatriotes « qu'il fallait que nous fussions tombés des nues, et qu'eux demeurant au pays avaient beaucoup de peine à traverser ces mauvais passages ». Nibachis avait entendu parler de Champlain, et son périple l'avait convaincu que tout ce qu'on disait de lui devait être vrai : « Bref qu'il croyait de moi ce que les autres sauvages lui en avaient dit. » Preuve de plus que la réputation de Champlain se répandait rapidement d'une nation indienne à l'autre. Sa renommée avait en fait cheminé plus que lui en Amérique du Nord[60].

Champlain dit à Nibachis, par l'entremise de son interprète, qu'il était « en ce pays pour les assister en leurs guerres » et qu'il désirait aller plus avant « voir quelques autres capitaines pour même effet ». Ils acceptèrent de l'y aider et donnèrent de quoi manger à Champlain et à sa troupe. Ils pétunèrent et firent alliance. Après cette tabagie, Nibachis leur fit franchir le lac du Rat musqué et de là ils parcoururent aisément des sentiers battus jusqu'à un autre lac beaucoup plus grand qui est aujourd'hui le lac aux Allumettes[61].

Là vivait un chef de guerre algonquin très réputé du nom de Tessouat, dont la réputation rivalisait avec celle de Champlain dans la vallée du Saint-Laurent. Ils avaient déjà fait connaissance lors de la tabagie de Tadoussac en 1603, et, d'après Champlain, Tessouat fut « tout étonné de me voir, et nous dit qu'il pensait que je fusse un songe, et qu'il ne croyait pas ce qu'il voyait ». Le vieux chef le conduisit à l'actuelle île Morrison, au milieu du lac aux Allumettes. Privé de son astrolabe, Champlain estima, avec moins d'exactitude que d'ordinaire, que sa latitude était de 47 degrés. Elle était en fait de 45 degrés, 48 minutes nord. On se demande d'ailleurs comment il avait fait pour calculer, peut-être avec un instrument improvisé fait d'un bout de bois et d'une ficelle[62].

Champlain demanda à Tessouat pourquoi il vivait sur une terre aussi ingrate alors que le pays était si fertile plus au sud. Le chef lui répondit qu'il était en sûreté là où il était. Champlain lui déclara alors qu'il comptait bâtir un fort et faire labourer les terres près de Montréal, au pied des grands rapides sur le Saint-Laurent. « Ce qu'ayant entendu ils firent un grand cri en signe d'applaudissement », et lui firent savoir que si les Français s'établissaient près d'eux, « leurs ennemis ne leur feraient point de mal pendant que nous serions avec eux ». Tessouat invita Champlain à une autre tabagie sur l'île Morrison. Ils tinrent un grand festin, et lorsque les jeunes guerriers se furent retirés, les anciens pétunèrent pendant un long moment. Champlain leur dit qu'il voulait rendre visite à une autre nation, les Nebicerinis (ou Népissingues), qui vivaient sur ce qu'on nomme de nos jours le lac Nipissing, et il demanda quatre canots pour faire le voyage. Les Indiens de l'île lui dirent que les Népissingues étaient une nation de sorciers qui tuaient les gens en usant de magie, et que Champlain courrait un grand danger parmi eux. Champlain persista et, désignant son interprète, leur répondit que Nicolas de Vignau avait été chez eux.

À sa grande surprise, les Indiens explosèrent de colère. Tessouat s'approcha de Vignau et dit : « Tu es un assuré menteur, tu sais bien que tous les soirs tu couchais à mes côtés avec mes enfants, et tous les matins tu t'y levais ; si tu as été vers ces peuples, ça été en dormant. » Ils refusèrent de permettre à Champlain d'aller plus loin, pour sa propre protection, alléguèrent-ils, et ils lui offrirent de régler le compte de Vignau

Champlain se servait de ce petit astrolabe de voyage en laiton (daté de 1603) pour calculer sa latitude en prenant une méridienne. Il le tenait au bout d'un fil à plomb et mesurait ainsi la hauteur du soleil sur l'horizon. Il le perdit en 1613 dans la vallée de l'Outaouais, et l'objet fut retrouvé en 1867 par un jeune paysan, avec une chaînette rouillée, des bols dans des coffres de cuivre et deux gobelets d'argent armoriés qui furent fondus et vendus.

eux-mêmes. « Donne-le-nous, lui dit Tessouat, et nous te promettons qu'il ne mentira plus. » Mais Champlain protégea Vignau, renonça à poursuivre sa route et se prépara à retourner sur ses pas. Avant de partir, il planta une croix de cèdre blanc arborant les armes de France et demanda aux Algonquins de veiller sur elle. Le 10 juin, il prit la route du retour, escorté par Tessouat, ses fils et quelques guerriers, qui étaient subitement revenus à de meilleures dispositions. Il y a lieu de croire que les Indiens protégeaient la source du commerce des fourrures, tout comme l'avaient fait les autres nations. Champlain prit bien garde de les mécontenter sur ce point[63].

Le 17 juin, ses hommes et lui étaient de retour aux rapides près de Montréal. Champlain convoqua Vignau et exigea des explications. Le jeune homme avoua qu'il n'avait jamais été à la mer du Nord et qu'il avait menti afin qu'on le ramène au Canada. Il demanda à Champlain de « le laisser au pays » parmi les Indiens. Champlain demanda à certains d'entre eux de le prendre, mais « aucun de ces sauvages n'en voulut, pour prière que je leur fis, et [nous] le laissâmes à la garde de Dieu ». Vignau s'en fut dans la forêt et Champlain ne le revit jamais. S'allia-t-il à une Indienne ou se fit-il trafiquant solitaire ? On ne sait. Ou les Indiens l'ont-ils tué, eux qui avaient plus d'aversion pour le mensonge que pour le meurtre ? Ces questions sont restées sans réponse[64].

Champlain ne vit jamais la baie d'Hudson mais, au cours de son long voyage, il réussit à explorer la vallée de l'Outaouais et à nouer des alliances avec plusieurs nations algonquines. Il rentra à Québec mais ne put y séjourner que brièvement. Il était temps de rentrer en France et de voir aux intrigues qui se déroulaient de l'autre côté de l'Atlantique. Il quitta Tadoussac le 8 août 1613 et arriva en France le 26 septembre, à temps pour reprendre son action là-bas.

À peine quelques semaines après son retour, Champlain forma un nouveau groupe d'investisseurs appelé la Compagnie du Canada. Il se donna beaucoup de mal pour intéresser des marchands de La Rochelle, Rouen et Saint-Malo afin que ceux-ci forment une seule entreprise commerciale, chaque ville possédant un tiers des actions. Il s'agissait d'unir en une seule unité les trois centres d'activité, tous licenciés par le vice-roi. Champlain organisa une rencontre le 13 novembre 1613, et des hommes de Rouen et de Saint-Malo y étaient présents. Parmi les grands acteurs se trouvaient des marchands de trois familles : les Le Gendre, les

Porée et les Boyer. Ils acceptèrent sa proposition et mirent de côté un tiers des actions pour les gens de La Rochelle[65].

La compagnie vit le jour officiellement le 20 novembre 1613 avec le parrainage enthousiaste du prince de Condé. Les investisseurs disposeraient d'un monopole sur la traite des fourrures dans la vallée du Saint-Laurent jusqu'à Québec et au-delà, pour une période de onze ans. En retour, la compagnie s'engageait à débourser mille couronnes par an et à transporter au moins six familles de colons à chaque saison, ce qui plut à Champlain. La compagnie promettait aussi de faire cadeau annuellement au vice-roi d'un pur-sang valant mille écus, arrangement qui ravit Son Altesse[66].

La compagnie sembla fonctionner pendant un temps, mais à la dernière minute les marchands de La Rochelle s'en dissocièrent et réussirent par quelque moyen à persuader le prince de Condé de leur octroyer un « passeport » spécial en vertu duquel ils enverraient leur propre navire de commerce dans le Saint-Laurent. On se demande combien de purs-sangs ce passe-droit avait bien pu coûter. En l'octroyant, le prince avait lui-même cassé le monopole de la compagnie de Champlain, alimenté des animosités intenses entre villes commerçantes et donné naissance à un contentieux qui allait durer vingt ans. Nullement découragé, cependant, Champlain alla discuter avec ses associés de Rouen et les quitta « satisfait de sa mission ». Les marchands normands lui promirent de soutenir la colonisation et d'approvisionner les habitants de Québec[67].

La force motrice de cette entreprise n'était autre que Champlain lui-même. Voilà pourquoi le meilleur historien des compagnies de commerce en Nouvelle-France appelle ce nouveau groupe la « Compagnie de Champlain ». Plus prudent, l'intéressé préférait dire la « Compagnie de Condé ». Une nouvelle direction se faisait jour. Le sieur de Mons en était l'un des investisseurs mais sans rôle moteur. Après dix années de loyaux services, il cédait sa place à Champlain. Sous les auspices du nouveau vice-roi, Champlain devenait le premier artisan de l'effort de colonisation en Nouvelle-France, rôle qu'il conserverait pendant vingt-deux ans, de 1613 jusqu'à sa mort, en 1635[68].

Tout en collaborant avec ses investisseurs, Champlain trouva le temps d'achever un nouveau volume intitulé *Les Voyages du sieur de Champlain, Xaintongeois, capitaine ordinaire pour le Roy, en la marine.*

Il portait la date de 1613 et était publié par Jean Berjon à l'enseigne du Cheval volant, rue Saint-Jean de Beauvais à Paris. C'était un ouvrage détaillé d'une qualité extraordinaire, tant sur le plan du texte que des cartes. Champlain y avait fait mettre treize cartes très exactes des havres et des côtes d'Amérique du Nord, fondées sur ses relevés méticuleux et dessinées de sa propre main[69].

Il publia également trois cartes plus imposantes de la Nouvelle-France. L'une d'elles était intitulée « Carte géographique de la Nouvelle-France (1612) », carte longue et étroite représentant la vallée du Saint-Laurent. Ce n'était pas un ouvrage de la meilleure cartographie, mais la planche elle-même était une œuvre d'art en soi : c'est la plus belle et la plus attrayante de toutes ses cartes. Elle avait pour objet de susciter de l'intérêt pour la colonie et les indigènes qui l'habitaient, avec ses magnifiques gravures dépeignant les Indiens, la flore et la faune. Surtout, elle devait capturer l'imaginaire de la régente, du jeune Louis XIII et de leurs ministres. Cette carte orne la première page de garde de notre livre[70].

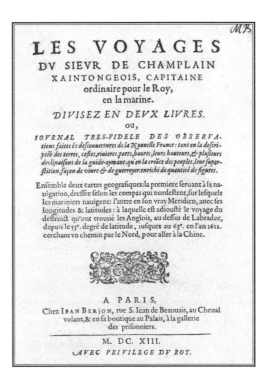

Les Voyages *de Champlain (1613) parurent en deux volumes reliés en un seul. Ce fut son plus bel ouvrage ; il comptait treize cartes, et c'est le meilleur qui subsiste de son art. L'ouvrage décrit ses voyages (et ses peines) en Amérique et en France de 1604 à 1611. Il est dédié au jeune roi et à la régente.*

Il subsiste deux versions imprimées de la Carte géographique de la Nouvelle-France
dans son Vray Meridien. *Celle-ci, la première des deux, montre les résultats de ses
explorations jusqu'en 1611.*

Deux autres cartes de Champlain de la même période (1611-1613)
présentent un intérêt particulier. Elles sont moins frappantes à titre
d'œuvres d'art mais plus abouties sur le plan cartographique. Ce sont
deux versions différentes de la même carte, mais les étudier côte à côte,
c'est voir comment le savoir géographique de Champlain évoluait. Le
premier état de cette carte fut esquissé en 1611 avec la collaboration de
David Pelletier, graveur des plus doués, et achevé en 1612. Elle comporte
une perspective oblique axée sur le quarante-cinquième parallèle. Cette
carte achevée, Champlain était retourné en Amérique et avait exploré la
rivière des Outaouais. Il avait vu aussi un nouvel ouvrage intitulé *Tabula
nautica* dont l'auteur, Hessel Gerritsz, retraçait les explorations d'Henry
Hudson dans les eaux du nord et dans la baie qui portait son nom. S'ins-

La seconde version de la même carte est semblable à la première à presque tous les points de vue, mais elle renferme de nouvelles informations inspirées des explorations de 1612 et aussi d'un récent récit hollandais du voyage d'Henry Hudson dans le nord. Dans cette carte révisée, on voit la passion de Champlain pour la vérité et sa soif de savoir.

pirant de ces nouvelles informations, Champlain révisa sa première carte et avança un nouvel argument important quant à l'existence d'un passage par le nord-ouest[71]. Dans tous ces ouvrages, note un spécialiste de la cartographie de Champlain, « la densité de l'information est rien moins qu'étonnante, mais le vrai miracle de l'œuvre cartographique de Champlain réside dans sa qualité et son originalité ». Il dédia ses livres et ses cartes au jeune roi Louis XIII et à la régente. Il est vrai qu'il avait grand besoin de leur appui[72].

*   *   *

En 1614, ayant entre autres à l'esprit les préoccupations des souverains, Champlain réfléchit au vieux problème de la religion en Nouvelle-France et se mit en quête d'une solution. Il décida de recruter « quelques bons religieux » afin « d'y planter la foi » ou du moins d'encourager leurs missions. La manière dont il s'y prit est très révélatrice : de l'homme lui-même et des problèmes colossaux avec lesquels il était aux prises[73].

Il consulta son ami Louis Hoüel, secrétaire du roi et contrôleur général des marais salants de Brouage. Hoüel était un homme « adonné à la piété et inspiré d'un grand zèle et amour de Dieu ». Il nourrissait une affection particulière pour les « bons pères récollets », un ordre franciscain qui avait été fondé en Espagne en 1484 et admis en France en 1592. Hoüel pressa Champlain d'emmener quelques récollets en Nouvelle-France, lui offrant de les y aider de sa propre bourse, et promit de trouver d'autres donateurs[74].

Cette solution créa d'autres problèmes au sein de la hiérarchie catholique. Les récollets hésitaient à s'engager sans une commission papale, et le nonce Roberto Ubaldini refusa son concours. Champlain surprit tout le monde en changeant de scène : il se rendit à l'assemblée des cardinaux et évêques français réunie à l'occasion des états généraux de 1614. Les discours qu'il leur tint connurent un grand succès. Les prélats français lui accordèrent leur appui total et contribuèrent même pour quinze cents livres au soutien de la mission[75].

Champlain parvenait enfin à élargir en France la rampe de lancement de son grand dessein en Amérique du Nord. Dans la période difficile qui allait de 1610 à 1614, il avait réuni un puissant groupe de partisans à la cour ; il avait aussi fondé une nouvelle compagnie de commerce pour remplacer celle du sieur de Mons. Et il avait noué des liens étroits avec la hiérarchie catholique et les Récollets tout en restant en bons termes avec les Jésuites et les autres ordres.

Alors que Champlain connaissait enfin quelque succès dans le domaine public, sa vie privée fut bouleversée. Sa femme l'avait quitté. Hélène Boullé était, selon les dires de tous, une jeune fille ravissante, intelligente et pleine d'allant. Lorsqu'ils s'étaient mariés, en 1610, Champlain avait trois fois son âge, et les deux avaient peu en commun. Elle était jeune et originaire d'une riche famille parisienne ; il était dans la quarantaine, lui le soldat couvert de blessures, le navigateur aux modestes origines provinciales. Elle aimait sa famille et ses amis ; lui aimait la compagnie des Indiens, des soldats et des marins. Elle vivait au cœur des cérémonies de la cour ; lui s'absentait pour de longs mois, vivant souvent parmi les Indiens.

Il y avait une autre question qui les divisait et qui aurait pourtant dû les unir. Il semble que les deux avaient grandi dans le protestantisme, pour devenir ensuite des catholiques fervents. Chacun avait embrassé la foi catholique avec une intensité qui leur interdisait peut-être tout rapprochement. Un voile de silence recouvre leur union, et nous ne connaîtrons jamais les secrets de leur vie commune. Mais deux faits sont indiscutables : Champlain adorait sa jeune épouse mais de loin ; et Hélène Boullé était malheureuse comme les pierres.

En août 1613, lorsque Champlain rentra en France, les parents d'Hélène lui ordonnèrent d'aller chez son mari comme l'exigeait le contrat prénuptial. Dans les semaines qui suivirent, Hélène se révolta. Selon le témoignage des parents, les choses s'étaient mises à mal tourner au cours de l'automne. La rupture avait eu lieu le 4 janvier 1614 lorsque Hélène avait soudainement fui le domicile conjugal. Elle demeura introuvable quelque temps. Ses parents étaient furieux, inquiets et gênés. Ils vitupérèrent contre les « injures atroces et scandaleuses par elle dictées et proférées contre l'honneur [et] bonne renommée » de sa famille. Le 10 janvier suivant, ils convoquèrent deux notaires et la déshéritèrent[76].

On ignore comment, mais Champlain et les parents réussirent à la retrouver. Hélène fut persuadée ou contrainte de retourner à son mari, et une réconciliation quelconque s'ensuivit. Les époux vécurent sous le même toit, mais ils n'eurent pas d'enfants, et on se demande s'ils étaient vraiment mari et femme. Champlain, pour sa part, déclara sur son lit de mort qu'Hélène était la seule femme qu'il avait aimée[77]. Elle était devenue une digne épouse et s'était résolue à l'aider. Elle l'avait suivi au Canada de son propre gré et y était restée cinq ans. Elle l'avait aidé à défendre sa cause en France. Il subsiste peu de preuves sur la nature de ce mariage. Les quelques preuves suggèrent que leur union s'était refroidie en 1614, qu'elle avait pris du mieux cinq ans plus tard et que le froid avait repris dans les années 1620. Mais même lorsqu'ils vivaient ensemble, ils étaient piégés dans un triangle des plus difficiles : une femme jeune, un homme plus âgé et un grand dessein entre les deux.

CHAPITRE 15

La Huronie

Une année parmi les Indiens, 1615-1616

> *Ce n'était* [pas] *l'acte d'un homme de guerre, comme il disait*
> *être, de se porter cruel envers les femmes, qui n'ont défense*
> *aucune que les pleurs* [et qu'on] *doit traiter humainement.*

CHAMPLAIN à Iroquet, chef
de la Petite-Nation algonquine, 1615[1]

À l'approche du printemps 1615, Champlain brûlait de repartir pour l'Amérique. À la fin de février, il quitta Paris pour Rouen, où il rencontra ses associés les marchands. Les discussions se passèrent bien. Les vieux bailleurs de fonds se rallièrent à l'entreprise, de nouveaux s'y ajoutèrent[2].

Champlain leur demanda de soutenir quelques missionnaires au Canada, « de quoi nos associés furent fort contents ». Le dernier jour de l'hiver, le 20 mars 1615, il organisa une autre rencontre à Rouen pour présenter les pères récollets à ses associés. Les uns et les autres étaient essentiels à l'essor de la Nouvelle-France, mais leur association ne fut guère aisée. Au conflit perpétuel entre Dieu et Mammon s'ajoutait la querelle incessante entre capitalistes protestants et ecclésiastiques romains[3].

Un autre chef aurait fait en sorte que les deux groupes n'aient aucun contact. Champlain, lui, les réunit dans la même salle. Il était efficace dans le rôle de l'intermédiaire, du conciliateur, du porte-parole[4]. L'enthousiasme des pères récollets pour leur mission grandit. Et les investisseurs promirent « d'assister lesdits Pères de leur pouvoir et les entretenir à l'avenir de leurs nourritures[5] ».

Début avril, Champlain conduisit les récollets et quelques-uns des marchands en aval de la Seine, de Rouen à Honfleur, où un grand navire était armé pour la Nouvelle-France. Dans ce petit port achalandé, Champlain avait réuni assez de capitaux pour affréter le *Saint-Étienne*, un grand vaisseau de trois cent cinquante tonneaux. C'était un bon navire, rapide aussi. Son capitaine était, une fois de plus, le vieil ami et compagnon de navigation de Champlain, Pont-Gravé[6].

* * *

À Honfleur, se souvint Champlain, « nous séjournâmes aussi quelques jours, en attendant que notre vaisseau fût appareillé, et chargé des choses nécessaires pour un si long voyage ». Les vivres et marchandises de traite qui étaient amoncelés sur les quais furent transportés à bord du *Saint-Étienne* et entreposés dans la cale. D'autres investisseurs se joignirent au projet, et on compléta l'équipage en y ajoutant des marins du Havre, de l'autre côté de la Seine[7].

Ces rudes marins jouaient un rôle névralgique dans toute entreprise coloniale, mais l'histoire a rarement retenu leurs noms. À Honfleur, Champlain leur porta une attention toute particulière et sans doute nouvelle pour eux : il encouragea les pères récollets à veiller sur leur vie spirituelle. Selon le mot de Champlain, on invita tous les marins et soldats à procéder à un examen de conscience : « On se prépara pour la conscience, à ce que chacun de nous s'examina, et se purgea de ses péchés, par une pénitence, et confession d'iceux, afin de se faire son bon jour, et se mettre en état de grâce, pour puis après étant plus libres, chacun en sa conscience, s'exposer en la garde de Dieu, et à la merci des vagues de cette grande et périlleuse mer[8]. »

On voit ici croître la foi de Champlain, ainsi que son caractère particulier. Sa pensée faisait peu de place à la théologie et encore moins à l'ecclésiologie, mais elle était toute tournée vers la piété. Fidèle à l'esprit d'universalité de l'Église catholique, la piété de Champlain embrassait toute l'humanité : attitude fort différente de celle des calvinistes qui fondèrent la Nouvelle-Angleterre et la Nouvelle-Hollande. Champlain croyait que le christianisme affranchissait les hommes, les rendait « plus libres », comme il dit. Pour lui, la grâce libérait du péché, et le christianisme, c'était la liberté de ne faire qu'un avec le Christ, en communion avec les autres âmes libres. Ces idées prenaient de plus en plus de place dans sa vie, et dans l'histoire de la Nouvelle-France[9].

Tout en veillant sur la spiritualité de ses compagnons de migration, Champlain voyait aux besoins matériels de l'expédition. Une de ses dernières tâches consista à faire charger des chaloupes et à acquérir plusieurs embarcations de taille moyenne à faible tirant d'eau conçues pour la reconnaissance des eaux et le commerce sur le Saint-Laurent. Champlain les appelait ses barques. Elles étaient plus grandes que les chaloupes mais plus petites que les vaisseaux pour la navigation en mer. On se demande comment il les a emmenées avec lui en Amérique. Étaient-elles descendues dans la cale ou serrées les unes contre les autres sur le pont supérieur du *Saint-Étienne*, comme on faisait pour les chaloupes ? Ces façons de faire convenaient mieux aux petites chaloupes qu'aux barques de moyenne taille. Suivaient-elles simplement au bout d'un câble ? Une longue remorque est toujours dangereuse par vent arrière dans une mer formée. Ou ses barques moyennes ont-elles fait le voyage indépendamment ? Peut-être que le *Saint-Étienne* les menait en convoi sur l'océan, comme une cane ses canardeaux. Quelle que fût la méthode, Champlain fut ravi du résultat. Ses barques moyennes, si adaptables, furent essentielles à son œuvre en Nouvelle-France[10].

Le travail fut enfin achevé. Les passagers et l'équipage voyaient venir le grand jour, quand le cœur du marin se met à battre rapidement et que même les gens à terre ressentent l'exaltation du départ prochain. Le 24 avril 1615, Champlain et le capitaine Pont-Gravé montèrent à bord du *Saint-Étienne*. Les pères récollets bénirent le navire et tous les hommes à son bord. Les marins embarquèrent le long et lourd orin jusqu'à ce que l'ancre fût à pic. Au commandement, l'ancre fut dérapée. Les gabiers montèrent rapidement dans la mâture pour larguer les garcettes et laisser les voiles prendre au vent. Sur le pont supérieur, les hommes commencèrent à souquer les bras, et les voiles se gonflèrent. Le navire s'éloigna de son mouillage, poussé par la marée et le vent. Ayant pris de l'erre, l'homme de barre vint au vent et guida le navire hors du havre étroit de Honfleur sur les eaux brunes de la Seine et tourna sa proue vers les eaux bleues et profondes de l'Atlantique Nord.

Ce fut une traversée tardive mais heureuse. Dans le beau temps printanier, le *Saint-Étienne* étendit ses voiles pour profiter d'un « vent fort favorable », et le navire fila sur l'océan. Le moment choisi pour faire le voyage avait été déterminant. Champlain nota avec soulagement : « Nous voguâmes sans rencontre de glaces, ni autres hasards, grâces à Dieu, et en peu de temps arrivâmes devant le lieu appelé Tadoussac, le vingt-cinquième jour de mai. » Si l'on compte le long trajet sur le Saint-Laurent, qui prenait souvent une dizaine de jours ou davantage, la traversée jusqu'au Grand Banc n'avait pas duré plus de vingt jours. Vitesse surprenante pour un voyage est-ouest, qui faisait honneur à l'habileté de son navigateur.

À eux deux, Pont-Gravé et Champlain avaient traversé l'Atlantique Nord plus d'une cinquantaine de fois, sans jamais faire naufrage. C'était une chose que de faire un heureux voyage. C'en était tout une autre que d'avoir derrière soi une longue série de traversées sans histoire, et cela revêtait une signification importante pour les hommes qui parcouraient les mers. À chaque voyage, Champlain consolidait sa réputation de navigateur aimé des dieux. Les gens de mer sont superstitieux. Ils savent qu'une lame sournoise peut causer de grandes avaries ou qu'un grain blanc est capable de coucher sur le flanc un navire aussi imposant que le *Saint-Étienne*.

En ce temps-là, et de nos jours aussi, les marins qui survivent à ce genre de péripéties en viennent à croire que la Fortune est l'une des forces motrices dans ce monde dangereux. Ils savent d'expérience que certains ont la chance avec eux et d'autres non. Ils pensent aussi que la chance est une déesse volage, et ils font tout en leur pouvoir pour l'apaiser. Même à notre époque, des marins qui ont fait des études supérieures en sciences font tout ce qu'ils peuvent pour éviter un départ le vendredi quand ils amorcent un long voyage. Des officiers de marine formés à la logique et à l'empirisme ne déposent jamais leur casquette à l'envers sur une table de peur qu'elle se remplisse d'eau et sombre. Ils aiment naviguer avec des capitaines à la main heureuse et redoutent le patron qui a une réputation de Jonas.

Au début de l'époque moderne, ce n'était pas tout à fait la même chose. La croyance profonde dans la chance (que nous connaissons nous aussi) coexistait avec un esprit fataliste fort étranger à notre monde. Champlain et nombre d'autres marins comme lui n'apprenaient jamais à nager même s'ils passaient leur vie sur l'eau. Au XVIIe siècle, la plupart des marins européens semblaient croire que la chance les destinait à voguer ou à se noyer, et qu'il n'y avait rien à faire dans un sens ou l'autre. Au XVIe et au XVIIe siècle, ces sentiments étaient accentués par la croyance religieuse selon laquelle le sort d'un homme n'était pas lié à un hasard capricieux, comme lorsqu'on lance les dés ou tourne une roue de fortune. C'était le signe de la volonté divine. Comme dans l'histoire de Joseph : « Et l'Éternel fut avec Joseph ; et il prospéra[11]. »

Champlain adhérait à cette vision du monde. Ses compagnons de voyage aussi, du capitaine aux tempes grisonnantes au plus novice des

En 1615, Champlain emmena quatre missionnaires récollets en Nouvelle-France. Ils furent suivis par Gabriel Sagard, qui vécut parmi les Hurons en 1623 et 1624 et publia Le Grand Voyage du pays des Hurons *en 1632. La page titre ci-contre combine les icônes de son ordre franciscain et des images de la Huronie. Le texte emprunte aux récits de Champlain et comporte d'excellentes notes ethnographiques ainsi qu'un glossaire huron. Son* Histoire du Canada *de 1635 contient des partitions de musique huronne et d'autres détails sur la vie de Champlain.*

moussaillons. Il nous dit d'ailleurs que, lorsque le *Saint-Étienne* jeta l'ancre devant Tadoussac, le 25 mai 1615, la première chose que firent tous ces hommes fut de s'agenouiller et de rendre « grâces à Dieu, de nous avoir conduits si à propos au port de salut ». Ces hommes qui avaient fait heureux voyage une fois de plus avec Champlain devaient croire que l'Éternel, comme pour Joseph, était avec lui[12].

*   *   *

Dans le havre de Tadoussac, les charpentiers du *Saint-Étienne* s'affairèrent à apprêter la flottille fluviale de Champlain. On emplanta les mâts et gréa les voiles. Les tolets furent capelés aux fargues, prêts à recevoir les avirons. Les marchands firent l'inventaire des marchandises de traite. Les pères polirent l'argenterie de la communion et s'apprêtèrent à missionner chez les Indiens. Champlain calibra ses instruments de voyage. Tous n'avaient qu'une hâte : repartir.

Les premières barques furent prêtes le 27 mai. Ce jour-là même, Champlain et les récollets s'en furent, quittant Tadoussac pour Québec. Le voyage prit presque une semaine à cause des vents et des courants contraires sur le Saint-Laurent. Ils arrivèrent à destination le 2 juin et trouvèrent l'habitation en meilleur état qu'ils ne l'avaient pensé. Les pères, dit Champlain, « furent grandement édifiés d'avoir vu le lieu tout autrement qu'ils ne s'étaient imaginés[13] ».

La situation à Québec était peut-être bonne, mais Champlain n'était pas satisfait. Il assembla les habitants et leur ordonna d'apporter des améliorations. Comme toujours, il était débordant d'énergie et sûr de ses volontés, et il imposa ses vues à l'établissement. Le système laissait peu de place à la liberté individuelle. Champlain donna ses consignes aux habitants pour ce qu'il estimait être le bien commun. Il commanda à certains de défricher des terres. D'autres reçurent l'ordre de bâtir une résidence pour les pères récollets, avec une chapelle où ils pourraient célébrer la messe[14].

Ces projets étant bien engagés, Champlain repartit. Il remonta le Saint-Laurent avec Pont-Gravé, quelques récollets, un détachement de soldats et les mariniers qui manœuvraient la barque. Les récollets furent émerveillés par le vaste fleuve et la splendeur du paysage. Champlain mentionna « le contentement que reçurent nos pères religieux » à la vue de « l'étendue d'un si grand fleuve, rempli de plusieurs belles îles, entouré d'un pays de côtes assez fertiles, comme on peut juger en apparence[15] ».

Ils parvinrent à leur destination : une grande île où s'élève aujourd'hui Montréal. Juste au-delà se trouvait la limite de la navigation sur le fleuve, ces rapides tumultueux que Champlain avait descendus en chemise.[16] De l'autre côté de l'île se trouvait la rivière des Prairies. Les clairières qui la bordaient devinrent un lieu de rencontre pour Européens et Indiens de nombreuses nations. Champlain et les siens mirent pied à terre où les attendait une foule de Hurons, Algonquins et autres. Tous firent fête aux Français, surtout à Champlain. « Incontinent que je fus arrivé au sault, je visitai ces peuples qui étaient fort désireux de nous voir, et joyeux de notre retour. » Il nota la surprise des récollets, étonnés d'y voir « quantité d'hommes forts et robustes, qui montrent n'avoir l'esprit tant sauvage, comme les mœurs, et qu'ils se l'étaient représenté[17] ».

Cette rencontre, si amicale fût-elle, mettait en présence des objectifs contraires. Les Indiens avaient en tête un but précis. Ils se plaignirent que les Iroquois, « leurs anciens ennemis, étaient toujours sur le chemin qui leur fermaient le passage ». Cette fois, ils ne parlaient pas des Agniers, qui avaient mis fin à leurs raids dans le nord depuis les campagnes de Champlain. Les attaques provenaient désormais de l'Iroquoisie centrale. Les Onontagués et les Onneïouts interceptaient les convois de fourrures dans le Haut-Saint-Laurent et sur la rivière des Outaouais. Hurons et Algonquins ne se sentaient plus en sécurité dans leur propre pays[18].

Champlain discuta de la question avec Pont-Gravé, et les deux furent d'avis « qu'il était très nécessaire de les assister, tant pour les obliger à nous aimer, que pour moyenner la facilité de mes entreprises et descouvertures, qui ne se pouvaient faire en apparence que par leur moyen, et aussi que cela leur serait comme un acheminement, et préparation pour venir au christianisme ». Les deux hommes se convainquirent qu'une brève campagne contre l'Iroquoisie centrale instaurerait la paix en Nouvelle-France, comme cela avait été le cas cinq ans auparavant contre les Agniers[19].

À la rivière des Prairies, Champlain décida de faire tabagie : « Nous les fîmes donc tous assembler pour leur dire nos volontés. » Faisant appel à un interprète indien, Champlain leur expliqua qu'il espérait aller au-delà du Sault Saint-Louis et visiter les nations de l'ouest. Il voulait, dit-il, « aller reconnaître leur pays » et explorer la route menant à la mer de l'ouest ». Une fois de plus, il leur offrit de « les assister en leurs guerres[20] ».

Après discussion, Champlain et les chefs indiens s'entendirent pour dépêcher un fort contingent en Iroquoisie centrale. Ce serait une grande alliance des nations indiennes de la vallée du Saint-Laurent avec d'autres nations des Grands Lacs et même au-delà. Les chefs lui promirent de réunir deux mille cinq cents guerriers. Champlain proposa de rentrer à Québec et de ramener le plus grand nombre de Français possible.

Ils discutèrent aussi stratégies et tactiques, sur lesquelles les Indiens et lui avaient des vues divergentes. « Je commençai à leur découvrir les moyens qu'il fallait tenir pour combattre. » Nous n'avons pas le texte de ce discours, mais à en juger par les paroles et les actes qui se sont ensuivis, il leur proposa une campagne audacieuse contre l'un des grands bourgs fortifiés au cœur même de l'Iroquoisie. Champlain avait à l'esprit une expédition punitive, menée comme un coup de poing, avec force et célérité. Il favorisait les campagnes faites de mouvements rapides et mettant de l'avant des effectifs imposants. Il s'agissait pour lui de frapper durement une cible importante, causer le maximum de pertes humaines à l'ennemi et battre en retraite aussitôt. Il ne mènerait pas une guerre de conquête ou d'extermination. Champlain, chaque fois qu'il prenait les armes, ne visait jamais les femmes, les enfants et les vieillards. Il ne combattait que les combattants. Il voulait ainsi décourager les agressions futures et jeter les fondements de la paix.

Ses alliés indiens avaient des objectifs différents : non pas une expédition punitive au sens européen du terme, mais un raid de représailles pour venger leurs morts, et un *raid de deuil* pour remplacer les disparus par de nouveaux captifs. Ces divergences de vue avec Champlain n'apparurent pas à la tabagie. L'accent était mis sur l'effort de guerre conjoint, et l'on s'entendit sur les grands axes de la campagne.

Les Indiens brûlaient de partir, mais Champlain fit valoir que l'expédition « ne pouvait être moindre que de trois ou quatre mois », et il lui fallait au préalable rentrer à Québec pour y voir « aux choses nécessaires ». Il promit de revenir dans quatre ou cinq jours[21]. Champlain redescendit donc le fleuve en toute hâte et arriva le 26 juin à Québec, où tout était en ordre. Deux récollets, le père Jean et le père Pacifique, avaient décoré la chapelle et célébré la messe le dimanche 25 juin, que Champlain crut être la première en Nouvelle-France[22]. Malheureusement, un troisième récollet, le père Joseph Le Caron, était parti pour les pays d'en haut avec douze Français. « Ces nouvelles m'affligèrent un peu », écrivit Champlain. Il avait espéré emmener ces hommes en expédition avec lui. « J'eusse mis ordre à beaucoup de choses pour le voyage, ce que je ne pus pas, tant pour le petit nombre d'hommes, comme aussi pour ce qu'il n'y en avait pas plus de quatre ou cinq seulement qui sussent le maniement des armes[23]. »

Nullement découragé, cependant, Champlain quitta Québec le mardi 4 juillet et regagna les rapides, où il croyait revoir les Indiens. Il avait du retard, et ils étaient repartis sans lui. Après l'avoir attendu pendant deux semaines sans avoir de nouvelles, les Indiens s'étaient découragés et étaient rentrés. Le bruit avait couru qu'il avait été tué par les Iroquois.

Champlain était arrivé tout de suite après qu'ils eurent levé le camp, et il se lança à leur poursuite. Il prit son valet, un interprète et dix pagayeurs indiens dans deux grands canots. Ils quittèrent la rivière des

Prairies et remontèrent le courant, résolus à mener cette expédition jusqu'au bout. C'était un voyage pénible. Des grands rapides du Saint-Laurent jusqu'en Huronie, il y avait près de huit cents kilomètres, avec vents et courants contraires et de nombreux portages harassants. Ils firent le trajet en vingt-trois jours, les Indiens qui étaient penchés sur leurs avirons chantant leurs chants de voyage rythmés, les lames luisant sous la lumière éclatante de l'été[24].

Pour la première partie du voyage, Champlain suivit le tracé de ses premiers voyages de 1613-1614. Puis il fit un long détour vers le nord afin d'éviter les Iroquois occidentaux, particulièrement les Onontagués, dont les partis de guerre étaient très redoutés. Passé l'île Tessouat (aujourd'hui l'île Morrison), le parti de Champlain quitta la rivière des Outaouais et pénétra « en un pays mal agréable, rempli de sapins, bouleaux, et quelques chênes, force rochers, et en plusieurs endroits un peu montagneux ». Ils traversaient le Bouclier canadien, que Champlain vit comme un lieu « fort désert, stérile et peu habité » : « Tout ce pays est encore plus mal agréable que le précédent, car je n'y ai point vu le long d'icelui dix arpents de terre labourable, sinon rochers et montagnes. » Mais même dans « ces terres affreuses et désertes », Champlain fit une découverte d'un genre particulier : « grande quantité de bleuets [...] en telle quantité, que c'est merveille[25] ».

En chemin, il rencontra nombre de nations indiennes, s'entretint avec elles et les encouragea à s'allier aux Français. Il revit les Algonquins de l'île Tessouat, qu'il connaissait bien. Dans une autre région pauvre, il vit une bande appelée les Otaguottouemins, qui vivaient de la chasse, de la pêche et de la cueillette de ces abondants bleuets qu'ils faisaient sécher pour l'hiver[26].

Champlain contourna plusieurs rapides en portageant jusqu'au lac Nipissing, où la nation du lieu, les Népissingues, lui fit « fort bonne réception ». Puis il parcourut encore trente lieues jusqu'à la rivière des Français et entra ainsi dans le lac Huron, qu'il appela le lac des Attigouautans, d'après le clan de l'Ours de la nation huronne. Il longea sa rive sur trente-cinq lieues, émerveillé par l'étendue du lac. Il l'appela « la mer douce ». Mais il en éprouva une certaine déception, car il était à la recherche de l'eau salée qui promettait le passage vers la Chine. La pêche le réconforta cependant : ainsi, il pêcha une truite d'un mètre et demi de long ; les brochets étaient de taille semblable, et les esturgeons, « poisson fort grand, et d'une merveilleuse bonté », atteignaient presque trois mètres[27].

Près du lac, il fit la connaissance d'une autre nation appelée les Cheveux-Relevés, Indiens aux narines percées et aux oreilles « bordées de patenôtres ». Ils ont, dit-il, « les cheveux fort relevés, et agencés et mieux peignés que nos courtisans ». Champlain se prit d'affection pour eux et apprécia leurs manières. Il donna une hache de métal à leur chef et l'interrogea sur son pays, « qu'il me figura avec du charbon sur une écorce d'arbre[28] ».

Champlain entra dans l'actuelle baie Georgienne et parvint en Huronie. À l'aune des vastes espaces du Canada, ce pays paraît très petit sur la carte, mais Champlain l'a parcouru à pied et en a retenu une impression différente. « Tout ce pays où je fus par terre contient quelque vingt à trente lieues, et est très beau. » Il calcula que c'était un espace d'environ soixante-cinq kilomètres par cent kilomètres, soit à peu près six mille cinq cents kilomètres carrés. La latitude de la Huronie était d'environ 44 degrés, bien au sud des établissements français du Saint-Laurent. Sa saison agricole était assez longue pour produire des récoltes abondantes de maïs, et la qualité du sol l'impressionna. Il prit plaisir à cheminer « tant ce pays est très beau et bon[29] ».

S'il fut surpris par l'étendue de la Huronie, Champlain le fut encore davantage par sa population. Il vit un pays « fort déserté », c'est-à-dire bien défriché, et « fort peuplé d'un nombre infini d'âmes ». Il estima qu'il y avait quelque trente mille habitants[30]. Il fut étonné par le nombre de bourgs, et encore plus par leur taille et leurs fortifications. Celui de Carhagouha (qui n'était pas le plus grand pourtant) l'impressionna avec sa triple palissade, qui faisait douze mètres de haut, soit la taille d'un immeuble de quatre étages[31].

Les villages hurons étaient entourés de vastes champs de maïs, certains faisant plus de dix hectares. Il vit des récoltes abondantes dans les champs, la plupart d'entre elles étant mûres à la mi-août. La production de maïs excédait la consommation. Champlain comprit que les Hurons cultivaient la terre et vendaient leur excédent aux autres nations. « Ils sont couverts de peaux de cerfs, et castor, qu'ils traitent avec les Algoumequins et Népissingues pour du blé d'Inde et farines d'icelui. » La Huronie était devenue le grenier des autres nations indiennes. Elle produisait aussi en abondance des courges, des graines de tournesol, des prunes, des pommettes, des framboises, des fraises et des noix[32].

Champlain nous dit qu'il visita systématiquement la plupart des principaux bourgs de la Huronie et bon nombre de ses villages. Il prit alors conscience du caractère ouvert de la politique dans les cultures indiennes. Dans tous les villages hurons, chaque clan avait ses leaders. Champlain fit la connaissance de nombre de ces chefs. Ce fut une opération extraordinaire de diplomatie en pays frontière qui consomma une bonne partie du mois d'août. Au bout du compte, il en résulta peut-être deux choses, dont l'une était inattendue. Champlain élargit sa base de soutien en Huronie mais en paya le prix. C'est qu'il affaiblit peut-être l'autorité déjà limitée des chefs les plus éminents de la Huronie. Le problème allait revenir le hanter dans les semaines à venir[33].

Le 17 août 1615, Champlain parvint à Cahiagué, le chef-lieu de la Huronie, un bourg plus grand que Carhagouha. Les guerriers de la Huronie furent invités à s'y rassembler pour la campagne contre l'Iroquoisie centrale. « Je fus reçu avec grande allégresse, et reconnaissance de tous les sauvages du pays, qui avaient rompu leur dessein, pensant ne me revoir plus, et que les Iroquois m'avaient pris [...] qui fut cause du grand retardement qui se trouva en cette expédition[34]. »

Les alliés s'entendirent pour entreprendre une longue marche de la Huronie jusqu'au cœur de l'Iroquoisie et lancer une attaque audacieuse contre un bourg important de la nation onontaguée, que Champlain appelle Entouhonoron ou Antouhonoron. Les Onontagués lançaient des raids au nord-ouest, en Huronie, depuis l'autre côté du lac Ontario, que Champlain appelait le lac des Entouhonorons, ou lac des Onontagués[35].

En attendant que s'assemblent les partis de guerre, Champlain explora Cahiagué. C'était un lieu extraordinaire. Il compta deux cents longues maisons et une population d'environ trois mille personnes, peut-être même six mille. La place était protégée par une palissade massive avec sept rangées de pieux. L'ampleur des fortifications illustrait l'âpreté des combats entre Hurons et Iroquois[36].

Les guerriers hurons se rassemblèrent pendant la dernière semaine d'août. Ils se mirent en route le 1ᵉʳ septembre, passant de Cahiagué à la langue de terre située près de la jolie ville actuelle d'Orillia, entre le lac Couchiching et le lac Simcoe, où ils attendirent les partis de guerre algonquins. Les visites de Champlain avaient donc porté fruit. La Petite-Nation algonquine vint en force, avec son chef de guerre Iroquet. Les Algonquins de l'île Tessouat et leur chef du même nom étaient aussi au rendez-vous. D'autres nations se joignirent également au parti de guerre[37].

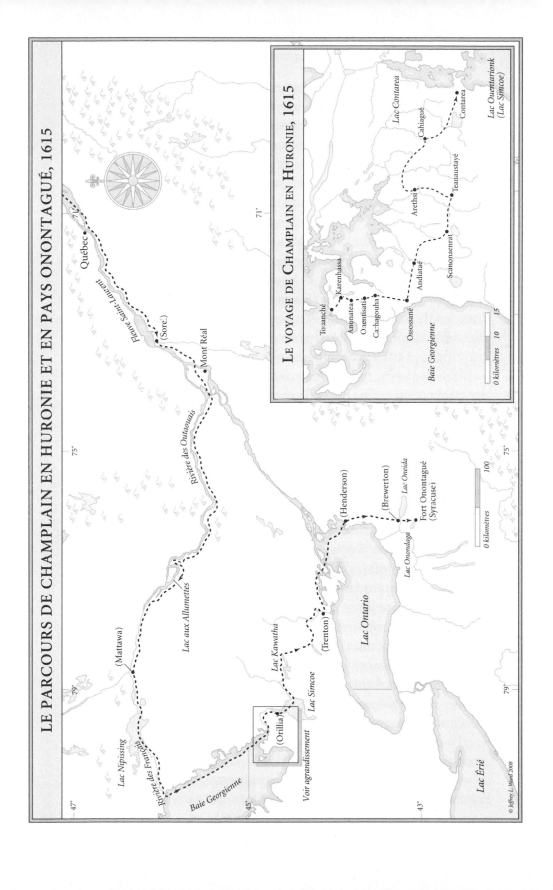

LE PARCOURS DE CHAMPLAIN EN HURONIE ET EN PAYS ONONTAGUÉ, 1615

Québec

Fleuve Saint-Laurent

(Sore.)

Mont Réal

Rivière des Outaouais

(Mattawa)

Lac Nipissing

Rivière des Français

Lac aux Allumettes

Baie Georgienne

(Orillia)

Voir agrandissement

Lac Simcoe

Lac Kawatha

(Trenton)

Lac Ontario

(Henderson)

(Brewerton)

Lac Oneida

Fort Onontagué
(Syracuse)

Lac Onondaga

Lac Érié

0 kilomètres   100

75°

79°

47°

45°

43°

© Jeffrey L. Ward 2008

LE VOYAGE DE CHAMPLAIN EN HURONIE, 1615

Lac Contarea

Cahiagué

Contarea

Lac Ouentaronk
(Lac Simcoe)

Teanaustayé

Arethsi

Scanonaenrat

Andiataé

Karenhassa

Touanché

Anonatea

Onentisati

Cahagoutha

Ossossané

Baie Georgienne

0 kilomètres   10   15

71°

75°

Hurons et Algonquins espéraient le concours d'une autre grande nation indienne qui habitait à la frontière méridionale de l'Iroquoisie. Il s'agissait des Andastes, qui occupaient une zone aujourd'hui partagée entre le Maryland, la Pennsylvanie et le sud de l'État de New York. Les Iroquois étaient en guerre avec eux aussi. Les Andastes étaient les alliés des Hurons et avaient eu de bons rapports sur les Français. Ils avaient récemment capturé trois trafiquants hollandais qui étaient avec les Iroquois et les avaient libérés, les croyant français. Ils offrirent cinq cents hommes pour prendre part à l'attaque contre l'Iroquoisie centrale. Les Hurons dirent à Champlain que les Andastes étaient de bons combattants mais qu'on ne pouvait les rejoindre qu'en faisant un long détour pour contourner le pays des Tsonnontouans. Les Hurons décidèrent alors de leur envoyer une délégation formée de douze de leurs meilleurs guerriers. L'interprète de Champlain (son « truchement »), Étienne Brûlé, demanda à les accompagner, ce qui lui fut accordé[38].

Le 1er septembre, le principal contingent de guerriers hurons et algonquins était enfin prêt, et il s'ébranla. Champlain avait avec lui entre dix et treize arquebusiers français ; l'armée indienne comptait au moins cinq cents guerriers, sans doute davantage[39]. La taille de l'expédition n'est pas claire, mais elle était assez imposante pour causer de grandes difficultés d'ordre logistique. « Nous fûmes à petites journées, toujours chassant », écrit Champlain. Il décrit une chasse rassemblant « quatre ou cinq cents » Indiens qui formèrent une ligne et acculèrent des cerfs sur des pointes de terre cernées de lacs et de rivières. Les cerfs se jetèrent à l'eau et furent tués à coups d'épées emmanchées sur des perches « en façon de demi-pique ». Il note : « Je prenais un plaisir singulier à les voir ainsi chasser, remarquant leur industrie[40]. »

Les Français se joignirent à la chasse avec leurs armes à feu et causèrent un incident. En tirant sur un cerf, un arquebusier avait blessé un guerrier, ce qui menaça de compromettre l'expédition. Les Indiens ne croyaient pas aux accidents. « Une grande rumeur » s'éleva entre eux, écrit Champlain. L'affaire fut réglée par des présents au blessé et à sa famille, « qui est la façon ordinaire pour apaiser et amortir les querelles[41] ».

Il y avait loin à faire entre Cahiagué et le centre de l'Iroquoisie, soit quarante jours de marche depuis leur départ du 1er septembre. Le gros du voyage fut fait en canot. Les guides indiens menèrent les combattants sur une longue chaîne de lacs entrecoupés de courts portages : ces lacs aujourd'hui appelés Cranberry, Balsam, Cameron, Sturgeon, Pigeon, Buckhorn, Deer, Clear et Rice, ces rivières nommées Otonabee et Trent. Cette route les conduisit à la rive nord-est du lac Ontario[42].

De là ils lancèrent leurs canots sur le secteur nord-est du lac Ontario et voguèrent d'île en île, ne demeurant à découvert jamais plus de onze kilomètres à la fois. Ce parcours ingénieux les amena sur la rive est du lac, au sud de ce qui est aujourd'hui Sackets Harbor, sous un cap appelé Pointe à la Traverse. Les Indiens dissimulèrent leurs canots au fond des bois, ruse nécessaire au succès de leur mission. S'ils perdaient leurs canots, ils seraient piégés en pays ennemi. Les canots furent camouflés avec une grande habileté[43].

Vers le 5 octobre, ils entreprirent la dernière étape de leur long voyage. D'après Champlain, ils se dirigèrent vers le sud à pied le long d'une « plage de sable », traversée de « plusieurs petits ruisseaux, et de deux petites rivières » qui se jetaient dans le lac Ontario. Comme toujours, Champlain étudia le paysage qu'il trouva « fort agréable, et beau », avec « force étangs et prairies, où il y avait un nombre infini de gibier ». Il admira les « beaux bois » avec « grand nombre de châtaigniers », et il en goûta les fruits qu'il trouva « d'un bon goût ». Avec Champlain aux commandes, même une campagne militaire prenait l'allure d'une belle randonnée gastronomique[44].

Ils suivirent la côte du lac Ontario jusqu'à son extrémité sud-est. Là, tout près de l'actuel Selkirk Shores State Park, ils franchirent la rivière Salmon (où l'on mangea bien aussi…) et quittèrent la rive du lac pour pénétrer dans la forêt. Ils firent une autre longue marche le long de ce qui est aujourd'hui la route 11 de l'État de New York et l'Interstate 81, pour entrer au cœur de l'Iroquoisie. On approchait du danger. Cette partie du voyage prit quatre jours, et ils ne parcoururent que soixante-cinq kilomètres environ, traversant plusieurs ruisseaux fort larges et la rivière Oneida, près de l'actuelle ville de Brewerton. Ils se trouvaient à traverser le pays des Onneïouts, qui précède celui des Onontagués[45].

Parvenus en pays onontagué, les attaquants modifièrent leur discipline de marche. Ils se mirent à avancer en silence, dans le plus grand secret. Loin dans les bois, leurs éclaireurs surprirent trois hommes, quatre femmes et quatre enfants « qui allaient à la pêche de poisson ». Ils furent faits prisonniers et amenés devant la troupe tout entière. Un guerrier algonquin de la Petite-Nation se précipita vers eux, s'empara d'une femme et lui trancha un doigt « pour commencer leur supplice ordinaire ».

« Je survins sur ces entrefaites, et blâmai le capitaine Iroquet. » Champlain était hors de lui. Il représenta à son ami que « ce n'était l'acte d'un homme de guerre, comme il se disait être, de se porter cruel envers les femmes, qui n'ont défense aucune que les pleurs, lesquelles à cause de leur imbécillité, et faiblesse, on doit traiter humainement. » Ce furent ses mots exacts : « on doit traiter humainement ». Il dit à Iroquet que la torture des femmes serait jugée « provenir d'un courage vil et brutal », et que si d'autres actes de cruauté comme celui-là devaient être commis, les Français ne les assisteraient pas dans leurs guerres. Iroquet répliqua que leurs ennemis en faisaient autant avec eux, mais que si cela déplaisait à Champlain, les femmes seraient laissées en paix. Il promit de ne torturer dorénavant que les hommes[46].

Mais les choses n'en restèrent pas là. Selon un témoignage noté plus tard par le jésuite Paul Le Jeune, un autre guerrier algonquin de l'île Tessouat entendit les paroles de Champlain et fut fort mécontenté par cette intervention qu'il jugeait intempestive. Prenant un ton de défiance, il aurait dit à Champlain : « Regarde comme je ferai, puisque tu en parles. » Il avisa alors un enfant iroquois qui tétait le sein de sa mère, l'empoigna par le pied et lui fracassa la tête contre une pierre ou un arbre. Les Français furent horrifiés par le meurtre de ce nourrisson innocent, et encore plus par le fait que « ces superbes parlaient en cette sorte à un capitaine qui avait les armes à la main ». En plein cœur de l'Iroquoisie, l'alliance franco-indienne menaçait de se désintégrer[47].

Puis une autre catastrophe fondit sur les combattants. Les éclaireurs avaient repéré leur cible : un grand bourg fortifié de la nation des Onontagués, situé sur un large ruisseau qui se déversait dans la partie sud du lac Onondaga, là où se trouve maintenant la ville de Syracuse, dans l'État de New York[48]. Champlain avait déjà mûri son plan d'attaque. Il proposa que ses arquebusiers demeurent cachés et attendent que la bataille soit bien engagée pour intervenir. Lorsque les guerriers onontagués sortiraient du fort, les Français tireraient au moment critique, certains d'entre eux à partir des flancs, comme ils l'avaient fait à deux reprises contre les Agniers.

Au premier contact avec l'ennemi, le plan avorta. Lorsque ses alliés apparurent devant le fort, un petit groupe de guerriers onontagués se précipita au-devant d'eux. Quelques alliés s'élancèrent pour faire des prisonniers. L'opération dégénéra en un chaos de petits affrontements épars, et les Iroquois se mirent à avoir le dessus. Inquiet, Champlain vit des Indiens des deux côtés se joindre à la bataille en plus grand nombre, et le combat tourna à l'avantage des Onontagués. Cela l'obligea à faire avancer ses arquebusiers. Ils ouvrirent le feu, et les ennemis reculèrent, horrifiés. Champlain pensa que nombre d'entre eux n'avaient jamais vu de soldats européens armés de « bâtons qui crachent le tonnerre ».

Les Onontagués se replièrent sur leur fort avec leurs morts et leurs blessés. Champlain battit aussi en retraite avec les Indiens blessés qu'il avait sauvés sur le champ de bataille. Il était furieux. Pour protéger quelques alliés impétueux, il avait perdu l'élément vital qu'était la surprise : tactique qui avait si bien fonctionné contre les Agniers. Il se rappela avoir « usé de paroles assez rudes et fâcheuses » et prévenu les chefs que « si toutes choses allaient à leur fantaisie […] il n'en pouvait réussir que du mal à leur perte et ruine[49] ».

*   *   *

Champlain étudia alors la bourgade onontaguée, qui tenait plus d'un château que d'un fort. Elle était ceinturée de quatre palissades massives de troncs imposants arrimés les uns aux autres, le tout faisant plus de neuf mètres de haut. Le sommet était parcouru de galeries ou parapets protégés par une double rangée de troncs d'arbres, à l'épreuve du feu français. Le château était amplement approvisionné en eau grâce à un système de gouttières et de déversoirs qui pouvait servir aussi à éteindre le feu s'il prenait aux murs de bois. Champlain songea que, dans l'ensemble, le fort onontagué était mieux défendu que les bourgs fortifiés des Hurons.

Champlain invita ses alliés à tenir un conseil de guerre et recommanda un nouveau plan. S'inspirant de l'art du siège à l'européenne, il leur proposa de construire un engin appelé « cavalier », soit une plate-forme sur échasses, plus haute que les palissades, avec des meurtrières pour les armes à feu. Puis ils bâtiraient de grands boucliers amovibles dits « mantelets », dont ils se serviraient pour s'approcher des palissades et y mettre le feu.

Ainsi fut fait. Avec une célérité incroyable, Indiens et Français édifièrent un immense cavalier. Il fallut deux cents hommes pour le pousser devant la palissade, à environ « la longueur d'une pique », cinq mètres.

De la plateforme, les arquebusiers français se mirent à tirer dans le bourg, chargeant leurs armes de trois ou quatre balles à chaque coup. Ils disposaient de munitions en abondance, et ils criblèrent de balles le fort bondé des Onontagués pendant trois heures, infligeant de lourdes pertes à l'ennemi. « Ceux qui étaient sur le cavalier en tuèrent et estropièrent beaucoup[50]. »

Champlain lança la seconde manœuvre. Des alliés s'avancèrent, protégés par les mantelets. Ils empilèrent du petit bois contre les palissades et y mirent le feu. Mais ils le firent du côté du fort où le vent était contre eux, et les défenseurs se servirent de leurs gouttières pour éteindre les flammes. On manqua de bois d'allumage, les feux furent éteints, et les attaquants, n'en pouvant plus, quittèrent le couvert des mantelets. Ils décochèrent des flèches, sans trop d'effet, hurlant leurs provocations à l'ennemi. « Le désordre survint entre ce peuple, tellement qu'on ne se pouvait entendre : ce qui m'affligeait fort, j'avais beau crier à leurs oreilles [...] ils n'entendaient rien pour le grand bruit qu'ils faisaient[51]. »

Champlain vit que les Onontagués « faisaient profit de notre désordre » et revenaient en force sur leurs remparts. Ils se mirent à décocher des flèches aux assaillants. Les Français ouvrirent le feu et leur infligèrent de nouvelles pertes importantes, mais d'autres guerriers onontagués remplacèrent leurs camarades tombés. Les flèches « tombaient sur nous comme grêle », écrivit Champlain. Deux des trois principaux chefs hurons furent blessés. Puis Champlain lui-même fut atteint de quelques flèches. L'une d'elles lui perça la jambe. Une autre lui traversa le genou. Il tomba et fut incapable de se relever, la blessure lui causant « grandes et extrêmes douleurs ». Quoique blessé, il croyait que la victoire était à portée de la main et pressa ses alliés « de retourner plus contre leurs ennemis ». Les Indiens refusèrent. « Tous mes discours servaient aussi peu que le taire. » Il constata alors que « les chefs n'ont point de commandement absolu sur leurs compagnons, qui suivent leur volonté, et font à leur fantaisie, qui est la cause de leur désordre, et qui ruine toutes leurs affaires[52] ».

Ses alliés décrochèrent, mais pressés par Champlain, ils acceptèrent de rester encore quatre ou cinq jours dans l'espoir que les Andastes se joignent à eux. Le lendemain, un grand vent se leva, et Champlain entrevit une nouvelle occasion d'incendier le château de bois. Mais les Indiens « n'en voulurent rien faire ». Ils restèrent campés autour du fort pendant quelques jours, dans l'attente des Andastes. Quelques partis de guerre

LE BROUAGE NATAL DE CHAMPLAIN, EN SAINTONGE

Samuel Champlain (1570 ?-1635) a grandi dans le petit port de mer florissant de Brouage, que l'on voit sur cette photo aérienne. Il est aujourd'hui situé à un kilomètre et demi du golfe de Saintonge, à l'intérieur des terres, et on voit au loin l'océan Atlantique. Dans la jeunesse de Champlain, c'était une petite ville affairée au caractère cosmopolite. C'est ainsi qu'il grandit dans la diversité, dévoré du désir de connaître le monde. La mer fut sa première école, et son père, qui était capitaine de navire, son premier maître. La province environnante de Saintonge était au carrefour de diverses régions, économies, cultures et langues de France. Elle donna naissance à des personnages hors du commun comme Champlain et le sieur de Mons, qui surent œuvrer avec des personnes très différentes d'eux-mêmes. (A1)

FROBISHER ET CHAMPLAIN

En 1594, Champlain combattit aux côtés de Martin Frobisher, navigateur anglais connu pour son courage et sa férocité. Les deux s'intéressaient à l'exploration de l'Amérique, mais leurs procédés étaient fort dissemblables. Ce portrait nous montre Frobisher avec le monde à son coude, le pistolet pointé vers l'artiste, qui a donné à son sujet un air mauvais. (A2)

Deux découvreurs de l'Amérique, deux approches

Frobisher traita les Indiens avec la dernière brutalité. En 1577, il captura et massacra de nombreux Inuits, s'empara d'une vieille femme et la déshabilla « pour voir si elle avait le pied fourchu ». À ses yeux, ce n'était pas un être humain. Cette Escarmouche à Bloody Point *de John White est une ode à la violence. L'approche de Champlain était aux antipodes de celle de Frobisher. (A3)*

LA BRUTALITÉ ESPAGNOLE À L'ÉGARD DES INDIENS, SELON CHAMPLAIN

En Nouvelle-Espagne (Mexique), Champlain avait étroitement observé les Indiens et les esclaves africains. Il ne rata jamais une occasion de s'entretenir avec eux et fut révulsé par le régime de cruauté et d'exploitation mis en place par les Espagnols. Dans son rapport au roi, il dessina cette image d'Indiens brûlés vifs par l'Inquisition. (A4)

LA RÉVULSION DE CHAMPLAIN DEVANT LA CRUAUTÉ DES AUTORITÉS RELIGIEUSES

Un autre tableau de Champlain nous montre des Indiens battus pour avoir manqué la messe. Lui, le fervent catholique, fut profondément choqué par les atrocités commises au nom du Christ par des prêtres espagnols, avec la bénédiction de l'Église. (A5)

LA GRANDE GALERIE DU LOUVRE

À son retour en France en 1601, Champlain fit son rapport et reçut une pension du roi, qui voulait le garder « près de sa personne ». Il œuvra dans le sous-sol du Louvre où Henri IV avait créé un centre d'étude réunissant des scientifiques, des humanistes, des artisans et des cartographes. Un ami dit de Champlain qu'il était « géographe du roi », l'un des nombreux qui travaillaient au Louvre. (A6)

BAL À LA COUR D'HENRI IV

Pour Champlain, la cour fut aussi l'école des manières où il apprit l'art de plaire. Certains de ses plus grands succès américains furent remportés à la cour de France, où il maîtrisa l'art de la politique telle qu'elle se pratiquait dans le creuset d'une monarchie où fleurissait l'intrigue. (A7)

LA CATHOLIQUE SAINT-MALO ET SA GRANDE CATHÉDRALE

En 1602-1603, Champlain tourna les yeux vers l'Amérique du Nord. Il visita le port breton de Saint-Malo et collabora plus tard avec des capitaines malouins comme François Gravé, sieur du Pont (Pont-Gravé pour ses intimes), qui avait une longue expérience du Nouveau Monde. (A8)

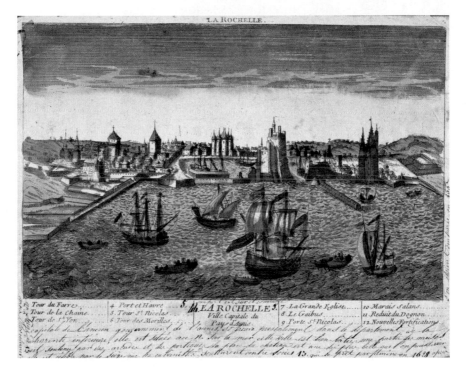

LA FORTERESSE PROTESTANTE DE LA ROCHELLE

Champlain collabora aussi bien avec les marchands protestants de La Rochelle qu'avec leurs homologues catholiques de Honfleur et de Dieppe, qui connaissaient l'Amérique du Nord depuis longtemps. Il se mit à concevoir son « grand dessein » pour la Nouvelle-France, dans un esprit de tolérance et d'humanité semblable à la politique que pratiquait Henri IV et différent de celui qui animait la Nouvelle-Espagne catholique et la Nouvelle-Angleterre calviniste. (A9)

THE MARINERS MIRROVR

Wherin may playnly be seen the courses, heights, distances, depths, soundings, flouds and ebs, risings of
lands, rocks, sands and shoalds, with the marks for then-
trings of the Harbouroughs, Havens and Ports of the
greatest part of Europe: their seueral traficks and
commodities. Together w.th the Rules and instruments
of NAVIGATION.

First made & set foorth in diuers exact Sea Charts, by that famous
Nauigater LVKE Wagenaer of Enchuisen And now fitted with necessarie
additions for the use of Englishmen by
ANTHONY ASHLEY.

Herein also may be understood the exploits lately atchiued by the right
Honorable the L. Admirall of England with her Ma.ties Nauie & some
former seruices don by that worthy Knight
S.r FRA. DRAKE.

LES TRAITÉS DE NAVIGATION À L'ÉPOQUE DE CHAMPLAIN

Champlain collabora également avec des armateurs de Dieppe. Il maîtrisa la science de la navigation et étudia des ouvrages comme celui de Wagenaer, Le Miroir de la naviga-tion, *dans sa première édition anglaise (1588 ?), et le* Regimiento de Navegación *de Pedro de Medina (1543, 1595). Champlain écrivit son propre traité sur les devoirs du marinier et l'art du commandement dans les grandes entreprises (1632). (A10)*

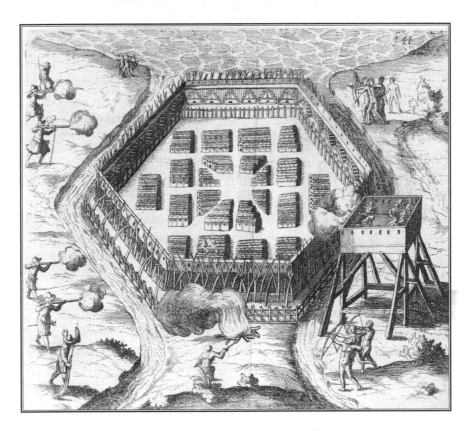

Le croquis de l'attaque que Champlain mena contre le fort onontagué en 1615, à l'actuel lac Onondaga (Syracuse, New York). Il essaya d'enlever la place en se servant d'un engin de siège européen appelé « cavalier » alors que ses alliés tentaient d'incendier la palissade. Pour Champlain, l'attaque fut un échec, mais les Indiens de part et d'autre jugèrent que l'affaire avait été un raid de représailles très réussi. Une longue période de paix s'ensuivit.

onontagués firent des sorties, et des escarmouches eurent lieu. D'après Champlain, les Onontagués eurent encore le dessus lors de ces petits engagements, et ils ne retraitèrent que lorsque Champlain fit donner ses arquebusiers, « ce que les ennemis redoutent et appréhendent fort[53] ».

Finalement, le 16 octobre, Hurons et Algonquins décidèrent qu'ils n'attendraient plus les Andastes et qu'ils rentreraient chez eux. Champlain, même irrité comme il l'était, nc lcs accabla pas : « Il faut les excuser, car ce ne sont pas des gens de guerre, et d'ailleurs [ils] ne veulent point de discipline, ni de correction, et ne font que ce qui leur semble bon. » Le siège du fort onontagué prit fin[54].

Jugeant l'issue de la bataille à l'aune de ses intentions, Champlain estimait qu'il avait essuyé une défaite. Son propos avait été de s'emparer du « château » onontagué, et sur ce point, son échec avait été total. Il n'avait réussi qu'à faire brûler une petite partie de la palissade ; il n'en avait nullement endommagé la structure, et il avait été contraint de battre en retraite. Champlain a toujours dit que cette bataille avait été une défaite, et il considérait l'ensemble de sa mission comme un échec. Pendant des années, la plupart des historiens, dont moi-même, ont partagé son diagnostic. Marcel Trudel est allé jusqu'à conclure que l'assaut du fort non seulement avait été une défaite, mais qu'il avait représenté un désastre pour la Nouvelle-France. À son avis, cette bataille annonçait la montée en puissance de l'Iroquoisie[55].

Plus récemment, l'ethnographie historique a étudié la même question sous un autre angle. S'appuyant sur leur connaissance des cultures indiennes, les ethnographes ont étudié cette campagne selon les normes de la guerre à l'indienne et en sont venus à une conclusion surprenante. Bruce Trigger, éminent ethnohistorien de la Huronie, a constaté qu'aucun « des Indiens ayant pris part à la campagne de 1615 n'y voyait une défaite pour Champlain et ses alliés ». Après cette bataille et les deux affrontements contre les Agniers, d'après Trigger, les Cinq Nations iroquoises « refusèrent de s'attaquer aux Français ». Il ajoute : « La question est de savoir en fait comment il se fait que, après que les Français eurent joué un rôle dominant dans les combats qui firent cent soixante morts chez les Agniers en 1609 et 1610, et après avoir attaqué le fort onneïout [correction : onontagué] en 1615, ces tribus ne se soient pas montrées plus vindicatives. »

La réponse de Trigger est complexe, car elle fait intervenir les relations entre les Iroquois et les Hollandais et les autres événements qui se sont déroulés au sud et à l'ouest. Un facteur important fut le coût élevé de la lutte contre les Français. Dans l'attaque du château onontagué, les arquebusiers de Champlain avaient tué et blessé de nombreux défenseurs. Nous n'avons aucune idée des pertes iroquoises, mais le feu avait été nourri et prolongé, les Français tiraient à bout portant, et cette petite nation iroquoise dut souffrir beaucoup. Les alliés de Champlain se retirèrent avec peu de pertes. Trigger en conclut que les deux camps indiens durent considérer l'attaque alliée comme victorieuse[56].

Un autre ethnohistorien spécialiste des Indiens du Saint-Laurent donne raison à Trigger. José António Brandão a écrit lui aussi que la campagne avait été une réussite si l'on se base sur les normes de la guerre indienne. Les attaquants s'étaient portés au cœur même de la ligue iroquoise, ils avaient lancé un assaut d'importance contre l'une de ses principales places fortes et infligé de lourdes pertes aux guerriers onontagués qui harcelaient la vallée du Saint-Laurent. Du point de vue de la culture indienne, l'attaque avait été un raid de représailles d'une efficacité brillante, et il semble que les Indiens de nombreuses nations aient considéré la chose ainsi.

Brandão dit qu'il faut aussi parler de succès en regard d'un autre des objectifs de Champlain, qui consistait à dissuader les attaques iroquoises au nord. Après sa campagne, note-t-il, « aucun de ces groupes, ni la confédération iroquoise dans son ensemble, ne brûlait d'aller porter la guerre chez les nouveaux colons français et leurs alliés autochtones. Au contraire, les Iroquois ont cherché à faire la paix avec leurs ennemis indigènes ». Il ajoute : « Même s'il avait fait alliance avec les Algonquins, les Hurons et les Montagnais contre les Iroquois, Champlain ne semblait pas exclure l'espoir d'instaurer la paix entre ces nations. Même qu'au départ, Champlain considérait d'un œil favorable les initiatives de paix entre les Iroquois et ses alliés autochtones[57]. »

William Fenton, ethnohistorien de l'Iroquoisie, abonde dans le même sens. Après la bataille du fort onontagué, écrit-il, les raids iroquois au nord se firent beaucoup moins nombreux. Pendant vingt ans, les Onontagués et les Agniers veillèrent à éviter tout affrontement avec les Français. Fenton note que les grandes campagnes des Iroquois n'ont pas repris avant 1640. La campagne de Champlain contre les Onontagués avait été un exemple réussi d'une guerre limitée ayant pour objet d'instaurer la paix et la stabilité[58].

Après la bataille, Champlain se retrouva immobilisé par ses blessures. Ses alliés indiens prirent les choses en mains et organisèrent leur retraite avec une habileté consommée. Les Onontagués les poursuivirent, avides de prisonniers afin de tenir leurs propres cérémonies de vengeance. Ils durent rentrer chez eux les mains vides. « Les ennemis nous poursuivirent environ une demi-lieue, écrivit Champlain, mais c'était de loin, pour essayer d'attraper quelques-uns de ceux qui faisaient l'arrière-garde, mais leurs peines leur demeurèrent vaines, et se retirèrent. » Champlain fut vivement impressionné par la conduite de la retraite, où s'exprimait une discipline qui avait manqué lors de l'attaque.

« Or tout ce que j'ai vu de bon en leur guerre est qu'ils font leur retraite fort sûrement, mettant tous les blessés et les vieux au milieu d'eux, étant sur le devant aux aisselles et sur le derrière bien armés, et arrangés par ordre de la façon, jusques à ce qu'ils soient en lieu de sûreté, sans rompre leur ordre. »

Mais ce fut une retraite terriblement éprouvante, surtout pour Champlain. Ils durent faire cent vingt-cinq kilomètres à pied pour retrouver leurs canots. Champlain était incapable de marcher, comme d'ailleurs nombre d'autres blessés. Les abandonner aurait été les condamner à une mort certaine, précédée d'une agonie indicible au milieu des tortures iroquoises ; on aurait annulé aussi le succès du raid de représailles. Les Indiens fabriquèrent ce que Champlain appelle de grands paniers où l'on plaçait les guerriers blessés, « qui sont mis là-dedans, entassés en un monceau, pliés et garrottés de telle façon qu'il est impossible de se mouvoir, moins qu'un petit enfant en son maillot ». Les paniers étaient fixés au dos d'Indiens très robustes qui étaient chargés de les mener en lieu sûr[59].

Cette pratique n'était pas « sans faire recevoir aux blessés de grandes et extrêmes douleurs », devait écrire Champlain. « Je puis bien dire avec vérité, quant à moi, ayant été porté quelques jours, d'autant que ne pouvais me soutenir, principalement à cause du coup de flèche que j'avais reçu au genou, car jamais je ne m'étais vu en une telle géhenne, durant ce temps, car la douleur que j'endurais à cause de la blessure de mon genou, n'était rien au prix de celle que je supportais lié et garrotté sur le dos de l'un de nos sauvages : ce qui me faisait perdre patience, et qui fit qu'aussitôt que je pus avoir la force de me soutenir, je sortis de cette prison, ou à mieux dire de la géhenne[60]. »

Si les blessés éprouvaient « beaucoup de fatigue » à voyager ainsi, que dire de ceux qui les portaient. Les Indiens changeaient de porteurs de temps en temps, et la route était longue et ardue. Le 18 octobre, juste après le commencement de la retraite, « il tomba force neiges et grêle, avec un grand vent qui nous incommoda tous ». Mais les Indiens poursuivirent leur route avec un stoïcisme que Champlain admira. Ils parvinrent tous enfin au lac Ontario et retrouvèrent leurs canots intacts dans leur cachette.

Champlain demanda à être ramené à Québec, ce que les Indiens avaient promis de faire après la campagne. Mais les chefs ne le voulurent pas. Quatre hommes s'offrirent pour raccompagner Champlain et ses arquebusiers à l'habitation de Québec. Ces guerriers se trouvaient à défier les ordres de leurs chefs, « car, comme j'ai dit ci-dessus, les chefs n'ont point de commandement sur leurs compagnons ». Mais il leur fallait des canots, et les chefs indiens maintenaient qu'ils n'en avaient aucun à leur donner. Champlain était très mécontent. Les Indiens manquaient à leur promesse, et il était « fort mal accommodé pour hiverner avec eux ». Graduellement, cependant, il finit par comprendre pourquoi les Indiens le retenaient contre son gré. Ses alliés craignaient qu'un parti réduit de Français ne soit pris par les Iroquois, ce dont leur alliance aurait sûrement pâti. « Mais depuis après quelques jours [*sic*], je reconnus que leur dessein était de me retenir avec mes compagnons en leur pays, tant pour leur sûreté, craignant leurs ennemis, que pour entendre ce qui se passait en leurs conseils et assemblées, que pour résoudre ce qu'il convenait de faire contre leursdits ennemis, pour leur sûreté et conservation[61]. »

Il devint vite évident que ses protestations resteraient sans effet. « Ne pouvant rien faire, il fallut se résoudre à la patience. » Il résolut alors de tirer le meilleur parti de la situation et de prendre le temps d'observer les coutumes des Hurons et de leurs voisins. « Durant le temps de l'hiver qui dura quatre mois, j'eus assez de loisir pour considérer leurs pays, mœurs et coutumes, et façon de vivre et la forme de leurs assemblées, et autres choses que je désirerais volontiers décrire[62]. »

L'ethnohistorienne Elisabeth Tooker a comparé l'étude que Champlain a faite des Hurons avec celle des jésuites qui lui ont succédé. Elle note au départ que les jésuites étaient des érudits qui ont livré une description fouillée de la religion des Hurons, mais qu'ils s'en tenaient à la surface lorsqu'il s'agissait des autres aspects de leur culture. À son avis, les observations de Champlain sont « moins cultivées mais pas nécessairement moins précises ». Il s'intéressait moins à la religion des Hurons mais « s'étend sur des aspects de la culture négligés par les jésuites (en particulier le cycle de la vie, la succession, les modes de subsistance) ». Il les étudiait en participant-observateur « qui se percevait comme un homme parmi d'autres hommes, prit part à une expédition guerrière avec les Hurons contre les Iroquois, chassa le gros gibier avec les Indiens et plus tard écrivit pour raconter ses exploits[63] ».

Les Hurons traitèrent Champlain fort bien. Le chef Atironta (que Champlain appelait Darontal) lui donna sa maison et l'approvisionna abondamment en meubles et vivres. Il fut invité à prendre part à une grande chasse au cerf, « la plus noble » pour les Hurons, selon Champlain. Il accompagna les hommes lorsqu'ils poussèrent les cerfs vers un enclos qui faisait quinze cents pas d'un côté, fait de pieux de bois qui mesuraient près de trois mètres de haut. Imitant les hurlements des loups, les Indiens contraignirent les cerfs à se jeter dans le piège et en abattirent cent vingt. Il fut émerveillé par l'habileté des chasseurs indiens, par leur coordination et par leurs structures organisationnelles complexes[64].

Champlain étudia aussi la flore et la faune de la Huronie. Comme tant d'autres chasseurs, il aimait les animaux, les oiseaux et les plantes. Un jour, lors d'une chasse, il nota ceci : « Je m'engageai tellement dans les bois pour poursuivre un certain oiseau qui me semblait étrange ayant le bec approchant d'un perroquet, et de la grosseur d'une poule, le tout jaune, fors la tête rouge, et les ailes bleues, et allait de vol en vol comme une perdrix. Le désir que j'avais de le tuer me fit le poursuivre d'arbre en arbre fort longtemps, jusques à ce qu'il s'envola à bon escient. »

Il voulut revenir sur ses pas mais ne put trouver le parti de chasseurs hurons, et bientôt il s'égara dans les bois. Il n'avait ni cadran ni carte, et pendant trois jours le soleil resta caché. Mais comme il était armé, il abattit quelques oiseaux qu'il fit rôtir. Il arriva enfin à retrouver son chemin. Il ne nous dit pas comment, mais il semble avoir fait sienne la vieille méthode indienne qui consiste à suivre les cours d'eau vers l'aval, ce qui le conduisit à un lac où il put repérer ses compagnons de chasse. Les Hurons avaient eu grand peur de le perdre, et ils l'obligèrent par la suite à se munir d'un compas et à se faire accompagner d'un guide indien expérimenté « qui savait si bien retrouver le lieu d'où il partait, que c'est chose étrange à voir[65] ».

Champlain admirait l'énergie des chasseurs indiens. Rentrant au village avec eux, il portait neuf kilos sur le dos, en plus de son matériel, ce qui eut tôt fait de l'épuiser, et cela ne dut pas non plus arranger son genou blessé. Mais il vit comment les Hurons portaient des centaines de livres sur leur dos sans montrer de fatigue, sur de très longues distances et à un pas rapide. Peu d'Européens avaient une telle endurance[66].

Champlain voyagea beaucoup en Huronie. Il décrivit la région comme étant « presque une île, que la grande rivière de Saint-Laurent entoure, passant par plusieurs lacs de grande étendue, sur le rivage desquels il habite plusieurs nations, parlant divers langages, qui ont leurs demeures arrêtées, tous amateurs du labourage de la terre, les-

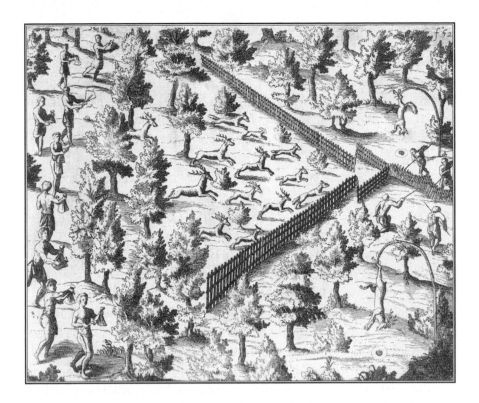

Les Hurons invitèrent Champlain à prendre part à la chasse au cerf en octobre 1615. Champlain dessina leurs méthodes habiles qui consistaient à rabattre de grands troupeaux de cerfs dans des enclos et à en piéger d'autres avec des collets. Il respectait leur habileté à la chasse et leur maîtrise de l'effort collectif.

quels néanmoins ont diverses façons de vivre, et de mœurs, et les uns meilleurs que les autres[67] ».

Champlain visita aussi les nations voisines. Il aima tout particulièrement séjourner chez les Cheveux-Relevés qui, de toutes les nations indiennes, était sa préférée. Il rendit visite aussi aux Algonquins de l'ouest et persuada les Hurons de l'emmener chez les Pétuns, ou nation du tabac. Il aurait voulu aussi aller chez les Neutres, comme on les appelait, mais les Hurons refusèrent. Ils craignaient peut-être qu'une alliance des Français avec les Neutres n'affaiblisse leur position et ne débouche même sur des négociations avec les Iroquois. Ou ils redoutaient que quelque malheur n'arrive à Champlain de ce côté. Quelle que fût la raison, les Hurons l'empêchèrent d'aller trouver les Neutres. La porte étant fermée de ce côté-là, il alla dans la direction contraire. Il se rendit chez les Népissingues et fit alliance avec eux.

Un jour, rentrant d'une visite chez les Népissingues, Champlain vit que la zizanie s'était installée chez ses alliés. La Petite-Nation algonquine et son chef Iroquet hivernaient chez les Hurons, comme le voulait leur coutume, et ils échangeaient des fourrures contre de la nourriture. Les Hurons leur avaient donné un captif iroquois, « espérant que ledit capitaine Iroquet dût exercer sur ce prisonnier la vengeance ordinaire entre eux ». Mais Iroquet s'était pris d'amitié pour l'homme, le trouvait doué pour la chasse et, s'étant mis à le traiter comme son fils, lui avait rendu sa liberté.

Les Hurons en étaient fort mécontents et avaient envoyé un guerrier tuer le prisonnier, ce qui fut fait en la présence des chefs de la Petite-Nation, qui furent doublement outragés par le meurtre et ce manquement à la coutume, et ils avaient tué le tueur. Lésés à leur tour, les Hurons prirent les armes, cernèrent le village algonquin et donnèrent l'assaut. Iroquet fut blessé par deux fois à coups de flèches, et ses cabanes furent pillées. Submergés, les Algonquins acceptèrent de payer « cinquante colliers de porcelaine, avec cent besaces d'icelle : ce qu'ils estiment de grande valeur parmi eux, et outre ce nombre de chaudières et haches, avec deux femmes prisonnières en la place du mort ». C'était un prix lourd à payer, et la paix n'était même pas faite. Les deux nations rageaient l'une contre l'autre, chacune se sentant injustement traitée.

À ce moment, deux Hurons de Cahiagué demandèrent à Champlain d'intervenir pour réconcilier les parties en colère. Champlain agit rapidement et avec le plus grand tact. Il envoya son interprète, probablement Thomas Godefroy, prendre connaissance des faits, en se gardant bien d'y aller lui-même « pour ne leur donner ni aux uns ni aux autres aucun soupçon ». Puis il rassembla les principaux chefs et anciens des deux côtés, et ceux-ci acceptèrent que Champlain leur serve d'arbitre. Il leur fit comprendre que « le meilleur était de pacifier le tout et demeurer amis », et que ces façons de faire étaient « indignes entre des hommes raisonnables, ainsi plutôt que c'était à faire aux bêtes brutes ». Il parvint ainsi à rétablir la paix[68].

Dans un village qu'il nomme Carmaron, Champlain vit autre chose. Il dormait dans une cabane bondée et se vit assailli par des puces « qui y étaient en grande quantité, et dont nous étions tourmentés ». Champlain se leva au milieu de la nuit et alla se promener dans le village endormi. En Huronie, les jeunes gens faisaient aussi des promenades nocturnes, non pour fuir les puces mais pour trouver un compagnon ou une compagne pour la nuit. Cette coutume était un élément important du mariage à l'essai dans leur culture. On trouvait parfaitement normal que les jeunes filles nubiles s'unissent avec autant d'hommes que possible, parfois jusqu'à vingt, avant d'en choisir un avec qui vivre. C'était une coutume logique qu'on appellerait aujourd'hui un choix informé, mais qui était aux antipodes des mœurs d'un homme comme Champlain.

Alors qu'il déambulait dans la nuit, une jeune femme s'offrit à lui. Elle s'imaginait probablement qu'il était sorti précisément pour profiter de telles occasions. Pour quelle autre raison un homme seul se promènerait-il dans un village huron au beau milieu de la nuit ? Champlain ne fut guère flatté : « Je la remerciai, la renvoyant avec douces remontrances », et il retourna dormir avec les puces.

Lors de cette rencontre, la jeune Indienne obéissait à un code et Champlain à un autre. On se demande lequel des deux fut le plus étonné. De nombreux jeunes Français ne demandèrent pas mieux que de s'unir à ces jeunes femmes libres et audacieuses. D'autres agirent autrement : les prêtres catholiques, les chamans indiens, et Champlain. C'était un soldat, un homme du monde aux mœurs irréprochables. Tempérament si inhabituel qu'Indiens et Européens parlaient de lui avec étonnement et admiration, pendant sa vie et après. Aux yeux des Indiens, sa chasteté accentuait son *orenda,* sa force spirituelle, si l'on veut[69].

À maints égards, Champlain avait bonne impression des Hurons. Il admirait leurs techniques agricoles et leurs pêches abondantes, leur habileté à la chasse, et il se faisait une très haute idée de la manière qu'ils avaient de façonner le bois. Comme il en avait jugé précédemment avec d'autres nations indiennes, il estimait que ces Indiens étaient les égaux des Européens du point de vue de l'intelligence, et qu'ils leur étaient supérieurs en force physique et proportions corporelles de même qu'en courage et en endurance. « Tous ces peuples sont d'une humeur assez joviale, bien qu'il y en ait beaucoup de complexion triste, saturnienne entre eux. Ils sont bien proportionnés de leurs corps, y ayant des hommes bien formés, forts et robustes, comme aussi des femmes, et filles, dont il s'en trouve un bon nombre d'agréables, et belles, tant en la taille, couleur, qu'aux traits du visage [...]. Ils se trouvent parmi ces nations de puissantes femmes, et de hauteur extraordinaire[70]. »

Dans l'esprit de Champlain, les nombreuses qualités des Indiens d'Amérique étaient compromises par le fait qu'ils n'avaient *ni foi, ni loi, ni roi*. Lui et d'autres Français de son milieu croyaient que les Indiens avaient une âme, ce que contestaient certains Européens. Champlain abondait dans le même sens que son bon ami, le père Paul Le Jeune : « Je crois que les âmes sont toutes de même estoc, et qu'elles ne diffèrent point substantiellement. […] Leur âme est un sol très bon de la nature, mais chargé de toutes les malices qu'une terre délaissée depuis la naissance du monde peut porter. » Champlain pensait que les Indiens n'avaient rien dans leur spiritualité qui ressemblât à la foi universelle de la religion chrétienne[71]. « C'est grand dommage que tant de pauvres créatures vivent, et meurent, sans avoir la connaissance de Dieu, mêmes sans aucune religion, ni loi, soit divine, politique, ou civile, établie parmi eux[72]. » Il s'intéressait à leurs croyances, à l'idée qu'ils se faisaient des esprits, et il aimait discuter avec les chamans. De ses observations et discussions il conclut que, dans un sens chrétien, « ils n'adorent et ne croient en aucun Dieu, ni chose quelconque : ils vivent comme bêtes brutes[73] ».

À son avis, l'inexistence de la foi et d'une religion universelle chez eux expliquait l'absence de lois. « Pour ce qui est de leurs lois, je n'ai point vu qu'ils en aient, ni chose qui en approche, comme de fait ils n'en ont point, d'autant qu'il

Le dessin par Champlain d'une jeune Huronne portant colliers de porcelaine (wampum). De ces jeunes femmes, il écrivit qu'elles étaient bien proportionnées, fortes et robustes, « agréables et belles, tant en la taille, couleur, qu'aux traits du visage ». Et d'ajouter : « La nuit venue, les jeunes femmes courent d'une cabane en une autre, comme font les jeunes hommes de leur côté, qui en prennent par où bon leur semble, toutefois sans violence aucune, remettant le tout à la volonté de la femme. »

n'y a en eux aucune correction, châtiment, ni de répréhension à l'encontre des malfaiteurs, sinon par une vengeance, rendant le mal pour le mal, non par forme de règle, mais par une passion qui leur engendre les guerres et différends, qu'ils ont entre eux le plus souvent[74]. » Il ne leur voyait qu'une coutume juridique, la *lex talionis,* où un méfait était puni par un autre méfait. Dans son esprit, cette règle de conduite n'exprimait nullement l'idée du droit, qui était pour lui le principe du bien ancré dans l'idée d'une justice et d'une équité universelles : la *lex equitatis.*

Étant donné cette absence de loi et de foi, Champlain considérait que l'éthique de la culture indienne était primitive et inhumaine. L'exemple le plus éloquent à cet égard était le traitement des prisonniers, qui étaient condamnés à subir des tourments d'une sauvagerie inimaginable. Certaines de ces victimes n'avaient rien fait de mal, et on les faisait souffrir pour venger des actes semblables commis par d'autres. Champlain considérait que la loi du talion trahissait l'absence d'une vraie loi reposant sur l'idée d'un droit universel[75].

Champlain croyait aussi que la culture des Indiens d'Amérique du Nord manquait de cette autorité royale qui encourage la subordination. Il n'aimait pas la façon dont les parents élevaient leurs enfants, cette clémence excessive qui donnait des jeunes gens « de si perverse nature que le plus souvent ils battent leurs mères, et autres des plus fâcheux battent leur père, en ayant acquis la force et le pouvoir : à savoir, si le père ou la mère leur font chose qui ne leur agrée pas, qui est une espèce de malédiction que Dieu leur envoie[76] ».

Il désapprouvait aussi la manière dont les guerriers traitaient les femmes et les contraignaient à servir « de mules ». « Quant aux hommes, nota-t-il, ils ne font rien qu'aller à la chasse du cerf et autres animaux, pêcher du poisson, de faire des cabanes, et aller à la guerre. Ces choses faites, ils vont aux autres nations, où ils ont de l'accès et connaissance, pour traiter et faire des échanges de ce qu'ils ont avec ce qu'ils n'ont point, et étant de retour, ils ne bougent des festins et danses qu'ils se font les uns aux autres, et à l'issue se mettent à dormir, qui est le plus beau de leur exercice[77]. »

À la fin du XXᵉ siècle, certains ethnographes ont durement critiqué les attitudes de Champlain à l'égard des indigènes. Ils lui ont reproché de ne pas avoir su comprendre la culture indienne et d'avoir porté des jugements ethnocentriques. Il est vrai que Champlain était animé d'une foi chrétienne profonde, qu'il croyait fermement en une conception du droit basée sur le droit universel et qu'il adhérait au principe de la subordination de tous à l'autorité royale. Cela étant dit, il prenait le plus grand intérêt aux mœurs des Indiens, il avait fait de longs séjours parmi eux, avait voyagé avec eux et guerroyé à leurs côtés à l'occasion de trois campagnes. Il connaissait intimement les Etchemins et les Micmacs, les Montagnais, les Algonquins et les Hurons et bien d'autres nations indiennes. Il comprenait la complexité de leur vie politique et leur manière de faire la guerre.

Mais sa compréhension avait ses limites. Il ne parlait pas couramment les langues indiennes et, dans les moments importants, il s'appuyait sur ses interprètes, même s'il pouvait communiquer directement avec eux en se servant d'une sorte de pidgin, ce qu'il faisait souvent. Sa compréhension des Indiens était donc incomplète et parfois erronée. Mais il les respectait profondément, admirait leur caractère et a écrit à propos d'eux qu'ils n'avaient « l'esprit tant sauvage, comme les mœurs ». Il croyait également que les Indiens pouvaient se faire chrétiens et apprendre à vivre selon une conception universelle de la loi. Cela étant dit, ils resteraient indiens, et leur culture unique devait préserver son intégrité. Champlain admettait la complexité de l'identité humaine. Il savait qu'il était possible d'être huron et chrétien en même temps. Il croyait aussi que les Français pouvaient être fidèles à eux-mêmes et respectueux d'autrui.

Dans l'hiver que Champlain passa chez les Hurons, on voit émerger encore son grand dessein pour la Nouvelle-France et s'exprimer sa vision d'un pays où Français et Indiens pourraient exister côte à côte, préservant ce qu'il y avait de mieux dans leurs cultures, guidés par des principes comme la foi universelle et le respect de la loi universelle. Champlain était ethnocentrique dans certaines de ses attitudes, mais sa pensée était plus généreuse que certains jugements qui ont été portés contre lui.

IV

Le bâtisseur
de la Nouvelle-France

CHAPITRE 16

La cour de Louis XIII

Un nouveau maître, 1616-1619

Car le chef étant malade, les membres ne peuvent être en santé.

SAMUEL DE CHAMPLAIN, vers 1616[1]

Le 3 août 1616, Champlain et Pont-Gravé descendirent le Saint-Laurent, en route pour la France. Le beau temps étant avec eux, ils firent en trente jours le trajet entre Tadoussac et Honfleur. À leur arrivée, cependant, ils eurent la mauvaise surprise d'apprendre que le vice-roi de Nouvelle-France avait été embastillé[2]. Le prince de Condé avait été arrêté sur l'ordre de la régente pour trahison, rébellion et lèse-majesté, tous crimes passibles de la peine capitale. Champlain s'inquiéta vivement du sort du vice-roi, sans parler de celui de la Nouvelle-France : « Nous eûmes nouvelle de la détention de monseigneur le prince, qui me fit juger que nos envieux ne tarderaient guère à vomir leur poison […] car le chef étant malade, les membres ne peuvent être en santé[3]. »

Champlain se souvint que « dès lors, les affaires changèrent de face ». L'homme qui avait arrêté Condé l'avait remplacé au poste de vice-roi de Nouvelle-France : Pons de Lauzière, marquis de Thémines de Cardillac, maréchal de France. Sa nomination fut confirmée par la régente le 25 octobre. La marche des événements se précipitait à la cour et faisait peser une menace grave sur le dessein de Champlain. L'un de ses rivaux se mit en rapport avec Thémines et demanda la lieutenance en Nouvelle-France pour lui-même. On ignore son nom. Champlain parle avec mépris d'un « certain personnage » et nous dit qu'il avait offert un pot-de-vin à Thémines, promettant au nouveau vice-roi de tripler son revenu annuel en extorquant de fortes sommes aux marchands désireux de traiter en Nouvelle-France. Peu importe l'identité de ce « certain per-

399

sonnage », il eut gain de cause, et la reine le nomma lieutenant pour la Nouvelle-France. Tout à coup, Champlain se retrouvait sans emploi[4].

Il réagit alors comme il le faisait toujours quand son grand dessein était compromis : il riposta avec toutes les ressources à sa disposition et gagna des adhésions autour de lui. Condé, depuis sa cellule luxueuse à la Bastille, intenta une série de procédures contre le nouveau vice-roi. Le duc de Montmorency lui intenta aussi un procès pour recouvrer ses créances. Le maréchal de Thémines se trouva embrouillé dans une guérilla judiciaire, avec deux princes du sang sur le dos[5].

Les parties s'engagèrent bientôt dans un jeu plus vaste et plus dangereux. Champlain se mit à découvrir ce qui s'était passé pendant son absence. En 1615, alors qu'il était en Huronie, Marie de Médicis était devenue fort impopulaire. Elle avait cherché à faire alliance avec l'Espagne en proposant de marier son fils et sa fille aux enfants de Philippe III d'Espagne. Nombreux étaient les Français qui n'appréciaient guère sa politique, et qui détestaient encore plus les courtisans italiens qui l'entouraient. On en avait surtout contre ses intimes, Concino et Leonora Concini, dont la corruption était devenue un scandale public. C'était une chose que de voir la richesse du royaume engraisser les proches du souverain, c'en était une autre si ces proches étaient des étrangers.

La colère avait gagné tout le pays en 1615 et 1616. Marie de Médicis sentait le pouvoir lui échapper, et elle craignait tout particulièrement le prince de Condé. Condé était le deuxième dans l'ordre de succession au trône depuis la mort en bas âge du deuxième fils de la reine. Il méprisait l'entourage corrompu de celle-ci. Certains se rallièrent à lui, et il réunit une armée en province. Le royaume était de nouveau au bord de la guerre civile. Les combats éclatèrent en 1615, quand les partisans de Condé prirent possession de la ville de Méry, en Champagne. Dans la bataille qui s'ensuivit, on vit les alliés du vice-roi de Champlain tuer l'ami de Champlain, le sieur de Poutrincourt, propriétaire de Port-Royal en Acadie. Sa mort fut pleurée par de nombreux Français, qui accusèrent la régente italienne d'être responsable de ces troubles[6].

À l'été 1616, Condé caracola dans Paris pour assister au Conseil du roi et fut acclamé par un peuple en liesse. Les nobles quittèrent la cour et accoururent à son hôtel particulier. Comme l'écrivit Richelieu, « le Louvre était une solitude, sa maison [celle de Condé] le Louvre ancien[7] ». Marie de Médicis céda à la panique. Le 1er septembre 1616, elle ordonna l'arrestation de Condé et son transport à la Bastille. La princesse de Condé, femme séduisante, insista pour aller rejoindre son mari en prison, où elle donna naissance à un enfant mort-né, indignant davantage l'opinion[8].

Marie de Médicis privilégia la répression. Sur les instances de son conseiller, Armand Jean du Plessis de Richelieu, évêque de Luçon, elle accrut ses pouvoirs et combla de nouvelles faveurs son cercle italien, surtout les Concini. Elle bannit de la cour les ministres les plus respectés d'Henri IV. Parmi les victimes de sa colère se trouvaient les amis de Champlain, le chancelier Brûlart de Sillery et le président Jeannin, qui avaient été très proches du roi Henri et avaient soutenu Champlain et son grand dessein pour la Nouvelle-France. Mais la charge de Sillery était inamovible. La régente pouvait lui interdire d'apparaître en sa présence, mais elle ne pouvait le destituer. Ces mesures mal avisées ne firent qu'accentuer son isolement[9].

« Brusquement, nous dit l'historien Victor Tapié, alors qu'on ne pensait point à lui, un nouveau personnage entra en scène : le roi. » Louis XIII avait alors près de seize ans ; ce n'était plus un enfant. Il était très fragile, maladif, et souffrait de nombreux maux, dont la tuberculose, qui allait le tuer à l'âge de quarante et un ans. C'était un homme à l'esprit sombre, agité, au tempérament explosif. Sa mère avait confié son éducation à une gouvernante, Mme de Monglat. Son père, Henri IV, le jugeait peu viril et avait donné ordre à son éducateur de fouetter le dauphin « toutes les fois qu'il fera l'opiniâtre ou quelque chose de mal » afin d'en faire un homme[10].

Dans son enfance, Louis XIII avait été maintenu à l'écart du pouvoir, mais après l'assassinat de son père, il avait été oint roi, et en 1616 il avait l'âge voulu pour s'imposer. Il détestait l'entourage italien de sa mère et sympathisait avec les fidèles serviteurs de son père, surtout le chancelier Sillery, homme d'un caractère et d'une intelligence exceptionnels. Après que la reine eut banni Sillery de la cour, celui-ci rendit visite au jeune roi pour lui faire ses adieux. Scène émouvante. Ils furent nombreux à voir le roi pleurer. La reine ne parut pas remarquer le chagrin de son fils.

Le conseiller du roi, Charles d'Albert de Luynes, le pressa de s'imposer et de libérer le pays de l'emprise des Concini. Soudain, le roi se mit à agir. Il rappela les vieux ministres de son père et ordonna l'arrestation du favori de la reine, Concino Concini, pour prévarication. Les gardes du roi reçurent l'ordre de se saisir de Concini à la cour et de le tuer s'il résistait. Concini fut appréhendé sur le pont du Louvre. Il se débattit et fut passé au fil de l'épée séance tenante. Sa femme, Leonora Galigaï Concini, fut emprisonnée, accusée de sorcellerie et exécutée. La reine régente se mit à craindre pour sa vie, mais le jeune roi lui témoigna plus de compassion qu'elle ne lui en avait montré. Il lui permit de se retirer dans un château de Blois, où elle ragea tout son soûl contre l'ingratitude des enfants. Son conseiller, Richelieu, l'accompagna dans son exil. On croyait que sa carrière était finie. C'était ni plus ni moins un coup d'État qui venait de se produire. La régence de Marie de Médicis avait pris fin, ses proches conseillers n'étaient plus à la cour, et le jeune roi prenait désormais toute la place.

Avec Louis XIII fermement installé sur le trône, la France s'engagea pour de bon dans la voie de l'absolutisme. Un règne tumultueux attendait le pays. Le roi lui-même était un jeune homme profondément troublé dont la vie privée était désordonnée. On le croyait bisexuel dans un monde résolument hétérosexuel, et de jolies et jeunes créatures au sexe ambigu se succédaient rapidement autour de lui. Certains de ces favoris voulurent profiter de leur intimité avec le roi pour s'arroger certains pouvoirs. On soupçonna Louis XIII d'avoir des rapports homosexuels avec François de Barradat, qui fut finalement banni de la cour pour avoir intrigué et peut-être commis certaines fautes. Il fut remplacé par Claude de Saint-Simon et ensuite par un jeune homme de quinze ans, Henri d'Effiat, marquis de Cinq-Mars, un audacieux jeune homme qui osa défier les plus grands ministres du royaume. Le roi avait aussi des maîtresses, et il fut mêlé à un triangle platonique des plus compliqués avec la belle Marie de Hautefort. Le jeune Louis XIII était instable dans ses relations. Il faisait confiance à peu de gens, était ombrageux, silencieux et dangereusement « secret ». Il s'en prenait aisément à ceux qui se croyaient ses amis. On disait qu'il avait ordonné parfois l'arrestation d'anciennes connaissances « sans avertissement ou apparence d'émotion, et même avec un soupçon de cruauté[11] ».

Au milieu de toutes ces turbulences, le roi cherchait à gouverner la France avec modération. En matière religieuse, il maintint l'édit de Nantes de son père et se voulut tolérant à l'égard des protestants, mais il se rapprocha des autorités catholiques. Les églises protestantes reçurent l'ordre de rendre des terres et des biens à l'Église catholique, ce qui accrut sa richesse et sa puissance. Le jeune roi adopta aussi une politique étrangère différente de celle de sa mère. Il voulait entre autres favoriser le rayonnement de la puissance française dans le monde. Politique qui devait profiter à Champlain.

*   *   *

Dans toute cette confusion, Champlain retrouva son emploi. Il n'expliqua jamais ni comment ni pourquoi. Il semble que son rival ait résigné sa lieutenance, peut-être parce qu'il craignait pour sa vie. Le vice-roi, Thémines, nomma Champlain à son ancien poste de lieutenant pour la Nouvelle-France. Le roi le confirma prestement le 17 janvier 1617[12].

Ce problème était résolu mais d'autres persistaient. Champlain s'inquiétait vivement de la situation au Canada, et le soutien de son projet à la cour le préoccupait encore plus. À en juger par ses écrits, ses soucis étaient surtout d'ordre financier. Les manieurs d'argent de Rouen s'agitaient. Ils avaient investi dans la compagnie de Champlain dans l'espoir de mettre la main sur le monopole de la traite des fourrures en Nouvelle-France, et les années 1615 et 1616 avaient été rentables[13].

La plupart de ces financiers n'avaient jamais adhéré au rêve nord-américain de Champlain. Ils voulaient bien encourager l'exploration, car celle-ci promettait d'élargir la traite des fourrures, mais la colonisation ne les enthousiasmait pas du fait qu'elle entraînait des coûts élevés et menaçait de déranger leurs affaires. Champlain insistait pour dire que les établissements étaient essentiels au succès commercial dans le long terme, mais les grands marchands se souciaient davantage de la rentabilité à court terme. Il se plaignit auprès de ses investisseurs « du peu de fruit qu'ils avaient fait connaître à avancer le progrès de l'habitation, et qu'il n'y avait chose plus capable de rompre leur société, s'ils ne remédiaient par quelque augmentation de faire bâtir, et envoyer quelques familles pour défricher les terres[14] ».

Les investisseurs se préoccupaient aussi des troubles à la cour, qui créaient un climat d'incertitude peu propice aux affaires. Ils étaient mécontents à l'idée de devoir verser de fortes sommes à trois vice-rois en même temps : Condé, en vertu de sa commission, Thémines du fait du nouvel arrangement, sans compter les réclamations insatisfaites du duc de Montmorency. Les financiers avaient aussi à subvenir aux besoins des pères récollets et des habitants de Québec. Le coût du grand dessein de Champlain ne cessait de grimper. Et comme si tout cela ne suffisait pas, les marchands de La Rochelle, de Saint-Malo et d'autres ports réclamaient de nouveau la liberté de commerce[15].

Champlain commençait à perdre patience avec toutes ces intrigues de cour et ces procédures judiciaires, écrivant : « Laissons-les plaider, pour aller appareiller nos vaisseaux[16]. » Dans les premiers mois de 1617, il trouva le moyen de faire un bref voyage en Nouvelle-France. Il quitta Paris pour Honfleur, où un navire l'attendait. Mais même la veille de son départ, on tenta de nouveau de lui ôter sa lieutenance. Cette fois-ci, le coup vint de Daniel Boyer, un marchand associé à la compagnie de Rouen. Champlain nous dépeint un ennemi malicieux et grand chicaneur[17].

Alors que Champlain s'apprêtait à partir, Boyer parut à Honfleur. Prétendant parler au nom de toute la compagnie, il fit savoir que le Parlement de Rouen avait émis un ordre selon lequel « les seigneurs prince de Condé, de Montmorency et de Thémines, sans préjudicier à leurs qualités, ne pourraient recevoir aucuns deniers de ce qu'ils pouvaient prétendre ». Par conséquent, affirma Boyer, les associés de la compagnie ne pouvaient rémunérer Champlain pour sa lieutenance sous peine d'avoir à payer une lourde amende pour avoir défié un ordre de la cour. Comme on ne pouvait plus le rémunérer, Champlain ne pouvait « plus prétendre l'honneur de la charge de lieutenant de monseigneur le prince[18] ».

Champlain était hors de lui. Il avait été nommé en poste par trois vice-rois successifs et confirmé dans ses fonctions par le roi. Son titre était net, et les poursuites pour dettes n'avaient rien à voir avec son poste. En outre, Boyer disait agir au nom d'une compagnie que Champlain avait fondée. « Voilà la récompense de ces messieurs les associés », écrivit-il. Ces messieurs avaient gagné beaucoup d'argent, et maintenant ils essayaient de l'écarter dans l'espoir de soutirer encore quelques livres de la traite des fourrures. Plus il y songeait, plus il était furieux. Sa colère se porta tout entière sur Boyer : « tout cela ne me touchait point », et il congédia Boyer, peut-être à la pointe de l'épée. Quand les autres associés entendirent parler de cette affaire, ils « se déchargèrent sur ledit Boyer, que ce qu'il avait fait était de son mouvement ». Une fois de plus, Champlain avait triomphé[19].

Champlain fit voile de Honfleur le 11 mars 1617 à bord du *Saint-Étienne* que commandait son ami le capitaine Morel, un bon navigateur et un habitué du commerce nord-américain[20]. Ce devait être un bien court séjour en Nouvelle-France. Champlain parvint à Tadoussac le 14 juin, et il était rentré à Paris le 22 juillet, où il signa un document judiciaire. Il ne devait pas avoir quitté Québec avant la première semaine de juillet, ce qui veut dire qu'il n'avait passé que quelques semaines en Nouvelle-France au maximum[21].

Le voyage avait été bref, mais Champlain en tira le meilleur parti. Il avait emmené avec lui Pont-Gravé à titre de « conducteur en chef » des opérations commerciales, et trois pères récollets, Joseph Le Caron, Denis Jamet et Paul Huet[22]. Le plus important, il avait également amené une première famille française à s'installer à Québec pour y vivre de la terre. Le chef de cette famille avait nom Louis Hébert, le même apothicaire parisien qui avait accompagné Champlain dans ses voyages d'exploration et contribué à la fondation des premiers établissements en Acadie. La famille Hébert vivait près du Louvre et faisait partie du cercle américain de Paris. Elle était liée par mariage à Jean Biencourt de Poutrincourt et était amie du sieur de Mons et de Champlain[23].

Le jeune Hébert connaissait la Nouvelle-France. En 1616, Champlain le convainquit d'aller s'installer à Québec, avec un contrat de la compagnie et une imposante concession foncière. Hébert décida d'émigrer avec toute sa famille : sa femme, Marie Rollet, et leurs trois enfants : Anne, qui était adolescente, Guillemette, qui avait à peu près onze ans, et Guillaume, qui était encore tout petit. Il avait aussi avec lui son beau-frère, Claude Rollet, et un serviteur du nom d'Henri Choppard[24].

Quand les Hébert arrivèrent à Honfleur, ils eurent l'amère surprise d'apprendre que la compagnie n'honorerait pas leur contrat. On soupçonne que le grand chicaneur Boyer était encore à l'œuvre, appuyé par la faction de la compagnie irréductiblement opposée à la colonisation. Mais la famille Hébert avait vendu tous ses biens à Paris et ne pouvait reculer. On leur imposa un honteux compromis. Hébert ne recevrait que la moitié des terres et de l'argent qu'on lui avait promis, et la compagnie continuerait d'exiger des intérêts de 20 %, même sur l'argent qu'on ne lui avait pas versé ! La compagnie obligeait également Hébert, sa femme et leur serviteur à travailler pour elle à la traite des fourrures. Bref, la compagnie fut encore plus odieuse envers les Hébert qu'elle ne l'avait été envers Champlain[25].

Mais Louis Hébert était lui aussi un visionnaire : il croyait sincèrement à l'idée de la Nouvelle-France. Il accepta d'émigrer même si les conditions qu'on lui faisait étaient très défavorables, sûr de pouvoir améliorer sa condition en Amérique. À Québec, Champlain fit tout en son pouvoir pour l'aider. Il ordonna aux employés de la compagnie de se mettre au service de la famille Hébert et de lui bâtir une solide maison de pierre. Pendant des années, la maison Hébert fut la seule résidence familiale privée à Québec. À force de dur labeur, les Hébert établirent une ferme digne de ce nom, labourèrent les champs sans charrue et parvinrent à subvenir à leurs besoins et à ceux d'autres habitants de Québec. Hébert continua aussi de pratiquer son métier d'apothicaire, soignant les Européens aussi bien que les Indiens. Comme Champlain, il respectait les Indiens, les accueillait sous son toit et les traitait avec équité. Eux lui rendaient son affection, à lui et à sa famille.

Champlain aida aussi la famille à acquérir d'autres terres le long de la rivière Saint-Charles. Les Hébert devinrent de grands propriétaires terriens, et Louis Hébert se mit à être connu sous le nom du sieur de Hébert dans les documents officiels. Ses deux filles épousèrent des Français de Québec, et la famille se mit à se multiplier. Les Hébert devinrent une présence importante en Nouvelle-France ; les récollets les mentionnaient souvent dans leurs mémoires, tout comme les jésuites et Champlain lui-même. La famille joua un rôle de premier plan dans la survie de l'habitation de Québec dans ses premières années et apporta un élément de stabilité et d'ordre dont on avait un besoin urgent.

Son exemple était important pour Champlain à d'autres égards. La réussite de la ferme Hébert démontrait que son rêve d'une population française autosuffisante était réalisable en Amérique. Mais les Hébert furent longtemps des pionniers isolés : ce fut la seule famille d'agriculteurs fermement établie en Nouvelle-France pendant des années. Ils avaient prouvé que c'était possible, mais aussi extrêmement difficile[26]. En 1617, on signalait la présence à Québec de cinquante à soixante Français, la plupart d'entre eux étant des trafiquants et des marins. Presque tous étaient des hommes et des garçons qui n'avaient nullement l'intention de s'y fixer. Québec ressemblait beaucoup plus alors à un poste militaire ou à un camp de travail transitoire qu'à une communauté d'avenir.

Mais il y avait des éléments de stabilité. Les pères récollets jouaient un rôle dominant en Nouvelle-France. Ces religieux dévoués étaient venus évangéliser les Indiens. Ils exerçaient aussi leur ministère auprès des trafiquants et marins français. Ils avaient bâti une petite chapelle à Tadoussac, où les grands navires mouillaient pendant la belle saison. Il y avait aussi trois récollets à Québec et un autre en Huronie. Ils s'étaient mis à l'œuvre avec une volonté exemplaire, et les Français aussi bien que les Indiens parurent les apprécier[27].

Pour l'hiver à venir, Champlain reconduisit au poste de commandant Jean Godet du Parc, le jeune noble du Perche. Il avait hiverné à Québec en 1609-1610 et avait été commandant l'hiver suivant. Selon tous les témoignages, il était capable, aguerri et digne de confiance. L'établissement était en de très bonnes mains[28].

Lors de ce bref voyage de 1617, Champlain n'eut pas le temps de remonter le fleuve. Parlant de son court séjour, il écrit qu'il « ne se passa rien de remarquable ». Il voulait dire par là qu'il n'avait pas pu se livrer à des explorations ou rencontrer les Indiens, ce qu'il adorait faire. Mais les événements en France le préoccupaient, et il sentait qu'il était urgent de rentrer[29].

Champlain rentra à Paris en juillet, auprès de sa femme, Hélène Boullé, dans leur maison de la rue Saint-Germain l'Auxerrois. Le couple s'employa à retisser ses liens. Le 22 juillet 1617, ils se rendirent chez un notaire éminent et signèrent un contrat avec une jeune fille de bonne famille qui allait devenir la dame de compagnie d'Hélène. Transaction de routine, très avare de détails, mais qui nous révèle des choses sur les deux parties. La jeune fille avait nom Isabelle Terrier, fille du marchand Richard Terrier. Champlain et Hélène signèrent tous deux le contrat, et la description qu'en donne le notaire est intéressante. Champlain n'est plus le « sieur de Champlain » mais bien « noble homme Samuel de Champlain, capitaine ordinaire du Roi en la marine de Ponant ». Il signe avec « damoiselle Eslayne Boullé, sa femme ». Avec chaque document juridique, Samuel Champlain et son épouse semblaient s'élever en condition.

Richard Terrier et sa fille Isabelle acceptaient que la jeune fille reste quatre ans au service de la famille Champlain, et le père se portait garant de la « loyauté et prudhommie » de sa fille. Son nouveau maître et sa nouvelle maîtresse promettaient de lui verser un salaire de trente livres tournois par an et de lui avancer de quoi s'habiller selon son rang. Samuel Champlain et Hélène Boullé voyaient à leur quotidien. Ils passaient plus de temps ensemble, mais le couple restait sans enfant[30].

À Paris, Champlain s'employa à rafraîchir son réseau de soutien pour la Nouvelle-France. Mais les difficultés persistaient avec Daniel Boyer et les marchands de Rouen, et le ressentiment s'alourdissait parmi les investisseurs de Saint-Malo et de La Rochelle également. Champlain régla ces problèmes en s'adressant aux grands financiers de Paris. Il entra en communication avec la Chambre de commerce parisienne. Dans une lettre de vingt paragraphes adressée à ces « Messieurs de la Chambre », il esquissa le potentiel économique de la Nouvelle-France, faisant valoir l'importance du Nouveau Monde pour le royaume de France et ceux qui auraient la sagesse d'y investir. Le ton de ce document est différent de celui des autres écrits promotionnels de Champlain. Il en appelle à la raison en s'appuyant résolument sur des preuves tangibles confirmant « certains faits » et des estimations de profits précises, mais sans oublier ce que Champlain appelait « l'honneur et gloire de Dieu, l'augmentation de cette couronne et l'établissement d'un grand commerce infaillible dans la Nouvelle-France[31] ».

Figurant en tête de liste parmi les possibilités d'investissement se trouvait la pêche à la morue, qui générait à son avis un profit brut d'un million de livres par année. Champlain calculait qu'entre huit cents et mille navires français prenaient part annuellement à la pêche morutière en Amérique du Nord, ce qui était probablement exact, et ce nombre augmentait. D'après Champlain, on pourrait obtenir un rendement semblable dans d'autres pêches, comme le saumon, la truite et l'esturgeon de mer, le hareng, la sardine, l'anguille et d'autres poissons. Il fit état des profits que rapportait l'industrie baleinière avec les huiles et les carcasses, de la valeur des dents de vache marine pour l'ivoire (« meilleures que le morfil » [les défenses d'éléphant], disait-il) et de l'abondance extraordinaire des loups marins, et tout cela pris d'un bloc valait presque autant que la pêche morutière[32].

Ensuite, Champlain décrivit la richesse de la forêt américaine avec ses nombreuses variétés d'arbres « de hauteur émerveillable » dont on pourrait faire de bons vaisseaux. Il avait rapporté en France quelques échantillons de chêne scié, excellent « pour fenestrage et lambris », de pin blanc pour la fabrication des mâts, de conifères d'essences diverses dont on tirerait « braie, goudron, résine », et d'autres arbres bons pour la fabrication de la potasse. Pour chaque produit, il estimait la valeur de la récolte annuelle. Il mentionna les mines qui, si elles ne contenaient pas d'or, demeuraient riches en fer, cuivre et autres minerais. Enfin, il parla des carrières où se trouvaient des pierres de la meilleure qualité.

Champlain mentionna évidemment la traite des fourrures : peaux de castor, d'orignal, de cerf, de bison. Il signala l'abondance du chanvre américain qui « en bonté et nature ne doit rien au nôtre » et la fécondité du sol d'où pouvaient sortir blé, maïs, pois, vignes, racines et arbres fruitiers, à quoi s'ajoutaient les pâturages pour troupeaux de bestiaux. Enfin, il décrivit les longues rivières et les grands lacs d'Amérique du Nord, « où l'on peut espérer de trouver un chemin raccourci pour aller à la Chine par le moyen du fleuve Saint-Laurent », notant au passage qu'il avait travaillé aux colonies pendant seize ans avec « peu d'assistance ». Il avait besoin d'aide, disait-il, pour implanter des colonies permanentes et priait la Chambre de commerce de l'appuyer auprès du roi.

Son appel fut écouté. La Chambre de commerce lui accorda tout son soutien, et ses officiers adressèrent une lettre d'appui chaleureuse au roi le 9 février 1618. On y priait le roi Louis XIII d'accorder à Champlain les moyens qu'il lui fallait pour établir trois cents familles en Nouvelle-France. Champlain fit savoir au Conseil du roi ce que ces messieurs de la Chambre avaient fait pour lui, et il rédigea un plaidoyer à l'adresse du roi lui-même[33].

Champlain ne jouissait plus de l'accès direct au roi comme sous Henri IV. Il rédigea donc soigneusement une nouvelle lettre et l'adressa directement « Au Roi et à Nosseigneurs de son Conseil ». Son argument central était différent de celui qui fondait son appel à la Chambre de commerce. Il commença par rappeler ses états de service à titre d'explorateur, soit les « descouvertures de la Nouvelle-France [aussi bien] que de divers peuples et nations qu'il [Champlain] a amenés à notre connaissance, qui n'avaient jamais été connus que par lui[34] ». Il leur dit ce qu'il était résulté de ces découvertes : « fidèle relation des mers du nord et du sud » et le moyen « de parvenir facilement au Royaume de la Chine et Indes orientales ». Il mentionna le « culte divin qui s'y pourrait planter, comme le peuvent témoigner nos religieux récollets, plus l'abondance des marchandises dudit pays de la Nouvelle-France, qui se tirerait annuellement par la diligence des ouvriers qui s'y transporteraient[35] ».

Il leur rappela le grand avantage que revêtait l'Amérique du Nord pour la France, où « plus de mille vaisseaux [vont] faire pêcherie de poissons sec, vert, et huiles de baleine », et il demandait au roi de songer combien le royaume perdrait « si cedit pays était délaissé [et que] les Anglais et les Flamands, envieux de notre bien, s'en emparaient en jouissant des fruits de notre labeur », ce qu'ils avaient fait en effet en rasant les établissements des Jésuites à l'île des Monts déserts, en détruisant la colonie de Poutrincourt en Acadie et en attaquant les morutiers français dans le Nord[36].

Champlain ne ratait jamais l'occasion de dire ce qui avait été fait et pourrait être fait « pour la gloire de Dieu » et « l'honneur de Sa Majesté ». Cette fois, son argumentaire mettait davantage l'accent sur les intérêts du roi. Le but premier, disait-il, était l'implantation de « la foi chrétienne parmi un peuple infini d'âmes ». Le deuxième était de faire en sorte que le roi se rende « maître et seigneur d'une terre de près de dix-huit cents lieues de long » dont il décrivait la beauté et l'abondance en termes lyriques[37]. Le troisième était la recherche du passage vers la Chine et les Indes « par le moyen du fleuve Saint-Laurent », qu'il avait déjà parcouru sur une distance de quatre cents lieues, et au-delà duquel se trouvait un lac de plus de trois cents lieues de long. Il faisait observer que le roi pourrait tirer « grand et notable profit [...] de la douane des marchandises qui viendraient de la Chine et des Indes, laquelle surpasserait en prix dix fois au moins toutes celles qui se lèvent en France[38] ».

Champlain proposait aussi de bâtir au centre de cet empire une capitale, qui serait « une ville de la grandeur presque que celle de Saint-Denis, laquelle ville s'appellera, s'il plaît à Dieu et roi, Ludovica ». En cette ville serait érigé un vaste temple nommé l'église du Rédempteur pour commémorer la conversion des peuples de ce pays. Sur l'élévation au-dessus de Québec se dresserait une forteresse commandant le fleuve, et il comptait faire construire une autre ville sur la rive opposée. Pour ce faire, il réclamait d'autres pères récollets (la propagation de la foi revenant en tête de liste) et trois cents familles françaises pour peupler le pays, avec un contingent de trois cents soldats. Champlain estimait qu'il en coûterait, pendant les trois premières années, quinze mille livres par an pour approvisionner cette population. Elle assurerait elle-même sa subsistance par après. Sachant que le roi redoutait la prévarication, il proposait que le baron de Roussillon, l'un des commissaires de la Chambre de commerce, fût nommé intendant responsable de l'administration des fonds. Champlain lui-même ne toucherait jamais à cet argent[39].

C'était un document d'une audace extraordinaire mais soigneusement construit pour plaire à Louis XIII, et celui-ci fut séduit. Le roi et son Conseil l'approuvèrent avec enthousiasme. Le 12 mars 1618, Louis XIII signa une lettre reconnaissant l'autorité de Champlain en Nouvelle-France et ordonnant à ses sujets d'aider son lieutenant à mettre en œuvre son projet. « Chers et bien-aimés, disait la lettre. Sur l'avis qui nous a été donné qu'il y a eu du mauvais ordre en l'établissement des familles et des ouvriers que l'on a menés en l'habitation de Québec, et autres lieux de la Nouvelle-France, Nous vous écrivons cette lettre, pour vous déclarer le désir que nous avons que toutes choses aillent mieux à l'avenir : et vous mander, que nous aurons à plaisir que vous assistiez, autant que vous le pourrez commodément, le sieur de Champlain des choses requises et nécessaires pour l'exécution du commandement qu'il a reçu de Nous [...] et faire tous les ouvrages qu'il jugera nécessaires pour l'établissement des colonies que nous désirons planter audit pays, pour le bien de Notre service, et l'utilité de Nos sujets[40]. »

Le roi ajouta quelques mots dont Champlain se serait sans doute bien passé : « sans que pour raison desdites descouvertures et habitations, vos facteurs, commis et entremetteurs au fait du trafic de la pelleterie, soient troublés ni empêchés en aucune façon et manière que ce soit, durant le temps que nous vous avons accordé ». La lettre s'achevait par un ordre : « Et à ce ne faites faute. Car tel est notre bon plaisir. Donné à Paris le 12e jour de mars 1618[41]. »

Le courtisan en Champlain avait triomphé. Menant une campagne systématique, il avait excentré et élargi sa base de soutien. Il avait gagné le concours de la Chambre de commerce de Paris, du Conseil du roi et, le plus important, l'assentiment du roi lui-même. C'était un exploit extraordinaire, accompli de haute lutte. Dans un moment critique, Champlain avait trouvé une brèche et en avait tiré le plus grand parti.

À peine quelques jours après avoir reçu la lettre du roi, Champlain décida de faire un autre bref voyage outre-Atlantique. Le 22 mars 1618, accompagné de son beau-frère Eustache Boullé, il quitta Paris pour Honfleur, « havre ordinaire de notre embarquement ». Mais leur départ fut retardé de deux mois. Champlain attribua le retard à « la contrariété des vents », et par là il ne parlait pas nécessairement du temps en mer. Des vents mauvais d'un autre genre soufflaient sur les villes commerçantes. Quel que fût le problème, l'on mit une soixantaine de jours à y porter remède. Ils firent voile le 24 mai à bord du grand vaisseau de la

Compagnie de la Nouvelle-France, qui était commandé par Pont-Gravé, également responsable de l'aspect commercial du voyage[42].

Après une traversée rapide, ils mouillèrent à Tadoussac le jour de la Saint-Jean, le 24 juin 1618. Tout fut fait à la hâte. Champlain et Pont-Gravé remontèrent immédiatement le Saint-Laurent dans une petite barque de port de dix à douze tonneaux et atteignirent Québec le 27 juin. Ils y restèrent une semaine. Champlain rencontra les pères récollets, qui se portaient à merveille. Il rendit également visite à la famille Hébert et se dit ravi du progrès de leur ferme. « Je visitai les lieux, écrivit-il, les labourages des terres que je trouvai ensemencées, et chargées, de beaux blés ; les jardins chargés de toutes sortes d'herbes, comme choux raves, laitues, pourpier, oseille, persil, et autres herbes, citrouilles, concombres, melons, pois, fèves, et autres légumes, aussi beaux, et avancés, qu'en France[43]. »

Champlain resta à Québec un peu plus d'une semaine puis se rendit aux Trois-Rivières, où il débarqua le 5 juillet, après un voyage de deux jours. Il se préoccupait des relations entre Français et Indiens, qui avaient commencé à se dégrader depuis son départ, particulièrement en matière de droit, d'ordre et de justice[44]. Problème très épineux. La colonie française était cernée par des populations indiennes fort supérieures en nombre. Les dirigeants de part et d'autre voulaient maintenir des rapports cordiaux. Chose ardue parmi les résidents européens, qui comptaient de nombreux personnages au caractère difficile ; chose encore plus ardue parmi les Indiens, qui accordaient une grande liberté à l'initiative individuelle ; chose impossible lorsque ces deux groupes turbulents se mêlaient.

Champlain rencontra un problème de ce genre lors de son voyage. Au cœur de cette affaire se trouvait le meurtre de deux Français en 1616. L'une des victimes était un serrurier, et l'autre était un marin du nom de Charles Pillet. Cette affaire très embrouillée remplit de nombreuses pages des *Voyages* de Champlain. « Quant au discours de cette affaire, écrit-il, il est presque impossible d'en tirer la vérité. » L'incident avait commencé lorsque l'un des deux Français s'était querellé avec un Montagnais. Le Français, « par quelque jalousie », avait maltraité l'Indien et « battit tellement ledit sauvage, qu'il lui donna occasion de s'en souvenir », et non seulement cela, « il incitait ses compagnons à faire le semblable ». Tous s'entendaient pour dire que l'Indien avait reçu un « mauvais traitement ».

Le Montagnais avait attendu son heure. Avec l'aide d'un camarade, il avait attiré le Français et un ami à lui dans les bois. Les Indiens avaient assassiné les deux Français et, cherchant à camoufler leur meurtre en quelque accident de navigation, avaient lié les deux cadavres, les avaient lestés de lourdes pierres et jetés à l'eau[45]. Mais ils avaient compté sans le fleuve, qui rejeta les corps sur la rive, où ils furent découverts avec les marques du crime. Cet événement mécontenta fort Français et Indiens, et des tensions s'élevèrent entre eux[46]. Chacun craignait la colère de l'autre, et les deux camps « entrèrent en défiance, et crainte ». Ces sentiments étaient si prononcés que les dirigeants français aussi bien qu'indiens redoutaient qu'une guerre éclate, peut-être même une « guerre perpétuelle[47] ».

Les chefs indiens tentèrent de régler le problème en offrant réparation, comme le voulait leur coutume. Solution inacceptable pour les Français, dont l'idée de justice requérait le châtiment des coupables. Les meurtriers furent persuadés par d'autres Montagnais de chercher une troisième solution. Ils se rendirent aux Français, espérant avouer leur crime et en obtenir pardon. Mais lorsque l'un d'eux pénétra dans l'établissement français, il fut arrêté, le pont-levis fut levé et les Français accoururent aux armes. Certains exigèrent son exécution immédiate. D'autres plaidèrent la retenue. Les Indiens cernèrent l'habitation en grand nombre, et les tensions atteignirent leur paroxysme. Puis le récollet Joseph intervint. Il recommanda que les meurtriers ne fussent pas punis immédiatement mais que l'on attendît plutôt « les vaisseaux de retour de France, pour, suivant l'avis des capitaines, et autres, en résoudre définitivement, et avec plus d'autorité[48] ».

C'est à ce moment que Champlain débarqua. Il fit savoir clairement qu'un meurtre ne pouvait rester impuni sans susciter davantage de violence à l'avenir. Mais il savait aussi qu'Indiens et Français n'avaient pas du tout la même conception de la justice. L'exécution à l'européenne des meurtriers risquait de déclencher une série d'actes de représailles pouvant mener à une guerre totale[49].

Champlain usa de prudence et porta toute son attention sur les détails de l'affaire. D'abord, il chercha à connaître les faits. Puis il convoqua un conseil des anciens, consulta les révérends pères, discuta longuement avec les chefs montagnais et parla de l'affaire avec les représentants d'autres nations indiennes. L'essentiel de sa méthode consistait à écouter et à consulter longuement toutes les parties. Il invita toutes les parties à lui faire part de leurs idées, et de nombreuses suggestions lui furent faites. À un moment donné, les chefs d'autres nations indiennes proposèrent d'exécuter eux-mêmes les meurtriers, ce qui aurait eu pour effet de déclencher une guerre généralisée dans la vallée du Saint-Laurent[50].

Champlain choisit une autre solution. « Tous ensemble avisâmes qu'il était à propos de faire ressentir aux Sauvages l'énormité de ce meurtre, et néanmoins n'en venir à exécution. » S'inspirant des bons conseils des récollets, il procéda différemment : le principal meurtrier reconnaîtrait sa culpabilité et serait rendu aux siens. Sa nation, ainsi que son propre père, garantiraient sa bonne conduite. Deux de ses frères seraient donnés en otages et placés sous la garde des récollets, qui les initieraient à la religion chrétienne et à la langue française. « C'est pourquoi, écrit Champlain, le tout considéré, nous nous résolûmes de couler cette affaire à l'amiable, et passer les choses doucement[51]. »

L'imbroglio des meurtriers montagnais fait ressortir la conception multiethnique que Champlain s'était faite de la justice et qui était si fondamentale à l'exécution de son grand dessein. Il était aux prises avec de nombreux problèmes relatifs à l'ordre et à la justice en Nouvelle-France. Par tâtonnements, il trouva des moyens de résoudre bon nombre d'entre eux exactement dans cet esprit nouveau. Il repoussa l'idée antique d'une justice fondée sur la vengeance, qui trouvait des adhérents de tous côtés. Il écarta aussi l'idée européenne de la procédure judiciaire aboutissant à une exécution pour meurtre (chose inacceptable pour de nombreuses nations indiennes). Et il ne pouvait admettre la coutume indienne qui consistait à régler les affaires de meurtre seulement par une réparation (chose inacceptable pour les Européens). Écartant ces diverses conceptions de la justice, il inventait avec les autres un ensemble de principes qui combinaient l'équité et l'équilibre dans l'humanité et la retenue. Il insistait pour que le meurtre fût puni, mais il favorisait la modération et atténuait la rigueur de la loi coutumière des deux côtés. Et le plus important, il cherchait le moyen de maintenir la paix, de faire régner une forme de droit et de justice que tous pourraient admettre.

Le 5 juillet 1618, Champlain arriva aux Trois-Rivières, où une foule d'Indiens désiraient lui parler. « Lors tous les sauvages de ma connaissance, et au pays desquels j'avais été familier avec eux, m'attendaient avec impatience et vinrent au-devant de moi et comme fort contents et joyeux de me revoir, m'embrassant l'un après l'autre, avec démonstration d'une grande réjouissance[52]. »

Ils lui demandèrent « si je les assisterais encore en leurs guerres contre leurs ennemis, ainsi que je l'avais fait par le passé, et comme je leur avais assuré, desquels ennemis ils sont cruellement molestés et travaillés ». Aux Trois-Rivières, il rencontra aussi « plusieurs nations de sauvages non connues aux Français, ni à ceux de notre habitation, avec lesquels j'avais fait alliance et juré amitié avec eux, à la charge qu'ils viendraient faire traite avec nous, et que je les assisterais en leurs guerres[53] ». Il nota à ce propos : « Il faut croire qu'il n'y a une seule nation qui vive en paix, que la nation neutre. » Cela posait un problème difficile à Champlain. Il voulait s'allier avec le plus de nations possible, mais essentiellement dans le but de maintenir la paix. Il était disposé à mener des expéditions punitives contre les agresseurs, mais son objectif stratégique consistait à mettre fin aux tueries. Ce soldat las des guerres espérait en un monde nouveau qui vivrait en paix[54].

Les tabagies des Trois-Rivières s'achevèrent le 14 juillet 1618. Ce jour-là, Champlain se rendit à Québec, où il prit congé des récollets. Il s'embarqua douze jours plus tard avec deux d'entre eux, les pères Paul et Pacifique, qui étaient dans le pays depuis trois ans, afin que ceux-ci puissent « faire rapport, tant de ce qu'ils avaient vu audit pays, que de ce qui s'y pouvait faire ». Ils gagnèrent Tadoussac le 27 juillet et firent voile pour la France le 30, parvenant à Honfleur le 28 août, « avec vent fort favorable et contentement d'un chacun[55] ».

À Paris, Champlain déménagea sa famille dans le faubourg Saint-Germain-des-Prés, rue de Vaugirard, en la paroisse de Saint-Sulpice. Quartier fort prisé par les courtisans et les ministres du roi, tout près du palais de Saint-Germain, qui était l'une des résidences préférées du roi et le lieu de naissance du dauphin, le futur Louis XIV[56].

Champlain passa beaucoup de temps à la cour. Il se remit au travail, retournant au problème pérenne qu'était l'édification d'un réseau de soutien pour la Nouvelle-France. Il s'y prit de plusieurs manières à la fois, toujours avec pour objectif de sensibiliser le roi, de garder l'Amérique dans ses pensées. Alors que Champlain se trouvait à la cour, la Nouvelle-France se mit à figurer dans les amusements royaux, auxquels Louis XIII prenait un grand intérêt. Le ballet de cour était un art raffiné,

Cette scène de genre d'Abraham Bosse montre la galerie du Palais où des courtisans soucieux de la mode se procurent des rubans, des gants, des dentelles et des éventails pendant qu'un « cavalier » furète dans un étal de livres comme celui que possédaient Jean Berjon et Claude Collet, qui vendaient les livres de Champlain « au palais » et l'aidaient à mousser la cause de la Nouvelle-France.

né en Italie lors de la Renaissance. Il était devenu très à la mode en France, avec un « art de la danse [qui était] parfaitement français[57] ».

L'éminent érudit François Moureau décrit le ballet de cour comme une « belle danse », à distinguer de la « danse de bal ». Il nécessitait un orchestre complet avec bois et cuivres, outre les habituels vingt-quatre violons du roi. La scénographie était riche et l'on accordait une grande attention à la finesse des costumes, art où les Italiens étaient passés maîtres depuis longtemps.

Au cœur de ces productions, il y avait le roi lui-même. Louis XIII avait fait du ballet de cour un passe-temps. Il y participait activement comme compositeur, concepteur et danseur, ne se jouant jamais lui-même, préférant habituellement des rôles allégoriques, comme Apollon ou le Soleil, ainsi que plus tard le ferait son fils Louis XIV[58]. Nombre de

Sous le règne de Louis XIII, l'humanité des Indiens d'Amérique devint un thème récurrent dans les élégants ballets de cour. Le roi lui-même se faisait le promoteur de ces spectacles, et s'y donnait souvent le rôle d'Apollon ou du Soleil. Nobles et courtisans y jouaient aussi aux côtés de danseurs professionnels.

gentilshommes de haute noblesse suivaient son exemple et se joignaient aux danseurs professionnels dans ces spectacles. Les grands du royaume rivalisaient d'ardeur pour obtenir la faveur royale en dansant « devant le roi dans des ballets héroïques, allégoriques et bouffons[59] ».

Le personnage de Champlain n'a jamais figuré dans ces ballets. D'ailleurs, « aucun des fondateurs de la Nouvelle-France n'y apparaît », selon un spécialiste, mais les Indiens y sont très présents. Ces spectacles, nous dit Moureau, marquent « la présence d'un nouvel exotisme, celui de l'Amérique, à l'intérieur d'une forme ritualisée et politique[60] ». Il ajoute : « Si l'on analyse ce répertoire sur une assez longue période, qui va de la dernière décennie du règne d'Henri IV à la mort de son successeur (1643), soit sur un demi-siècle, le fil américain se distingue nettement dans la trame du spectacle[61]. »

Le rôle donné aux Indiens évolua d'une manière intéressante. À la fin du XVIe siècle, les Indiens des ballets de cour étaient des indigènes stylisés de la Nouvelle-Espagne et du Brésil. Au cours du règne de Louis XIII, leur présence s'accrut et ils devinrent plus nord-américains. Les ballets de cour faisaient connaître la Nouvelle-France et ses peuples indigènes. Dans cet effort, le roi lui-même, les grands du royaume, les chorégraphes et les scénographes donnaient une expression dramatique au grand dessein de Champlain.

Champlain, entre-temps, cherchait à rejoindre un public plus vaste par la publication d'un autre volume de ses *Voyages* enrichi d'images frappantes de nombreuses nations indiennes d'Amérique du Nord. Alors qu'il était en mer en 1618, Champlain avait profité de son temps libre pour rédiger un nouveau livre sur la Nouvelle-France. Il en acheva la composition à l'automne et le publia sous le titre *Voyages et descouvertures faites en la Nouvelle France depuis l'année 1615*. À l'instar de ses autres livres, celui-ci avait un objet bien précis ; il était destiné à un seul lecteur, Louis XIII, de qui dépendait la réussite de la Nouvelle-France. Champlain dédia son livre au roi, en lui marquant sa gratitude pour son appui et en l'invitant à assurer la Nouvelle-France de sa protection.

C'était un livre honnête, d'une franchise totale quant à son objet promotionnel, direct dans sa narration de l'histoire et qui ne cachait rien des difficultés de la colonie. Selon l'auteur, les sujets du roi s'étaient donné beaucoup de mal au Nouveau Monde, de manière que « Votre Majesté puisse se dire légitime Seigneur de nos travaux, et du bien qui en réussira, non seulement pour ce que la terre vous en appartient, mais aussi pour nous avoir protégé contre tant de personnes qui n'avaient d'autre dessein qu'en nous troublant empêcher qu'une si sainte délibération ne peut réussir[62] ».

Sachant l'intérêt que le roi portait aux Indiens, Champlain les décrivit avec toute la sympathie dont il était capable. Dans sa préface, il reconnut que ses derniers livres avaient fait plus de place au territoire et aux explorations. Celui-ci traiterait davantage des « mœurs et façons de vivre de ces peuples, servant à contenter un esprit curieux[63] ». L'auteur pressait la France d'« envoyer des peuplades et colonies par-delà, pour leur enseigner avec la connaissance de Dieu, la gloire et les triomphes de Votre Majesté et de faire en sorte qu'avec la langue française ils conçoivent aussi un cœur, et courage français[64] ». Propos qui ont valu à Champlain le blâme de certains ethnographes. Mais les Indiens comprenaient et respectaient cet homme extraordinaire, même s'ils préféraient s'en tenir à leurs propres croyances.

L'ouvrage traitait largement de la religion, des activités mission-

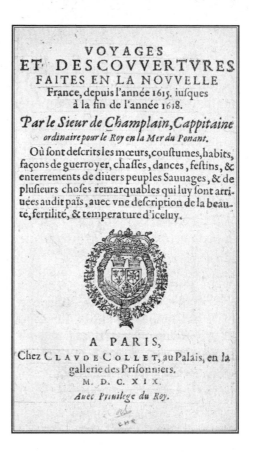

Page titre des Voyages et descouvertures. *Ce troisième volume de
Champlain, paru en 1619, s'inscrivait dans une campagne réussie
visant à gagner l'appui du roi. Il
était dédié à Louis XIII, décrivait
les événements qui s'étaient déroulés de 1615 à 1618, en portant une
attention particulière aux Indiens.
Le roi avait toujours été fasciné par
le Canada, depuis le jour où,
enfant, il avait reçu du sieur de
Mons et de Champlain un canot
d'écorce rouge.*

naires des Récollets et des progrès du christianisme dans le Nouveau Monde. Mais Champlain aborda aussi les misères qu'occasionnait la fondation d'une colonie en Amérique. Ainsi, il ne répugna pas
à raconter ses déboires lors du siège du fort onontagué. Et il expliqua
franchement tout le mal qu'il avait à concilier les grands objectifs de la
Nouvelle-France et les desseins fort éloignés des marchands de France[65].

Le livre de Champlain circula à la cour sous forme manuscrite. Il
fut lu et approuvé par les membres du Conseil du roi et publié par l'imprimeur du roi, Claude Collet, au palais dans la « Galerie des Prisonniers », avec « privilège du roi ». La date officielle de publication était
le 18 mai 1619.

L'étoile de Champlain commençait à briller à la cour ; des faveurs
l'attendaient. Ainsi, le 24 décembre 1618, veille de Noël, l'auteur reçut
un présent fort bienvenu de Sa Majesté : une pension de six cents
livres par année. Trois semaines plus tard, le 14 janvier 1619, Champlain toucha le solde impayé de la dot de sa femme, soit quinze

cents livres de plus de son père, Nicolas Boullé, secrétaire de la chambre du roi. Autre signe que les vents lui étaient favorables. La longue campagne que Champlain avait menée pour gagner l'adhésion du roi commençait enfin à porter fruit.

Mais tous ces succès de cour n'aidaient nullement Champlain auprès des financiers des ports de l'ouest. Champlain éprouvait encore des difficultés avec l'ancienne compagnie, particulièrement avec les marchands de Rouen. Comme il le signalait dans son dernier ouvrage, leurs objectifs étaient intrinsèquement opposés à ceux de la raison fondatrice de la Nouvelle-France. Certains marchands, dit Champlain, « ne tendaient qu'à leur profit particulier[66] ». Pour sa part, il « n'avait d'autre dessein que de voir le pays habité de gens laborieux, pour défricher les terres », afin que la colonie puisse suffire à ses propres besoins. Il avait vu trop d'affamés, parfois acculés à la mort, lorsque les navires marquaient du retard au printemps, surtout quand « les vaisseaux ayant retardé près de deux mois de plus l'ordinaire, et pensai y avoir une émotion et révolte à ce sujet les uns contre les autres[67] ».

Non seulement Champlain et les marchands avaient des objectifs divergents, ils étaient également éloignés dans l'horizon de leur pensée. Les commerçants planifiaient très exactement une saison à la fois. Ils se plaignaient que « les affaires de France étaient si muables, qu'ayant fait une grande dépense, ils n'avaient lieu de sûreté pour eux, ayant vu ce qui s'était passé au sujet du sieur de Mons ». L'incertitude politique leur pesait beaucoup et ils avaient peu intérêt à planifier pour le long terme[68]. Ils cherchaient aussi à diminuer leurs frais d'exploitation dans l'espoir d'accroître leur rendement. Ils estimaient que l'entreprise colonisatrice leur imposait de lourdes charges. Mais cela n'était qu'une partie du problème. Champlain savait « qu'une plus grande crainte les tenait ; que si le pays s'habitait leur pouvoir se diminuerait » et que peu après ils « seraient chassés par ceux qui les auraient installés avec beaucoup de dépense[69] ».

En Nouvelle-France, un conflit différent était apparu entre les employés de la compagnie et les colons de Champlain comme la famille Hébert, qui se plaignaient avec raison d'être exploités. Cette animosité décourageait fortement l'émigration et mettait aux prises colons et bailleurs de fonds. Se posait également le problème de la religion. Certains financiers des ports de l'ouest étaient protestants. Comme Champlain le nota, ils « n'avaient rien moins à cœur que la nôtre [la religion catholique] s'y plantât, bien qu'ils consentaient d'y entretenir des religieux, parce qu'ils savaient que c'était la volonté de Sa Majesté[70] ».

Champlain essaya de s'entendre avec les investisseurs. Il crut être parvenu à un accord sur le nombre de nouveaux colons à installer, « outre ceux qui y étaient déjà ». Le 21 décembre 1618, il rédigea un aide-mémoire détaillé : il fallait transporter quatre-vingts personnes à Québec et les y maintenir pendant l'année 1619 avec tous les vêtements, linge de lit, armes et outils nécessaires, à quoi s'ajouteraient dix tonneaux de chaux, dix mille tuiles creuses et vingt mille plates, dix mille briques ; du bétail comprenant des taureaux, des génisses et des brebis ; toutes sortes de graines pour semer ; des armes et des officiers pour contrôler l'usage des armes et des munitions et, outre tout cela, un service de table de trente-six couverts pour les commandants. Le document fut signé par les investisseurs Le Gendre, Vermulles, Bellois, Dustrelot et également Pierre Dugua. Au moment où Louis XIII commençait à s'intéresser à l'entreprise, le sieur de Mons marquait de nouveau son soutien indéfectible au grand dessein de la Nouvelle-France[71].

Malheureusement, le soutien que Champlain reçut de quelques marchands souleva l'opposition de nombreux autres. Au printemps 1619, l'accord liant Champlain et les financiers fut déclaré caduc, au moment même où il s'apprêtait à faire voile pour l'Amérique avec sa femme et leur suite dans l'intention d'y faire un séjour prolongé. Hélène Boullé avait enfin accepté d'y suivre son mari. Ils étaient partis ensemble pour Honfleur et s'apprêtaient à monter à bord d'un navire en route pour le Canada. Ils y furent arrêtés par des agents de la compagnie qui leur dirent que les directeurs ne permettraient pas à Champlain de commander aux navires ou à la colonie. Champlain nota que son principal opposant ici était encore son vieil ennemi Daniel Boyer, qui avait persuadé les marchands qu'il était inapte à diriger la colonie. Ils insistaient pour que « le Sieur du Pont demeure pour commander à l'habitation et à leurs gens ». Champlain serait confiné à son rôle d'explorateur, de cartographe et d'artiste[72].

Champlain refusa net. Il emmena sa famille à Rouen et y rencontra les marchands. « Je leur montre les articles, et comme lieutenant de monseigneur le prince, que j'avais droit de commander en l'habitation, et à tous les hommes qui y seraient, fors et excepté au magasin où était leur premier commis[73]. » Les marchands ne voulurent rien entendre. Champlain leur montra alors la lettre du roi. Au grand étonnement de Champlain, ils refusèrent d'obtempérer, et le navire fit voile sans lui[74].

Champlain rentra à Paris avec sa famille. Alors que sa femme et les serviteurs défaisaient les bagages, il se rendit directement au Conseil du roi et fit savoir que les manieurs d'argent de Rouen avaient défié un ordre de Sa Majesté. Le Conseil donna son appui entier à Champlain. Il fut confirmé dans son poste de lieutenant et le Conseil prit un décret « par lequel il était dit que je commanderais tant à Québec, qu'autres lieux de la Nouvelle-France[75] ».

Les marchands se retrouvaient maintenant dans l'embarras. Louis XIII tolérait mal qu'on s'oppose à sa volonté. C'était un crime passible de la peine capitale, et le fautif s'exposait à être roué sur la place publique sous les huées de la populace parisienne. Les directeurs de la compagnie ne tardèrent pas à faire marche arrière, et ils firent porter tout le blâme à Daniel Boyer. Tout à coup, les marchands trouvaient agréable d'avoir Champlain pour commandant à Québec. Il était trop tard pour faire voile en 1619, mais il se mit à faire ses préparatifs pour l'année suivante. Il ne demanda pas aux marchands de l'aider cette fois. Il exigea leur concours au nom du roi et ils obéirent. Hélène Boullé et les serviteurs refirent leurs malles[76].

CHAPITRE 17

Gouverner
la Nouvelle-France

Deux modèles, 1620-1624

J'ai bien voulu vous écrire cette lettre, pour vous assurer que j'aurai bien agréables les services que me rendrez en cette occasion, sur tout si vous maintenez ledit pays en mon obéissance, faisant vivre les peuples qui y sont, le plus conformément aux lois de mon Royaume que vous pourrez.

LOUIS XIII à Champlain, 7 mai 1620[1]

Il faut tenter la fortune [...]. L'on peut faire une chose digne de remarque, et de louange, étant assisté des peuples des contrées.

SAMUEL CHAMPLAIN, vers 1620[2]

En l'année 1619, la destinée de la Nouvelle-France était entre les mains de deux hommes. L'un était Samuel Champlain, homme d'âge mûr au long passé américain. L'autre était Louis XIII, dix-huit ans, roi de France depuis déjà neuf ans. Chacun avait sa vision du Nouveau Monde. Champlain et son cercle américain adhéraient à un rêve d'humanité et de paix, en cette époque marquée par la cruauté et la violence. Le roi et ses ministres nourrissaient un idéal d'ordre et de justice sous l'égide d'un monarque tout-puissant qui s'attribuait le nom de Louis le Juste. Ces deux figures conçurent les premières institutions à régir la Nouvelle-France[3].

À l'automne, Louis XIII et ses conseillers décidèrent de remettre en ordre le domaine américain de la France. Le roi lui-même lança le mouvement en faisant la paix dans sa propre famille. Le 20 octobre, il

Henri, deuxième duc de Mont-morency et comte de Damville, suc-céda à Condé à la charge de vice-roi de Nouvelle-France de 1620 à 1625 et fut l'un des hommes les plus capables à exercer cette fonction. Il adhérait au dessein de Champlain, résista à l'absolutisme de Richelieu et de Louis XIII, défendit les droits des parlements et fut exécuté pour haute trahison en 1632, à l'âge de trente-huit ans.

ordonna la mise en liberté de son cousin, le prince de Condé, après trois années de réclusion. Le 9 novembre, Condé fut reçu à Chantilly. Au cours d'une cérémonie officielle, le prince jura obéissance au roi, et celui-ci proclama solennellement son innocence. Les nombreux privilèges de Condé furent rétablis, notamment sa charge de vice-roi de Nouvelle-France. On lui versa trois mille livres, dont il donna la moitié aux Récollets pour leur œuvre d'évangélisation en Amérique. Tout le monde était heureux, sauf l'homme qui avait conduit le prince à la Bastille et l'avait remplacé à la vice-royauté. Le maréchal de Thémines avait été révoqué[4].

Mais la Nouvelle-France n'intéressait plus Condé, qui vendit sa charge à son beau-frère pour la somme de trente mille livres. Le nouveau vice-roi était Henri de Montmorency, comte de Damville et duc de Montmorency, gouverneur du Languedoc et amiral de France. Il était issu d'une des familles nobles les plus anciennes de France, et on le disait « brave, riche, galant et libéral », libéral au sens généreux du terme. Sa grande allure suscitait l'admiration générale. On disait qu'il dansait bien, qu'il avait l'air magnifique à cheval et qu'il avait « les manières les plus agréables qui fussent ». Il était intelligent aussi, et bien renseigné sur les affaires mondiales. Dans sa charge d'amiral, il s'était sérieusement intéressé au commerce et aux colonies comme moyen de consolider la puissance maritime de la France. Et il était favorable au grand dessein de Champlain[5].

Champlain y vit une excellente nomination et croyait que « toutes choses seraient mieux réglées à l'honneur de Dieu, du service du Roi, et bien dudit pays ». Champlain avait peut-être mis la main à cette nomination avec le concours d'un personnage influent à la cour, le sieur de Villemenon, intendant de l'amirauté française en 1620 et figure clé dans les événements qui suivirent[6]. Immédiatement après son entrée en fonction comme vice-roi, Montmorency procéda à deux nominations. Le 8 mars 1620, il nomma Champlain lieutenant pour la Nouvelle-France et commandant à Québec. Sur les instances de Villemenon, il créa aussi un nouveau poste, celui d'intendant de Nouvelle-France.

La charge d'intendant était en passe d'acquérir une grande importance dans la France de 1620. Les intendants étaient les instruments de l'absolutisme royal. À eux incombait le devoir de faire en sorte que les désirs du roi et de son Conseil fussent concrétisés. Ils rendaient compte aux autorités supérieures du rendement des officiers royaux, veillaient à faire respecter les édits, inspectaient les comptes et surveillaient l'administration. Les intendants n'appartenaient pas à la hiérarchie de commandement principale, mais exerçaient une influence considérable[7].

Champlain comprenait l'importance de la charge d'intendant, et vit tout de suite le rôle positif qu'elle pouvait jouer dans la réalisation de son grand dessein. Plutôt que d'y voir une rivalité ou une menace, il y voyait un allié potentiel, et il se lia volontiers avec des hommes tels que Villemenon. Là encore, il se montra très souple et habile dans l'art de naviguer à l'intérieur des nouvelles institutions de l'absolutisme royal.

Le 12 mars, la charge d'intendant de la Nouvelle-France fut confiée à Jean-Jacques Dolu, un homme de prestance qui occupait un poste envié parmi les conseillers du roi, celui de grand audiencier de la cour. Champlain et Dolu se connaissaient et s'entendaient bien, semble-t-il. Dolu adhérait à la vision de Champlain et consolida ses pouvoirs à titre de commandant. Champlain, de son côté, s'assurait de ménager Dolu. Ils se mirent à collaborer même avant que le roi confirme leurs nominations[8].

Leur relation fut mise à l'épreuve dès le printemps 1620. Champlain alla à Honfleur et prit des arrangements pour que deux navires fussent envoyés en Nouvelle-France. Il se heurta de nouveau à l'opposition ferme des commerçants de la vieille compagnie de Rouen et de Saint-Malo. D'après Champlain, « il y eut encore quelque brouillerie sur le commandement que je devais avoir audit pays ». Il demanda des renforts. Le nouvel intendant Dolu vola tout de suite à son secours et fit savoir sans ambages aux marchands que le roi lui-même et monseigneur le duc de Montmorency entendaient que Champlain eût « l'entier et absolu commandement en toute l'habitation, sur tout ce qui y serait, hormis pour ce qui était du magasin de leurs marchandises ». Le tout se termina par un avertissement sévère : « Et s'ils ne voulaient obéir aux volontés de Sa Majesté et de monseigneur », Champlain ferait arrêter leur vaisseau « jusques à ce que cela fût exécuté[9] ».

Les marchands ne désarmèrent pas pour autant et en appelèrent à d'autres officiers de l'amirauté. Démarche vaine, après quoi Louis XIII lui-même intervint. Champlain écrit que les commerçants « enfin acquiescèrent à la raison ». Ils n'avaient réussi qu'à se déconsidérer auprès du roi et de ses ministres, qui de plus en plus interprétaient leur résistance comme un acte de lèse-majesté. Les marchands de Rouen reçurent le droit d'envoyer des navires de commerce en Nouvelle-France pour encore une année, mais les jours de leur compagnie étaient comptés[10].

Champlain retourna en Amérique en 1620 nanti de pouvoirs inégalés : il était capitaine dans la marine du roi, lieutenant du vice-roi de Nouvelle-France et commandant à Québec. Il jouissait de la coopération entière de l'intendant, de la confiance du vice-roi et du soutien actif de Louis XIII lui-même, qui l'avait dépêché là-bas avec une lettre signée de sa main. Le roi avait pris soin d'écrire ceci : « J'aurai bien agréables les services que me rendrez en cette occasion, sur tout si vous maintenez ledit pays en mon obéissance, faisant vivre les peuples qui y sont, le plus conformément aux lois de mon Royaume que vous pourrez[11]. » C'était une marque de faveur sans équivoque, certes, mais aussi une déclaration d'intention qui n'entrait pas tout à fait dans les visées de Champlain. Le roi donnait ordre à Champlain d'imposer un régime d'obéissance absolue aux Indiens, ce qu'il était incapable de faire et ce dont il ne voulait pas non plus. Il trouvait toujours plus sage de s'entendre autrement avec les Indiens.

Fort de ses nouvelles attributions, Champlain fit voile de Honfleur en mai 1620, à bord du *Saint-Étienne*. Il était accompagné pour la première fois de sa femme, Hélène, et de sa suivante, Isabelle Terrier, de nombreux laquais appartenant à leur maison et d'un valet, un jeune homme qu'il enverrait plus tard vivre parmi les Indiens pour qu'il y apprenne leur langue. Champlain appelait tout ce monde sa famille, et c'était une famille nombreuse. Mais il n'y avait pas d'enfants[12].

Également à bord se trouvaient des récollets vêtus de leur robe grise, conduits par Georges le Baillif, un homme de naissance noble qui avait été fortement recommandé par le vice-roi et qui avait « encore l'avantage d'être connu du roi, qui l'honorait même assez souvent de son entretien et de ses lettres ». S'y trouvaient aussi l'intendant Dolu et un fonctionnaire royal du nom de Baptiste Guers, commissionnaire du vice-roi, de l'intendant et de Champlain. Il y avait enfin un petit détachement de soldats du roi : une poignée seulement, assez pour hisser les couleurs, effectuer des patrouilles le long du fleuve, faire tonner les canons de Québec, garder l'habitation du commandant et maintenir l'ordre dans l'établissement. Champlain était leur commandant en titre. Une garde à peine digne d'un sous-officier, mais lui-même était revêtu d'un titre autrement plus imposant : lieutenant général de Nouvelle-France[13].

Le *Saint-Étienne* quitta Honfleur très tard dans la saison, le 8 mai 1620. Champlain relata que le voyage avait été difficile dans les mers houleuses et que sa famille « avait beaucoup enduré d'incommodités en cette fâcheuse traversée ». Ils atteignirent Gaspé après environ sept semaines, le 24 juin, et remontèrent le Saint-Laurent vers Tadoussac en serrant la rive sud[14]. Champlain s'inquiétait de la sûreté de sa femme et prit de nombreuses précautions lors de ce voyage. Les trafiquants sans permis sillonnaient le fleuve à bord de leurs vaisseaux rapides et lourdement armés, et certains vendaient des armes aux Indiens. Méfiant, Champlain fit jeter l'ancre le 7 juillet dans une anse protégée appelée Moulin Baude, à un peu plus de trois kilomètres en aval du havre de Tadoussac. Il s'assura que celui-ci ne présentait aucun danger avant d'y emmener le *Saint-Étienne* : « Chacun loua Dieu de nous voir à port de salut, et principalement moi, pour le sujet de ma famille[15]. »

Le 11 juillet 1620, Champlain et les siens montèrent à bord d'une barque et remontèrent le Saint-Laurent jusqu'à Québec. Leur arrivée fit l'objet d'une mise en scène toute politique. Champlain se fit devancer par un vaisseau chargé de vivres pour l'établissement et son embarcation contenait également des provisions en masse, ce qui lui garantit un accueil chaleureux de la part des habitants affamés. Puis il débarqua en grande pompe et mena une procession jusqu'à la chapelle où, de nouveau, il rendit « grâces à Dieu ». Le lendemain matin, un père récollet chanta la messe et « fit un sermon d'exhortation ». Le bon père rappela aux fidèles « le devoir où l'on se devait mettre pour le service de Sa Majesté, et de celui de mondit seigneur de Montmorency ». Champlain nota que le sermon s'acheva par une déclaration où l'on rappelait que « chacun eut à se comporter en l'obéissance de ce que je leur commanderais, suivant les patentes de Sa Majesté, données à mondit seigneur le Vice-Roi, et la Commission à moi donnée de son Lieutenant ».

Après le sermon, le nouveau commandant convoqua toute la population de Québec. « Je fis assembler tout le monde, et commandai à Guers, Commissionnaire, de faire publique lecture de la Commission de Sa Majesté, et de celle de Monseigneur le Vice-Roi à moi donnée. » Tout cela fut fait « en présence de tous, à ce qu'ils n'en prétendissent cause d'ignorance ». La lecture faite, les colons furent invités à crier « Vive le roi ! » et l'on tira du canon « en signe d'allégresse ». Champlain conclut : « Ainsi je pris possession de l'habitation et du pays au nom de mondit seigneur le Vice-Roi. » Il pria aussi le commissionnaire Guers de dresser un procès-verbal de la cérémonie « pour servir en temps et lieu[16] ».

L'un des usages les plus importants de ce procès-verbal était de rassurer les supérieurs de Champlain à Paris. Il se trouvait à mettre en scène le genre de cérémonie qui était essentielle à la légitimité de la monarchie en France. Le rituel complexe des messes et des sermons fusionnait la sainteté de l'Église et les prérogatives de l'État. Les autres rituels, dans l'ordre des processions et les actes d'obéissance, incarnaient la notion de l'ordre hiérarchique où chacun avait sa place assignée. Ils reliaient le pouvoir à l'autorité, et l'autorité à la légitimité, par la récitation solennelle des patentes, des édits et des commandements royaux, non pas par Champlain lui-même mais par un commissaire royal. Ces rituels étaient marqués par le tir du canon et le défilé des soldats vêtus de l'uniforme royal où se croisaient les lys de France, la croix de Jésus, les armes de la dynastie des Bourbons et le chiffre de Louis XIII. Les habitants eux-mêmes jouaient un rôle dans ce rituel de consentement. On leur faisait savoir ainsi que si l'autorité était bafouée, le pouvoir royal s'appuierait sur la force. Ce cérémonial marqua la suite des événements. Champlain n'eut plus jamais à affronter de mutinerie semblable à celle qui avait menacé sa vie à Québec en 1608, en une époque où les rébellions étaient fréquentes dans les colonies françaises et anglaises[17].

Après les cérémonies, Champlain ordonna l'inspection de la colonie. Il envoya le commissionnaire Guers et six hommes aux Trois-Rivières « pour savoir ce qui se passerait par delà ». D'autres accomplirent la même mission en aval. Ses envoyés propagèrent la nouvelle que Champlain était de retour et affirmèrent son autorité dans toute la vallée du grand fleuve.

De son côté, Champlain inspecta lui-même l'habitation de Québec. Par une journée orageuse, il fraya son chemin dans les sentiers boueux d'une masure à l'autre et fut horrifié par ce qu'il vit. Comme il le dit, l'habitation était « si désolée et ruinée qu'elle me faisait pitié ». Les toits coulaient et « il y pleuvait de toutes parts, l'air entrait par toutes les jointures des planchers ». Pire, il constata que « le magasin s'en allait tomber, la cour si sale et orde [puante], avec un des logements qui était tombé[18] ».

Champlain attribua cet état de choses à l'absence d'autorité sur place. « Pour l'habitation, écrivit-il, elle était en très mauvais état, pour avoir diverti les ouvriers à un logement que l'on avait fait aux pères récollets, à demi lieue de l'habitation, sur le bord de la rivière Saint-Charles, et deux autres logements, un pour ledit Hébert à son labourage, un autre proche de l'habitation pour le serrurier et boulanger, qui ne pouvaient être en l'enclos des logements. » Il précisa qu'il ne ressentait aucune colère mais bien de la « pitié » pour les colons[19].

On peine à imaginer ce que devait ressentir sa jeune épouse, Hélène. Cette jolie femme avait grandi dans l'opulence d'une maison parisienne, dans le voisinage du roi et de la cour. Et on lui demandait maintenant de vivre dans un taudis que, dans son monde, on aurait jugé impropre à un animal. Sa réaction se reflète peut-être dans le ton du récit de Champlain, où l'on note une certaine urgence : « Et voyant que le plus tôt qu'on se mettrait à réparer ces choses était le meilleur, j'employai les ouvriers pour y travailler [...] que tout fut en peu de temps en état de nous loger[20]. »

Champlain fut également consterné de découvrir que l'établissement était indéfendable. Des navires anglais et hollandais rôdaient le long des côtes. Certains étaient lourdement armés, avec des équipages dont les effectifs dépassaient toute la population de Québec. « Rien ne se peut maintenir que par la force », fit-il savoir. Il songeait aux attaques qui auraient pu venir non seulement des autres puissances européennes, mais aussi des pirates et autres prédateurs qui hantaient le littoral américain. Il s'inquiétait aussi de l'attitude des Indiens. Certains Montagnais commençaient à montrer des signes d'éloignement et même d'hostilité qui tranchaient sur leurs attitudes antérieures. « L'on pense être trop fort, et que personne ne saurait entreprendre en ces lieux, mais la méfiance est mère de sûreté », écrivit Champlain[21].

S'appuyant sur les instructions du roi et du vice-roi, auxquelles il avait lui-même mis la main, Champlain ordonna aux ouvriers de la colonie de bâtir un nouveau fort qui serait assez grand pour abriter toute la population et qui serait « en une situation très bonne, sur une montagne qui commandait sur le travers du fleuve Saint-Laurent ». Il le baptisa fort Saint-Louis.

Les associés de la compagnie de commerce furent mécontents de ce chantier, qu'ils considéraient comme une lourde dépense éloignée de leurs visées commerciales. Pour sa part, Champlain se plaignit de leur cupidité et de leur frivolité, et de cette habitude qu'ils avaient de ne songer qu'au court terme. « Il n'est pas toujours à propos de suivre les passions des personnes qui ne veulent régner que pour un temps, il faut porter sa considération plus avant[22]. » Mais l'horizon temporel de Champlain n'était pas le même que celui de ces marchands aventuriers dont toute l'action était axée sur le rendement immédiat. Il avait aussi une manière différente de calculer les pertes et profits, qu'il mesurait non seulement en termes financiers mais aussi selon les progrès concrets vers un but plus vaste[23].

Au cours de la première année, Champlain maintint des ouvriers au travail sur les fortifications et ordonna à d'autres de réparer le magasin. Là aussi il misait sur le long terme. Pour le magasin, il trouva une source locale « de bonnes pierres à chaux » et fit ériger un immeuble solide conçu pour durer des siècles. Champlain voulait aussi en faire un instrument de contrôle. Il fit donc ajouter « une porte par dehors, qui allait dans la cave, faisant condamner une trappe qui était dans le magasin des marchandises, par où on allait souvent boire nos boissons, sans aucune considération[24] ».

Certains logements étaient également construits en pierre, comme la ferme de Louis Hébert. Champlain voulait encourager le plus grand nombre de gens à vivre de la terre. Douze ans après l'inauguration de l'habitation, celle-ci dépendait encore de la France pour son alimentation. Il entendait changer tout cela en utilisant les ressources publiques pour promouvoir l'effort privé en agriculture, avec de petits fermiers qui

Cette écritoire faite de plomb et de fer-blanc a été trouvée sur le site de l'habitation de Champlain et pourrait être la sienne. Elle comprend un porte-plume, un encrier, un sablier (pour sécher l'encre) et une boîte pour les crayons, le taille-crayon, l'ouvre-lettres, des bâtonnets de cire à cacheter et de petits sceaux. Elle est exposée aujourd'hui au Centre d'interprétation de Place-Royale, à Québec.

produiraient pour leur propre gain. À l'instar des autres colonisateurs français, il ne privilégiait pas l'agriculture communale, chose dont on avait fait l'expérience, en vain, dans les premières années de Jamestown et de Plymouth.

*   *   *

Hélène devint vite une présence marquante dans la petite colonie. Son mari nous raconte qu'elle était venue en Amérique de son propre gré. À leur arrivée, ils furent accueillis par une petite embarcation commandée par son frère, le capitaine Eustache Boullé, qui était dans le pays depuis deux ans déjà. Lui qui devait présenter ses devoirs à son commandant, il eut la surprise de trouver sa sœur avec lui. D'après Champlain, Eustache Boullé « fut fort étonné de voir sa sœur, et comme elle s'était résolue de passer une mer si fâcheuse, et fut grandement réjoui, et elle et moi au préalable[25] ».

Le mariage avait pris beaucoup de mieux. Hélène avait maintenant vingt-deux ans. Comme le voulait le rang de son mari, elle était venue en Amérique accompagnée d'une suite imposante et d'une dame de compagnie de belle apparence, Isabelle Terrier. Si l'on compte les valets de Champlain, la maison comptait une demi-douzaine de personnes. C'était la première fois qu'un commandant en Nouvelle-France avait sa famille avec lui. Sa présence modifia la physionomie de l'établissement[26].

Hélène fit grandement sentir sa présence à Québec, et Indiens comme Européens gardèrent longtemps un bon souvenir d'elle. Les Indiens ne s'attendaient pas à rencontrer un tel personnage. En Acadie, selon Marc Lescarbot, les colons avaient raconté aux Indiens que les dames de France portaient barbe et moustache. Puis Hélène arriva, et les Indiens furent ravis par sa beauté, sa jeunesse, sa grâce, son raffinement, tout comme les habitants français d'ailleurs. Francis Parkman a écrit à ce propos : « Madame de Champlain était encore une toute jeune personne. Si l'on en croit la tradition ursuline, les Indiens furent surpris par sa beauté et touchés par sa gentillesse[27]. »

Elle était également d'une intelligence très vive. Comme son mari, elle était dévorée de curiosité face à ce nouveau monde si étrange qu'était l'Amérique du Nord, et elle se prit d'intérêt pour les Indiens. Après s'être installée, elle étudia les langues algonquiennes de la vallée du Saint-Laurent, suffisamment pour faire la classe aux enfants indiens. Les Indiennes recherchaient sa compagnie. Elle les soignait quand elles étaient malades, les réconfortait quand elles éprouvaient des difficultés et leur parlait de sa foi chrétienne.

Il nous est parvenu une anecdote heureuse de son zèle auprès des Indiens. Elle a été racontée au XIXe siècle par N.-E. Dionne, qui écrit que « la mode du temps voulait que toute personne de qualité portât […] un petit miroir de toilette ». Les Indiennes étaient fascinées par le petit miroir, qu'elle portait au bout d'une chaîne autour du cou. Elles s'assemblaient autour d'elle et étudiaient leur image. L'une d'elles demanda comment il se faisait qu'elle pouvait se voir si près de la poitrine d'Hélène. Celle-ci répondit : « C'est parce que vous êtes si près de mon cœur. » Une Indienne avait dit alors : « Une femme aussi jolie, qui guérit nos maladies, et qui nous aime jusqu'à porter notre image près de son cœur, doit être plus qu'une créature humaine[28]. »

Cette « jolie histoire du miroir », selon le mot d'un historien, fut transmise par les ursulines qui furent plus tard les compagnes d'Hélène en France. Nous n'avons aucune raison de douter de son authenticité. Elle nous aide à comprendre cette remarquable jeune femme et la relation complexe qu'elle entretenait avec son mari. Depuis la découverte de documents faisant état de leurs premières années difficiles, les historiens ont eu tendance à insister sur le pire dans leurs rapports et à tracer un portrait sombre de leur mariage. Une romancière a même composé un ouvrage en deux volumes de fiction romantique basée sur cette hypothèse sans l'ombre d'une preuve. D'autres sources suggèrent fortement qu'avec le temps et l'avènement de la maturité le mariage fut plus heureux. En dépit des nombreuses absences de Champlain outre-mer, le couple réussit à passer la plupart du temps ensemble. Marcel Trudel a calculé que dans leurs 300 mois de vie conjugale (en fait, 255 mois, de décembre 1610 à décembre 1635, sans compter la séparation initiale), ils connurent 181 mois de vie commune[29].

Quand ils n'étaient pas ensemble, si l'on en croit les documents de nature commerciale, Hélène soutenait l'œuvre de Champlain, gérait ses placements dans les compagnies de commerce, défendait ses intérêts ainsi que son grand dessein. Nous disposons de très peu de renseignements sur elle, mais toutes les preuves concernant les dernières années de leur mariage, surtout dans la période allant de 1618 à 1633, révèlent que le couple s'était rapproché davantage que ne l'ont imaginé les historiens qui en sont restés à leurs premières années difficiles. Champlain et sa femme vécurent dans la concorde à Québec. Ils partageaient le même intérêt pour les Indiens, le même esprit d'humanité ainsi qu'une piété grandissante. Elle semble aussi avoir conquis l'affection des Indiens et des colons de Québec, particulièrement de la famille Hébert, qui lui demanda de servir de marraine à leurs enfants.

Champlain bénéficiait d'un autre appui de taille à Québec en la personne de l'intendant, Jean-Jacques Dolu. Le roi et le vice-roi lui avaient ordonné de suivre Champlain à Québec, d'observer attentivement ce qui se passait là-bas et de faire rapport sur l'état de la colonie. D'après Champlain, la tâche première de Dolu en Nouvelle-France était d'y « apporter quelque bon règlement », et il nota que l'intendant « s'y employa de toute son affection, brûlant d'ardeur de faire quelque chose à l'avancement de la gloire de Dieu, et du pays, et mettre notre société en meilleur état de bien faire qu'elle n'avait fait[30] ».

Les deux hommes semblent s'être bien entendus en Amérique, comme en France auparavant. Un exemple : « Je le vis sur cette affaire, et lui fis connaître ce qui en était, et lui en donnai des mémoires pour s'en instruire. » Dolu rentra en France à la fin de l'été 1620 et fit son rapport. Au printemps suivant, les premiers navires apportèrent un sac de courrier pour Champlain, dont des lettres du vice-roi Montmorency et du roi lui-même. Dolu avait fait son bilan. Selon le mot d'un historien, c'était « un rapport accablant » sur l'état de la colonie, mais qui contenait néanmoins de grands éloges pour Champlain. Les lettres du roi qui suivirent furent très favorables, Montmorency doubla le traitement de Champlain[31].

Pendant la belle saison de 1620, Champlain se mit à préparer l'hivernement de l'habitation. Il se rappelait toujours les colonies qui avaient échoué parce qu'elles avaient manqué de vivres, et lui-même avait été témoin des supplices infligés par le scorbut à Sainte-Croix, Port-Royal et Québec. Il était résolu à faire en sorte que cela ne se reproduise pas. « Je visitai les vivres, pour les ménager jusques à l'arrivée des vaisseaux [au printemps][32]. »

Les navires avaient rapporté de France de grandes quantités de vivres, plus qu'assez pour nourrir toute la population pendant une année entière. Il calcula que la population hivernante s'élèverait à « soixante personnes, tant hommes, que femmes, religieux et enfants ». Pendant l'hiver, il vit à ce que chacun fût employé et bien nourri. À l'arrivée du printemps, en 1621, nota-t-il, « chacun se portait très bien, hormis un homme qui fut tué par la chute d'un arbre qui lui tomba sur la tête, et l'écrasa, et ainsi mourut misérablement[33] ». Personne n'était mort du scorbut ou d'une autre maladie : tout un exploit pour une colonie embryonnaire au XVIIe siècle. Sous le commandement de Champlain, le scorbut ne ferait plus jamais de ravages, sauf une petite éruption à Trois-Rivières en 1634-1635. Les habitants de Québec commencèrent à recevoir des provisions plus variées de France. D'après Champlain, un vaisseau apporta « quelques poinçons de cidre, galettes, pois et prunes[34] ». La bière d'épinette, qui possède des propriétés antiscorbutiques, y était peut-être pour quelque chose, mais la seule prophylaxie mentionnée explicitement par Champlain était la viande fraîche[35].

Il fallait une vigilance constante pour obtenir des provisions de France, négocier avec les Indiens et s'assurer des subsistances des fermes de la colonie. Les Français apprirent des Indiens comment chasser en hiver avant que le gros gibier ne s'éloigne pour la mise bas, mais ils eurent du mal à maîtriser la technique complexe de la pêche à l'anguille l'automne. La saison la plus pénible était toujours le printemps, avant le retour des vaisseaux ravitailleurs, lesquels tardaient à arriver jusqu'en juin ou même plus tard[36]. Une année, par exemple, les navires arrivèrent très tard, et Champlain n'avait assez de farine et de cidre que pour durer jusqu'au 10 juin. Ces provisions épuisées, la colonie survécut en se nourrissant de *migan,* une farine faite de blé d'Inde et de poisson. Les vaisseaux accostèrent enfin à Québec le 10 juillet, un mois après l'épuisement des vivres. La famine guettait toujours ce pays d'abondance, mais Champlain réussit à prévenir les pires ravages de la malnutrition avec le concours fréquent des Indiens[37].

Québec était alors une bourgade frontière où la vie était rude. Les marchands des compagnies de commerce et les capitaines de navire qui entraient dans le Saint-Laurent avaient peu d'égards pour la lointaine autorité royale. Les officiers du roi avaient du mal à maintenir l'ordre sur le fleuve. Comme c'était le cas dans de nombreuses autres colonies, le crime sévissait, on y comptait même des cas d'agression et de meurtre, et le maintien de l'ordre préoccupait grandement les habitants.

Le 18 août 1621, Champlain et le père Le Baillif convoquèrent les Français à une assemblée générale à Québec, soit une soixantaine d'hommes. La plupart des colons y furent, sauf les agents de la compagnie de commerce qui s'entêtaient à nier l'autorité de Champlain. Ce n'était pas la première assemblée du genre à Québec. Une précédente avait été organisée en 1616, mais sous l'impulsion des récollets, et on y avait traité essentiellement de questions d'ordre religieux[38]. Cette fois-ci, il s'agissait d'une assemblée citoyenne animée par les « principaux habitants français », qui s'étaient réunis pour « aviser des moyens les plus propres sur la ruine et désolation de tout ce pays[39] ».

Ces réunions n'avaient rien à voir avec les assemblées législatives des colonies anglaises. Les gens de Québec s'en tenaient plutôt à la tradition française du cahier général de doléances, c'est-à-dire une assemblée publique où l'on dressait la liste des griefs de la population. Le groupe élut Le Baillif comme député et résolut de le dépêcher chez le roi et le vice-roi pour leur transmettre les plaintes des habitants. Comme le veut la coutume du cahier, le préambule était une profession de foi et de loyauté envers le roi. Les requérants louaient le pays et en soulignaient les promesses, mais exprimaient leur mécontentement profond relativement au manque d'ordre, de lois et de sûreté. Ils réclamaient l'établissement de tribunaux qui mettraient fin aux « voleries, meurtres, assassinats, paillardise, blasphèmes ». Ils redoutaient les Anglais et les Iroquois et voulaient une garnison de cinquante soldats. Et ils demandaient qu'on augmente les crédits de Champlain. Ils exigeaient l'exclusion des protestants de la colonie, avis qui s'éloignait de l'attitude tolérante que préconisait Champlain. Et ils voulaient qu'on ouvre des écoles pour les enfants indiens et français. Dans l'ensemble, ils souhaitaient que l'autorité métropolitaine s'affirme davantage, et non qu'elle s'efface comme dans les colonies anglaises.

Le Baillif alla porter cette requête en France, et le roi en conseil réagit favorablement aux plaintes des habitants de Québec. Il imposa des changements dans la conduite des compagnies de commerce, soutint les Récollets, appuya fortement Champlain et majora son traitement comme le voulaient les habitants, et ordonna le recrutement de nouvelles familles de colons. Mais il n'approuva pas le principe des assemblées et des députations. Champlain ne fait aucune mention de cette assemblée dans ses écrits. Il était d'accord avec la tenue de l'assemblée à Québec mais ne lui accorda aucun crédit en France. S'il l'a mentionnée dans ses livres, les censeurs ont dû supprimer tout passage à ce sujet. Cette première assemblée fut vite oubliée, sauf dans les écrits de certains récollets et dans les quelques manuscrits qui ont abouti à la Bibliothèque nationale à Paris[40].

L'assemblée de Québec était un corps consultatif formé des principaux habitants. Elle s'était réunie à l'invitation des autorités pour faire état des griefs des gens et adresser une requête au roi, au vice-roi et au gouverneur de Québec. Malgré cela, de telles rencontres n'étaient pas bien vues par l'autorité en France. Les gens de Québec délaissèrent vite cette voie.

En 1621, Champlain édicta les premières ordonnances de la Nouvelle-France, lois qu'il fut apparemment seul à rédiger. Il les proclama seulement en réaction aux problèmes qu'il jugeait pressants. Par exemple, il s'inquiétait de deux familles qui étaient en Nouvelle-France depuis deux ans, celle d'un boucher et l'autre d'un faiseur d'aiguilles. Ces deux hommes s'étaient établis sur des terres et avaient promis de les faire fructifier. Champlain fit « visiter ce qu'ils avaient fait ». Il apprit qu'ils « n'avaient pas déserté une vergée de terre, ne faisant que se donner du bon temps, à chasser, pêcher, dormir, et s'enivrer avec ceux qui leur en donnaient le moyen ». Il décida de les bannir de la colonie. « Je les renvoyai comme gens de néant, qui dépensaient plus qu'ils ne valaient », écrivit-il[41].

Ces mesures prises, Champlain émit des ordonnances pour légitimer son action : « Il me sembla bon, pour éviter aux chicaneries, de faire quelques ordonnances, pour tenir chacun en son devoir. Lesquelles je fis publier le 12 de Septembre[42]. » L'historien John Dickinson fait observer que cette « première loi canadienne » ne fut pas adoptée par une assemblée ou même par un conseil : elle fut l'œuvre d'un seul homme, émanant de sa seule volonté. Certains chercheurs croient que Champlain émit d'autres ordonnances pour réguler les prix, proclamer certaines journées fêtes religieuses, prohiber la vente d'alcool aux Indiens et préserver la paix au sein de la colonie. Mais on n'a retrouvé aucun texte en ce sens[43].

Promulguer une loi était une chose, mais c'était tout autre chose de la faire respecter. Champlain devait maintenir l'ordre parmi des colons et des voisins turbulents dans un monde désordonné et parfois violent. Il devait faire en sorte que vivent en paix catholiques et protestants, Indiens et Européens, soldats et civils, matelots et boutiquiers, agriculteurs et commerçants, compagnies rivales et fonctionnaires royaux. Il avait sa manière bien à lui de régler ces questions. Aux prises avec une menace aussi grave que celle de la conspiration Duval de 1608, où l'on avait voulu attenter à sa vie et s'emparer de la colonie, il agissait avec résolution et n'hésitait nullement à recourir à la force si nécessaire. Mais dans presque tous les cas, Champlain préférait éviter les solutions violentes. Il commençait généralement par imposer le ton de la raison et cherchait une voie pacifique. D'abord, il posait des questions sur les faits, écoutait attentivement les réponses et demandait l'avis de tiers dans les cas épineux. Puis il tâchait de définir les intérêts névralgiques qu'il fallait sauvegarder si l'on ne voulait pas compromettre l'avenir de la colonie ou son grand dessein. Dans ce cadre, il tendait à agir en médiateur décidé à concilier des intérêts opposés, à résoudre les conflits de principe et à harmoniser des conceptions divergentes de l'éthique et de la justice d'une manière telle que toutes les parties puissent considérer sa solution comme étant juste.

La vie religieuse de la colonie demeurait une source de frictions. Sous le règne d'Henri IV, comme nous l'avons vu, le sieur de Mons et Champlain avaient transplanté la solution du roi en Nouvelle-France :

une Église catholique établie et la tolérance pour le culte protestant. Ils encourageaient la diversité religieuse et avaient fait venir un ministre protestant aussi bien que des prêtres catholiques à Sainte-Croix et Port-Royal. Cette expérience n'avait pas été concluante.

La mort d'Henri IV avait fait évoluer autrement la politique en France et en Amérique. Marie de Médicis et Louis XIII avaient tous deux reconduit l'édit de Nantes, mais ils avaient privilégié l'Église catholique et s'étaient montrés moins tolérants envers les protestants. Certains de leurs ministres décourageaient activement la venue de protestants en Nouvelle-France. Cependant, nombre de marchands et de matelots français étaient huguenots. Cette friction s'accrut lorsque le vice-roi Montmorency fit appel à la compagnie de Caën, dirigée par Guillaume et Émery de Caën. Le premier était protestant et le second catholique. Leurs agents et matelots appartenaient aussi aux deux grandes confessions.

Champlain reçut des instructions précises de France à propos de Guillaume de Caën : « Pour ce qui était de l'exercice de sa religion [...] il n'en devait faire ni en terre ni en mer, remettant le reste à ce que j'en pouvais juger[44]. » À bord de son navire sur le Saint-Laurent, De Caën « faisait faire les prières sur le derrière en sa chambre, et les catholiques sur le devant ». En l'absence de De Caën, son lieutenant catholique Raymond de La Ralde insistait pour qu'on fasse le contraire : « Il voulut que les catholiques vinssent faire leurs prières en la chambre, et que les prétendus réformés fussent en leur rang, sur le devant pour prier. » D'après Champlain, « sur ce sujet il s'émut une grande dispute », qui ne fut réglée que grâce à l'intervention des récollets qui aidèrent Champlain à maintenir la paix[45].

Le même contentieux explosa de nouveau plus tard. Un père jésuite se plaignit à Champlain de ce que les matelots protestants « ne s'étaient pas souciés des défenses qu'il avait faites à son départ, de ne chanter des psaumes, ils ne laissèrent de continuer, de sorte que tous les sauvages les pouvaient entendre de terre ». Champlain permit aux matelots de chanter leurs psaumes : « Cela n'importe à leur dire, c'est le grand zèle de leur foi qui opère[46]. »

Champlain privilégia les solutions respectueuses de l'esprit d'Henri IV. Il maintint l'Église catholique dans ses droits institutionnels mais protégea le droit qu'avaient les protestants d'exercer leur culte. Il négocia aussi une série de compromis qui permettaient aux deux confessions d'exercer leur liberté de conscience, mais sans s'offenser l'une l'autre.

D'autres contentieux mirent à l'épreuve la liberté d'expression en Nouvelle-France, et Champlain les résolut d'une manière inattendue. Il ordonna par exemple un autodafé à Québec. Il s'agissait d'un pamphlet intitulé *L'Anti-Coton,* une attaque en règle contre le père Pierre Coton, le confesseur jésuite d'Henri IV, que Champlain avait bien connu. L'auteur y disait que les Jésuites en général, et Coton en particulier, avaient prêté la main au meurtre du roi Henri. Ce livre passa « de chambre en chambre » à l'habitation de Québec, et l'on disait qu'il avait été fort lu au sein de l'établissement. Les prêtres catholiques exigèrent que l'ouvrage fût supprimé. Champlain acquiesça. Son motif premier était de maintenir la paix et de décourager toute attaque contre autrui, et non de réprimer l'hérésie ou la dissidence. Mais quel que fût son motif, le précédent marqua une limite pour la liberté de parole et de presse à Québec. Au fil du temps, ces restrictions allaient se multiplier. Les habitants du Canada n'étaient pas encouragés à se considérer comme des gens libres. En Nouvelle-France, les limites à la liberté furent imposées par la volonté d'un gouvernant qui tenait ses pouvoirs absolus d'un maître également souverain absolu à Paris.

Si la liberté désigne le droit de parler et de prier en toute quiétude, le droit de voter et d'être jugé par ses pairs, alors la liberté tenait bien peu de place à Québec. Les fers qu'on imposa à la liberté entravèrent la croissance de la Nouvelle-France. Si les autorités françaises avaient encouragé activement les dissidents religieux à s'installer au Nouveau Monde, l'histoire de l'Amérique du Nord aurait pu prendre un tournant fort différent. Les colonies de la Nouvelle-France auraient connu davantage de désordres, mais auraient été en contrepartie plus dynamiques et auraient connu une croissance plus rapide. Mais ce fut là une autre avenue fermée à la Nouvelle-France[47].

Tout en ayant à résoudre ces problèmes délicats, Champlain devait aussi poursuivre sa politique indienne. Son approche était essentiellement différente de celle des fondateurs de la Nouvelle-Espagne et de la Nouvelle-Angleterre, et aussi des premiers fondateurs français comme Cartier. Jamais il n'aspira à conquérir ou à asservir les autochtones, et jamais il ne s'imagina même qu'il pourrait les dominer. Toujours il les considéra comme gens parfaitement égaux aux Européens sous le rapport de l'esprit, et à certains égards il les jugeait même supérieurs. Il y avait des choses dans leur culture qui lui déplaisaient. Champlain a réitéré maintes fois que les Indiens d'Amérique du Nord ne se connaissaient ni foi ni loi. Mais il admirait leurs nombreuses qualités, il les traitait avec respect et tâchait de se mettre à leur école en plusieurs choses, et quant à eux, ils le traitèrent de même.

Comment y est-il parvenu ? D'abord en les fréquentant assidûment : à siéger en conseil avec eux, à écouter leurs harangues, à s'enquérir de leurs coutumes et à leur demander de cartographier le pays sur de l'écorce de bouleau. Champlain voulait savoir ce qu'ils savaient. Il avait aussi une idée nette de leurs intérêts vitaux, et il tâcha de construire des alliances dont toutes les parties auraient beaucoup à gagner. De 1620 à 1624, il envoya aussi d'autres jeunes gens vivre parmi les Indiens. Nicolas Marsolet alla chez les Montagnais du Saguenay ; Jean Nicollet et Jean Richer vécurent chez les Népissingues. Brûlé et Du Vernay s'installèrent en Huronie, et Olivier Le Tardif chez les Algonquins, pour n'en mentionner que quelques-uns. Lors d'un festin, les nations algonquines du Haut-Saint-Laurent et de la rivière des Outaouais acceptèrent de prendre chez eux onze Français, chacun avec son chaperon indien[48].

Les relations avec les Indiens ne furent pas toujours harmonieuses. En 1620, Champlain eut des tiraillements importants avec les Montagnais. Eux et lui avaient été alliés depuis son arrivée au Canada en 1603. Mais lorsque Champlain regagna la colonie en 1620, après deux ans d'absence, il perçut des signes manifestes d'éloignement et même d'hostilité. Le commerce dans le Bas-Saint-Laurent posait un problème majeur. Les Montagnais voulaient transiger avec les navires de toutes les nations présentes. « L'on empêche les autres vaisseaux de venir traiter avec eux, écrivit Champlain, encore que l'on leur fît le meilleur traitement qu'il fût possible, et ainsi sommes-nous aimés d'eux, en récompense du bien que nous leur faisons. » Les premiers efforts qu'il déploya pour régler ce contentieux furent mal inspirés. Champlain lui-même écrit qu'il leur remontra « hardiment leurs défauts[49] ». Les Montagnais en conçurent une vive colère, et les relations allèrent de mal en pis. « L'on n'a point d'ennemis plus grands que ces sauvages, nota un Champlain amer, car ils disent que quand ils auraient tué des nôtres, qu'il ne laisserait venir d'autres vaisseaux qui en seraient bien aises, et qu'ils seraient beaucoup mieux qu'ils ne sont, pour le bon marché qu'ils auraient des marchandises qui leur viennent des Rochelais, ou Basques ; entre ces sauvages, il n'y a que les Montagnais qui tiennent tels discours[50]. »

Les relations étaient si mauvaises, nous dit Champlain, que certains Montagnais se mirent à planifier une attaque surprise contre Québec et Tadoussac, événement qui aurait modifié du tout au tout le cours de l'histoire de la Nouvelle-France. Mais il parvint à arranger les choses. Il mentionne seulement que certaines mesures furent prises pour étouffer cette tentative dans l'œuf[51]. Champlain s'employa aussitôt à restaurer ses rapports avec les Montagnais : il leur accorda davantage de privilèges commerciaux et des conditions plus avantageuses que celles de la concurrence. Il en invita aussi quelques-uns à venir s'installer sur des terres défrichées et à faire un peu d'agriculture pour enrichir leur économie fondée sur la chasse et la cueillette. Champlain était d'avis qu'une partie du problème des Montagnais tenait au fait qu'ils étaient extrêmement vulnérables à la famine. Ces chasseurs-cueilleurs faisaient très peu de provisions. Dans leur manière de survivre, ils étaient fort différents des autres nations indiennes comme les Hurons, les Iroquois, les Sacos et les autres nations du sud.

Il est vrai qu'une bonne partie du territoire montagnais dans la vallée du Saguenay se prêtait fort peu à l'agriculture. Mais il y avait de meilleures terres près de Québec, dans la partie sud de leur territoire. Champlain leur offrit des semences ainsi que des terres que les Français avaient défrichées. Il leur dit que s'ils pouvaient cultiver la terre, ils « recueilleraient du blé d'Inde pour leurs nécessités […] et par ainsi nous les tiendrions comme frères ». Champlain ne tenait pas à les voir se convertir totalement de la chasse à l'agriculture, mais plutôt à créer chez eux une économie mixte du genre que pratiquaient de nombreuses nations indiennes d'Amérique du Nord. Son propos était d'améliorer leurs conditions de vie, de les encourager à faire des provisions pour l'hiver et de les aider ainsi à échapper aux famines épouvantables dont il avait été témoin chez eux[52].

Au printemps 1622, Champlain vint en aide à un capitaine montagnais qu'il appelait Miristou, le fils du puissant chef Anadabijou. Cet homme, nous dit Champlain, « avait tout plein d'inclination particulière à aimer les Français », et il était manifeste « qu'il était désireux de commander, et être chef d'une troupe, comme était feu son père ». Champlain l'aida à s'imposer parmi les siens. En échange, Miristou lui donna cent cinq peaux de castor, et Champlain les échangea pour organiser un grand festin pour les Montagnais. Devenu chef, Miristou s'employa avec Champlain à améliorer les relations entre Français et Montagnais[53].

Tout au long de cette période, Champlain s'efforça de faire la paix avec les Iroquois, non sans succès. Il pressa les Algonquins et les Montagnais de vivre en paix avec les Agniers, et leur offrit de les y aider. Certains chefs lui avaient dit qu'ils « étaient las et fatigués des guerres qu'ils avaient eues depuis plus de cinquante ans », soit depuis le milieu du XVIe siècle. « Leurs pères n'avaient jamais voulu entrer en traité, pour le désir de vengeance qu'ils avaient de tirer du meurtre de leurs parents et amis, qui avaient été tués[54]. »

Champlain poursuivit les pourparlers avec ses alliés et finit par les persuader d'envoyer une mission de paix chez les Agniers. Une délégation de Montagnais des plus braves se rendirent en pays iroquois, où ils furent bien reçus. Le 6 juin 1622, deux Agniers se portèrent à la rencontre des nations du Saint-Laurent aux Trois-Rivières et rencontrèrent Champlain à un campement indien près de Québec. L'on festoya et dansa. Après être rentré à Québec, Champlain reçut une autre visite des négociateurs iroquois qui étaient venus « en pourparlers de paix ». Les Agniers festoyèrent de nouveau avec les chefs français et indiens, dansèrent ensemble une fois de plus, et Champlain les régala de nouveau. Tout cela augurait bien. « Voilà un bon acheminement », nota Champlain[55].

Mais le naturel n'allait pas tarder à revenir. Dans toutes les nations indiennes, le désir de paix était grand, mais il suffisait d'un seul mécontent pour déclencher les hostilités. Il se trouvait justement chez les Montagnais un homme de ce genre, que les Français appelaient Simon : « Il lui parut avoir quelque fantaisie, à quoi ils sont ordinairement sujets, et principalement lors que contre la volonté de tous les capitaines et compagnons, ils veulent faire la guerre à leurs ennemis les Iroquois[56]. » Justement au moment où les pourparlers de paix semblaient avancer, Simon annonça qu'il mènerait sa propre guerre contre toute la confédération iroquoise. Les chefs montagnais n'arrivaient pas à le maîtriser, et ils demandèrent à Champlain d'intervenir pour lui « ôter la frénésie » qu'il avait. Champlain tenta de le raisonner, mais Simon maintenait que les Iroquois « ne valaient rien, et qu'ils étaient pires que chiens, et s'était ainsi imaginé qu'il ne serait jamais content qu'il n'eût la tête d'un de leurs ennemis, en sorte qu'il était résolu [...] d'y aller ». Champlain conclut qu'il était « obstiné, et que nulle remontrance ne le pouvait émouvoir ». Il s'y prit donc autrement avec lui. « Je lui usai de quelque menaces s'il le faisait : et ainsi s'en alla tout pensif, à sa cabane. » On ne sait de quelle menace Champlain avait usé, mais chose certaine, elle eut l'effet voulu, et Simon décida à la réflexion de ne pas aller guerroyer seul contre les Iroquois, et les chefs remercièrent Champlain pour son intervention salutaire[57].

Trois mois plus tard, une mission de paix montagnaise se rendit chez les Iroquois, « qui leurs firent tout plein de bonne réception ». Mais Simon était du voyage, et Champlain nous dit qu'au moment de rentrer chez lui, « le méchant traître et perfide Simon, rencontrant un Iroquois, l'assomma » de sang-froid. Ses compagnons montagnais « en furent grandement déplaisants, et eurent bien de la peine à réparer cette faute ». Commentaire de Champlain : « Il ne faut parmi tels gens qu'un tel coquin, pour faire rompre toutes sortes de bonnes entreprises[58]. » Mais les deux parties tenaient sincèrement à la paix, et les Iroquois jugèrent que le meurtrier de leur compagnon « l'avait fait de sa propre malice, et non du consentement » de sa nation. Ils déléguèrent six des leurs pour « confirmer l'amitié avec tous les sauvages ». Champlain contribua à l'instauration de cette paix délicate, et elle porta fruit dans un certain sens. La paix se mit à régner en 1624, et même s'il s'agissait davantage d'un *modus vivendi* que d'un véritable accord de paix, il dura tout de même près de dix ans[59].

Maintenir la paix en Nouvelle-France était une lutte de tous les instants. Les petites escarmouches entre nations indiennes menaçaient parfois de dégénérer en une guerre totale. Il se produisit un incident de ce genre lorsque les Hurons se plaignirent d'avoir été maltraités par un parti d'Algonquins, lesquels leur fermaient certaines routes et leur faisaient payer un droit de passage « et, ne se contentant pas de ce, les dérobaient ». Avec l'encouragement de Champlain, les nations se réunirent près de Québec et « firent une assemblée entre eux [...] et on les accorda sur toutes ces plaintes ». À force de tâtonnements, Champlain et les chefs indiens créèrent des conditions propices à une paix qui dura de longues années dans la vallée du Saint-Laurent[60].

Parallèlement, Champlain concrétisait la vision qu'il avait de l'établissement de Québec. Le projet qui lui tenait le plus à cœur était le développement de l'agriculture, car il voulait voir la colonie assurer elle-même sa subsistance, et il croyait sincèrement que c'était chose possible. Il encouragea la mise en valeur des champs et l'aménagement de potagers et de vergers, et en suivit attentivement les progrès. Il importa des plantes et des semences, et étudia la flore indigène avec la plus grande attention. Tous les printemps, dès que les champs dégelaient, il se mettait à semer. Champlain prenait grand plaisir au monde de la nature et conservait un calendrier botanique des événements printaniers[61]. À l'automne 1622, il fit l'essai des semences d'hiver. « Je passai le temps à faire accommoder des jardins, pour y semer en automne, et voir ce qui en réussirait au printemps, ce que je fis y prenant un singulier plaisir[62]. »

Champlain voulait élargir le domaine agricole de Québec. En compagnie de Guillaume de Caën, il visita l'île d'Orléans, juste au-dessous de Québec, et planifia sa mise en culture. Plus en aval, Champlain entrevit une autre possibilité à cap Tourmente, où des prairies naturelles produisaient de belles récoltes de foin. L'élevage du bétail était limité par la quantité de fourrage dont on avait besoin pour nourrir les animaux l'hiver. Champlain et De Caën inspectèrent les prairies de cap Tourmente et conclurent que le lieu était « propre pour la nourriture du bestial ». Ils se mirent à engranger du foin pour la colonie et planifièrent la création d'un établissement sur place pour l'élevage des bestiaux[63]. Champlain fit ouvrir des chemins et des sentiers autour de Québec, dont « un petit chemin » menant au fort Saint-Louis et qui fut complété le 29 novembre 1623. Une autre route, « tant pour les hommes que pour le bestial », fut ouverte le long de la rivière Saint-Charles : « J'y employai un chacun, qui travaillèrent si bien, qu'il fut promptement fait[64]. »

À Québec même, Champlain lança son projet le plus ambitieux. L'habitation s'écroulait de nouveau, comme c'était le cas chaque année : « Il fut jugé qu'on aurait plutôt fait d'en édifier une nouvelle, que réparer annuellement la vieille. » Il traça les plans d'une nouvelle structure « de dix-huit toises, avec deux ailes de dix toises de chaque côté, et quatre petites tours aux quatre coins du logement, et un ravelin devant l'habitation, commandant sur la rivière, entouré le tout de fossés et pont-levis[65] ».

À l'automne 1623, il se mit à réunir des matériaux : « Je fis faire quantité de chaux, abattre du bois, tirer de la pierre, apprêter les matériaux nécessaires pour la maçonnerie, charpenterie, et le chauffage. » Il

La construction de la seconde habitation de Champlain fut entreprise en 1624. Elle fut mise à mal par les envahisseurs anglais et rebâtie en 1633. Ces solides fondations de pierre soutenaient de jolies tours rondes. La preuve archéologique confirme les récits de Champlain sur ce sujet comme sur bien d'autres.

mit dix-huit hommes au travail qui firent « assez de besogne pour si peu qu'il y avait ». Les charpentiers fabriquèrent des fenêtres et des portes, et ils firent trente-cinq poutres et quinze cents planches pour les logements, avec du bois de charpente pour le toit[66]. Au printemps 1624, « l'on commença à maçonner les fondements, sous lesquels je mis une pierre, où étaient gravées les armes du Roi, et celles de Monseigneur, avec la date du temps, et mon nom écrit, comme lieutenant de mondit Seigneur, au pays de la Nouvelle-France[67] ».

Il y eut plusieurs contretemps. Le 20 mai, un vent violent arracha le toit du fort Saint-Louis et détruisit un pignon de la maison de pierre de Louis Hébert. Champlain ordonna à ses ouvriers de réparer les dégâts, ce qui retarda l'exécution de ses autres projets. Mais à la fin de mai, le premier étage de la nouvelle habitation était achevé, avec portes et fenêtres en place, et les solives pour le second étage. Les travaux se poursuivirent tout l'été, et au début d'août le chantier était

« bien avancé ». La plupart de ces ouvrages furent réalisés sur les ordres de Champlain lui-même ; l'initiative privée fut presque totalement absente de ces travaux[68].

Septembre approchant, Champlain eut une décision difficile à prendre. Devait-il hiverner de nouveau à Québec ou rentrer en France ? Après quatre ans à Québec, sa femme était impatiente de rentrer. Champlain nous dit seulement qu'il décida de regagner la métropole avec sa famille : « Je me résolus de repasser en France avec ma famille, y ayant hiverné près de cinq ans, et où durant ce temps nous fûmes assez mal secourus de rafraîchissements, et d'autres choses fort escharsement [chichement][69]. » Il laissait plusieurs chantiers en cours, dont certains étaient presque achevés. Le nouveau bâtiment était presque terminé : « Je laissai l'habitation nouvelle bien avancée, et élevée de quatorze pieds de haut, vingt-six toises de murailles faites avec quelques poutres au premier étage, et toutes les autres prêtes à mettre les planches sciées pour la couverture, la plupart du bois taillé et amassé pour la charpente de la couverture du logement ; toutes les fenêtres faites, et la plupart des portes, de sorte qu'il n'y avait plus qu'à les appliquer. Je laissai deux fourneaux de chaux cuite, de la pierre assemblée, et ne restait plus en tout que sept ou huit pieds de hauteur, que toute la muraille fut élevée, ce qui se pouvait en quinze jours, leurs matériaux assemblés, pour être logeable. »

Champlain ordonna la poursuite des travaux du fort. « Je les priai d'amasser des fascines, et autres choses, pour achever le fort, jugeant bien en moi-même que l'on n'en ferait rien, d'autant qu'ils n'avaient rien de plus désagréable, bien que c'était la conservation et la sûreté du pays ; ce qu'ils ne pouvaient, ou ne voulaient comprendre. » Champlain confia à Émery de Caën, le cousin catholique de Guillaume de Caën, le soin de voir aux travaux et de « commander en mon absence audit Québec ». La population atteignait désormais les soixante personnes[70].

Le 21 août 1624, Champlain quitta Tadoussac pour les pêcheries de l'île de Miscou. Ayant sa famille à bord, il décida d'attendre que Pont-Gravé et les autres pêcheurs eussent fini leur tâche pour naviguer en leur compagnie. Pont-Gravé compléta sa prise le 6 septembre. Cette nuit-là, quatre navires s'en furent : l'un transportant Champlain, Hélène Boullé et Guillaume de Caën, un autre commandé par La Ralde, un troisième par Pont-Gravé et une petite « patache d'avis » de quarante-cinq ou cinquante tonneaux commandée par un membre de la famille Cananée, qui comptait plusieurs capitaines dans la flotte marchande d'Amérique[71].

Les voyageurs étaient bien avisés de naviguer en groupe. La paix de Vervins ne tenait qu'à un fil, et l'amirauté française était impuissante à protéger ses propres eaux côtières. Les quatre navires se déplacèrent en convoi et arrivèrent « sur le Sonde proche des côtes de Bretagne et d'Angleterre » le 27 septembre 1624. Ce jour-là, la patache du capitaine Cananée se détacha, ayant ordre de gagner Bordeaux pour y livrer des dépêches. Champlain apprit plus tard qu'elle avait été capturée sur la côte de Bretagne par des pirates musulmans « qui emmenèrent les hommes qu'ils y trouvèrent, et les firent esclaves ». Le capitaine Cananée mourut en captivité, ce qui fut le sort de plus d'un navigateur chrétien à l'époque[72]. Champlain lui-même ressentit quelque effroi lorsqu'il aperçut un vaisseau à l'allure étrange. Sa flotte de marchands armés lui donna la chasse mais ne put le rattraper. Le 1er octobre, les voyageurs pénétrèrent dans le port de Dieppe, « où nous louâmes Dieu de nous avoir amenés à bon port[73] ».

CHAPITRE 18

Le cardinal entre en scène

Les Cent-Associés de Richelieu, 1625-1627

Ledit sieur de Champlain [verra à] *assujettir, soumettre et
faire obéir tous les peuples de ladite terre.*

Ordres du duc de Ventadour
et du cardinal de Richelieu, 1625[1]

Le Sieur de Champlain [...] *je peux dire qu'il se trouvera peu
d'hommes capables de vivre parmi les sauvages comme lui.*
[...] *Il n'a jamais été soupçonné d'aucune déshonnêteté pendant tant d'années qu'il a demeuré parmi ces peuples barbares.*

Gabriel Sagard, à propos de Champlain, 1636[2]

Champlain resta à Dieppe quelques jours puis se rendit à Paris avec
sa femme et leur suite, avec « tout mon train », comme il dit. Il voyageait
en grande, comme il seyait à l'homme considérable qu'il était devenu.
Dans la capitale, Champlain déménagea de nouveau, cette fois rue Saintonge, dans le quartier recherché du Marais, près de la place Royale, non
loin du Louvre. Son nouveau logement était proche de celui de sa belle-
famille, ce qui témoigne des égards qu'il avait pour sa femme. Il vendit
aussi la propriété de son oncle près de La Rochelle, peut-être pour s'offrir cette maison justement[3].

Pendant que sa famille s'installait dans son nouveau logement, il se
rendit au palais à Saint-Germain pour y voir « le roi et Monseigneur de
Montmorency », le vice-roi de Nouvelle-France. Retrouvailles réussies :
le vice-roi « me présenta à Sa Majesté, auquel je fis la relation de mon
voyage, comme à plusieurs messieurs du Conseil, desquels j'avais l'honneur d'être connu[4] ».

Champlain découvrit qu'un grand changement s'était opéré parmi les proches conseillers du roi. Pendant plusieurs années, quelques-unes des figures les plus influentes près du trône avaient été d'ardents partisans de la Nouvelle-France. L'un d'eux était Nicolas Brûlart, marquis de Sillery, longtemps chancelier de France. À ses côtés se trouvait son fils, Brûlart Puysieulx, secrétaire d'État aux affaires étrangères. Les deux hommes avaient épaulé Champlain sous le règne d'Henri IV. Ils l'avaient secouru de nouveau pendant la régence de Marie de Médicis et dans les premières années du règne de Louis XIII. Mais depuis 1620, les Brûlart étaient considérés comme des « vieilles barbes » par la nouvelle génération de courtisans qui espéraient leur succéder. En 1621, ils avaient perdu leurs charges et avaient été remplacés par des chercheurs de places ambitieux mais sans envergure[5].

Le roi s'était mis en frais de trouver un homme d'État à l'habileté supérieure, et il avait enfin trouvé son homme. Armand Jean du Plessis de Richelieu avait alors trente-six ans. Né à Paris, il était le fils cadet d'une famille de moyenne noblesse poitevine. À son baptême, ses parents avaient placé une bannière au-dessus de son berceau où il était écrit : *Regi Armandus,* Armand pour le roi. Sa grand-mère lui enseigna à calculer la valeur des gens selon le nombre de quartiers de noblesse figurant sur leurs armoiries. Ces attitudes avaient profondément marqué son caractère[6].

Son père, soldat et grand commis de l'État, avait péri pendant les guerres de religion, laissant ses affaires en désordre. L'un des biens les plus précieux de la famille était l'évêché de Luçon. Ses prétentions furent contestées par le clergé. Pour répondre aux besoins pressants de la famille, Richelieu fut conscrit pour le service de l'Église et nommé évêque de Luçon à l'âge de vingt et un ans[7]. L'intéressé prononça ses vœux sans enthousiasme. Même s'il a écrit sur les questions religieuses, sa vision du monde émargeait surtout au siècle. Toute sa vie, il fut proche de sa nièce, Marie-Madeleine de Vignerot du Pont Courlay, Mme de Combalet, la future duchesse d'Aiguillon. Elle fut sa compagne pendant de nombreuses années, et son portrait fut gravé sur la pierre tombale du cardinal. Certains historiens ont prêté à Richelieu « des faiblesses amoureuses, voire incestueuses », mais il resta toujours discret sur ce point. On disait qu'il « aimait les femmes mais craignait le scandale[8] ».

Devenu un fils dévoué de l'Église, Richelieu ne se passionna pas moins pour la politique. Il prit part aux états généraux de 1614, entra dans le cercle de Marie de Médicis, s'éleva et tomba avec elle, fut banni de la cour par Louis XIII, puis rappelé dans un geste de réconciliation du roi envers sa mère. En 1620, l'étoile de Richelieu reprit son ascension. Louis XIII pria le pape de le faire cardinal, faveur qui lui fut accordée en 1622. Il entra au Conseil du roi le 29 avril 1624, et moins d'un an après le cardinal de Richelieu devint le « principal ministre » de Sa Majesté, fonction qui fut sienne jusqu'à sa mort, en 1642.

Richelieu avait le génie du pouvoir. « Il faut écouter beaucoup et parler peu pour bien agir au gouvernement », se plaisait-il à dire[9]. Il écartait ses rivaux sans la moindre pitié ; l'un de ses adversaires les plus puissants fut arrêté sur les ordres du roi. Mais lui-même était un prévaricateur de premier ordre, et il ne se gêna pas pour édifier une des plus grandes fortunes de France en exploitant ses charges[10]. Toute la cour craignait cet homme hors du commun, avec ses yeux bruns perçants qui semblaient tout voir sans rien révéler. Vêtu de robes écarlates au collet d'une blancheur immaculée, décorées d'un ruban de soie bleue et d'une croix de Malte de diamants et d'or, il devint l'une des figures les plus en vue de la cour. On le voyait souvent en compagnie de son mentor et ami, le père Joseph, un moine capucin vêtu de sa bure grise et chaussé de sandales, l'éminence grise derrière l'éminence rouge[11].

Homme brillant et complexe, Richelieu était le paradoxe incarné. Malgré sa grande fortune, il aimait vivre frugalement. Lui qui disait qu'il faut « faire toutes choses par raison », il était souvent emporté par les émotions les plus vives, et dans les moments de grande tension, il avait « de brusques accès de larmes dont il restait lui-même humilié ». Il considérait l'humanité d'un œil clinique mais était plus à l'aise dans la compagnie des chats. On disait de ce personnage saturnin qu'il préférait les félins aux humains[12].

Toute son action était fondée sur un impératif éthique fort éloigné de celui qui animait Champlain et son cercle humaniste. Sur la question fondamentale des fins et moyens, la chrétienté est divisée. D'un côté se trouve la règle d'or du Christ selon laquelle il faut traiter son prochain comme soi-même. De l'autre réside l'idée d'une loi supérieure qui affranchit les privilégiés des règles auxquelles sont assujettis les simples mortels. Champlain et le sieur de Mons adhéraient à la première ; Richelieu à la seconde. Le cardinal croyait que les fins supérieures légitimaient tous les moyens. Mieux, il arrêta un code de conduite à l'usage des gou-

Iean Armand du Plessis Card.
de Richelieu Pair et Amiral de France Com.deur
Ses Ordres du Roy Sur intendant de la Navigation Gouver.ne
de Bretagne, né Paris   en1585. y mourut en 1642.

Gravé Paris par E Desrochers rue du Foin pres la rue S.t Iacques.

Ministre de Loüis le Iuste
Richelieu hardi, penetrant:
Ouvrit vne Carriere Auguste
Aux Vertus de Loüis le Grand.

Le cardinal de Richelieu. Cet homme fort haï croyait que les maîtres de ce monde ne sont pas assujettis aux règles gouvernant les simples mortels. Il était intelligent, vigilant, silencieux, cruel et résolu à faire triompher la raison d'État. Richelieu tenta d'éloigner la Nouvelle-France des desseins qu'Henri IV et Champlain avaient formés pour elle, mais sans trop de bonheur.

vernants qui était à maints égards une morale à rebours. Il croyait que, pour les rois et les grands ministres, la tromperie était un devoir et la cruauté une vertu. Au sujet de la tromperie, il a écrit : « Savoir dissimuler est le savoir des rois. » Parmi ses nombreuses maximes d'État, on trouve aussi : « Pour tromper un rival, l'artifice est permis ; on peut tout employer contre ses ennemis[13]. »

Au sujet de la cruauté, il alla même plus loin, déclarant : « On ne saurait commettre un plus grand crime contre les intérêts publics en se rendant indulgent envers ceux qui les violent. » On lui reprocha rarement d'abuser de la clémence. Dans sa superbe, il aurait dit : « Qu'on me donne six lignes écrites de la main du plus honnête homme, j'y trouverai de quoi le faire pendre[14]. »

Richelieu non seulement pratiquait cette morale inversée, il la prêchait aussi en haut lieu. De nombreux gouvernants européens adhérèrent à sa pensée, qui devint l'un des traits dominants de l'Ancien Régime. Cette philosophie impitoyable semblait donner des résultats. Elle pouvait être d'une efficacité brutale à court terme, mais l'idée selon laquelle la fin justifie les moyens devait connaître une fin ironique. Richelieu s'en servit pour bâtir une monarchie absolue en France, mais c'est elle qui finit par blesser mortellement la légitimité de ce régime. Parvenu au zénith de sa puissance, il était craint et obéi, mais à la fin de sa vie il était exécré et méprisé. Un historien a écrit que « la mort du cardinal, le 4 décembre 1642, fut accueillie dans tout le royaume par un soulagement et une joie à peine dissimulés, sentiments que, au dire de certains témoins, Louis XIII lui-même partagea[15] ».

Le roi reprochait à Richelieu de ne croire à rien, ce qui était faux. Le cardinal croyait à la royauté : à l'autorité absolue d'un monarque puissant, la hiérarchie d'une Église établie, la force d'un État omnipotent et la supériorité de l'ancienne noblesse sur la roture. Il croyait à l'État et vivait selon sa règle de la raison d'État, qui lui venait de la *ratio res publicae* de Cicéron. Richelieu substituait à l'intérêt public la puissance de l'État, un autre impératif brutal au service duquel il consacra toute sa vie. Il croyait à l'ordre, qui devait s'incarner dans la hiérarchie et l'hégémonie. Victor Tapié a constaté que dans ses écrits « un mot revient sans cesse : "dérèglement" », mot qui représentait tout ce qu'il abhorrait[16].

Richelieu ne se connaissait qu'une contrainte. Contrairement à de nombreux gouvernants qui ne vivaient que pour le pouvoir et la domination d'autrui, il n'aimait pas la guerre. Comme Champlain, il avait été témoin des horreurs de la guerre, et il en avait mesuré le prix au sang versé, aux dépenses qu'elle occasionnait, et par-dessus tout aux désordres qu'elle causait. Il savait tout le mal que la guerre pouvait faire, mais surtout il détestait l'incertitude qu'elle causait. C'est lui qui a dit : « La guerre est l'un des fléaux que Dieu a décidé d'infliger aux hommes[17]. »

Les historiens ont célébré aussi bien que vilipendé Richelieu. Il réussit à bâtir un État monarchique fort, et il s'employa à rassembler la nation. Mais il y parvint en usant de méthodes qui aliénaient l'État de la nation, et il n'arriva qu'à dresser l'un contre l'autre. Citons sa lettre à Louis XIII : « Je lui promis [à Votre Majesté] d'employer toute mon industrie et toute l'autorité qu'il lui plaisait de me donner pour ruiner le parti huguenot, rabaisser l'orgueil des Grands, réduire tous ses sujets en leur devoir et relever son nom dans les nations étrangères au point où il devrait être. » Cet homme qui aimait la France s'en fit ainsi haïr[18].

Dans son entreprise visant à consolider l'État et la monarchie, Richelieu se montra profondément hostile à la haute noblesse, particulièrement aux princes du sang qui considéraient l'État avec méfiance et voyaient le roi comme leur égal. Ces esprits libres avaient aussi leur propre conception de leurs libertés et défendaient férocement les droits des parlements provinciaux. L'un des plus habiles et des plus éloquents d'entre eux fut Henri II, duc de Montmorency et vice-roi de Nouvelle-France, qui plaçait la loi au-dessus du roi et parfois les parlements au-dessus de la monarchie. Richelieu se défiait de lui, en même temps qu'il en était jaloux. Le cardinal était issu de la petite noblesse ; proche compagnon du roi, Montmorency avait pour lui le rang, les manières et l'élégance qu'un Richelieu ne pourrait jamais atteindre[19].

Plus Richelieu s'approchait du pouvoir, plus Montmorency s'en éloignait. Il accordait davantage d'attention à son gouvernement du Languedoc, désirant défendre ses libertés anciennes. À l'automne et à l'hiver 1624-1625, Montmorency renonça à sa charge de vice-roi de Nouvelle-France. Les tiraillements avec les financiers l'en avaient dégoûté. Champlain parle de « plusieurs troubles, cela en partie donna sujet à mondit seigneur de Montmorency de se défaire de sa charge de vice-roi, qui lui rompait plus la tête que ses affaires plus importantes ». Mais cela n'était qu'un aspect des choses. L'ascension de Richelieu préoccupait beaucoup plus le duc[20]. Si Montmorency quitta sa charge, il prit tout de même soin de la garder dans sa famille, la vendant à son neveu pour la somme de cent mille livres[21]. Le nouveau vice-roi avait nom Henri de Lévis, duc de Ventadour, prince de Maubuisson et comte de la Voulte. Il était issu lui aussi de la haute noblesse mais il avait un caractère différent et ne menaçait Richelieu en rien. Ventadour, comme nous allons l'appeler, avait vingt-huit ans en 1625, et il venait d'entrer en possession de son héritage depuis la mort de son père en décembre 1624. Il avait été formé au métier des armes et avait combattu contre les huguenots, mais la religion était la grande passion de sa vie. Ventadour était un fils dévoué de l'Église catholique[22].

On mesure bien l'ardeur de la foi du personnage par le mariage qu'il fit. Quelques mois avant la mort de son père, il épousa Marie Liesse de Luxembourg, l'héritière d'une des plus grandes fortunes de France. Ils se connaissaient déjà très bien, ayant grandi dans la même maison, où Marie Liesse avait été élevée par la mère de Ventadour. On les avait fiancés quand elle avait huit ans et lui vingt-trois. Le jour des noces, quatre ans plus tard, l'épousée était encore une enfant et avait la moitié de l'âge de son mari.

Leur mariage était en certains points semblable à celui de Samuel Champlain et d'Hélène Boullé. Le duc et la duchesse de Ventadour n'eurent jamais d'enfants. Il semble que le mariage n'ait jamais été consommé. Mari et femme étaient très pieux, à tel point qu'en 1629 ils décidèrent de se séparer d'un commun accord et de mener l'un et l'autre une vie chaste et dévote. Marie Liesse entra au couvent, le carmel d'Avignon, et de son côté Ventadour fonda une société dévote, la Compagnie du Saint-Sacrement, dont il résuma ainsi la raison d'être : « Couvrir la terre de France d'une floraison de bonnes œuvres. » En 1643, il serait ordonné prêtre[23].

Ventadour avait accepté la vice-royauté de Nouvelle-France par zèle religieux. Son but premier était de répandre « la foi et religion catholique, apostolique et romaine » parmi les Indiens d'Amérique et les Européens du Nouveau Monde[24]. Il soutint ardemment les pères récollets, et sur les instances de son directeur spirituel, le père Philibert Noyrot, il encouragea également les Jésuites à missionner en Nouvelle-France. En janvier 1625, trois pères et deux frères de la Société de Jésus prirent le chemin de Québec[25].

L'un des premiers actes du vice-roi Ventadour fut de confirmer Champlain dans sa lieutenance pour la Nouvelle-France, avec une commission datée du 15 février 1625. Ce faisant, il marchait sur les brisées de tous les vice-rois et lieutenants généraux de Nouvelle-France depuis 1604. Le sieur de Mons, le comte de Soissons, le prince de Condé, le marquis de Thémines et le duc de Montmorency avaient tous pris Champlain pour lieutenant et en avaient fait leur bras droit en Nouvelle-France[26].

Ventadour fit mieux. Il affirma la « bonne et entière confiance » qu'il avait en Champlain, et loua ses « sens, suffisance, pratiques, expériences » ainsi que sa « bonne diligence, connaissance qu'il a audit pays, pour les diverses navigations, voyages, fréquentations qu'il y a faites[27] ». Il accrut l'autorité de Champlain, avec pouvoir entier pour nommer et remplacer les officiers ayant rang de capitaine et d'enseigne « autant que faire se pourra ». Champlain agit sans tarder et accorda un brevet de capitaine à son jeune et capable beau-frère Eustache Boullé, qui avait une longue expérience de la Nouvelle-France et avait été son proche collaborateur là-bas. Il nomma au poste d'enseigne un certain Destouches, qui était issu d'une famille de marins célèbre sous l'Ancien Régime[28].

Lorsque Ventadour lui accorda sa commission, il l'assortit d'une requête personnelle. Selon le mot de Champlain, le vice-roi lui avait demandé, pour l'année 1625, « de demeurer proche de lui, pour l'instruire des affaires dudit pays, et donner ordre à quelques miennes autres que j'avais à Paris ». Champlain acquiesça avec plaisir, et le centre de son activité se déplaça alors à l'hôtel de Ventadour, la demeure du duc à Paris[29].

Le problème le plus pressant était celui des compagnies de commerce. Il y en avait deux désormais[30]. L'une était l'ancienne compagnie de Rouen et de Saint-Malo ; l'autre était la nouvelle compagnie de Caën, qui avait pignon sur rue à Dieppe, Paris et Orléans. Seuls quelques marchands, par exemple Ézéchiel de Caën, étaient associés aux deux. Les deux entreprises différaient par leurs origines mais voulaient l'une comme l'autre tirer rapidement profit d'un monopole sur la traite des fourrures. Aucune des deux n'appréciait la ténacité que Champlain mettait à bâtir des établissements permanents à leurs frais. Certains associés importants voyaient l'effort de colonisation condamné et s'en plaignaient. D'autres craignaient au contraire qu'il ne réussisse et que les colons ne deviennent des concurrents.

Plusieurs grands investisseurs demeuraient personnellement hostiles à Champlain. Au premier rang se trouvait la faction au sein de l'ancienne compagnie menée par son ennemi Daniel Boyer, qui s'appuyait sur son parent hollandais Corneille de Bellois, un marchand flamand du nom de Louis Vermuelen et un autre financier nommé Mathieu Duisterlo, que l'on disait allemand. Ces marchands venaient d'ailleurs et ne ressentaient aucune loyauté à l'égard de la France. La fondation de colonies françaises en Amérique du Nord ne leur disait strictement rien. Leur seul objectif : acheter des peaux de castor et les revendre à profit. À leur avis, le grand dessein de Champlain était mauvais pour les affaires, et ils lui en voulaient encore plus de réussir que d'échouer[31]. Alors que Champlain se trouvait en Nouvelle-France, de 1620 à 1624, ces conflits n'avaient pris que plus d'intensité. Les amis de Boyer étaient des plaideurs quérulents. Les deux compagnies et le vice-roi se trouvaient mêlés à toute une série de procès. À croire que les seules personnes en France à bien vivre du commerce nord-américain étaient des avocats.

En 1625, le duc de Ventadour convoqua les dirigeants des deux entreprises à son hôtel de Paris, « pensant tomber d'accord à l'amiable les uns avec les autres ». Vaine tentative. Champlain écrivit que les rencontres furent marquées par de vives disputes. Champlain et Ventadour voulurent acheter l'ancienne compagnie et offrirent à ses actionnaires un paiement équivalant à 37 % de leur capital de soixante mille livres s'ils se retiraient du commerce des pelleteries et renonçaient à toutes leurs prétentions. Ils refusèrent et firent pièce à toute intervention de la part de Champlain et du vice-roi[32].

Ventadour et Champlain se tournèrent alors vers la cour de l'amirauté. Les actionnaires cherchèrent à faire avorter cette procédure, obligeant le vice-roi à en appeler directement au Conseil du roi. Guidé fermement par Richelieu, le Conseil agit avec résolution. Au nom du roi, il ordonna aux actionnaires d'accepter un paiement valant 40 % de leur capital et de se retirer immédiatement du commerce dans la vallée du Saint-Laurent. En 1626, la compagnie de Rouen et de Saint-Malo cessa toute activité en Nouvelle-France[33].

La compagnie de Caën se vit offrir le monopole de la traite des fourrures à la condition de nommer des catholiques à la tête de ses navires.

Condition qui fut acceptée. Les pêcheries demeurèrent ouvertes à tous. Les pêcheurs avaient le droit de prendre jusqu'à douze peaux de castor par vaisseau, mais ils devaient les revendre aux agents de la compagnie de Caën à un prix fixé à l'avance. Avec ces conditions, on espérait donner un second souffle au commerce et à la colonisation[34].

Le contentieux des compagnies de commerce n'était pas aussitôt réglé que le vice-roi se retrouva avec un autre problème sur les bras. À la fin de l'été et au début de l'automne 1625, des lettres des jésuites et des récollets se mirent à arriver de Nouvelle-France. Les pères disaient que la colonie périclitait depuis que Champlain était rentré. Ces lettres eurent un grand retentissement. Le jésuite Philibert Noyrot rentra en France pour parler de ces choses à un grand nombre de personnes à la cour, où il était très écouté. Le jésuite Charles Lalemant écrivit également à Champlain et aux supérieurs des deux ordres. Le récollet Joseph Le Caron rédigea une adresse au roi et la fit publier à Paris[35].

Les épistoliers s'entendaient pour dire que les choses allaient mal à Québec. Certains faisaient état de l'éternel grief à l'égard de l'hiver. Lalemant écrivait : « Nos Français m'ont dit qu'ils avaient traîné le [mât de] mai sur la neige au premier jour de mai. » Les pères disaient que les colons manquaient cruellement de nourriture et qu'il n'y avait « rien à espérer » du concours des Indiens à cet égard. La colonie se rétrécissait. Champlain avait laissé derrière lui soixante colons à la fin de l'été 1624. En son absence, ce nombre avait baissé à cinquante-deux pendant l'hiver 1624-1625, et à quarante-trois en 1625-1626[36].

Les pères soulignaient également les relations difficiles entre Français et Indiens. Les missionnaires avaient du mal à se faire écouter des autochtones, et certains interprètes indiens refusaient de les aider. Les lettres des jésuites aussi bien que des récollets témoignaient d'une hostilité croissante à l'égard des Indiens. Les pères se plaignaient de ne pas être traités avec respect : « Ils [les Indiens] estiment que les Français n'ont point d'esprit qu'eux. » L'un écrivait de leurs missions que « l'espoir de faire du fruit n'est pas bien grand, tant les indigènes sont gens grossiers et vivent comme bêtes[37] ».

Le père Lalemant n'avait rien de bon à dire sur ces hommes qu'il était venu convertir. « Ils commettent sans se cacher, et sans honte aucune, toutes sortes d'impudences, écrivait-il, et de netteté chez eux il ne s'en parle point, ils sont fort sales. » Surtout, il se plaignait de leur violence et de leur cruauté, affirmant qu'on ne pouvait guère leur faire confiance. « La coutume de cette nation est de tuer leurs pères et mères lorsqu'ils sont si vieux qu'ils ne peuvent marcher[38]. » Ces lettres exprimaient une crainte grandissante à l'égard des Indiens. « Si quelque Français leur a fait quelque déplaisir, ils s'en vengent par la mort du premier qu'ils rencontrent [...]. S'ils ont songé la nuit qu'il faut qu'ils tuent quelque Français, garde le premier qu'ils rencontrent à l'écart[39]. »

Cette crainte et cette haine des Indiens n'avaient jamais paru dans les écrits de Champlain, et elles n'avaient jamais été exprimées non plus quand il était présent en Nouvelle-France et qu'il gouvernait la colonie. Il arrivait que des actes lui déplaisent fort, dans le cas de certains Montagnais en particulier, mais il était totalement étranger à cette attitude généralisée de frayeur, d'hystérie et de mépris à l'égard des indigènes. Les lettres de Québec confirmaient le caractère bienfaisant de la présence de Champlain en Nouvelle-France.

Les auteurs de ces lettres déploraient également la mauvaise conduite des marchands français. Les missionnaires des deux ordres en voulaient amèrement à la compagnie de Caën, surtout à Émery de Caën, qui avait remplacé brièvement Champlain à la tête de la colonie, et à son cousin, Guillaume de Caën, qui commandait les navires de la compagnie sur le fleuve Saint-Laurent. Jésuites et récollets disaient que les dirigeants protestants de la compagnie leur refusaient leur concours. Selon le père Lalemant, à l'arrivée des jésuites, Émery de Caën leur aurait déclaré « qu'il lui était impossible de nous loger ou dans l'habitation ou dans le fort, et qu'il faudrait, ou repasser en France, ou nous retirer chez les pères récollets ». Les récollets les avaient accueillis et ils avaient survécu ainsi, mais non sans en vouloir amèrement aux marchands[40].

Les récollets avaient un autre grief, à savoir que De Caën négligeait la défense de la colonie. Le Caron écrivit que le fort de Champlain avait été laissé dans un abandon scandaleux. Il n'était gardé, disait-il, que par deux pauvres vieilles femmes, et ses seules sentinelles étaient deux poulets. Comme si tout cela ne suffisait pas, le commerce allait mal aussi sous la direction de la famille De Caën. Lalemant écrivait : « Un des anciens m'a dit qu'il a vu jusqu'à vingt navires dans le port de Tadoussac ; mais maintenant que cette traite a été accordée à l'association [des De Caën] qui est aujourd'hui privativement à tous autres, l'on ne voit plus ici que deux navires qui appartiennent à l'association, et ce, une fois l'an seulement[41]. »

Le récollet Le Caron était d'accord avec ses collègues jésuites et réclamait des réformes vigoureuses. Son mémoire était très accablant à l'égard de la compagnie de Caën et de ses dirigeants à Québec. Le Caron écrivait : « La prétendue religion réformée, partant, n'est nullement propre pour solliciter à ce que la religion catholique soit avancée. » Il implorait le vice-roi de venir vivre à Québec et de ne permettre qu'aux catholiques d'entrer au Canada ou de s'aventurer à l'intérieur des terres. En outre, selon Le Caron, la compagnie de Caën avait manqué à ses obligations et devait renoncer à son monopole. Il proposait que les marchés soient aussi ouverts qu'en France et qu'on établisse un système de commerce libre — libre pour tous, sauf les huguenots[42]. Un ton de désespoir se dégageait de toutes ces lettres. Lalemant implorait Champlain de revenir aussitôt : « Nous attendons donc votre venue pour résoudre ce qui sera à propos de faire[43]. »

Le chœur des lamentations de Québec fut bien entendu à Paris. Au printemps 1626, Ventadour pria Champlain de retourner sur l'heure en Nouvelle-France et d'« aller se loger avec tous ses gens, au lieu de Québec[44] ». Les instructions du vice-roi reprenaient le ton impérial de Louis XIII et épousaient la conception que le cardinal de Richelieu se faisait de l'État. En outre, à Québec et « autres endroits que ledit sieur de Champlain advisera bon être », ce dernier devait « faire construire et bâtir tels forts et forteresses qu'il lui sera besoin et nécessaire[45] ».

Champlain s'empressa de gagner le port de Dieppe et se mit au travail avec les dirigeants de la compagnie de Caën. Ils équipèrent cinq vaisseaux. Champlain monta à bord de la *Catherine* en compagnie du récollet Le Caron et du capitaine Raymond de La Ralde, un catholique qui avait été nommé général de la flotte. Un deuxième navire, *La Flèque*, était commandé par Émery de Caën. Les jésuites avaient pris un petit vaisseau de quatre-vingts tonneaux, *L'Alouette*, avec de quoi porter à sept l'effectif des pères dans la colonie, plus vingt travailleurs engagés. Les deux autres vaisseaux, l'un jaugeant deux cents tonneaux et l'autre cent vingt, dont on ne connaît pas les noms, complétaient l'expédition[46].

Le navire de Champlain leva l'ancre le 15 avril 1626 et tira des bords en rade de Dieppe en attendant les autres navires. Le 24 avril, les vaisseaux quittèrent enfin les côtes de France. De plus en plus, les navires voyageaient en convoi, et avec raison. Les tensions internationales montaient, et l'Atlantique recelait de plus grands dangers. Le 27 avril, ils aperçurent une voile à l'allure suspecte que Champlain prit pour celle d'un corsaire ou d'un contrebandier. En sa qualité de capitaine de la marine du roi, il ordonna à tout le convoi de le prendre en chasse. « Nous fîmes chasse sur lui quelques trois heures, mais étant meilleur voilier que nous, mîmes à l'autre bord. » Le convoi reprit la route de l'Amérique[47].

La traversée fut lente. Plus le convoi était imposant, plus le voyage était long, car les navires étaient obligés d'attendre ceux qui avançaient le plus lentement, et l'on perdait du temps lorsqu'on se séparait la nuit. Le 23 mai, ils furent surpris par une forte tempête qui dura deux jours. La petite *Alouette* disparut avec ses jésuites à bord, et Champlain craignit le pire. Mais elle survécut par miracle et fraya son chemin jusqu'en Amérique. Les navires avaient été en mer pendant deux mois et six jours à cause de cette « traverse contrariée de mauvais temps[48] ».

Enfin, le 5 juillet, Champlain parvint à Québec. Il fut heureux de retrouver les habitants en bonne santé mais outré de découvrir que « le fort était au même état que je l'avais laissé, sans qu'on y eût fait aucune chose » depuis son départ deux ans plus tôt[49]. En comptant la nouvelle recrue, Champlain dénombra cinquante-cinq personnes dans l'établissement, desquels vingt-quatre étaient des ouvriers à l'emploi de la compagnie. Il les mit au travail pour avancer le fort et les logements. La compagnie de Caën se rebiffa, et une fois de plus refusa d'honorer ses obligations contractuelles : « L'on me devait donner dix hommes pour travailler au fort de Sa Majesté, bien que ledit sieur de Caën et tous ses associés l'eussent souscrit, et Sa Majesté et le vice-roi le désirassent, néanmoins l'on ne le veut permettre, et empêche-t-on tant que l'on peut […] pourvu que la traite se fasse, c'est assez[50]. »

Mais cette fois-ci Champlain s'imposa, et les ouvriers se mirent à son service. Une fois la construction reprise, il porta son attention sur un autre objectif. Il s'agissait de faire en sorte que l'établissement se suffise à lui-même, du moins sur le plan alimentaire. L'île d'Orléans, près de Québec, paraissait être un bon site, avec son sol fertile et son approvisionnement généreux en eau. Les terres arables y étaient abondantes, mais Champlain manquait de fermiers à Québec en 1626. La colonisation de l'île devrait attendre une immigration plus nombreuse.

Il reporta donc son attention sur le cap Tourmente, sur la rive nord du Saint-Laurent, à cinquante kilomètres en aval de Québec. C'était l'endroit idéal pour élever du bétail, avec ses prairies qui dispensaient de

Champlain fit bâtir cette ferme dans les prairies naturelles de cap Tourmente en 1626. L'artiste Francis Back a basé sa reconstitution sur les travaux effectués par Jacques Guimont et une équipe d'archéologues avec le soutien de Parcs Canada en 1992-1993. L'archéologie confirme de nouveau l'exactitude des textes de Champlain et approfondit notre savoir historique.

tout défrichage[51]. En 1623, Champlain avait inspecté le cap Tourmente en compagnic du sieur de Caën, et les deux hommes l'avaient jugé « très agréable ». Plus tard cette année-là, on avait commencé à y couper du foin pour en envoyer de grandes quantités à Québec. Quand Champlain retourna au Canada en 1626, l'une des premières choses qu'il fit fut de retourner aux prairies du cap Tourmente et de choisir un site pour un établissement. Il choisit un endroit près d'un petit ruisseau où pinasses et chaloupes pourraient aborder à marée montante, avec les prairies non loin de là, et des arbres en abondance. L'endroit était de surcroît très fréquenté par les oies sauvages[52].

Champlain agit avec détermination et mobilisa toutes ses ressources : « Là je me résolus d'y faire bâtir le plus promptement qu'il me fut possible, bien qu'il était en juillet, je fis néanmoins employer la plupart des ouvriers à faire ce logement. » La ferme de cap Tourmente fut l'œuvre de Champlain et des âmes dirigeantes de la colonie. Pour les grandes orientations de la colonie, lui seul décidait. Comme cela deviendrait courant au Québec, et contrairement à la culture de l'Acadie, des pêcheries du Grand Banc et des pays d'en haut, l'établissement de cap Tourmente fut décidé et réalisé par la hiérarchie. Mais Champlain voulut en confier l'intendance à l'entreprise privée comme il l'avait fait maintes fois par le passé[53].

Champlain ordonna à ses hommes de bâtir un « logement, l'étable de soixante pieds de long et sur vingt de large, et deux autres corps de logis, chacun de dix-huit pieds sur quinze, faits de bois et terre à la façon de ceux que se font aux villages de Normandie ». La preuve archéologique récente confirme l'exactitude de la description que Champlain donne des lieux et souligne l'influence marquante qu'il a eue pendant son bref passage à cap Tourmente. Les excavations des archéologues canadiens ont permis de découvrir que les corps de logis de la petite ferme du cap étaient bel et bien bâtis selon le modèle de l'architecture paysanne de Normandie, où la vieille tradition privilégie le mélange moitié bois et argile, exactement comme Champlain l'a écrit. Des poteaux de bois étaient enfoncés dans l'argile à un mètre d'intervalle. Entre les poteaux, les murs étaient faits d'argile densément tassée. Cette méthode était d'origine néolithique, d'usage répandu en Belgique et en Normandie mais inconnue dans le midi de la France. Dans les années de la lieutenance de Champlain, on trouve encore ici un lien manifeste entre la culture du Québec et celle du nord-ouest de la France[54].

Les corps de logis de la ferme de cap Tourmente n'étaient pas bâtis aussi solidement que leurs modèles normands : les murs faisaient environ vingt centimètres d'épaisseur, alors qu'ils étaient de quarante à cinquante centimètres dans le nord de la France. Les logements étaient bas et sombres, avec de petites fenêtres recouvertes de papier huilé translucide. Les archéologues se sont étonnés de n'y trouver aucune cheminée de pierre ; l'intérieur était probablement chauffé par des cheminées d'argile. Les bâtiments de la ferme étaient regroupés de manière à former un petit hameau, auquel les récollets ajoutèrent plus tard une chapelle. En septembre 1626, la ferme était habitable.

Pour diriger la ferme, Champlain envoya l'agriculteur Nicolas Pivert et sa femme, Marguerite Lesage, et leur nièce, une « petite fille ». Pour les aider, il ajouta cinq employés et leur confia le bétail qui avait été emmené de France. Champlain leur envoya aussi des provisions qui avaient été transportées de France dans des pots de grès de conception normande. Les archéologues ont trouvé des preuves abondantes de leur alimentation. Ils cultivaient le blé d'Inde et avaient une diète mixte de bœuf et de porc frais ; et ils mangeaient le poisson du fleuve, des oies et des canards pris dans les marais avoisinants ainsi que des pois et autres provisions séchées venues de France. C'était une alimentation diversifiée, chose essentielle à la survie de la colonie. Champlain était toujours très soucieux de la qualité de la nourriture, qu'il jugeait essentielle au maintien du moral chez les habitants. Si l'on en juge d'après les vestiges alimentaires mis au jour par les archéologues à la ferme, il y avait là de quoi cuisiner un bon cassoulet normand. On imagine Champlain dans ses visites à la ferme, prenant place devant un tel plat, avec du bon pain et un vin râpeux. Dans son souci de la gastronomie, cette colonie était française jusqu'à la moelle[55].

Champlain surveilla l'évolution de la petite ferme au cours de l'hiver et fut heureux de voir que ses ouvriers y vivaient sainement. Au printemps, il y délégua la moitié de ses ouvriers pour achever les bâtiments et faire rentrer le foin pour l'hiver suivant — indispensable à la survie du bétail en Amérique du Nord —, et la ferme du cap Tourmente se mit à prospérer[56].

Champlain ordonna aussi à ses hommes de fortifier la ferme et d'ériger une palissade solide, non seulement contre les Indiens mais surtout contre les ennemis venus de l'Europe. Précaution indispensable. Deux hommes qui avaient été envoyés à la ferme pour voir au bétail furent attaqués et tués par un parti de réfractaires montagnais. Cet incident « m'affligea grandement », nota Champlain. Il se rendit sur les lieux et vit que les sauvages « avaient assassiné ces deux hommes endormis […] à demie lieue de notre habitation ». Il fut outré par le caractère gratuit du meurtre : « On fut quérir les corps qu'ils avaient traînés au bas de l'eau afin que la mer les emmenât […]. Ils avaient la tête écrasée de coups de haches, et plusieurs autres d'épée et couteaux dans le corps[57]. »

La colonie française fut prise d'une angoisse où se mêlaient la fureur et la terreur. Certains proposèrent de massacrer quelques Montagnais en guise de représailles. Dans les colonies espagnoles, anglaises et hollandaises, c'est ce qu'on aurait fait le plus souvent. Champlain écarta l'idée du revers de la main : « Car de nous venger sur beaucoup qui n'en seraient pas coupables, il n'y avait pas aussi de raison, ce serait déclarer une guerre ouverte, et perdre pour un temps le pays. »

Il préféra inviter les « capitaines » montagnais à une rencontre. Il leur montra les cadavres des Français assassinés et leur fit savoir que de tels actes étaient inadmissibles. Il leur demanda de l'aider à trouver une solution que tous admettraient comme juste. Des Montagnais inspectèrent les corps et blâmèrent les Iroquois. Champlain ne voulut rien entendre : les meurtres étaient de toute évidence l'œuvre de Montagnais. Ses interlocuteurs finirent par l'admettre, mais ils maintinrent qu'ils n'avaient pas la moindre idée de l'identité des malfaiteurs. Champlain refusa aussi cette réponse, faisant valoir que cela ne réglait en rien le contentieux. Il raisonna avec eux : si la paix devait régner sur le Saint-Laurent, il fallait que justice soit faite d'une manière qui satisferait tous les habitants de la vallée. D'autres discussions suivirent, et une solution fut enfin trouvée. Les capitaines montagnais acceptèrent de laisser en otages quelques-uns de leurs propres enfants, ce qui fut fait. Les otages furent traités humainement, et les meurtres cessèrent. Champlain entreprit de renouer les liens de confiance entre Français et Montagnais. Les deux nations se louèrent fort de la sagesse de Champlain[58].

Plus tard, durant l'hiver 1627-1628, un groupe de Montagnais alla trouver Champlain, « désirant se joindre avec nous d'une amitié plus étroite que jamais ils n'avaient faite, et ôter toute sorte de défiance que nous pouvions avoir d'eux ». Pour cimenter cette amitié, ils avaient décidé de confier aux Français trois fillettes âgées de onze, douze et quinze ans respectivement. Champlain s'étonna « fort des offres » que lui faisaient les Montagnais de les « faire instruire et tenir comme ceux de notre nation, et les marier si bon nous semblait ».

Réflexion faite, Champlain décida d'accepter leur offre. Certains auteurs ont émis des soupçons à cet égard, mais les prêtres étaient là qui veillaient au grain, et ils témoignèrent qu'il n'y avait en l'occurrence rien de répréhensible. Champlain baptisa les jeunes filles Foi, Espérance et Charité. Selon le missionnaire récollet Gabriel Sagard, elles furent catéchisées pendant deux ans et initiées aux « petits exercices de filles ». Champlain ajouta qu'elles apprirent « à travailler à l'aiguille, tant en linge qu'en tapisserie, en quoi elles travaillent fort proprement, étant au reste fort civilisées ». Sagard rapporta que ces « bonnes filles l'honoraient [Champlain] comme leur père, et lui les gouvernait comme ses filles ». L'amitié franco-montagnaise ne s'en porta que mieux[59].

À la même époque, Champlain s'efforça d'améliorer les rapports avec les Iroquois. En août « un canot arriva de la rivière des Iroquois

[…] qui nous dit que cinq Flamands avaient été tués, qui par ci-devant avaient été leurs amis ». Les Iroquois avaient également été porter la guerre chez les Mohicans au sud, et de petits partis embusquaient les Algonquins, les Montagnais, les Hurons et les Neutres au nord et à l'ouest. Champlain s'attaqua au problème de façon indirecte en sauvant de la torture et de la mort deux captifs iroquois. Il garda l'un prisonnier et s'assura qu'il fût traité humainement. L'autre fut renvoyé dans ses foyers en gage de bonne foi. Et au printemps 1627, Champlain envoya un émissaire français chez les Iroquois en mission de paix. Lentement, les relations avec l'Iroquoisie s'améliorèrent. Les attaques diminuèrent dans la vallée du Saint-Laurent[60].

Champlain voulait aussi que la tolérance règne à l'intérieur de la colonie, tâche qui, à maints égards, était plus ardue que celle qui consistait à maintenir la paix avec ses voisins indiens. Jésuites et récollets tenaient à ce que les protestants fussent exclus de la colonie. À l'été 1626, le jésuite Philibert Noyrot reçut l'ordre de transmettre cette requête à la cour, où il jouissait d'importantes relations. Quand Noyrot vit le cardinal de Richelieu et le roi, il essaya de les convaincre que l'édit de Nantes d'Henri IV, qui garantissait aux protestants le droit de pratiquer leur religion, devrait être révoqué en Nouvelle-France, et que seuls les catholiques devraient y avoir droit de cité. Mais alors, que faire des nombreux matelots et commerçants protestants qui allaient à Québec[61] ?

Champlain, Ventadour, Richelieu et Louis XIII ne s'entendaient pas sur cette question épineuse. Le roi favorisait la tolérance. Il tenait à l'édit de Nantes, interdisait qu'on s'en prenne aux protestants à la cour et avait des huguenots proches de lui dans sa maison, par exemple son valet de chambre Beringhen et son médecin Héroard. Il exigeait des protestants qu'ils fussent loyaux à la couronne et les obligeait à tolérer les catholiques dans les villes huguenotes. Dans le même esprit, il protégeait le droit qu'avaient les protestants de pratiquer leur culte librement partout dans le royaume, entre autres en Nouvelle-France[62].

Ventadour ne voulait pas de la tolérance. Dans le temps que dura sa vice-royauté, il essaya d'empêcher les huguenots de pratiquer leur foi en Nouvelle-France et ordonna aux capitaines de navire en 1626 d'interdire aux marins protestants de chanter leurs psaumes dès l'entrée de leur vaisseau dans le Saint-Laurent. Manifestement, la Nouvelle-France était pour lui une colonie strictement catholique[63].

Richelieu se situait entre les deux. Dans son esprit, la question religieuse était subordonnée à la raison d'État. Il fut largement à l'origine de l'acte pour l'établissement de la Compagnie de la Nouvelle-France de 1627 qui obligeait celle-ci à « peupler la dite colonie de naturels François catholiques ». En même temps, les colonies d'Amérique devaient être régies par les mêmes lois qu'en France, ce qui incluait l'édit de Nantes protégeant les matelots et trafiquants huguenots[64].

Les vues de Champlain étaient plus complexes. Son propre catholicisme se fortifiait, à tel point qu'il s'était mis lui aussi à parler du protestantisme comme de la « religion prétendue réformée ». Avec le sieur de Mons et Henri IV, il avait toujours admis que l'Église catholique devait être pleinement établie en Nouvelle-France, et que toute œuvre missionnaire auprès des Indiens devait être accomplie par des religieux catholiques. Mais il croyait aussi que les huguenots devaient avoir droit de cité dans la colonie et que leur liberté de culte méritait une protection entière.

Quoi qu'il en soit, Champlain devait se conformer aux instructions contradictoires de Louis XIII, de Ventadour et de Richelieu[65]. Il résolut le problème en recourant à un compromis discret. Un cas se posa en 1626 lorsque la *Catherine* se présenta devant Québec avec un équipage surtout protestant mais avec pour capitaine le très catholique (et aussi très hostile aux Jésuites) Raymond de La Ralde. La Ralde réunit ses hommes et leur fit savoir que le vice-roi ne voulait pas « qu'ils chantassent les Psaumes dans la grande rivière comme ils l'avaient fait à la mer ». Champlain était à bord à ce moment. Les hommes « commencèrent à murmurer et dire qu'on ne leur devait ôter cette liberté[66] ». Après de longues délibérations, il trouva un moyen terme : « En fin fut accordé qu'ils ne chanteraient point les Psaumes, mais qu'ils s'assembleraient pour faire leurs prières, car ils étaient presque les deux tiers de huguenots[67]. » Commentaire de Champlain : « Ainsi d'une mauvaise dette l'on en tire ce que l'on peut. » Telle fut sa politique : un compromis qui maintenait la paix dans la colonie et permettait aux catholiques et huguenots de coexister. Il préservait ainsi l'esprit de tolérance et d'humanité essentiel à son grand dessein[68].

* * *

Alors que Champlain était à pied d'œuvre à Québec, le cardinal de Richelieu reçut de nouvelles lettres des jésuites et des récollets qui le persuadèrent de réformer du tout au tout le commerce en Nouvelle-France. En octobre 1626, le cardinal décida d'intervenir personnellement. Il ajouta à ses nombreuses charges la fonction de « grand'maître et surintendant général du commerce et de la navigation ». Au printemps de l'année suivante, Ventadour résigna ses fonctions de vice-roi et Richelieu le remplaça à la tête de la Nouvelle-France[69].

Le cardinal ne perdit pas un instant. D'abord, il expédia le problème des compagnies de commerce rivales. Au printemps 1627, la compagnie de Caën perdit son monopole et ses privilèges commerciaux en Nouvelle-France. Elle fut remplacée par une compagnie fraîchement créée par Richelieu, la Compagnie de la Nouvelle-France, bientôt mieux connue sous le nom de Compagnie des Cent-Associés, d'après le nombre de ses actionnaires[70].

La Compagnie des Cent-Associés fut fondée avec un capital initial de trois cent mille livres. Richelieu obligeait chaque actionnaire à y investir trois mille livres, et tous les profits seraient mis de côté pendant les trois premières années. Sur la liste des cent actionnaires en date

Le sceau de la Compagnie de la Nouvelle-France fondée par Richelieu (les Cent-Associés). Au revers, une figure tenant un crucifix et les lys de France avec la devise Me donavit Ludovicus Decimus Tertius, 1627 : « *Louis XIII m'a donné, 1627* ». *À l'envers, un navire et la prière du marin* In mari viae tuae, « *En mer le chemin vers toi* [*le salut*] ».

du 14 janvier 1628, Richelieu a le numéro un. Samuel de Champlain apparaît au cinquante-deuxième rang. Étant donné qu'il se trouvait à Québec à ce moment-là, c'est sa femme, Hélène Boullé, qui débourse les trois mille livres, autre signe de son appui à son mari. De nombreux investisseurs étaient conseillers royaux et détenaient de hautes charges à la cour. Les autres étaient marchands ou financiers : quelques-uns de Rouen et de Bordeaux, et beaucoup de Paris. Plusieurs membres étaient des amis de Champlain qui avaient déjà séjourné en Nouvelle-France : Charles Daniel, Isaac de Razilly, Charles Saint-Étienne de La Tour. Les familles marchandes qui avaient dominé les premières compagnies n'en étaient pas : les Boyer de Rouen et les De Caën de Dieppe étaient exclus. On peut le dire : c'était la compagnie de Richelieu[71].

Toute la Nouvelle-France devint le fief de la compagnie. Ce qui donnait à celle-ci un vaste territoire s'étendant de la Floride au cercle Arctique. La compagnie aurait à soutenir un effort de colonisation sans précédent. Elle était dirigée personnellement par Richelieu, qui s'appuyait sur un conseil de douze administrateurs, la moitié étant des officiers de la cour ; les autres des marchands, de Paris pour la plupart. Champlain, Razilly et Daniel n'y siégeaient pas[72].

En quelques mois, Richelieu avait rafraîchi et solidifié la base matérielle de la Nouvelle-France. De son côté, Champlain venait de donner un souffle nouveau à l'habitation de Québec. Il avait fait réparer les bâtiments de la bourgade, rebâtir le fort et fait en sorte que l'établissement s'approvisionne mieux de lui-même. Il avait amélioré les rapports entre les ecclésiastiques, les trafiquants et les habitants. Il avait conformé son action à la nouvelle politique de Richelieu. Et, le plus important, il avait stoppé le refroidissement des relations avec les Indiens et regagné l'amitié des Hurons, des Algonquins et d'un grand nombre de Montagnais tout en faisant la paix avec les Iroquois.

Champlain avait accompli des progrès tangibles sur plus d'un front, mais à maints égards la petite colonie demeurait fragile. Sa population était minime et dans la plupart de ces années, elle ne connut pour ainsi dire aucune croissance. D'après Champlain, à l'hiver 1627-1628, « cinquante-cinq personnes, tant hommes que femmes et enfants, sans compter les habitants du pays [les Indiens] », dépendaient de l'habitation pour leur subsistance[73]. En comparaison, les autres établissements européens jouissaient d'une expansion rapide. En 1628, les Hollandais comptaient deux cent soixante-dix colons en Nouvelle-Hollande. Les

Pèlerins anglais de Plymouth étaient plus de trois cents en 1629. Un recensement de la Virginie en 1624 dénombrait douze cent soixante-quinze colons anglais et vingt-deux Africains. Le Massachusetts déclarait cinq cent six puritains en 1630. La Nouvelle-France avait de puissants voisins ; la tension montait.

CHAPITRE 19

La perte de la Nouvelle-France

La conquête britannique, 1628-1629

C'est que je conseille à tous entrepreneurs de rechercher lieu pour dormir en sûreté.

CHAMPLAIN, *Voyages*, 1632[1]

En 1625, la France et l'Angleterre entrèrent en guerre. Ce conflit se préparait depuis longtemps. Depuis la mort d'Henri IV, les monarques d'Angleterre, d'Espagne et de France étaient aux prises les uns avec les autres dans des rivalités inextricables. Chacun de ces pays avait à sa tête un roi ambitieux et un ministre habile : Charles Ier et le duc de Buckingham, Philippe IV et le comte-duc Olivares, Louis XIII et le cardinal de Richelieu[2].

Leurs buts étaient sensiblement les mêmes : exercer une autorité absolue dans leur royaume, jouer un rôle dominant en Europe et élargir leur empire en Amérique. Mais leurs ambitions excédaient leurs ressources, et tous étaient las des guerres incessantes, particulièrement la France. En 1624, Louis XIII proposa une alliance à l'Angleterre qui serait cimentée par le mariage de sa sœur Henriette Marie à Charles Ier, avec une dot de deux millions quatre cent mille livres. Charles donna son accord, et le mariage fut célébré en mai 1625. On se mit à croire à une paix durable entre l'Angleterre et la France, mais le mariage lui-même ne fit que compliquer les choses. Henriette Marie tenait à sa foi catholique dans une Angleterre devenue farouchement protestante. Elle était malheureuse comme les pierres, et le mariage était houleux. Un jour où la reine rageait contre son exil londonien, elle passa son poing à travers une vitre. Tout espoir d'harmonie s'en fut avec le sang qui s'écoula de sa blessure. En outre, la moitié de la dot n'avait pas été payée, et Charles avait de sérieux besoins d'argent[3].

L'ire entre les deux pays s'accentua avec la révolte des huguenots de La Rochelle, qui avaient fait de leur ville une forteresse, un État protestant dans l'État. Louis XIII, décidé à mater la désobéissance rochelaise, entreprit le siège de la ville. Charles Ier se porta au secours de celle-ci, et les deux beaux-frères entrèrent en guerre. Un fort contingent anglais vint en aide aux huguenots et fut repoussé après des combats furieux à l'île de Ré.

La Rochelle s'avéra trop bien fortifiée pour autoriser une prise d'assaut. Richelieu décida alors d'affamer la ville, marque de cruauté qui ne lui ressemblait que trop. Les Rochelais qui essayaient d'échapper au siège étaient reconduits aux murs ou pendus sommairement, même les femmes et les enfants. La population dc La Rochelle passa de vingt-sept mille habitants à huit mille. Mourant de faim, les Rochelais finirent par se rendre, et Louis XIII franchit les portes de la ville triomphalement le 1er novembre 1628. Il fit abattre les fortifications, exila quelques meneurs et pardonna aux autres. Les plus grands temples furent convertis en églises catholiques, mais les protestants conservèrent leur liberté de culte, conformément à l'édit de Nantes[4].

Richelieu et Louis XIII avaient réussi à défaire « l'État huguenot dans l'État », mais au prix fort. La guerre anglo-française s'étendit à l'Amérique. Charles Ier et ses ministres résolurent d'anéantir les établissements de Nouvelle-France et de s'emparer des pêcheries atlantiques. Mais le roi anglais manquait des fonds nécessaires au lancement d'une expédition militaire. Pour s'attaquer à la Nouvelle-France, il fit appel à des corsaires sans foi ni loi qui guerroyaient pour s'enrichir et se payaient en butin.

Charles Ier autorisa deux familles de la noblesse écossaise, les Alexander de Stirling et les Stewart d'Ochiltree, à faire main basse sur l'Acadie. James Stewart passa à l'attaque avec deux grands vaisseaux et une pinasse. Dans une petite anse, il surprit un pêcheur basque de Saint-Jean-de-Luz du nom de Michel Dihourse en train de faire sécher ses morues. Stewart se saisit du navire et de sa capture et pilla l'équipage basque. Puis il bâtit un fort, se servant des canons pris aux Basques, et annonça que les Français désireux de pêcher ou de trafiquer sur la côte devraient lui verser 10 % de leurs prises. Les réfractaires paieraient de leurs navires et de leur liberté[5].

En 1627, une nouvelle espèce de mercenaires s'ajouta au lot. C'était une famille d'entrepreneurs au nom écossais, aux origines anglaises et de naissance française. Le patriarche avait nom Gervais (ou Jarvis) Kirke, marchand né dans le Derbyshire, qui avait commercé à Londres et vécu à Dieppe au sein d'une colonie d'aventuriers écossais habitant rue d'Écosse, justement. Là il avait épousé Elizabeth Gowding (ou Goudon), elle aussi fille de marchand de ce port bourdonnant d'activité. Ils eurent cinq fils : David, Louis, Thomas, John et James (ou Jarvis), tous nés et élevés à Dieppe. Tous étaient actifs dans la florissante entreprise familiale qui avait pignon sur rue en France comme en Angleterre, et des réseaux de partenariats licites et illicites[6].

Les Kirke avaient obtenu une commission de Charles Ier pour se saisir de tout navire français sur le Saint-Laurent. En 1628, ils lancèrent une expédition et se mirent à intercepter les vaisseaux de France s'acheminant vers Québec. Le commandant en était David Kirke. Champlain l'appelait « le Général », mais l'homme n'était ni soldat ni navigateur. David Kirke était homme d'affaires. Un huguenot qui le connaissait bien le décrivit comme « un marchand de vin […] étant à Bordeaux et à Cognac, connu ignorant à la mer, qui ne sait que c'est de naviguer, n'ayant jamais fait que ces deux voyages ». Il avait sous ses ordres ses frères, le « vice-amiral » Thomas Kirke et le « capitaine » Louis Kirke. Leur pilote était un transfuge huguenot, le capitaine Jacques Michel, qui connaissait les côtes de Nouvelle-France et avait des comptes à régler avec les catholiques depuis le siège de La Rochelle[7].

Lorsque la guerre éclata, la Compagnie des Cent-Associés de Richelieu s'apprêtait à envoyer un convoi important en Nouvelle-France. Les directeurs demandèrent à en retarder le départ, le temps pour eux d'assurer la protection des navires. Richelieu refusa. Sans avoir une idée précise du danger et n'écoutant que son propre avis, il écarta du revers de la main les avertissements venus de conseillers informés et insista pour que les navires fissent voile. Le 28 janvier 1628, une proclamation royale leur ordonna de partir pour Québec incontinent[8].

Les directeurs s'inclinèrent, pour bientôt s'en mordre les doigts. Tout alla mal, comme ils l'avaient craint, en effet. À cause de l'incertitude causée par la guerre, les Cent-Associés avaient été incapables de réunir des capitaux suffisants. Le mieux qu'ils avaient pu obtenir était cinquante-six mille livres, ce qui était loin d'être assez. Richelieu avait continué d'insister, et la seule solution avait été de contracter un emprunt de 164 720 livres à un taux d'intérêt ruineux. Avec leurs maigres moyens, ils avaient armé l'expédition la plus imposante dans l'histoire de la Nouvelle-France. Obéissant aux instances du cardinal, la compagnie avait tout misé sur cette entreprise.

On avait commencé par envoyer un seul navire chargé de vivres et de fournitures dont on avait un besoin urgent à Québec. Puis avaient suivi quatre gros navires marchands : l'*Estourneau*, la *Magdaleine*, la *Suzanne* et un autre dont on n'a pas retenu le nom. Le jésuite Philibert Noyrot avait affrété une petite barque séparément. À bord de ces vaisseaux se trouvaient deux autres jésuites, Charles Lalemant et François Ragueneau, accompagnés de deux récollets, Daniel Doursier et François Girard de Binville. Les navires transportaient en tout quatre cents personnes, surtout des colons. La compagnie avait déployé des efforts considérables pour recruter des familles, non sans succès. C'était le plus gros groupe de colons français à prendre la route de l'Amérique.

Aux commandes se trouvait l'amiral Claude de Roquemont de Brison, membre fondateur de la Compagnie des Cent-Associés. Il avait été choisi par Richelieu et constituait le chef modèle selon le cœur du cardinal. Roquemont était de haute naissance, dévot, tenant de l'absolutisme royal et serviteur docile du cardinal. C'était un officier au courage éprouvé, mais un homme peu intelligent et au jugement encore plus déficient. Il ne savait rien de la Nouvelle-France et n'en connaissait pas les eaux[9].

Après de nombreux retards, le convoi quitta Dieppe le 28 avril 1628. Ce fut un voyage difficile dès le début. La flotte se buta tout de suite à une forte tempête. Puis elle fut menacée par deux navires de La Rochelle dont les équipages étaient résolus à attaquer la flotte de Richelieu et à égaler la cruauté que celui-ci avait témoignée à leur ville. Le convoi réussit à leur échapper. Après sept semaines en mer, les voyageurs atteignirent l'île déserte d'Anticosti, où Roquemont fit ériger une croix pour l'édification des loups marins et des ours blancs. Ils filèrent ensuite vers le sud, en direction de la côte de Gaspésie, et Roquemont apprit alors des pêcheurs qui s'y trouvaient qu'une puissante escadrille de navires britanniques avait pris possession de Tadoussac et arraisonnait les vaisseaux français sur le fleuve.

Ces Britanniques étaient nuls autres que les frères Kirke, et ils avaient l'avantage de la situation. Alors que les navires français s'apprêtaient à faire voile, les Kirke étaient arrivés sur la côte nord-américaine à la tête d'une flotte formidable de trois ou quatre gros navires, tous lourdement armés, avec des équipages nombreux d'hommes en armes. Ils avaient commencé par se saisir des bateaux de pêche français à l'île Miscou dans la baie des Chaleurs, au sud de la péninsule gaspésienne. Les Kirke avaient également capturé un imposant navire de commerce basque et intercepté le premier navire avitailleur que les Cent-Associés avaient envoyé cette année-là pour nourrir les colons de Québec. Nantis désormais de six navires, les Kirke avaient remonté le Saint-Laurent et mouillaient dans le havre de Tadoussac[10].

À Québec, Champlain et les colons français commençaient à manquer cruellement de vivres. Les rations sèches étaient toujours au plus bas dès le printemps, aussi en juin il n'en restait presque plus : « Tous nos vivres étaient faillis, hormis quatre ou cinq poinçons de galettes assez mauvaises, qui était peu, et des pois et fèves à quoi nous étions réduits sans autres commodités. »

Les navires avitailleurs avaient trop tardé, et on ignorait pourquoi. Y avait-il des troubles en Europe ? des remous politiques à la cour ? Ou était-ce le mauvais temps sur l'Atlantique Nord ? Tous les matins, les colons scrutaient le grand fleuve dans l'espoir d'apercevoir une voile, mais en vain : « De jour en jour nous attendions nouvelles, ne sachant que penser[11]. »

Les colons avaient laissé leurs barques à Tadoussac, comme le voulait la coutume. Champlain n'avait conservé qu'une chaloupe à Québec. Elle n'était pas calfeutrée ni même en état de naviguer, et il disait que « l'habitation était sans aucun matelot, ni homme qui pût savoir ce que c'était de les accommoder et conduire[12] ». Il demanda à un Montagnais, que les Français appelaient La Fourière, de descendre le fleuve pour aller aux nouvelles. Le 18 juin, La Fourière revint et dit « qu'il n'avait encore reçu nouvelle d'aucuns vaisseaux qui fussent arrivés à la côte[13] ».

Le 9 juillet, deux hommes arrivèrent à pied de Tadoussac. Ils avaient des nouvelles qui remontèrent le moral de l'habitation. On avait dénombré six vaisseaux là-bas, « chose extraordinaire en ces voyages pour la traite », écrivit Champlain. De qui s'agissait-il ? Plusieurs partis d'Indiens rapportèrent des versions contradictoires. Ils avaient reconnu un homme à bord des navires : Jacques Michel, un huguenot. Mais de quel côté était-il ? Champlain ordonna à un « jeune homme truchement de nation grecque, s'il pourrait se déguiser en sauvage et aller en un canot reconnaître quels vaisseaux ce pouvait être[14] ».

L'interprète grec s'en fut avec deux Indiens. Une heure plus tard, il était de retour avec un autre canot transportant un blessé du nom de Foucher, qui avait été porter des vivres à la ferme de cap Tourmente. Il était suivi de près par le père Joseph, qui avait accouru à Québec par la rive. Les nouvelles étaient mauvaises[15].

Le père Joseph, comme d'habitude, était allé porter les sacrements aux ouvriers français du cap Tourmente, à cinquante kilomètres en aval. Il n'avait parcouru qu'une courte distance quand deux canots de Montagnais étaient apparus en amont, filant à une vitesse étonnante. Ils lui avaient crié « À terre ! À terre ! Sauvez-vous ! » Ils dirent : « Les Anglais sont arrivés à Tadoussac, et ont envoyé ce matin fourrager et brûler le Cap de Tourmente[16]. »

Le père Joseph avait ensuite aperçu un canot à la dérive avec à son bord Foucher, étendu de tout son long, à moitié mort du fait des mauvais traitements des Anglais, les moustaches roussies par le feu. Pris de panique, le père Joseph l'avait abandonné dans son embarcation, puis ses pagayeurs et lui s'étaient précipités sur la rive, avaient dissimulé leurs canot dans les bois et couru jusqu'à Québec[17].

Champlain reconstitua les événements. Les grands navires de Tadoussac étaient donc britanniques. Leur commandant, David Kirke, avait envoyé cinquante hommes armés jusqu'aux dents à cap Tourmente, où ils avaient attaqué et capturé les Français sans défense qui y résidaient : quatre hommes, une femme et une fillette. Dans leur carnaval sadique, ils avaient tué certains animaux dans le pâturage, enfermé les autres dans l'étable et mis le feu aux bâtiments. On imagine les hurlements des animaux terrifiés, la stupeur des fermiers français et la terreur de l'enfant.

Les attaquants avaient ensuite brûlé les deux maisons, dont celle où Foucher avait trouvé refuge ; puis ils avaient dévasté les champs et « ravagé tout ce qu'ils purent jusqu'à des béguins de la petite fille ». Foucher avait trouvé le moyen de s'échapper, grièvement blessé, et il ne savait pas ce qui était advenu des autres Français de la ferme. Les Britanniques avaient cependant échoué dans leur mission première : six bestiaux avaient pu s'enfuir. Les Montagnais en tuèrent cinq et les mangèrent. Champlain envoya une barque au cap pour voir s'il restait quelque chose de la ferme. On ne trouva qu'une vache qui errait dans les bois[18].

Champlain fut consterné par la destruction de la ferme, mais il y avait encore plus troublant : Foucher lui avait dit que plusieurs Montagnais s'étaient joints aux Britanniques, qu'ils les avaient guidés jusqu'à la ferme « aidant aux Anglais à tuer notre bestial, et piller les maisons de nos gens comme s'ils eussent été ennemis ». En fait, ils avaient été peu nombreux à collaborer avec les pillards, mais beaucoup étaient au courant de l'invasion en cours et n'en avaient rien dit à Champlain. Cela était de très mauvais augure : s'il perdait ses alliés indiens, l'avenir de la Nouvelle-France s'en trouverait compromis et sa vision n'était plus que chimère[19].

Au petit matin du 9 juillet, une pinasse à l'allure étrange s'approcha de Québec en silence. Quinze ou seize hommes en armes sautèrent à terre et marchèrent sur l'établissement « pensant surprendre nos gens couchés ». En posant en amis, ils réussirent à capturer quatre habitants. On donna l'alarme, et les habitants se réunirent au fort. « Étant trop acertené de l'ennemi je fais employer tout le monde à faire quelque retranchement autour de l'habitation, au fort des barricades sur les remparts qui n'étaient pas parachevés […]. Je disposai les hommes aux lieux que je jugeai à propos. » La garnison était sur le pied d'alerte[20].

Le lendemain, on aperçut une petite chaloupe sur le fleuve qui s'approchait du couvent des Jésuites à Saint-Charles, près de Québec. Champlain envoya des arquebusiers dans les bois pour arrêter les intrus, mais l'on découvrit que « c'était nos gens ». Dans la barque se trouvaient les pauvres Français qui avaient été faits prisonniers à cap Tourmente : le fermier Pivert, sa femme et sa petite nièce. Il y avait avec eux six Basques qui avaient eux aussi été capturés par les Britanniques. Ils avaient une lettre de David Kirke adressée à Samuel de Champlain[21].

Kirke faisait savoir à Champlain qu'il était muni d'une commission du roi d'Angleterre pour prendre possession de la Nouvelle-France, et que dix-huit navires avaient été dépêchés d'Angleterre dans ce but. Affirmation techniquement exacte si l'on comptait les vaisseaux d'Alexander et de Stewart qui avaient fait voile vers l'Acadie. Kirke annonçait à Champlain qu'il s'était emparé du poste de pêche de l'île Miscou et qu'il s'était saisi de toutes les barques et chaloupes françaises sur cette côte, en plus de celles qui se trouvaient à Tadoussac. Il lui faisait savoir également qu'il avait capturé le vaisseau de la compagnie qui devait avitailler Québec et rasé la ferme de cap Tourmente, « car je sais que quand vous serez incommodé de vivres, j'obtiendrai plus facilement ce que je désire, qui est d'avoir l'habitation ». La lettre offrait des conditions de reddition aisées, non sans proférer quelques menaces[22].

Champlain réagit comme à l'accoutumée. Il ordonna d'abord que la lettre fût lue en public, en la présence du « ledit sieur du Pont et moi et quelques autres des principaux de notre habitation, que je fis assembler pour faire la lecture, pour adviser à ce que nous répondrions ». Puis ils discutèrent. Champlain les écouta tous, puis il prit la parole. Il pressa les habitants de répondre à l'intimidation par la défiance, leur disant qu'ils devraient se battre si nécessaire. « La lecture faite nous conclûmes sur son discours que s'il avait envie de nous voir de plus près il devait s'acheminer, et non menacer de si loin. »

Champlain lui fit une réponse d'une courtoisie exquise et d'une défiance totale. Il commença par louer le roi d'Angleterre et ses officiers, gentilshommes courageux et généreux, et expliqua que « rendre une habitation en l'état que nous sommes maintenant, nous ne serions pas dignes de paraître hommes devant notre roi ». Il fit savoir que les Français avaient perdu fort peu de chose à cap Tourmente et qu'ils disposaient « encore des grains, blés d'Inde, pois, fèves, sans ce que le pays fournit ». Il l'avertit : « La mort combattant nous sera honorable. » Il invita le commandant britannique à visiter Québec et ajouta : « Je m'assure que la voyant et reconnaissant vous ne la jugerez de si facile accès comme l'on vous aurait pu donner à entendre, ni des personnes lâches de courage à la maintenir. » Il conclut ainsi : « Nous attendons d'heure à autre pour vous recevoir, et empêcher si nous pouvons les prétentions qu'avez eues sur ces lieux, hors desquels je demeurerai Monsieur, votre affectionné serviteur, Champlain[23]. »

Les Basques allèrent porter la réponse à David Kirke. Selon Champlain, Kirke, « après s'être informé des Basques », décida de faire « assembler tous ceux de ses vaisseaux, et notamment les Chefs auxquels il lut la lettre ». Ces chefs étaient des hommes d'affaires, non des soldats. Réunis en conseil, ils résolurent de ne pas attaquer. Le bluff de Champlain avait atteint son but : les Kirke croyaient les Français « mieux pourvus de vivres et munitions de guerre que nous n'étions[24] ».

En fait, Champlain n'avait qu'une cinquantaine de livres de poudre à canon et « peu de mèche et de toutes autres commodités ». Même si les Britanniques n'attaquaient pas, il pourrait difficilement tenir Québec car sa garnison avait très peu à manger, seulement sept onces de pois par jour : « S'ils eussent suivi leur pointe, malaisément pouvions-nous résister, écrivit-il, attendu la misère en laquelle nous étions. » Champlain commenta plus tard : « En ces occasions bonne mine n'est pas défendue[25]. »

David Kirke en savait long sur la situation de Champlain, mais c'était un entrepreneur plus soucieux de profit que de gloire. Le fort Saint-Louis de Champlain sur les hauteurs de Québec était une position redoutable. En outre, ce Français résolu croyait profondément en sa cause, et il ne décidait pas en fonction de ses pertes et profits, ce qui en faisait un adversaire trop imprévisible pour un homme d'affaires. Les Kirke avaient déjà obtenu un rendement appréciable avec le pillage des navires et des vivres, et ils avaient saisi de nombreuses cargaisons de fourrures et de poisson. Le commandant britannique ordonna donc à ses hommes de brûler les barques françaises qui étaient trop petites pour franchir l'océan. Puis les Kirke levèrent l'ancre et redescendirent le fleuve avec l'intention de revenir l'année suivante[26].

Alors que ces événements se déroulaient en amont sur le fleuve, le convoi nouvellement arrivé de navires français mouillait en aval. L'amiral Roquemont de Brison avait tenu conseil, semble-t-il. Il avait appris qu'une force britannique supérieure se trouvait à Tadoussac, mais il savait aussi que les colons français de Québec avaient un besoin urgent de vivres.

Roquemont et ses officiers prirent une décision courageuse mais sotte. Ils décidèrent de faire voile vers Québec sous le couvert du brouillard, en essayant d'échapper aux regards anglais. Si besoin était, ils fraieraient leur chemin par les armes, décision folle de la part d'un amiral ayant la charge de quatre navires marchands armés avec femmes et enfants à bord. Il ne connaissait pas le fleuve, et une force britannique beaucoup plus puissante bloquait la route. Ce fut une décision prise en désespoir de cause, mais ils la prirent courageusement, avançant, comme dit Sagard, « entre la crainte et l'espérance ». Ils envoyèrent en avant-garde une petite chaloupe avec dix hommes commandée par un jeune officier, Thierry Desdames. Celui-ci avait pour ordre de s'enquérir si Québec était toujours aux mains des Français[27].

Français et Britanniques se mirent en marche à peu près au même moment, les premiers remontant le fleuve depuis Gaspé avec leurs quatre gros navires marchands, et les seconds descendant de Tadoussac avec leurs cinq ou six vaisseaux de forte taille, en plus de la petite barque française qu'ils avaient capturée. Les vaisseaux britanniques étaient armés comme des bâtiments de guerre, avec des équipages nombreux, de plus gros canons et un poids en métal supérieur. Les deux flottes s'aperçurent le 17 juillet sur le Saint-Laurent, en aval du site actuel de Rimouski. Avec un peu plus de chance et de brouillard, les Français auraient peut-être réussi à passer au travers, car le fleuve fait près de cinquante kilomètres de large en ce point. Mais les Britanniques étaient alertes et ils découvrirent les Français avec grande « diligence », comme l'observèrent leurs ennemis[28].

Les Britanniques étaient en amont et avaient pour eux l'avantage du courant, l'équivalent fluvial de l'avantage du vent, ce qui, à l'époque de la marine à voile, conférait une supériorité certaine à la manœuvre. Les vents les favorisaient aussi, soufflant de l'ouest dans leur dos, alors que les Français étaient incapables de manœuvrer et lents à réduire la distance[29]. À bord du vaisseau amiral, David Kirke et le pilote huguenot Michel décidèrent de rester à la limite extrême de la portée des canons français, et de « les battre à coups de canons », où ils avaient l'avantage[30].

Les navires britanniques avaient mouillé une ancre par l'avant et une autre par l'arrière, de telle manière que la flotte française fût face à leurs canons, et ils ouvrirent le feu. L'amiral français plaça ses vaisseaux dans une position telle que ceux-ci se trouvaient à portée de canon de l'ennemi mais incapables de lui rendre son feu. Le commandant français conserva cette position pendant quatorze ou quinze heures. Selon un témoignage, les deux côtés échangèrent plus de douze cents coups de canon, et l'artillerie anglaise, étant plus lourde, se mit à marquer des points. Les Français subirent des pertes, dont celle de l'amiral de Roquemont lui-même. Les Britanniques ne signalèrent aucune perte, preuve que la bataille fut en effet livrée hors de la portée du gros de l'artillerie française[31].

Les Français opposèrent une vive résistance dans ce combat très inégal, mais au bout de quinze heures ils se mirent à manquer de munitions. Désespérés, ils se mirent à faire feu de tout ce qu'ils pouvaient trouver, même des plombs de leurs sondes. Puis, un par un, leurs canons se turent. Incapables de résister à un ennemi qui avait l'avantage de la puissance de feu, du nombre et de la position, les Français se rendirent.

Tous les navires des Cent-Associés et leur précieuse cargaison furent perdus, et les quatre cents Français furent faits prisonniers.

Les Britanniques agirent humainement. Ils promirent de respecter la vertu des femmes et des fillettes, acceptèrent de traiter les prêtres avec respect et reçurent les officiers avec les honneurs dus à leur rang. De même, ils assurèrent le retour en France des voyageurs et des équipages ; seuls les chefs furent retenus captifs et rançonnés par les Kirke, qui ne rataient jamais l'occasion de faire un profit[32].

Une petite barque française parvint à s'enfuir. Plus tard, Champlain apprit de ces Indiens qu'il nommait les Canadiens « qu'un petit vaisseau français arrivant sur cette affaire, ne voulant être de la partie, se sauva partie à la rame et à la voile, et connut-on que c'était le Révérend Père Noyrot jésuite, qui s'était séparé depuis longtemps d'avec ledit de Roquemont ». Champlain fit observer qu'ils « eussent entré facilement en la rivière pour venir à Québec nous secourir, ce qui l'occasionna de s'en retourner en France[33] ».

Après la bataille, les Kirke passèrent dix jours à Gaspé à radouber leurs vaisseaux. Ils avaient échoué dans leur tentative de prendre Québec, mais ils avaient atteint leurs autres objectifs et réalisé un très gros profit. Ils avaient pris en tout dix-huit vaisseaux dans les eaux côtières de Nouvelle-France et en avaient brûlé douze autres qu'ils n'avaient pu emmener. Ils avaient épargné deux navires pour faire repasser en France les familles françaises et les équipages. L'effort le plus imposant jamais consenti par les Cent-Associés au titre de la colonisation s'était soldé par une perte totale[34].

Les Kirke rentrèrent triomphalement en Angleterre avec un butin considérable, dont cent trente-huit canons et de grandes quantités de vivres et de marchandises de traite. Leur opération commerciale avait été couronnée de succès. Les décisions qu'ils avaient prises tout au long de l'expédition, surtout la décision de quitter Québec et d'attaquer plutôt la flotte française sur le fleuve, avaient eu pour effet de minimiser les pertes et d'optimiser les profits, retardant cependant les ambitions conquérantes de l'Angleterre[35]. David Kirke fut néanmoins fait chevalier par Charles Ier et ses armoiries furent augmentées d'un canton avec les armoiries du commandant français Claude de Roquemont : « le lion couchant avec chaîne au cou, se prostrant devant son vainqueur ». En 2003, des archéologues découvrirent à Terre-Neuve un sceau d'or portant les nouvelles armoiries de Kirke et l'emblème d'un cœur flamboyant[36].

FESTINS INDIENS ET ALLIANCES

Lors de sa première visite en Nouvelle-France, en 1603, Champlain, accompagné de Pont-Gravé, eut l'audace de pénétrer dans un campement à l'embouchure du Saguenay où se trouvaient un millier d'Indiens. Il prit part à une « tabagie », à la faveur de laquelle fut conclue une alliance qui allait durer deux siècles. Champlain fit la même chose avec les Penobscots, les Micmacs, les Hurons, les Algonquins et bien d'autres nations. À certains égards, ces agapes devaient ressembler à ce tableau que fit plus tard George Catlin d'une grande fête de la nation mandane, qui vivait près des Grands Lacs à l'époque de Champlain et migra plus tard vers les Grandes Plaines. (B1)

SAINTE-CROIX

L'île Sainte-Croix sur cette photo aérienne de 2004 est remarquablement simi-laire à la carte qu'en a faite Champlain en 1604. Le sieur de Mons et Cham-plain y avaient installé leur première colonie, qui se solda par un désastre par suite de l'hiver terrible de 1604-1605. L'île est située dans la rivière Sainte-Croix, à cheval sur la frontière entre les États-Unis et le Canada. (B2)

PORT-ROYAL

En 1605, les Français quittèrent Sainte-Croix pour Port-Royal, aujourd'hui Annapolis Royal, en Nouvelle-Écosse. La colonie prospéra grâce au concours des Micmacs, mais le Conseil du roi la condamna en lui retirant son monopole en 1607. Ce dessin de Francis Back est basé sur des sources documentaires et archéologiques abondantes. (B3)

GUERRIERS MICMACS

Le Codex Canadensis *de Louis
Nicolas (1700) nous montre un
parti de guerre en mer formé de
ceux que Champlain appelle les
Souriquois, les Micmacs d'aujourd'hui, allant guerroyer contre
des ennemis héréditaires de
l'autre côté du golfe du Maine.
Champlain s'employa à mettre
un terme aux guerres incessantes
entre ces nations de la mer. (B4)*

INDIENS À LA PÊCHE

*Les Indiens du fleuve Saint-
Laurent et de l'Acadie étaient
d'habiles mariniers. Le Codex
Canadensis de Louis Nicolas nous
les montre à l'œuvre. Le rameur de
proue joue de la flûte pour apaiser
les esprits et appeler le poisson,
alors que le rameur de poupe se
sert d'un filet lesté et d'un harpon.
Ils pêchaient l'esturgeon, le saumon, la carpe, le turbot, le maquereau, l'achigan et l'alose. (B5)*

LA TRAITE DES FOURRURES À QUÉBEC

La seconde habitation de Champlain à Québec (1624-1635) se dressait sur l'actuelle place Royale. Cette scène dépeinte par Francis Back, qui se fonde sur les récits de Champlain et des fouilles archéologiques, nous montre une journée fort chargée. Des Hurons arrivent (à gauche) tandis que des Algonquins se réunissent à l'arrière-plan et qu'un Cheveux-Relevés parfaitement coiffé s'apprête à partir. Champlain, vêtu de son costume rouge favori, discute avec un truchement et un Montagnais, entouré d'Indiens qui se déplacent librement dans l'habitation. (B6)

LES TROIS SOUVERAINS DE LA FRANCE DE CHAMPLAIN

Champlain poursuivit son rêve américain sous trois souverains très différents. Il fit de grandes choses avec le soutien d'Henri IV (1589-1610), survécut à l'hostilité de Marie de Médicis (1610-1617) et gagna le cœur de Louis XIII (1617-1635). Tant de ténacité et d'habileté force l'admiration. Rubens nous montre la reine acceptant l'orbe du roi d'une main et tenant le petit dauphin de l'autre. Est-ce qu'elle l'élève ou le retient ? (B7)

MES.^{RE} NICOLAS·BRVLART·MAR^Q
DE·SILLERY·CHANCELIER·DE·
····FRANCE····

*LE CERCLE AMÉRICAIN
DE CHAMPLAIN À LA COUR*

À la cour, trois puissants personnages soutinrent Champlain pendant la régence de Marie de Médicis et la jeunesse de Louis XIII. Charles II de Cossé-Brissac (en haut à gauche) était maréchal de France et l'ancien supérieur de Champlain. Pierre Jeannin (1540-1622) (à gauche) était président du Parlement de Dijon et conseiller du roi. Nicolas Brûlart de Sillery (1544-1624) était chancelier de France. Tous étaient favorables au grand dessein de Champlain. (B8)

*R*ICHELIEU ET *C*HAMPLAIN

Le cardinal de Richelieu (1585-1642) était le principal ministre de Louis XIII et, à ce titre, fut l'un des architectes de l'absolutisme français et le maître des colonies. Sa real-politik brutale était fort éloignée du rêve de Champlain. Les deux hommes œuvrèrent de concert mais sans chaleur. Leurs rapports difficiles mettaient aux prises deux éthiques radicalement différentes. Ce triple portrait de Richelieu par Philippe de Champaigne nous fait entrevoir la complexité du personnage. (B9)

Le dernier ouvrage de Champlain

En 1635, une embolie paralysa Champlain, sans toutefois le priver de ses facultés mentales. Il se prépara à mourir avec sa prévoyance coutumière et étudia des œuvres telles que Les Dévots Élancements du poète chrestien *(1600), qui contient le poème* La Considération de la mort *par un « nautonnier sage et bien versé ». Dans les derniers mois de sa vie, Champlain dicta son testament, où il voua une bonne part de son avoir au soutien de la Nouvelle-France, subventionna des mariages entre colons et aida son filleul indien. Même sur son lit de mort, il ne cessa de nourrir son rêve d'humanité et de paix. (B10)*

Alors que les escadrilles françaises et anglaises se livraient bataille, la petite chaloupe française contourna l'ennemi et serra la rive dans le brouillard. L'équipage mit pied à terre et attendit que les Anglais s'en aillent, puis tous reprirent la route de Québec.

Ils trouvèrent le commandant français hors de lui. Champlain était dans une situation des plus angoissantes. Il tança le jeune capitaine de la chaloupe à qui il reprocha d'avoir quitté le lieu de la bataille navale sans même savoir qui l'avait emporté. L'officier lui répondit qu'il n'avait reçu aucun ordre en ce sens. Champlain était également furieux de voir onze hommes s'ajouter à son effectif, ce qui ne ferait qu'augmenter le nombre de bouches à nourrir alors que l'on commençait à manquer de pois. Ce fut l'un de ces rares moments où Champlain perdit son sang-froid et traita un jeune officier durement et injustement. Il finit pourtant par se maîtriser, écrivant : « mais il n'y avait remède, je leur fis la même part qu'à ceux de l'habitation[37] ».

L'année qui suivit fut atroce pour Champlain et les habitants de Québec. Environ soixante-treize personnes y avaient hiverné en 1627-1628. À peu près cinquante-six vivaient à l'habitation, dont dix-huit ouvriers. Six autres habitaient à la ferme Hébert-Couillard, trois chez les récollets et huit chez les jésuites de la rivière Saint-Charles. Six ou huit avaient dû quitter la ferme de cap Tourmente, auxquels s'ajoutaient les onze hommes de la chaloupe qui avaient tant déplu à Champlain. Si l'on

Les armoiries de David Kirke, le conquérant britannique de Québec. En 2003, des archéologues ont découvert à Terre-Neuve trois tout petits sceaux d'or. Charles Ier avait enrichi l'écu d'un rectangle avec les armoiries de l'amiral de Roquemont, dont la flotte avait été capturée par Kirke dans la bataille du Saint-Laurent de 1628.

ajoutait à cela divers interprètes, trafiquants et enfants abandonnés, la population de Québec oscillait entre quatre-vingt-dix et cent personnes à l'hiver 1628-1629[38].

Champlain n'avait pas assez de vivres pour tout ce monde. Il restait encore des réserves de pois séchés et de fèves, assez pour une ration de sept onces par jour. « Ainsi nous fallut passer la misère du temps », écrivit-il. Même au cours de l'été, nous dit Champlain, « nous mangions nos pois par compte, ce qui diminuait beaucoup de nos forces, la plupart de nos hommes devenant faibles et débiles[39] ». Il rationna toute la colonie, ne s'accordant que la part la plus petite. On avait fait le contraire dans d'autres colonies affamées. À Jamestown, en Virginie, lors de la terrible première année, les chefs s'étaient attribué la part du lion, et la plupart avaient survécu à l'hiver. Les colons de rang inférieur avaient reçu beaucoup moins, et la plupart avaient péri. À Québec, écrivit Champlain, la plus petite part alla à « ceux qui étaient avec moi au fort, étant les plus mal pourvus de toutes choses[40] ».

Champlain s'efforça d'allonger les rations en faisant moudre les pois en farine. Il essaya d'abord avec des mortiers de bois, mais cela prenait trop de temps. Il demanda donc aux artisans de lui fabriquer une meule. Ils trouvèrent les matériaux qui convenaient, taillèrent les pierres et les installèrent. « De sorte que cette nécessité nous fit trouver ce qu'en vingt ans l'on avait cru être comme impossible. Ce moulin s'achève avec diligence, où chacun portait sa semenée de pois que l'on moulait et en recevait-on de bonne farine, qui augmentait notre bouillie, et nous fit un très grand bien, qui nous remit un peu mieux que nous n'étions auparavant[41]. »

À l'automne commença la pêche à l'anguille, « qui nous aida beaucoup ». Mais les Français n'avaient pas encore maîtrisé cet art. L'anguille se pêchait souvent la nuit, avec deux Indiens dans un canot, l'un tenant une torche pour attirer les anguilles et l'autre les harponnant avec ce qui ressemblait à une lance de baleinier. Mais les Montagnais, « habiles à cette pêche », gardaient le secret de leur art. D'après Champlain, ils « ne nous en donnèrent que fort peu, les nous vendant bien chères, chacun donnant leurs habits et commodités pour le poisson, il en fut traité quelque douze cents du magasin pour des Castors neufs, n'en voulant point d'autres, dix anguilles pour Castor, lesquelles furent départies à un chacun, mais c'était peu de chose[42] ».

Quand la chasse d'hiver commença, certains Indiens aidèrent les colons français, en particulier le capitaine montagnais Chomina, l'ami de Champlain. D'autres Indiens leur apportèrent quelques orignaux, « bien que peu pour tant de personnes ». Champlain envoya quelques Français chasser, mais ceux-ci ayant tué un « élan très puissant, ils s'amusèrent à le dévorer comme loups ravissants, sans nous en faire part ». Champlain leur reprocha leur égoïsme et ne leur permit plus de retourner chasser[43].

Dans les mois froids de 1628-1629, les gens de Québec furent affaiblis par la faim. En outre, cet hiver-là fut long et dur. Les habitants devaient accomplir ce dur travail qui consistait à couper le bois de chauffage et à le traîner sur la neige sur plus de deux mille pas, travail très fatigant pour des hommes sous-alimentés, mais au moins ils purent se chauffer pendant les moments les plus froids de l'hiver, et le scorbut ne revint pas[44].

Au printemps, les maigres réserves de légumes étaient presque épuisées, et l'établissement affamé restait toujours sans nouvelles de France. Champlain écrivit que les enfants « criaient à la faim après leurs pères et mères ». Spectacle, dit-il, qui était « la déploration la plus sensible en ces lieux en ce temps de disette[45] ». Les habitants manquaient de pain, de vin, de sel, de beurre, et d'espoir. Il ne restait des provisions sèches que pour un mois, et Champlain était profondément inquiet[45].

Il fallait désormais chasser et cueillir pour survivre. Champlain pressa ses compagnons de s'adonner à la pêche. « Les autres faisaient ce qu'ils pouvaient pour prendre du poisson, et faute de filets, lignes et hains [hameçons], nous ne pouvions faire grande chose. » En outre, « la poudre pour la chasse nous était si chère que je désirais mieux pâtir que d'user si peu que nous en avions, qui n'était pas plus de trente à quarante livres, et encore très mauvaise[46] ». Dans cette extrémité, leur seul recours fut d'aller à la recherche d'herbes et de racines : « En attendant la moisson on était tous les jours à la recherche des racines pour vivre, ce qui causait de grandes fatigues. » Les colons cherchaient maintenant leur subsistance dans la forêt. « On allait six à sept lieues les chercher, avec une grande peine et patience, sans en trouver en suffisance pour en vivre. » Mais ils réussirent à cueillir des plantes et des racines comme le sceau de Salomon, la clintonie boréale et des bulbes de lys sauvages[47].

La famine s'avéra un puissant tonique pour l'agriculture à Québec. Les habitants avaient assez de semences pour la ferme des Hébert et le jardin des jésuites. Au printemps 1629, de nombreux champs furent cultivés autour de l'établissement. Les jésuites labouraient leur propre terre, mais d'après Champlain « ils n'avaient que de la terre défrichée et ensemencée pour eux et serviteurs au nombre de douze ». Ils donnèrent quand même du blé d'Inde et des navets aux habitants, et une part de leur réserve servit à nourrir les enfants[48]. Les récollets avaient plus de terres cultivées, et ils n'étaient que quatre. Ils promirent « que s'ils en avaient plus qui ne leur faudrait en quatre à cinq arpents de terre ensemencée de plusieurs sortes de grains, légumes, racines, et herbes potagères qu'ils nous en donneraient ». Il y avait quelques petites fermes montagnaises près de l'établissement. L'une d'elles était cultivée par le converti La Nasse, qui avait sa cabane près des jésuites, et lui aussi donna un coup de main[49].

La ferme Hébert-Couillard commençait aussi à produire. La veuve Hébert et son gendre « avaient quelque six à sept arpents de terres ensemencées », surtout « des pois et des fèves ». Ils produisaient assez pour se suffire à eux-mêmes et fournirent un petit surplus de sept barils de pois et d'orge à l'établissement. À l'été, ils apportèrent aussi « une petite esculée d'orge, pois et blé d'Inde par semaine, pesant environ neuf onces et demie, qui était fort peu de chose à tant de personnes ». On en faisait une « bouillie de bonne farine » faite moitié de pois, moitié d'orge, à quoi on mêlait des racines trouvées dans les bois et qu'on parfumait avec des herbes sauvages, « qui nous remit un peu mieux ». Même au bord de la famine, les habitants français conservaient le sens de la gastronomie. Les Hébert gardaient une part de leur production pour nourrir leur famille, et Champlain fermait les yeux : « ce que je ne faisais pas semblant de voir, bien que je pâtissais assez[50] ».

Les habitants avaient aussi leurs potagers. Champlain en avait fait la promotion activement, et il est intéressant de voir comment il s'y prit. Ici, comme dans d'autres domaines, il essaya d'encourager l'entreprise individuelle et comprit que les confiscations et les corvées seraient inopérantes. Il encouragea les colons à cultiver leurs terres pour leur propre profit, et leur demanda de remettre leurs excédents à la communauté. En pleine adversité, il développa l'assise agricole de la colonie en privilégiant l'entreprise mixte, ce qui donna des résultats plus heureux que l'enrégimentement de la main-d'œuvre en usage dans d'autres colonies. Méthode également plus efficace que le laisser-faire[51].

Dans ces moments difficiles, les Indiens secoururent grandement les Français. Champlain avait demandé aux Hurons de prendre avec eux vingt Français « pour nous soulager de notre poids ». Ils acceptèrent et les nourrirent pendant tout l'hiver et au printemps 1629[52]. Les Hurons donnèrent également au père Brébeuf cinquante livres de farine de maïs pour la colonie. Les pères récollets ajoutèrent deux sacs de farine obtenus des Hurons, et Pont-Gravé en acquit un troisième par le troc[53]. Au milieu de l'été, les Hurons renvoyèrent les Français à Québec. Le 17 juillet 1629, d'après Champlain, « arrivèrent nos hommes des Hurons en douze canots[54] ».

L'établissement n'avait pas de quoi les nourrir. Champlain se tourna alors vers une autre nation indienne et envoya les hommes vers « l'habitation des Abénaquis pour vivre de leurs blés d'Inde en attendant le printemps ». Il en envoya d'autres chez les Etchemins plus au sud et quelques-uns vers la nation qu'il appelait les Canadiens, en Gaspésie. Le 15 juin, Thierry Desdames descendit le fleuve en chaloupe jusqu'à Gaspé, y rencontra Juan Chou, un « capitaine » des Canadiens, qui « leur avait bonne réception selon leur pouvoir, s'offrant que si le sieur du Pont voulait aller en leur pays, au cas que nos vaisseaux ne vinssent, qu'il ne manquerait d'aucune chose de leur chasse ». Chou donna aux Français un baril et demi de sel et offrit de prendre « vingt de nos compagnons qui partiraient parmi les siens pour y passer l'hiver, où ils n'auraient aucune faim, moyennant deux robes de castor pour chaque homme ». D'après Champlain, les Canadiens appuyaient les Français sans réserve et « avaient une grande aversion contre les ennemis[55] ».

Quant aux Montagnais, ils étaient divisés. Leur chef Chomina et son frère voulurent aider Champlain. Le frère, Ouagabemat, « s'offrit d'aller à la côte des Etchemins où étaient les Anglais pour y traiter de la poudre, il demanda qu'on lui donnât un Français, lequel demeurait à deux journées dans les terres de la côte, ce qui lui fut accordé, pour tâcher de quelque façon que ce fût à nous maintenir ». Les deux partirent le 8 juillet, quittèrent le fleuve et parcoururent quelque distance en pays etchemin, mais « trouvèrent si peu d'eau qu'ils furent contraints de s'en revenir[56] ».

Champlain avait confié une autre mission à ces émissaires. Même dans l'adversité la plus profonde, il continuait de se renseigner sur le Nouveau Monde. Comme il ne pouvait quitter l'établissement à cause des difficultés qu'il éprouvait, il envoya des interprètes dans plusieurs directions pour recueillir des informations sur le pays, en étudier les rivières et les cours d'eau et connaître « les peuples et nations qui sont en ces contrées, leurs façons de vivre[57] ».

Alors que Champlain se débattait avec tous ces problèmes à la fin du printemps 1629, les Britanniques revinrent[58]. Les frères Kirke, tous les cinq cette fois, arrivèrent à Gaspé le 15 juin 1629. L'attaque de 1628 avait aiguisé l'appétit des entrepreneurs britanniques. Le commerce des fourrures et les pêcheries étaient des activités fort prometteuses, et les petits établissements de Nouvelle-France étaient fruits mûrs pour la cueillette. Pour cette raison, William Alexander et un groupe de financiers écossais s'étaient joints aux Kirke pour former la Compagnie des aventuriers du Canada, également connue sous le nom de Compagnie anglaise et écossaise. En février 1629, Charles Ier leur accorda le monopole sur la traite des fourrures dans la vallée du Saint-Laurent et les pays adjacents. Ils reçurent également une commission les autorisant à détruire tous les établissements français[59].

Les Britanniques étaient revenus en force. Deux flottes avaient atteint l'Amérique : Alexander menait celle de l'Acadie, et l'autre, commandée par David Kirke, avait pris la route du Saint-Laurent. Ils interceptèrent le petit vaisseau que Champlain avait envoyé pour chercher de l'aide. Les Kirke apprirent alors qu'il y avait pénurie de vivres et de munitions à Québec, et que l'habitation était aux abois. Cette fois-ci, Champlain ne pourrait pas bluffer.

Au matin du 19 juillet 1629, le valet de Champlain s'en fut hors du fort cueillir des racines et des baies pour le petit déjeuner. Vers les dix heures, il revint en courant et dit que les navires anglais étaient à la pointe Lévis, à une lieue de l'établissement. Champlain rassembla les habitants : « Je ne laissai de mettre en ordre si peu que nous avions, pour éviter la surprise tant au fort qu'à l'habitation. » Les jésuites et les récollets « accoururent aussitôt à ces nouvelles pour voir ce que l'on pourrait ».

Champlain tint conseil avec « ceux que je jugeai à propos pour savoir ce que nous aurions à faire en ces extrémités ». Après une brève discussion, « il fut arrêté qu'attendu l'impuissance en laquelle nous étions, sans vivres, poudre ni mèche, et sans secours, il était impossible de nous maintenir, c'est pourquoi qu'il nous fallait chercher une composition la plus avantageuse que nous pourrions[60] ».

À marée haute, les Britanniques envoyèrent un bateau portant drapeau blanc pour obtenir audience. Champlain fit hisser un drapeau pour leur faire savoir que leurs émissaires seraient reçus. Un gentilhomme anglais aux manières impeccables descendit à terre et remit à Champlain une lettre des frères Kirke : Louis Kirke, qui était venu assumer le commandement du fort, et le capitaine Thomas Kirke, « vice-amiral » sur le fleuve. Leur lettre était rédigée avec une courtoisie délicieuse. Elle commençait par rappeler à Champlain sa lettre de l'année précédente, ajoutant aussitôt que David Kirke « nous a chargé de vous assurer de son amitié, comme nous vous faisons de la nôtre ». Sur le ton du regret, il était dit ensuite que l'on connaissait bien « les nécessités de toutes choses auxquelles vous êtes ». Les Kirke invitaient Champlain à « remettre le fort et l'habitation entre nos mains » et lui assuraient « toutes sortes de courtoisie pour vous et pour les vôtres, comme d'une composition honnête et raisonnable, telle que vous sauriez désirer ». Aucune menace, nulle injure, aucune expression d'hostilité ou de mépris[61].

Champlain fut tout aussi aimable dans sa réponse. Messieurs, écrivit-il, les circonstances « nous ont ôté le pouvoir d'empêcher votre dessein, comme nous avions fait l'année passée, sans vous donner lieu de faire réussir vos prétentions, qui ne seront s'il vous plaît maintenant qu'en effectuant les offres que vous nous faites d'une composition, laquelle on vous fera savoir en peu de temps après nous y être résolus, ce qu'attendant il vous plaira ne faire approcher vos vaisseaux à la portée du canon, ni entreprendre de mettre pied à terre que tout ne soit résolu entre nous, qui sera pour demain[62] ».

Champlain n'attendit pas qu'on lui communiquât les conditions de la reddition. Il les composa lui-même. En tête de liste était l'obligation pour Kirke de produire sa commission prouvant que son action était un acte de guerre légitime. Il exigeait aussi un navire qui ferait repasser en France tous les habitants de Québec (soit une centaine de personnes), y compris les jésuites et les récollets ainsi que deux des trois jeunes « Sauvagesses qui m'ont été données il y a deux ans ». Troisièmement, « que l'on nous permettra sortir avec armes et bagages, et toutes sortes d'autres commodités de meubles que chacun peut avoir [et] que l'on nous donnera des vivres à suffisance pour nous repasser en France en [é]change de pelleteries [...] sans que l'on fasse aucune violence à qui que ce soit[63] ».

Les Kirke firent droit à presque toutes les revendications de Champlain. Ils lui promirent de produire leur commission royale à Tadoussac, lui offrirent le passage en Angleterre, et de là en France, et permirent aux officiers de conserver leurs armes, vêtements et fourrures. Les autres auraient droit à leurs vêtements et à une peau de castor par personne ; mais les pères ne conserveraient que « leurs robes et leurs livres ». On lui refusa cependant une chose à laquelle il tenait beaucoup : il ne lui serait pas permis d'emmener en France ses protégées montagnaises[64].

Champlain et ses officiers discutèrent des conditions de la reddition et décidèrent de les accepter, car c'était tout « ce que l'on pourrait faire en ces extrémités ». Le 20 juillet, les Anglais apparurent devant Québec avec trois vaisseaux, un flibot et deux barques, vingt-deux canons et cent cinquante hommes. Champlain monta à bord du flibot et discuta du sort des fillettes indiennes avec Louis Kirke. Champlain lui fit savoir sans ambages qu'il entretenait avec elles une relation paternelle et qu'elles tenaient beaucoup à le suivre en France. « Je fis tant avec ledit Capitaine Louis que je le relevai des doutes qu'il avait, me permettant de les emmener, ce que sachant ces filles furent fort réjouies[65]. »

Puis Louis Kirke descendit à terre avec ses hommes, et selon le mot de Champlain, « s'acquitta de sa charge en homme de bien ». Il insista pour que Champlain conservât ses quartiers et envoya des soldats protéger la chapelle, les jésuites et les récollets. Champlain demanda que l'on permît aux pères de chanter une messe, et Kirke acquiesça. Il demanda aussi que l'on fît faire un inventaire de tout ce qui se trouvait au fort et dans l'habitation, et de nouveau Kirke donna son assentiment. L'inventaire a survécu et nous donne une idée de l'armement qu'il y avait à Québec, qui en faisait une place assez bien défendue. Mais avec seulement quarante livres de poudre, il n'y avait pas de quoi soutenir un siège. Kirke offrit de partager ses provisions avec les habitants affamés de Québec[66].

Quatre Français gagnèrent le camp de Kirke, et leur conduite fut fort différente. Le Baillif, un ancien commis de la compagnie de Caën qui avait été chassé pour inconduite, retourna sa veste et se joignit aux Anglais. De cet homme, Champlain nous dit : « Il est sans foi ni loi, bien qu'il se dise catholique [...] on recevait toute sorte de courtoisie des Anglais, mais de ce malheureux tout mal[67]. » Un autre vire-capot avait nom Pierre Raye, charron de Paris, et « l'un des plus perfides traîtres et méchants qui fût en la bande ». Deux interprètes, Étienne Brûlé et Nico-

*La reddition de Champlain à Louis Kirke, le 19 juillet 1629. À l'avant-plan, un mer-
cenaire britannique tenant une pique d'abordage. On voit s'avancer un Champlain
vieilli mais très robuste, vêtu impeccablement : pourpoint de velours noir, dentelle
blanche, manches à crevés et large ceinture écarlate. Les habitants saluent leur digne
chef, qui leur a promis de recouvrer la colonie.*

las Marsolet, entrèrent eux aussi au service des Anglais, mécontentant fort Champlain[68].

Le lendemain, Louis Kirke ordonna à ses tambours de battre le rappel de ses hommes. Il se rendit au fort et fit hisser le drapeau de l'Angleterre. La croix écarlate de saint Georges sur fond blanc se mit à battre au vent, au-dessus des remparts de Québec. Les Anglais tirèrent des salves des navires et des remparts[69].

Certains Français refusèrent de quitter Québec. Les Hébert et les Couillard, propriétaires terriens, voulaient rester en Amérique, même sous gouvernement anglais. « Louis Kirke était courtois, tenant toujours du naturel français, et d'aimer la nation, bien que fils d'un Écossais qui s'était marié à Dieppe, il désirait obliger en tant qu'il pouvait ces familles et autres Français à demeurer, aimant mieux leur conversation et entretien que celle des Anglais, à laquelle son humeur montrait répugner[70]. »

Kirke assura aux habitants qu'ils pourraient conserver leurs terres et rester dans leurs maisons « aussi librement comme [ils avaient] fait avec les Français ». Il leur promit de les laisser commercer avec les Indiens, et s'ils étaient malheureux ils pourraient rentrer en France[71]. « Ils m'en demandèrent mon avis », dit Champlain. Celui-ci leur répondit qu'il espérait voir la France reprendre possession de Québec un jour, « par la grâce de Dieu », et leur conseilla de rester une année. Ils lui firent savoir qu'ils écouteraient son conseil. Grâce à leur décision, même si les Anglais entraient en possession de Québec, une forte présence française y subsisterait[72].

Champlain fut traité aimablement par Louis Kirke, et on lui permit de vivre tranquillement dans ses quartiers du fort. Mais il lui était pénible de voir les Anglais maîtres du Canada[73]. Finalement, n'y tenant plus, il pria Louis Kirke de « me permettre de m'en aller à Tadoussac où j'attendrais le départ des vaisseaux, passant mon temps avec le Général [David Kirke] qui y était, ce qu'il m'accorda ». Champlain prit ses effets personnels, monta à bord du flibot et s'en fut[74].

À Tadoussac, Champlain vit que les Kirke étaient présents en force, qu'ils disposaient de ressources de loin supérieures à celles que les Français avaient pu mobiliser en Amérique. Outre les trois petits navires qui étaient montés à Québec, les Kirke avaient cinq grands vaisseaux jaugeant chacun trois ou quatre cents tonneaux « très bien amunitionnés de canons, poudres, balles, et artifices à feu », et environ six cents hommes[75].

Thomas Kirke confia son prisonnier à son frère David, qui lui fit « très bonne réception ». Ils passèrent en revue les conditions de la reddition de Québec. Un problème subsistait ici. À la grande surprise de Champlain, on lui refusa de nouveau la permission de faire passer ses pupilles indiennes en France. L'une d'elles, Foi, avait décidé de rester avec les siens, et des dispositions avaient été prises en ce sens. Les deux autres, Espérance et Charité, désiraient ardemment voir la France. Mais Nicolas Marsolet ne l'entendait pas ainsi. Il voulait garder les jeunes filles pour lui, et il avait fait croire à David Kirke que les Montagnais s'opposaient à leur départ. Champlain et les fillettes elles-mêmes traitèrent Marsolet de menteur.

L'affrontement final eut lieu lorsque les Kirke invitèrent à dîner les capitaines anglais, Champlain, Marsolet et les deux jeunes filles à la même table. Les deux Montagnaises étaient si malheureuses qu'elles refusèrent de manger et de boire. Espérance s'en prit à Marsolet, le traitant de traître et l'accusant d'avoir cherché à la séduire. Se tournant vers lui, elle lui lança : « Si à l'avenir tu m'approches je te donnerai d'un couteau dans le sein, quand je devrais mourir aussitôt. » Charité renchérit, disant à Marsolet : « Si je tenais ton cœur j'en mangerais plus facilement et de meilleur courage que des viandes qui sont sur cette table. »

David Kirke ne savait plus qui croire, mais la crainte de déplaire aux Montagnais l'emporta. Il ordonna aux jeunes filles de rester en Amérique, en dépit de leurs pleurs et de leurs supplications. Elles attaquèrent Marsolet avec « le courage des amazones », et elles dirent qu'elles suivraient Champlain jusqu'en France, quand bien même elles devraient traverser l'océan en canot. Mais David Kirke fut inébranlable, et les jeunes filles ne purent partir[76].

À d'autres égards, Champlain fut fort bien traité. Il s'assura de ne jamais aider ses ravisseurs britanniques en quoi que ce soit, ou de reconnaître la légitimité de leur conquête. Mais sur le plan personnel, il s'entendit à merveille avec David Kirke. Les deux allèrent même chasser ensemble : « Moi et quelques autres passions le temps avec ledit Général à la chasse du gibier, qui y est en cette saison abondante, et principalement d'alouettes, pluviers, courlieux, bécassines desquels il en fut tué plus de deux mille. » Ils voulaient d'abord ravitailler les nombreux captifs français et marins britanniques dont ils avaient la responsabilité.

Mais ces deux gentilshommes d'Ancien Régime chassaient aussi pour le plaisir[77]. Après la chasse, ils allèrent à la pêche avec les Indiens : « Outre la pêche que les sauvages faisaient du saumon et truites qu'ils nous apportaient en assez bonne quantité, et de l'épelan [éperlan] que l'on prit en grand nombre avec des filets et quelques autres poissons, le tout très excellent[78]. »

Dans les échanges qu'ils eurent, Champlain transmit au « général » quelques nouvelles de France : « Je lui fis entendre comme ledit Émery de Caën [m']avait dit personnellement que la paix était faite, l'ayant su de personnes dignes de foi au partir de La Rochelle. » Si cela était vrai, alors la conquête de Québec était illégale. David Kirke passa outre. « A-t-il les articles ? » demanda Kirke. « Non », répondit Champlain. « Alors, ce sont contes faits à plaisir », fit Kirke[79].

Mais Champlain avait averti Kirke. Si ces rumeurs de paix s'avéraient, la conquête de la Nouvelle-France serait tenue pour nulle et non avenue. Elle serait invalidée, et Champlain était décidé à faire en sorte que ce fût le cas.

CHAPITRE 20

Reconquérir
la Nouvelle-France

L'épreuve suprême, 1629-1632

*Depuis que les Anglais eurent pris possession de Québec, les
jours me semblaient des mois.*

SAMUEL DE CHAMPLAIN, *Voyages*, 1632[1]

À l'automne 1629, les Kirke décidèrent de rentrer en Grande-
Bretagne. David Kirke ordonna que les navires à Tadoussac fussent
carénés, leurs œuvres vives grattées et calfatées. Sur les instances de
Champlain, Kirke envoya d'autres vivres à Québec, de quoi affronter
le long hiver à venir. La barque emmena aussi les deux filles indiennes
de Champlain, Espérance et Charité, qui furent rendues aux Montagnais. Le beau-frère de Champlain, Eustache Boullé, leur remit des chapelets en guise de cadeau d'adieu. Champlain leur promit que les Français reviendraient un jour et il prit des dispositions pour qu'elles fussent
confiées à la garde de la famille Hébert si elles le désiraient. Le 14 septembre 1629, Champlain vit Guillaume Couillard et les jeunes filles
s'embarquer pour Québec. Scène poignante[2].

Le même jour, les Kirke levèrent l'ancre et s'engagèrent sur le Saint-
Laurent en direction de l'Angleterre. À bord, Champlain remarqua que
les hommes n'étaient pas « sans bien appréhender » la suite des choses :
des Indiens avaient signalé une flotte française de « dix vaisseaux bien
armés » sur la côte près de Gaspé. David Kirke affirma « qu'il ne les
appréhendait en aucune façon », mais Champlain observa comment il
serait l'île d'Anticosti, à quatorze lieues au nord de Gaspé, « pour n'être
aperçus », et il put ainsi atteindre l'océan sans encombre[3].

La flotte se trouvait à partir beaucoup plus tard dans la saison que
ne le faisait Champlain normalement. Sitôt quittées les côtes améri-

caines, ils se heurtèrent aux tempêtes automnales. « Nous fûmes contrariés de fort mauvais temps, avec des brumes jusques sur le Grand Banc. » La maladie se répandit dans les navires anglais bondés : « Pendant la traversée moururent onze hommes de la dysenterie[4]. »

Le 16 octobre, les Kirke franchirent « le Sonde » sur la côte sud-ouest d'Angleterre et entrèrent dans le port de Plymouth. Champlain alla tout de suite aux nouvelles et apprit que la guerre était terminée. Ce n'était pas tout : l'Angleterre et la France avaient conclu un traité de paix six mois plus tôt dans la ville de Suze aux termes duquel toutes les conquêtes et captures faites après la conclusion de la paix devaient être rendues. Le traité avait pris effet le 24 avril 1629, soit près de trois mois avant la chute de Québec en juillet.

Champlain était ravi, mais la nouvelle « fâcha grandement » David Kirke. Il avait capturé vingt et un bateaux de pêche, dont certains après que plusieurs personnes lui avaient dit que la guerre était finie, ce qui l'exposait à des poursuites judiciaires. Il détenait encore des dirigeants et des prêtres qu'il comptait rançonner. Kirke avait agi en marge de la loi, voire il l'avait enfreinte[5].

David Kirke quitta tout de suite Plymouth pour Douvres, le port le plus proche de la France. Il libéra ses captifs et les fit rapatrier sans délai. La bonté n'était pour rien dans son zèle : il voulait se défaire de ses invités encombrants avant que des procédures puissent être engagées contre lui devant les tribunaux anglais. Tous ne demandaient pas mieux que d'être renvoyés chez eux, sauf un. Champlain refusa de quitter le sol anglais tant qu'il ne serait pas fixé sur le sort de la Nouvelle-France. Il avait été humilié par la perte de Québec et indigné par la manière dont les choses s'étaient passées. En vertu du traité de Suze, qui avait force de loi dans les deux pays, Québec appartenait légitimement à la France, et l'Angleterre devait rendre la Nouvelle-France. Mais Champlain savait trop bien que c'était une chose que d'être propriétaire en titre et une tout autre que de reprendre possession de son bien[6].

Un autre que lui aurait préféré faire voile vers la France pour s'en remettre à l'autorité du roi et du cardinal de Richelieu, mais cela n'aurait pas ressemblé à Champlain. Lui qui avait perdu Québec, il jugeait qu'il avait la responsabilité de reprendre sa colonie. Agissant de son propre chef, il se mit au travail à Douvres, composant le récit des événements récents. Il dressa d'abord la liste des faits et gestes des Kirke. Sans doute consulta-t-il des camarades de captivité, et il nota leurs témoignages avant qu'ils ne quittent l'Angleterre. Puis il écrivit à diverses personnes. L'une de ses lettres avait pour destinataire M. de Lauson, surintendant des affaires de la Nouvelle-France et responsable de la Compagnie des Cent-Associés. Champlain l'assortit d'un récit « de tout ce qui s'était passé en notre voyage » et le pria d'en faire tenir copie au cardinal de Richelieu et au roi. Il lui demanda aussi de faire en sorte que Louis XIII écrive à son ambassadeur à Londres « pour avoir cette affaire pour recommandée[7] ».

Pendant que ses compagnons d'infortune s'acheminaient vers la France, Champlain prit la direction contraire. Il se rendit à Londres par la voie maritime, quittant Douvres pour la Tamise, et de là il fit le trajet de Gravesend jusqu'aux quais de Londres, où il débarqua le 29 octobre. Le lendemain, il demanda audience à l'ambassadeur de France, le marquis de Châteauneuf, personnage splendide qui incarnait toutes les vertus de l'Ancien Régime. Même ses hôtes anglais avaient de l'admiration pour lui. Le marquis reçut l'explorateur fort courtoisement. Champlain lui raconta toute son aventure et lui remit une autre série de documents. Il devait se souvenir un jour : « Je fis entendre tout le sujet de notre voyage, ayant été pris deux mois après la paix, qui était le 20 juillet, faute de vivres et de munitions de guerre et de secours, ayant enduré beaucoup de nécessités un an et demi, allant chercher des racines dans les bois pour vivre, bien que je n'eusse retenu que seize personnes au fort à l'habitation, ayant envoyé la plus grande part de mes compagnons parmi les Sauvages, pour éviter aux grandes famines qui arrivent en ces extrémités[8]. »

Champlain lui parla de Québec mais aussi de l'Acadie et des autres régions de Nouvelle-France que les corsaires anglais avaient pillées pendant que les Kirke s'emparaient du Saint-Laurent. Champlain avait mis à profit son savoir cartographique pour tracer une carte détaillée de toute la région, essentiellement « pour faire voir aux Anglais les découvertures et la possession qu'avions prise dudit pays de la Nouvelle-France, premier que les Anglais, qui n'y avaient été que sur nos brisées ». Sa carte faisait un portrait complet des prises britanniques à Québec, au cap Tourmente, à Tadoussac, à Gaspé, au cap Breton, à Miscou, en Acadie et au petit poste de traite français de Pentagouet, aujourd'hui la ville de Castine, dans le Maine[9]. Champlain fit état des dommages qui avaient été causés aux intérêts français, au titre du commerce et des pêcheries, et remit à l'ambassadeur copie des articles de la reddition de Québec. Il lui fit naturellement savoir sans ambages que ces événements s'étaient produits après la fin de la guerre, et même après qu'on eut appris en Amérique que les hostilités avaient pris fin[10].

Champlain avait un autre grief qui lui tenait davantage à cœur : les Anglais avaient essayé de modifier la toponymie française du territoire américain. Fort indigné, il écrivit que les Anglais avaient « imposé depuis deux ou trois ans des noms en ladite Nouvelle France, comme la *Nouvelle Angleterre* et *Nouvelle Écosse* ». Cette injure à la géographie avait outré Champlain plus que toute autre avanie qu'il avait pu subir entre les mains des Anglais ou des Écossais. « Ils s'en sont advisés bien tard, ils le devaient faire avec raison, et non pas changer. » C'était une question d'honneur entre cartographes[11].

L'ambassadeur de France écouta son visiteur attentivement et agit sans délai : « Ce qu'ayant entendu ledit sieur Ambassadeur, il se délibéra d'en parler au roi d'Angleterre. » Il obtint d'être reçu par le roi, auquel il remit certains documents provenant de Champlain. L'un d'eux a été retrouvé aux archives britanniques. Le roi Charles Ier reçut l'ambassadeur avec respect, voire sympathie. À la surprise de Champlain, le roi assuma l'entière responsabilité de ce qui s'était produit en Nouvelle-France et admit que toute la colonie appartenait légitimement à son beau-frère, Louis XIII. Selon le marquis de Châteauneuf, le roi d'Angleterre « donna toute espérance de rendre la place, comme de toutes les pelleteries et marchandises, lesquelles il fit arrêter ». Champlain n'eut que de bons mots pour l'ambassadeur, qui « s'y employa fort vertueusement, espérant faire donner un arrêt au Conseil pour la reddition de l'habitation et commodités qui y avaient été prises[12] ».

Champlain s'attendait à ce que tout fût réglé rapidement, et il attendit à Londres des instructions de ses supérieurs à Paris. Mais rien ne vint. Les semaines passèrent sans qu'on reçût mot de Louis XIII, de Richelieu ou de tout autre ministre. Champlain en marqua de l'étonnement, mais il ignorait sans doute l'obstacle qui faisait pièce à tout règlement. Charles Ier avait encore un grief de taille à l'endroit de la France. Lorsqu'il avait épousé la sœur de Louis XIII, Henriette Marie, on lui avait promis une dot de deux millions quatre cent mille livres. Six ans plus tard, seulement la moitié de la somme avait été versée, et Charles avait cruellement besoin de cet argent. À l'insu de Champlain, il avait secrètement promis de rendre la Nouvelle-France à une condition : que le solde de la dot lui fût payé au complet[13].

À Paris, le roi et ses ministres tardaient à répondre pour une raison bien simple : l'argent manquait. Les semaines passaient, et Champlain restait à Londres à la demande de l'ambassadeur, mais non sans montrer de plus en plus d'humeur. « Je fus près de cinq semaines proche de mondit sieur l'Ambassadeur, attendant toujours nouvelles de France, et voyant le peu de diligence que l'on faisait d'y envoyer, ou me donner advis de ce que l'on désirait faire[14]. »

Novembre tirait à sa fin, Londres se faisait plus froid, plus gris, et le temps semblait avoir arrêté sa course. Champlain en eut bientôt assez d'être sans nouvelles de son gouvernement. Dans la dernière semaine du mois, il décida de rentrer en France et d'aller trouver le roi et le cardinal. Champlain était un vieil habitué des intrigues de cour. Avant de quitter Londres, il eut l'habileté de demander la permission de partir au marquis de Châteauneuf : « Je sus de mondit sieur s'il n'avait plus besoin de mon service, que je désirais m'en retourner en France, il me le permit, me donnant lettre pour Monseigneur le Cardinal, m'assurant que le Roy d'Angleterre et son Conseil lui avaient promis de rendre la place au Roy[15]. »

Champlain quitta Londres pour la France le 30 novembre 1629. Voyage difficile avec de mauvais vents sur la Manche et des mésaventures en chemin[16]. Champlain rentra à Paris presque en étranger. Il avait été parti plus de trois ans et il rentrait dans l'adversité totale. La chute de Québec avait été le pire revers de sa carrière. Il était sans emploi et sans le sou. La fatalité réservait cependant une autre affliction à celui que le malheur avait tant accablé : Hélène Boullé, sa jeune et belle épouse, lui fit savoir qu'elle ne voulait plus de la vie commune avec lui. En pays catholique, le divorce était hors de question. Elle demandait donc à son mari la permission de se retirer dans un couvent. On dit qu'il l'aurait suppliée de rester. Du peu que nous savons de leur union, ils se sont peut-être entendus pour continuer de vivre sous le même toit, mais séparément. Ce dut être une véritable torture pour eux. Hélène ne voyagea plus jamais avec son mari, et elle n'alla plus au Canada. À Québec, Indiens et Européens déploraient vivement son absence, mais la Nouvelle-France n'était pas faite pour elle. Elle se détourna de son mari et se réfugia dans une vie de piété pour le reste de ses jours.

On ne saura jamais ce qu'il y avait derrière ce mariage, si ce n'est qu'il débuta mal, connut quelques années heureuses vers son mitan et s'acheva par un échec. Ces deux êtres remarquables étaient aimés de leurs proches mais étaient incapables de trouver le bonheur ensemble. C'était peut-être cela aussi que Champlain avait à l'esprit quand il écrivit en 1632 : « Depuis que les Anglais eurent pris possession de Québec, les jours me semblaient des mois[17]. »

Mais Champlain trouva, Dieu sait où, la force de continuer. Sa foi chrétienne lui fut toute sa vie une fidèle compagne. Son grand dessein aussi. Dans sa souffrance, Champlain résolut de lutter pour son rêve[18]. À Paris, il reprit de nouveau le flambeau de la Nouvelle-France et alla droit au cœur du problème : « À Paris, je fus saluer Sa Majesté, Monseigneur le Cardinal, et Messieurs les Associés. » On ne lui en voulait pas d'avoir perdu Québec, et le roi voulut bien le recevoir. Comme il l'avait fait si souvent par le passé, il se mit à jeter de nouveaux fondements pour son projet. Au cours de l'hiver 1629-1630, il cultiva un autre cercle d'amis et trouva bientôt des partisans qui étaient proches de Louis XIII. Il s'agissait d'hommes plus jeunes, qui avaient une génération de moins que ceux du cercle américain qui l'avaient aidé jadis et qui n'étaient plus dans le paysage. Comme le groupe précédent, celui-ci avait des amis puissants à la cour. L'un d'eux avait nom André Daniel, médecin jouissant de belles relations en haut lieu, qui portait un intérêt marqué à la Nouvelle-France. C'était un investisseur important dans la Compagnie des Cent-Associés, et il avait des liens personnels avec l'Amérique. Son frère, le capitaine Charles Daniel, avait fait de nombreux voyages au Nouveau Monde, et un autre frère, le père Antoine Daniel, était ce missionnaire jésuite qui allait connaître la gloire du martyre au Canada[19].

Avec le soutien de ces hommes et d'autres comme eux, Champlain put de nouveau se faire écouter du roi et du cardinal : « Je [leur] fis entendre tout le sujet de mon voyage, et ce qu'ils avaient à faire, tant en Angleterre qu'aux autres choses qui convenaient pour le bien et utilité de ladite nouvelle France[20]. » Il pressa ses maîtres de hâter la restitution de la Nouvelle-France de crainte que celle-ci ne fût perdue à jamais. Leur réaction fut favorable : « L'on dépêcha quelque temps après mon arrivée à Paris le sieur Daniel le médecin pour aller à Londres trouver mondit sieur l'Ambassadeur, avec lettres de Sa Majesté pour demander au Roy d'Angleterre qu'il eut à faire rendre le Fort et Habitation de Québec, et autres ports et havres qu'il avait pris aux côtes d'Acadie, après la paix faite entre les deux Couronnes de France et d'Angleterre[21]. »

Daniel avait en sa possession cinq mémoires que Champlain et lui avaient rédigés de concert, et ils eurent quelque succès, particulièrement en ce qui concernait Québec. Charles Ier et son conseil se réunirent et ordonnèrent « que le Fort et Habitation seraient remis entre les mains de Sa Majesté, ou ceux qui auraient pouvoir d'elle ». Mais Champlain remarqua vite que les autres places avaient été oubliées : la réponse anglaise ne faisait nulle mention « des côtes d'Acadie ». Il informa l'ambassadeur de France de cette omission, et le marquis demanda à Louis XIII si Sa Majesté « l'aurait pour agréable ». L'Acadie fut ajoutée à la liste[22].

Champlain vit aussi les directeurs de la Compagnie des Cent-Associés, qui ne disposaient plus que de maigres capitaux et avaient des dettes considérables. Ils prièrent Louis XIII de « leur vouloir octroyer six de ses vaisseaux avec quatre pataches qu'ils fourniraient pour aller au grand fleuve Saint-Laurent reprendre possession du Fort et Habitation de Québec ». D'après Champlain, « on les équipa et appareilla de tout ce qui était nécessaire ». Tout avait l'air prometteur[23].

Puis la machine s'arrêta aussi sec. Le roi et Richelieu avaient porté leur attention sur un autre problème pressant : la guerre en Italie. Totalement absorbés par les événements européens et à court d'argent comme de coutume, le roi et son ministre différèrent de nouveau l'étude du problème de la Nouvelle-France. Champlain écrivit alors : « Sa Majesté qui avait à faire aux guerres d'Italie ne put rendre réponse au Roy d'Angleterre, et mondit sieur l'Ambassadeur qui attendait la dépêche de Sa Majesté[24]. »

Champlain n'en pouvait plus de voir le retour de la Nouvelle-France tarder, et il exprima ses doléances dans un document qui se retrouva chez l'imprimeur. La cour ne dut pas trouver ce genre de lecture bien agréable. Champlain répétait son récit des captures anglaises en Nouvelle-France et posait la question : « Mais qui a causé qu'ils s'en sont emparés si facilement [de la Nouvelle-France] ? C'est que le Roy n'en avait fait état jusqu'à maintenant, que les justes plaintes qui lui en ont été faites le fait résoudre à recouvrir ce que les Anglais ont anticipé, et le fera toutefois et quand que Sa Majesté le voudra[25]. »

Il ne seyait guère d'employer mots si fâcheux à l'époque de Louis XIII, encore moins de les écrire. Champlain frôlait la lèse-majesté, crime passible des châtiments les plus cruels. Mais rien ne lui arriva, peut-être parce que le roi et son premier ministre avaient la tête ailleurs.

Champlain porta alors son attention sur un autre problème. Les Cent-Associés étaient presque au bout de leur rouleau. Ils avaient dépensé deux cent soixante-dix mille livres, et il ne leur en restait plus que trente mille. Les directeurs trouvèrent le moyen d'en emprunter encore quarante mille, et en 1630 ils équipèrent une nouvelle flotte pour transporter des colons en Nouvelle-France. Le roi ordonna au chevalier de Montigny et à cinq capitaines de reprendre Québec et d'y réinstaller Champlain comme commandant[26].

Selon Champlain, « l'Anglais prit alarme de l'armement de ces vaisseaux ». Louis XIII lui donna satisfaction en lui faisant savoir qu'il « n'avait désir que traiter à l'amiable ». Le roi d'Angleterre promit de nouveau de rendre les possessions qui avaient été prises après la conclusion de la paix. Le roi de France contremanda alors ses propres ordres. On n'autorisa ni l'envoi d'une force armée ni les transports de colons en Amérique. Le voyage fut annulé. Ce fut une autre perte énorme pour la compagnie, son troisième grand échec d'affilée[27].

Champlain renouvela ses suppliques à Louis XIII dans un mémoire étoffé où il amplifia les arguments qu'il avait déjà avancés. Il évoqua les richesses et la grandeur du territoire, les possibilités pour le commerce et l'enrichissement de la France, la perspective de trouver un passage vers la Chine par le nord. Il revint sur ce vieil impératif spirituel, soit le « nombre infini de peuples sauvages » à conduire au Christ. Champlain ajouta de nouveaux arguments en faveur de la colonisation française, et souligna la nécessité pour les colons français de cultiver la terre afin qu'ils puissent se nourrir eux-mêmes sans dépendre de la métropole. Les arguments de Champlain l'emportèrent. Louis XIII fut persuadé de reprendre les pourparlers avec Charles Ier et de trouver une solution au problème de la dot.

En dépit des nombreuses difficultés qu'il éprouva, les années que Champlain passa en France de 1629 à 1632 furent parmi les plus productives de sa vie. Il joua un rôle de premier plan dans la mesure où il sut maintenir l'idée de la Nouvelle-France présente dans les esprits, pressant le roi, le cardinal et le Conseil royal de la recouvrer. Il collabora étroitement avec les directeurs des Cent-Associés et les aida à se réorganiser en un réseau de filiales. Il forma des alliances durables avec la nouvelle génération de jeunes dirigeants, comme les membres de la famille Daniel.

Pour Champlain, ces années furent aussi des années de réalisations à un titre plus personnel. Il écrivit son livre le plus long et le plus important, les *Voyages de la Nouvelle France,* qu'il publia en 1632. Les éditions modernes remplissent deux ou trois volumes. Champlain atteignit un public élargi, et son éditeur, Claude Collet, en tira une seconde édition.

L'auteur du livre n'avait qu'un but : faire connaître son grand dessein pour la Nouvelle-France à la cour de Louis XIII. Les *Voyages* étaient dédiés au cardinal de Richelieu. Il voulait aussi légitimer les prétentions françaises en Amérique du Nord. Le livre faisait en outre état des difficultés du pays, dont bon nombre étaient causées par l'absence d'un soutien ferme et stable de la part des compagnies de commerce et de la cour. Ici, Champlain s'avançait en terrain périlleux. Il plaida sa cause essentiellement en traitant à fond de quelques problèmes précis, sans faire de procès à quiconque. Les *Voyages* rappelaient ses longs états de service et donnaient un récit complet de tous ses grands voyages de 1603 à 1629, résumant l'œuvre qu'il avait accomplie sous le règne d'Henri IV, la régence de Marie de Médicis et le gouvernement de Louis XIII. Le livre faisait la réclame de l'Amérique du Nord. C'était en ce sens une œuvre descriptive qui faisait valoir la nécessité pour la métropole de découvrir

Les Voyages de la Nouvelle France occidentale, dicte Canada *(1632), quatrième ouvrage de Champlain et le plus long de tous, sont dédiés au cardinal de Richelieu. Hommage qui s'inscrivait dans la campagne, réussie d'ailleurs, visant à recouvrer la Nouvelle-France. Au début de 1633, Richelieu fit de Champlain son lieutenant pour Québec et la vallée du Saint-Laurent, mais bien à contrecœur.*

501

et coloniser la Nouvelle-France. Champlain y décrivait également les Indiens d'Amérique avec force détails. Il leur était pour l'essentiel très sympathique et manifestait un intérêt soutenu pour leur culture. Il rappelait l'importance de convertir les Indiens au christianisme, soulignait leur intelligence et les dépeignait sous des dehors humains avant toute chose. Ici encore, au cœur de sa vision, s'exprimait l'idée d'une humanité réunissant tous les peuples d'Europe et d'Amérique. Son livre n'avait de cesse de rappeler ce principe.

Il fit connaître son projet pour la Nouvelle-France dans d'autres publications aussi. Des articles sur son grand dessein parurent dans cette revue faite de nouvelles et d'opinions, *Le Mercure françois,* particulièrement après que Richelieu fut intervenu et eut choisi pour éditeur son éminence grise, le père Joseph. Certains de ces textes promotionnels furent composés par Champlain, et d'autres parurent sans signature mais avec son encouragement[28].

En 1632, Champlain publia également une carte de la Nouvelle-France qui, selon l'avis de nombreux cartographes, est la meilleure qu'il ait faite. Il est vrai qu'elle a une personnalité et une finalité différentes des précédentes. Le gros de sa cartographie antérieure était composé de plans devant servir d'aides à la navigation et contenant des informations abondantes sur les côtes et les havres, les récifs et les battures, la profondeur des eaux et autres indications s'adressant aux gens de mer. La célèbre carte de 1632 comportait certains de ces éléments. Le Grand Banc et le Banc à Vert ainsi que les Banquereaux étaient clairement identifiés dans l'océan Atlantique, et ce, avec une précision extraordinaire. La carte comporte une échelle entre deux paires de pointes sèches, des indicateurs de latitude et de longitude et deux roses des vents, chacune divisée en trente-deux aires de vent. Mais dans son travail, Champlain ne songeait pas essentiellement à la navigation. Le dessin des côtes n'est qu'approximatif, et il est en fait moins exact sur les plans de la forme et de l'échelle que dans ses travaux antérieurs, par exemple pour Cape Cod, l'île des Monts déserts, la rivière Sainte-Croix dans le Maine, l'île de Sable et le port de Halifax.

Cette œuvre était une carte géographique plus qu'une carte marine, davantage axée sur les terres que les mers. Elle indiquait précisément les endroits où les Français avaient vécu en Amérique du Nord de 1603 à 1629. Les établissements étaient bien identifiés et placés aux bons

Ce marchand de cartes itinérant, figurine de céramique de Johann Joachim Kaendler (vers 1764), illustre le rayonnement de l'œuvre cartographique de Champlain. Sa carte de 1632 réaffirmait les prétentions nord-américaines de la France. Elle fut remarquée à Londres et à Paris aussi, là où se situaient les plus grands obstacles. La carte orne l'intérieur de la couverture à la fin du présent volume.

endroits avec l'enseigne maritime de la France. Les missions, celles des Jésuites aussi bien que celles des Récollets, étaient marquées d'une croix.

La carte indiquait les noms qui avaient été donnés par des explorateurs français, surtout Champlain lui-même. Toute la région colonisée était appelée Nouvelle-France. Chose intéressante, Champlain n'employait plus les mots *Acadie* ou *Norembègue*. Gaspé et le cap Breton n'étaient plus que des points sur la carte et non des régions. L'objet premier de la carte était de démontrer l'intégrité et l'unité de la Nouvelle-France. Le nom y apparaissait deux fois : une première fois sur la péninsule gaspésienne, et encore une fois en lettres plus larges sur les immenses régions à l'ouest jusqu'aux Grands Lacs. Tout ce vaste territoire était attribué à la France, et les armes de Louis XIII figuraient au-dessus avec les lys de France, la couronne et la croix de l'ordre de Malte, soit les symboles de la dynastie des Bourbons, de la nationalité française et de la foi catholique romaine.

Une autre couche de détail, très dense et soigneusement dessinée, donnait les emplacements des nations indiennes. La légende expliquait qu'il s'agissait de peuples sylvestres, dont bon nombre étaient inconnus du monde peuplé avant que Champlain n'en fasse la connaissance et ne fasse alliance avec eux[29]. Pour renforcer l'expression visuelle des prétentions françaises, Champlain ajouta un répertoire toponymique très

503

complet qui fut publié au même moment. Cette carte de 1632 était probablement fort semblable à celle qu'il avait faite en 1629 et qu'il avait
remise à l'ambassadeur de France à Londres pour l'aider dans ses négociations avec la couronne anglaise[30].

Finalement, en 1632, les efforts de Champlain furent récompensés.
Après de nombreux retards, Louis XIII paya le solde de la dot d'Henriette Marie avec intérêts, soit la somme colossale d'un million huit cent
mille livres. Après de longues négociations, Charles Ier acceptait de
rendre la Nouvelle-France. Les deux monarques s'engagèrent à ne plus
faire ce qu'ils n'auraient jamais dû faire au départ. Les deux acceptèrent
aussi de se conformer aux obligations du traité qu'ils avaient déjà
enfreintes. Ces obligations furent confirmées par le traité de Saint-
Germain-en-Laye de 1632.

Alors que les deux rois se rapprochaient d'une solution diplomatique, la Compagnie des Cent-Associés avait modifié ses opérations du
tout au tout. Après les échecs ruineux de 1620, 1629 et 1630, les directeurs tentèrent une nouvelle approche. Ils décidèrent de parrainer un
réseau de filiales, pour que des sous-traitants puissent se lancer dans des
entreprises plus modestes aux buts limités. L'objectif général restait le
même : reprendre la maîtrise de la Nouvelle-France. Mais l'approche
était différente : la compagnie se servait de son capital pour élargir son
assise, confier des projets particuliers à des entrepreneurs et leur accorder une part des bénéfices[31].

L'une de ces premières entreprises tablait sur un succès inattendu de
l'ami de Champlain, Charles Daniel. Au printemps 1629, après le traité
de Suze et avant la chute de Québec, Daniel avait été envoyé en Nouvelle-France par la Compagnie des Cent-Associés, muni de dépêches et
de vivres pour Champlain. Il avait fait voile de La Rochelle le 26 juin,
avait atteint le Grand Banc et avait été surpris par des brumes épaisses.
Les navires s'étaient perdus de vue et Daniel avait poursuivi sa route
seul. Il avait rencontré un petit navire battant pavillon anglais. Daniel
l'avait abordé, avait fait savoir au capitaine que les deux pays étaient
désormais en paix et lui avait permis de gagner sa destination, la colonie
de Plymouth qu'il devait fournir en bétail et marchandises[32].

Le capitaine Daniel avait continué vers le cap Breton en août 1629
et s'était arrêté à Grand Cibou (aujourd'hui la baie de Bras d'or) ainsi
qu'à Port-aux-Baleines (Baleine Cove de nos jours), juste à l'ouest du

cap Breton. Il rencontra en cet endroit un navire de Bordeaux et apprit qu'un groupe de mercenaires britanniques mené par Sir James Stewart s'était emparé d'un bateau de pêche français, en avait confisqué la prise et dépouillé l'équipage, nouveau manquement à la paix de Suze. Stewart avait bâti un fort à Port-aux-Baleines et interdisait aux Français de commercer sur la côte à moins qu'on lui verse une commission valant 10 % des fourrures obtenues par le troc[33].

Daniel fut indigné par « l'usurpation du pays appartenant au Roy mon maître » et prit sur lui d'en chasser les Écossais. Le 18 septembre 1629, vers quatorze heures, cinquante-trois Français débarquèrent à Port-aux-Baleines et avancèrent vers le fort britannique avec l'ordre d'« attaquer par divers endroits, avec forces grenades, pots à feu et autres artifices ». Daniel mena l'assaut sur la porte principale et se saisit lui-même du commandant britannique. Les défenseurs répliquèrent par quelques « mousquetades » et furent vite submergés. Après une résistance symbolique, ils hissèrent le drapeau blanc et demandèrent « la vie et le quartier ». Daniel fit « ôter les étendards du Roy d'Angleterre, et fit mettre au lieu d'iceux ceux du Roy son maître[34] ».

Daniel fit libérer le patron de pêche français René Cochran, natif de Brest, qui était détenu en otage dans l'attente du jour où le propriétaire de son vaisseau verserait la rançon voulue. Daniel fit charger toutes les provisions, munitions et armes à bord d'une caravelle échouée devant le fort. Puis il ordonna la démolition du fort écossais. Tout le matériel utilisable fut transporté à Cibou, et Daniel mit au travail cinquante prisonniers britanniques et leur fit bâtir un nouveau fort qu'il baptisa le fort Sainte-Anne. Il fit construire aussi une habitation et une chapelle, garnit le magasin d'une ample provision de vivres et de munitions et fit apposer les armes du roi et de « Monseigneur le Cardinal ». D'autres réfugiés de Québec gagnèrent cet établissement, dont les jésuites Vimont et Vieuxpont. Une garnison de quarante Français s'apprêta à y passer l'hiver 1629-1630 sous le commandement du sieur Claude de Beauvais. Puis Daniel rentra en Europe avec ses captifs, qu'il fit débarquer à Falmouth avec leurs effets personnels, et emmena leur commandant en France où il « attendit le commandement de mondit Seigneur le Cardinal ». La libération de la Nouvelle-France avait donc commencé par la force des armes bien avant le traité de Saint-Germain-en-Laye[35].

Quand Daniel rentra à Paris, Champlain l'aida à faire rapport au roi, à Richelieu et aux hauts fonctionnaires. En 1631, les Cent-Associés créèrent une filiale en Normandie pour renforcer le fort Sainte-Anne et implanter un établissement dans l'île du Cap-Breton[36]. Tentative modeste qui resta sans lendemain. Une compagnie plus imposante fut formée à Dieppe par le capitaine Daniel et des chapeliers de Paris en vue de relancer la traite des fourrures[37]. Les Cent-Associés financèrent une autre expédition au fort Sainte-Anne et au cap Breton en 1632. Son but était de consolider la présence française dans les pêcheries acadiennes et de préparer le recouvrement de la Nouvelle-France en contrôlant les approches du Saint-Laurent. Deux grands historiens de la Nouvelle-France, Lucien Campeau et Marcel Trudel, croient que Champlain était du voyage et qu'il est aussitôt rentré en France à la fin de l'été ou à l'automne[38].

Champlain fortifia le petit poste français de Sainte-Anne, site stratégique sur le cap Breton, avec un havre protégé au sud du golfe du Saint-Laurent. Champlain s'employa à mettre le fort en meilleur état pour que cet établissement serve de tête de pont au cas où la Compagnie des Cent-Associés ne pourrait reprendre Québec[39].

Une autre tentative française eut lieu à peu près au même moment. Le tout commença avec un petit poste de traite français au cap Sable, île au large de l'extrémité sud de la Nouvelle-Écosse actuelle. Une petite bande de trafiquants français sur place avait échappé aux attaques des mercenaires britanniques en 1628-1629. Ils avaient occupé le dernier fort français en Nouvelle-France, et leur chef, Charles de Saint-Étienne de La Tour, s'y accrochait désespérément. Pour l'aider, les Cent-Associés fondèrent une nouvelle compagnie sous-contractante dans le sud-est de la France. Certains de ses investisseurs étaient basques, et le personnage central ici avait nom Jean Tuffet, un marchand-aventurier de Bordeaux et codirecteur de la Compagnie des Cent-Associés. Il équipa plusieurs navires qui quittèrent Bordeaux pour le cap Sable. Le commandant de l'expédition était Bernard Marot, un navigateur basque de Saint-Jean-de-Luz. Les navires avaient à leur bord trois pères récollets, des « ouvriers et artisans » et du ravitaillement. L'expédition arriva à temps pour sauver l'établissement en le pourvoyant de vivres, d'armes et d'hommes. D'après Champlain, le jeune La Tour « était très aise de voir naître ce que à peine il pouvait espérer[40] ».

Les navires sitôt déchargés, les ouvriers se mirent à rebâtir la petite colonie. Les Français du cap Sable étaient d'humeur conquérante, car ils décidèrent d'implanter un autre poste de traite de l'autre côté de la baie de Fundy, à l'embouchure du fleuve Saint-Jean, dans l'actuel Nouveau-Brunswick. C'est un lieu remarquable, où le fleuve s'insinue entre de grands promontoires pour aller rejoindre la mer. À un coude du fleuve, le fort courant rencontre les grandes marées de la baie de Fundy pour créer ces spectaculaires chutes réversibles qui fascinèrent Champlain et font encore la joie des touristes d'aujourd'hui[41]. Ce nouvel établissement fut également une réussite. Il fut fondé essentiellement pour profiter du commerce florissant des peaux d'orignal, de castor et de loup marin qui étaient écoulées en France par un consortium de marchands amis du cardinal. Les Cent-Associés commençaient à renaître, mais sous la forme d'un réseau de petites filiales et entreprises[42].

Champlain joua un rôle dans ces événements à titre d'ami de Charles Daniel et d'associé de Charles de La Tour. En 1632, La Tour rentra à Paris, où il fit un bref séjour. Il fit beaucoup de bruit dans la ville avec son cortège de guerriers indiens, de trafiquants français et leurs enfants métis. La Tour élut domicile rue de Quincampoix, dans le quartier financier dePa-ris. À une rue de chez lui se trouvaient les bureaux des Cent-Associés, rue Saint-Martin. La Tour et Champlain y travaillèrent ensemble. L'historienne de la Nouvelle-Écosse Marjorie Ann MacDonald écrit qu'à l'hiver 1632-1633 ces deux hommes « ont sûrement refait connaissance et consacré de longues heures à discuter des affaires de la Nouvelle-France, où les deux allaient retourner au printemps[43] ».

Au cours de cette période, les Cent-Associés parrainèrent une troisième compagnie sous-contractante, et une fois de plus Champlain en était. Il s'agissait cette fois d'implanter un autre petit poste de traite à un endroit stratégique dans les pêcheries. L'île de Miscou se trouvait à l'entrée de la baie des Chaleurs, au sud de la péninsule gaspésienne. Un fort sur place contrôlerait les approches à l'estuaire du Saint-Laurent et une bonne part de la côte Atlantique. Les Français avaient un poste de pêche saisonnier sur Miscou depuis 1622 et y avaient hiverné dès 1626. C'était le premier établissement permanent sur la côte. Mais en juillet 1628, Miscou était tombé aux mains de David Kirke et avait été pillé. Les Français voulaient le reprendre[44].

En 1632, alors que Champlain se trouvait à Paris, les Cent-Associés s'intéressèrent à Miscou et parrainèrent une entreprise de colonisation et de commerce dans la baie des Chaleurs et l'île de Miscou. La compagnie autorisa la fondation d'une filiale appelée la compagnie Cheffault-Rozée au capital de cent mille livres. Un tiers de la somme provenait des Cent-Associés, le reste de particuliers[45]. Champlain lui-même investit dans cette compagnie et contribua pour neuf cents livres à l'établissement de Miscou. Il se trouvait ici à jouer un rôle tout nouveau pour lui. Il participait à l'entreprise non dans l'espoir de réaliser un profit, mais avec l'intention de soutenir une initiative qui contribuerait au recouvrement de la Nouvelle-France. Projet couronné de succès. En 1632, les Français repeuplèrent Miscou, et l'ami et ancien collaborateur de Champlain Thierry Desdames en fut le commandant pendant de nombreuses années[46]. Champlain ne semble pas avoir réalisé de gain avec son investissement, mais l'île de Miscou redevint française[47].

Ces diverses réussites encouragèrent les Cent-Associés à songer sérieusement à la reprise de Québec. Ils se tournèrent vers la famille De Caën, qui commerçait et pêchait toujours en eaux troubles américaines. Le marchand protestant Guillaume de Caën en était l'âme, mais Richelieu se sentait plus à l'aise avec son cousin catholique, Émery. Le 4 mars 1632, on demanda à Émery de Caën d'aller à Québec et de voir si la ville pouvait repasser entre des mains françaises. Si oui, il était autorisé à en prendre possession à titre de commandant intérimaire. Il fit voile vers Québec avec le sieur Charles du Plessis-Bochart et le jésuite Paul Le Jeune.

À son arrivée, Émery de Caën se trouva en présence de trafiquants britanniques contrôlant fermement le fort et l'établissement, et traitant activement avec les Indiens. Le 29 juin 1632, De Caën et le père Le Jeune descendirent à terre et exigèrent des occupants qu'ils quittent les lieux immédiatement. Les Britanniques tardèrent quelques jours et, enfin, le 13 juillet, ils remirent les clés à Émery de Caën et s'en furent. La colonie était française à nouveau[48].

On n'avait toujours pas nommé de commandant permanent à Québec. Richelieu était mécontent de Champlain. Le cardinal lui reprochait peut-être d'avoir perdu la colonie, même si la plupart des observateurs ne l'en tenaient nullement responsable, et il était déjà étonnant qu'il ait réussi à durer tout ce temps. Richelieu lui-même était plus coupable du fait qu'il était intervenu dans les affaires de la compagnie à un moment critique et qu'il avait envoyé sa flotte la plus considérable à sa perte. Les critiques à peine voilées de Champlain à l'endroit du cardinal et du roi expliquaient peut-être aussi la froideur de Richelieu à l'égard du fondateur. Dans les négociations avec l'Angleterre, le lobby de Champlain à la cour avait dû déplaire. Quelle que fût la raison, Richelieu décida en 1632 que Champlain ne retournerait pas à Québec.

Ils étaient nombreux à convoiter son poste. Le marchand Guillaume de Caën avait de puissants amis au Conseil d'État, et ils intervinrent en sa faveur. C'était un homme très capable, et sa famille entretenait depuis longtemps des liens avec la Nouvelle-France, mais son protestantisme en faisait un candidat inacceptable. Émery de Caën, quoique catholique, n'était pas un aspirant aussi qualifié. Les De Caën proposèrent Du Plessis-Bochart, qui était bon catholique, mais Richelieu avait quelqu'un d'autre en tête. Le réseau du cardinal était de nouveau à l'œuvre. Richelieu décida de nommer son cousin, le capitaine Isaac de Razilly. En fait, on adressa à celui-ci une commission avec le nom en blanc.

C'eût été une excellente nomination. Razilly était un officier chevronné qui s'intéressait vivement à la Nouvelle-France. Champlain éprouvait pour lui le plus grand respect. Mais à la surprise de Richelieu, Razilly refusa cet emploi. Il renvoya la commission en blanc en disant qu'il serait heureux de servir sous tout autre homme qu'il plairait au roi de nommer. Selon certains, il aurait ajouté qu'il préférerait servir de lieutenant à Champlain « parce qu'il s'y connaît mieux que moi en affaires coloniales[49] ».

Richelieu écouta son conseil. Après maintes tergiversations, et à la toute dernière minute, il nomma à contrecœur Champlain aux plus hautes fonctions en Nouvelle-France, avec le titre de lieutenant du cardinal. Ce n'était pas le titre que voulait Champlain, et il n'avait pas été nommé comme il l'aurait voulu. Mais une fois de plus, Champlain allait commander à Québec[50].

V

Le père
du Canada français

CHAPITRE 21

L'infatigable rêveur

Champlain gouverneur, 1632-1635

*Les Français n'étant plus ici, la terre n'était plus la terre, la
rivière n'était plus la rivière, le ciel n'était plus le ciel : mais au
retour du sieur de Champlain, tout était retourné à son être,
la terre était devenue terre, la rivière était devenue rivière, et
le ciel avait paru ciel.*

Un chef huron, 1633[1]

*La sage conduite et la prudence de Monsieur de Champlain,
gouverneur de Québec qui nous honore de sa bienveillance,
retient un chacun dans son devoir.*

Un missionnaire jésuite, 1634[2]

Dans le vieux port de Dieppe, le 23 mars 1633, trois petits bâtiments français s'apprêtaient à entreprendre une mission des plus importantes. Ses responsables avaient pour instructions de reprendre la Nouvelle-France et de rebâtir sa capitale en ruine, Québec. Nul ne savait ce qui les attendait là-bas. Les conquérants anglais y étaient-ils toujours ? Se battraient-ils pour conserver leur proie ? Les navires français avaient à leur bord trente-deux canons et un petit détachement de mousquetaires et de piquiers du roi, mais ils avaient pour ordre d'éviter l'affrontement autant que possible. Il ne s'agissait pas d'une expédition militaire. C'était un voyage de colonisation, et les vaisseaux étaient justement bondés de colons[3].

À bord du navire amiral, le *Saint-Pierre*, cent cinquante tonneaux, le capitaine Pierre Grégoire avait avec lui quatre-vingt-deux personnes, dont quatre jésuites, au moins une femme mariée et deux fillettes âgées de six et treize ans[4]. Le *Saint-Jean*, cent soixante tonneaux, du capitaine

Pierre de Nesle, comptait soixante-quinze hommes dont bon nombre étaient des artisans et des ouvriers. Le *Don de Dieu*, quatre-vingt-dix tonneaux, commandé par le capitaine Michel Morieu, transportait quarante hommes. En tout, les trois navires emmenaient en Nouvelle-France cent quatre-vingt-dix-sept personnes. Environ cent cinquante étaient des hivernants, c'est-à-dire qu'ils s'étaient engagés à y passer le prochain hiver[5].

Le commandant de l'expédition était Samuel de Champlain, doté à présent de tout un éventail de titres et de pouvoirs. Il était toujours capitaine de la marine royale et lieutenant général pour la Nouvelle-France. Le cardinal de Richelieu l'avait nommé « lieutenant » en la vallée du Saint-Laurent. Les directeurs de la Compagnie des Cent-Associés en avaient fait leur représentant en chef en Amérique du Nord. Il était également général de la flotte, c'est-à-dire responsable de la traversée, commandant des troupes qui l'accompagnaient, juge en chef et législateur pour l'établissement de Québec et administrateur de la colonie. Tous ces pouvoirs étaient réunis dans sa main. En 1633, Champlain était le maître absolu de tout ce domaine, ne dépendant que de la volonté du roi et du cardinal Richelieu.

Mais son autorité avait des limites, particulièrement en ce qui concernait Richelieu. Celui-ci n'avait pas voulu de Champlain, et il avait fait connaître sa méfiance à son égard. Cela était peut-être attribuable au fait que Champlain avait été proche d'Henri IV. On se méfiait peut-être également de son passé protestant. Il y avait enfin la question du rang. Le blason de Champlain ne comptait aucun quartier de noblesse. Il n'était pas chevalier de Malte non plus. Mais Richelieu devait surtout être agacé par le caractère de Champlain. L'homme obéissait à ses supérieurs en tout, mais sa vraie loyauté allait à son dessein pour la Nouvelle-France. Quelle qu'en fût la raison, Richelieu limita l'autorité de Champlain au rang de lieutenant responsable de la vallée du Saint-Laurent et lui refusa le titre de gouverneur. Le cardinal prenait soin d'affirmer sa propre autorité et de restreindre celle de ses subordonnés, surtout si la bride qu'il leur mettait sur le cou avait près de cinq mille kilomètres de long.

Ceux qui connaissaient Champlain et étaient allés avec lui en Amérique ne voyaient pas du même œil l'homme et son rôle. Richelieu n'avait pas voulu lui accorder le titre de gouverneur : soit, les gens de Québec le firent à sa place. Parlant de lui, ils disaient « notre gouverneur » ou même « mon gouverneur ». Les Indiens du Saint-Laurent allèrent plus loin. En 1633, ils le baptisèrent le « capitaine des Français », de tous les Français. Les Européens des autres nations traitaient Champlain avec déférence lorsqu'ils avaient affaire à lui en Amérique. Les habitants de la Nouvelle-France aussi. Religieux et laïcs, habitants et matelots, colons de Québec et d'Acadie, pêcheurs et interprètes, tous voyaient en lui leur chef [6].

À la mi-mars, les préparatifs du voyage étaient terminés. De hauts personnages se rendirent à Dieppe pour saluer la flotte. Plusieurs grands bailleurs de fonds et directeurs de la Compagnie des Cent-Associés vinrent pour une dernière série de rencontres avec Champlain. Le père Barthélemy Jacquinot, supérieur jésuite de la province de France, vint au port en personne pour bénir les vaisseaux. Ce départ avait quelque chose d'unique dans la carrière de Champlain, dans la mesure où l'on en avait fait un événement à caractère « national ». En France, cette manifestation d'intérêt pour l'Amérique du Nord était sans précédent. Il avait fallu que les Anglais s'emparent de la Nouvelle-France pour que la mère patrie en saisisse l'importance.

La publication récente des *Voyages* de Champlain, son œuvre la plus considérable, y était aussi pour quelque chose. Cette parution avait fait beaucoup de bruit en 1632, tout comme la publication de ses magnifiques cartes. Champlain se faisait le promoteur infatigable de la Nouvelle-France, et il avait vite compris le pouvoir grandissant de la presse périodique. Les gazettes de Paris, surtout le *Mercure françois*, relatèrent même le départ de ses navires en 1633. Champlain publia plus tard dans le *Mercure* un long récit de ce voyage, écrit important mais non signé qui a échappé aux éditeurs modernes de ses œuvres [7].

Enfin, le 23 mars au matin, les navires étaient prêts. À bord du *Saint-Pierre*, le vaisseau amiral, Champlain fit un signe au maître et au pilote. Sur son commandement, les maîtres-canonniers tirèrent une salve d'honneur qui résonna dans toute la baie. Les hommes de pont embarquèrent l'orin de l'ancre gluant d'algues vertes. Les gabiers s'empressèrent dans la mâture pour détacher les garcettes et libérer les voiles de leur vergue. Le vent enfla la toile avec ce bruit qui réchauffe le cœur de tout matelot. Sur les gaillards d'arrière, les robustes timoniers s'arcboutèrent sur leurs longs timons et guidèrent les navires hors du havre.

Ce fut sans aucun doute un moment de bonheur pour Champlain. Il reprenait la mer, chose qu'il adorait plus que tout au monde. Lorsque les trois navires quittèrent le havre et mirent le cap de conserve sur la

Manche, il dut sentir le vent sur ses joues et l'air salin dans ses narines. On imagine les nuées de mouettes s'élever autour de lui, les cormorans volant au ras de la mer. En ce moment magique, il dut ressentir dans le tréfonds de son âme ce sentiment de libération familier à tout marin hauturier.

Le vent était favorable pour la route vers l'Amérique, et les navires partirent vers l'ouest, l'écume blanche de leur vague d'étrave jaillissant de sous les carènes effilées. Ils longèrent la côte vert émeraude de l'Angleterre, doublèrent Torbay par une belle brise, laissèrent vite derrière eux les îles de Scilly et s'engagèrent en droite ligne vers le Nouveau Monde. Les drapeaux de la France claquaient au vent : le splendide pavillon de la marine française avec sa croix blanche sur fond bleu et la bannière des Bourbon avec ses lys dorés sur fond blanc. En tête des mâts du *Saint-Pierre* devaient flotter l'étendard du cardinal, les couleurs des Cent-Associés ainsi que le large oriflamme de Champlain, auquel il avait droit à titre de général de la flotte.

C'était sa vingt-septième traversée de l'Atlantique, ce qui faisait de lui le navigateur le plus aguerri de l'expédition. Son savoir lui imposait de guider ces navires sur l'océan. Il aurait besoin de toute sa science de la mer au cours de ce trajet. Les difficultés commencèrent dès qu'ils eurent quitté la Manche en ces « fols jours de mars », comme dit le marin-poète John Masefield. Au matin du 30 mars, les vigies firent savoir que le *Don de Dieu* avait disparu pendant la nuit. Champlain fit réduire les voiles et le retrouva. Il ordonna à tous ses navires de hisser la nuit des fanaux dans le gréement et d'allumer des torchères au-dessus de la lisse de poupe[8].

Les trois vaisseaux filèrent droit devant, toutes voiles dehors, et avancèrent très vite. Le 12 avril, ils avaient déjà parcouru seize cents kilomètres. Puis, inévitablement, le temps sur l'Atlantique changea. Le ciel commença à s'obscurcir, et tout de suite les hommes de quart furent envoyés dans la mâture pour ferler les huniers. Par une nuit noire comme un four, les petits navires se butèrent à une tempête d'une violence terrible, avec une forte brise debout, le crépitement de la grêle, une pluie torrentielle et le bruit assourdissant du tonnerre. Tout autour d'eux, l'horizon était illuminé d'éclairs qui luisaient sur les voiles mouillées et les gréements. Comme l'écrivit Champlain, « en l'obscurité de la nuit, tout paraissait en feu ». Ce fut un spectacle terrifiant, et même Champlain en resta secoué en dépit de toutes ses années en mer[9].

La tempête s'épuisa vite, et le lendemain, le beau temps était revenu. Tous les matelots remercièrent Dieu pour leur délivrance. Les navires envoyèrent leurs huniers et coururent vent arrière. Champlain estima sa latitude en prenant une méridienne le jour et, le soir, en mesurant la hauteur de l'étoile Polaire. Il était également attentif aux amers, et le 24 avril il sut que les navires étaient entrés en eaux américaines très près du Grand Banc. Un autre danger les y attendait. Les trois petits vaisseaux furent enveloppés dans des bancs de brouillard avançant sur la mer, si épais « que l'on voyait fort peu », comme le dit Champlain. Il commanda qu'on préparât la grande sonde, et le 26 avril 1633 les sondeurs touchèrent le fond à quarante-cinq brasses, ou quatre-vingt-deux mètres. Dans la partie creuse du plomb, on trouva, incrustés dans la gangue de suif, des grains de sable et des débris de coquillages. Un matelot familier de l'Atlantique pouvait déchiffrer ces signes à la vue et à l'odeur, au goût même. Champlain étudia le tout, et sa longue expérience lui apprit qu'ils étaient depuis douze lieues sur le Grand Banc, à une latitude de 45 degrés, 30 minutes. Même dans le brouillard, il put identifier sa position avec une exactitude frappante. Après cinq semaines en mer, les navires suivaient encore une route exacte.

Dans le brouillard, le vaisseau amiral perdit contact avec le *Saint-Jean*. Mais Champlain était sûr qu'il trouverait son chemin dans l'estuaire en entonnoir du Saint-Laurent, ce qui ne manqua pas d'arriver, et les trois navires se retrouvèrent le lendemain. Champlain conduisit sa flotte dans le détroit de Cabot pour gagner les eaux protégées du cap Breton, où une filiale des Cent-Associés avait bâti le fort Sainte-Anne. Champlain y était probablement allé l'année précédente et en connaissait bien le commandant, le sieur Lemercier. Les navires approchant, ils émirent un signal secret, et le fort français émit un signe à lui. La petite escadrille de Champlain entra dans le havre et fut accueillie avec bruit. Le grand explorateur venait de terminer un autre voyage transatlantique avec des états de service toujours aussi impeccables. En vingt-sept traversées, il n'avait jamais perdu un navire sous son commandement[10].

*   *   *

Du fort Sainte-Anne, les navires français remontèrent le Saint-Laurent jusqu'à Tadoussac, où ils trouvèrent deux vaisseaux anglais qui y étaient ancrés. Chacun avait à son bord trente-huit canons, beaucoup plus que n'en avait au total la petite flotte de Champlain. Mais les Anglais n'étaient pas là pour combattre. Il s'agissait de navires de commerce qui achevaient de remplir leurs cales de poisson et de fourrures. Champlain eut avec les capitaines une discussion amicale, et chacun repartit en paix[11].

Champlain descendit le fleuve en toute hâte, mais dans une incertitude totale aussi. À son arrivée à Québec le 22 mai, il fut ravi de voir que les Anglais en étaient partis et que les habitants français avaient repris la maîtrise de l'établissement. Ils étaient peu nombreux mais enthousiastes, et ils lui firent un accueil digne de lui. On remarquait parmi eux un groupe de jésuites qui étaient arrivés en 1632. Le père Le Jeune écrivit : « On était ici en doute si Monsieur de Champlain, ou quelque autre de la part de Messieurs de la Compagnie de la Nouvelle-France, ou bien si le sieur Guillaume de Caën devait venir. » Ils avaient prié Dieu que ce fût Champlain. Puis les navires arrivèrent, et c'était lui. Les habitants étaient transportés de joie. Le Jeune se souvint que « ce jour nous a été l'un des beaux jours de l'année, nous sommes entrés dans de fortes espérances qu'enfin après tant de bourrasques Dieu voulait regarder nos pauvres sauvages de l'œil de la bonté et de la miséricorde[12] ».

Les vaisseaux furent accueillis par trois salves de canon, et Champlain répliqua avec trois autres, et des nuages de fumée blanche glissèrent sur le fleuve. Une barque fut mise à l'eau avec de grandes éclaboussures, et Champlain fut conduit à terre « avec une escouade de soldats français armés de piques et de mousquets ». Ils défilèrent dans l'établissement, entrèrent dans le fort, et les soldats battirent du tambour pour rassembler les habitants. Champlain fit alors donner lecture de sa double commission de lieutenant du cardinal de Richelieu et de mandataire de la Compagnie des Cent-Associés. Les habitants écoutèrent attentivement. Après tant de querelles entourant les anciennes compagnies, ils furent grandement soulagés d'entendre les conditions de la commission de Champlain et « l'ordonnance de Monseigneur le Cardinal » qui venait « terminer le différend en faveur de la Compagnie de la Nouvelle-France[13] ».

Les affaires de l'établissement étaient toujours entre les mains d'Émery de Caën, le vieux rival et ami éloigné. Celui-ci s'avança et, avec déférence, remit les clés de l'établissement à un intermédiaire, le sieur Du Plessis-Bochart, qui les mit entre les mains de Champlain. On voulait marquer ainsi le transfert des pouvoirs de l'ancienne compagnie de Caën à la nouvelle Compagnie des Cent-Associés. Tout avait été fait dans le respect des rites de la fidélité et de l'obéissance[14].

* * *

Puis l'âpre tâche commença. Regardant autour de lui, Champlain constata qu'une fois de plus, Québec était en ruine. La vieille habitation où Champlain et Hélène Boullé avaient vécu quelques années de bonheur n'était plus qu'un enchevêtrement de pierres brisées et de bois calciné. Les Anglais l'avaient brûlée, et le fort tombait aussi en morceaux. Rien n'avait été bâti depuis le départ de Champlain quatre années auparavant. Avec la vacance de l'autorité, Québec était devenue une bour-

La seconde habitation de Champlain, qu'il fit construire en 1633-1635. Ce dessin, fondé sur la recherche archéologique, montre ses défenses, la batterie qui domine le fleuve, cinq pavillons et de petites fermes. Une forteresse encore plus imposante fut érigée sur les hauteurs.

519

gade frontière sans foi ni loi. Dans les rues sales, Champlain trouva une bande de trafiquants de fourrures anglais, français et indiens qui n'obéissaient qu'à eux-mêmes. Il ne restait plus qu'une famille française sur place, les Hébert, qui avaient longtemps souffert et qui exploitaient toujours la ferme que Champlain leur avait donnée. Ils aimaient la terre, certes, mais vivaient dans la crainte quotidienne de la violence indienne ou européenne. Les Hébert furent ravis de retrouver Champlain et de le voir restaurer l'ordre.

Champlain n'avait avec lui qu'une poignée de piquiers et de mousquetaires, mais c'était une troupe disciplinée dont le chef était résolu à imposer sa loi à l'établissement. Ce qu'il fit avec toutes les apparences de la facilité, alors qu'on savait fort bien qu'il n'en était rien, comme le montre l'histoire de plus d'une colonie. En 1633, l'énergie de Champlain semblait inentamée, même après trente ans de labeur en Nouvelle-France. Il rassembla les hommes et les mit au travail pour rebâtir l'établissement. La tâche la plus urgente consistait à restaurer les défenses de la colonie. Le fort n'était plus que ruines, pillé et brûlé qu'il avait été par l'occupant, et aussi frappé par la foudre. Champlain fit réparer la palissade brisée, rebâtir ses remparts malmenés, renforcer les portes, et il ajouta des plateformes pour y disposer de grands canons qui domineraient le fleuve. Dans la ville en bas, il ne restait plus de structures étanches capables d'abriter les vivres de la compagnie. Champlain fit réparer une structure qui servit de magasin, restaurer les ateliers des artisans et rénover les quartiers pour les serviteurs et les soldats. Au sein du fort, il aménagea le siège du gouvernement royal. Les armes du roi furent montées sur ce pavillon, et une fois de plus le drapeau de la France des Bourbon flotta au-dessus des toits de la bourgade. L'habitation devint une réplique nord-américaine de la cour de France, peut-être davantage dans l'esprit d'Henri IV que de Louis XIII.

Champlain fit également bâtir une nouvelle chapelle pour Québec et la baptisa Notre-Dame-de-la-Recouvrance pour marquer le rétablissement de la Nouvelle-France. Il ordonna que l'on fît retentir l'angélus trois fois par jour : le matin, le midi et le soir. Il encouragea activement l'observation du culte, et la chapelle devint un point focal de la vie dans l'établissement. La cathédrale Notre-Dame de Québec se dresse aujourd'hui près du même site[15].

Il en résulta à Québec un réveil religieux en règle au cours de l'hiver et du printemps 1633-1634. Chose assez fréquente dans les colonies européennes du XVIIe siècle. On nota semblable phénomène dans les établissements anglais de Jamestown et de Boston, mais il prenait une forme différente dans les colonies catholiques. Chez les protestants, les réveils religieux étaient centrés sur des expériences de conversion. À Québec, le réveil s'exprima par des exercices de piété. Le père Le Jeune rapporta de nombreux actes de « dévotion bien extraordinaire aux soldats et aux artisans tels que sont ici la plupart de nos Français ». Certains firent des pèlerinages pieds nus dans la neige. Le Jeune parle de ce pénitent qui « est venu le Mardi gras dernier, pieds et tête nus sur la neige et sur la glace depuis Québec jusque dans notre chapelle, c'est-à-dire une bonne demie lieue, jeûnant le même jour pour accomplir un vœu qu'il avait fait à Notre Seigneur, et tout cela sans autres témoins que Dieu et nos pères qui le rencontrèrent ». D'autres habitants pratiquaient « l'abstinence et le jeûne ». L'un fit « plus de trente fois la discipline ». Un troisième promit d'employer « en œuvres pies la dixième partie de tous les profits qu'il pourra faire dans le cours de sa vie ». Le Jeune observa ce réveil avec contentement et l'attribua en grande partie à l'exemple de Champlain. Le père jésuite conclut que « l'hiver n'est pas si rude en la Nouvelle-France qu'on n'y puisse recueillir des fleurs du Paradis[16] ».

Alors que l'on reconstruisait ses quartiers, Champlain fut hébergé par les jésuites. Il n'était pour rien dans la mission des robes noires en Nouvelle-France. Il préférait pour sa part ces humbles et pieux récollets à la bure grise, tout comme Richelieu favorisait les capucins, leurs frères en saint François. Les jésuites de Québec avaient pour marraine la riche et belle dame de Guercheville, qui leur vouait son zèle incessant. À Qué-

Le père Paul Le Jeune, supérieur des Jésuites en Nouvelle-France, faisait remettre des bagues aux convertis indiens. L'emblème de l'ordre était un crucifix avec les initiales IHS, pour Iesu Hominum Salvator *(Jésus le Sauveur) et pour le* In Hoc Signo *de Constantin. Ces bagues devinrent aussi un article de traite.*

bec, certains habitants ne les appréciaient guère — leur présence est controversée chez les catholiques même aujourd'hui. Mais Champlain vécut en bonne intelligence avec eux, particulièrement avec Paul Le Jeune, un protestant converti au catholicisme.

Le Jeune nous raconte une histoire qui en dit long sur leurs rapports. Le 29 mai 1633, Champlain assista à la messe à la chapelle des Jésuites et fut par après invité à dîner chez eux. Le Jeune se souvint : « De bonne fortune, notre sauvage [un Indien du lieu] nous avait apporté un petit morceau d'ours » qui fut servi au gouverneur. Y ayant goûté, Champlain se mit à rire et dit aux bons pères : « Si on savait en France que nous mangeons des ours, on détournerait la face de notre haleine, et cependant voyez comme la chair en est bonne et délicate[17]. »

Dans ce bref échange, on entend le rire de Champlain ; on sent son aisance avec son prochain et on voit le plaisir qu'il prend à une table bien garnie de victuailles et de boissons, entouré de gais compagnons. On voit ici encore sa convivialité naturelle et la facilité avec laquelle il s'entend avec des gens dont les buts sont différents des siens. Dans ses conseils aux futurs chefs, Champlain encourageait l'affabilité. Mais l'affabilité n'avait rien d'un masque pour lui. Champlain prenait sincèrement plaisir à la compagnie des autres, et ceux-ci le lui rendaient bien[18].

Le Jeune et Champlain devinrent les meilleurs amis du monde. Les deux hommes avaient probablement reçu une éducation protestante et s'étaient convertis plus tard au catholicisme avec sincérité. Même s'ils n'avaient pas les mêmes objectifs en Nouvelle-France, ils s'employèrent de concert à fortifier la colonie et à améliorer les relations entre l'Église et l'État à Québec. Champlain encouragea aussi les jésuites à fonder un séminaire. Celui-ci ouvrit ses portes en 1635, ce qui en fit le premier collège d'Amérique du Nord. Deux ans plus tard, il prit le nom de Collège de Québec[19].

Avec le concours de Champlain, les jésuites devinrent une présence dominante dans la colonie. Les pères se portaient à la rencontre des navires qui arrivaient chargés d'immigrants de France. Ils s'y rendaient en barque, montaient les longues échelles de coupée dans leurs robes noires flottantes et disaient la messe sur le pont supérieur avec leur vaisselle d'argent qui luisait sous le soleil du Canada. Ils montèrent une fois avec un chœur de sept garçons indiens qui chantèrent le *Paternoster* dans leur langue, ravissant Champlain et toute la compagnie[20].

Après que le fort fut restauré, Champlain invita souvent les jésuites

RELATION
DE CE QVI S'EST PASSE'
EN LA
NOVVELLE FRANCE
EN L'ANNE'E 1636.

Enuoyée au
R. PERE PROVINCIAL
de la Compagnie de IESVS
en la Prouince de France.

Par le P. Paul le Ieune de la mesme Compagnie,
Superieur de la Residence de Kébec.

A PARIS,
Chez SEBASTIEN CRAMOISY Imprimeur
ordinaire du Roy, ruë sainct Iacques,
aux Cicognes.

M. DC. XXXVII.
AVEC PRIVILEGE DV ROY.

Pour l'histoire de Champlain et de la Nouvelle-France, les Relations des Jésuites *constituent une source importante, particulièrement celles que le père Le Jeune envoyait en France chaque année. Ces récits nous disent comment Champlain a réussi à concrétiser son rêve en Nouvelle-France dans les dernières années où il y a vécu.*

à dîner dans ses quartiers. Le Jeune se souvint que « le fort a paru une académie bien réglée, Monsieur de Champlain faisant faire lecture à sa table le matin de quelque bon historien, et le soir de la vie des saints[21] ». Le ton de l'établissement avait été transformé par l'esprit de Champlain. Le Jeune devait écrire : « Nous avons passé cette année dans une grande paix et dans une très bonne intelligence avec nos Français. » Il attribua cette réussite « à la sage conduite et la prudence de Monsieur de Champlain, gouverneur de Québec et du fleuve Saint-Laurent, qui nous honore de sa bienveillance, retenant un chacun dans son devoir. […] En un mot, nous avons sujet de nous consoler, voyant un chef si zélé pour la gloire de Notre Seigneur et pour le bien de ces Messieurs[22] ».

Une des nombreuses responsabilités de Champlain consistait à contrôler l'accès au fleuve. Des trafiquants illégaux continuaient d'apparaître sur le Saint-Laurent. Champlain se plaignit maintes fois du fait qu'ils ne reculaient devant rien pour s'enrichir, sans jamais se soucier de l'avenir. Ainsi, ces intrus offraient des armes à feu et de l'alcool aux Indiens, et ils menaçaient de brûler les campements indiens qui traitaient avec les Français. Les expéditions françaises augmentant sur le fleuve, la compagnie ordonna à ses capitaines de s'attaquer aux trafiquants sans permis quand il leur était loisible de le faire. En 1634, un navire anglais fut capturé après un combat sur le fleuve.

Champlain n'avait pas les ressources voulues pour chasser les intrus du cours inférieur du fleuve. Il décida de régler le problème en faisant bâtir un fort et un poste de traite sur la petite île rocheuse de Sainte-Croix, non loin de l'actuel village de Deschambault, quinze lieues en amont de Québec. Le fleuve y était étroit ; selon le mot de Champlain, les fortifications tenaient « toute la rivière en échec ». Les canons empêchaient les Anglais de remonter le fleuve, et Champlain fit ériger un poste de traite pour faciliter le commerce avec les trafiquants accrédités. Plus tard, il modifia le nom du lieu, et Sainte-Croix devint l'île Richelieu, sans doute dans l'espoir d'améliorer ses relations avec Son Éminence. En 1633, Champlain voyagea souvent sur le fleuve, visitant l'île, surveillant l'érection du fort, causant avec les soldats de la garnison et rencontrant les Indiens. Cette politique qui visait à contrôler les goulots d'étranglement sur le fleuve ne donna pas tous les résultats escomptés, mais elle aida Champlain à maintenir la paix sur le Saint-Laurent[23].

Champlain devait s'employer une fois de plus à améliorer les rapports avec les Indiens. À son retour à Québec, divers actes de violence entre Français et indigènes annonçaient de grands dangers. La conquête anglaise avait fait de grands torts sur ce point. Les Indiens ne comprenaient pas comment un royaume aussi puissant que la France avait pu être défait par une bande de corsaires. Certains s'étaient sentis abandonnés par les Français. D'autres considéraient qu'on ne pouvait leur faire confiance comme alliés ou même comme partenaires de commerce. Quelques-uns voyaient en eux une proie facile.

Le 30 mai 1633, un guerrier algonquin tua un Français. Le meurtrier fut pris et enchaîné au fort de Québec. Puis, le 2 juillet, un autre Français fut assassiné par un Indien de la Petite-Nation au moment où il lavait son linge dans un ruisseau non loin de l'établissement. Le meurtrier essaya d'en faire porter le blâme sur les Iroquois. Quand Champlain et les chefs indiens découvrirent la vérité, le meurtrier fut arrêté et emmené au fort lui aussi. Les dirigeants français s'interrogèrent sur la peine qu'il fallait lui infliger. Champlain posa la question autrement : quelle justice saurait satisfaire Indiens et Français ? C'était un problème qu'il avait eu à régler plusieurs fois par le passé, toujours dans le même esprit, mais chaque fois avec plus d'habileté.

De longues discussions s'ensuivirent entre Champlain et de grandes assemblées d'Indiens, surtout à propos de la manière de rendre justice. Les Indiens firent quelques propositions. Certains suggérèrent de tuer un Indien apparenté au meurtrier. Champlain refusa et leur dit : « Votre loi est beaucoup plus brutale que la nôtre[24]. » Des chefs montagnais proposèrent que plusieurs enfants de leur nation fussent remis à Champlain à titre d'otages. Ils prirent deux enfants par la main, les firent s'asseoir à ses pieds et lui dirent : « Nous te les donnons. Fais-en tout ce que tu voudras. » Champlain avait déjà retenu cette solution par le passé, mais cette fois il refusa. « Je ne désire meilleur otage que lui que je tiens en mes mains, comme un traître perfide, sans courage ni amitié non plus qu'un tigre[25]. » Champlain voulait que seul le coupable fût puni, mais d'une manière que toutes les nations jugeraient juste. Le meurtrier fut donc mis en état d'arrestation mais sans être reclus, pour que sa femme et ses compatriotes puissent le voir librement. On ignore l'issue de cette affaire. Elle n'était toujours pas résolue quand ce récit en fut fait. Mais Champlain réussit à trouver la voie de la coexistence pacifique entre Français, Algonquins et Montagnais, tant dans la solution que dans les moyens d'y parvenir. Comme toujours, il s'employait à instaurer sur cette base le règne de la justice dans la vallée du Saint-Laurent[26].

Un autre incident se produisit le 23 mai 1633 quand les Français de Québec reçurent la visite de douze ou quatorze canots de la nation népissingue, celle qu'on appelait la nation des Sorciers. Les Indiens se montrèrent fascinés par le jeu d'un jeune tambour français. L'un d'entre eux s'approcha trop près de lui, et le tambour lui donna un coup de baguette à la tête, sans le faire exprès. La blessure se mit à saigner abondamment, et les Indiens demandèrent justice, ce qui dans leur nation voulait dire qu'il fallait faire des présents au préjudicié. Champlain fit savoir que justice serait rendue autrement, et il ordonna que le tambour fût fouetté. Alors que « les verges étaient toutes prêtes », les Indiens se jetèrent sur le jeune tambour pour le protéger. Un Népissingue se dévêtit complètement et jeta sa couverture sur le jeune garçon en disant : « Touche sur moi si tu veux, mais tu ne le frapperas point. » Le petit tambour fut épargné, et cette fois ce fut au tour de Champlain de recevoir une leçon d'humanité[27].

La tâche qui consistait à renouer de bonnes relations avec les Indiens était augmentée du fait de la complexité culturelle de la vallée du Saint-Laurent. Chaque nation présentait ses difficultés. Champlain devait trouver des solutions propres aux Montagnais, aux nombreux groupes algonquins, aux Hurons et surtout aux Iroquois. La première chose qu'il fit fut d'élargir les communications. Comme toujours, son premier réflexe était d'écouter et de discuter. Il possédait des rudiments de plusieurs langues indiennes, mais pas suffisamment pour traiter directement de questions délicates. L'essentiel de ses communications devait passer par des interprètes.

Certains des interprètes que Champlain avait autrefois fait former vivaient toujours dans la vallée du Saint-Laurent. À l'arrivée des Anglais, plusieurs d'entre eux étaient repartis vivre chez les Indiens. D'autres s'étaient mis au service des conquérants. Champlain avait élevé ces hommes, et leur trahison l'avait dégoûté. Il en était venu à détester Étienne Brûlé, et il en voulait à Marsolet d'avoir prêté main-forte aux mercenaires britanniques. Après son retour à Québec en 1633, il s'appuya sur des interprètes respectés. Ainsi, tout le monde pensait le plus grand bien d'Olivier Le Tardif, qui maîtrisait le montagnais, l'algonquin et le huron, et qui était également tenu pour honnête homme. Les

Indiens l'avaient en très haute estime. Il apparaissait souvent aux côtés de Champlain, et il devint une figure importante en Nouvelle-France[28].

Au sein de l'établissement de Québec, Champlain s'employa à modifier les attitudes des nouveaux habitants à l'égard des Indiens. Grâce à son exemple, les rapports entre colons et autochtones prirent aussitôt du mieux. Le Jeune y aida Champlain, car il partageait son humanisme et admirait vivement le mode de vie et le caractère des Indiens. Il ne manquait pas d'ailleurs de noter l'élégance et la dignité d'un « sauvage de bonne façon ». Un jour, voyant une famille indienne passer devant chez lui, il écrivit : « Vous diriez que cette famille a je ne sais quoi de noble ; et s'ils étaient couverts à la française, ils ne céderaient point en bonne mine à nos gentilshommes français. » Il ajouta : « Il est vrai que si vous les voulez suivre dans les bois, ils vous nourriront sans vous rien demander, s'ils croient que vous n'avez rien. Mais s'ils s'aperçoivent que vous avez quelque chose, et qu'ils en ont envie, ils ne cesseront de vous presser que vous ne leur ayez donné[29]. » Les Indiens étaient autorisés à se déplacer librement dans toute l'habitation de Québec, selon « la coutume des sauvages ». Le Jeune : « Ils entrent partout sans dire mot, ni sans vous saluer. Leurs cabanes ne ferment point, y entre qui veut. » Ici encore, Champlain avait donné le ton, les autres avaient suivi, et les relations s'étaient améliorées de part et d'autre[30].

Le 24 mai 1633, deux jours après le retour de Champlain à Québec, dix-huit grands canots remplis d'Indiens et dirigés par le chef montagnais Capitanal vinrent lui rendre visite. Champlain se porta à leur rencontre et les harangua par le biais de son interprète, Olivier Le Tardif. Il leur rappela l'alliance qu'il avait contractée avec leurs pères à la première tabagie de la pointe Saint-Mathieu, exactement trente ans auparavant. Il leur rappela comment lui et le père de Capitanal avaient combattu côte à côte contre les Iroquois dans des batailles où celui-ci avait été tué et lui-même blessé.

Champlain fit part aux Montagnais du rêve qu'il avait de voir leurs enfants et ceux des Français se marier et vivre ensemble pour ne former qu'un seul peuple. Désignant le fort et l'habitation, il déclara : « Quand cette grande maison sera faite, alors nos garçons se marieront à vos filles, et nous ne ferons plus qu'un peuple[31]. » Ces paroles étaient sorties de son cœur, et les Indiens furent émus[32]. Le père Le Jeune était présent à cette rencontre et en fit le récit. Il observa que les Indiens « écoutaient fort attentivement » et qu'ils « paraissaient profondément pensifs » ; L'un des chefs montagnais tirait « de son estomac cette aspiration de temps en temps, pendant qu'on lui parlait, *hám ! hám ! hám !* comme approuvant le discours du truchement[33] ».

Champlain parla des liens commerciaux qui liaient désormais Montagnais et Anglais, et il prévint ses interlocuteurs que les corsaires étaient « des voleurs qui venaient pour dérober les Français ». Il expliqua que les monarques de France et d'Angleterre avaient conclu un traité, et conseilla aux Montagnais « qu'ils avisassent bien à ce qu'ils feraient, que ces voleurs étaient passagers, et que les Français demeuraient au pays comme leur appartenant ».

Après que Champlain eut terminé, Capitanal prit la parole. Le père Le Jeune fut étonné de l'entendre parler « avec une rhétorique aussi fine et déliée qu'il en saurait sortir de l'école d'Aristote ou de Cicéron ». Le chef montagnais dit que Champlain avait parlé vrai et qu'il incarnait depuis trente ans les idées qu'il préconisait. Le chef ajouta qu'il avait souvent entendu son père parler en termes admiratifs de Champlain et que les Montagnais avaient appris que les Français étaient différents des Anglais. Capitanal promit qu'il n'irait pas « à l'Anglais ». « Je m'en vais dire à mes gens qu'ils n'y aillent point. » Mais il expliqua que ses pouvoirs étaient limités. « Je te promets que ni moi, ni ceux qui ont de l'esprit n'iront pas : que s'il y a quelque jeune homme qui fasse un saut jusque là sans être vu, je n'y saurais que faire, tu sais bien qu'on ne peut pas tenir la jeunesse[34]. »

L'un des problèmes les plus épineux qui se posaient était le trafic d'alcool. « Les Anglais leur ont introduit cette boisson, écrivit Champlain, qui leur cause mille querelles entre eux, se battant et déchirant de coups de poing, rompent et brisent leurs cabanes, quand ils sont pris d'ivrognerie. […] Et de là pourrait naître une querelle et trouble en tout le pays. » Champlain interdit aux trafiquants de donner du vin et de l'alcool aux Indiens sous peine de châtiment corporel. Avec Capitanal, il s'efforça de mettre fin au trafic avec les intrus anglais et de stopper le trafic d'alcool. Les deux hommes connaissaient les limites de leur autorité, mais ils firent ce qu'ils purent, et ils le firent ensemble[35].

Si les relations avec les Montagnais s'amélioraient, celles avec les Algonquins présentaient des difficultés. Le 24 mai 1633, soit deux jours après le retour de Champlain à Québec, une imposante délégation d'Algonquins apparut sur le fleuve à bord d'une flottille de canots.

Champlain les soupçonnait de vouloir aller aux Anglais, qui avaient trois navires à Tadoussac ainsi qu'une barque loin en amont. Il se rendit dans leur campement et rencontra leurs chefs ; chose plus importante, il les écouta comme peu d'Européens le faisaient. Il leur parla de la vision qu'il avait pour les Indiens et la Nouvelle-France. Contrairement aux conquistadors de la Nouvelle-Espagne, Champlain n'aspirait pas à les asservir. Contrairement aux fondateurs de la Nouvelle-Angleterre, il ne voulait pas les tenir à distance ou les chasser de leurs terres. Il les pressa plutôt de s'installer plus près de Québec et leur fit entrevoir sa vision d'un pays où Européens et Nord-Américains vivraient en paix côte à côte.

Après ses pourparlers avec les Montagnais et les Algonquins, Champlain rencontra les Hurons et s'employa à restaurer les liens qu'il avait créés avec eux. Tâche fort ardue. Vingt ans auparavant, Champlain avait été proche d'eux, il avait passé tout un hiver dans leurs villages. Ces liens s'étaient distendus. Certains Hurons lui reprochaient de les avoir abandonnés. Néanmoins, en 1633, ils se souvenaient encore de lui avec affection et respect. Lorsqu'ils avaient appris que Champlain était de retour, un parti imposant de Hurons avait descendu le fleuve pour voir cet homme qui était devenu une légende dans leur culture. Le 28 juillet, entre cinq et six cents Hurons abordèrent Québec avec des centaines de canots. Ils mirent pied à terre et dressèrent leur campement sur le bord du fleuve[36].

L'apparition des Hurons ne manqua pas d'impressionner les Français. Le Jeune, qui en fut témoin, raconta : « Je ne saurais dire comment cette nation porte les cheveux, chacun suit sa fantaisie : les uns les ont longs et pendants d'un côté comme les femmes, et courts et retroussés de l'autre, si bien qu'ils ont une oreille cachée et l'autre découverte. Quelques-uns sont justement rasés à l'endroit où les autres portent une longue moustache. J'en ai vu qui avaient une grande raie toute rasée qui leur traversait toute la tête, passant par le sommet et venant rendre au milieu du front : d'autres portent au même endroit comme une queue de cheveux qui paraît relevée à cause qu'ils se rasent de part et d'autre de cette queue[37]. »

Le lendemain, les Hurons tinrent conseil avec soixante de leurs chefs, tous assis sur le sol, par village et par clan. Le père Le Jeune fut frappé par leur dignité. « J'ai appris que Louis XI tint un jour son conseil de guerre en la campagne, n'ayant pour trône ou pour chaire qu'une pièce de bois, ou un arbre abattu qu'il rencontra par fortune au milieu d'un champ. Voilà le portrait du conseil des Hurons[38]. » Champlain fut invité à se joindre à eux, et l'on permit aux jésuites d'assister aux délibérations. Un chef huron se leva et déclara qu'ils étaient « venus voir leurs amis et frères les Français », et ils offrirent des présents « à leur capitaine le sieur de Champlain ». Ils lui firent cadeau de trois gros ballots de peaux de castor. D'autres Indiens se levèrent pour marquer leur accord. L'un d'eux dit « qu'ils se réjouissaient du retour du sieur de Champlain et qu'ils se venaient tous chauffer à son feu ». Puis les Hurons lui donnèrent d'autres ballots de peaux de castor[39].

Champlain se leva à son tour et déclara « qu'il désirait grandement de les voir comme ses frères et [...] qu'il reconnaissait encore les vieillards de leur nation pour avoir été à la guerre avec eux ». Les Hurons apprécièrent ses propos. Puis deux capitaines hurons se levèrent et, sous les yeux étonnés de Le Jeune, « ce fut à qui honorerait le plus le sieur de Champlain ». L'un d'eux dit : « Les Français n'étant plus ici, la terre n'était plus la terre, la rivière n'était plus la rivière, le ciel n'était plus le ciel : mais [...] au retour du sieur de Champlain, tout était retourné à son être, la terre était devenue terre, la rivière était devenue rivière, et le ciel avait paru ciel[40]. » Un autre célébra le guerrier en Champlain et dit qu'il était « effroyable en ses regards, qu'étant en guerre, il jetait d'une œillade la terreur dans le cœur de ses ennemis[41] ».

Puis l'on discuta de la présence des jésuites. Champlain pressa les Hurons de les admettre dans leurs villages, et il dicta des arrangements en ce sens aux Hurons aussi bien qu'aux pères. Les deux acceptèrent sa décision même si elle allait quelque peu à l'encontre de leurs intérêts. En 1633, Champlain était le maître incontesté du Saint-Laurent.

Après le conseil huron, les jésuites invitèrent Champlain et les capitaines des navires français à visiter leur chapelle et à recevoir des indulgences, et ici apparut un autre aspect de la personnalité du fondateur. Les Hurons le suivirent jusqu'à la chapelle, et ils étaient tellement nombreux qu'il n'y avait pas de place pour tous dans le petit pavillon. Un Huron passa la tête par une fenêtre pour voir ce qui se passait. Le père Le Jeune écrivit que « le sieur de Champlain prenant plaisir à les voir admirer, donna à l'un d'entre eux un morceau d'écorce de citron ». L'Indien y goûta et s'écria : « Ô que cela est bon ! » Champlain lui dit en riant que « c'était de l'écorce des citrouilles de France ». Les autres vinrent goûter eux aussi : « Ils voudraient bien en tâter, pour en porter les nouvelles en leur pays. Je vous laisse à penser si tous ceux qui étaient dans la chambre se mirent à rire[42]. »

Les rapports avec les Iroquois continuaient de faire problème. Toutes les grandes nations de la vallée du Saint-Laurent désiraient l'alliance des Français pour les combattre. Le 13 novembre 1632, le père Le Jeune avait reçu la visite inopinée d'un capitaine montagnais qui était dans un état d'agitation extrême. « Manitougache, notre hôte et voisin, nous vint dire qu'on avait vu quantité d'Iroquois qui avaient paru jusques à Québec. Tous les Montagnais tremblaient de peur. Celui-ci nous demanda si sa femme et ses enfants ne pourraient pas bien venir coucher chez nous, nous lui répondîmes que lui et ses fils seraient les très bienvenus, mais que les filles et les femmes ne couchaient point dans nos maisons, voire même qu'elles n'y entraient point en France. [...] Il envoya donc tout son train, tous les jeunes gens aux cabanes voisines de Québec, où l'on disait que l'on enverrait quelques arquebusiers pour les garder. » Les Algonquins et les Hurons demandèrent aussi à Champlain de les protéger. Vingt ans après ses campagnes contre les Agniers et les Onontagués, la guerre avait repris entre les Iroquois et les nations indiennes qui vivaient et commerçaient le long du fleuve[43].

Le 2 juin 1633, des guerriers agniers embusquèrent un parti de Français près des Trois-Rivières. Ce fut un combat sanglant. Les Français remontaient le fleuve dans une barque et une petite chaloupe. Le courant était fort, et quelques hommes avaient mis pied à terre pour remorquer la chaloupe à partir de la rive. Alors qu'ils parvenaient à une pointe de terre, un parti de trente ou quarante Iroquois embusqués se jeta sur eux avec la dernière férocité. D'autres Iroquois tentèrent de prendre d'abordage la chaloupe avec leurs canots. Les hommes de la grande barque se portèrent au secours des leurs, et les arquebusiers firent feu. Les Iroquois furent repoussés, mais non sans avoir tué deux ou trois Français et blessé trois ou quatre autres. Ils avaient scalpé leurs victimes et retraité en poussant des cris de triomphe[44].

C'était là le problème le plus épineux : l'hostilité renouvelée de ces guerriers formidables. Champlain avait essayé à maintes reprises de faire la paix avec les Iroquois. De 1609 à 1628, il y était arrivé, à l'époque où les Iroquois étaient engagés dans des guerres au sud. Une sorte de paix armée était intervenue, mais la conquête anglaise avait mis fin à cet état de choses. Les Agniers avaient porté leurs regards vers le nord de nouveau, et les rivalités suscitées par le commerce des fourrures étaient intenses. Les initiatives de paix avaient échoué, et Champlain n'avait pas la puissance de feu nécessaire pour contrer les Iroquois. Alors que faire ?

En 1633, puis de nouveau en 1634, Champlain exposa ses réflexions sur la question dans des lettres au cardinal de Richelieu. Le 15 août 1633, il expliqua au cardinal que les Iroquois dominaient désormais une bonne partie du pays au sud du Saint-Laurent et qu'ils tenaient plus de « quatre cent lieues en sujétion ». Dans cette région, écrivit-il, les rivières et les sentiers étaient fermés aux Français et à leurs alliés indiens. « Il faut tôt ou tard détruire et empêcher qu'ils [les Iroquois] ne donnent du trouble aux peuples qui doivent être libres sur les lacs et rivières d'aller et venir trafiquer paisiblement et librement avec les Français[45]. »

Champlain fit savoir à Richelieu qu'on n'atteindrait cet objectif que par la force des armes, mais non en recourant à une armée européenne ordinaire. Il proposa la création d'une unité militaire adaptée aux conditions du Nouveau Monde. Il s'agirait d'une toute petite unité dont les éléments seraient triés sur le volet, formés aux opérations parmi les Indiens et très mobiles dans la forêt américaine. « Pour se rendre maîtres de tous ces peuples, il faudrait cent hommes d'élite, de courage, doux, paisibles, nourris à la fatigue et obéissants, qui se pussent accommoder aux humeurs des sauvages pour le boire et le manger[46]. »

Champlain expliqua avec force détails la composition de cette troupe d'élite. Il demanda la permission de recruter « quatre-vingts hommes ayant chacun une carabine de trois à quatre pieds, qui porte chacune le calibre d'un mousquet », tous entendus bien sûr au maniement de cette arme. Il y aurait dix autres hommes « qui sachent escrimer de l'épée à deux mains, chacun avec son pistolet » ; quatre hommes « entendus aux artifices et à faire jouer pétards et mines » pour abattre des palissades ; dix hallebardiers et « dix piquiers entendus à manier la pique, qui soient forts et robustes » ; quatre charpentiers et quatre serruriers habiles à réparer des platines ; et deux chirurgiens, « chacun leur pistolet ». Tous ces hommes recevraient aussi des coutelas « courts et bien tranchants ». Toute cette force serait habillée d'« habits de chamois ou peau bien passée, qui ne se raidisse à l'eau et fut toujours bien souple quand il viendrait à sécher ». Chaque homme serait coiffé d'un casque et revêtu d'une armure légère en acier pour se protéger des flèches[47].

On note la combinaison de qualités que Champlain recherchait. Les hommes devaient être très efficaces, capables de se déplacer rapidement et durs à l'épreuve. Ils devaient être aussi des jeunes gens de bonnes manières, disciplinés et capables de retenue, qui pourraient s'adapter aux façons de faire des indigènes et collaborer avec eux harmonieusement. Champlain voulait que cette petite troupe française puisse fonctionner avec des contingents de trois ou quatre mille guerriers alliés, tirés des nations indiennes du Saint-Laurent. Il demandait aussi qu'on fournisse à ces derniers mille hachettes et quatre mille fers de flèches[48]. Son objectif était clair. Si les Iroquois s'attaquaient aux Français ou aux Indiens de la vallée du Saint-Laurent, il fallait déployer un contingent constitué de soldats français et de guerriers indiens qui interviendrait sans délai dans le cadre d'une expédition imposante et très mobile. Celle-ci irait tout de suite au cœur de l'Iroquoisie, attaquerait une de ses capitales et se retirerait après une dizaine de jours. Les Iroquois comprendraient que la paix était plus avantageuse que la guerre[49].

Champlain ne voulait pas se lancer dans une conquête française de l'Amérique du Nord qui aurait été menée par la force brute ou y bâtir un empire sédentaire à la manière britannique. Ce qu'il voulait, c'était vivre en harmonie parmi les Indiens et collaborer avec eux à l'instauration d'une paix durable. S'il le fallait, il ferait respecter cette paix par un effort militaire conjoint fait d'interventions rapides, fortes et décisives, suivies d'une conciliation. Sa lettre au cardinal articulait justement cette stratégie et son plan opérationnel. On ignore si cela aurait donné les résultats voulus contre les Iroquois. Il s'agissait après tout d'adversaires formidables, très habiles au genre de guerre que Champlain se proposait de mener contre eux.

La mise en œuvre de son plan aurait nécessité le soutien actif du cardinal de Richelieu, et ce soutien ne vint jamais. Champlain commit peut-être une grave erreur tactique en développant sa pensée non seulement dans ses lettres à Richelieu, mais aussi dans une « relation » qui fut publiée dans le *Mercure françois*. À Paris, on dut considérer avec le plus grand scepticisme ce Champlain de soixante-trois ans qui proposait de reprendre la tête d'une armée. Le cardinal ne savait rien de l'Amérique du Nord et ne possédait pas non plus la longue expérience qu'avait Champlain des combats dans la forêt américaine. Quelle que fût la raison, Richelieu ignora les conseils de Champlain et ne répondit peut-être même pas à sa lettre. Encore une fois, cette inaction coûta cher à la France. Après la mort de Champlain, les Iroquois se firent plus téméraires, et il fallut envoyer en Amérique un imposant régiment d'infanterie de type classique avec pour mission d'imposer l'ordre par des moyens plus lourds. Initiative qui s'avéra moins efficace que l'approche proposée par Champlain.

*   *   *

Pendant qu'il gouvernait Québec, Champlain fit tout en son pouvoir pour améliorer ses rapports avec le cardinal de Richelieu et le roi, ce qui n'était pas chose facile. Le cardinal était absorbé par les affaires européennes. Il rêvait de donner un empire mondial à la France, et son attention errait d'un projet à l'autre. Il acquit les îles de la Martinique et de la Guadeloupe dans les Antilles, puis il porta son intérêt sur l'Asie du Sud et l'Inde. Le Canada figura un temps dans les vues du cardinal, mais il n'y resta guère longtemps. Champlain écrivit une série de lettres à Richelieu, qui sont encore aux archives du ministère des Affaires étrangères à Paris. Chaque année, il sacrifiait au rituel d'allégeance envers son supérieur. Il se mettait rarement en vedette dans sa correspondance, n'en ayant que pour la Nouvelle-France. Il décrivait la magnitude de « ce pays qui est tel que l'étendue est de plus de quinze cents lieues de longitude ». Il célébrait le Saint-Laurent, « un des plus beaux fleuves du monde [...] où nombre de rivières, lacs de plus de quatre cents lieues s'y déchargent ». Il parlait des indigènes avec sympathie, soulignant leur grande diversité, « les uns sédentaires ayant villes et villages, bien que fermés de bois, à la façon des Moscovites », les autres étant chasseurs et pêcheurs nomades, « tous n'aspirant qu'avoir un nombre de Français et religieux pour être instruits à notre foi[50] ».

Il parlait de la beauté du pays et de la richesse de ses terres arables, de ses grands espaces ouverts et de ses immenses forêts, de l'abondance du gibier et du poisson, de ses riches gisements de cuivre, de fer, d'argent et d'autres minéraux. Chaque lettre était un tract promotionnel et davantage : un testament écrit à l'encre du cœur pour un pays qu'il aimait autant que la France elle-même[51].

Ces lettres annuelles rappelaient également à Richelieu qu'il ne fallait pas perdre de vue la Nouvelle-France parmi ses nombreux projets. « Monseigneur, pardonnez s'il vous plaît à mon zèle et si je vous dis que, après que votre renommée se sera étendue en l'Orient, que la fassiez achever de connaître en l'Occident. » Champlain lui disait que ce grand empire français pouvait se perdre aux mains des Iroquois, des Anglais et des Flamands (c'était ainsi qu'il appelait les Hollandais), qui étaient les ennemis de la Nouvelle-France. Les Iroquois maîtrisaient déjà de nombreuses rivières et menaçaient le cœur de la Nouvelle-France. Encore et encore, Champlain faisait valoir qu'en ces débuts modestes, il suffirait d'une petite troupe pour régler le sort d'un grand continent. Il expliquait au cardinal qu'avec un petit effort déployé au bon moment « nous chasserons et contraindrons nos ennemis, tant anglais que flamands, à se retirer sur les côtes, en leur ôtant le commerce avec les dits Iroquois, ils seront contraints d'abandonner le tout » ; et en une seule année cette unité « augmentera le culte de la religion et un trafic incroyable ». Il en coûterait peu pour ce faire, et cette entreprise serait la plus « honorable autant qu'il se peut imaginer[52] ».

Le cardinal ne lui répondit jamais. Un an plus tard, le 18 août 1634, Champlain lui écrivit de nouveau. Il lui fit savoir que de nombreux artisans et leurs familles étaient arrivés, et que les efforts des Cent-Associés lui insufflaient un courage nouveau. Il lui annonçait qu'il avait donné le nom de Richelieu à une rivière ainsi qu'à une île à quinze lieues en amont de Québec, où il avait fait bâtir un fort qui contrôlait les déplacements sur le grand fleuve. Une fois de plus, il réclama cent vingt hommes[53].

On imagine bien que ces lettres annuelles de Québec devaient lasser Son Éminence. Peut-être Richelieu ne les lisait-il même pas. Il n'aimait pas se faire haranguer par ses inférieurs hiérarchiques, particulièrement s'il s'agissait de ce vieux roturier radoteur qui ne vivait que pour son rêve. S'il lui a répondu, aucune lettre n'a survécu. Quand les pensées du cardinal se tournaient vers les colonies à cette époque, il accordait davantage d'attention à la Guadeloupe qu'à l'habitation de Québec, à la Martinique qu'à l'Acadie. L'Afrique du Nord l'intéressait plus que l'Amérique ; l'océan Indien davantage que l'Atlantique. Pour les catholiques de la Nouvelle-France, l'indifférence du cardinal dut apparaître comme un châtiment du ciel. Pour les calvinistes de la Nouvelle-Angleterre, c'était un don de la Providence[54].

CHAPITRE 22

Le peuplement du Canada

Les années charnières, 1632-1635

Enfin des colons !

MARCEL TRUDEL, à propos des années 1633-1636[1]

À son retour à Québec en 1633, Champlain y trouva soixante-dix-sept habitants, soit trois de moins que les quatre-vingts malheureux qui avaient hiverné à l'île Sainte-Croix en 1604. Le peuplement de la Nouvelle-France avait toujours été le but déclaré de Champlain et des autres artisans de la colonisation, mais trente ans plus tard les résultats sur ce plan n'étaient guère brillants. L'infime population française d'Amérique du Nord stagnait, sans immigration soutenue et avec une croissance naturelle quasiment nulle.

Pendant trois décennies, les habitants de nationalité française en Amérique du Nord étaient surtout des oiseaux de passage : essentiellement des mâles solitaires qui ne restaient que l'espace d'une saison. En 1632, lorsque le père jésuite Paul Le Jeune débarqua à Québec, il n'y rencontra qu'une seule famille française digne de ce nom : le ménage Hébert-Couillard, cette famille élargie que Champlain avait aidée à s'établir en 1617[2]. Louis Hébert était mort à l'hiver de 1626 d'une chute sur la glace. Sa veuve, Marie Rollet, s'était remariée et était restée à Québec. Leur fille, Guillemette, avait épousé un charpentier naval illettré du nom de Guillaume Couillard, et en 1632 le couple avait quatre filles : Louise, huit ans ; Marguerite, sept ans ; Élisabeth, deux ans ; et Marie, six mois[3]. Le père Le Jeune leur rendit visite, « en la maison la plus ancienne de ce pays-ci[4] ». Il devait écrire : « Dieu les bénit tous les jours, il leur a donné de très beaux enfants, leur bestial est en très bon point, leurs terres rapportent de bons grains. »

Les Hébert et les Couillard avaient montré ce qu'il était possible de faire, mais ils avaient connu leur part d'épreuves pendant ces années. Les

Croquis optimiste de Québec qui évoque la ville sur la montagne de Saint-Mathieu, avec moult flèches et ses crucifix. À l'avant-plan, des évocations de l'agriculture, du commerce sur le fleuve et de l'industrie sur la rive, où une petite barque à la poupe dangereusement relevée commence à prendre forme.

compagnies de commerce les avaient exploités honteusement ; un Indien avait tué un de leurs engagés ; des prédateurs français et anglais avaient pillé leurs propriétés. En 1632, les Hébert-Couillard avaient perdu courage, et le père Le Jeune apprit avec consternation qu'ils avaient décidé de renoncer : « Ils cherchaient les moyens de retourner en France[5]. » Puis, lorsqu'ils surent que les Français allaient reprendre possession de Québec, « ils commencèrent à revivre. Quand ils virent arriver ces pavillons blancs sur les mâts de nos vaisseaux, ils ne savaient à qui dire leur contentement[6] ».

Au printemps de 1633, Champlain arriva avec trois navires transportant environ cent cinquante colons. Cet événement fut un moment charnière dans le peuplement du Canada. En 1634, ce furent quatre autres vaisseaux avec deux cents colons à leur bord ; en 1635, ils étaient plus de trois cents immigrants dans les six vaisseaux de la compagnie. Ces treize navires bondés marquèrent les vrais débuts d'une population française apte à se reproduire[7].

Son taux de croissance demeura cependant très faible. De 1633 à 1636, près de la moitié des nouveaux arrivants rentrèrent en France.

Le rêve qu'avait formé Champlain d'une population française auto-suffisante dans la colonie reposait sur des femmes comme cette jeune Canadienne avec son joli minois, ses avant-bras solides, son béguin blanc, son châle noir et son crucifix saillant : image de beauté, d'industrie, de vertu, d'élégance et de piété.

Le nombre d'hivernants augmenta tout de même de 77 en 1632-1633 à 227 en 1633-1634, et à environ 400 en 1635-1636[8]. Une fois lancée, cette tendance se poursuivit pendant de nombreuses années : 1 000 immigrants débarquèrent de 1636 à 1640 ; 3 500 autres s'ajoutèrent de 1640 à 1659 ; et 9 000 de 1660 à 1699. Ce fut sous le dernier gouvernement de Champlain, de 1633 à 1635, que le « décollage » commença ; ce fut un moment de « mutation profonde » où un régime céda la place à un autre[9].

Le facteur vital était la proportion croissante de femmes et de filles parmi les immigrants. À l'automne de 1632, le père Le Jeune compta 5 femmes dans la population de Québec, toutes de la famille Hébert-Couillard. En 1636, selon le dénombrement de l'historien Marcel Trudel, il y avait au moins 65 femmes dans la colonie, plus 78 enfants[10].

Avec l'établissement d'un plus grand nombre de femmes, d'autres tendances se firent jour. La proportion de femmes célibataires qui trouvaient un mari était très élevée, plus élevée qu'en France. L'âge au premier mariage était bien au-dessous des moyennes européennes : avant 1660, la plupart des femmes de la colonie se mariaient à l'adolescence et avaient de nombreux enfants. Dans les familles qui restaient intactes pendant les années de procréation, le nombre *moyen* d'enfants nés à terme était entre huit et neuf. La mortalité infantile était élevée, mais le taux de fécondité était beaucoup plus élevé. Cette population dynamique se mit à doubler tous les vingt-cinq ans et maintint cette cadence sur plusieurs générations. À partir des humbles débuts de la période 1633-1635, la population européenne du Canada connut une croissance extraordinaire. En Nouvelle-France, comme en Nouvelle-Angleterre, le seul commandement biblique qu'on observait scrupuleusement était : « Allez et multipliez-vous[11]. »

Il en est résulté un profil génétique qui a étonné les démographes. Les Québécois d'origine française et leurs parents d'Amérique du Nord se comptent aujourd'hui par millions. Une étude attentive de cette population considérable montre qu'elle est issue d'un pool génétique restreint. Plus des deux tiers descendent des onze cents Françaises qui se sont établies au Canada entre 1630 et 1680[12].

Le rôle de Champlain fut ici essentiel. Il fit activement la promotion du peuplement de la Nouvelle-France, dans un esprit qui était fort différent de celui des autres dirigeants français. Il fit tout en son pouvoir pour l'encourager. Les autres étaient plus enclins à le réguler. Dans leurs lettres patentes, les Cent-Associés du cardinal de Richelieu avaient reçu l'ordre de « peupler la dite colonie de naturels François catholiques ». Tel était le vœu du Conseil du roi et de Richelieu lui-même. Champlain favorisait pour sa part une politique de peuplement plus ouverte.

Un bon exemple : sa relation avec la famille d'Abraham Martin, dit maître Abraham, dit l'Écossais[13]. On sait que ce marinier et pêcheur d'origine écossaise était apparu dans le port de Dieppe et y avait épousé Marguerite Langlois avant 1619 ; puis le couple s'était établi en Nouvelle-France, peut-être l'année suivante. Après avoir pêché et navigué sur le Saint-Laurent, il était passé au rang de pilote et de maître de barque de la compagnie, et il avait bâti une maison à Québec[14]. Il avait eu un enfant, Eustache Martin, fils du « sieur Martin (Abraham) et de Marguerite Langlois sa femme », le 24 octobre 1621. On dit souvent de lui qu'il fut le « premier enfant français né en Amérique », et c'est sûrement le premier baptême enregistré en Nouvelle-France. Son prénom donne à croire qu'il eut pour parrain le beau-frère de Champlain, Eustache Boullé, qui se trouvait alors à Québec avec sa sœur, Hélène. Chose certaine, la famille Champlain fit tout en son pouvoir pour aider Abraham, Marguerite et leur progéniture croissante[15].

La famille Martin vécut à Québec jusqu'à la conquête anglaise de 1629, auquel moment elle rentra à Dieppe. Elle y resta jusqu'en 1632 et revint à Québec cette année-là ou l'année suivante. Abraham Martin retrouva son gagne-pain sur le fleuve. Marguerite et lui eurent au moins trois autres fils qui moururent sans descendance, et six filles qui se marièrent et eurent de nombreux enfants. Des pans entiers de la population francophone du Québec descendent des filles de Marguerite Langlois et d'Abraham Martin, l'Écossais[16].

Abraham Martin poursuivit longtemps son œuvre de peuplement. En 1649, à l'âge de soixante-quatre ans, il fut traduit en justice pour fornication avec une « jeune voleuse », une délinquante de seize ans. Les historiens nous disent que cet épisode n'entama en rien la réputation de maître Abraham en Nouvelle-France. Il gagnait bien sa vie comme maître de barque sur le fleuve, s'enrichit dans les pêcheries et demeura un homme estimé de ses compatriotes[17].

Champlain fit bon accueil à la famille Martin, l'aida du mieux qu'il put et se réjouit de sa fécondité. Abraham Martin reçut une concession de douze arpents près de Québec en 1635, et plus tard vingt autres arpents d'« amis ». Champlain puisa lui-même dans sa bourse et lui légua la somme de douze cents livres pour l'aider à défricher des terres et à établir ses enfants près de Québec[18]. Selon une légende tenace au Québec, Martin était propriétaire des hauteurs surplombant la ville, et les plaines d'Abraham lui doivent leur nom. Certains historiens croient que cette légende est fondée sur des faits ; d'autres la tiennent pour une fable[19]. Ce qui est sûr, c'est que Champlain a fait beaucoup pour établir la famille d'Abraham Martin sur la terre qui se trouvait au-dessus de la ville, qu'il a arpenté lui-même la terre, qu'il a ouvert un chemin de quatre mètres de large sur la colline et qu'il a aidé Martin à établir ses enfants sur cette terre[20]. Champlain devait être heureux d'avoir à Québec une famille d'origine française et écossaise. Grâce aux gènes solides d'Abraham l'Écossais, à la fécondité de Marguerite Langlois et à l'esprit tolérant de Samuel de Champlain, de nombreux Québécois francophones ont aujourd'hui le droit ancestral de porter kilt et sporran.

On trouve en 1634 un autre exemple du rôle qu'a joué Champlain dans le peuplement de la Nouvelle-France. L'addition démographique la plus importante à la colonie au cours de cette période est la famille élargie de Robert Giffard de Moncel, un ami proche de Champlain.

Giffard était apothicaire et maître chirurgien, un homme fortuné du Perche, au sud-est de la Normandie. Il était venu au Canada en 1621 ou 1622 à titre de chirurgien naval et s'y était plu. Giffard partageait le rêve qu'avait Champlain pour la Nouvelle-France et sa vision humaine des relations avec les Indiens. Il avait voulu épouser une Indienne et s'installer en Amérique. Elle avait accepté sa demande en mariage, mais sa nation à elle n'avait pas voulu de lui, et il était rentré en France[21].

Mais Giffard demeurait hanté par son rêve, et en 1627 il était revenu à Québec et avait bâti une cabane à La Canardière, près de Beauport, à quelques kilomètres en aval de Québec. Lorsque les corsaires anglais s'étaient emparés de la Nouvelle-France, ils l'avaient fait prisonnier et avaient saisi ses biens. Il avait réussi à rentrer en France et, avec le concours de Champlain, avait demandé à la Compagnie des Cent-Associés à être indemnisé au moyen d'une concession foncière. On lui avait donné une seigneurie imposante qui chevauchait la rivière Beauport, non loin de l'endroit où se dressait son ancienne cabane. Giffard entreprit alors de faire venir des colons à ses frais et de les établir sur ses terres. Champlain l'avait aidé à conclure cet accord, tout comme il avait aidé les familles Hébert-Couillard et Martin[22].

En 1634, Giffard revint en Amérique avec sa femme, Marie Renouard, qui était enceinte de huit mois. Une semaine après leur arrivée, elle donna naissance à une fille, et la mère et l'enfant survécurent. Giffard se servit de sa fortune pour recruter un contingent de parents et de serviteurs. Au total, il fit venir 42 personnes en Nouvelle-France cette année-là : 10 hommes, 8 femmes et 24 enfants, presque tous issus du Perche. Un autre groupe important suivit en 1635, et davantage après. D'après le recensement de 1666, 29 familles et 184 personnes vivaient dans la seigneurie ou à proximité et se multipliaient à un rythme impressionnant. Giffard lui-même était à l'origine de ce mouvement, mais Champlain l'y avait aidé à maints égards, en dépit de nombreux revers de fortune[23].

La croissance démographique était essentielle à la réalisation du grand dessein de Champlain, et ce fut son œuvre à lui. Son succès sur ce plan, après des années d'échecs répétés, dut le soulager grandement. « L'assurance aussi que je remarque en tous les associés m'y a grandement guidé, écrit-il à Richelieu en 1634, et me donne de nouveaux courages voyant d'artisans et de familles qu'ils ont envoyés cette année[24]. » L'initiative de Champlain donna à ces familles françaises le courage d'aller s'installer dans le Nouveau Monde. Les immigrants et leur progéniture le considéraient comme leur protecteur. Un de leurs descendants du XIXe siècle a écrit que Champlain avait été « l'homme providentiel sur qui reposait la confiance de toutes les familles » qui étaient venues à Québec de 1633 à 1635[25].

Dans ces années charnières, Champlain eut également une influence marquante sur le développement du système seigneurial, qui commença à prendre dc l'expansion sous son dernier gouvernement. Ce système était censé stimuler la croissance démographique. Champlain lui-même l'inaugura en 1623 lorsqu'il obtint une concession foncière pour Louis Hébert hors des murs de Québec, et qu'il ordonna aux ouvriers de la colonie de lui bâtir une maison et des bâtiments de ferme. Champlain avait également obtenu la seigneurie de l'île d'Orléans pour Émery de Caën et sa famille[26].

Après le retour de Champlain en 1633, les concessions seigneuriales fondèrent la distribution des terres en Nouvelle-France. C'était un système d'une simplicité élégante, centré d'abord sur le Saint-Laurent. Chaque concession était délimitée par des lignes cadastrales perpendiculaires au fleuve de même qu'aux autres cours d'eau des environs de Québec et de Montréal. Il en résulta un mode simple et précis d'aménagement des rives en lots fonciers — plus clair en tout cas que le système des bornes et limites de la Virginie, qui avait créé une mosaïque foncière des plus désordonnées. Et le système était mieux adapté au territoire que les rectangles que les colons de Nouvelle-Angleterre propagèrent sur tout le continent[27].

Il n'existe aucun document attestant l'établissement officiel du système seigneurial. Moment pivot dans cette histoire : l'octroi de la seigneurie de Beauport à Robert Giffard de Moncel le 15 janvier 1634, à l'époque où Champlain était gouverneur[28]. À compter de ce jour, le système se mit à se propager rapidement. Les seigneurs recevaient des terres et des privilèges féodaux et s'engageaient en échange à faire venir des colons à leurs frais. D'entrée de jeu, la Nouvelle-France se dota d'une noblesse, ou plus exactement d'une aristocratie terrienne, sous les auspices de la Compagnie des Cent-Associés. Plus tard, le roi octroya des seigneuries surtout à des nobles de naissance, mais il ne s'agissait aucunement de la haute noblesse. Sauf quelques exceptions, comme la famille Sillery, on n'y retrouvait pas de familles de la noblesse d'épée :

nul prince du sang et aucune de ces grandes familles ducales avec château sur la Loire et hôtel particulier sur les Champs-Élysées. Ce fut plutôt une petite élite de seigneurs féodaux. Sous ces seigneurs, il y avait parfois des sous-seigneurs, et ensuite des habitants qui défrichaient de longues bandes de terre fertile partant du cours d'eau le plus proche. Sous eux, il y avait encore les engagés, les serviteurs et quelques esclaves. Il en est résulté un système de stratification — une stratification tronquée, mais néanmoins existante. Une « société édifiée sur des réseaux de parenté et de patronage » se mit à fleurir sous Champlain, avec son encouragement[29].

Et cette société ne cessa de croître. Encore aujourd'hui, quatre siècles plus tard, ce système de distribution des terres demeure visible dans de nombreuses régions de la vallée du Saint-Laurent. Le touriste en visite à Québec n'a qu'à conduire quelques minutes pour parvenir à un pont moderne qui mène à l'île d'Orléans. On voit sur l'île les longues bandes riveraines des premiers colons, avec de vieilles maisons de taille modeste et de petites églises paroissiales en pierres des champs. En règle générale, les seigneurs de Nouvelle-France n'ont pas bâti de grands châteaux où ils auraient vécu dans un isolement splendide ; ils vivaient modestement et travaillaient la terre côte à côte avec leurs censitaires.

Il y a un autre endroit où l'on peut encore voir les vestiges de l'ancien régime seigneurial : sur la rive sud du Saint-Laurent, de Rivière-du-Loup jusqu'à Rimouski en aval. On voit là aussi les longs champs étroits qui partent du fleuve à angle droit. Sur une crête parallèle à la rive se dressent de vieilles maisons, conservées amoureusement et peintes dans des couleurs qui mettent gaiement en valeur leur architecture distinctive.

Le même système de concessions riveraines a été implanté sur les grands affluents du Saint-Laurent. Il s'est étendu entre autres vers le sud, le long de la rivière Richelieu jusqu'au lac Champlain, et certaines de ces seigneuries existaient encore en vertu des lois de l'État de New York jusqu'en 1854. On le voit aussi dans des régions qui font partie aujourd'hui du Nouveau-Brunswick, et il y en a encore des traces dans l'actuel État du Maine. Sur le versant est de l'île des Monts déserts, on en aperçoit des vestiges à Hulls Cove, au domaine appelé Cover Farm, avec sa longue bande de terre qui part de Frenchman Bay. Cover Farm était le manoir d'une seigneurie octroyée à un aventurier gascon du nom d'Antoine de La Mothe Cadillac, seigneur de Douaquet et des Monts déserts. Plus tard, la seigneurie passa à sa petite-fille, une femme extra-ordinaire du nom de Maria Theresa de Grégoire qui, avec le concours du marquis de La Fayette, convainquit la législature du Massachusetts de faire droit à ses prétentions. Ma famille possède dans l'île des maisons dont les titres remontent à cette vieille seigneurie française[30].

Pendant que se développait ce système d'aménagement territorial en Nouvelle-France, un autre phénomène marquait ces mêmes années charnières : l'apparition d'une culture distincte. Ce fut l'œuvre des immigrants français et de Champlain lui-même, et elle se mit à émerger dans cette période critique de 1633 à 1635. Cette nouvelle culture naquit de l'interaction entre un nouvel environnement et les mœurs populaires anciennes qui avaient traversé l'Atlantique avec les colons de France. Cette jonction s'opéra à la faveur d'un moment historique particulier au XVIIe siècle. Le moment avait son importance, mais le lieu d'origine aussi : non pas la France de manière générale, mais certaines régions précises du royaume.

Dans cette période importante qui s'étend de 1633 à 1635, les navires conduisant les immigrants en Nouvelle-France provenaient principalement des ports de Normandie. Un grand nombre de colons étaient eux aussi de Normandie. Leur proportion a été estimée à entre 18 et 31 % du total. Le Perche, dans l'arrière-pays normand, en fournit 4 %, sans doute davantage. L'Île-de-France, à l'est de la Normandie dans la vallée de la Seine, contribua pour 15 % au flux de colons. La Picardie et la Champagne ajoutèrent 5 % ; la Bretagne, 3,5 % ; le Maine, 3 % ; et la vallée de la Loire, 7 %. En tout, environ 60 % des colons du Saint-Laurent étaient originaires des provinces du nord et de l'ouest de la France, surtout des régions situées entre les vallées de la Seine et de la Loire[31].

Se joignit à eux un flux migratoire plus modeste mais tout de même important issu d'une autre région : quatre provinces du centre-ouest de la France qui fournirent au Québec environ 30 % de ses colons fonda-teurs, dont à peu près 17 % de l'Aunis et de la Saintonge de Champlain, 11 % du Poitou voisin et 2 % de l'Angoumois. Seulement 10 % des familles colonisatrices du Québec étaient originaires des autres pro-vinces de France[32].

Ces tendances dans les origines régionales sont visibles dans le pre-mier grand courant migratoire, des années 1632 à 1636. Une fois mises

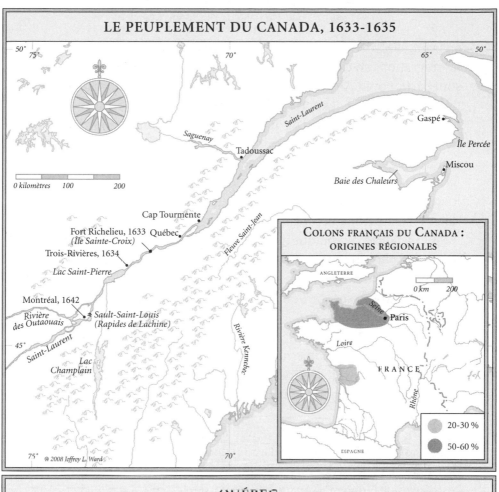

LE PEUPLEMENT DU CANADA, 1633-1635

50° 75°   70°   65°   50°

Saguenay

Saint-Laurent

Gaspé

Île Percée

Tadoussac

Miscou

Baie des Chaleurs

0 kilomètres   100   200

Cap Tourmente

Fort Richelieu, 1633
(Île Sainte-Croix)   Québec

Trois-Rivières, 1634

Lac Saint-Pierre

Montréal, 1642

Rivière
des Outaouais

Sault-Saint-Louis
(Rapides de Lachine)

45°
Saint-Laurent

Lac
Champlain

Fleuve Saint-Jean

Rivière Kennebec

75° © 2008 Jeffrey L. Ward   70°

COLONS FRANÇAIS DU CANADA :
ORIGINES RÉGIONALES

ANGLETERRE

0 km   200

Seine

Paris

Loire

FRANCE

Rhône

ESPAGNE

20-30 %

50-60 %

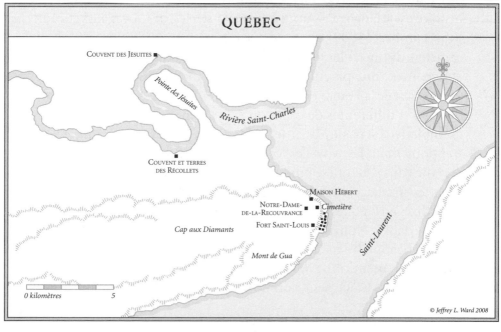

QUÉBEC

COUVENT DES JÉSUITES

Pointe des Jésuites

Rivière Saint-Charles

COUVENT ET TERRES
DES RÉCOLLETS

MAISON HÉBERT

NOTRE-DAME-
DE-LA-RECOUVRANCE   Cimetière

Cap aux Diamants   FORT SAINT-LOUIS

Mont de Gua

Saint-Laurent

0 kilomètres   5

© Jeffrey L. Ward 2008

en train, elles se sont poursuivies dans ce que les démographes appellent les migrations en chaîne : familles, amis et voisins qui suivent ceux qui sont partis pour l'Amérique. Le principal bassin de recrutement était un triangle qui partait des ports de mer de Dieppe et de Honfleur, et s'étendait à l'intérieur des terres jusqu'à Paris, à cent soixante kilomètres de la mer. Le second bassin longeait le littoral atlantique, de Nantes et La Rochelle au nord jusqu'à Brouage et Royan au sud, et s'étendait à l'intérieur jusqu'à Tours et Loudon. Ce modèle régional s'est développé avec les réseaux de bailleurs de fonds, de capitaines, d'armateurs, de connaissances et d'amis de Champlain dans deux régions de l'ouest de la France.

On s'étonne de voir que deux autres régions côtières de la France ne soient pas plus présentes dans les migrations vers le Canada : ainsi, il y a peu d'immigrants originaires des ports de Bretagne ou des villes maritimes du sud-ouest comme Saint-Jean-de-Luz. Ces lieux avaient pourtant des liens majeurs avec l'Amérique. C'étaient des centres importants pour les pêcheries de l'Atlantique Nord au XVIIe siècle, mais ils n'ont guère contribué au peuplement du Québec comme l'ont fait le nord-ouest ou le centre-ouest. Répétons-le, cette tendance est apparue sous le gouvernement de Champlain, de 1633 à 1635.

L'importance des origines régionales est manifeste dans la culture qui s'est mise à prendre forme dans la vallée du Saint-Laurent à l'époque de Champlain. L'un des meilleurs outils qui soient dans l'étude de cette histoire est le langage[33]. Aux XVIIIe et XIXe siècles, des voyageurs comme John Lambert (1809) ont noté que le parler québécois présentait un caractère distinct. Plus tard, les linguistes ont étudié ce dialecte en détail et découvert une parenté étroite avec les manières de parler dans le nord-ouest de la France des débuts du XVIIe siècle. Les voyelles sont semblables, et différentes de celles du français hexagonal moderne. Par exemple, le *e* est passé à un *a*, le *a* à un *o*, et *oi* est devenu *e*, comme dans *fret* pour *froid*. Les voyelles longues étaient (et sont) diphtonguées, comme dans *père*, qui se prononce *pèire*. Les consonnes finales qui sont muettes en français hexagonal aujourd'hui sont parfois prononcées, et les suffixes archaïques comme *eux* dans *obstineux*, *téteux* ou *niaiseux* ont persisté dans le Nouveau Monde.

Le vocabulaire québécois suit le même modèle. Les bleuets que Champlain mentionne dans ses écrits sont les *myrtilles* de la France moderne. Cet usage était normal au début du XVIIe siècle, mais il est devenu archaïque à Paris, où le *bleuet* est maintenant une fleur, la centaurée bleue. Bien d'autres mots du XVIIe siècle de Champlain ont disparu en France, mais sont restés vivants au Québec. Les rituels linguistiques de la courtoisie et de la déférence dans la France d'Ancien Régime trouvent encore un écho au Canada français. *Mon oncle* et *ma tante* sont devenus des mots simples *(un mononcle, une matante),* d'où les expressions affectueuses et rythmées que sont aujourd'hui *mon mononcle* et *ma matante.*

Les fondateurs du Québec, souvent d'origine portuaire, sont venus par la mer, et le parler de leurs descendants a conservé le parfum nautique du XVIIe siècle français. Aujourd'hui, la Québécoise *débarque* de sa voiture comme si elle descendait du navire de Champlain. Quand un Québécois est mécontent ou dégoûté, il dit : *j'ai mon voyage.*

On appelle ce phénomène le décalage colonial *(colonial lag),* et il est présent dans de nombreuses colonies de peuplement, mais ce n'est qu'un élément parmi d'autres. Le Québec était également très dynamique, et ce dynamisme créateur s'est fait jour dès l'époque de Champlain. Par exemple, c'est à ce moment qu'on a commencé à emprunter des mots aux langues indiennes : des toponymes comme *Canada* et *Québec* ; dans le règne animal et végétal, des mots comme *achigan, atoca, ouananiche, ouaouaron, orignal* et *caribou.* C'est dans les *Voyages* de Champlain qu'est employé pour la première fois le mot *caribou.* Même les noms des objets de la vie quotidienne venaient des langues indiennes : *boucane* pour fumée, *cacaoui* pour désigner une femme âgée, *mocassin* pour la chaussure des bois, *micouène* pour la cuillère de bois.

Souvent, la persistance culturelle dans les colonies se conjugue avec la créativité, par exemple dans la manière unique qu'ont les Québécois de jurer, qui emprunte aux vieux rituels de la messe catholique. Ainsi, le Québécois en colère échappera un *câlice* ou un *tabarnac,* le premier terme désignant le calice que le prêtre range dans le tabernacle (le second terme). Ces jurons ont une vieille histoire au Québec ; ils remontent à la vieille France de Champlain. Mais leur emploi demeure très créatif et est constamment réinventé, même de nos jours[34].

La culture québécoise est un faisceau de paradoxes historiques. Écouter le parler des Québécois au XXIe siècle, c'est entendre l'écho du monde de Champlain. C'est aussi observer un processus de préservation et de dynamisme qui est né à l'époque de Champlain, et c'est ce qui permet de comprendre le legs de ce dernier à l'Amérique du Nord[35].

L'architecture populaire du Québec a pris forme dès 1635 et s'est perpétuée sur plusieurs générations. Elle dérive des manières de construire en usage en Normandie, dans le Perche et les autres provinces du nord-ouest de la France, auxquelles s'ajoutèrent plusieurs adaptations ingénieuses au climat et à l'environnement américains.

Le phénomène observable dans le langage s'applique à bien d'autres aspects de la culture québécoise. Le même processus complexe de persistance et de changement apparaît dans l'architecture populaire du Québec, qui a préservé longtemps des éléments de l'époque de Champlain et des vieilles provinces françaises en les adaptant au Nouveau Monde. Les historiens de l'architecture ont constaté que les constructions québécoises trouvaient leur origine dans les provinces du nord-ouest de la France du XVIIe siècle, avec les modifications voulues par le contexte américain. Les maisons anciennes qui restent au Québec aujourd'hui ont tendance à être faites de pierres des champs, avec des cheminées de briques, et elles présentent de fortes influences normandes. On trouve couramment des maisons rectangulaires couvertes d'un toit à quatre pans et à double inclinaison, avec une cheminée à chaque pignon, des portes simples surmontées d'un linteau de pierre et encadrées de petites croisées[36].

Les liens architecturaux sont souvent très spécifiques. À Beauport et dans les environs, où Robert Giffard avait sa seigneurie, les vieilles maisons rappellent l'architecture vernaculaire du Perche. Ici, on trouve encore des maisons en pierres des champs, longues et basses, avec un escalier de pierre, un toit allongé, des pignons triangulaires, une cheminée centrale, et de petites structures attenantes au bâtiment central[37]. À Québec et à Trois-Rivières, l'architecture populaire était plus intimement liée à la Normandie, comme on le voit au manoir restauré de Niverville près de Québec. La construction domiciliaire du Québec démontre un mélange distinctif de persistance et de changement qui a pris naissance il y a quatre siècles de cela.

De 1632 à 1635, avec le démarrage démographique, l'établissement des seigneuries et la naissance d'une culture distincte, les institutions religieuses connurent un renouveau. De 1604 à 1633, le clergé en Nouvelle-France avait été très hétérogène : quelques prêtres catholiques, un ministre protestant et des prédicateurs laïcs à bord des navires. En 1615, avec l'encouragement de la hiérarchie ecclésiale, Champlain fit appel aux Récollets. Les trois premiers missionnaires de cet ordre franciscain arrivèrent cette année-là. Au total, seize récollets séjournèrent en Nouvelle-France de 1615 à 1629. Des jésuites se mirent à arriver en 1625 : trois pères et deux frères. Les deux ordres œuvrèrent côte à côte jusqu'à la conquête britannique, auquel moment tous les ecclésiastiques furent rapatriés. Champlain était à l'aise dans la diversité religieuse ; Richelieu non. En 1632, le cardinal ferma la porte de la Nouvelle-France aux Récollets et leur préféra les Jésuites, qui devinrent vite dominants. La même année, le père Paul Le Jeune y débarqua avec le titre de supérieur, et la présence jésuite s'étendit très rapidement à compter des années charnières 1633-1635. Six pères hivernèrent dans la colonie en 1633-1634 ; ils étaient quinze à l'hiver 1635-1636. Ils établirent des missions du cap Breton au lac Huron. Champlain aurait préféré un système plus ouvert où la tolérance aurait fleuri, mais il dut céder devant la volonté du cardinal. Il soutint donc l'effort missionnaire de la Société de Jésus et devint un ami très proche du père Le Jeune et des siens. Il encouragea aussi la construction de deux églises à Québec, Notre-Dame-de-la-Recouvrance pour les Français et Notre-Dame-des-Anges pour les jésuites et les Indiens convertis[38].

Dans les trois dernières années du gouvernement de Champlain, ces nouvelles tendances étaient très visibles. Le peuplement s'accéléra, et le territoire commença d'être découpé en seigneuries. Une culture proprement québécoise se mit à émerger dans la colonie, et les missions jésuites se multiplièrent. Ces processus raffermirent les fondations de la colonie, mais il y eut un prix lourd à payer, surtout pour les Indiens.

Avec l'établissement d'une population européenne qui se multipliait rapidement, des épidémies se propagèrent dans toute la vallée du Saint-Laurent. Les historiens ont découvert des références à des épidémies plus tôt dans l'histoire de la région, dès le milieu du XVIe siècle. Jacques Cartier parle d'une épidémie en 1535-1536 chez les Iroquoiens du Saint-Laurent qui vivaient à Hochelaga, à l'emplacement actuel de Montréal. Elle provenait peut-être des navires de Cartier[39].

Champlain mentionne une maladie qui apparut chez les Algonquins à Tadoussac en 1603 et qui tua un de leurs chefs et bon nombre de ses compagnons. La même chose se produisit en Acadie, où un missionnaire écrivait en 1616 que les Micmacs étaient décimés par une maladie qui s'était déclarée après l'arrivée des Français, qui commerçaient avec eux. Cela s'est peut-être produit aussi en Huronie après que Champlain y eut séjourné en 1615-1616. D'après les jésuites, les Hurons accusèrent les missionnaires de les avoir empoisonnés. Si l'on en croit certaines preuves, les Hurons se seraient ensuite déplacés vers le nord pour fuir les épidémies. Mais il semble que la plupart de ces infections ne se soient pas répandues[40].

Cette tendance se modifia en 1634. En juillet de cette année-là, les jésuites établis en Huronie signalèrent l'apparition d'une série d'épidémies sur une nouvelle échelle. Une autre épidémie suivit de l'automne 1636 au printemps 1637, et il y eut au total quatre propagations de la contagion de 1634 à 1640. Les Hurons en pâtirent affreusement. La Huronie était vulnérable du fait de la densité de sa population, mais les maladies se mirent aussi à se répandre au sein d'autres nations indiennes dans les années 1630. Les Algonquins rentrant du pays des Abénaquis parlèrent d'une variole qui était très dangereuse, et des milliers d'Indiens en moururent[41].

Les chercheurs se sont interrogés sur la cause de ces épidémies et ont essayé d'identifier les maladies qui décimèrent les Indiens, mais firent comparativement peu de morts chez les Européens. Les diagnostics précis sont sujets à caution, mais une conclusion se dégage de toutes ces recherches. On était entré dans une nouvelle période de polydémies mortelles pour les populations indiennes, tandis que les Européens tombaient malades mais s'en remettaient. Il s'était produit quelque chose dans la structure et la composition de ces populations. Il se peut entre autres que le nombre croissant d'enfants dans le Saint-Laurent ait transformé la colonie en un vaste incubateur de maladies infantiles qui étaient endémiques en Europe mais qui devinrent épidémiques en Amérique, balayant les nations indiennes sur leur passage. En bref, c'était là une autre manifestation d'une mutation profonde chez les peuples indiens à un moment où un régime cédait la place à un autre. Le moment charnière se serait produit vers 1634. Comme la population française entreprenait sa croissance rapide, la population indienne s'est mise à chuter, l'un des événements les plus cruels de l'histoire moderne. Champlain ne vécut pas assez longtemps pour voir ce qui se passait. Heureusement, d'ailleurs : il en aurait eu le cœur brisé.

Mais au même moment s'opéraient d'autres grandes mutations dans le peuplement de la Nouvelle-France, et certaines étaient de meilleur augure pour les Européens comme pour les Indiens. De nombreuses nations indiennes souffrirent épouvantablement, mais la plupart d'entre elles survécurent. Et au beau milieu de cette mortalité massive, de nouvelles nations et cultures franco-indiennes virent le jour. L'une d'elles fit son apparition sur la frontière de l'ouest, et une autre à l'est, en Acadie. Encore là, Champlain joua un rôle marquant.

CHAPITRE 23

Le berceau de l'Acadie

Champlain et Razilly, 1632-1635

*Les colons que Razilly installa ici furent les ancêtres du peuple
acadien, qui considère encore ce lieu chéri comme le berceau
de sa race en Amérique.*

WILLIAM GANONG, à propos de l'Acadie[1]

Alors que le Canada entrait en croissance, une autre région de la
Nouvelle-France prenait son envol. Après trois décennies de luttes et de
piétinements, les établissements se mirent à se multiplier en Acadie.
Nous avons suivi l'histoire troublée de cette région à compter du
moment où Champlain et le sieur de Mons firent le premier établissement à l'île Sainte-Croix en 1604. Les lieux furent abandonnés en 1605,
et la colonie fut transplantée à Port-Royal, abandonnée de nouveau
en 1607, relancée par Poutrincourt en 1610, brûlée par des pirates
anglais en 1613, rebâtie par Poutrincourt en 1614, abandonnée pour un
autre site en 1618, occupée de nouveau par les Français en 1623 et capturée par des aventuriers écossais en 1629. Pendant toutes ces années,
quelques Français s'accrochèrent à l'Acadie. Certains s'unirent à des
Indiennes et tirèrent un gagne-pain précaire de la traite des fourrures.
Mais personne n'avait pu fonder un établissement français capable de
prendre racine et de se suffire à lui-même[2].

Le moment critique survint en 1632 lorsque, sur les instances de
Champlain, l'Acadie fut ajoutée à la liste des territoires que l'Angleterre
était contrainte de rendre à la France. Les Cent-Associés fondèrent aussitôt quatre compagnies sous-contractantes pour exploiter les postes de
traite installés en des endroits stratégiques sur les côtes. Il ne s'agissait
pas d'abord d'une entreprise de colonisation. Cette mission fut confiée
à une cinquième filiale, la plus imposante de toutes, la compagnie de
Razilly[3]. Son chef, Isaac de Razilly, fut l'un des commandants les plus

capables et pourtant l'un des plus méconnus de l'épopée de la Nouvelle-France. C'était un bon ami de Champlain. Ils partageaient le même dessein pour l'Amérique du Nord et préconisaient les mêmes politiques. Ils s'entraidaient dans les moments difficiles, et ils réalisèrent des exploits semblables.

Isaac de Razilly avait trente-neuf ans en 1632. C'était un officier de marine cousu de cicatrices, avec un bandeau sur un œil et une expression féroce dans l'autre. Sa famille, noble, était établie en Touraine depuis longtemps, à une soixantaine de kilomètres de La Rochelle vers l'intérieur des terres, et était bien vue à la cour (le cardinal de Richelieu était un cousin). Razilly avait été destiné au métier des armes et avait atteint le grade de capitaine dans la marine royale. Il s'était couvert de gloire dans ses cinq campagnes contre les corsaires du Maroc, combattant avec une telle férocité qu'on l'avait surnommé le Loup de mer de France. À l'âge de dix-huit ans, il fut fait chevalier de l'ordre de Saint-Jean de Jérusalem, distinction fort convoitée dans ce monde féru d'honneurs[4].

Catholique fervent, Razilly avait commandé en 1625 une escadre au siège de La Rochelle, remportant une bataille contre les forces anglaises venues appuyer les huguenots à l'île de Ré et perdant un œil lors de l'explosion d'un navire qu'il avait capturé[5]. Pendant qu'il se remettait de ses blessures, il fut consulté par Richelieu sur les affaires maritimes. Razilly était un homme aux talents multiples, doué d'une vision d'homme d'État et maniant les idées comme un homme de science. Son passage dans la marine lui avait donné une perspective mondiale et l'avait initié à la question coloniale. Dès 1612, ses frères et lui avaient essayé de fonder une mission capucine sur l'Amazone, au Brésil. Ce projet ayant échoué, son attention s'était portée sur l'Amérique du Nord, et il était alors entré en rapport avec Champlain[6].

En 1626, le cardinal de Richelieu commanda à Razilly un mémoire sur les colonies. Il en résulta un document de la plus haute importance pour l'histoire de la Nouvelle-France. Razilly plaida vigoureusement en faveur du rôle des colonies dans la destinée des nations. Il envisageait un empire mondial pour la France, avec des forteresses en Guinée et au Sénégal, des postes de traite en Asie du Sud et aux Indes, des avant-postes en Amérique du Sud et une colonie d'importance en Amérique du Nord. Pour la Nouvelle-France, il y alla avec audace : création d'une nouvelle compagnie nantie d'un capital de trois cent mille livres, de nouveaux établissements comptant quatre mille colons et des forces militaires suffisantes pour expulser les colons britanniques au nord du cap Hatteras en Caroline du Nord[7].

Le document de Razilly eut une influence considérable. Certains de ses termes se retrouvèrent dans les lettres patentes de la Compagnie des Cent-Associés. Lui et Champlain en devinrent membres à cinq jours d'intervalle, en 1628. Ils investirent aussi dans ses filiales et s'entraidèrent activement dans cette cause commune, même s'ils étaient responsables de zones distinctes[8]. Razilly persuada Richelieu d'envoyer Champlain à Québec à titre de gouverneur intérimaire. Sans son soutien, Champlain n'aurait jamais repris pied à Québec[9]. De son côté, Champlain approuva les plans de Razilly pour l'Acadie et écrivit en termes élogieux à propos de « Monsieur le Commandeur de Razilly, qui a toutes les qualités requises d'un bon et parfait capitaine de mer, prudent, sage et laborieux, poussé d'un saint désir d'accroître la gloire de Dieu, et de porter son courage au pays de la Nouvelle France, pour y arborer l'étendard de Jésus-Christ, et faire fleurir les lys sous le bon plaisir de Sa Majesté et de Monseigneur le Cardinal[10] ».

Champlain aida également Razilly sur un autre plan, étant l'un des rares navigateurs à avoir exploré presque tous les havres et chenaux le long de la côte échancrée de l'Acadie. Il avait également étudié les ressources naturelles de l'Acadie, aménagé des jardins laboratoires et trouvé des lieux d'une fertilité extraordinaire où, pour ainsi dire, les lys de France sauraient fleurir. Voyager en Nouvelle-Écosse pendant la belle saison, c'est voir à coup sûr des terres arables d'une grande richesse et des récoltes fabuleuses, plus abondantes que celles de Nouvelle-Angleterre à la même latitude. Champlain avait vu aussi les forêts magnifiques de l'Acadie et ses pêcheries miraculeuses. Comme Razilly, il était sensible à la beauté des paysages[11].

Champlain favorisait deux emplacements pour la colonisation. L'un était un havre très beau et bien protégé sur la côte est, qu'il avait baptisé La Hève, de nos jours La Have. L'autre était Port-Royal, sur la côte ouest, avec son large bassin accessible par l'étroit goulet qu'on appelle le chenal de Digby. Les deux endroits avaient un havre protégé, un terrain défendable, des ruisseaux d'eau douce, du bois en abondance, un sol fertile et une beauté naturelle. Il y avait beaucoup de beaux sites sur les côtes d'Acadie, mais La Hève et Port-Royal étaient ceux que préférait Champlain. Ils se retrouvèrent vite au haut de la liste de Razilly.

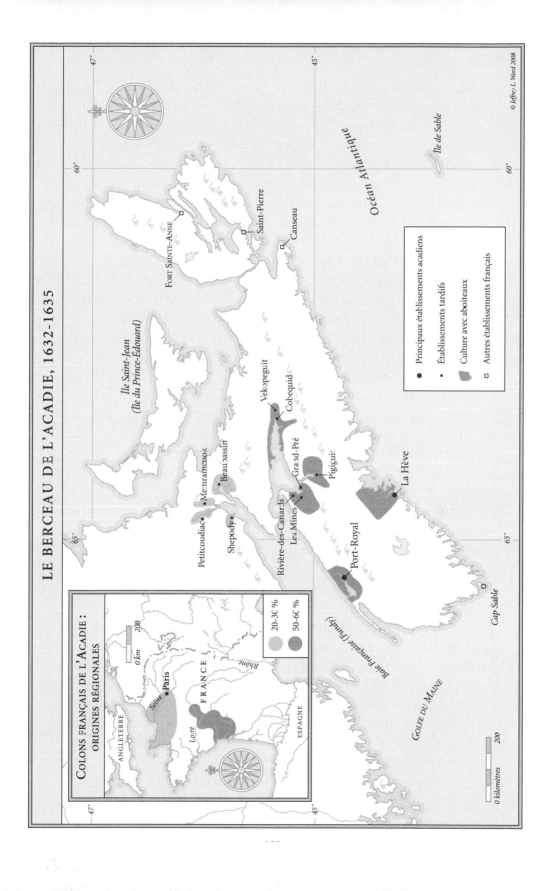

LE BERCEAU DE L'ACADIE, 1632-1635

© Jeffrey L. Ward 2008

Océan Atlantique

Île de Sable

Fort Sainte-Anne

Saint-Pierre

Canseau

Île Saint-Jean
(Île du Prince-Édouard)

Vekopeguit

Cobequid

Grand-Pré

Beaubassin

Memramcook

Pigiguit

Petitcoudiac

Shepody

Rivière-des-Canaris

Les Mines

La Hève

Port-Royal

Baie Française (Fundy)

Cap Sable

GOLFE DU MAINE

Principaux établissements acadiens

Établissements tardifs

Culture avec aboiteaux

Autres établissements français

COLONS FRANÇAIS DE L'ACADIE :
ORIGINES RÉGIONALES

0 km   200

ANGLETERRE

Seine

Paris

F R A N C E

Loire

Rhône

ESPAGNE

20-30 %

50-60 %

0 kilomètres   200

En 1632, alors que Champlain préparait son retour à Québec, Razilly réunit un capital de cent cinquante mille livres pour la colonisation de l'Acadie. Ce fut au départ une entreprise largement familiale. Richelieu lui-même se fendit de dix mille livres et donna à l'expédition un navire de guerre complètement équipé, *L'Espérance-en-Dieu*. Son capitaine était un autre cousin de Razilly, Charles de Menou, sieur d'Aulnay, qui allait devenir une figure importante dans l'histoire acadienne. Un autre vaisseau imposant était commandé par le frère d'Isaac, Claude de Launay-Rasilly (qui orthographiait différemment son patronyme)[12].

Razilly traça ses plans pour l'Acadie de la même manière que Champlain pour la vallée du Saint-Laurent. Leur but était le même : y installer une population qui pourrait se suffire à elle-même. Les deux trouvèrent assez de capitaux pour armer une flotte de trois navires chargés de colons la première année. Ils comptaient l'un et l'autre envoyer d'autres flottes dans les quatre années à venir. Razilly s'entoura d'un groupe d'hommes capables qui étaient de son rang ou de sa région. Certains étaient de la noblesse, comme d'Aulnay. D'autres étaient des commerçants comme Nicolas Denys, homme d'origine modeste mais de grand talent qui était originaire de la province natale de Razilly. Il allait jouer un rôle crucial lui aussi[13].

Razilly recruta en tout trois cents colons. Comme Champlain, il les tria sur le volet. Une gazette de Paris les décrivit comme étant des « hommes d'élite ». Il s'agissait d'hommes aux talents multiples qui seraient utiles dans l'érection d'une colonie. Les deux chefs étaient attentifs aussi aux considérations religieuses. Alors que Champlain décida de favoriser les Jésuites, Razilly se tourna vers les Capucins, l'ordre que Richelieu préférait entre tous, et recruta trois pères chez eux[14].

Comme Champlain, toujours, Razilly s'employa à recruter des familles. Pour les deux hommes, ce fut l'aspect le plus ardu de la tâche et le plus vital pour le peuplement de la colonie. Les familles françaises prêtes à émigrer ne se bousculaient pas aux portes, contrairement à celles de Grande-Bretagne, d'Allemagne et d'autres pays européens. Cette hésitation française à émigrer n'a jamais été expliquée. Même au prix du plus grand effort, Razilly ne trouva pas plus de douze ou quinze familles pour son premier voyage, celui de 1632, ce qui était peu mais suffisant pour démarrer une colonie[15].

Sur un point, toutefois, Champlain et Razilly firent les choses différemment. Les colons de Québec étaient majoritairement originaires de provinces situées au nord de la Loire, particulièrement de Normandie. Ils étaient venus à bord de trois navires partis du port normand de Dieppe, les autres venant de Honfleur et du Havre. Les colons acadiens de Razilly venaient pour leur part de provinces situées au sud de la Loire, dans le centre-ouest de la France, via les ports d'Auray et de La Rochelle.

La flotte de Razilly fut la première à partir, tard dans la saison. Le 8 septembre 1632, elle parvint à destination, et les colons mirent pied à terre sur la côte atlantique de ce qui constitue aujourd'hui la Nouvelle-Écosse, dans le havre de La Hève. Endroit magnifique, qui l'est resté. À l'embouchure du havre se trouvait une île que les colons nommèrent l'île aux Framboises, « le dessus n'étant que framboisiers ; le printemps, elle est toute couverte de tourtres qui vont les manger ». Ces tourterelles, qui étaient des milliers à se nourrir des framboises locales, firent elles-mêmes le régal des colons[16].

D'un côté du havre, il y avait un promontoire spectaculaire d'argile jaune qui faisait plus de trente mètres de haut. Sous la première lueur du jour, la falaise luisait comme or au soleil, d'où le nom de cap Doré qu'on lui donna. À l'entrée, il y avait un magnifique bassin, assez grand pour accueillir de nombreux navires. Une jolie rivière s'y jetait, irriguant au préalable de grands bosquets de chênes et d'ormes. Tout autour on voyait des prairies, des marais, de « belles et bonnes terres » au sol très fertile[17].

Aux yeux des colons, l'Acadie sembla un lieu d'une abondance inimaginable. Sur les deux rives de la rivière, ils trouvèrent « une infinité de conniffles [pétoncles], qui sont de grandes coquilles comme celles que les pèlerins rapportent de Saint-Michel et de Saint-Jacques ». Dans les eaux de la mer, ils découvrirent des homards « qui ont la patte ou mordant si gros qu'elle peut tenir une pinte de vin ». Le saumon et l'alose grouillaient dans la rivière. Il y avait des cerfs et des orignaux en grand nombre, des oiseaux en quantités qui défiaient l'imagination, des bleuets et des fraises partout[18].

Mais, même dans ce paradis sur terre, la préoccupation première de Razilly (tout comme Champlain avant lui à Québec) fut la sécurité militaire contre les rivaux européens. À La Hève, il installa une batterie puissante sur ce qu'on appelle toujours Fort Point. Du même mouvement, il fit construire une chapelle pour les pères capucins et les encouragea à ouvrir le premier pensionnat de Nouvelle-France pour les enfants des colons français et des familles micmaques. Comme Champlain, il s'employa à nouer de bonnes relations avec les Indiens, les invita à s'établir près de son établissement, leur ouvrit la colonie et les traita avec humanité[19].

Les Français étaient arrivés tard dans la saison. L'hiver fut donc très dur, mais Razilly avait pris des précautions contre le scorbut, qu'il avait peut-être retenues de l'utilisation qu'avait faite Champlain des remèdes indiens. Tous les colons survécurent. Certains rentrèrent en France, mais l'établissement dura. Sa population se mit à connaître une augmentation naturelle, lente au début, mais qui ne se démentit pas.

Ainsi amorcé, le flot des colons se poursuivit l'année suivante, nourri surtout de bateaux venant de La Rochelle et des autres ports du centre-ouest de la France. Le 24 janvier 1633, d'Aulnay rentra en France ; il y recruta d'autres colons et refit voile le 12 mars à bord d'un vaisseau rempli d'hommes, de provisions, de munitions et d'autres vivres que la compagnie envoyait au commandeur de Razilly[20]. En 1634, le frère de Razilly, Claude de Launay-Rasilly, fit équipe avec Jean Ordonnier, un bourgeois de Paris, pour fonder un autre groupe parrainé par les Cent-Associés, qu'ils appelèrent la Société pour le peuplement de l'Acadie. Par l'entremise de leur cousin, le cardinal de Richelieu, les Razilly prièrent le roi de mettre à la disposition de la société cinq navires de la marine de Sa Majesté pour le commerce et la pêche. Ces navires quittèrent la France chargés de vivres et de colons pour l'Acadie. Richelieu prit lui-même une part active au recrutement d'investisseurs pour la société de Rasilly et d'Ordonnier afin de « soutenir l'entreprise qu'ils avaient créée pour peupler les établissements de Port-Royal et de La Hève sur la côte de l'Acadie[21] ».

La colonie française de La Hève étant bien lancée, Razilly porta son attention ailleurs. Il y avait encore quelques corsaires écossais à Port-Royal, de l'autre côté de l'Acadie, et certains d'entre eux semblaient résolus à y rester. Leur chef, Andrew Forrester, était un homme violent, cruel et colérique qui avait défié l'ordre de son roi de quitter la colonie. Il avait mené un parti d'Écossais dans une attaque-surprise sur le poste de traite français de Fort Sainte-Marie, de l'autre côté de la baie de Fundy, sur le fleuve Saint-Jean. Forrester était entré dans le fort en protestant de ses intentions pacifiques, avait capturé les habitants, les avait fait mettre aux fers, en avait torturé un pour savoir où étaient les objets de valeur, avait volé les fourrures, la nourriture et les marchandises de traite. Puis il avait abattu la croix catholique, arraché les armes de Louis XIII et était rentré à Port-Royal. Il avait mis ses captifs français à bord d'une barque de Nouvelle-Angleterre qui passait par là et ordonné à son capitaine de les abandonner sur une île déserte dans la baie de Penobscot, ce qui était les condamner à mourir de faim. Le capitaine avait préféré libérer les prisonniers près du fleuve Saint-Jean, et ils avaient trouvé le moyen de gagner Cap Sable, à l'extrémité sud de l'Acadie, où ils avaient dénoncé leurs tortionnaires[22].

Le corsaire Forrester s'était conduit en pirate, et les Français décidèrent de le punir. Razilly rassembla ses hommes et les conduisit à Port-Royal. Submergé, Forrester demanda pitié, chose qu'il avait pourtant refusée à ses victimes. Razilly agit avec sagesse et retenue. Après pourparlers, il offrit aux Écossais de les ramener en Grande-Bretagne et de leur rembourser leurs possessions s'ils rendaient le fort intact. Les assiégés acceptèrent sans hésiter[23].

Razilly occupa Port-Royal et ordonna à certains de ses colons de prendre possession du vieil établissement français sous le commandement de René Le Coq de la Saussaye, un homme qui connaissait bien la côte acadienne. Ils renouèrent avec les Micmacs, et le commerce des fourrures reprit en 1633. Quelques Écossais demandèrent à rester, et les Français leur firent bon accueil. Ils se mêlèrent aux familles de Port-Royal pour former une culture hybride qui existe encore aujourd'hui en Nouvelle-Écosse, même si les proportions ont évidemment changé. Ici encore, Razilly suivait l'exemple de Champlain dans sa tolérance de la diversité, du moment que celle-ci ne menaçait pas l'unité du commandement[24].

En 1634, Razilly écrivit une longue lettre à Marc Lescarbot où il relatait avec force détails la réussite de sa petite colonie de Port-Royal. Il avait puisé abondamment dans sa propre bourse pour approvisionner les colons en denrées de France et avait fait venir du bétail, des porcs, des chèvres et des volailles, qui se portaient bien. Il avait fait planter des potagers. Razilly lui racontait que les outils et les matériaux de construction avaient coûté plusieurs milliers de livres, mais qu'un avare ne pourrait jamais fonder un établissement florissant. Il espérait consacrer sa fortune à une telle cause pour donner aux pauvres de France une part de « l'abondance du Nouveau Monde[25] ».

Razilly se consacra également au développement économique de sa colonie, mais avec des résultats mitigés. Il encouragea Nicolas Denys à fonder une exploitation forestière près de La Hève, avec des bûcherons qui abattaient des chênes et en faisaient du bois d'œuvre qu'ils chargeaient à bord des navires rentrant en France. Denys fonda également un village de pêche près de La Hève, à Port-Rossignol[26].

À Canseau, dans le nord-est de l'Acadie, Razilly fit bâtir un autre poste de traite fortifié, appelé Fort Saint-François. Son but était d'y organiser la traite des fourrures. Ici, on contesta son commandement. Alors que les hommes de Razilly bâtissaient le fort, ils furent attaqués par le capitaine d'un bateau de pêche du nom de Jean Thomas, qui acquérait des fourrures des Micmacs en échange de vin, entreprise lucrative mais illégale. Thomas avait un permis du cardinal de Richelieu pour pêcher sur le Grand Banc, mais il lui avait été expressément interdit de pratiquer le commerce des fourrures ou de vendre du vin aux Indiens. Il prit la tête d'un parti de Micmacs et s'empara de Fort Saint-François. Le commandant fut blessé, et le poste, pillé. Razilly réagit alors tout à fait à la manière de Champlain lorsque celui-ci s'était retrouvé avec une rébellion sur les bras à Québec : il réunit ses forces, fonça rapidement sur les rebelles avec les effectifs dont il disposait, se saisit de Thomas et le fit mettre aux fers pour le renvoyer à La Rochelle[27].

En trois ans, Razilly avait accompli une œuvre comparable à celle de Champlain à Québec. Il avait repris le cœur de l'Acadie au nom de la France, chassé les corsaires britanniques, établi des colons à La Hève sur la côte est et à Port-Royal sur la côte ouest, avec un poste de traite à Canseau, et il avait amorcé le peuplement de la région. De nouvelles familles françaises arrivaient chaque année. L'économie se développait, et les relations avec les Micmacs étaient bonnes.

Tout allait à merveille lorsque Razilly mourut subitement en novembre 1635, à l'âge de quarante-huit ans, au faîte de sa puissance. Ce fut une lourde perte pour la Nouvelle-France. Il fut pleuré par ceux qui connaissaient sa force, son intégrité, son humanité. En Acadie surtout, sa mort serait ressentie plus péniblement que quiconque aurait pu l'imaginer. Mais Razilly avait légué aux siens une fondation solide.

Le frère de Razilly, d'Aulnay, prit le commandement de la colonie. Il encouragea les colons de La Hève à déménager à Port-Royal. Ce site plus imposant devint le centre de la colonie. En 1644, selon un mémoire d'Aulnay, les habitants de Port-Royal étaient au nombre de deux cents, incluant les soldats, les manœuvres, les artisans, mais sans compter les capucins, les femmes et les enfants, qui n'étaient pas recensés. D'Aulnay signalait que plus de vingt familles françaises avaient migré intactes et qu'il s'en formait de plus en plus en Acadie. Il notait aussi que son dénombrement omettait les « enfants sauvages » qui avaient été admis dans l'établissement. Plus d'un Français de cet établissement prit femme parmi les indigènes. Les Razilly d'Acadie, à l'instar de Champlain à Québec, encourageaient le métissage[28].

Nicolas Denys visita Port-Royal en 1653 et écrivit : « Tous ces habitants-là sont ceux que Monsieur le Commandeur de Razilly avait fait venir de France à la Hève. » Ils avaient continué de quitter La Hève pour Port-Royal après la mort de Razilly en 1635. Denys observa : « Depuis ce temps-là ils ont bien multiplié au Port royal, où ils ont grand nombre de vaches et de porcs[29]. » D'après le recensement de 1671, il y avait deux cent vingt-sept enfants rien que dans les soixante-trois familles de Port-Royal. Ces familles fondèrent de nombreux établissements le long de la côte. Une étude des paroisses acadiennes du début du XVIIIᵉ siècle a établi que les migrants de La Hève comptaient pour les deux tiers de toute la population acadienne. La même étude démontrait une concentration étonnante dans les noms de famille français. Les Acadiens avaient au total seulement cinquante-trois noms de famille. Cette concentration a persisté sur plusieurs générations. En 1938, un autre recensement a permis de découvrir que 86 % des trente-quatre mille Acadiens de langue française se partageaient seulement soixante-seize noms de famille. Les chercheurs ont comparé ces deux états nominatifs et constaté que les deux tiers des noms acadiens du XXᵉ siècle figuraient dans le recensement de 1671. Geneviève Massignon a donc raison de dire que « Port-Royal a été le berceau de la population acadienne », et tout cela avait débuté avec la migration commencée à La Hève en 1632[30].

D'où venaient les familles fondatrices de l'Acadie ? De nombreuses études ont dégagé une tendance fondée sur les choix que Razilly et Champlain avaient faits dans le recrutement des colons et l'affrètement des navires de 1632 à 1635. Comme on l'a vu, la plupart des immigrants de la vallée du Saint-Laurent venaient de Normandie, du Perche, de l'Île-de-France et des autres provinces occidentales au nord de la Loire. Au total, ces provinces ont fourni plus de 51 % des colons du Canada, et moins de 25 % de ceux de l'Acadie. Une tendance différente émerge dans le cas de l'Acadie. Les colons de la Touraine, du Poitou, de la Saintonge, de l'Aunis et des autres provinces du centre-ouest de la France ont contribué pour plus de 51 % à la population acadienne et moins de 25 % à celle du Canada. La Bretagne était un élément minoritaire mais néanmoins important dans les deux cas, avec environ 4 %. Il est venu dans les deux colonies très peu d'immigrants du nord, de l'est, du sud-est ou du sud-ouest profond de la France. Les Anglais, les Écossais, les Irlandais, les Portugais et les Basques, tous confondus, composaient au moins 7 % de la population acadienne originale[31].

Un dialecte distinct a pris racine en Acadie, et il montre bien l'importance des événements fondateurs qui se sont déroulés à l'époque de Razilly et Champlain. Le parler acadien dérive en partie des patois parlés au Poitou, en Saintonge, en Aunis, en Anjou et en Touraine. Pour les Français métropolitains d'aujourd'hui, le dialecte acadien fait archaïque, et c'est le cas à certains égards. Mais ce n'est qu'une autre expression du paradoxe américain : l'archaïsme têtu coexistant avec une puissante inventivité. La prononciation acadienne est si distincte que les parlants du français « standard » ont parfois du mal à la comprendre.

Il y a un aspect caractéristique que nous connaissons tous. Les Acadiens ont tendance à omettre la voyelle initiale et à ajouter un son en *dj* avant la deuxième voyelle. Ainsi le mot *acadien* est devenu *cadjin* ou *cadjien* au Canada, et plus tard *cadjun* en Louisiane, comme dans *parler le cadjun*. De la même manière, les mots *bon Dieu* se prononcent *bon Djeu,* et *braguette* est devenu *bradjette.* La lettre *r* disparaît souvent dans la dernière syllabe : *libre* devient ainsi *libe,* un *arbre* devient un *arbe.* Dans de nombreux mots, le *c* ou *q* ou *t* d'ouverture ressemble à un éternuement : la *queue* se prononce donc *tcheue,* l'impératif *tiens !* se dit *tchin !,* la *cuillère* se fait *tchuillère* et le *quelque chose* un *tchèque tchose*[32].

Certaines prononciations acadiennes proviennent directement des régions d'origine des familles fondatrices des années 1630. Le linguiste Yves Cormier estime que 55 % des acadianismes d'origine française sont des régionalismes, et 45 % sont des mots archaïques propres à leur période d'origine au XVIIe siècle. Parmi les mots acadiens d'origine régionale, plus de la moitié sont issus du centre-ouest de la France, entre 15 et 20 % sont de la Normandie et du Nord-Ouest, et moins de 15 % proviennent des autres régions de la France[33].

Le vocabulaire acadien contient aussi de nombreux mots nautiques comme *amarrer* pour *attacher,* ou *piquer* pour *ouvrir.* La culture acadienne était une culture laborieuse, qui valorisait le travail honnête. Le mot *vaillant* désigne ainsi moins le courage que l'industrie. C'est une langue crue et musclée. Le bébé français va *pleurer,* on entend *horler* le nourrisson acadien. En France, il ne faut pas *déranger* ; en Acadie, il ne faut pas *boloxer. Avoir de la difficulté* dans les vieux pays, c'est *avoir de la misère* en Acadie. Les *vêtements* sont les *hardes* d'autrefois ; *aussi* se dit *itou, puis* se dit *pis* ; *se dépêcher,* c'est *se haler*[34].

Les manières de parler acadiennes étaient également très inventives lorsqu'il s'agissait de créer de nouvelles expressions pour les objets jusqu'alors inconnus. La salicorne qui pousse sur les plages du nord est appelée *tétine de souris.* Mais l'Académie française n'a pas voulu de ce terme trop familier et lui a préféré la *salicorne d'Europe.* La *canneberge* française est devenue une *pomme de pré* en Acadie, alors qu'au Québec on a préféré le mot indien, *atoca.* La cuisine nourrissante de l'Acadie a inventé le mot *fricot* pour désigner ce ragoût épais composé de viande, de pommes de terre, d'oignons, de carottes et de boulettes de pâte ; et l'expression *poutine râpée* pour cette lourde boule de pommes de terre émincées au centre desquelles on place un morceau de lard. Certains mots appartiennent au dialecte québécois aussi bien qu'à l'acadien, mais ces deux manières de parler fort distinctes sont venues de régions différentes de la France pendant la même période, soit de 1632 à 1635[35].

Les familles francophones d'Acadie ont vite débordé les terres disponibles à Port-Royal et se sont mises à fonder d'autres établissements le long de la côte : à Grand-Pré, où se trouve aujourd'hui un sanctuaire de l'Acadie, à Pigiguit (Windsor de nos jours) et à Cobequid (l'actuel Truro). D'autres apparurent à Beaubassin, Petitcodiac et Memramcook à l'entrée de la baie de Fundy. Les plus durables ont été ceux du sud, à Sainte-Anne dans la baie Sainte-Marie, à Pobompoup (Pubnico) et dans d'autres sites sur la côte sud-ouest de la Nouvelle-Écosse qui sont demeurés résolument francophones. De l'autre côté de la baie de Fundy, des établissements ont vu le jour près de l'actuelle ville de Saint-Jean au Nouveau-Brunswick. D'autres descendants acadiens ont plus tard transporté leurs pénates dans le Maine, à Madawaska, Caribou, Presqu'isle, Saint-Francis, Sainte-Luce et Saint-Joseph.

Dès les débuts, les Acadiens dans nombre de ces endroits ont travaillé la terre d'une manière qui n'appartenait qu'à eux. Ils ont ainsi créé des champs céréaliers en bâtissant des digues autour des marais longeant les rivières à marées et les ruisseaux d'eau douce. L'endiguement des marais fertiles a commencé dans les années 1630 et était très avancé dans les années 1650[36]. On mentionne pour la première fois cette pratique à Port-La-Tour, près de cap Sable. Les pères récollets y avaient une mission, et l'un d'eux cultivait un jardin d'environ un demi-arpent sur « une excellente terre […] anciennement un marais ou un pré qu'on appelle encore un pré français ». Ce sol marécageux était extraordinairement productif. Le jeune La Tour en fit autant et aménagea un jardin, car « la terre est plate dans le fond de cette baie », avec un succès égal. C'était vers 1630[37].

Le drainage des terres marécageuses se répandit sur les deux côtes de l'Acadie au milieu des années 1630. Cette activité prit une importance telle que le frère d'Isaac de Razilly, Claude de Launay-Rasilly, recruta cinq sauniers pour les colonies acadiennes. Ces hommes signèrent leur contrat d'engagement en mars 1636 à la taverne des Trois Rois de La Rochelle[38]. En France, ces hommes s'étaient spécialisés dans le creusement et l'endiguement des marais salants. En 1632, Razilly avait déjà recruté certains de ces travailleurs spécialisés pour produire en Acadie le sel nécessaire à l'industrie de la pêche. Une fois sur place, ils avaient découvert la fertilité de l'épaisse couche arable des marais côtiers, et ils s'étaient mis à convertir ces marais salants en champs arables. Razilly avait également fait venir des sauniers de Touraine qui avaient appris l'art d'endiguer les marais d'eau douce[39].

Les terres marécageuses d'Acadie étaient utilisées de deux manières : parfois pour obtenir du sel par évaporation de l'eau de mer, comme on le faisait dans la région de Brouage en France, mais surtout pour drainer des terres fertiles. Le drainage des terres était chose ardue, mais défricher pour « faire de la terre » demandait aussi de grands efforts. Au bout d'une génération de colonisation, ces digues s'étaient répandues partout. Denys parle d'une « grande étendue de prairies que la marée couvrait et que le sieur d'Aulnay fit défricher[40] ». Les visiteurs voyaient des champs céréaliers féconds mais durement arrachés à la nature[41]. Les familles françaises de l'Acadie avaient pris ces terres à la mer au prix d'un labeur incessant et s'y attachèrent fortement. Elles adoptèrent ainsi une attitude différente de celle des autres colons d'Amérique du Nord, qui favorisaient une agriculture extensive, exploitant le sol et passant à d'autres terres lorsque les premières s'épuisaient. Les Acadiens étaient déjà réputés pour leur attachement à leur terre lorsque d'autres voulurent les en chasser.

*   *   *

Les Acadiens adoptèrent aussi un style architectural bien à eux dans leurs petits établissements. On trouve ici encore la preuve qu'une culture distincte commença à prendre forme dès l'époque de Razilly et de Champlain. Comme dans bien d'autres colonies, les premiers bâtiments étaient des structures provisoires grossières, édifiées sur des *poteaux-en-terre,* avec une ou deux pièces, des cheminées d'argile et des toits de chaume. Ces maisons étaient adaptées de diverses manières au climat froid du nord. Un récit décrit des lits murés de tous côtés, pour la chaleur et l'intimité.

Des structures permanentes se développèrent à partir de ces structures grossières. Dans ce milieu où le bois était abondant, on trouvait couramment la *maison de charpente,* rectangulaire, avec son toit à pan unique et sa robuste structure à poteaux et à poutres soigneusement assemblés par des mortaises, des chevilles ou des queues d'aronde. Elle comportait trois ou quatre pièces, plus une cave et un étage mansardé appelé *garçonnière,* où dormaient les garçons. Les cloisons et le toit étaient lambrissés de planches, isolés avec de l'écorce de bouleau, et des bardeaux assuraient l'étanchéité des murs extérieurs. La *maison de pièce sur pièce* était formée de gros troncs équarris montés horizontalement l'un sur l'autre et joints par des mortaises aux montants. Les murs de la *maison de madriers* étaient formés de planches verticales solidement assemblées par des chevilles. Quant à la *maison de torchis,* très commune, c'était une construction de poteaux et de poutres dont les intervalles étaient comblés avec différents mélanges comprenant de l'argile, de la paille d'avoine, du foin haché, de la mousse ou du crin, le tout étant assujetti par des perches horizontales appelées *palots* ou *palissons.* En 1687-1688, la plupart des habitations de Port-Royal étaient de petites maisons de torchis. Le gouverneur occupait une maison de madriers[42].

Bientôt apparut également une tradition politique unique. Contrairement aux habitants de Québec, les Acadiens adoptèrent la pratique coutumière du gouvernement local autonome. L'historien Peter Moogk écrit à ce propos : « C'est seulement en Acadie qu'on trouve une forme d'autonomie gouvernementale où le village est gouverné par les anciens. » À son avis, cette exception est attribuable au fait que « le gouvernement français était indifférent à ce qui se passait en Acadie[43] ».

Cette « indifférence » pourrait expliquer la persistance de cette pratique, mais non sa naissance. Manifestement, elle est née de l'interaction du patrimoine culturel avec le nouvel environnement. Les peuples de certaines provinces du sud-ouest de la France au début du XVIIe siècle avaient encore des institutions parlementaires qui préservaient les pouvoirs législatifs traditionnels propres à l'autonomie gouvernementale, bien après que les parlements du nord de la France étaient devenus des corps administratifs et judiciaires. Les Acadiens avaient importé quelque chose de ce patrimoine politique en Amérique du Nord. Et dans ce contexte nouveau, ils avaient découvert des perspectives de développement économique qui exigeaient un effort collectif dans la construction des digues et des aboiteaux. Ces systèmes hydrauliques complexes requéraient une surveillance et un entretien constants. Les Acadiens durent donc se doter de systèmes politiques autonomes et les maintenir sur plusieurs générations. Le système de gestion foncière d'Acadie renforça la tradition de l'autonomie gouvernementale[44].

L'édification collective et l'entretien des digues nécessaires à la conquête des marais côtiers encouragèrent aussi la coopération interfamiliale parmi les Acadiens. La coopération économique avec d'autres familles était chose moins courante parmi les habitants de la vallée du Saint-Laurent. Dans les établissements français du Canada, « le prêtre veillait au maintien de la cohésion sociale, et la paroisse fondait la vie communautaire. Ce n'était pas un cadre que les gens avaient créé pour eux-mêmes, et il était toujours assujetti à une autorité extérieure[45] ».

L'exercice de l'autonomie gouvernementale et la pratique du développement communautaire ne tardèrent pas à forger l'identité acadienne. Un gouverneur de Nouvelle-France se plaignit d'ailleurs que les Acadiens étaient des « demi-républicains » et qu'ils étaient fort différents des *moutons* de Québec et des *loups* de Montréal. Du fait de leur attachement farouche à leurs mœurs, les Acadiens étaient appelés *les entêtés,* soit des gens têtus, obstinés, difficiles et très solides, une race de survivants. Les Acadiens y voyaient pour leur part un compliment. Ils

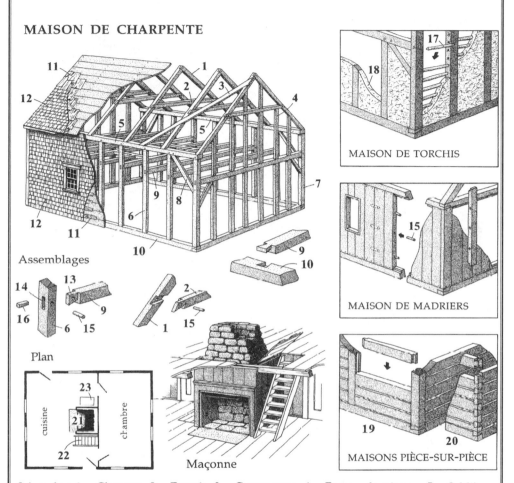

TYPES DE CONSTRUCTION DE LA MAISON ACADIENNE

MAISON DE CHARPENTE

MAISON DE TORCHIS

MAISON DE MADRIERS

MAISONS PIÈCE-SUR-PIÈCE

Assemblages

Plan

cuisine
chambre

Maçonne

Légende : 1 – Chevron. 2 – Entrait. 3 – Contre-vent. 4 – Poteau de pignon. 5 – Sablière supérieure. 6 – Poteau. 7 – Poteau cornier. 8 – Bras de force. 9 – Solive. 10 – Sole. 11 – Écorce de bouleau. 12 – Bardeaux. 13 – Tenon. 14 – Mortaise. 15 – Cheville de bois. 16 – Coin. 17 – Palot ou palisson. 18 – Bauge. 19 – Pièce-sur-pièce à coulisse. 20 – Pièce-sur-pièce à queue d'aronde. 21 – Maçonne. 22 – Escalier du grenier. 23 – Trappe de la cave.

Les bâtiments de l'Acadie s'inspiraient des maisons qu'on trouvait dans le centre-ouest de la France, avec des changements importants dans le choix des matériaux, privilégiant ceux qui étaient abondants dans l'environnement américain. Ce dessin de Bernard et Ronnie-Gilles LeBlanc analyse quatre types de maisons qui expriment la culture française unique née en Acadie vers 1632-1635.

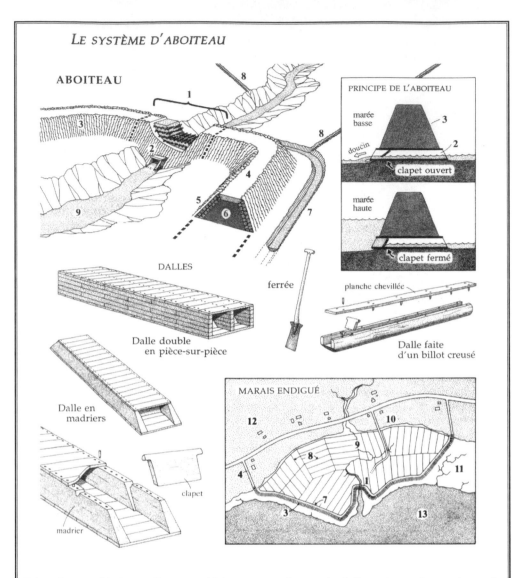

LE SYSTÈME D'ABOITEAU

ABOITEAU

PRINCIPE DE L'ABOITEAU

marée basse

doucin

clapet ouvert

marée haute

clapet fermé

DALLES

ferrée

planche chevillée

Dalle double
en pièce-sur-pièce

Dalle faite
d'un billot creusé

Dalle en
madriers

MARAIS ENDIGUÉ

clapet

madrier

Légende : 1 – Aboiteau. Ce terme désigne non seulement le dalle mais aussi toute la partie de la levée qui traverse le cours d'eau. Ici, la digue est consolidée par des sapins rangés transversalement en couches qui alternent avec des couches de terre glaise. 2 – Dalle. 3 – Levée ou digue. 4 – Chemin ou sentier aménagé au-dessus de la digue. 5 – Parement en mottes de pré. 6 – Corps en terre de pré. 7 – Contre-ceinture. 8 – Canal d'égouttement. 9 – Ruisseau. 10 – Chemin du marais. 11 – Marais salant. 12 – Habitations sur la terre haute. 13 – Rivière ou mer.

Les aboiteaux, digues de terre et de bois en usage en Acadie, étaient une autre adaptation importante des cultures des marais de Saintonge et de Touraine à l'environnement américain. Ils devinrent un élément essentiel de la base matérielle de la culture, de la société et du système politique des Acadiens. Leur structure et leur fonctionnement sont illustrés dans cet excellent dessin de Bernard et Ronnie-Gilles LeBlanc.

avaient aussi en Nouvelle-France la réputation de former un peuple distinct, profondément attaché à sa terre et résolu à durer[46].

Cette culture distincte qui s'est mise à s'articuler parmi les Acadiens dès les origines n'avait rien d'homogène. Sur la côte de l'Acadie, il y avait une multiplicité de petits établissements qui tendaient à être divers du point de vue de l'écologie, de l'ethnicité, de la religion, de la culture et de la langue. Ici aussi se manifestaient des différences linguistiques. À la baie Sainte-Marie, encore aujourd'hui, on parle un dialecte distinct, et la région a ses institutions dynamiques et sa propre université. À la fin du XXe siècle, il y avait une chanson populaire au Canada chantée par un groupe au nom nostalgique, Le Grand Dérangement, et qui était intitulée *L'Homme à point d'accent*. Elle était chantée dans le dialecte de la baie Sainte-Marie. De l'autre côté de la baie de Fundy, au Nouveau-Brunswick et dans le Maine, ce sont d'autres parlers acadiens qu'on entend.

L'histoire subséquente de ces diverses cultures est un sujet complexe. L'Acadie a souvent changé de mains. Elle a été française jusqu'en 1629, britannique jusqu'en 1632, française jusqu'en 1654, britannique jusqu'en 1670, française jusqu'en 1710, britannique jusqu'en 1740 ; et dans les années 1740 et 1750, l'Acadie a été un champ de bataille où s'affrontaient Français et Abénaquis d'une part, et Britanniques et diverses nations indiennes d'autre part. En 1755, le gouverneur britannique de la Nouvelle-Écosse, Charles Lawrence, annonça que toutes les familles qui refuseraient de prêter le serment d'allégeance à la couronne de Grande-Bretagne seraient obligées de quitter l'Acadie. Environ six mille Acadiens furent expulsés, la plupart vers d'autres colonies de l'Empire britannique. Certains réussirent à gagner la France, la Louisiane et d'autres pays. Nombreux sont ceux qui perdirent la vie dans cette opération de déportation. Mais bien des Acadiens refusèrent de partir. Ils se réfugièrent dans les bois et restèrent dans le pays. D'autres revinrent de déportation en grand nombre. En tout, entre le tiers et la moitié des déportés retournèrent en Acadie. Encore aujourd'hui, on parle français sur la côte sud-ouest de la Nouvelle-Écosse.

Après la grande dispersion, les familles acadiennes ont continué à se multiplier dans le monde. Rien qu'aux États-Unis, lors du recensement de 1990, 668 000 Américains se disaient entièrement ou partiellement d'origine acadienne ou cajun. Des estimations comparables pour le Canada et d'autres pays donneraient aisément plus d'un million de descendants acadiens. La plupart de ces gens qui se disent encore Acadiens ou Cajuns sont les descendants des colons que Razilly a installés à La Hève et à Port-Royal[47].

Cette croissance démographique a commencé dans les années 1632-1635 alors que Champlain était gouverneur à Québec et Razilly en Acadie, et on doit ce phénomène largement à leur dynamisme. Ils travaillèrent de concert tous les deux et inaugurèrent une période d'ordre et de stabilité dans ces colonies. Après leur mort, les dirigeants qui leur succédèrent n'étaient pas de la même trempe, et l'Acadie fut le théâtre d'une guerre civile. Mais Champlain et Razilly avaient su maintenir la paix en Nouvelle-France pendant cette période de construction critique.

Ils savaient également s'entendre avec les Indiens. Un grand spécialiste de l'Acadie, Andrew Hill Clark, a parlé d'un « *modus vivendi* harmonieux » entre les Français acadiens et les Micmacs qui était né au début du XVIIe siècle et s'était poursuivi sur plusieurs générations. Clark fait observer qu'une « relation presque symbiotique de tolérance mutuelle et d'entraide s'[était] développée entre les deux cultures ». Cette relation remontait à la fondation de Port-Royal en 1605 et avait été nourrie par les humanistes qu'étaient Champlain, De Mons, Poutrincourt et Razilly. Les Français d'Acadie étaient différents à maints égards de leurs cousins du Saint-Laurent, mais les uns et les autres coopéraient avec les populations autochtones. Ici encore, les visions de Champlain et de Razilly étaient devenues des réalités vivantes[48].

CHAPITRE 24

Trois-Rivières

Les nouvelles pistes de l'Ouest, 1634-1635

Quand cette grande maison sera faite, alors nos garçons se marieront à vos filles, et nous ne ferons plus qu'un peuple.

La prophétie de Champlain aux Montagnais, 1633[1]

Ils chérissent la liberté autant que la vie.

Une histoire du peuple métis, 1856[2]

À l'été de 1634, Champlain inaugura un nouveau chantier dans la vallée du Saint-Laurent : il voulait établir sur le fleuve, vers l'amont, une chaîne de postes fortifiés qui sécuriseraient la vallée du Saint-Laurent. Ces forts serviraient aussi de postes de traite, de bases pour les missionnaires et de foyers pour ces jeunes Français aventureux qui exploreraient l'arrière-pays et vivraient parmi les Indiens.

Il fit d'abord construire un fort à cent vingt kilomètres en amont de Québec, à l'embouchure de la rivière Saint-Maurice, qui se déverse dans le Saint-Laurent par trois chenaux, d'où le nom qu'on donnait au lieu : Trois-Rivières. Lieu stratégique. Le Saint-Maurice débouchait sur le Saint-Laurent par le nord ; à vingt kilomètres de là, la rivière des Iroquois rejoignait le Saint-Laurent par le sud. Ces trois grandes artères fluviales se rencontraient dans cette région de la vallée, d'où l'idée de fonder un poste aux Trois-Rivières, pour contrôler les allées et venues en provenance du pays des Iroquois. Il s'agissait aussi d'ouvrir un centre de traite pour les nations indiennes du nord et de l'ouest[3].

Le 1er juillet, Champlain y dépêcha une barque commandée par le sieur de La Violette avec ordre de bâtir un fort et un poste de traite. On ne sait presque rien sur cet homme, pas même son nom au complet. On croit qu'il aurait été un employé des Cent-Associés. La tâche que

Champlain lui avait confiée donne à croire qu'il avait une formation militaire. La Violette emmena avec lui un détachement de soldats et un groupe d'artisans et de manœuvres. Une statue de La Violette, à laquelle le sculpteur a donné le visage de l'historien Benjamin Sulte, marque l'endroit approximatif où ce fort se dressait[4].

Plus tard, cet été-là, Champlain aurait inspecté le fort de rondins en construction, avec sa caserne, son magasin, son entrepôt et ses quelques maisons. L'établissement était ceinturé d'une solide palissade. Les canons contrôlaient les approches du fort et la circulation sur le fleuve et la rivière. La Violette commanda la place du 4 juillet 1634 au 15 août 1636[5].

Trois-Rivières devint vite un grand carrefour commercial pour les nombreuses nations indiennes qui venaient y échanger fourrures et pelleteries contre des marchandises européennes. Deux interprètes, Jacques Hertel et Jean Godefroy, s'y établirent, et de nombreux autres les imitèrent. Y vint également le père jésuite Jacques Buteux, qui bâtit une mission et une chapelle. Les maisons se multiplièrent à l'intérieur de la palissade et bientôt en dehors de celle-ci. En 1666, il y aurait presque autant de familles françaises à Trois-Rivières que dans la ville de Québec[6].

Ce petit établissement prit de l'importance pour une autre raison. Une nouvelle culture se formait en ce lieu qui constituait la frontière occidentale de la Nouvelle-France. Ses créateurs étaient de jeunes hommes et de jeunes femmes, Français et Indiennes, qui trouvèrent de nouveaux modes de vie dans la fusion de leurs cultures. Champlain joua ici encore un rôle fondateur. Il avait déjà lancé le mouvement en envoyant de jeunes Français vivre parmi les Indiens et apprendre leurs coutumes. Et il avait obtenu des chefs indiens qu'ils envoient des jeunes gens en France pour la même raison.

Il appelait ces jeunes gens des « truchements », ou interprètes. C'était un mot exotique en français, emprunté au turc *tergiman* ou à l'arabe *targuman* sur une autre frontière culturelle, où chrétiens, Turcs et Arabes s'étaient rencontrés, à l'époque des Croisades. Champlain employait ce terme dans son sens littéral, mais il voyait en ses truchements bien plus que des traducteurs. L'interprète du temps de Champlain était explorateur, linguiste, commerçant, diplomate et anthropologue[7].

Champlain n'avait pas été le premier en Nouvelle-France à instaurer cette pratique. Déjà, en 1602, Pont-Gravé avait emmené en France deux

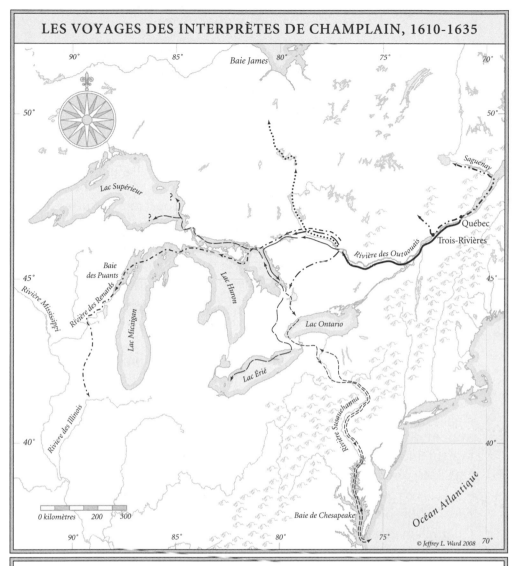

LES VOYAGES DES INTERPRÈTES DE CHAMPLAIN, 1610-1635

Baie James

Saguenay

Lac Supérieur

?

?

Québec

Trois-Rivières

Rivière des Outaouais

Baie
des Puants

Rivière des Renards

Lac Micaigan

Lac Huron

Lac Ontario

Rivière Mississipi

Rivière des Illinois

Lac Érié

Rivière Susquehanna

Océan Atlantique

Baie de Chesapeake

0 kilomètres   200   300

© Jeffrey L. Ward 2008

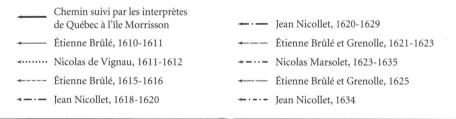

——— Chemin suivi par les interprètes
de Québec à l'île Morrisson

←——— Étienne Brûlé, 1610-1611

•••••••• Nicolas de Vignau, 1611-1612

←---- Étienne Brûlé, 1615-1616

◄—·— Jean Nicollet, 1618-1620

◄—·— Jean Nicollet, 1620-1629

←--- Étienne Brûlé et Grenolle, 1621-1623

◄—··— Nicolas Marsolet, 1623-1635

←——— Étienne Brûlé et Grenolle, 1625

◄—··— Jean Nicollet, 1634

« princes » montagnais, et les avait ramenés un an plus tard à Tadoussac, où ils avaient joué un rôle central dans la grande tabagie de cette année-là. Champlain suivit son exemple, mais sur une échelle beaucoup plus large et avec un plus grand dessein à l'esprit. Il forma tout un corps d'interprètes. Des douzaines de jeunes gens peuvent être identifiés par leur nom, et les archives font état d'un grand nombre d'entre eux sans toujours les nommer. Ils jouaient un rôle capital dans son grand œuvre[8].

Il n'y avait pas deux interprètes pareils. Certains vécurent brièvement chez les Indiens et retournèrent à la vie européenne. D'autres se plurent chez les Indiens, y prirent femme et nouèrent des liens étroits avec des communautés autochtones. La plupart allaient et venaient entre les deux cultures. À maints égards, ils contribuèrent tous à la croissance de cultures hybrides qui étaient partie européennes, partie indiennes et entièrement américaines. Tel était le monde nouveau qui trouva son premier foyer aux Trois-Rivières.

Champlain lança le mouvement, mais il ne fut pas toujours heureux des résultats. Le comportement de certains de ces jeunes gens le troublait. Comme il le dit, ils furent plus d'un à « se licencier en la vie des Anglois », c'est-à-dire à mener une vie qu'il jugeait déréglée. D'autres avaient des loyautés multiples, et d'après Champlain certains n'en avaient aucune. Les chefs indiens nourrissaient les mêmes réserves à l'égard de certains de ces jeunes hommes[9].

Deux en particulier lui donnèrent du fil à retordre : Étienne Brûlé et Nicolas Marsolet. Leur histoire débuta en juin 1610 par un accord entre Champlain et un jeune Français qui a déjà fait quelques apparitions dans notre récit. Brûlé (ou Bruslé) était né vers 1592, peut-être à Champigny-sur-Marne, au sud-est de Paris, où son frère était viticulteur. Il suivit probablement Champlain à Québec en 1608, à l'âge de seize ans. Ce devait être un jeune homme sympathique, brillant et gai, avec un sens de l'initiative hors du commun. Il séjourna quelque temps chez les Montagnais et, en 1610, demanda s'il pouvait lui aussi « aller avec les Algonquins, pour apprendre la langue ». Champlain accepta et prit les arrangements voulus. Il se souvint plus tard : « Je fus trouver le capitaine Iroquet, qui m'était fort affectionné, auquel je demandai s'il voulait emmener ce jeune garçon avec lui en son pays pour y hiverner, et le ramener au printemps. Il me promit de le faire, et le tenir comme son fils[10]. »

Ce fut un arrangement triangulaire compliqué entre les Français et deux nations indiennes. Iroquet était le chef de la Petite-Nation algonquine qui hivernait avec les siens près de la Huronie. Il était très lié avec le chef huron Ochasteguin de la nation des Arendarhonons. Iroquet et Ochasteguin acceptèrent de prendre Brûlé avec eux et demandèrent en retour à Champlain d'emmener un jeune Huron en France, de lui enseigner les manières françaises et de le ramener dans son pays. Le jeune Indien en question avait pour nom Savignon, et il était de la nation d'Ochasteguin, nous dit Champlain. Brûlé partit sous la garde des deux chefs avec des instructions précises de Champlain : apprendre le huron, explorer le pays, nouer de bonnes relations avec toutes les nations indiennes qu'il rencontrerait et revenir au terme d'une année. Brûlé s'acquitta étonnamment bien de sa mission, acquérant une excellente maîtrise de l'algonquin au passage[11].

Exactement un an plus tard, le 13 juin 1611, Champlain était de retour. On imagine la scène : les capitaines français avec leurs casques et leurs armures luisant sous le soleil, leurs arquebuses, leurs drapeaux et leurs plumets ; les Hurons et les Algonquins impressionnants avec leurs visages grimés, vêtus de peaux de daim, avec leurs arcs, leurs flèches, leurs colliers et leurs plumes à eux. Champlain fut tout étonné de voir son jeune ami parisien très à l'aise dans sa chemise de daim, conversant avec les Hurons et les Algonquins dans leur langue à eux. Il l'encouragea à rester chez les Indiens afin de maîtriser complètement leur « façon de vivre[12] ».

Après ces retrouvailles, Champlain aurait perdu Brûlé de vue pendant quelques années. Ils se retrouvèrent en Huronie en 1615. L'interprète raconta alors à Champlain qu'il avait beaucoup voyagé en Amérique du Nord. Accompagné d'un autre interprète français du nom de Grenolle, il avait parcouru la côte nord de ce qu'on appelait la « mer douce » — le lac Huron d'aujourd'hui — jusqu'aux grands rapides de Sault-Sainte-Marie, où les eaux d'un autre grand lac, le lac Supérieur, se mêlent à celles du lac Huron. Brûlé avait vu au moins quatre des Grands Lacs au cours de ses voyages, peut-être même tous les cinq. En 1615, Brûlé prit part à une autre grande mission avec douze guerriers hurons. Ils avaient pour ordre de contourner le versant occidental du pays des Tsonnontouans et d'entrer en contact avec les Andastes. Brûlé s'en fut, comme Champlain le lui avait ordonné, et disparut dans la vaste forêt américaine. On crut longtemps qu'il y avait trouvé la mort. Trois ans plus tard, il réapparut soudainement dans la vallée du Saint-Laurent. On était en 1618, et Brûlé ne semblait nullement pressé de se porter à la rencontre de Champlain. Il fallut le convoquer. Brûlé lui raconta alors que ses compagnons hurons et lui avaient parcouru un immense territoire. Ils avaient probablement exploré la vallée de l'Ohio, celle du fleuve Potomac, la baie de Chesapeake et le pays des Andastes. Sur le chemin du retour, ils étaient tombés dans l'embuscade d'un parti de Tsonnontouans, et Brûlé avait été fait prisonnier. Certains Iroquois s'étaient mis à le torturer, mais d'autres étaient intervenus pour le sauver. Il avait obtenu sa liberté en promettant de se faire leur ambassadeur auprès des Français, certains chefs iroquois désirant ardemment établir des relations avec eux[13].

Même s'il avait été capturé et qu'il avait frôlé la torture, Brûlé tenait à retourner en pays indien. L'interprète, écrit Champlain, « prit congé de moi pour s'en retourner avec les peuples sauvages, dont il avait connaissance et affinité par lui acquise en ses voyages et descouvertures [...]. Je l'encourageai de continuer dans cette bonne volonté[14] ». Brûlé vécut parmi les Hurons encore plusieurs années et se fit trafiquant de fourrures. C'est au cours de cette période que les choses se mirent à mal tourner. En 1621, Champlain reçut des rapports de missionnaires qui faisaient état de la mauvaise vie que la plupart des Français menaient au pays des Hurons. En particulier, on lui avait dit que l'interprète Brûlé était « fort vicieux et adonné aux femmes », et qu'il acceptait des pots-de-vin des traiteurs. L'attitude de Champlain à l'égard de son protégé commença à changer[15].

En 1621, Brûlé réapparut à Québec avec quatre cents peaux de castor, qu'il revendit avec profit. Il rentra en France en 1622, revint au Canada en 1623, se fit l'âme du commerce entre la Huronie et Québec, et en 1626 reprit le chemin de Paris, où il épousa une Française. Ses compétences à titre d'interprète et sa connaissance de l'Amérique du Nord faisaient de lui un homme recherché. La Compagnie des Cent-Associés l'employa à des conditions généreuses, mais lors de son retour en Nouvelle-France avec un compagnon huron, il fut capturé par les Anglais et emmené à Londres. C'est là que Brûlé accepta de faire équipe avec les Kirke en 1628, contre ses propres compatriotes[16].

Champlain en fut outré, d'autant que la même chose s'était produite avec un autre interprète, Nicolas Marsolet. Dès 1613, Champlain avait recruté Marsolet dans un village près de Rouen, l'avait emmené en Nouvelle-France et l'avait mis au travail dans la vallée du Saguenay, l'appelant « l'interprète montagnais ». Ce jeune homme apprit aussi d'autres langues indiennes, mais il était surtout traiteur à Tadoussac. Marsolet en vint à connaître le Saguenay mieux que tout autre Européen, et Champlain lui confia des postes de responsabilité en 1623-1624. Comme Brûlé, il s'avança profondément en pays indien et fit plusieurs allers et retours en Europe. Marsolet était à Paris le 24 mars 1627 et retourna au Canada plus tard cette année-là[17]. Puis les frères Kirke vinrent, et Québec tomba en 1629. Marsolet retourna alors sa veste et entra au service des Britanniques[18].

Champlain fut horrifié par la trahison de ses interprètes. Le 1er août 1629, il revit Brûlé et Marsolet à Tadoussac, et il y eut un échange de mots très vifs. Champlain nous dit : « Je fis une remontrance touchant leur infidélité, tant envers le roi qu'à leur patrie. » Il leur reprocha aussi d'avoir tourné le dos à la foi catholique : « Vous demeurez sans religion, mangeant chair vendredi et samedi, vous licenciant en des débauches et libertinages désordonnés [...]. Vous perdez votre honneur, on vous montrera au doigt de toutes parts[19]. »

Les deux interprètes lui répondirent qu'ils avaient été forcés d'entrer au service des Britanniques. Champlain n'en crut pas un mot : « Vous dites qu'ils vous ont donné à chacun cent pistoles et quelque pratique [et leur avez] ainsi promis toute fidélité. » Champlain les avertit : « Souvenez-vous que Dieu vous punira si vous ne vous amendez, il n'y a ni parent ni ami qui ne vous dise le même, ce sont ceux qui accourront plutôt à faire faire votre procès : que si vous saviez que ce que vous faites est désagréable à Dieu et au monde, vous auriez horreur de vous-mêmes. »

Plus ils parlaient, plus Champlain s'emportait : « Encore vous qui avez été élevés petits garçons en ces lieux, vendant maintenant ceux qui vous ont mis le pain à la main : pensez-vous être prisés de cette nation ? Non, assurez-vous, car ils ne s'en servent que pour la nécessité[20]. » Brûlé et Marsolet répondirent : « Nous savons très bien que si l'on nous tenait en France qu'on nous pendrait, nous sommes bien fâchés de cela, mais la chose est faite, il faut boire le calice puisque nous y sommes, et nous résoudre de jamais ne retourner en France : l'on ne laissera pas de vivre. »

Entre Champlain et les deux interprètes, ce fut la rupture. Lorsque Champlain reprit possession de Québec en 1632-1633, Brûlé s'était retiré en pays huron, où d'autres difficultés l'attendaient. Les praticiens de l'histoire sociale pensent que ses rapports avec les Huronnes s'étaient mis à déranger. Ceux qui font de l'histoire économique croient que Brûlé avait court-circuité les réseaux commerciaux des Hurons. Ceux qui font de l'histoire politique le soupçonnent d'avoir trahi les Hurons au profit des Iroquois, tout comme il avait abandonné les Français pour les Anglais. Il est possible que tout cela soit vrai. Quelle que fût la cause, les Hurons ordonnèrent à Brûlé de quitter le pays. Mais il n'avait nulle part où aller. Les Kirke étaient partis, et les Français le méprisaient en traître qu'il était. La Huronie était le seul foyer digne de ce nom qui lui restait, et désormais il n'y était plus le bienvenu. Enfin, en juin 1633, après de longues et déchirantes discussions, les Hurons, en désespoir de cause, le tuèrent. Ils s'en ouvrirent ensuite à Champlain. On croit qu'il est le seul Français que les Hurons aient jamais tué[21]. Champlain leur fit savoir qu'il comprenait et qu'on ne leur en tiendrait pas rigueur. Au bout du compte, plus personne ne voulait d'Étienne Brûlé. Ce jeune homme si doué qui naviguait avec tant d'aisance d'une culture à l'autre fut ultimement rejeté de tous[22].

Marsolet connut un meilleur sort. Pendant un certain temps, il déplut fort aux Français. Le père Paul Le Jeune écrivit avec colère : « En tant d'années qu'on a été en ces pays, on n'a jamais rien pu tirer de l'interprète ou truchement nommé Marsolet, qui pour excuse disait qu'il avait juré qu'il ne donnerait rien du langage des sauvages à qui que ce fût[23]. » Mais Marsolet resta l'agent des Français auprès des Montagnais. Il acquit sa propre barque, devint un traiteur de fourrures prospère, et ses profits lui procurèrent lucre et respectabilité. Il en vint même à se faire appeler « le petit roi de Tadoussac ». Après la mort de Champlain, Marsolet se fixa, épousa une Française, éleva dix enfants, obtint une seigneurie de la Compagnie des Cent-Associés et accumula terres et charges. Il vécut jusqu'à l'âge vénérable de quatre-vingt-dix ans et mourut dans son lit en 1677, en éminent citoyen de la Nouvelle-France.

Du fait de ses difficultés avec Brûlé et Marsolet, Champlain se mit à accorder plus d'importance à la moralité dans le choix de ses interprètes. Il en résulta une nouvelle génération de jeunes truchements, dont certains étaient bien différents de leurs prédécesseurs. On songe ici surtout à deux hommes. Les deux entreprirent leur carrière américaine comme sous-commis des compagnies de commerce présentes à Québec. Ils vécurent parmi les Indiens et apprirent leurs langues. Ils commencèrent à œuvrer aux côtés de Champlain dans les années 1620, adhérèrent à son grand dessein et exercèrent une influence marquante dans l'histoire de la Nouvelle-France.

Olivier Le Tardif (ou Letardif, car il écrivait son nom ainsi) était né vers 1604 en Bretagne et avait été baptisé à l'évêché de Saint-Brieuc. Puis sa famille s'était installée en Normandie. Champlain l'appelait « Olivier le Tardif de Honfleur », car il avait peut-être été recruté dans le port du même nom. On le retrouve à Québec dès 1621, peut-être plus tôt, même, comme sous-commis de la compagnie de Caën. Jeune homme, il traita avec les Indiens de la vallée du Saint-Laurent, vécut parmi eux et apprit leurs langues avec un succès remarquable. Champlain, qui se mit à l'appeler « Olivier le truchement », le disait « expérimenté aux langues » montagnaise, algonquine et huronne, tout un exploit en soi[24].

Ceux qui collaborèrent avec Le Tardif firent l'éloge de son habileté et de son intégrité. Pont-Gravé, qui le connaissait bien, écrivit de lui : « Olivier [...] traitait avec les sauvages comme expérimenté aux langues des Montagnais et Algoumequins, comme de celle des Hurons, comme fort propre à cela. Il s'acquitta de sa charge en homme de bien. » Le jésuite Paul Le Jeune l'appelait « le sieur Olivier, truchement, honnête homme, et bien propre pour ce pays-ci ». Le Tardif était toujours décrit en homme « pieux et dévot ». Il aida beaucoup les missionnaires, encouragea nombre d'Indiens à accepter le baptême et fut le parrain de plusieurs baptisés. Les Indiens le tenaient en très haute estime, et il resta près d'eux toute sa vie. Comme Champlain, il adopta trois enfants indiens, les éleva comme les siens et leur fit faire de bons mariages[25].

Après la conquête anglaise, Le Tardif quitta la Nouvelle-France avec Champlain, pour y retourner en 1633. On le voyait souvent aux côtés de ce dernier, et il fut son interprète dans quelques-unes de ses rencontres les plus importantes avec les Indiens de 1633 à 1635[26]. Après la mort de Champlain, Le Tardif devint un personnage en Nouvelle-France. Il gravit les échelons de la Compagnie des Cent-Associés, de sous-commis à premier commis, à commis général responsable des affaires de la compagnie dans la vallée du Saint-Laurent. Il acquit des seigneuries le long du fleuve, encouragea la colonisation de l'île d'Orléans et épousa Louise Couillard, ce qui le fit entrer dans la première famille de Nouvelle-France. Il se maria une seconde fois et eut cinq enfants. Aujourd'hui, ses descendants, qui ont pour nom Tardif ou Le Tardif, se comptent par milliers au Canada et aux États-Unis[27].

On remarque dans cette seconde vague d'interprètes celui qui fut le plus grand de tous, un homme au caractère extraordinaire et aux réalisations hors série. Jean Nicollet de Belleborne était originaire de Normandie, né vers 1598 dans un milieu modeste, près du port de Cherbourg. Son père était courrier du roi, chargé de la poste entre Cherbourg et Paris. Le jeune Nicollet était venu en Nouvelle-France en 1619 comme traiteur au service de la vieille compagnie de Rouen et Saint-Malo[28]. On l'avait envoyé hiverner chez les Algonquins de l'île aux Allumettes, sur la rivière des Outaouais, mission difficile dont il s'était fort bien acquitté. Il y était resté deux ans, « le seul Français de l'île », et avait appris la langue et les coutumes des Indiens et exploré le pays avoisinant. Contrairement à Brûlé, il impressionnait Indiens et Européens par son caractère bien trempé. Les Algonquins l'admettaient dans leurs cabanes, dans leurs conseils aussi, et on disait qu'ils en avaient fait un de leurs chefs[29].

Après 1620, Nicollet alla vivre chez les Népissingues, sur le lac qu'on appelle aujourd'hui Nipissing. Il y fut au total « huit ou neuf ans », y bâtissant un poste de traite, pratiquant la pêche et la traite à son propre compte ; il rentrait à Québec chaque année pour y écouler ses fourrures. Il explora de grands secteurs des pays d'en haut et visita de nombreuses nations indiennes entre la Huronie et la baie d'Hudson[30]. Chez les Népissingues, il vécut avec une Indienne dont il eut au moins un enfant, une fille nommée Madeleine-Euphrosine. Il l'emmena plus tard à Québec, où elle se maria deux fois, avec des Français, et eut neuf enfants ou davantage[31].

À l'époque de la conquête britannique de 1629-1632, Nicollet disparut de Québec et vécut parmi les Indiens des pays d'en haut. Il passa au moins une partie de ce temps-là avec les Hurons et apprit leur langue. Lorsque Émery de Caën et un petit parti de traiteurs français revinrent à Québec en 1632, Nicollet rentra et offrit d'aider à renouer les liens commerciaux entre Indiens et Français. Puis Champlain et ses colons s'installèrent à Québec au printemps de 1633. Peu après son arrivée, il apprit que quarante canots de Népissingues étaient à l'île Sainte-Croix, le poste de traite sur le fleuve en amont de Québec. Ils étaient dirigés par un « interprète français » qui ne devait être autre que Jean Nicollet[32].

Champlain nous dit qu'il se rendit sur l'heure à l'île Sainte-Croix, le 20 juin 1633, et qu'il vit Nicollet le même jour. Les deux hommes se mirent à tracer des plans pour l'avenir[33]. Tous deux planifièrent une grande expédition vers l'ouest au-delà du territoire connu des Français.

Un père jésuite qui les connaissait bien, Barthélemy Vimont, écrit que Nicollet « fut délégué pour faire un voyage en la nation appelée les Gens de mer[34] ».

Cette mission fut conçue dans le même esprit qui avait présidé aux premiers voyages de Champlain. Il s'agissait entre autres d'explorer le pays à l'ouest de la Nouvelle-France et d'étudier la qualité du territoire. Il fallait aussi cartographier les rivières et les lacs. Les cours d'eau intéressaient grandement Champlain, et les dirigeants français rêvaient encore de cette route nord-américaine menant à la Chine. En 1633, les Français savaient très peu de choses à propos des Grands Lacs. Champlain connaissait le lac Huron, le lac Ontario et le lac Erié, mais pas assez pour les cartographier avec exactitude. Il savait qu'il existait un autre lac immense au nord-ouest et qu'un torrent se jetait de ce grand lac (le lac Supérieur) dans la mer Douce du lac Huron via deux lieues de chutes et de rapides. Champlain les appelait le Sault de Gaston ; on les connaît aujourd'hui sous le nom de Sault-Sainte-Marie. Les Indiens avaient dit à Champlain qu'il fallait trente jours de canot pour traverser les deux lacs. Il voulait en apprendre davantage sur leur taille et leur forme, et savoir ce qu'il y avait au-delà[35].

Les Indiens avaient aussi parlé à Champlain d'une nation éloignée qu'ils appelaient les Puants et qui vivait au-delà des Grands Lacs. Ces Indiens, disaient-ils, avaient voyagé loin vers l'ouest, jusqu'à la côte d'une grande mer salée. Nicollet reçut l'ordre d'aller les trouver et de nouer des relations avec les autres nations en chemin. Champlain voulait étendre les alliances françaises et élargir la traite des fourrures. Comme toujours, il voulait aussi instaurer des relations pacifiques entre ses alliés indiens et les nations de l'Ouest[36].

À l'été de 1633, Nicollet quitta Québec pour la Huronie, où l'attendait une escorte de sept guerriers. Ce fut un très long voyage. Ils suivirent la rive nord du lac Huron, qui conduit à l'intersection avec le lac Supérieur et le lac Michigan. Au-delà de ce point, son parcours n'est pas clair. Il a pu se diriger vers le nord-ouest en longeant les rapides de Sault-Sainte-Marie jusqu'à la rive nord du lac Supérieur[37], le « grand lac » de Champlain. Il est plus probable (mais pas tout à fait certain) qu'il ait emprunté une autre route. Nicollet a probablement franchi le goulot étroit au nord-ouest du lac Huron, s'est frayé un chemin par le détroit de Mackinac et a longé ainsi les côtes nord et ouest du lac Michigan. Un court voyage l'aurait ensuite conduit à la baie des Puants (Green Bay, de nos jours) et au pays des Winnebagos, qui étaient sans doute les Ouini-pigous des jésuites. Nicollet écrivit que les Ouinipigous parlaient une langue inconnue, qui n'était ni l'algonquin ni le huron. En fait, les Win-nebagos parlaient une langue sioue, une famille de langues indiennes différentes de celles qui sont parlées dans l'Est. Ces indices linguistiques montrent que Nicollet et ses guides hurons étaient parvenus à ce qui est aujourd'hui Green Bay, au Wisconsin[38].

Nicollet et ses compagnons mirent pied à terre, fichèrent deux pieux dans le sol et les ornèrent de présents pour faire savoir aux naturels du lieu qu'ils étaient venus animés d'intentions pacifiques. Deux Hurons furent envoyés en éclaireurs pour annoncer qu'un Français était arrivé dans un esprit de paix, et une grande foule s'assembla aussitôt. Nicollet, comme Champlain, savait faire les choses en grand. Selon le jésuite Vimont, qui avait lu le journal que Nicollet tint pendant son voyage, l'explorateur « était revêtu d'une grande robe de damas de la Chine, toute parsemée de fleurs et d'oiseaux de diverses couleurs ». Il tenait dans chaque main un pistolet et les déchargea tous deux en l'air. Vimont nous dit que « si tôt qu'on l'aperçut, toutes les femmes et les enfants s'enfui-rent, voyant un homme porter le tonnerre en ses deux mains ». Il fut accueilli par une foule estimée à quatre ou cinq mille guerriers, et les chefs l'invitèrent à une série de festins. Lors d'un repas, on servit en entrée « au moins six vingt [cent vingt] castors ». Avec tout le cérémonial voulu, les guerriers hurons et l'interprète français firent la paix avec ces nations[39].

Après cette rencontre, dit-on, Nicollet aurait exploré le pays. Les Indiens lui ont peut-être parlé des rivières qui coulaient à l'ouest, et il se serait mis en frais de les découvrir. La rivière des Renards et l'Illinois ne sont pas loin de Green Bay. Il était donc très près des affluents du Mis-sissippi, mais ce n'est pas lui qui a découvert le grand fleuve. Malgré tout, il avait exploré un large pan de l'Amérique du Nord, et il était le premier Européen à y être allé. Chacun de ces voyages épiques faisait des émules sur la frontière de la Nouvelle-France, et d'autres interprètes suivirent ses traces.

Nicollet et ses guides hurons firent le long voyage de retour et par-vinrent à Québec en 1634. L'interprète rendit probablement compte de sa mission à Champlain, mais il n'existe aucune trace écrite de cette rencontre. L'original du journal de Nicollet a disparu ; toutefois, les pères Le Jeune et Vimont l'avaient lu. On en trouve des extraits dans les *Rela-tions des Jésuites*.

Jean Nicollet, l'interprète le plus célèbre de Champlain, qui avait vécu parmi les Algonquins et les Hurons, fut envoyé par Champlain explorer le pays au-delà des Grands Lacs. Il atteignit ainsi la rivière des Renards et l'Illinois, dans la vallée du Mississippi. Cette image nous montre sa visite chez les Winnebagos. Son souvenir est omniprésent dans le Midwest américain.

Après son retour en 1634, Nicollet fit d'autres voyages plus courts et aida les missionnaires jésuites à s'avancer sur l'Outaouais. Puis il décida de s'établir, obtint un poste à la Compagnie des Cent-Associés et semble s'être fixé comme traiteur à Trois-Rivières. Il épousa la fille de Guillemette Hébert et Guillaume Couillard, et le couple eut un fils et une fille en plus d'adopter au moins une fille indienne. Par son mariage, Nicollet devint aussi le beau-frère d'Olivier Le Tardif. Les deux hommes devinrent de proches amis ainsi que les copropriétaires d'une seigneurie.

Selon tous les témoignages, Nicollet était un homme remarquable. Il était profondément altruiste, ce qui causa sa mort, justement. En 1642, alors qu'il était en visite à Québec, il apprit qu'un parti de Hurons avait fait un captif iroquois et s'apprêtait à le torturer à mort à Trois-Rivières. Nicollet se précipita au secours de cet Indien qu'il ne connaissait pas. Il prit sa barque et s'engagea sur le Saint-Laurent toutes voiles dehors. Un coup de vent fit chavirer la barque ; or, cet homme qui avait exploré tant de grands lacs et de longues rivières d'Amérique du Nord ne savait pas nager. Il se noya à l'âge de quarante-quatre ans. Les jésuites écrivirent que Jean Nicollet était aimé des Français comme des Indiens. Il partageait le rêve de Champlain et avait contribué à l'élargir de ses propres vues.

Champlain envoya ainsi plusieurs dizaines de jeunes Français vivre parmi les nations indiennes pour y acquérir la formation d'interprète, et il collabora aussi avec nombre de truchements indiens. Il était constamment à la recherche de jeunes gens éveillés qu'on pouvait recruter pour cette tâche. Rien qu'en 1629, il avait à son service à Québec onze interprètes, et il y en avait quatorze à l'emploi des Cent-Associés. Quand des canots arrivaient de l'arrière-pays, il se portait à leur rencontre et cherchait parmi les arrivants « des gens de notre habitation, de ceux que j'avais envoyés dans les terres avec les sauvages[40] ».

Ces interprètes étaient en général de jeunes hommes dynamiques issus des villes portuaires et commerçantes de France. Plusieurs font une brève apparition dans les écrits de Champlain et les archives de la colonie. On note avec intérêt leurs origines et le cours de leur carrière après que Champlain les eut envoyés vivre chez les Montagnais, les Algonquins, les Hurons, les Népissingues et bien d'autres nations indiennes[41].

L'un d'entre eux, que Champlain appelait « le jeune garçon de Bouvier », fit ses débuts comme apprenti au service du capitaine d'une patache sur le Saint-Laurent. En 1611, il devint interprète chez les Hurons, vivant et commerçant avec eux[42]. Jacques Hertel de la Fresnière, pour sa part, vint au Québec comme soldat vers 1626. Il alla vivre chez les Algonquins, devint l'interprète de Champlain et des jésuites, puis acquit une terre et éleva sa famille à Trois-Rivières[43]. Jean-Paul Godefroy, qui est peut-être ce « Jean Paul » que Champlain mentionnait en 1623, était un jeune homme de bonne famille de Paris, dont le père occupait des emplois élevés à la cour. Il œuvra comme interprète pour les compagnies de commerce au poste des Trois-Rivières et devint capitaine de navire, entrepreneur et, en 1648, membre du Conseil de Québec[44].

Il y en eut beaucoup d'autres comme eux. Thomas Godefroy était interprète chez les Algonquins et les Hurons[45]. François Marguerie travailla chez les Indiens de l'Ouest et s'établit à Trois-Rivières[46]. L'interprète dieppois Jean Richer vécut parmi les Népissingues et les Algonquins[47]. Jean Manet alla chez les Népissingues[48]. L'un de ces deux derniers hommes était peut-être le « Gros Jean de Dieppe » dont parle Champlain, ou alors il s'agissait d'un troisième interprète. Un autre du

nom de Grenolle fit son apparition en Nouvelle-France en 1623 et fut
« apprenti interprète » chez les Hurons et les Pétuns. Il accompagna
Brûlé dans son voyage au Sault-Sainte-Marie et au lac Supérieur, et
il visita plus tard la nation des Neutres et celle des Pétuns. Un autre,
La Vallée, alla également chez les Neutres et les Pétuns[49]. Bon nombre
de ces truchements se fixèrent plus tard à Trois-Rivières[50].

Les chefs qui recrutaient ces jeunes gens indépendants ne réussirent
jamais à les tenir en bride. Leur nombre se mit à croître. Les quelques
dizaines d'interprètes et de traiteurs de Champlain furent suivis par des
centaines d'esprits libres qui ne tardèrent pas à quitter les établissements
de la Nouvelle-France pour aller commercer avec les Indiens. On se mit
à les appeler les *coureurs de bois,* et ils étaient mal vus des autorités françaises. En 1672, l'intendant Talon écrivit que ces jeunes gens pertur-
baient l'activité agricole de la Nouvelle-France, brisaient les familles et
troublaient l'ordre. Il essaya d'en limiter le nombre, mais sans succès.
En 1679, l'intendant Duchesneau écrivit un rapport très accablant sur
eux, estimant leur nombre à 500 ou 600, sans compter tous les autres qui
partaient chaque jour pour le bois. Une année plus tard, il évaluait leur
nombre à 800 sur une population totale de 9 700 habitants. « Presque
chaque famille avait un fils là-haut », écrit un spécialiste de la question[51].
Il n'y avait pas deux coureurs de bois pareils, mais tous s'inscrivaient
dans un grand mouvement historique qui eut une influence marquante
dans le temps et l'espace. Au XVIIe siècle, ils dépassèrent les forêts de l'Est
et s'aventurèrent dans les grandes plaines et les montagnes du milieu du
continent. Ils longèrent les rivières jusque dans la vallée du Mississippi,
descendant au sud jusqu'en Louisiane, toujours en quête de fourrures
qu'ils acquéraient par le troc, la chasse et le piégeage. Dans les régions
intérieures de l'Amérique du Nord, leurs petits campements et postes
de traite devinrent des bourgades, et plus tard de grandes villes qui
honorent leur souvenir. Ils devinrent des figures iconiques de l'identité
culturelle de l'Amérique du Nord et des exemples vivants du mélange
des peuples, dans l'esprit du rêve de Champlain. Mais ils se mirent aussi
à incarner d'autres principes qui n'avaient pas la faveur de Champlain :
par exemple, la liberté débridée sur la frontière de l'ouest.
Les autorités françaises s'efforcèrent d'endiguer l'exode de ces
esprits libres en mettant au point un système de congés de traite qui
régulait les déplacements hors des établissements de Nouvelle-France.

Mais leur nombre continua de croître. Rien qu'à Montréal et à Détroit, il y avait 2 431 traiteurs autorisés en 1777, si l'on en croit les archives. Mais beaucoup d'autres prenaient le bois sans demander la permission à quiconque. D'après une estimation, il y avait plus de cinq mille coureurs de bois en Amérique du Nord à la fin du XVIIIe siècle. Les marchands français organisèrent leur activité commerciale. Le propriétaire qui avait assez de capitaux pour acheter et vendre les marchandises de traite et les vivres d'une expédition était appelé le *bourgeois*. C'était lui qui engageait ces hommes qu'on appelait les *voyageurs,* lesquels se divisaient en plusieurs catégories. Il y avait les saisonniers qui rentraient chaque année au Canada et qu'on appelait les *mangeurs de lard.* D'autres allaient plus loin vers l'ouest et y restaient plus d'une saison : c'étaient les *hivernants.* La culture de la traite des fourrures était dominée par ces voyageurs.

L'explorateur Alexander Ross a rencontré l'un de ces vieux voyageurs et recueilli ses souvenirs. « Il y a maintenant quarante-deux ans que je suis dans ce pays, se souvenait le vieillard. Pendant vingt-quatre ans, j'étais canoteur léger. J'avais pas besoin de dormir beaucoup, et, des fois, je me passais quasiment de sommeil. Il y avait pas de portage trop long pour moi ; tous les portages étaient pareils pour moi. Ma partie du canot touchait pas à terre tant que j'en avais pas vu le bout. Cinquante chansons par jour, c'était rien. Je pouvais transporter ma charge, pagayer, marcher et chanter avec n'importe qui […] sur des rapides, des cascades, des chutes, j'avais peur de rien. Il y a pas de rivière, pas de tempête qui m'ait jamais empêché de pagayer ou de chanter. J'ai eu douze femmes dans le pays, et j'ai possédé jusqu'à cinquante chevaux pis douze chiens de traîneau de première classe… Il y avait pas de bourgeois qui avait de femmes mieux habillées que les miennes ; pas de chef indien qui avait des chevaux plus beaux que les miens ; pas de Blanc qui avait dc meilleurs harnais ou de chiens plus rapides que les miens… Il y a pas de vie sur terre plus belle que celle du voyageur ; il y a pas d'homme plus libre que lui ; il y a pas de pays au monde plus riche et plus libre que le pays indien. Hourrah, hourrah pour le pays sauvage ! »

« Après avoir poussé ce cri de joie, ajouta Ross, le vieillard s'assit dans son bateau, et nous ne pouvions qu'admirer l'enthousiasme forcené du vieux Français. Il s'était vanté et s'était excité jusqu'à en perdre haleine, puis, avec un soupir de regret, il nous confia que les lieux de sa vie passée lui étaient désormais inaccessibles[52]. »

Ces voyageurs s'inspirèrent des modes de vie européen et indien pour créer de nouvelles cultures en Amérique. Dans la créativité de la fusion culturelle qui était leur quotidien, ils inventèrent des mots pour décrire le Nouveau Monde, ses habitants, sa flore et sa faune. L'expression anglaise « *Mush !* », le commandement des conducteurs de traîneaux à chiens, vient du français « Marche[53] ! » Le toponyme Ozarks dérive du français *aux Arcs,* abréviation que les voyageurs employaient entre eux pour désigner le pays des Indiens Arkansas, dont le nom était aussi un mot indien familier désignant les Quapaws, qui vivaient non loin de la rivière Arkansas[54].

Ces mélanges linguistiques ont produit non seulement des mots nouveaux, mais aussi de nouvelles langues. Les Français et les Indiens ont inventé des langues de contact hybrides qui sont en partie d'origine européenne, en partie tirées des langues autochtones américaines. Les premiers de ces hybrides sont apparus sous la forme de pidgins dans les contrées fréquentées par les pêcheurs. Un pidgin n'est pas une langue naturelle, c'est une langue de contact improvisée, à la grammaire et au vocabulaire simplifiés.

D'autres langues de contact franco-indiennes se sont développées. Par exemple, le *michif* ou *métif,* une combinaison de français et de cri enrichie d'éléments puisés à l'anglais, à l'assiniboine et à l'ojibwé. Il est apparu au début du XIXe siècle dans les prairies de l'Ouest canadien et américain. Le michif n'était pas un pidgin, et ce n'était pas non plus ce que les linguistes appellent un créole (soit un pidgin qui devient une langue naturelle, où l'on simplifie également les règles de grammaire et de syntaxe). Comme l'ont noté des observateurs informés : « Le michif fait figure d'exception parmi les langues de contact dans la mesure où, au lieu de simplifier la grammaire, ses parlants ont conservé les éléments les plus complexes et les plus exigeants des langues principales qui l'ont formé. Ainsi, les phrases françaises conservent leur grammaire lexicale et l'accord de l'adjectif ; les verbes cris ont retenu leur structure polysynthétique. » Les linguistes en concluent que « les gens qui ont conçu le michif devaient parler très couramment le français et le cri », et ils ont inventé une langue nouvelle en combinant les éléments les plus complexes des langues mères[55].

Ce mélange de langues s'est fait à partir du mélange des gens. Les interprètes de Champlain, les coureurs de bois et les voyageurs ont formé des familles où se combinaient les ascendances indienne et française. Ces unions se sont multipliées au début et au milieu du XVIIe siècle. Elles concernaient dans certains cas des Français de haut rang. L'exemple le plus connu est celui du baron de Saint-Castin, qui est venu au Canada avec le régiment Carignan-Salières en 1665 et a épousé une Indienne qu'il appelait Marie-Mathilde Madokawando. Son père était un sachem abénaquis, et on disait d'elle qu'elle était une « femme belle et accomplie ». Le baron s'établit près de sa belle-famille indienne. Certains de ses nombreux enfants et petits-enfants épousèrent d'autres Indiens ; d'autres se marièrent avec des nobles français. On compte également de nombreuses unions mixtes dans les familles La Tour et Denys d'Acadie, et les familles Le Tardif, Nicollet et Prévost au Canada, pour ne nommer que celles-là. Ces mariages mixtes étaient activement encouragés par les autorités françaises et bénies par le clergé catholique. Les successeurs de Champlain se sont montrés plus bienveillants envers les mariages franco-indiens qu'envers ceux qui impliquaient un protestant. Ainsi, on disait de l'Agnier appelé le « Bâtard flamand » qu'il était « le rejeton monstrueux d'un Hollandais hérétique et d'une païenne ». On ne reprochait rien à la mère « païenne », on en avait seulement contre le calvinisme du père[56].

Champlain favorisa les unions entre Français et Indiennes dans l'idée qu'ils ne forment « plus qu'un peuple ». De son vivant, on se mit à appeler « métis » les enfants de ces unions mixtes, et le mot apparaît dans les archives dès 1615. À la fin du XVIIIe siècle, le mot avait acquis un sens nouveau, désignant toute une population d'ascendance franco-indienne[57]. Il prit un troisième sens au XIXe siècle, décrivant cette fois des communautés et des cultures distinctes. Un chercheur qui a étudié les récits de voyage dans l'Ouest nous dit : « Au cours des années 1820, les Anglais et les Américains se rendant dans le bassin pelletier des Grands Lacs eurent la surprise de découvrir un pays étranger[58]. »

Dans cette région, le mot « métis » est devenu symbole de fierté. L'écrivain métis Duke Redbird écrit à ce propos : « Les Métis constituent la seule ethnie indigène du continent. Toutes les autres races, y compris les Indiens et les Inuits, viennent d'ailleurs[59]. » Dans les régions où les Métis ont formé des communautés, ce qu'ils ont fait au Canada comme aux États-Unis, ils ont aussi créé des sociétés distinctes sous de nouvelles formes, avec des hiérarchies, une vie familiale, une culture matérielle et une architecture qui leur étaient propres. Au XIXe siècle, certaines communautés métisses étaient des trains de chariots nomades qui suivaient le bison et étaient guidés par des chefs agitant des fanions. D'autres étaient des cercles de petites cabanes bâties autour d'une grande maison où avaient lieu les réunions et les danses. Les musiques et les danses d'origine indienne et européenne formaient des combinaisons créatives. Le costume privilégiait les vestes de daim et les leggings richement décorés, avec des manteaux faits de couvertures pour les hommes ; les femmes portaient des robes noires avec des châles et des ceintures aux couleurs vives[60]. Des systèmes politiques inventifs furent également créés, aussi libres et ouverts que ceux des Indiens, mais avec un chef nommé *le gouverneur* et des chefs élus appelés *les soldats*. Cette culture était marquée par un sens très développé de la liberté. Les Indiens appelaient parfois les Métis *otipemisiwak*. Jennifer Brown nous explique que ce terme indien complexe désigne des gens maîtres d'eux-mêmes, et que c'est la version crie de *gens libres*. C'est un mot né de la traite des fourrures pratiquée par les Français, désignant les engagés qui servaient le temps de leur contrat et reprenaient ensuite leur liberté. Cette idée d'un peuple vivant dans la liberté s'appliqua à des populations mixtes entières dans les pays d'en haut[61]. Ross a écrit lors de ses voyages : « Même s'ils jouissent d'une liberté licencieuse, ils sont généreux, sympathiques et braves […]. Ils connaissent leur force et, du fait qu'ils sont constamment armés et libres de toute entrave, ils méprisent tout le monde, mais par-dessus tout, ils tiennent ardemment à leurs coutumes ancestrales. Ils chérissent la liberté autant que la vie[62]. »

En 2001, le recensement du Canada signalait que 292 310 personnes s'identifiaient comme Métis, et elles sont encore plus nombreuses aux États-Unis. Ces Métis ont fondé des associations dans toutes les provinces canadiennes et cinq États américains. Ils ne constituent pourtant qu'une fraction des Nord-Américains qui ont des ancêtres indiens et européens. Les démographes ont calculé que plus de 750 000 Canadiens ont une ascendance métisse. Même ces estimations ne donnent qu'une vague idée de l'ampleur des mélanges interraciaux. En 1970, un biologiste canadien a calculé que 40 % des familles canadiennes avaient à la fois des ancêtres indiens et européens dans leur arbre généalogique, ce qui donnerait 8 millions de Canadiens au sang mêlé en 1970 et 12 millions en 2005. L'analyse d'ADN pourrait bientôt vérifier l'exactitude de ces estimations[63].

D'autres Nord-Américains, en nombre encore plus grand, ont une parenté culturelle avec les interprètes de Champlain, les coureurs de bois, les voyageurs et les Métis. Un sondage réalisé sur la Toile révèle qu'un grand nombre d'organisations se réclament de cet héritage en notre époque. Cette tradition fleurit au XXIᵉ siècle. Elle est née d'Étienne Brûlé, Nicolas Marsolet, Olivier Le Tardif, Jean Nicollet ; et derrière eux tous il y avait Samuel de Champlain, il y a quatre siècles de cela.

Champlain a joué ainsi un rôle capital dans la fondation de trois cultures francophones distinctes en Amérique du Nord : la québécoise, l'acadienne et la métisse. On pourrait aussi y ajouter une quatrième culture : celle des pays de la pêche avec les anciens établissements de Miscou, de la baie des Chaleurs, du Cap-Breton et de Plaisance à Terre-Neuve.

Chacune trouve son origine dans des régions différentes de la France et a donné naissance à une population, une langue, une culture matérielle distinctes qui se sont cristallisées dans un processus complexe de persistance et de changement. Toutes se sont mises à prendre forme vers les années 1632-1635, dans une époque charnière marquée par de grandes mutations. Et Champlain y était pour beaucoup dans la naissance de chacune. Pour cette raison, il est vraiment permis de dire qu'il est le père du Canada français.

CHAPITRE 25

Son dernier ouvrage

Une fin aux allures de commencement, 1635

*Je ne manquai point de sujet [...]. Il est vrai qu'il avait vécu
dans une grande justice et équité.*

PAUL LE JEUNE, à propos de l'oraison funèbre
de Champlain, 1636[1]

Octobre 1635. La beauté automnale avait repris ses droits dans la vallée du Saint-Laurent. L'air était vif et lumineux. Dans la lumière éclatante de l'arrière-saison, le grand fleuve tout à coup paré de bleu azur luisait comme un saphir dans sa course vers la mer. Sur les rives, les mille couleurs du couchant de l'année embrasaient les forêts : l'écarlate des érables rouges, le jaune des merisiers et des hicoriers, le roux des chênes, l'or des mélèzes et le séduisant orange des érables à sucre. À ces atours, les colons avaient ajouté des couleurs de leur facture : le vert tonique des pâturages et des prés grandissants, le blanc des maisonnettes chaulées qui se multipliaient sur les terres.

À l'automne de 1635, l'avenir de la Nouvelle-France paraissait aussi lumineux que les couleurs du pays, même qu'il n'avait jamais autant brillé. Le droit de la colonie à l'existence avait été reconnu par les puissances atlantiques. En France même, elle jouissait de l'appui de Louis XIII et du cardinal de Richelieu. La Compagnie des Cent-Associés et ses nombreuses filiales prospéraient. Le commerce de la fourrure était plus rentable que jamais, et les pêcheries françaises n'avaient jamais été aussi imposantes[2]. L'agriculture s'enracinait dans les seigneuries de la vallée du Saint-Laurent et derrière les aboiteaux de l'Acadie. Les établissements se propageaient à l'est dans les pays de pêche, au sud le long des côtes de l'Acadie et vers l'ouest, à l'intérieur de l'Amérique du Nord. Les habitants français étaient en paix avec toutes les nations indiennes sauf les Iroquois.

À Québec, Samuel de Champlain considérait la situation avec satisfaction, et il y avait de quoi. Tout cela était arrivé en grande partie grâce à lui. Au cours des trois dernières années, il avait gouverné la colonie avec sagesse et adresse. En 1633 et 1634, il avait souvent fait le voyage à Tadoussac et à Trois-Rivières. Il avait fait sentir sa présence dans les missions de Gaspésie, dans les nouveaux établissements de pêche du cap Breton et auprès de ses truchements et traiteurs de l'Ouest. La Nouvelle-France aimait son vieux gouverneur : habitants, missionnaires aussi bien que traiteurs. Les Indiens également le tenaient en très haute estime. Ils respectaient en lui le guerrier, le pacificateur et, surtout, l'homme de parole. Comme Gabriel Sagard devait l'écrire, « il n'a jamais été soupçonné d'aucune déshonnêteté pendant tant d'années qu'il a demeuré parmi ces peuples barbares[3] ».

Mais après toutes ces années de labeur, Champlain était las. Son esprit demeurait vif, mais sa force physique commençait à l'abandonner. Au cours du printemps et de l'été 1635, on ne lui connut aucune course sur le fleuve, lui qui aimait tant voyager. Les lettres abondantes des missionnaires jésuites en Amérique du Nord faisaient encore état d'un Champlain veillant sur le Canada, de Gaspé aux Grands Lacs. Mais il était plus sédentaire, et il quittait rarement son établissement de Québec. Tout le monde savait que sa santé déclinait. Cela se sut à Paris, où l'on se mit à songer à un remplaçant[4].

Puis, à la mi-octobre, Champlain fut victime d'une attaque. Il ne s'en remit jamais. Il perdit l'usage de ses jambes et ne pouvait plus se lever sans aide. Il fut contraint de garder le lit, et la paralysie se propagea à ses membres supérieurs. Un observateur le disait « perclus de bras ». Pendant dix semaines, Champlain fut prisonnier de son infirmité, enfermé dans un corps immobile et incapable de bouger de lui-même[5]. Son serviteur Jean Poisson le soignait, avec le concours des pères jésuites et de quelques colons[6].

Champlain se débattit contre son mal. Ses organes vitaux continuèrent de fonctionner, et son esprit demeura éveillé. Il s'efforça de vaquer aux affaires de la colonie, mais ses documents étaient rédigés par d'autres mains. Certains étaient signés de sa main, avec l'aide d'amis qui guidaient ses doigts sur la page. Sa signature torturée trahissait son infirmité.

Quoique paralysé, Champlain entreprit son dernier ouvrage. Dans les mois qui lui restaient sur terre, il entra dans une quête spirituelle à laquelle il voua la même énergie indomptable qu'il avait consacrée à ses projets terrestres. Prévoyant comme toujours, il avait déjà commencé à se préparer en ce sens. « Il ne fut pas surpris dans les comptes qu'il devait rendre à Dieu[7] », écrivit le jésuite Le Jeune. La foi de Champlain avait pris de l'ampleur au cours des dernières années. Il avait réuni une bibliothèque de livres pieux : les *Fleurs des saints, La Pratique de la perfection chrétienne, La Triple Couronne de la bienheureuse Vierge*, les *Chroniques et Instructions* du bienheureux François de Sales. Lectures qu'il faisait sans doute avec les pères jésuites. En cette époque croyante, nombreux étaient les chrétiens qui trouvaient de grandes consolations dans les actes de pénitence et de dévotion[8].

Dans les derniers mois de sa vie, Champlain raffermit sa foi avec un zèle exemplaire. Il commença par se confesser. Son ami Le Jeune nous dit que cela ne fut pas un effort ordinaire. Champlain « avait préparé de longue main une confession générale de toute sa vie, qu'il fit avec une grande douleur ». Son confesseur fut le jésuite Charles Lalemant. Les deux hommes étaient devenus de grands amis. On nous dit que le père Lalemant « le secourut en toute sa maladie qui fut de deux mois et demi, ne l'abandonnant point jusqu'à la mort[9] ».

Les proches de Champlain admirèrent l'intensité de sa foi. Certains entrevirent pour la première fois la force spirituelle qui avait imprégné sa carrière. Le Jeune : « À la mort, il perfectionna les vertus, avec des sentiments de piété si grands qu'il nous étonna tous. Que ses yeux jetèrent de larmes ! Que ses affections pour le service de Dieu l'échauffèrent[10] ! »

Enhardi par sa foi et son dévouement à la gloire de Dieu, Champlain porta ses dernières pensées sur son rêve pour la Nouvelle-France et sur son grand dessein. C'est ce qu'il fit sur son lit de mort, où il accueillit pour la dernière fois avec toute sa charité chrétienne les habitants français et ses amis indiens venus lui rendre visite. À propos de ses derniers jours, Le Jeune a écrit : « Quel amour n'avait-il pour les familles d'ici ! disant qu'il fallait les secourir puissamment pour le bien du pays et les soulager en tout ce qu'on pourrait en ces nouveaux commencements, et qu'il le ferait si Dieu lui donnait la santé[11]. »

Dans les jours lumineux d'octobre, Champlain espéra une guérison, mais son état ne s'améliora pas. Toujours rivé à son lit, il vit les saisons changer, et son esprit suivit le mouvement. L'Amérique du Nord connaît deux automnes. Le premier est l'automne aux couleurs glorieuses d'octobre. Le second est celui qu'Herman Melville appelait « le novembre qui transit l'âme », quand les couleurs incandescentes pâlissent et que le monde tourne au gris de l'ennui. La terre et l'eau, la mer et l'air, la bruine et la pluie, les arbres assoupis et les créatures vivantes prennent tous diverses teintes de gris. À Québec, un vent froid dépouilla comme chaque année les arbres de leurs feuilles mortes, et leurs branches noires s'élevèrent comme des doigts mutilés vers un ciel de plomb. Au-dessus des têtes, de lourds nuages opprimaient l'esprit, et une lumière froide gravait sur le fleuve des franges argentées dont la vue glaçait l'âme.

À la mi-novembre, Champlain décida que le temps était venu de faire son testament. Il convoqua ses amis et associés, et onze d'entre eux s'empressèrent autour de son lit pour lui servir de témoins. Toute la Nouvelle-France y était représentée. Certains étaient des aristocrates appartenant à la vieille noblesse d'épée française. À son chevet se trouvait Antoine Bras-de-Fer de Châteaufort, noble chevalier de l'ordre de Malte. Il était venu à Québec en 1634 à titre de lieutenant de Champlain (et d'espion de Richelieu). Mais Champlain avait gagné son cœur, et en 1635 ils étaient devenus de vrais amis[12]. D'autres étaient de la noblesse de robe, par exemple François Derré de Gand, une âme sœur de Champlain, membre des Cent-Associés et commissaire général de la compagnie à Québec. Dans la colonie, Derré avait la réputation d'être un homme pieux et charitable qui « cherchait Dieu avec vérité[13] ».

Il y avait plusieurs hommes au chevet de Champlain qui appartenaient à la nouvelle classe seigneuriale que lui-même avait contribué à mettre au monde. Robert Giffard de Moncel y était, ce riche gentilhomme du Perche qui partageait le rêve de Champlain, avait beaucoup investi en Nouvelle-France et avait fait venir de nombreux colons de sa province natale à ses frais. Il y avait Olivier Le Tardif, l'interprète de confiance de Champlain et son compagnon dans ses rencontres avec les Indiens, qui voyait aux affaires commerciales des Cent-Associés. Guillaume Couillard était là, cet homme très capable qui était venu de Saint-Malo, lui, le charpentier naval illettré. Il avait épousé Guillemette Hébert, était père d'une famille nombreuse et s'était élevé à un rang enviable dans la colonie. Tous ces hommes avaient reçu de grandes seigneuries, des charges élevées, des titres de noblesse. Champlain avait favorisé leur ascension ; ils étaient maintenant à ses côtés[14].

Dans la chambre de Champlain, d'autres hommes, de condition plus humble. Trois étaient des immigrants récemment arrivés à Québec, en 1635. On sait tout juste leurs noms : Pierre Goblet, D. Rousseau, Boulard. Ils travaillaient probablement comme serviteurs dans l'habitation de Champlain et voyaient à ses soins[15]. Tout près de lui, son valet, Jean Poisson, qui allait plus tard fonder une famille importante au Québec[16].

Également présent, un enfant indien, un jeune Montagnais qui était devenu le filleul de Champlain, l'un de ces nombreux jeunes Indiens, garçons ou filles, dont il avait eu soin. Cet enfant avait perdu ses parents très jeune. Un guerrier s'apprêtait à le tuer, sort commun aux orphelins dont on ne voulait pas dans ce monde cruel. Un autre Montagnais s'était interposé et l'avait conduit chez les jésuites, qui lui avaient donné un toit et l'avaient nommé Fortuné. Champlain l'avait pris en affection, était devenu son parrain et l'avait baptisé Bonaventure. Nom aux significations multiples. Il honorait ainsi un grand saint franciscain qui avait su conjuguer la piété et la passion du savoir. Dans ce choix entrait également l'humour coutumier de Champlain. Le mât de bonaventure est le nom que les Français donnaient à un tout petit mât d'artimon emplanté à l'arrière du grand mât, et le mot décrivait bien ce garçonnet indien qui suivait le gouverneur partout. Il vivait sous son toit, comme autrefois les trois filles montagnaises de Champlain, Foi, Espérance et Charité[17].

Il y avait un autre témoin du nom de Jacques de Laville, un vieux soldat blanchi sous le harnais qui était devenu le greffier de Québec et qui s'était joint au groupe à titre officiel pour rédiger et enregistrer le testament de Champlain[18]. Champlain dicta son testament à l'assemblée réunie à son chevet, et tous les témoins le contresignèrent, à l'exception de Couillard qui se contenta de tracer une croix.

Comme toujours, Champlain avait plusieurs objectifs à l'esprit en rédigeant son testament. C'était, avant toute chose, un testament chrétien. Il commença avec les formules coutumières, mais y ajouta son propre tour : « Considérant qu'il n'y a rien de si incertain que l'heure de la mort, dicta-t-il avec sa prévoyance habituelle, ne désirant pas être surpris sans déclarer mes dernières volontés, je laisse ce présent écrit afin qu'elles soient manifestes et notoires à tout le monde[19]. » Une autre profession de foi suivait : « Donc, mon Dieu, constitué en votre présence et de toute votre cour céleste, je proteste que je veux vivre et mourir en la foi et religion catholique, apostolique et romaine et recevoir tous les sacrements dont je puis être capable qu'elle ne refuse point à ses enfants. » Champlain pardonna à tous ceux qui avaient péché contre lui et demanda pardon à Dieu des péchés qu'il avait commis. « Vous m'avez donné une âme raisonnable, ô mon Dieu, je la remets entre vos mains vous suppliant d'en disposer pour votre gloire. »

Puis, Champlain distribua les biens qu'il possédait sur terre de la manière la plus extraordinaire qui fût. Sans être riche comme on l'entendait à l'époque ou de nos jours, il avait accumulé au cours de sa vie des biens enviables. Il fit des dons en espèces qui totalisaient près de 10 000 livres, une somme équivalant à 50 000 *thalers* d'argent ou dollars de 1635[20]. Comme nous n'avons pas l'inventaire des biens de Champlain, il est impossible de connaître la valeur totale de sa succession, mais elle dépassait largement ses dons en espèces. Il avait investi dans la Compagnie des Cent-Associés et d'autres entreprises. À divers moments de sa vie, il avait possédé des biens immobiliers à Paris, Brouage et La Rochelle. La dot de sa femme était considérable. Son héritage avait été restauré, et elle possédait des biens probablement plus considérables que les siens. Elle en avait consacré une partie à sa cause pendant qu'il était en Amérique[21].

Champlain disposa de sa fortune personnelle d'une manière qui se voulait très utile. Il avait beau être sur son lit de mort, il gardait à l'esprit son grand dessein pour la Nouvelle-France. La plupart de ses dons devinrent des instruments de cette volonté. L'un de ses buts premiers était la consolidation des institutions, particulièrement la chapelle de Notre-Dame-de-la-Recouvrance. Champlain commença ses donations en annonçant dans son style inimitable : « Je désire donc, ô mon Dieu, que la très sainte Vierge votre mère soit héritière de ce que j'ai ici de meuble, d'or et d'argent. » Les termes sont un peu confus en ce qui concerne la Trinité, mais son intention terrestre n'en est pas moins claire comme de l'eau de roche. Il expliqua que tout ce qui n'avait pas été donné par ailleurs irait « à la chapelle de ce lieu dédiée en son nom et appelée vulgairement Notre-Dame de Recouvrance [...] fors et excepté de ce qui s'ensuit dont je lui demande permission de disposer en faveur de quelques personnes ». Il précisa les sommes pour les meubles, les autels, les tapisseries et autres décorations de la chapelle. Manifestement, il tenait à ce que la chapelle devienne une église, et même une cathédrale avec l'expansion de la colonie. Une autre somme importante fut léguée à la mission jésuite près de Québec, à la condition que l'on prie pour lui et que l'on chante une messe pour le repos de son âme chaque année, le jour anniversaire de sa mort. Il avait également pour but ici de fortifier la Société de Jésus en Nouvelle-France.

De nombreux legs individuels suivaient, toujours avec le même propos à l'esprit. Champlain se servit de son testament pour encourager la croissance de la population française de Québec. Il légua une bonne partie de sa fortune à des familles qui avaient pris racine en terre américaine et qui commençaient à s'accroître. Parmi les principaux bénéficiaires se trouvait la famille de son ami Abraham Martin dit l'Écossais et sa femme, la Française Marguerite Langlois. Champlain les aimait beaucoup l'un et l'autre, et adorait la compagnie de leurs filles. La famille Martin reçut le legs le plus important, soit 1 200 livres[22]. Abraham et Marguerite touchèrent 600 livres « à la charge qu'ils les emploieront à défricher des terres en ce pays de la Nouvelle-France pour leurs néccssités ». Champlain avait peut-être à l'esprit cette crête qui surplombe la basse-ville de Québec, dont une partie porte encore le nom de plaines d'Abraham.

Champlain se servit aussi de ses biens pour subventionner le peuplement de manière très précise. Une autre somme de 600 livres alla à la famille Martin, pour leur fille Marguerite, « pour l'aider à se marier en ce pays de la Nouvelle-France à un homme qui sera résident en ce dit pays et non autrement ». Des dons semblables échurent à quatre familles de Québec : les Couillard, les Giffard, les Pivert et les Hébert. De toute évidence, Champlain voulait encourager les habitants de Nouvelle-France à se multiplier.

Autre tendance intéressante dans les legs de Champlain : son soutien à l'exploration et à la découverte. Il légua son astrolabe de cuivre, son compas et ses autres instruments de navigation à un homme qui saurait s'en servir : le père Charles Lalemant, son confesseur, qui s'intéressait à l'exploration dans la pure tradition de l'amour du savoir dans la Société de Jésus. Comme Champlain, l'objet de ses enquêtes scientifiques était de connaître la volonté de Dieu dans le monde. Le père Lalemant, outre ces instruments scientifiques, reçut une peinture de la Crucifixion. Champlain s'attendait à ce que le bon père combine la foi chrétienne et la science empirique comme lui-même l'avait fait.

D'autres dons furent faits dans un esprit de charité chrétienne. Le valet Jean Poisson hérita de certains des meilleurs vêtements de Champlain, dont une casaque rouge et gris. Le filleul montagnais, Bonaventure, reçut un habit de drap d'Angleterre du même rouge vif. Le testament nous apprend que l'une des couleurs favorites de Champlain était le rouge. D'autres sommes importantes furent léguées à des institutions religieuses qui se vouaient aux pauvres de Paris.

Champlain profita aussi de l'occasion pour dire son amour à sa femme, Hélène. Il lui légua tous les biens qu'il avait en France, nommant sa cousine de La Rochelle Marie Camaret sa légataire résiduelle pour le cas où sa veuve ne pourrait hériter. Champlain lui légua aussi deux possessions qu'il chérissait : son Agnus Dei, un médaillon de cire représentant l'Agneau de Dieu et fait de la poussière des os de martyrs, et une bague en or « dans le chaton de laquelle il y a une espèce de diamant », peut-être un morceau de cristal canadien. Il lui fit tenir aussi un paquet d'excellentes peaux de renard gris, une fourrure qu'elle aimait beaucoup.

Champlain pria le père Lalemant et Derré de réunir ses papiers et de les remettre à sa femme. Pour les historiens, il s'agissait là du bien le plus précieux de sa succession. Le texte du testament montre que Champlain en comprenait l'importance, mais il semble que ce ne fut pas le cas de tous. Tous ses papiers ont disparu. On les retrouvera peut-être un jour dans quelque grenier parisien, mais les probabilités ne sont guère encourageantes de ce côté. Les manuscrits de Champlain demeurent très rares aujourd'hui.

Champlain prit toutes ces dispositions dans le document qu'il dicta le 17 novembre 1635, avec le concours de ses compagnons, amis et serviteurs à Québec. Il le signa avec leur aide. Il ne pouvait plus rien faire seul. Le 2 décembre, il décida qu'il était incapable d'exercer sa charge de gouverneur et il céda une partie de ses devoirs à son pieux et honnête ami François Derré de Gand. Encore là, le choix de Champlain exprime ses valeurs et ses desseins[23].

Champlain continuant de se languir dans son lit, les saisons nord-américaines poursuivirent leur marche. L'hiver s'installa à Québec, et les premiers flocons recouvrirent l'établissement. Le monde se fit blanc et froid. L'air tranquille avait pris un parfum d'immense fraîcheur, et la neige sur le sol était pure, immaculée. Après les chutes de neige, le ciel prit une couleur d'un bleu éthéré, et la température se mit à descendre. Dans la chambre de Champlain, les croisées se couvrirent de givre. Le feu dans la cheminée illuminait la pièce puis se languissait, et la flamme des bougies tremblait sous les coups de vent qui balayaient la pièce. L'esprit de Champlain vacillait, et les jésuites en robe noire veillaient sur lui.

La veille de Noël, le peuple de Québec célébra joyeusement la naissance du Rédempteur. La messe de minuit fut chantée à Notre-Dame-de-la-Recouvrance. Au fort Saint-Louis, sur la colline, une salve joyeuse marqua la naissance de Jésus[24]. Ce fut l'un des derniers bruits terrestres que Champlain entendit. Le jour de Noël, alors que le père Lalemant priait à son côté, Champlain rendit son dernier soupir et mourut paisiblement dans son lit. Le père Le Jeune nota : « Le vingt-cinquième décembre, jour de la naissance de notre Sauveur en terre, Monsieur de Champlain notre gouverneur prit une nouvelle naissance au Ciel ; du moins nous pouvons dire que sa mort a été remplie de bénédictions[25]. »

Dans le moment et la manière dont Champlain était mort, Le Jeune vit la marque de la Providence. « Je crois que Dieu lui a fait cette faveur [le rappeler à lui le jour de la naissance du Christ] en considération des biens qu'il a procurés à la Nouvelle-France. » Le bon père croyait aussi que la dernière lutte que Champlain avait menée sur son lit de mort revêtait un caractère prophétique. « Un jour Dieu sera aimé et servi de nos Français et connu et adoré de nos sauvages. » Champlain avait montré la voie, non par des paroles mais par des actes. « Il est vrai qu'il avait vécu dans une grande justice et équité, dans une fidélité parfaite envers son roi, et envers messieurs de la Compagnie ; mais à la mort, il perfectionna ses vertus, avec des sentiments de piété si grands qu'il nous étonna tous[26]. »

À Québec, toute la population vint lui rendre l'ultime hommage. Les habitants défilèrent en procession : les jésuites vêtus de leurs robes noires, les soldats dans l'uniforme blanc, bleu et or du roi, les marins en costume bariolé, les officiers avec leurs casaques brodées, les seigneurs coiffés de leurs chapeaux à plumes comme à l'époque féodale, et les centaines d'habitants français emmitouflés dans leurs capes et chaussés de sabots. Les Indiens aussi étaient là, enveloppés dans leurs fourrures lustrées. Ils marquèrent sa mort avec une peine sincère. Une délégation huronne arriva plus tard avec une grande quantité de colliers de porcelaine pour consoler les Français de Québec dans leur deuil. Leurs mythes et légendes devaient nourrir le souvenir de sa mémoire sur plusieurs générations.

Champlain fut enterré dans un petit tombeau pendant qu'on

construisait la chapelle avoisinant l'église de Notre-Dame-de-la-Recouvrance. Cinq ans plus tard, ces constructions furent détruites par le feu, peut-être de la main criminelle d'un incendiaire. La paroisse fit rebâtir l'église, et depuis ce temps on ignore l'emplacement du dernier repos de Champlain. Les sacristains croient que ses ossements sont restés dans une crypte sous la magnifique cathédrale qui se dresse sur les lieux de nos jours, mais personne n'en a la certitude. Le mystère du tombeau de Champlain a inspiré de nombreux livres au Québec, et plusieurs chercheurs ont tenté de résoudre cette énigme, mais sans succès. C'est un des mystères les plus tenaces de l'histoire québécoise. Mais une chose est sûre : peu importe où se trouvent les restes de Champlain, ils se sont mêlés au sol de la Nouvelle-France[27].

En France, la femme de Champlain accepta son testament. Elle se retira dans un couvent et se fit ursuline sous le nom d'Hélène de Saint-Augustin. Plus tard, elle fonda un couvent de son ordre à Meaux, non loin de Paris, et y vécut jusqu'à sa mort en 1654[28]. Le testament de Champlain fut contesté par ses parents protestants de La Rochelle. Sa cousine germaine Marie Camaret demanda à la cour de casser le testament, faisant valoir qu'il était contraire au contrat de mariage (ce qui était effectivement le cas). Elle fit aussi valoir un argument spécieux, à savoir qu'on « ne pouvait pas supposer que Champlain eût institué la Vierge-Marie pour son héritière », ce qu'il n'avait pas fait d'ailleurs. Argumentaire qui trahit le protestantisme farouche de la cousine Marie et son refus d'admettre la sainteté de la Vierge. Elle semble avoir aussi manqué désespérément d'argent. Elle ou son avocat tourmentèrent le libellé du testament de façon à prouver que Champlain n'avait plus toute sa raison. Le Parlement de Paris accueillit son appel, sinon ses arguments, et annula le testament. On soupçonne que quelques dons avaient été distribués à Québec avant que les avocats se mettent au travail en France, peut-être même avant que le testament fût rédigé, mais la disposition de nombreux legs de Champlain demeure obscure[29].

Avant même que la mort de Champlain fût connue à Paris, le cardinal de Richelieu avait décidé de le limoger. La décision fut prise avant le 15 janvier 1636, probablement plus tôt. Son remplaçant fut Charles Huault de Montmagny, un noble proche du cardinal, soldat réputé pour son courage, dévot et chevalier de Malte. Richelieu favorisait grandement cette petite fraternité de nobles catholiques de haute naissance qui portaient la croix de Malte. Il plaça nombre de ses membres dans des postes de commande dans l'empire français naissant : en Méditerranée, en Afrique, en Asie et en Amérique. Comme l'écrit Marcel Trudel, « dans le Saint-Laurent de 1636 et pendant quelques années, toute l'autorité supérieure est entre les mains de chevaliers de Malte ». Cette élite de nobles catholiques combinait le culte de l'autorité rigide et de la discipline sévère avec leur dévotion au monarque absolu, l'obéissance aux princes de l'Église et la loyauté au cardinal de Richelieu. Champlain n'avait jamais été admis dans leur cercle[30]. Le sieur de Montmagny était, selon tous les témoignages, un homme digne, terne et dénué d'imagination. Il gouverna la Nouvelle-France pendant douze ans, fit ériger une forteresse de pierre massive à Québec, rompit avec la politique indienne de Champlain et plongea la colonie dans des guerres sanglantes avec les Iroquois. On ne parle plus de lui aujourd'hui[31].

Quand Montmagny fut envoyé à Québec pour y relever Champlain, ont noté certains historiens, « il n'avait sur lui même pas un mot de remerciement du roi ou du cardinal pour son prédécesseur, dont la mort était inconnue à Paris avant son départ ». Après trente ans de loyaux services, Champlain n'avait reçu aucune distinction de la France. Richelieu lui avait toujours témoigné de la froideur. Louis XIII et le cardinal reconnaissaient son utilité et l'employaient à servir leurs desseins, mais ils ne le récompensèrent jamais pour ses services. Richelieu et ses successeurs distribuèrent des titres de noblesse à de nombreux colons canadiens, mais à Champlain, jamais. Ils accordèrent le titre officiel de gouverneur à plusieurs hommes aujourd'hui oubliés, mais le refusèrent à Champlain, même s'il avait assumé toutes les charges de cette fonction. Ils créèrent nombre de seigneuries dans la vallée du Saint-Laurent, toutes nanties de larges terres. Champlain ne se vit jamais octroyer un arpent ni aucune de ces sinécures de l'Ancien Régime qui rapportaient tant et n'exigeaient aucun labeur. Les historiens ont souligné souvent l'ingratitude de Louis XIII et de Richelieu à l'égard de Champlain. L'historien bostonnais Samuel Eliot Morison ajoute, avec un trait de colère bien républicain : « Voilà un parfait exemple de l'ingratitude des princes[32] ! »

C'est vrai, mais il y avait un autre facteur en jeu ici, qui tenait aux choix que Champlain avait faits. À la cour, il s'était servi de son influence pour promouvoir sa cause et non pour son propre avancement. Pendant toutes ces années de lutte, Champlain avait exigé beaucoup pour la Nouvelle-France, mais très peu pour lui-même. Il s'était battu pour conserver sa pension, qui était importante à maints égards dans la réalisation de ses projets. Comme la plupart des grands ouvriers de l'histoire, il n'avait eu de vues que pour son chantier et non pour les récompenses qu'on pouvait en attendre. Pour un tel homme et une telle cause, l'absence d'honneurs était une marque d'honneur en soi.

Les honneurs vinrent sous une autre forme. Lors des cérémonies funéraires qui eurent lieu à Québec, ceux qui le connaissaient dirent avec les mots du cœur la grandeur de l'homme et le chagrin que sa mort inspirait. Ils parlèrent avec éloquence non pas des choses que Champlain avait faites, mais de la manière dont il les avait réalisées. Ils célébrèrent ses exploits, mais surtout, ils rappelèrent la façon dont il avait traité son prochain et mis son énergie au service d'une cause qui le dépassait. Par-dessus tout, ils louèrent en lui le chef qui avait des principes et exaltèrent ces mêmes principes.

À Québec, l'oraison funèbre fut prononcée par son bon ami et proche compagnon, le père Paul Le Jeune, le supérieur des jésuites en Nouvelle-France. « Je ne manquai point de sujet », écrivit-il. Le Jeune loua les qualités morales de Champlain. Il souligna sa foi et ses sentiments de piété, « si grands qu'il nous étonna tous ». Il parla de l'intégrité de Champlain et de sa réputation, de son sens de la justice et de l'équité, et souligna sa loyauté et sa fidélité parfaites. Puis il fit l'éloge de son sens du devoir. D'autres, dont Champlain lui-même, avaient écrit à propos de son souci de l'humanité et de son respect pour la renommée. On croit que ces mots du XVIIe siècle ont le même sens aujourd'hui qu'ils avaient pour Champlain. Ce n'est pas le cas. À Québec en 1635, ces mots exprimaient des pensées qui sont aujourd'hui différentes pour nous.

La foi et la piété avaient nourri Champlain d'une façon bien particulière. Sa foi n'était pas celle des puritains du Massachusetts, dont l'éthique militante avait pour objet de prouver qu'ils étaient le peuple élu de Dieu dans un monde où la plupart de leurs contemporains étaient condamnés à la dépravation et à la damnation. La foi de Champlain était celle d'un catholique romain, non pas au sens où elle visait à valoriser une variante particulière du christianisme, mais au sens originel et littéral de *catholique*, c'est-à-dire qui embrasse toute l'humanité. Cette aspiration à l'idéal œcuménique du catholicisme était la passion dévorante de Champlain. Il croyait que tous les peuples et toutes les choses émanaient de Dieu et qu'ils révélaient Ses desseins divins. Cette idée était à l'origine de la curiosité insatiable qu'il avait pour le monde : en ce sens, sa foi et son zèle étaient fort éloignés de ceux de la plupart de ses contemporains, et des nôtres aussi.

La loyauté était un terme aux significations complexes dans le monde de Champlain. Les dictionnaires historiques nous disent que c'est la qualité qui consiste à avoir le souci d'autrui. Le mot désigne aussi le fait d'avoir des rapports honnêtes avec les autres et connote l'équité, la dignité et l'humanité. Dans le vocabulaire de Champlain, loyauté voulait dire tout cela.

La notion de devoir était également omniprésente dans la pensée de Champlain et dans l'idée que les autres se faisaient de lui. Au début du XVIIᵉ siècle, le devoir dénotait l'idée de service, mais surtout, il préservait son sens ancien d'obligation entre inégaux. Le mot était également utilisé au pluriel, avec plusieurs couches de sens. À un certain niveau, il désignait un ensemble d'obligations morales. À un autre niveau, on entendait tout un code d'obligations. À un troisième niveau, on désignait des rites d'allégeance dans une société hiérarchisée. À l'époque de Champlain, un homme devait « présenter ses devoirs » à ses supérieurs et recevoir avec dignité les « devoirs » de ses inférieurs[33].

L'humanité est une notion qui apparaît fréquemment dans les écrits de Champlain. Le mot signifiait dans son esprit que toutes les personnes étaient créatures de Dieu, douées d'une âme immortelle et de la faculté de penser. Dans la compréhension qu'en avait Champlain, c'était un idéal chrétien qui embrassait tous les peuples. Cet altruisme était partagé par son cercle d'humanistes français, notamment ses protecteurs comme Henri IV et le sieur de Mons. Bon nombre de ses compagnons en Amérique y adhéraient aussi : Pont-Gravé, Lescarbot, Razilly, Hébert, Giffard, les récollets, les jésuites et bien d'autres. Cette idée provenait des sources les plus profondes de leur foi chrétienne. Dans notre monde laïque, la foi chrétienne de Champlain a été perçue par des ethnographes comme étant une expression d'ethnocentrisme. Mais c'est précisément cette foi qui fonda les principes d'humanisme et d'humanité sur lesquels repose l'ethnographie moderne.

La renommée est un autre mot dont le sens a évolué depuis l'époque de Champlain. Ce dernier avait fait voile vers l'Amérique à bord d'un navire qui avait pour nom *Bonne Renommée*. Certains y ont vu la preuve d'un souci de « célébrité » au début de l'ère moderne. L'emblème de la renommée à cette époque était souvent un ange assis sur un nuage et embouchant une trompette. Champlain tenait à sa réputation, c'était une notion importante pour lui. Mais il faisait de ce terme un emploi assez éloigné de celui qu'en fait notre époque. C'était une notion reliée à l'honneur, à une façon de vivre qui était digne de louange.

Cette manière de penser était bien différente de notre idée de réputation, où tout n'est qu'image que l'on cultive au moyen des relations publiques. La bonne renommée de son temps n'avait rien à voir avec l'image qu'on se fait des choses. Les gens d'alors n'avaient pas notre notion aboutie d'images réifiées qui ont une existence distincte des objets qu'elles sont censées représenter. Champlain voulait que ses actes fussent dignes de renommée. Il était également impulsé par le rêve qu'il avait de contribuer à l'honneur et à la réputation de la France. Il parlait rarement de sa renommée à lui, mais souvent de la renommée de la France et de la Nouvelle-France, vue chez lui comme la raison d'être de son grand dessein. À tous ces égards, son idée de la réputation était profondément différente de celle que se font les masseurs d'opinion et les faiseurs d'image de notre époque.

Les gens ont eu tendance à associer les pensées de Champlain aux nôtres, à le comprendre en homme moderne qui avait contribué à façonner notre monde. À certains égards, c'est exact, mais c'était aussi un homme de son temps, et son esprit ne fonctionnait pas comme le nôtre. Il n'y avait pas chez lui ce sens de l'individualisme et de l'autonomie qui est si fort dans la culture nord-américaine de notre temps. Champlain croyait que les hommes sont littéralement membres d'une entité qui les dépasse, un peu comme les bras et les jambes sont les membres d'un corps et ne peuvent exister séparément. Cette idée était au cœur de sa conception de la loyauté et du devoir.

Champlain ne partageait pas notre passion de la liberté, par ailleurs très présente chez les fondateurs des colonies anglaises d'avant 1635. Il parlait moins souvent de la liberté que des corruptions qu'elle entraînait, pour lesquelles il avait un vocabulaire raffiné que nous ne possédons pas. Il disait de certains Français et Indiens qu'ils vivaient dans un état de « libertinage » ou de « licence », qui correspondait dans son esprit au vice de la liberté et à l'anarchie de l'égoïsme et de la satisfaction des désirs personnels. C'était ce qu'il appelait *la vie anglaise*, et il n'y voyait que débauche. Les notions de discipline, d'autorité, d'ordre et de dévouement étaient plus importantes à ses yeux.

Dans la pensée de Champlain, il n'y avait rien qui ressemblât aux principes d'égalité, de démocratie ou de républicanisme. Champlain avait grandi dans un monde européen où chacun avait son rang. Comme la plupart de ses contemporains européens, c'était un monarchiste convaincu. Plus que cela, il croyait fermement que la hiérarchie et l'hégémonie étaient essentielles à l'ordre, qu'il appréciait plus que tout dans son époque de violence et de désordres profonds.

Les idéaux de Champlain étaient éloignés des nôtres à maints égards, mais certaines des valeurs que nous chérissons le plus sont nées des siennes. Nous croyons comme lui dans l'action guidée par les principes, même si nos principes diffèrent. Nombre d'entre nous ont grandi avec son idéal de responsabilité et d'exemplarité pour le bien d'une grande cause, même si les causes elles-mêmes ont évolué. Nous avons hérité de son idée de l'humanité, même si nous l'avons transformée à de multiples égards. Et nous sommes nous aussi, presque tous, des rêveurs comme lui.

Le legs durable d'un chef

Plût à Dieu que tous les Français qui les premiers sont venus en ces contrées lui eussent été semblables : nous n'en rougirions pas si souvent auprès de nos sauvages.

Un missionnaire français, à propos de Champlain[1]

En 1832, un vieux guerrier indien dicta ses mémoires. Il s'appelait Mà-Ka-Tai Me-She-Kià-Kiàk, chef de guerre des Sakis et des Renards. Ses contemporains anglophones le connaissaient sous le nom de Black Hawk, ou Épervier noir. Il avait gagné leur respect à l'époque où il avait pris la tête du soulèvement qu'on appellerait la guerre d'Épervier noir, où Abraham Lincoln s'était initié au commandement militaire[2]. La paix ayant été faite, Épervier noir pria un interprète métis du nom d'Antoine LeClaire d'écrire l'histoire de sa vie. Un journaliste yankee entreprenant la publia en 1833 sous le titre *The Autobiography of Black Hawk* (L'Autobiographie d'Épervier noir). C'est un livre qui trouve encore des lecteurs deux siècles plus tard[3].

L'auteur dédiait son livre au général qui l'avait vaincu, souhaitant à son adversaire de « ne jamais connaître l'humble condition à laquelle m'a réduit le gouvernement américain ». Il précisait : « Tel est le vœu de celui qui, dans la forêt qui l'a vu naître, était jadis aussi fier et aussi brave que toi. » Le livre se voulait un avertissement aux dirigeants de toutes les nations, une mise en garde contre les égarements où nous jettent la vanité et le préjugé[4].

Épervier noir tenait aussi à rappeler le souvenir qu'il avait de chefs qui avaient évité de telles erreurs, et son livre s'ouvrait sur l'histoire de deux d'entre eux. L'un était son ancêtre, Na-Nà-Ma-Kee, qui avait vécu « près de Montréal » au XVIIᵉ siècle et avait été l'un des chefs de guerre de son peuple. L'autre était un Français qui était apparu à la même époque dans la vallée du Saint-Laurent[5].

L'histoire commence une nuit où Na-Nà-Ma-Kee fait un songe. Le Grand Esprit lui apparaît et lui dit que, « au terme de quatre années », il va « voir un homme blanc ». Na-Nà-Ma-Kee se prépare en vue de cette rencontre. Pendant plusieurs mois, il se noircit le visage, ne s'alimente qu'au crépuscule et rêve toutes les nuits. Puis le Grand Esprit revient et lui commande d'entreprendre un long voyage. Na-Nà-Ma-Kee et ses deux frères descendent le Saint-Laurent pendant cinq jours, « à gauche du soleil levant ».

Au terme de leur périple, ils rencontrent un homme blanc, le premier qu'ils aient vu de leur vie. L'homme « prend Na-Nà-Ma-Kee par la main et l'accueille dans sa tente ». Il lui dit qu'il est « le fils du roi de France » et que lui aussi rêve depuis des années. Le Grand Esprit lui a ordonné de traverser la mer et d'aller vers un monde nouveau où il rencontrerait une nation « qui n'avait jamais vu un homme blanc », avec qui il ne formerait qu'une même famille. L'homme blanc lui dit aussi qu'il avait confié son songe à son père, le roi de France, qui « avait ri de lui et l'avait traité de Ma-she-na », mais il avait insisté pour venir en Amérique, où le Grand Esprit lui avait dit d'aller.

Cet homme blanc, « un grand et courageux général », était venu dans un esprit de paix. Il avait apporté des marchandises pour en faire le troc, mais il en avait fait cadeau à Na-Nà-Ma-Kee. Les deux parlaient des langues différentes ; toutefois, ils s'étaient compris quand même et ils avaient fait alliance. Puis l'homme blanc était parti, lui promettant de revenir le voir au même endroit, « après la douzième lune ». Un an plus tard, il était revenu comme il l'avait promis. C'était un homme de parole. Na-Nà-Ma-Kee et l'homme blanc se mirent à échanger régulièrement des marchandises et des idées. L'homme blanc se conduisait honorablement, et ils restèrent alliés pendant de nombreuses années.

Longtemps après, l'homme blanc cessa de venir à son rendez-vous. Les Français disaient qu'il était mort. Na-Nà-Ma-Kee mourut lui aussi, et son peuple fut attaqué par d'autres hommes blancs. Les siens avaient alors quitté les Grands Lacs pour aller s'établir plus à l'ouest, au Wisconsin, puis au sud, en Iowa, et de nouveau à l'est, dans le pays des Illinois. Épervier noir dit : « C'est dans ce village que je suis né, moi, le descendant du premier chef, Na-Nà-Ma-Kee. » Il était devenu lui aussi chef de guerre, mais plus il combattait, plus il se souvenait de l'exemple de Na-Nà-Ma-Kee et du grand général blanc, qui considéraient les enfants des autres nations comme leurs frères et sœurs.

Au XIXᵉ siècle, Épervier noir, chef de guerre des Sakis et des Renards, conservait un vif souvenir de Champlain grâce à la tradition orale de son peuple. Son autobiographie commence par un récit mettant en scène Champlain et son ancêtre Na-Nà-Ma-Kee, chefs dont il loue la sagesse et l'humanité exemplaires.

Épervier noir ne se rappelait pas le nom de cet homme blanc qui avait vécu il y a longtemps, mais il pouvait le décrire en détail. Une seule figure historique correspond à la description qu'il en a donnée : Samuel de Champlain. Épervier noir voulait que ses lecteurs se souviennent de ce chef qui était si différent des autres. Son souvenir avait été conservé par les Sakis et les Renards et avait parcouru des milliers de kilomètres, de la vallée du Saint-Laurent aux États-Unis actuels. En 1832, Épervier noir avait confié son secret à un scribe dans l'espoir qu'on se souvienne de ces chefs indien et européen qui s'étaient rencontrés dans la paix, avaient partagé leurs songes et vécu ensemble[6].

Un grand nombre de récits ont pour thème les premières rencontres entre Indiens d'Amérique et Européens. Rares sont ceux qui font état d'harmonie et de paix. Un examen attentif de ces récits nous révèle que quelque chose d'extraordinaire s'est produit en Nouvelle-France au début du XVIIe siècle : quelque chose de bien différent de ce qui s'est passé en Nouvelle-Espagne, en Nouvelle-Angleterre, en Nouvelle-Hollande. Les spécialistes de nombreux pays s'entendent pour dire que les fondateurs de la Nouvelle-France ont su maintenir de bonnes relations avec les Indiens d'Amérique, mieux que toute autre puissance colonisatrice[7]. Il ne s'agit pas d'un simple contraste entre les Français d'un côté et les Espagnols, Anglais ou Hollandais de l'autre. Certains colonisateurs espagnols ou anglais ont également eu de bons rapports avec les Indiens. Bartolomé de Las Casas et ses dominicains étaient dans ce cas en Nouvelle-Espagne, tout comme John Eliot et Roger Williams en Nouvelle-Angleterre[8]. Et l'on connaît des Français qui ont traité les Indiens avec la dernière cruauté. Jacques Cartier fut bien accueilli par les Indiens du Saint-Laurent en 1534 ; il les remercia en kidnappant leurs enfants et en les emmenant en France contre leur volonté. Lors de son deuxième voyage, en 1535, Cartier enleva encore cinq Indiens, dont un chef, et leurs familles ne les revirent jamais[9].

Mais au siècle suivant, quelque chose de remarquable survint lorsqu'un petit groupe d'explorateurs français arrivèrent chez les Montagnais de Tadoussac, en 1603. La même chose se produisit lorsqu'ils rencontrèrent les Penobscots à Kenduskeag en 1604, et une fois de plus lorsqu'ils s'installèrent chez les Micmacs d'Acadie en 1605. Ce fut la même histoire lorsque ces Français débarquèrent chez les Abénaquis du Maine, les Canadiens de Gaspésie, les Algonguins du Haut-Saint-Laurent, les Hurons des Grands Lacs, les Andastes au sud, les Winnebagos à l'ouest, et d'autres nations. Les seules exceptions furent les affrontements avec certaines nations iroquoises, durant certaines périodes.

Ces Français n'étaient pas venus conquérir les Indiens ou les asservir, comme c'était le cas en Nouvelle-Espagne. Ils ne les maltraitèrent pas comme les Anglais en Virginie ni ne les chassèrent de leur territoire comme en Nouvelle-Angleterre. Dans la région que l'on commençait à appeler le Canada, de 1603 à 1635, de petites colonies de Français et d'imposantes nations indiennes vécurent les unes près des autres dans un esprit d'amitié et de concorde. Elles conçurent du respect les unes pour les autres dans la compréhension des intérêts de chacune et bâtirent des rapports de confiance qui durèrent très longtemps.

Comment cela s'est-il produit ? La recherche d'une réponse nous conduit à un petit nombre de chefs dans plusieurs nations, et à un chef français en particulier : celui qui fut au cœur des événements en Nouvelle-France dans la période charnière s'étendant de 1603 à 1635. Samuel de Champlain sut maintenir des relations étroites avec de nombreuses nations indiennes tandis qu'il fondait des colonies européennes permanentes dans le Nouveau Monde. Il vécut parmi les Indiens et passa une bonne partie de son temps avec eux, tout en contribuant à l'essor de trois populations et cultures francophones : les Québécois, les Acadiens et les Métis. C'était bien peu de monde à l'époque de Champlain, mais au soir de sa vie ces trois nations avaient pris racine et entrepris une croissance prometteuse. De ces humbles débuts, il est né des millions de personnes en Amérique du Nord qui peuvent retracer leur ascendance à cette époque, et toutes ont conservé quelque chose de leurs origines dans la manière dont elles parlent, réfléchissent et agissent. Ce qui étonne le plus chez Champlain, c'est qu'il ait mis à peine trente ans pour accomplir cette œuvre gigantesque, et ce, en dépit de fréquents revers.

Comment y est-il arrivé ? Tout d'abord, il n'a pas agi seul. Champlain a toujours travaillé avec les autres, Européens comme Indiens. Son monde se composait de nombreux cercles, et il réussissait à collaborer avec des gens qui étaient incapables de s'entendre. Champlain y parvenait parce qu'il s'intéressait sincèrement aux autres et parce qu'il était à l'aise dans la diversité. Ses origines le voulaient ainsi. Enfant, à Brouage, il avait vécu avec la diversité. Jeune homme, en Saintonge, il avait évolué dans une région frontière où se côtoyaient de nombreuses cultures régionales. Les mœurs de cette province s'étaient adaptées depuis longtemps à cet environnement, et cet exemple le suivit pendant toute sa carrière.

Quelque chose d'autre l'avait façonné aussi. Il était parvenu à l'âge adulte dans une France déchirée par des conflits cruels et incessants : quarante années de guerres de religion, neuf guerres civiles, des millions de morts. Sur le champ de bataille, il avait été témoin d'atrocités sans nom. Ce soldat recru de guerre s'était mis à rêver d'un monde nouveau où les gens vivraient en paix avec ceux qui ne sont pas leurs semblables. Après cette longue et terrible guerre, il avait parcouru l'empire espagnol pour le compte de son roi. Il y avait vu les Indiens d'Amérique et les Africains asservis, autre dure leçon. Champlain avait été sincèrement outré par les mauvais traitements qu'il avait observés, et il avait dépeint ces souffrances à son roi au moyen d'images de sa main.

Dans ce monde de cruauté et de violence, Champlain était l'héritier d'une éthique qui avait des racines profondes dans l'enseignement du Christ. Enfant, il avait été initié au paradoxe protestant qui met en valeur l'omnipotence de Dieu et la responsabilité humaine. Plus tard dans sa vie, il s'était fait catholique, et il croyait profondément à l'idée d'une Église universelle ouverte à toute l'humanité. Il partageait l'esprit libéral des humanistes chrétiens français qui avaient embrassé la terre entière du regard et considéraient tous les enfants de Dieu comme leurs proches. Leur étude du monde était inspirée par la passion du savoir et la volonté de comprendre les desseins de Dieu sur terre.

Champlain partageait cette vision du monde avec de nombreuses autres personnes en son temps. En France, il appartenait à plusieurs cercles d'humanistes. Ce sont des figures importantes mais négligées de l'époque moderne, des hommes qui avaient hérité de la Renaissance et inspiré le Siècle des lumières. Ils avaient conservé l'impulsion vitale de l'humanisme en une époque sombre et difficile. En cela, c'étaient des personnalités mondiales de la plus haute importance, et Champlain occupait une place de taille parmi eux.

En France, de 1585 à 1610, ces cercles humanistes s'étaient formés autour du roi Henri IV, et ils avaient été inspirés par ses idées généreuses de paix et de tolérance. Plusieurs cercles avaient porté leur attention sur l'Amérique du Nord. Champlain œuvra en étroite collaboration avec trois générations d'humanistes français qui partageaient ces idéaux. Il profita des conseils d'Aymar de Chaste, de Dugua de Mons, de Pierre Jeannin, de Cossé-Brissac et du vieux Brûlart-Sillery. Plus près de lui en âge, il y avait Marc Lescarbot. Il collabora également avec la génération suivante des Isaac de Razilly, Charles de La Tour et d'autres. Il y eut aussi plusieurs cercles de catholiques humanistes : les jésuites dirigés par Paul Le Jeune et les récollets comme Gabriel Sagard.

En Amérique, les cercles les plus intéressants de Champlain se formèrent autour de chefs autochtones. Il collabora avec Membertou en Acadie, Bessabez en Norembègue, Anadabijou des Montagnais de Tadoussac, Iroquet de la Petite-Nation algonquine, Ochasteguin des Hurons arendarhonons et tant d'autres. Dans ses *Voyages,* Champlain mentionne le nom de dizaines d'Indiens, et ils font souvent l'objet de longues descriptions. Il voyait en eux des êtres humains, et en parlait presque toujours avec respect et affection.

Ces chefs indiens, comme l'ancêtre d'Épervier noir, Na-Nà-Ma-Kee, avaient leurs propres visions, leurs propres rêves. Leurs nations avaient guerroyé longtemps. Leurs antagonismes immémoriaux avaient été avivés avec la venue des Européens. Il en était résulté une spirale de violence. De nombreux Indiens confièrent à Champlain qu'ils en avaient assez de ces guerres et qu'ils cherchaient des moyens d'y mettre fin. Ces hommes étaient durs, mais ils avaient l'esprit pratique. Et comme les chefs français, c'étaient des visionnaires qui rêvaient d'un monde meilleur.

Et pourtant, les visions et les rêves ne suffisent pas. On a vu que De Mons et Poutrincourt partageaient l'idéal de paix et d'humanité de Champlain. Mais lors des différentes expéditions le long de la côte de Norembègue, seul Champlain réussit à nouer de bonnes relations avec les Indiens. De Mons et Poutrincourt avaient essayé et échoué. Quoique animés d'intentions pacifiques, ils avaient perdu la maîtrise des événements, ils avaient cédé à l'appréhension et à la suspicion, et il en était résulté des chocs violents.

Dans la réalisation des desseins que ces hommes partageaient, Champlain était nanti d'une qualité indispensable : il savait traduire ses rêves en réalités. Par tâtonnements, il avait appris à diriger des hommes dans des causes qui les dépassaient, et à le faire dans des circonstances difficiles, parfois désespérées. Il est normal que Champlain ait étudié le problème du commandement avec le même soin qu'il apportait à l'examen d'autres questions. En 1632, il écrivit un petit livre intitulé *Traitté de la marine et du devoir d'un bon marinier*[10]. C'est aussi un traité sur l'art de commander. Il y est dit surtout comment on maîtrise des compétences par la rigueur et comment on fait les petites choses en y apportant le plus grand soin[11]. Il y est traité largement des qualités que doit posséder un chef qui veut réussir, et certains de ces conseils demeurent d'une grande actualité quatre siècles plus tard.

Champlain disait que le chef doit être prévoyant. Il ne s'agissait pas pour lui de prévoir l'avenir, mais bien de se préparer à l'imprévu dans un monde de dangers et d'incertitudes, d'apprendre à bien discerner les choses à partir d'un savoir incomplet. Par-dessus tout, il s'agissait de prendre une vue élevée des choses dans les projets de grande envergure, et de songer au long terme. Tous ces éléments sont importants dans le commandement selon Champlain, à tel point que c'est cette idée de prévoyance qui apparaît dans la première phrase de son testament[12]. Elle nous aide à comprendre pourquoi il réussissait là où tant d'autres échouèrent.

L'art de commander selon Champlain devait aussi s'appuyer sur une éthique. Un bon chef, écrivait-il, doit « surtout tenir sa parole s'il a fait quelque composition : car celui qui ne la tient pas est réputé lâche de courage, perd son honneur et sa réputation, quelque vaillant qu'il soit[13] ». Il croyait que le vrai chef doit traiter les autres avec humanité, qu'il doit « être libéral selon ses commodités et courtois aux vaincus, en les favorisant selon le droit de la guerre », qu'il ne doit jamais « user de cruauté ni de vengeance, comme ceux qui sont accoutumés aux actes inhumains, se faisant voir par cela plutôt barbares que chrétiens, mais si au contraire il use de la victoire avec courtoisie et modération, il sera estimé de tous, des ennemis même, qui lui porteront tout honneur et respect[14] ».

La plus grande réalisation de Champlain n'est pas sa carrière d'explorateur, ni sa réussite comme fondateur. Ce qu'on retient de lui, c'est le leadership exemplaire qu'il a mis au service de l'humanité. C'est ce qui a fait de lui une figure d'envergure mondiale dans l'histoire moderne. C'est l'héritage qu'il nous a laissé à tous.

Images et interprétations, 1608-2008

*Que le passé nous montre ses physionomies ! Oui, c'est l'heure
des statues ! Les livres ont parlé. Que le ciseau travaille.*

BENJAMIN SULTE[1]

Depuis quatre siècles, la mémoire de Champlain est l'objet de
convoitises sans nombre. Lancer une recherche avec son nom dans les
catalogues des bibliothèques, c'est tomber tout de suite sur des centaines
de livres et d'articles en français et en anglais. Sur la Toile, la mention de
Champlain donne six millions de pages sur Google, essentiellement sur
l'homme lui-même et tout ce qui porte son nom. Parmi les livres, on
note de nombreux ouvrages pour la jeunesse (dont certains tout à fait
délicieux), quelques romans à énigme ainsi que des romans à l'eau de
rose (dont certains spécimens d'une bizarrerie sidérante), des œuvres
poétiques et dramatiques, de la documentation publicitaire, des livres
pieux, des éditions des œuvres de Champlain, des monographies dans
toutes les disciplines et une masse d'études historiques savantes ; au
total, seize générations d'écrits sur Champlain, qui à première vue viennent accréditer le vieil adage selon lequel chaque génération compose
sa propre histoire. Ce bouillonnement incessant d'interprétations
semble confirmer aussi la thèse sur la relativité du savoir historique.

Mais il suffit d'un second regard pour déceler une autre tendance,
plus intéressante et moins bien comprise. Les historiens ne font pas que
récrire l'histoire. Ils la révisent et l'améliorent. Ils l'enrichissent de nouvelles découvertes, corrigent les erreurs anciennes, approfondissent notre
connaissance des choses et élargissent l'esprit de l'enquête. Tout ouvrage
sérieux sur Champlain, quels qu'en soient les défauts, a accru notre
connaissance de l'homme lui-même, de son monde et du nôtre. Fouiller
le fonds Champlain, c'est mesurer la croissance ininterrompue du savoir
historique que nous devons à toutes ces générations de chercheurs[2].

Les contemporains français de Champlain :
Lescarbot et les autres

Les premiers écrits historiques sur Champlain furent l'œuvre d'hommes qui avaient servi avec lui en Nouvelle-France. Le plus prolifique fut sans conteste Marc Lescarbot (1560/1570 ?-1641), un écrivain doué et rompu aux classiques. Avocat à Paris, mais mal vu des juges, il était venu en Acadie en 1606 pour « fuir un monde corrompu ». Lescarbot n'a séjourné qu'une année en Nouvelle-France ; il est rentré en 1607 et a publié son *Histoire de la Nouvelle-France* en 1609. Ouvrage aussitôt couronné de succès, avec une traduction anglaise la même année et une autre en allemand, la quatrième édition française paraissant en 1618. D'autres œuvres suivirent, dont *La Conversion des sauvages,* en 1610, et *Relation dernière de ce qui s'est passé au voyage du sieur de Poutrincourt en la Nouvelle France depuis 20 mois ença,* en 1612[3].

Les premiers écrits de Lescarbot à propos de Champlain sont favorables, frisant même l'adulation. À l'époque où les deux hommes œuvraient ensemble en Nouvelle-France, Lescarbot avait composé un sonnet célébrant l'opiniâtreté de Champlain dans sa « belle entreprise » :

CHAMPLEIN, ja dès long temps que je voy que ton loisir
S'employe obstinément et sans aucune treuve […]
Que si tu viens à chef de ta belle entreprise,
On ne peut estimer combien de gloire un jour
Acquerras à ton nom que desja chacun prise[4].

Puis les deux hommes se querellèrent. Dans son *Histoire de la Nouvelle-France,* Lescarbot moqua la « crédulité » de Champlain, à qui il reprochait d'avoir écrit que l'esprit indien Gougou incarnait le Diable lui-même. Il ne se priva pas non plus de plagier le *Des Sauvages* de Champlain et, comme l'a écrit un éditeur, en tira « un bien mauvais salmigondis[5] ». Dans son livre suivant, Champlain lui remit la monnaie de sa pièce en disant de son détracteur que son seul périple en Nouvelle-France s'était limité à traverser la baie de Fundy de Port-Royal jusqu'à Sainte-Croix. Le coup porta. Dans les éditions ultérieures de ses ouvrages, Lescarbot expurgea certaines mentions bienveillantes à l'égard de Champlain et l'écorcha pour des vétilles. Mesquine querelle d'auteurs, indigne de ces deux grands esprits[6].

Le froid resta, mais dans ses éditions ultérieures, Lescarbot eut le mérite de puiser à de nouvelles sources. Il confirma l'exactitude des récits de Champlain à propos du désastre de l'île Sainte-Croix, l'heureuse histoire de Port-Royal, la fondation de Québec et l'exploration de l'Amérique du Nord. Il écrivit que Champlain avait raison de s'attribuer la paternité de l'Ordre de Bon Temps. Toujours en s'appuyant sur ses propres sources, il corrobora la version qu'avait donnée Champlain de la conspiration de Duval et de la bataille contre les Agniers de 1609, jusqu'au légendaire premier coup d'arquebuse.

De même, Lescarbot maintint intégralement le récit que Champlain avait fait des événements en France, notamment ses rapports avec Henri IV, le sieur de Mons, le président Jeannin et le cercle américain, les démêlés avec les compagnies commerçantes et les intrigues de la cour. Quoique brouillés, les deux hommes s'étaient donnés corps et âme à la Nouvelle-France. Ils adhéraient aux mêmes valeurs humanistes, et leurs propos sur les Indiens témoignaient d'un intérêt et d'un respect sincères. On peut donc remercier Lescarbot d'avoir fait la chronique du grand dessein de Champlain en Nouvelle-France et confirmé les grandes lignes de son histoire[7].

D'autres contemporains français ont fait état du zèle de Champlain. Il s'agissait dans certains cas de témoignages vécus comme le *Voyage à la Nouvelle France* de Charles Daniel en 1619. On note aussi des ouvrages de seconde main, par exemple la *Chronologie septenaire* de Pierre Victor Palma Cayet en 1605 et l'*Histoire universelle depuis 1543 jusqu'en 1607* de Jacques-Auguste de Thou. De Thou a d'ailleurs abondamment plagié Champlain et Lescarbot, précisant qu'il préférait le premier de beaucoup. Le périodique le plus important de l'époque, *Le Mercure françois,* publia des articles sur la Nouvelle-France et reproduisit sans attribution des textes écrits de la main de Champlain lui-même. Tout cela corrobora les grandes lignes des *Voyages* de Champlain et en rehaussa la texture[8].

Champlain et la mémoire indienne

Les autochtones américains tenaient eux aussi Champlain en haute estime. Les Hurons chérissaient le souvenir de son action, tirant même une légende de ses vertus. Au printemps de 1636, ils firent le voyage à Québec pour marquer la tristesse que leur avait causée l'annonce de sa mort et « firent des présents pour essuyer les larmes et avaler plus doucement l'amertume que nos Français recevaient de la mort de feu Monsieur de Champlain[9] ». Nous l'avons déjà dit, Champlain est également devenu un personnage de légende dans la tradition orale algonquienne, par exemple le récit de Na-Nà-Ma-Kee, qui a été préservé par les Sakis et les Renards de la vallée du Mississippi. Dans l'est de la Nouvelle-Écosse, les Micmacs se sont transmis des récits à son sujet de génération en génération[10]. La tradition orale montagnaise a conservé le beau souvenir des relations amicales avec les colons français et le « chef des Français » dans les premières années. Souvenir qui contraste avec les troubles que les générations ultérieures ont connus, comme on le voit dans l'histoire de Na-Nà-Ma-Kee[11].

Le père Paul Le Jeune note une exception à cette tendance. Il écrit ainsi qu'un « certain Algonquin, fort méchant homme, leur rapporta [aux Hurons] l'an passé que défunt Monsieur de Champlain d'heureuse mémoire avait dit à un capitaine montagnais, un peu devant que de rendre l'âme, qu'il emporterait avec soi tout le pays des Hurons ». Dans ce récit, on blâme l'esprit de Champlain pour les épidémies qui ont ravagé les nations indiennes de la vallée du Saint-Laurent. On a attribué cette fable aux sorciers indiens, et à un homme en particulier : un Huron des Attignawantans du nord, le capitaine Aenon, toujours le premier à torturer les prisonniers iroquois et peut-être le « principal responsable » du meurtre d'Étienne Brûlé. Mais, en règle générale, le renom de Champlain parmi les nations indiennes est resté intact après sa mort[12].

Les *Relations des Jésuites* : « Monsieur de Champlain, d'heureuse mémoire »

Les pères jésuites en Nouvelle-France étaient tenus d'adresser des rapports complets chaque année à leurs supérieurs. Ces documents extraordinaires étaient publiés à Paris en leur temps et ont fait par la suite l'objet de deux grandes éditions savantes. C'est aujourd'hui une mine d'or pour les historiens. Les jésuites mentionnaient souvent Champlain de son vivant, et bien des années après sa mort aussi. Les témoignages les plus complets sur ce point nous viennent du père Paul Le Jeune, le supérieur de la mission jésuite à l'époque où Champlain était gouverneur. On ne saurait être plus élogieux que lui. Le Jeune décrit les réalisations de Champlain dans toute leur ampleur, ses rapports fructueux avec les Indiens, son dévouement à la Nouvelle-France, son indifférence à son propre avancement, son altruisme à l'égard des colons et le crédit élevé dont il jouissait auprès d'eux. Surtout, les jésuites ont vanté la foi et la piété de Champlain. Ils ont dépeint également un chef de grand talent.

Lorsque les missionnaires jésuites au pays des Hurons apprirent la mort de Champlain en 1635, ils renouvelèrent leurs vœux en guise de remerciement à Dieu qui leur avait donné un tel chef. Le père Le Mercier a écrit : « Nous ne saurions [trop] faire pour une personne de son mérite, qui a tant fait et souffert pour la Nouvelle-France, pour le bien de laquelle il semblait avoir avoir sacrifié tous ses moyens, voire même sa propre vie. […] Sa mémoire demeurera à jamais honorable[13]. »

Pendant des années, les jésuites ont fait de Champlain un exemple à suivre pour les administrateurs subséquents. Leur interprétation contraste vivement avec les jugements qu'ils portent sur les autres dirigeants de la Nouvelle-France, l'un des pères déclarant : « Plût à Dieu que tous les Français qui les premiers sont venus en ces contrées lui eussent été semblables : nous n'en rougirions pas si souvent auprès de nos sauvages[14]. »

Les *Relations des Jésuites* ont lancé la carrière hagiographique de Champlain. Certains historiens ont moqué cette tradition, mais ils en sont les héritiers involontaires. Un érudit dominicain, David Knowles, a étudié les contemporains catholiques de Champlain, les bollandistes qui ont compilé les *Acta Sanctorum* et les mauristes qui ont réuni les textes patristiques. Il a constaté que ces grands hagiographes ont fait œuvre de pionniers en matière de recherche critique lorsqu'il s'agissait de départager les vrais saints des imposteurs, les miracles authentiques des prétentions frauduleuses. Ce mariage entre une foi bien trempée et la rigueur intellectuelle était une tradition établie chez les jésuites, qui étaient des intellectuels rigoureux ainsi que des admirateurs de Champlain. Ils ont construit ainsi une interprétation qui a résisté à l'usure du temps[15].

Les historiens récollets : Sagard et Le Clercq

Les récollets comptent également parmi les chroniqueurs de la Nouvelle-France. Le plus connu est Gabriel Sagard (né vers 1590-1595), un frère convers qui était entré en religion sous le nom de Théodat. C'était un personnage délicieux. Il aimait tous ses frères les hommes, à l'exception des Anglais, et chérissait les bêtes que Dieu avait mises sur terre, allant jusqu'à apprivoiser un bébé rat musqué, qui vivait dans les plis de sa bure. Arrivé au Canada au printemps de 1623, il avait été en mission chez les Hurons. L'année suivante, il visita le Bas-Saint-Laurent et y côtoya les Montagnais et les Micmacs. Puis il rentra en France, où il publia deux livres. Le premier s'intitulait *Le Grand Voyage du pays des Hurons* (1632). Le second, version amplifiée du premier, fut son *Histoire du Canada* (1636)[16].

Sagard était un excellent naturaliste ; il était également doué pour les langues et aurait fait un grand ethnographe. Il avait étudié les langues indiennes avant de venir en Amérique ; il étudia les coutumes des Hurons avec attention et sympathie ; il décrivit leur culture et tira même des partitions de leur musique. Il ne faisait pas d'anthropologie au sens moderne ; au contraire, son étude des peuples indigènes d'Amérique du Nord visait à comprendre les fins de Dieu dans le monde. Sagard était un homme de foi, et la conversion des Hurons était sa principale motivation. Homme à la morale rigide, il déplora les vices des Hurons : leur cruauté sadique envers leurs ennemis, la pratique de la torture et du cannibalisme, leur goût du jeu, les hommes n'hésitant pas à jouer jusqu'à leur femme. Il ne manqua pas cependant de noter leurs vertus, par exemple leur fidélité à la foi jurée, leur sens aigu de la justice telle qu'elle se pratiquait dans leur culture[17].

Sagard a décrit mieux que quiconque le peuple huron : son pays et sa culture, son économie et son système politique, sa société et son histoire. Il a plagié Champlain et n'a laissé à son sujet que quelques rares (mais bienveillantes) remarques, en plus de quelques renseignements précis. En résumé, il a approfondi la description que Champlain nous a laissée de la Huronie et loué le caractère du gouverneur.

Un autre historien récollet nous vint deux générations après Sagard : Chrestien Le Clercq (1641–après 1700), un missionnaire qui séjourna en Gaspésie et en Acadie de 1675 à 1687. Il signa des livres sur l'histoire de l'entreprise missionnaire en Nouvelle-France et sur son propre ministère auprès des Indiens de la Gaspésie[18]. Le Clercq s'était entretenu avec nombre de personnes qui avaient connu Champlain. Il loua son dévouement d'« homme infatigable » à la fondation de la Nouvelle-France et le fait qu'il « n'oubliait rien pour faire avancer les affaires temporelles de la colonie, et quoiqu'on ne répondît pas ni en cour ni ailleurs à ses empressements, ni à ses bonnes intentions ». Le Clercq dit aussi le plus grand bien des tentatives qu'avait faites Champlain pour établir des familles à Québec, de l'attention qu'il portait aux Indiens et de son soutien aux missions des Récollets. Chez Le Clercq, les méchants, ce sont les marchands. Il écrivit : « Monsieur de Champlain, qui avait lui-même ligué cette compagnie, avait tâché inutilement durant son séjour en France à lui ouvrir les yeux, et à la piquer d'honneur et de conscience[19]. » La valeur du témoignage de Le Clercq tient à l'accès qu'il avait aux archives des Récollets, dont il publia plusieurs documents. Il se trompa sur certains événements qui avaient eu lieu avant sa venue en Nouvelle-France, mais ajouta des renseignements utiles à partir de sa propre expérience. Au sujet de Champlain, les jugements de ces auteurs récollets étaient aussi favorables que ceux des jésuites, et l'on sait pourtant que les deux ordres avaient des vues divergentes sur d'autres sujets[20].

Champlain au temps des Lumières : Charlevoix

L'étude de Champlain profita des Lumières du XVIIIᵉ siècle. Figure marquante ici : Pierre-François-Xavier de Charlevoix (1682-1761), jésuite de haute naissance dont l'intérêt pour l'histoire embrassait le monde entier. En 1704, alors qu'il étudiait au collège Louis-le-Grand de Paris, il avait été le préfet du jeune Voltaire, qui se souvint de lui comme d'un homme bon et d'un grand savant, quoique « un peu bavard ». L'année suivante, il enseigna au collège jésuite de Québec, puis il parcourut toute la colonie. Il rentra ensuite en France pour s'adonner à l'écriture de l'histoire, dont trois volumes sur l'histoire des jésuites au Japon[21].

En 1722, Charlevoix fut renvoyé en Nouvelle-France avec pour instructions d'explorer le continent et de trouver le passage vers l'Asie. Il en résulta l'un de ces voyages qui ont fait date dans l'histoire américaine. Avec deux canots et huit pagayeurs, il remonta le Saint-Laurent jusqu'aux Grands Lacs, puis il descendit le Mississippi jusqu'à la Louisiane. De là, il se rendit en Floride, fit naufrage au large des Keys et dut rentrer à la Nouvelle Orléans en chaloupe. Puis il voyagea aux Antilles, et enfin refit voile vers la France. Charlevoix n'avait pas trouvé la route de la Chine, mais il tira de ses péripéties un récit de voyage classique, suivi d'une histoire de la Nouvelle-France et d'autres études sur Haïti et les réductions jésuites du Paraguay[22].

Les premiers chapitres de l'*Histoire* de Charlevoix sont un long commentaire sur les écrits de Champlain, où il porte beaucoup d'attention à ses récits sur les mœurs indiennes ainsi qu'à ses descriptions de la flore et de la faune. Charlevoix loue en lui le fondateur de Québec, et condamne la faiblesse et l'irrésolution de ses successeurs. Il ne dit que du bien de Champlain, notant « qu'il savait gagner le concours de tous, ne s'épargnait aucune peine, et [que] son esprit imaginait tous les jours quelque nouveauté pour le bien public[23] ».

Charlevoix avait lui-même éprouvé nombre des difficultés que Champlain avait connues. Instruit de sa propre expérience et armé de son savoir archivistique, il fut le premier auteur à illustrer l'œuvre de Champlain dans toute sa grandeur et la puissance de son esprit. « Il avait un grand sens, beaucoup de pénétration, des vues fort droites, et personne ne sut jamais mieux prendre son parti dans les affaires les plus épineuses. » Il ajoute : « Ce qu'on admira le plus en lui, ce fut sa constance à suivre ses entreprises, sa fermeté dans les plus grands dangers, un courage à l'épreuve des contretemps les plus imprévus, un zèle ardent et désintéressé pour la patrie, un cœur tendre et compatissant pour les malheureux, et plus attentif aux intérêts de ses amis qu'aux siens propres, et un grand fond d'honneur et de probité. [...] On trouve un historien fidèle et sincère, un voyageur qui observe tout avec attention, un écrivain judicieux, un bon géomètre, et un habile homme de mer. Mais ce qui met le comble à tant de bonnes qualités, c'est que dans sa conduite comme dans ses écrits, il parut toujours un homme véritablement chrétien[24]. »

Charlevoix défendit Champlain dans sa querelle avec Lescarbot, mais félicita les deux hommes pour leur humanité à l'égard des Indiens. Il reprocha à Champlain ses campagnes contre les Iroquois, « avec lesquels M. de Champlain s'était malheureusement brouillé en faveur de ses alliés ». Mais il ajouta : « Il faut néanmoins rendre à M. de Champlain la justice de dire que son intention était uniquement d'humilier les Iroquois, afin de parvenir ensuite à réunir toutes les nations du Canada dans notre alliance par une bonne paix, et que ce n'est pas sa faute si des événements qu'il ne pouvait pas prévoir ont fait tourner les choses tout autrement qu'il n'avait cru. » Charlevoix rappela que les hostilités entre les Iroquois et leurs voisins du nord remontaient à une époque bien antérieure à l'arrivée de Champlain, mais il jugea que celui-ci s'était mêlé de cette longue guerre d'une façon qui s'était avérée « contraire à nos intérêts ». Il reprocha également à Champlain d'avoir permis à des hommes tels que Brûlé d'aller et venir chez les Indiens[25].

Dans l'ensemble, il estima que « l'on ne saurait trop admirer le courage de M. de Champlain, qui ne pouvait faire un pas sans rencontrer de nouveaux obstacles, qui consumait ses forces sans songer à se procurer aucun avantage réel, et qui ne renonçait pas à une entreprise pour laquelle il avait constamment à essuyer les caprices des uns et la contradiction des autres ». Charlevoix conclut : « M. de Champlain fut sans contredit un homme de mérite, et peut être à bon titre appelé le Père de la Nouvelle France. » C'est peut-être la première fois qu'apparaît cette expression[26].

Champlain et les philosophes : Colden, Diderot et d'Alembert

L'œuvre de Charlevoix exerça une influence considérable sur les hommes des Lumières. Un bon exemple : le philosophe anglo-américain Cadwallader Colden, de New York, qui a écrit sur Champlain exactement dans le même esprit que Charlevoix. Colden est parfois distrait, affirmant par exemple que « les Français colonisèrent le Canada sous M. Champlain, leur premier gouverneur, en l'an 1603 ». Il appelle les Indiens alliés aux Français les « Adirondacks » et écrit que « M. Champlain, désirant donner à ses alliés la preuve de son amour et de la valeur de la nation française, se mit à la tête d'une troupe d'Adirondacks et passa avec eux au lac Coirlars [sic], auquel les Français ont depuis ce temps donné le nom de M. Champlain[27] ». Colden relate la bataille de 1609 avec force détails puisés dans les écrits de Champlain, qu'il semble avoir lus attentivement. Comme Charlevoix, il reproche cependant cette action guerrière à Champlain. « Ainsi naquit entre les Français et les Cinq Nations une haine meurtrière qui fit couler beaucoup de sang français et qui, plus d'une fois, manqua d'occasionner la perte de la colonie[28]. »

Tout aussi louangeurs, les grands écrivains des Lumières françaises ont fait fête à Champlain et reconnu en lui le fondateur du Canada. C'est ainsi que Denis Diderot et Jean d'Alembert le présentent dans leur célèbre *Encyclopédie* de 1751. Ils écrivent : « C'est au sieur de Champlain, gentilhomme de Saintonge, que les François doivent le premier établissement de Québec. Il le commença en 1608, et y mourut en 1635, au bout de 27 ans de travaux. » Ils ont aussi puisé aux récits de voyage de Champlain, à ses observations relatives à la botanique, l'histoire naturelle et l'ethnographie. L'intérêt grandissant pour les pays et les cultures du monde entier qui caractérise les Lumières trouve d'ailleurs une de ses sources dans l'œuvre de Champlain[29].

L'incarnation du triomphe de la raison : Champlain en homme des Lumières

Il existe aux Archives nationales du Québec un vieux portrait de Champlain. Il s'agit d'une sanguine, dessin au crayon d'ocre rouge qu'affectionnaient les Watteau, Boucher et autres artistes du XVIIIᵉ siècle. Les traits de Champlain sont très bien définis et conformes au petit autoportrait qu'il a lui-même esquissé dans ses propres œuvres : le front élevé et les sourcils arqués, les yeux écartés, le nez fin et légèrement aquilin, les lèvres pincées, la moustache fine et la barbe bien taillée. Les cheveux sont soigneusement peignés vers l'arrière, et l'expression du visage est agréable et conviviale, avec l'ombre d'un sourire. Le regard est franc, celui de l'honnête homme de La Bruyère. Voilà l'image d'un « gentilhomme de Saintonge », comme l'appelaient Diderot et d'Alembert, qui est à l'aise avec autrui et en paix avec lui-même : un homme de raison, de science, bon et éclairé. Le dessin insiste beaucoup sur le costume. Champlain porte l'armure légère d'un soldat, l'ample écharpe propre aux officiers et le collier de dentelle du gentilhomme. Le dessin est d'origine inconnue et sa date incertaine, mais quelle que soit sa provenance il est fidèle à l'image que les Lumières ont donnée de Champlain[30].

L'historien libéral du Québec : le Champlain libéral et catholique de Garneau

Après la seconde conquête britannique du Canada en 1759-1760, le souvenir des fondateurs s'est presque éclipsé pendant une ou deux générations. On a assez peu parlé de Champlain dans la période qui s'étend de 1760 à 1815. Mais l'intérêt a repris au XIXᵉ siècle. Le premier à faire revivre Champlain fut l'un des plus grands historiens du Canada, François-Xavier Garneau (1800-1866). Il était issu d'une des plus vieilles familles de Québec et avait brièvement fréquenté ses écoles, mais c'était surtout un autodidacte. Jeune homme, il avait appris l'anglais, voyagé beaucoup aux États-Unis, en Angleterre et en France, et circulé avec aisance dans les milieux cultivés de ces trois pays. Pendant ses voyages, il avait fréquenté nombre de jeunes nationalistes, entre autres un ancien

Cette sanguine de Champlain, à la date et à l'origine incertaines, est conforme à l'image que se faisaient de lui les philosophes du XVIIIe siècle.

dirigeant polonais qui l'avait beaucoup marqué. Ayant fait siennes les idées libérales et catholiques, il était rentré au Canada attaché plus que jamais à ses racines. Il s'était alors donné pour but d'infuser à l'histoire du Québec un idéal nationaliste canadien susceptible de faire l'unité des habitants de langue française et anglaise.

Le grand ouvrage de Garneau est son *Histoire du Canada,* publiée en quatre petits volumes (1845-1852) et maintes fois rééditée. C'est une œuvre magistrale, remarquable pour sa maîtrise des sources, son ampleur de vues, son souci du détail et la sagesse du commentaire. Garneau écrivait en catholique libéral du XIXe siècle. Sa perspective ressemble à celle qu'on trouve chez George Bancroft aux États-Unis et chez Thomas Babington Macaulay en Grande-Bretagne. À l'instar de ces historiens whigs, Garneau pensait l'histoire en termes téléologiques : ses finalités devaient être l'avancement de la liberté, de la démocratie et de l'autodétermination nationale. Il en résulta une grande œuvre de l'historiographie libérale et un monument de la littérature canadienne[31].

Garneau s'était pris d'affection pour Champlain et reconnaissait en lui le premier artisan de la fondation de la Nouvelle-France. Il l'associait à Henri IV. « En perdant Henri IV, deux ans après la fondation de Québec, il perdit un ami et un bon maître, qu'il avait fidèlement servi, et qui lui aurait été d'un grand secours. » Garneau a décrit en détail l'œuvre de Champlain, observant qu'il tirait son importance non pas des choses qu'il avait faites, mais de la manière dont il les avait faites. Sous sa plume, Champlain devient lui-même un libéral avant la lettre, c'est-à-dire un

homme de raison, sage et généreux, aux vues amples. « Doué d'un jugement droit et pénétrant, d'un génie pratique, Champlain pouvait concevoir et suivre, sans jamais s'écarter, un plan étendu et compliqué. Trente
ans d'efforts pour établir le Canada prouvent sa persévérance et la
fermeté de son caractère. » Il avait assuré à la France la possession
d'immenses contrées « sans le secours presque d'un seul soldat, à l'aide
des missionnaires et par le moyen d'alliances contractées à propos avec
les indigènes[32] ».

Garneau a défendu Champlain contre Charlevoix, qui lui reprochait
d'avoir déclenché les hostilités contre les Iroquois et d'avoir précipité la
ruine de la nation huronne. Il ripostait : « Il a été blâmé de s'être déclaré
contre les Iroquois. Mais la guerre existait déjà entre cette nation et les
autres peuplades du Canada lorsqu'il arriva dans le pays ; il ne cessa
jamais de faire des efforts pour la conservation de la paix[33]. » L'historien
croyait en outre que l'anéantissement des Hurons résultait de changements qui s'étaient opérés dans la politique française après Champlain.
« Sa mort fut un grand malheur pour les Hurons. » Le Champlain de
Garneau était un homme à l'esprit large. « Champlain a laissé une relation de ses voyages, dans laquelle on trouve un observateur judicieux et
attentif, un auteur fidèle, rempli de détails sur les mœurs des aborigènes
et la géographie du pays. » C'était aussi un partisan de la tolérance et
même de la liberté de conscience, idées qui entraient dans la vision
qu'avait Garneau d'une union des Canadas[34]. En résumé, Champlain
était un personnage véritablement héroïque, ayant même le physique
de l'emploi. Se basant sur des sources qu'il n'identifie pas, Garneau
écrit : « Champlain avait une belle figure, un port noble et militaire, une
constitution vigoureuse, qui le mit en état de résister à toutes les fatigues
de corps et d'esprit qu'il éprouva dans sa rude carrière[35]. »

La réaction canadienne à la grande œuvre de Garneau fut largement
favorable. Le livre connut plusieurs éditions françaises, et en 1860
Andrew Bell le publia en anglais, faisant savoir à ses lecteurs qu'il s'était
efforcé d'en donner une « traduction modérément *libre* plutôt qu'une
traduction *servilement littérale* », une version qu'il voulait faite « pour
satisfaire les attentes raisonnables des lecteurs anglo-canadiens (mais
sans flatter leurs préjugés) ». Dans la traduction de Bell, on s'attarde peu
sur les convictions catholiques de Champlain, qui se trouvent réduites
à un vague « tour d'esprit religieux ». Le Champlain de Bell avait « réalisé l'exaltation de la Nouvelle-France » par l'exercice d'une « diploma-

tie équitable et des influences christianisantes » davantage que par ses liens étroits avec l'Église catholique[36].

Au Québec, l'histoire de Garneau fut accueillie très différemment dans certains milieux. Le clergé conservateur en appréciait la valeur littéraire, mais ne prisait guère le Champlain libéral et catholique campé par Garneau, non plus que sa vision d'une nation canadienne bilingue. Garneau lui-même fut traité de libéral (ce qui était exact) et de libre-penseur protestant (ce qui était faux). Après sa mort, des écrivains catholiques de droite retouchèrent son œuvre avec le concours de membres de sa famille. Les éditions subséquentes ont donc une couleur moins libérale, plus conservatrice, et beaucoup plus favorable au clergé. Marcel Trudel raconte dans ses *Mémoires d'un autre siècle* : « On nous renvoyait à l'œuvre de François-Xavier Garneau comme à une Bible. Dans les collèges, encore en 1935, on ne parlait de la Nouvelle-France qu'en citant Garneau. » Mais Trudel se souvient aussi que « ce culte fut poussé jusqu'à la production d'un faux ». En 1913, le petit-fils de Garneau avait apporté plusieurs changements et les avait identifiés en les mettant entre crochets. Dans une autre édition révisée de 1944, on avait conservé les changements, mais supprimé les crochets. Quoi qu'il en soit, Garneau est devenu une grande figure de la culture canadienne. Sa maison de Québec est aujourd'hui un sanctuaire[37].

Le Champlain médiéval de Parkman

Alors que l'histoire libérale de Garneau marquait profondément le Canada, un livre fort différent sur Champlain voyait le jour aux États-Unis sous la plume de Francis Parkman (1823-1893) : *Pioneers of France in the New World* [*Les Pionniers de la France en Amérique*], le premier d'une série de neuf volumes intitulée *La France en Amérique*. Parkman était érudit, indépendant de fortune, et son grand projet historiographique était l'œuvre de sa vie. En guise de préparation, il avait parcouru, jeune homme, la Nouvelle-Angleterre, l'État de New York et le Canada, et il avait vu les lieux dont il voulait raconter l'histoire. Ses excursions de jeunesse l'avaient initié « à presque toute la réalité géographique du récit ». Il s'était intéressé tout particulièrement aux Indiens, et après être allé dans l'Ouest pour les étudier, il en avait tiré un livre, *The Oregon Trail* [*La Piste de l'Oregon*][38].

Parkman composa son premier volume sur la Nouvelle-France pendant la guerre de Sécession, et il le dédia à trois compatriotes qui avaient été « tués au champ d'honneur ». Dans son esprit, la Nouvelle-France était née « du désir qu'avaient eu les tenants du féodalisme, du monarchisme et du papisme d'asservir un continent où, à l'heure où j'écris, un demi-million de baïonnettes défendent la supériorité de la liberté raisonnée[39] ». Cet Anglo-Saxon protestant né à Boston était un whig conservateur qui croyait dur comme fer dans ces idéaux qu'étaient la liberté et le républicanisme. Beaux principes qu'encadrait une arrogance fondée sur la supériorité de sa race, de sa classe, de son genre, de sa nation, de sa religion et de sa région. Il détestait l'esclavagisme, mais n'éprouvait aucune sympathie pour les esclaves. Ce chantre de la liberté était hostile aux grandes réformes libérales de son temps, et il polémiqua volontiers contre le suffrage féminin. L'idée de supériorité raciale impulsait toute sa pensée. Il méprisait les Indiens de l'Amérique pour les avoir vus dans leurs années de déclin, disant d'eux qu'ils constituaient « une race fourbe et sanguinaire[40] ».

Les stéréotypes ethniques de Parkman illuminent son mépris des institutions françaises. Mais il avait beaucoup d'admiration pour certains Français, en premier lieu Champlain. Les deux tiers du premier volume de son grand ouvrage ont pour titre « Champlain et ses compagnons ». Parkman l'admirait pour son dévouement désintéressé et « infatigable » à la cause de la Nouvelle-France. « Ses livres nous montrent l'homme, écrivait-il, et on voit un être entièrement voué à sa cause, n'attendant rien pour lui-même. » Il exalta le caractère et les exploits de Champlain, écrivant qu'on avait eu « bien raison de le qualifier de père de la Nouvelle-France. En lui s'incarnaient son zèle catholique et son aventurisme romantique[41] ».

Parkman hissa Champlain au rang de figure d'envergure mondiale, mais sa compréhension de son sujet était fondamentalement erronée. Il voyait dans l'explorateur un anachronisme vivant, écrivant que « Champlain appartenait plutôt au Moyen Âge qu'au XVIIe siècle [...] un vrai héros, modelé sur le chevalier médiéval. Son caractère était fortement imprégné de l'esprit romanesque ». Il reprit de Lescarbot le faux portrait d'un Champlain crédule et en remit. « Quoique d'esprit sérieux, sagace et pénétrant, il tendait à croire au merveilleux », écrivit l'historien américain, qui jugea Champlain « enclin à outrepasser les bornes de la raison et à s'égarer dans le domaine de l'imagination. D'où le caractère trouble de certains de ses exploits[42] ». C'est ainsi que Parkman interpréta toute

la carrière de Champlain, exaltant chez lui les vertus médiévales du
« fidèle soldat » : « Soldat dès son jeune âge, en une époque de licence
débridée, sa vie ne fut que la quête d'un idéal de pureté. » Mais il
lui reprocha durement d'avoir guerroyé contre les Iroquois et avança
qu'il avait ainsi pavé la voie à la conquête d'une Nouvelle-France médiévale et féodale par les forces modernes et progressistes de la Nouvelle-
Angleterre[43].

Parkman n'avait rien compris. Champlain était un homme tout à
fait de son temps, et non quelque paladin comme on en trouve dans les
romans de chevalerie. Cependant, si l'œuvre de Parkman était viciée par
une compréhension erronée des choses, elle n'en fut pas moins importante. C'est de son verbe que sont nées les images les plus frappantes de
Champlain. Parkman était presque aveugle, et il avouait que son état
physique et mental ne lui avait jamais permis de lire continuellement
pendant plus de cinq minutes — « souvent il ne m'était pas permis de
lire du tout ». Il ne pouvait écrire plus que quelques lignes par jour, et sa
plume était guidée sur la page par des fils de fer. Mais le barde aveugle de
Boston voyait son sujet avec les yeux de l'esprit, et la muse de l'histoire
connut peu de prosateurs aussi doués que lui[44].

Il faut reconnaître aussi que Parkman maîtrisait bien sa documentation. Il tira le plus grand parti des sources, notamment les écrits de
Champlain parus dans les éditions originales, le manuscrit du *Brief Discours*, les œuvres de Lescarbot, Le Clercq et Sagard, et les *Relations des
Jésuites*. Il avait à son service un chercheur aux archives françaises, et
des amis, des collègues et des collectionneurs lui procuraient des manuscrits[45]. De grandes lacunes subsistent chez lui sur de nombreux sujets,
entre autres en matière économique, et il se trompe souvent sur les
détails. Mais il exploitait ses sources avec toute son imagination créa-
trice. Et, étonnamment, les ethnohistoriens de la fin du XXᵉ siècle lui
reconnaissent une qualité que l'on n'attendait pas : si l'on en croit l'ethnographe Bruce Trigger, même si le portrait que Parkman trace des
Indiens est imprégné de racisme, il aurait été le premier historien géné-
raliste à comprendre les différences entre les nations indiennes.

Aux États-Unis, c'est la prose de Parkman qui a révélé Champlain à
nombre d'historiens. En France et au Canada, son mépris pour la
culture et l'histoire françaises a suscité un ressentiment durable et légitime. Mais de son talent et de ses travers sont nées des œuvres recti-
ficatrices dans les trois pays. Ainsi, en donnant vie à Champlain comme

il l'a fait, il a suscité nombre de curiosités plus sagaces. C'est surtout cela qu'on doit à Parkman.

Le Champlain filial de l'abbé Ferland : le fils obéissant de l'Église

Alors que Francis Parkman besognait dans son cabinet de Boston, un cercle d'érudits québécois à collet romain s'intéressait à Champlain. Au premier rang, l'abbé Ferland, qui publia une œuvre imposante en deux volumes intitulée *Cours d'histoire du Canada* (1861-1865). Ouvrage sérieux et profond, nourri de vastes lectures sur l'histoire des colonies françaises et britanniques, qu'il connaissait bien.

Ferland voyait en la Nouvelle-France essentiellement « une colonie missionnaire » ayant pour objet de christianiser les Indiens. Il croyait qu'elle avait réussi dans cette mission d'inspiration divine, qui était encore en cours au moment où il écrivait. Lui-même s'était fait l'apôtre d'un nouvel élan missionnaire dans les années 1860, de l'Ontario jusqu'au Pacifique. Ferland était très favorable aux Indiens et attentif à la diversité de leurs cultures. Il écrivait que les Indiens pouvaient être des « monstres de barbarie », mais il respectait leur fierté, leur force physique et leur attachement à leurs coutumes. « Eh bien, écrivait-il, quoiqu'ils n'aient pas adopté les coutumes des Français, ils n'en sont pas moins devenus d'excellents chrétiens. » Selon lui, « la vie dans les bois les conserve dans leur attachement à la foi catholique et dans la pureté de leurs mœurs. Moins leurs rapports sont fréquents avec la civilisation, et mieux ils gardent la dignité de caractère et l'innocence de vie qui appartiennent aux vraies disciplines du Christ[46]. »

Cette approche conférait un nouveau rôle à Champlain. De l'avis de Ferland, sa contribution la plus importante avait été son appui aux missionnaires français en Amérique. Il était d'accord avec bien d'autres pour dire que la plus grande erreur de Champlain avait été de s'en prendre aux Iroquois. « L'attaque des Français contre une des Cinq Nations fut le commencement et, probablement, la cause des hostilités [qui] arrêtèrent les progrès de la colonie, et faillirent même l'étouffer dans son berceau. » Mais en règle générale, Ferland louait Champlain d'avoir su « asseoir la petite colonie sur les seules bases solides d'un État, la religion et l'honneur[47] ».

La grande étude de l'abbé Laverdière sur Champlain

Dans l'historiographie de Champlain, l'une des dates marquantes a été la publication d'une première édition moderne de ses œuvres, en 1870. L'éditeur en était l'abbé Charles-Honoré Laverdière, professeur d'histoire et bibliothécaire au Séminaire de Québec. Dans les années 1850, Laverdière s'était mis à réunir des documents inédits sur les premiers jours de l'histoire du Canada. Il publiait aussi une revue historique pour la jeunesse intitulée *L'Abeille*. Son cabinet devint justement une véritable ruche d'activité historiographique.

En 1859, la Hakluyt Society avait publié une traduction anglaise du *Brief Discours* où Champlain relatait son voyage en Nouvelle-Espagne, traduction assortie d'une courte biographie qui avait été jugée « loin d'être remarquable sur le plan de l'exactitude[48] ». Les autorités ecclésiastiques du Québec estimèrent alors que le temps était venu de publier les œuvres de Champlain dans une édition française, avec un appareil critique qui confirmerait leur interprétation des faits. En 1864, Laverdière assuma la direction du projet avec le ferme appui de ses supérieurs, qui lui procurèrent une maison, un effectif et les ressources du Séminaire. Laverdière avança rapidement, et cinq ans plus tard cette tâche colossale avait été menée à bien. Le manuscrit fut envoyé à l'imprimeur et la composition typographique réalisée[49].

On allait publier l'ouvrage lorsqu'un incendie détruisit l'imprimerie et fit fondre toute la composition typographique : le pire cauchemar de tout auteur. Mais l'éditeur et l'imprimeur ne se découragèrent nullement. Comme il subsistait un jeu d'épreuves, la composition fut reprise à partir de ce jeu, et on l'imprima comme étant la « seconde édition », même si la première n'avait jamais vu le jour. Tous les volumes parurent en 1870 sous le patronage de l'Université Laval. C'est un remarquable spécimen de l'art de l'impression, magnifiquement typographié en monotype, ainsi qu'un monument d'édition critique[50].

Comme Ferland, Laverdière voyait en Champlain un fils obéissant de l'Église, sauf que son interprétation du personnage était marquée par son irréductible hostilité aux Jésuites. C'était un grand historien et un modèle de rigueur scientifique. Il avait corrigé les erreurs des imprimeurs et les passages embrouillés qui abondaient dans l'œuvre de Champlain, et les éditeurs qui lui ont succédé ont presque toujours confirmé sa version. Ses notes et appendices n'ont rien perdu de leur valeur aujourd'hui. Certains historiens francophones préfèrent encore l'édition de Laverdière, et tout spécialiste de Champlain se fait un devoir de la consulter.

Laverdière stimula grandement l'étude de Champlain en rendant son œuvre plus accessible que jamais auparavant. En 1908, alors que des sculptures héroïques de Champlain s'élevaient dans nombre de villes, l'abbé Gosselin écrivit que les volumes de Laverdière étaient « le vrai monument de Champlain[51] ».

L'image de Champlain au service d'un renouveau catholique

L'adoption de Champlain par l'Église donna une nouvelle image du personnage. En 1854, une lithographie française nouvellement apparue à Québec fut donnée pour l'image authentique de « Samuel de Champlain, gouverneur général du Canada ». C'était un portrait classique de Louis-César-Joseph Ducornet (1806-1856), qui était devenu un peintre renommé en France malgré son handicap physique. Ducornet était né sans bras. Il peignait en tenant son pinceau avec sa bouche ou entre ses orteils. Il s'était spécialisé dans les images pieuses et traçait des portraits avec un extraordinaire souci du détail[52].

Cette lithographie de Champlain avait été acquise par Pierre-Louis Morin, artiste et entrepreneur, qui affirmait que l'œuvre était bien de Ducornet. On y montrait un Champlain dans la cinquantaine. Avec son embonpoint, ses bajoues pendantes et son double menton, l'homme avait manifestement perdu la forme. Les traits étaient hésitants, son expression était passive, timide même. Cheveux et barbe étaient impeccables, comme le costume : un pourpoint foncé de coupe dernier cri, avec des manches raccourcies révélant une chemise de soie moirée qui brillait dans la lumière. En toile de fond, une lourde tenture de la Renaissance s'écartait pour révéler le lointain panorama de Québec[53].

Dans l'ensemble, ce portrait surprenait quand on connaissait le Champlain homme d'action. Le visage manquait de vigueur, de caractère et d'autorité. On ne voyait pas du tout le soldat, le navigateur, l'explorateur ; il faisait plutôt penser à un monsieur au régime sédentaire, un marchand peut-être, ou un fonctionnaire de rang modeste. Mais Morin en avait assuré l'authenticité, et l'on se mit à reproduire cette lithographie au Canada, aux États-Unis et en France. L'image correspondait à l'interprétation de l'abbé Ferland, qui avait fait de Champlain un fils pieux de l'Église dont le rôle avait été d'ouvrir la route aux missionnaires, les véritables fondateurs de la Nouvelle-France selon l'historiographie catholique. Elle correspondait aussi à l'idée que Laverdière s'était faite de Champlain. D'ailleurs, une version de cette gravure apparaît en frontispice de l'œuvre monumentale de Laverdière[54].

Cette gravure devait connaître une postérité féconde. Le peintre Théophile Hamel s'en inspira pour faire une magnifique peinture à l'huile, dont l'artiste J. A. O'Neil tira une gravure sur acier. Le visage de Champlain avait été considérablement embelli. Hamel et O'Neil avaient allongé la tête, amaigri les joues, effacé le double menton, raffiné les traits, et donné ainsi un Champlain plus attrayant dont l'image projetait désormais la force et l'autorité. Au soir du XIXe siècle, la gravure Ducornet-Morin et ses variantes étaient tenues universellement pour authentiques, et elles étaient devenues l'image reçue de Champlain[55].

Mais au début du XXe siècle, deux chercheurs, l'un au Canada et l'autre aux États-Unis, se penchèrent sur la gravure Ducornet et sur sa provenance. Les deux parvinrent à la même conclusion : ce n'était pas du tout l'image de Champlain. Pire, il n'y avait pas seulement eu erreur, mais bien contrefaçon. C'est ce que découvrit Victor Hugo Paltsits, le responsable des manuscrits à la Division de l'histoire américaine de la Bibliothèque publique de New York. Paltsits prouva que l'image était

Cette image est, à l'origine, une contrefaçon orchestrée par un groupe d'amateurs français de Champlain, qui avaient reproduit un tableau du XVIIe siècle représentant un courtisan vénal et haï, et l'avaient vendu en 1854 en le faisant passer pour le portrait du « père de la Nouvelle-France ». Son ton répond à l'image qu'on s'était faite d'un fils pieux de l'Église. L'abbé Laverdière crut bien faire en retenant cette version, l'une parmi bien d'autres, pour orner le frontispice de ses magnifiques Œuvres de Champlain *(1870).*

SAMVEL DE CHAMPLAIN
Fondateur de Quebec Capitale du Pays de Canada.

une contrefaçon délibérée, concoctée par un réseau d'artistes, de biblio-philes, d'éditeurs et d'écrivains français, parmi lesquels se trouvaient Georges-Barthélemi Faribault et l'éditeur Léopold Massard[56].

L'historien canadien H. P. Biggar fit de plus amples recherches et identifia la source de l'image. Elle avait été copiée d'un portrait de Michel Particelli, un courtisan italien qui avait accédé à la charge de surintendant des finances sous les règnes de Louis XIII et Louis XIV. On disait ce Particelli vénal et méprisable. Une mémorialiste de la cour l'avait qualifié de « gros pourceau spirituel et vicieux ». Le portrait, qui avait été peint en 1654 par Balthazar Moncornet, était donc celui d'un homme on ne peut plus éloigné de Champlain[57].

Pour l'historien que je suis, le plus étonnant s'est produit après la découverte de la contrefaçon : le faux portrait a poursuivi sa carrière comme si de rien n'était. Les spécialistes, qui savaient pourtant qu'il s'agissait d'un faux, ont continué de le reproduire dans leurs ouvrages sans en avertir le lecteur. Denis Martin a écrit que « parmi les historiens essentiels de la Nouvelle-France, seul Marcel Trudel semble avoir évité l'écueil du faux portrait de Champlain[58] ». L'infatigable Champlain Society a publié sur son site web un article au sujet de la gravure Ducornet et de ses variantes, avec ce sévère avertissement : « Ces images ne REPRÉSENTENT PAS Champlain[59]. » Rien à faire : en 2007 encore, le faux portrait était donné comme authentique dans des publications de grandes institutions au Canada, en Europe et aux États-Unis. Au XXIe siècle, le faux Champlain chemine sur la Toile toujours aussi allègrement[60].

Le Champlain paternel de Dionne : le fondateur de Québec, le père de la Nouvelle-France

En 1891, une nouvelle biographie de Champlain paraissait à Québec. Son auteur avait pour nom Narcisse-Eutrope Dionne (1848-1917). Médecin de formation, il était devenu un éminent historien, un grand savant, et avait accédé à la charge d'archiviste de la province de Québec. De l'avis de Marcel Trudel, Dionne prit la tête d'une génération de chercheurs canadiens qui firent « progresser les méthodes » historiques. Il était prudent dans l'utilisation des sources et méticuleux dans l'examen des faits. Cela étant dit, Dionne voyait dans Champlain le parangon de la foi et de la vertu catholiques, un homme « que l'on ne pouvait vanter assez », écrivit-il. Le livre fut révisé en 1926 et republié en 1962 dans une traduction anglaise abrégée[61]. D'autres biographies de la même eau lui succédèrent rapidement. Les principaux ouvrages à mentionner ici sont ceux de l'abbé Henri-Raymond Casgrain et de Gabriel Gravier, ce dernier faisant paraître le sien en France. Gravier résumait son interprétation en deux phrases de conclusion : « Le nom de Samuel de Champlain est inscrit en lettres d'or au frontispice de l'histoire du Canada. [...] Il a été fidèle à son Dieu, à la patrie, à son œuvre, et là-bas on l'appelle, à bon droit, le PREMIER DES CANADIENS[62]. »

Le Champlain plébéien de Benjamin Sulte : le rude homme du peuple

Une nouvelle idée de Champlain apparut dans les œuvres de Benjamin Sulte (1841-1923), autodidacte d'origine modeste né à Trois-Rivières, qui avait combattu les Fenians, fait carrière dans la fonction publique à Ottawa, pour devenir enfin un historien prolifique. L'*Histoire des Canadiens-Français* en huit volumes (1882-1884) est une réalisation remarquable de cet homme à la plume généreuse dont on dit qu'il publia 3 500 articles au cours de sa carrière. L'histoire était toute la vie de Sulte, sa grande passion. « J'ai écrit pour le plaisir, sans que cela me rapporte un sou[63]. »

L'œuvre de Sulte était une innovation importante dans la mesure où l'auteur avait dépassé l'idée d'une histoire du Canada pour écrire une histoire massive des Canadiens. Il s'inscrivait en cela dans un mouvement historiographique mondial. Il avait une âme sœur en John Bach McMaster, dont l'histoire du peuple américain *(History of the People of the United States)* avait commencé à paraître en 1883[64]. Ces érudits étaient des nationalistes passionnés qui voyaient dans la nation non pas un territoire ou un État, mais bien un peuple et une culture populaire. Dans son exaltation du peuple canadien, Sulte s'en prit violemment aux historiens de France, d'Angleterre et des États-Unis, notamment Francis Parkman, qu'il méprisait. Mais comme Parkman, il pensait en termes de races. Un chercheur a noté que Sulte employait indifféremment les mots « peuple » et « race ». Il valorisait la race canadienne-française et estimait les Indiens racialement inférieurs, « guère plus civilisés que les animaux ». Cela dit, c'était un libéral anticlérical, hostile aux Jésuites et au clergé catholique, qui n'en avaient selon lui que pour la puissance tem-

Ce Champlain aux traits grossiers fut gravé par l'artiste français Eugène Ronjat et utilisé par Benjamin Sulte pour illustrer sa nouvelle interprétation du personnage en homme rude issu du peuple, vers 1882-1884.

porelle de l'Église. Et avant toute chose, c'était un agriculturiste déclaré qui fulminait contre l'exploitation commerciale, d'où ses panégyriques de l'honnête laboureur canadien[65].

Sulte fit converger toutes ses passions dans la vie de Champlain et tira une conception nouvelle du personnage. Il fit de Champlain son héros, et il espérait que les poètes canadiens « étudient la carrière de ce grand homme et chantent ses travaux ». Sulte voyait en lui un homme honnête, généreux, désintéressé qui était mort victime de « l'exigence des marchands et de la mesquinerie de la cour ». Dans les nombreuses pages de Sulte, Champlain est toujours l'homme qui s'oppose aux « intérêts mercantiles », qui s'emploie à faire passer des paysans en Nouvelle-France et à y établir une base agraire d'où émergerait une société nouvelle et plus vertueuse. « Nos ancêtres étaient cultivateurs », tonnait Sulte, et il désignait Champlain comme leur chef et leur bienfaiteur[66]. Il croyait par exemple que les colons de Sainte-Croix avaient échoué parce que « la majorité d'entre eux n'avaient connu que les villes ; ils étaient incapables de se suffire à eux-mêmes ; l'esprit d'initiative qui règne dans les populations des campagnes leur faisait absolument défaut. Ce ne fut point la même chose lorsque, plus tard, Champlain se vit en position d'enrôler des cultivateurs pour les terres du bas Canada ! Les ressources du pays s'offraient alors à ces hommes d'expérience et de bonne volonté ; ils en tiraient parti : l'esprit canadien régnait chez eux[67] ».

Le Champlain de Sulte était « celui que l'on peut appeler à bon droit le premier Canadien », ce qui, dans son esprit, signifiait un homme au service des simples colons français d'Amérique. Sulte outragea les conservateurs de tous les milieux : hommes d'affaires, politiciens de droite, et surtout le clergé québécois, qui prêcha et polémiqua contre lui. Mais sa conception rencontra une vaste adhésion dans sa génération. Sa compréhension de Champlain se répandit, et sa vision d'une histoire écrite pour le peuple trouva d'autres adhérents. Sulte et McMaster étaient raillés par les historiens de la vieille école, mais leur contribution fut importante. Marcel Trudel a écrit à propos de Sulte : « On s'est moqué de lui, pourtant il représente une étape importante car il marque l'arrivée du "petit peuple" dans les préoccupations des historiens[68]. »

En 1870, l'artiste français Eugène Ronjat créa une nouvelle image de Champlain qui répondait parfaitement à l'interprétation de Sulte. L'artiste s'inspira du faux Ducornet-Morin et en réagença les traits. Il alourdit les joues et épaissit le double menton, donnant à l'ensemble plus de lourdeur et de chair. Le visage portait la marque de dures épreuves, et une cicatrice descendait de la bouche et marquait le bas de la joue. L'arête du nez semblait avoir été cassée et avoir mal guéri. Les yeux étaient écarquillés, tristes, las et distants. C'était l'image d'un homme qui s'était sorti de la pauvreté, qui se reconnaissait dans les gens, avait vécu leurs souffrances, partagé leurs espérances et connu leurs chagrins. La gravure de Ronjat fut reproduite dans l'*Histoire des Canadiens-Français* de Sulte.

Les Canadiens anglophones : le Champlain impérial

Un Champlain très différent émergea à la fin du XIXe siècle, surtout sous la plume de Canadiens d'expression anglaise. La figure de proue de ce mouvement fut sir Edmund Byron Walker (1848-1924), éminence victorienne à la longue barbe blanche. Il était le fils d'agriculteurs anglais qui avaient immigré en Ontario. « On m'a enseigné, écrivait-il, que la vérité dans la nature était d'essence divine, et qu'il nous fallait nous mettre à son école dans toute la mesure de nos moyens. » Ayant mis fin à ses études à l'âge de douze ans, il était entré au service d'une banque de Hamilton, en était devenu le président, avait accumulé une fortune colossale et consacré son bien à la poursuite du savoir au Canada. Mécène des sciences et des arts, Walker étudia les fossiles des schistes de Burgess, fonda le musée des beaux-arts de Toronto, fit connaître le Groupe des Sept, encouragea la musique classique au Canada et contri-

bua à faire de l'Université de Toronto la grande maison qu'elle est devenue. En 1905, il créa une organisation vouée au rassemblement de documents sur l'histoire canadienne, qu'il baptisa la Champlain Society[69].

La première publication d'importance de cette société fut une édition des livres, cartes et gravures de Champlain, et de certains de ses
manuscrits. Son éditeur était Henry Percival Biggar (1872-1938), qui
était né à Carrying Place, en Ontario, avait étudié à l'Université de
Toronto et à Oxford, et était devenu l'archiviste en chef du Canada en
Europe. Son objectif était de créer une édition bilingue définitive avec
des textes exacts en français d'autrefois et en anglais moderne[70]. En règle
générale, les éditeurs et traducteurs surent établir des textes français
authentiques. Sauf quelques exceptions, les traductions étaient fidèles,
mais les notes et commentaires ont été dépassés par les recherches subséquentes[71]. La Champlain Society a publié aussi plus de quatre-vingt-
dix volumes de documents, dont des éditions bilingues des écrits importants de l'époque de Champlain[72].

À ce cercle appartenait également William Francis Ganong (1864-
1941). Ses ancêtres loyalistes avaient fui l'État de New York pour le Nouveau-Brunswick, et il avait hérité de leur vif attachement à l'Empire
britannique. Ganong était un scientifique qui avait été formé à l'Université du Nouveau-Brunswick, à Harvard et à Munich, pour devenir professeur de botanique au Smith College en 1894. Son dada était l'histoire
du Nouveau-Brunswick et de la Nouvelle-Écosse, et il appliqua sa
rigueur scientifique à ses travaux de recherche historique, parcourant
la région en canot et à pied, interrogeant des informateurs micmacs
et malécites, menant ses recherches archéologiques et documentaires
dans un esprit empirique. Il en résulta une histoire fouillée de Champlain et de l'établissement de Sainte-Croix, qu'on trouve encore en
librairie et qui est demeurée fort utile[73]. Ganong exalta en Champlain le
fondateur d'une Nouvelle-France biculturelle qui était devenue partie
intégrante du Canada au sein de l'Empire britannique. Sa vision se
résume ainsi : la carrière de Champlain s'inscrivait dans « l'expansion
de deux des races les plus viriles de l'Europe dans ce merveilleux Nouveau Monde[74] ».

Ce monument du sculpteur français Paul Chevré, érigé sur la terrasse Dufferin, à Québec, en 1898, valorise en Champlain le conquérant colonial puissant et énergique.

Les images héroïques de Champlain : l'homme monument, 1898-1925

Cet esprit s'épanouit au Canada dans la période qui s'étend de 1898 à 1925. Champlain devint alors une figure héroïque aux visages multiples : un héros culturel pour l'identité française dans le monde entier ; un héros national pour le Canada ; un héros impérial pour l'Empire britannique ; un héros panaméricain pour ses admirateurs aux États-Unis. L'événement déclencheur fut le tricentenaire de la fondation de la Nouvelle-France, qu'on se mit à célébrer dès 1870 et qui s'étendit sur cinquante ans, jusque dans les années 1920.

Ces diverses fiertés filiales trouvèrent leur expression la plus marquante dans les monuments de Champlain qui se mirent à apparaître dans les villes et les bourgs. Il s'agissait de structures de bronze et de pierre richement ornées : d'imposantes figures de taille humaine montées sur des piédestaux et érigées dans des lieux bien en vue. On dénombre en tout sept grands monuments et de nombreuses figures réduites.

L'un des plus importants fut dévoilé à Québec en 1898 : une statue de quatre mètres de haut, montée sur un piédestal massif. Elle domine la terrasse Dufferin, près du Château Frontenac, qui surplombe la vieille ville, où la vue embrasse le Saint-Laurent. Champlain semble avancer contre un vent qui s'engouffre dans les plis de son vêtement pour montrer un corps musclé. Le sculpteur français Paul Chevré voulait une image très virile, qui serait bien loin de la fausse gravure de Ducornet. Le corps de Champlain a la force de la jeunesse, et son visage exsude la sagesse. Il est vêtu d'un joli pourpoint, d'une culotte bouffante et de bottes de sept lieues. À son flanc, une lourde épée, rangée dans son fourreau mais prête à servir. Il a retiré son chapeau à large bord et à grand panache d'un geste ample dans lequel des historiens ont vu un salut à la ville de Québec ou au pays de Canada. Dans son autre main, il serre un rouleau de parchemins qui pourraient être la commission qu'il détient de l'Ancien Monde ou ses plans pour le Nouveau. Cette image de Champlain est celle d'un preux fondateur[75].

Les autres monuments soulignent d'autres aspects de sa vie et de son œuvre. Dans la ville portuaire de Saint-Jean, au Nouveau-Brunswick, le sculpteur Hamilton MacCarthy a érigé un monument en pied, tout de bronze, pour commémorer la première visite de Champlain, le jour de la Saint-Jean-Baptiste, le 24 juin 1605. C'est un Champlain explorateur qui tient une de ses cartes. Pour le tricentenaire, une célébration en grande pompe fut organisée à la même date, en 1905, avec reconstitution historique, discours et défilés. Le monument lui-même ne fut dévoilé que le 24 juin 1910. Selon un observateur, Champlain y était « moins haut perché qu'à Québec, mais il avait une allure plus dynamique, pointant l'horizon comme un guide ou un visionnaire[76] ».

Le 4 juillet 1907, un autre monument de Champlain fut érigé aux États-Unis, dans la petite ville de Champlain, dans l'État de New York, sur la frontière canadienne. Le lieu avait été fondé par des Québécois. Son curé, le père François-Xavier Chagnon, avait piloté le projet, recueillant 4 800 dollars, essentiellement des Canadiens français établis aux États-Unis. Patrice Groulx a écrit que « toute la Franco-Américanie fut mise à contribution par son clergé et ses sociétés nationales ». Le monument de bronze se dresse entre les églises catholique et presbytérienne, à l'intérieur de ce que Groulx appelle le « périmètre symbolique du catholicisme francophone ». La statue demeure un symbole du sentiment de fierté nationale qu'inspiraient l'histoire du Québec, le patrimoine de la Nouvelle-France et les valeurs qu'incarnait Champlain.

C'est aussi, parallèlement, un pur produit de la culture pluraliste des États-Unis, où tant de groupes ethniques et nationaux cohabitent. Dans ce contexte, beaucoup prennent conscience de leurs origines nationales et les revendiquent avec un zèle qu'ils n'auraient pas eu dans leur pays d'origine. Et puis il s'est produit un autre phénomène : quand un groupe ethnique fête ses origines avec fierté, les Américains des autres ethnies se rallient autour de lui et participent même à la fête, comme le jour de la Saint-Patrice, où presque tous les Américains se sentent un peu irlandais tout à coup. C'est ce qui arriva en ce 4 juillet 1907 lorsque les citoyens anglophones de Champlain se joignirent à leurs voisins francophones pour honorer un héros français et catholique. Ce jour-là, ils devinrent un peu français eux-mêmes dans leur affiliation culturelle. C'est là un motif récurrent, souvent passé sous silence aux États-Unis, où historiens et journalistes ont tendance à exagérer les horreurs du nativisme et à occulter son contrepoint, qui est plus rassembleur, plus positif et plus important[77].

Le monument le plus imposant du tricentenaire apparut dans un autre coin de l'État de New York, à Crown Point. C'est une lourde structure de granit qui surplombe le lac Champlain. Son emplacement est erroné dans la mesure où il est censé marquer le lieu où Champlain a livré bataille aux Agniers, d'après le fervent avis des gens de la place. L'érection du monument fut commanditée par la commission du tricentenaire de l'État de New York. Le gouvernement canadien avait été invité à co-commanditer la sculpture mais avait refusé. En France, un autre groupe fut formé sous la direction de l'éminent historien Gabriel Hanotaux, avec pour objet de célébrer l'esprit de la France aux États-Unis. Une souscription fut lancée pour financer un bas-relief commandé à Auguste Rodin. Intitulé *La France,* il fut monté sur le socle du monument. Au-dessus de l'image de la France se trouve une sculpture de Champlain en découvreur héroïque, couvrant du regard le lac qui porte son nom. Les New-Yorkais y greffèrent une dimension pratique : ils firent en sorte que le monument serve de phare aux mariniers qui s'aventureraient sur l'immense lac la nuit, comme Champlain l'avait fait[78].

Une autre statue du tricentenaire apparut à Plattsburgh, toujours

Une autre interprétation appa-raît dans la sculpture de Carl Augustus Heber inaugurée à Plattsburgh (New York) en 1912. C'est l'un des rares monuments qui montrent le Champlain com-battant : casqué, cuirassé, portant arquebuse, prêt pour la bataille.

dans l'État de New York. Parmi les monuments dédiés à Champlain, celui-là détonne. Le sculpteur Carl Augustus Heber a taillé un Champlain en soldat portant cuirasse et arquebuse. C'est l'un des rares monuments qui le montrent armé pour la bataille. Il fut dévoilé les 5 et 6 juillet 1912, en grande pompe, et présenté comme un symbole de la paix et de l'amitié franco-américaine.

Ottawa aussi a érigé un monument imposant, qui domine toujours le paysage urbain. C'est l'œuvre de Hamilton MacCarthy, le même sculpteur à qui l'on doit le monument de Saint-Jean, au Nouveau-Brunswick. Dans la capitale canadienne, il se permit un petit change-ment : Champlain brandit un astrolabe au-dessus de sa tête. L'artiste voulait fêter le Champlain navigateur, et il plaça son astrolabe à une hauteur telle que les membres du Parlement canadien le verraient de leurs fenêtres, pendant leurs débats sur la destinée du pays. Comme symbole, c'était un peu raté : les astrolabes étaient normalement suspen-dus à un anneau, et Champlain tient le sien à l'envers ici.

Pour le visage de Champlain, MacCarthy avait emprunté les traits de l'historien Benjamin Sulte. Le projet avait reçu l'appui de Canadiens francophones aussi bien qu'anglophones et devait constituer un sym-

Pour son monument d'Ottawa, Hamilton MacCarthy a sculpté Champlain en explorateur et navigateur, un astrolabe à la main. Peut-être voulait-il inspirer les législateurs canadiens, qui pourraient le voir depuis les fenêtres de l'hôtel du Parlement. L'ennui, c'est que Champlain tient son astrolabe à l'envers. On se demande s'il faut prêter une signification politique à l'erreur de l'artiste.

bole d'unité nationale. La statue fut dévoilée le 27 mai 1915, alors que la Première Guerre mondiale faisait rage. Au Québec, cet affrontement sanglant était considéré par beaucoup comme une entreprise impériale vouée à la plus grande gloire de la Grande-Bretagne, et nombre de Canadiens français avaient décidé de ne pas s'enrôler. Attitude qui mettait en furie les Canadiens d'expression anglaise, qui ne comprenaient pas pourquoi les Canadiens français refusaient de secourir la France. La cérémonie entourant le dévoilement de la statue de Champlain à Ottawa se ressentit de ces tensions. Comme l'écrit Patrice Groulx : « Si la Société royale et les chefs politiques avaient voulu faire de Champlain un symbole rassembleur, ils avaient bien raté leur cible ! » Un guide algonquin fut ajouté sur le socle en 1917. Champlain demeurait la figure dominante, mais l'Indien allégorique apportait une couche symbolique supplémentaire[79].

En 1925, l'un des monuments les plus sophistiqués dédiés à Champlain fut dévoilé à Orillia, en Ontario, une petite ville de la région qui avait été la Huronie. Le lieu était devenu un bourg d'estivants fortunés. On avait proposé l'érection de ce monument en 1913, mais la guerre en avait retardé l'inauguration jusqu'en 1925. Les commanditaires avaient choisi un sculpteur britannique, Vernon March, qui créa un monument théâtral où apparaissaient de nombreuses figures de l'histoire de la région : Indiens, commerçants, missionnaires et, au-dessus de cet aréopage, la statue héroïque de Champlain. L'histoire de la Nouvelle-France et du Canada était ici l'œuvre de nombreux acteurs.

Dans la même période, soit de 1890 à 1929, des monuments de taille plus modeste vinrent honorer la mémoire des amis et compagnons de Champlain. Le sieur de Mons eut son monument à Annapolis Royal, La Violette le sien à Trois-Rivières. On ne savait quasiment rien de La Violette, si ce n'est que Champlain le mentionnait dans ses *Voyages*. Ce projet fut l'œuvre de l'historien trifluvien Benjamin Sulte et de son ami, le sculpteur Louis Hébert. Sulte écrivit : « La figure du personnage nous est inconnue. Ici, je ferai parler l'imagination. Yeux vifs, joues minces, nez aquilin accentué, moustache fine, royale légère et la tête campée sur les épaules dans l'attitude d'un homme au guet. Un petit air mousquetaire, en un mot[80]. » La formule fit recette, et bientôt les autres fondateurs du Canada se mirent à prendre un air de famille. Sulte invoqua la justification de l'historien à qui les sources manquent : « Lorsque les documents font défaut pour créer une œuvre de ce genre, il est de règle de s'en tenir aux choses du temps et de traduire notre pensée par des formes qui ne contredisent point l'ensemble des faits[81]. »

Champlain et les cataclysmes du XXe siècle

Au début du XXe siècle, des auteurs d'Amérique et d'Europe se penchèrent sur la vie intime de Champlain. Chose malaisée, car les écrits de Champlain traitaient surtout de ses actes et faisaient peu de cas de ses réflexions ou sentiments, et ses biographes étaient rarement entrés dans son intimité. Malgré cette difficulté, les auteurs du XXe siècle ont porté une attention accrue à sa personnalité ct ont rclu ses écrits dans un esprit nouveau afin de comprendre l'homme lui-même. Ce qu'ils ont fait en « dialoguant » avec leurs prédécesseurs du XIXe siècle, Garneau, Parkman, Sulte, Dionne et les autres.

Cette nouvelle génération d'historiens était tout aussi favorable à Champlain, mais écrivait avec un but différent à l'esprit et dans un contexte historique autre. Les deux meilleurs exemples nous viennent d'hommes qui avaient fait les deux grandes guerres et trouvé en Champlain une âme sœur : il avait vécu à une époque guerrière lui aussi et avait été témoin de cruautés semblables à celles qu'eux-mêmes avaient connues. Du fait de leur expérience propre, ils admiraient leur sujet pour sa force de caractère et la manière dont il s'était conduit en un temps de violence et de désordre extrêmes.

Le Champlain de Constantin-Weyer : l'image de la patience

En France, le chef de file de cette génération littéraire avait pour nom Maurice Constantin-Weyer (1881-1964). Né au sein d'une « bonne famille » de Bourbonne-les-Bains et formé au lycée Henri-IV, il avait émigré au Manitoba en 1904, où il avait vécu dans la colonie française de Saint-Claude et fait tous les métiers : éleveur, chasseur, trappeur, marchand de chevaux et journaliste. Il avait épousé une Métisse en 1910 et en avait eu trois enfants. En 1914, il était rentré en France, avait combattu sur le front de l'Ouest et au Moyen-Orient, y méritant la Médaille militaire et la Légion d'honneur. Blessé cinquante-trois fois, il avait quitté l'armée invalide à 80 %. Il était devenu un écrivain célèbre et avait remporté le prix Goncourt en 1928 pour son roman *Un homme se penche sur son passé*. Constantin-Weyer publia quarante-six romans, dont plusieurs sur des thèmes canadiens. Il s'était donné pour but de faire une place à l'histoire du Canada dans la littérature française[82].

En 1931, Constantin-Weyer composa une courte biographie de Champlain dans le cadre d'une série intitulée « Les grandes figures coloniales ». Il avait travaillé à la va-vite, car c'était l'un des quatre livres qu'il avait publiés cette année-là, et il avait dédié celui-ci à la jeunesse canadienne, particulièrement à celle qui était éduquée aux universités Laval et de Montréal, en qui il voyait « l'héritière de la pensée française au Canada ». Constantin-Weyer avait préfacé son livre d'une remarque sur Francis Parkman, qu'il appelait « le grand historien américain ». Il contestait la thèse de Parkman selon laquelle le conflit entre la France et l'Angleterre en Amérique du Nord avait été une lutte épique entre « la féodalité, la monarchie et Rome », d'une part, et la cause de la liberté et du républicanisme, d'autre part. En particulier, il reprochait à Parkman d'avoir prétendu que les peuples de langue anglaise avaient eu l'avantage moral dans cet antagonisme. Constantin-Weyer faisait observer que la démocratie anglo-saxonne était devenue la tyrannie de la majorité. Il rappelait à ce propos qu'aux États-Unis, la république éprise de liberté avait fait disparaître de nombreuses nations indiennes pour satisfaire ses appétits.

Dans son livre, il avançait qu'une éthique supérieure était née en Nouvelle-France et qu'elle s'était incarnée en Champlain. Constantin-Weyer écrivait que les relations de Champlain avec les Indiens et « la simple grandeur de cette vie, toute consacrée au Roi et à la Foi, répond[aient] mieux que tout argument aux assertions de Parkman[83] ». Le livre traitait du dévouement de Champlain à son grand dessein, et de sa persévérance pendant trente années de misère, de frustration, de souffrance et de revers. Il parlait aussi du souci que Champlain avait des Indiens, de sa fidélité aux colons et de son mélange de « courage et d'humanité ». Surtout, Constantin-Weyer admirait la faculté qu'avait Champlain de persister dans l'adversité, et il écrivait que son héros avait souffert « la fatigue, la souffrance et la maladie, non seulement sans se plaindre, mais avec le sourire ! » Son portrait de Champlain en fait un saint pour les temps laïques. « Un saint, vous dis-je ! Et la preuve, c'est qu'il a cette plus grande vertu des saints : la patience[84]. » Dans l'ensemble, Constantin-Weyer voyait dans la vie et l'œuvre de Champlain la preuve de la force morale de la culture française. L'auteur concluait avec fierté : « Voilà qui est français ! Voilà aussi qui est chrétien ! » Il soulignait en outre que ceux qui n'étaient ni français ni chrétiens avaient beaucoup à apprendre d'un tel modèle[85].

Le Champlain de Bishop : une vie de courage

Une interprétation du même esprit est apparue chez un autre biographe de Champlain, l'Américain Morris Gilbert Bishop (1893-1973). Bishop avait été soldat et fait trois guerres. Il avait servi dans la cavalerie sur la frontière mexicaine, dans l'infanterie pendant la Grande Guerre et dans les services de la guerre psychologique pendant la Seconde Guerre mondiale. Il fut aussi homme d'affaires (dans la publicité), fonctionnaire (dans l'American Relief Administration, en Finlande), homme de lettres (collaborateur assidu du *New Yorker*) et professeur de littérature romane à l'université Cornell. Comme beaucoup d'autres de sa génération, Bishop avait été élevé dans le respect des nobles vertus victoriennes et avait été témoin des horreurs de la guerre totale au XXe siècle. C'était un idéaliste pugnace, d'autant que les réalités de son époque l'exigeaient.

Le livre le plus marquant de Bishop a été sa biographie de Samuel de Champlain. Essentiellement, il s'intéressait à une seule question : « Quel type d'homme était-il ? » Sa réponse : « La passion de son esprit était l'exploration, la découverte. Il était possédé par l'antique *libido sciendi,* le désir du savoir. Désir qui s'est porté sur la grande inconnue de son époque : le vide des cartes marines[86]. » Bishop admirait son sujet surtout pour ses qualités morales. « C'était un homme bon, écrivait-il. Il possédait les qualités nécessaires de l'aventurier : l'âpreté, la ténacité, la clairvoyance, le courage. Mais c'était la vertu naturelle de son esprit qui, petit à petit, s'imposa aux cupides marchands de pelleteries et aux Indiens perfides. Peu de grands conquérants de notre continent étaient des hommes éminemment bons. […] Le lecteur des œuvres de Champlain, celui qui étudie sa vie, sent toujours en lui l'homme pour qui le bien était une réalité ; un homme qui croyait dans la bonté foncière du dessein de Dieu, et qui cherchait à le concrétiser en faisant le bien de ses frères les hommes[87]. »

Bishop n'a pas manqué de signaler les défauts de Champlain, qu'il jugeait liés à son idéalisme. « Il était un peu à l'écart de ses contemporains. Il n'était pas assez rusé pour déjouer la ruse […] il rêvait en précurseur, son rêve était sa passion, et il avait le caractère qu'il fallait pour réaliser sa passion. » Bishop revient sans cesse sur la principale qualité de Champlain : « La marque de son caractère, telle qu'elle s'était épanouie dans la guerre, l'aventure et la privation, était la force d'âme. » Il explique : « Dans mon vocabulaire, la force d'âme [*fortitude*] arme l'homme qui a un but. Champlain avait cette force d'âme. Les autres se lamentaient, il avançait ; ils reculaient, il persévérait ; ils mouraient, il s'accrochait à la vie. Il était doué d'une force physique hors du commun, car il fallait un homme d'une endurance extraordinaire pour survivre à toutes ces épreuves. Sa force était également morale, car il fut en butte toute sa vie à la lâcheté, la mesquinerie, la cupidité, la sensualité. » Et Bishop de conclure : « Une vie marquée par la force d'âme est chose noble à voir. » Il voyait ainsi en Champlain un modèle pour ceux et celles qui vivent dans des époques troublées[88].

Le Champlain de Deschamps : l'impérialiste au grand cœur

Au mitan du XXe siècle, une autre interprétation nous est venue d'un haut fonctionnaire français doublé d'un grand savant. Hubert Deschamps était lui-même un fils de la Saintonge, né à Royan en 1900 au sein d'une riche famille bourgeoise. Il avait servi dans la marine française au cours de la Première Guerre mondiale ; puis, au sortir de l'École coloniale, il avait été posté à Madagascar comme officier de district ou, comme il le disait lui-même, « roi de la brousse[89] ». Démocrate et socialiste, il était entré au cabinet de Léon Blum lorsque le Front populaire avait pris le pouvoir en 1936, et il avait été plus tard gouverneur dans trois colonies : Djibouti, la Côte d'Ivoire et le Sénégal. Même s'il n'adhérait pas à la politique de Vichy, Deschamps avait conservé son poste de 1939 à 1943, jusqu'à ce que les gaullistes le limogent. Il avait alors quitté l'administration pour devenir le premier professeur d'histoire africaine à la Sorbonne. Styliste raffiné, il écrivit trente livres, la plupart portant sur les explorations, la politique africaine et l'administration coloniale[90].

Deschamps aimait passionnément les Africains. Favorable au métissage africano-européen, il donna l'exemple dans sa vie sentimentale avec ses deux épouses et ses multiples maîtresses blanches et noires. Grand lecteur de l'histoire, il s'était découvert une âme sœur en son compatriote saintongeois, Samuel de Champlain. En 1951, Deschamps fit paraître une anthologie en un volume des œuvres de Champlain aux Presses universitaires de France[91]. Sa longue introduction propose un nouveau portrait de Champlain signé par un homme qui avait vu le pire du XXe siècle sans rien perdre de son idéalisme. Dans cet essai d'une intelligence lumineuse, il analyse la carrière de Champlain en gouverneur colonial qu'il a été, voyant en son sujet « l'un des fils les plus illustres de la Saintonge » et un modèle de la « colonisation humaine[92] ».

Les détracteurs de Champlain : l'imposteur, le menteur, le fabulateur

Des générations entières d'auteurs ayant loué les qualités morales de Champlain, un retour du balancier était inévitable. La première moitié du XXe siècle avait mis à la mode le révisionnisme irrévérencieux *(debunking)*. Pour ceux qui le pratiquaient, les apparences n'étaient que mystifications. La réalité était sous-jacente, et elle était immanquablement honteuse. L'idéalisme n'était plus de saison. Le révisionnisme était un genre souvent pratiqué dans la joie qu'éprouvent les marchands de canulars, avec un sourire entendu. On se plaisait tout à coup à éclabousser les figures de proue qui avaient été des héros et des saints aux yeux des générations précédentes. En ce sens, Champlain était une cible rêvée.

Exemple frappant, ce petit livre de Florian de la Horbe, *L'Incroyable*

Secret de Champlain. L'auteur, essayiste et romancier français, était parti des origines obscures de Champlain et affirmait que Champlain était un imposteur. Il s'agissait en fait d'un certain Guy Elder de la Fontenelle, « illustre soudard qui, condamné à être rompu vif, aurait échappé au châtiment pour reparaître, homme rangé, sous le nom de Champlain[93] ».

Vraiment ? Les historiens avaient tout envisagé, mais ça, non. *L'Incroyable Secret* de Florian de la Horbe avait de quoi faire plus d'un incrédule. Marcel Trudel a écrit que le livre n'était qu'« un fort mauvais roman policier », une fiction qui débutait avec le mystère des origines de Champlain et débouchait sur une histoire « à la façon d'un Alexandre Dumas ». C'était un cas classique de l'instinct révisionniste, sauf que le genre était poussé très loin ici : quelques faits arc-boutant une gigantesque fiction.

Les révisionnistes avaient le plus souvent le sourire aux lèvres, mais certains pouvaient verser carrément dans la méchanceté. Au Canada, Jean Bruchési publia en 1950 un essai intitulé *Champlain a-t-il menti ?* Bruchési y donnait à entendre que presque toute l'œuvre de Champlain n'était que fausseté et même imposture ; qu'il avait menti sur ses états de service dans l'armée de Bretagne ; qu'il avait menti à propos de nombre de ses activités ; qu'il avait menti encore en affirmant avoir été capitaine du *Saint-Julien* ; qu'il n'avait jamais mis les pieds dans les Caraïbes et qu'il s'était servi du journal de mer du capitaine Provençal pour « rédiger ensuite, sous son nom, la relation d'un voyage qu'il n'a pas fait ». L'auteur ne concluait rien comme tel, tout n'était qu'habiles suggestions. Presque toutes ne privilégiaient qu'un côté de la médaille, et plaçaient le texte et Champlain sous un jour très défavorable[94].

Bruchési eut des émules. Claude de Bonnault, un grand archiviste canadien, fit siennes certaines suggestions de Bruchési et affirma avec plus de force que Champlain n'avait jamais été à Blavet, qu'il avait inventé cette histoire du capitaine Provençal et qu'il n'était jamais allé aux Indes occidentales. De Bonnault couronnait le tout avec une histoire de complot suivant laquelle le *Brief Discours* aurait été concocté en 1612 pour soutenir le comte de Soissons et le prince de Condé contre le parti espagnol de la reine en France et pour favoriser un rapprochement avec l'Angleterre. Il en concluait que le *Brief Discours* était une « histoire fantaisiste ». Aucun de ces deux essais ne reposait sur des preuves, et la fausseté de leurs arguments fut établie par les recherches qu'ils suscitèrent. Les démystificateurs étaient finalement eux-mêmes les vrais fabulateurs. C'était un phénomène étrange, mais le milieu du XXᵉ siècle était traversé par une sorte d'incrédulité désespérée[95].

L'essor de la recherche professionnelle

D'autres tendances émergeaient ailleurs. Dans cette époque trouble, l'étude de l'histoire se professionnalisa dans les universités et d'autres établissements. Tendance dont l'apparition fut étonnamment tardive. Au XIXᵉ siècle, l'histoire telle qu'on l'enseignait dans les collèges américains était essentiellement une branche de la philosophie morale, et le plus souvent, il s'agissait d'un seul cours portant ce nom qui était donné par le président du collège à tous les étudiants de dernière année[96].

L'histoire, en tant que discipline autonome, s'est développée au même moment que l'économie, l'anthropologie, la biochimie et bien d'autres. Ces matières sont devenues des départements distincts et ont acquis l'appareil complet d'une discipline savante à la fin du XIXᵉ siècle et au début du XXᵉ. Une fois amorcée, la professionnalisation de l'histoire avança à pas de géant. C'est aujourd'hui une des disciplines universitaires les plus importantes, et c'est aussi la plus éclectique, étant donné son interface active avec la plupart des autres matières enseignées à l'université. L'histoire n'est pas seulement une discipline en soi. C'est aussi une méthode d'enquête dans d'autres domaines. De nos jours, beaucoup de recherche historique se fait en marge des départements d'histoire. Il est de plus en plus difficile de dire de quel département universitaire une recherche historique est issue. L'éclectisme croissant de l'histoire l'a sauvée. Au XXᵉ siècle, cet esprit éclectique a suscité une production extraordinaire de connaissances, non seulement en histoire proprement dite, mais aussi en archivistique, en archéologie et dans d'autres domaines. Cette tendance est manifeste dans la recherche au sujet de Champlain.

Les archivistes professionnels et Champlain : les découvertes de Robert Le Blant

Une partie très importante du travail a été réalisée par des archivistes professionnels, car ce sont eux qui ont su mettre à la portée de tous les documents qu'ils ont découverts et préservés. L'une des grandes difficultés pour les spécialistes de Champlain, c'est la perte des manuscrits. Champlain avait fait l'effort de conserver ses papiers, que Lescarbot a pu lire au moment d'écrire son *Histoire*. Sur son lit de mort, Champlain avait demandé qu'on les envoie à sa femme en France, mais ils ont disparu. Les papiers de la Compagnie de la Nouvelle-France ont connu le même sort. Ils auraient été détruits par les communards en 1871, lorsque ceux-ci se sont emparés des archives du Châtelet pour en faire un feu de joie dans les rues de Paris[97].

D'autres manuscrits ont survécu dans les archives des ministères français. Des documents relatifs à l'Amérique du Nord des débuts du XVIIe siècle ont été copiés par la Bibliothèque du Congrès américain, surtout ceux des grands ministères de la France : Colonies, Marine et Affaires étrangères. Ils nous ont été d'un grand apport. De même, les archivistes canadiens ont déployé d'importants efforts pour retrouver des manuscrits dans les archives publiques, et ce, avec beaucoup de succès. Les pionniers ici furent H. P. Biggar, qui fit des recherches aux archives britanniques et françaises ; Claude de Bonnault, qui fut formé à l'École des chartes de Paris ; et, plus récemment, Raymonde Litalien, qui a beaucoup encouragé l'étude de l'histoire de la Nouvelle-France. Dans leurs nombreuses années de labeur, les archivistes canadiens ont commencé par dresser des inventaires, puis ils ont commandé des transcriptions au début du XXe siècle. Après 1945, les grands projets de microfilmage ont permis de reproduire plus de 2,5 millions de pages de documents sur la Nouvelle-France. En 1988, on est passé aux bases de données numérisées et aux textes électroniques. Depuis 1999, ces documents se retrouvent progressivement en ligne sur les sites parrainés par Bibliothèque et Archives Canada et son antenne de Paris[98].

Un effort d'un autre genre fut mené par un archiviste français des plus compétents qui portait un intérêt particulier à Champlain. Robert Le Blant était avocat et conseiller à la cour d'appel à Douai, dans le nord de la France ; c'était aussi un archiviste de premier ordre qui connaissait bien la complexité des institutions juridiques et archivistiques de France. Il fit des recherches dans nombre d'archives provinciales et nationales et y décela des trésors documentaires qui avaient échappé aux premiers spécialistes de Champlain. Le Blant publia ses découvertes dans des revues historiques et produisit un ouvrage imposant intitulé *Nouveaux Documents sur Champlain et son époque,* dont il assura l'édition avec René Baudry. Le premier volume, qui traite de la période s'étendant de 1560 à 1622, fut publié par les Archives publiques du Canada, comme on les appelait alors, en 1967. Le second volume promis, qui devait porter sur les années 1622 à 1635, n'a jamais vu le jour. La bibliographie méticuleuse de l'œuvre de Le Blant réalisée par M. A. MacDonald révèle un corpus important de recherches sur les sources qui est indispensable pour quiconque souhaite enquêter sérieusement sur Champlain[99].

Les historiens documentaristes et le monde de Champlain : Lucien Campeau

Des chercheurs qu'on pourrait appeler « historiens documentaristes » ont travaillé main dans la main avec les archivistes. Bon nombre d'entre eux ont œuvré sous les auspices de la Champlain Society et réalisé les éditions critiques des grands textes traitant des débuts de la Nouvelle-France. La société poursuit son action, et le premier volume de la nouvelle traduction des œuvres de Champlain, travail mené par une équipe éditoriale sous la direction de Conrad Heidenreich et K. Janet Ritch, est paru en 2010.

On trouve un autre exemple de l'histoire documentaire à la fin du XXe siècle dans l'œuvre de Lucien Campeau (vers 1915-2003), érudit jésuite formé à l'Université grégorienne de Rome qui fut professeur à l'Université de Montréal. Campeau a consacré sa vie à un grand projet historique baptisé *Monumenta Novae Franciae*. Conçu comme une sous-série des *Monumenta Historica Societatis Iesu* de l'ordre jésuite, le projet de Campeau consistait à publier tous les grands documents relatifs aux Jésuites au Canada et en Acadie, suivis d'une autre série sur le pays des Illinois et la Louisiane. Il s'agissait pour le père Campeau de dépasser la grande édition bilingue des *Relations des Jésuites* éditée à la fin du XIXe siècle par l'historien américain Reuben Gold Thwaites.

Campeau a pris deux décisions qui ont élargi la portée de son projet mais en ont limité l'utilité. À peu près 80 % de ses documents étaient inédits. Il a décidé de les publier dans leur langue d'origine. Son quatrième volume, par exemple, renferme 178 documents, dont plus de 100 sont en latin, 8 en italien et le reste en français. Ces sources importantes sont aussi source de frustration pour les utilisateurs qui ne connaissent pas le latin d'église. Les volumes du père Campeau reproduisent de grandes quantités de documents sur l'histoire de la Nouvelle-France, mais le commentaire marque du retard sur le plan historiographique, et il est imprégné d'une affection prononcée pour les Jésuites et d'une franche hostilité envers leurs ennemis. Cela étant dit, ces documents sont accompagnés d'introductions utiles, de notes et de notices biographiques, celles-ci ayant été publiées séparément dans une édition anglaise. Quelles qu'en soient les lacunes, la contribution de Lucien Campeau demeure importante[100].

L'archéologie : les traces matérielles de la vie de Champlain

L'archéologie historique, qui a fait de grands progrès au XXe siècle, a enrichi notre connaissance de Champlain et de son monde. Le premier essai amateur dans ce domaine s'est fait dès 1797 à l'île Sainte-Croix[101]. D'autres projets amateurs ont suivi au XIXe siècle, avant les nombreuses fouilles professionnelles du XXe. Il y a un centre d'activité important au Québec : le ministère des Affaires culturelles a commandité des fouilles dans la ville même de Québec et dans toute la province, travaux dont les résultats ont été publiés dans plus d'une centaine de volumes de rapports de recherche. Pour les spécialistes de Champlain, l'un des plus utiles est le volume 58, *L'Habitation de Champlain,* par Françoise Niellon et Marcel Mousette (1981). On y établit la séquence des constructions sur ce site, et on y fait état de nombreux vestiges architecturaux et artefacts, notamment ce qui aurait constitué l'écritoire de Champlain, son épée et bien d'autres choses encore. Ce travail a également confirmé l'exactitude des récits de Champlain et a servi entre autres à dévoiler l'aspect matériel de sa vie. D'autres volumes de cette série ont éclairé les origines de la « vie québécoise » et la culture matérielle des Indiens de la même époque. Nombre d'artefacts qui ont ainsi surgi du sol se trouvent exposés au Centre d'interprétation de Place-Royale, dans le Vieux-Québec[102].

Plusieurs autres projets d'archéologie ont accru nos connaissances. L'excavation méticuleuse menée au cap Tourmente a permis de retracer l'histoire de la ferme de Champlain. Un projet d'archéologie indienne dans l'État de New York a démontré que l'expédition de Champlain de 1615 avait visé la nation onontaguée près de Syracuse et non les villages onneïouts à l'est, comme les historiens l'avaient cru. L'archéologie sous-marine au large des pêcheries a mené à l'exhumation de nombreux artefacts d'époque, notamment des baleinières basques. Les excavations à l'île Sainte-Croix ont révélé les ravages du scorbut et les restes de ses victimes, exactement selon les observations de Champlain, ce qui a donné à ses descriptions une profondeur nouvelle. Des fouilles en Nouvelle-Écosse ont permis de documenter la vie française à Port-Royal, notamment l'aménagement du sol et l'agriculture, les systèmes de stratification et la culture matérielle. À Castine, dans le Maine, un autre chantier a révélé l'histoire d'un poste de traite français. L'archéologie maritime dans les Caraïbes nous a appris beaucoup de choses sur l'empire espagnol à l'époque de la visite de Champlain et sur les navires à bord desquels il a navigué. En France, les recherches archéologiques se poursuivent à la maison de la famille de Champlain à Brouage, qui est maintenant ouverte au public. La recherche archéologique sur cette période historique s'est avérée un outil précieux ainsi qu'une source de savoir importante qui complète la connaissance tirée des documents écrits[103].

Les prosopographes et Champlain

Au milieu du XXe siècle, une autre contribution importante nous est venue d'un immense chantier de cette science que les Grecs appelaient la prosopographie, ou biographie collective. Un entrepreneur canadien prospère, James Nicholson, avait fait un legs important à l'Université de Toronto afin que celle-ci produise l'équivalent canadien du *Dictionary of National Biography* britannique. Il en est résulté le *Dictionnaire biographique du Canada,* dont le propos était de fournir des biographies critiques des grandes figures de l'histoire canadienne. Entrepris en 1959, le projet s'est élargi deux ans plus tard pour devenir un projet anglo-français dirigé conjointement par George Brown et Marcel Trudel. On a recruté des historiens, et le premier volume a paru en 1966. La première série, qui regroupe les personnes décédées avant 1901, a été achevée en 1990. Au moment où je rédige ces lignes, la deuxième série — les Canadiens qui ont vécu au XXe siècle — a été achevée jusqu'en 1920.

Le *DBC* est un outil de la plus haute valeur pour tout projet d'histoire canadienne. Comparativement au premier *Dictionary of National Biography* britannique et au premier *Dictionary of American Biography,* le *DBC* est supérieur au point de vue du traitement du sujet, de la documentation et de la composition. Le projet canadien a également été mis à la portée de tous, contrairement à ses homologues britannique et américain, ce qui montre la largeur de vues de ses auteurs. Des jeux entiers ont été donnés aux écoles du pays. Tout le texte a été numérisé et mis en ligne pour tous ceux qui veulent y avoir accès, sans frais, ce qui nous éloigne fort des pratiques plus jalouses en usage au Royaume-Uni et aux États-Unis.

Le *DBC* est devenu une référence indispensable pour toutes les périodes de l'histoire canadienne jusqu'au début du XXᵉ siècle, notamment en ce qui concerne l'époque de Champlain. Une bonne part du premier volume est consacrée à ses contemporains. Ce qui fait la force du *DBC,* c'est surtout le nombre élevé de biographies d'Indiens, dont ceux que Champlain a connus. Le premier volume accorde aussi beaucoup d'attention aux habitants, marchands, interprètes et navigateurs que Champlain a côtoyés. Dans de nombreux cas, leur entrée dans le *DBC* est le seul texte biographique dont nous disposons. Du point de vue de l'interprétation des faits, la principale contribution de ce projet consiste à montrer hors de tout doute que Champlain a rarement agi seul. La manière qu'il avait de travailler avec les autres ressort avec plus de clarté dans ce grand ouvrage de biographie collective que dans les autres sources.

L'histoire maritime : le Champlain de Morison

Au milieu du XXᵉ siècle, quelques historiens professionnels aux spécialités pointues ont étudié la carrière de Champlain sous divers angles. De nombreuses approches sont nées de cette diversité scientifique. L'un de ces domaines est l'histoire maritime, une sous-discipline particulière à laquelle se sont vouées des organisations comme la Hakluyt Society, des revues comme *American Neptune* et *Mariner's Mirror* ainsi que des universitaires comme Robert Albion de Princeton, Frederic Lane de Johns Hopkins et Samuel Eliot Morison de Harvard.

Né et élevé à Boston, Morison était historien de métier et avait enseigné à Oxford et à Harvard. Ses livres d'histoire s'adressaient au grand public, à la manière de son modèle, Francis Parkman. Morison était un personnage hors série, un Yankee revêche doublé d'un grand savant, qui nous a livré de beaux travaux sur les débuts de la république américaine, la fondation du Massachusetts et l'histoire du collège Harvard. Mais son véritable amour était l'histoire maritime, qui a absorbé les quarante dernières années d'une longue carrière. Parmi ses grands ouvrages, on note une biographie magistrale de Christophe Colomb, une histoire maritime du Massachusetts et une histoire officielle de la marine américaine pendant la Seconde Guerre mondiale, en quinze volumes. Il enseignait l'histoire de l'exploration et des découvertes à Harvard, souvent avec des cartes de Champlain à la main[104].

Morison a passé tous les étés de sa vie à l'île du Mont-Désert, et il naviguait volontiers le long de cette côte magnifique. Même après avoir atteint le grade de contre-amiral, il préférait se dire matelot, et il n'aimait rien plus que de parcourir la côte du Maine à bord de sa vieille yole de bois, dans le sillage de Champlain. Morison a étudié les voyages de Champlain pendant de nombreuses années et a publié une biographie exhaustive de son sujet en 1972[105].

C'est un livre vivant, le fruit d'une longue réflexion. Morison s'intéressait surtout à Champlain le navigateur et l'explorateur. Il a refait tous les voyages de son héros dans le golfe du Maine, « de Pemaquid à Port-Royal », comme il le disait. Plus tard, il a retracé les autres voyages de Champlain par la voie des airs, à bord d'un petit avion privé. Son but, expliquait-il, était de célébrer les grandes découvertes « afin d'honorer l'un des plus grands pionniers, explorateurs et colonisateurs de tous les temps ». Fort de sa propre expérience, il admirait surtout les talents de navigateur de Champlain ; il a porté beaucoup d'attention à son *Traitté de la marine* et en a même traduit des passages pour en faire un guide pratique pour les jeunes navigateurs. Il s'intéressait aussi au grand capitaine chez Champlain, ce « chef naturel qui inspirait la loyauté et commandait l'obéissance[106] ».

Le navigateur en Morison avait une conscience aiguë de la contingence et, dans sa biographie, il s'est livré à toutes sortes de conjectures historiques. Que serait-il arrivé si Champlain avait parcouru trois cents kilomètres de plus dans ses voyages en Nouvelle-Angleterre en 1604-1606, et ainsi atteint l'île de Manhattan et son grand fleuve avant les Hollandais ? Et si le sieur de Mons avait fondé son établissement méridional avant Jamestown ? Que serait-il advenu si le détachement de Poutrincourt n'avait pas incité les Indiens à la violence à Nauset (Cape Cod) en 1605 ? Morison donnait à entendre que l'histoire de l'Amérique du Nord et du monde aurait pris un tour très différent si ces événements s'étaient déroulés autrement.

La biographie de Morison manque de substance quant aux autres aspects de la carrière de Champlain. C'était l'un de ses derniers livres, il n'était pas aussi documenté que les précédents ; mais dans son cadre unique, il nous a permis de mieux comprendre le Champlain navigateur.

La géographie historique : le Champlain cartographe et le scientifique de Heidenreich

Nous devons beaucoup aussi à un grand chercheur canadien, Conrad Heidenreich, géographe formé à l'Université de Toronto et à l'Université McMaster, également fondateur du Département de géographie de l'Université York, où il a fait ses débuts en 1962. Ses ouvrages sont des modèles d'étude interdisciplinaire en histoire, en sciences naturelles, humaines et sociales. On lui doit entre autres un livre primé sur l'histoire et la géographie de la nation huronne au début du XVIIᵉ siècle. Ouvrage doublement utile pour les spécialistes de Champlain, qui y trouvent une étude très attentive et détaillée du peuple huron, et aussi une appréciation de Champlain comme observateur. Heidenreich a décelé des erreurs dans la description que donne Champlain de l'économie, de la religion, du régime politique et de la société des Hurons, mais il conclut que son sujet était « un observateur rigoureux du détail géographique et de la plupart des aspects matériels de la culture huronne ». Il ajoute que « sa vision des Hurons et des autres nations est fondamentalement sympathique, ce qui explique les excellents rapports qu'il avait établis avec eux[107] ».

La monographie de Heidenreich sur Champlain le cartographe est également de la plus haute importance. C'est un ouvrage d'une érudition méticuleuse qui reconstruit soigneusement les voyages de Champlain, compare ses cartes avec les études de terrain modernes, mesure l'exactitude de son travail, et fait valoir que « dans l'ensemble, ses observations sont extrêmement exactes, et si l'on prend en compte l'immensité de la région qu'il a étudiée, son travail est rien moins que phénoménal ». Heidenreich a évalué la qualité de ses cartes et en a conclu que « Champlain émerge comme le premier scientifique, ou du moins, le premier cartographe moderne du Canada. Ses notes et ses cartes sont tellement supérieures aux précédentes qu'il n'est pas de comparaison possible ». Et il ajoute : « On a raison de dire que les grandes cartes de 1612 et 1632 méritent l'appellation de "cartes mères" de la cartographie canadienne[108]. »

Une autre perspective sur la carrière de Champlain est apparue dans les ouvrages des historiens de l'arpentage. Un spécialiste de la question, Paul La Chance, a écrit que Champlain n'était pas seulement le « fondateur du Québec », mais qu'il était aussi « le père des arpenteurs-géomètres du Canada ». Cette appréciation a paru dans le traité de Don W. Thomson, *Men and Meridians: The History of Surveying and Mapping in Canada* (1966). On y trouve des renseignements inaccessibles ailleurs sur le rôle qu'a joué Champlain comme pionnier de l'arpentage en Nouvelle-France, ce qui éclaire une autre dimension de sa vie pourtant déjà bien remplie[109].

D'autres chercheurs dans le domaine encore jeune de l'histoire environnementale ont étudié l'œuvre de Champlain l'écologiste. L'un des premiers ici a été Carl Sauer, géographe et écologiste de Berkeley, qui a loué les observations ethnographiques et écologiques de Champlain. Chandra Mukerji, de l'université de la Californie à San Diego, s'est penchée sur l'intérêt que Champlain portait à la nature et à l'horticulture, et a découvert un lien intime entre ces deux sujets dans sa pensée[110].

La nouvelle histoire sociale : le Champlain de Trudel

La nouvelle histoire sociale des années 1960 a donné naissance à une approche intéressante. Il ne s'agissait pas d'une sous-discipline émergente de l'histoire, mais bien de la discipline historique réinventée. Cette école s'est développée simultanément en Grande-Bretagne, aux États-Unis, au Canada et surtout en France, où un groupe d'historiens de talent a fondé une nouvelle revue appelée *Annales* en 1929. Ses âmes dirigeantes étaient Marc Bloch et Lucien Febvre dans la première génération, Fernand Braudel dans la seconde, et Emmanuel Le Roy Ladurie dans la troisième. Son idéal consistait à composer une « histoire totale » de tous les peuples du monde. Les protagonistes de cette histoire n'étaient pas tant les personnes que les sociétés, les économies, les cultures. Une grande partie des travaux portaient sur l'histoire des « structures » et des « conjonctures » ; leurs auteurs s'intéressaient moins à l'histoire qu'ils appelaient « événementielle ».

Cette nouvelle histoire sociale a pris diverses formes. En Grande-Bretagne, on insistait sur les classes sociales. Aux États-Unis, on valorisait davantage la race et le sexe (puis le « genre »). Au Canada, l'histoire sociale s'est avérée très éclectique, et ses œuvres comptent parmi les meilleures au monde. Le maître du genre ici a pour nom Marcel Trudel, prolifique historien d'une grandeur authentique. Il est né en 1915 dans une famille de onze enfants, dans le petit village de Saint-Narcisse-de-Champlain au nord de Trois-Rivières. Après la mort de sa mère, il a été élevé par des parents de sa famille très élargie et scolarisé dans des écoles religieuses. « Quand j'étais étudiant, les religieuses de l'Hôtel-Dieu de Québec chantaient encore un service anniversaire pour les Cent-Associés de 1627. [...] J'ai moi-même dans ma jeunesse, et en certains cas jusqu'à ces dernières années, vécu à l'intérieur d'institutions du Régime français[111]. »

Trudel a grandi dans une culture de discipline, de piété et d'autorité. Il a fini par se rebeller contre cet état de choses ; ses premiers écrits portent d'ailleurs sur Pascal et Voltaire. En 1939, il a reçu une bourse pour aller étudier à Paris, mais la guerre l'a plutôt poussé vers Harvard. Il a exploré les États-Unis, écrit un roman et décidé que l'histoire était sa vocation. Trudel est entré à l'Université Laval et s'est joint plus tard au Mouvement laïque de langue française, qui cherchait à assurer la « laïcisation totale de la société » et la croissance d'une société pluraliste. Devenu la cible d'attaques virulentes au Québec, il s'entendit même condamner en chaire par un ami intime dans sa propre paroisse : « Je sortis de l'église, et en même temps de l'Église[112]. » À Laval, un moins méritant que lui avait été promu, et c'est alors qu'il a décidé de démissionner. Tous ses livres et papiers ont disparu par la suite dans un incendie mystérieux. Ayant reçu des offres de plusieurs universités canadiennes, il est entré à l'anglophone Carleton. Trudel devait écrire à l'âge de quarante-huit ans : « Je recommençais à neuf. Dans un bel enthousiasme, dans une atmosphère de liberté comme je n'en avais jamais connu[113]. »

Trudel voyait grand, et il a publié plus de quarante volumes, surtout sur l'histoire de la Nouvelle-France de 1524 à 1760. Son travail était scientifique, empirique, méticuleux, et se distinguait par une facture de haute qualité et une recherche attentive. Serge Gagnon a écrit que Trudel a atteint une « authenticité probablement sans égale ailleurs au Canada français[114] ». Son grand œuvre a été son *Histoire de la Nouvelle-France,* dont cinq volumes ont paru. Il y a déployé une maîtrise extraordinaire des sources et une profondeur dans ses descriptions qui sont sans équivalent. C'est, sans conteste, un des chefs-d'œuvre de l'histoire moderne, toutes langues confondues[115].

Parmi ses nombreux ouvrages, on note aussi un livre sur Champlain qui est un recueil de documents assorti d'un essai interprétatif important. Il a également tracé un bref portrait de Champlain dans le *Dictionnaire biographique du Canada*[116]. Alors que Parkman avait vu en ce dernier un homme du Moyen Âge, Trudel a perçu un homme baignant dans les divers courants intellectuels de son temps, ainsi que dans la révolution commerciale des débuts de l'époque moderne. Trudel avance que Champlain s'est opposé à l'idée de colonie-comptoir que privilégiaient les trafiquants de fourrures et qu'il avait la vision plus large d'une colonie commerciale, qui aurait été stable et « bien peuplée », avec une économie diversifiée assurant un commerce permanent avec la France. « Et c'est là tout le drame de sa vie[117]. »

Trudel reproche à Champlain et à d'autres dirigeants catholiques de la Nouvelle-France de ne pas avoir fait davantage pour encourager la colonisation protestante, « qui aurait rendu toute différente l'histoire du protestantisme en Amérique : le protestantisme français y aurait prédominé longtemps[118] ». Mais dans l'ensemble, le Champlain de Trudel a « des préoccupations qui voient très loin dans l'avenir » et, en dépit de ses nombreux revers, il a réussi à fonder trois établissements français permanents en Amérique. Il conclut sa synthèse biographique ainsi : « Au point de départ de l'histoire continue du Canada, nous trouvons Champlain ; il est volontairement et par principe à l'origine de cette histoire et c'est en ce sens que Champlain peut revendiquer le titre de fondateur du Canada. » L'œuvre de Trudel domine l'historiographie de cette grande entreprise[119].

La nouvelle histoire démographique

L'avènement de la démographie historique a été à l'origine d'une autre avancée. Ses pionniers furent les chercheurs de l'Institut national d'études démographiques de Paris. C'est là que Louis Henry et ses collègues mirent au point une nouvelle méthode rigoureuse pour l'étude des populations d'avant la création des systèmes modernes d'enregistrement des statistiques vitales. C'est la méthode dite de la reconstitution des familles, où il s'agit de reconstruire patiemment l'histoire démographique des lignages à partir des archives fragmentaires que constituent les actes de baptême, de mariage et de sépulture au début de l'époque moderne[120].

L'un de ses premiers grands laboratoires fut l'histoire de la Nouvelle-France, où le clergé catholique disposait d'archives paroissiales complètes et où des généalogistes comme Cyprien Tanguay avaient réuni des documents d'une rigueur sans exemple. Ces sources furent soumises aux méthodes de la reconstitution familiale pour produire l'une des meilleures histoires démographiques au monde. À noter ici l'œuvre pionnière de Jacques Henripin (1954), qui a appliqué l'approche de Louis Henry au Canada et étudié cinq cent soixante-dix familles du XVIIe siècle québécois. Henripin a mesuré diligemment leur fertilité étonnante. Il a constaté ainsi que les familles pionnières demeurées intactes jusqu'à ce que la mère atteigne les cinquante ans avaient fait en moyenne neuf enfants, et que la population doublait en moins de vingt ans par accroissement naturel[121].

En 1966, Hubert Charbonneau et une équipe de démographes historiens ont fondé le Programme de recherche en démographie historique à l'Université de Montréal. Ils ont lancé un vaste projet de reconstitution pour toute la population du Québec jusqu'en 1850, en se basant sur les registres paroissiaux, des documents généalogiques et les données des recensements que Trudel et d'autres avaient raffinées. Ce chantier exceptionnel a produit une étude d'une profondeur, d'une rigueur et d'une exhaustivité sans pareilles. On a ainsi constaté qu'il y avait plus de huit millions de personnes d'ascendance franco-québécoise en Amérique du Nord au début du XXIe siècle. Ces personnes étaient toutes issues d'environ 1 425 femmes qui avaient traversé l'Atlantique entre 1608 et 1680, et d'environ 1 800 hommes. Ils furent encore moins nombreux à produire cette population acadienne qui s'est dispersée partout dans le monde, et l'on notait d'autres tendances intéressantes pour les populations métisses[122].

Cette recherche démographique, conjuguée avec la nouvelle histoire sociale de Trudel et les sources sur Champlain, situe dans les années 1632 à 1635 le point d'inflexion pour le lancement de la croissance démographique au Québec et en Acadie, soit à une époque de mutation profonde où un régime de changement cédait la place à un nouveau. Toutes ces études éclairent d'un jour nouveau le rôle qu'a joué Champlain et les choix qu'il a faits pendant cette période de grands bouleversements.

L'histoire économique et économétrique :
de Biggar à Innis et Egnal

Au XXᵉ siècle, de nouvelles recherches en histoire économique ont également élargi notre compréhension de Champlain et de son monde. Les premiers travaux sur ce point étaient descriptifs et attachés aux institutions, et les meilleurs d'entre eux demeurent d'une grande utilité. L'exemple à retenir est celui de H. P. Biggar et de son étude sur les compagnies de commerce de la Nouvelle-France. Sur la foi de ses recherches en archives, Biggar a reconnu à Champlain un rôle central dans le développement économique de la Nouvelle-France dans la mesure où il a su la doter d'une politique économique solide, en appuyant fortement les compagnies de commerce et en définissant une politique indienne qui a porté fruit. Biggar écrivait : « C'est parce que ses successeurs n'ont pas su appliquer cette politique que la colonie a plus tard connu une telle misère et de tels désastres[123]. »

Au milieu du XXᵉ siècle, l'économie étant devenue une discipline plus théorique, un grand intellectuel canadien, Harold Innis, a proposé une nouvelle théorie de la croissance économique au début de l'ère moderne, qu'on a baptisée théorie des *staples* (« ressources principales » ou « produits générateurs »). Innis et ses disciples partaient de l'hypothèse suivante : lorsque les facteurs de production comme la main-d'œuvre et le capital s'installaient dans un milieu riche en ressources, la rentabilité et la productivité augmentaient sans que la technologie évolue. Le pêcheur qui quittait les eaux européennes pour le Grand Banc devenait soudainement plus productif du fait de la plus grande abondance de poissons de taille supérieure. La même chose se produisait dans les industries d'extraction comme la fourrure et les produits forestiers. La théorie des *staples* d'Innis a été appliquée partout dans le monde et revêt une importance critique pour l'histoire économétrique dans la mesure où elle explique un stade de transition de la croissance économique au début de l'ère moderne[124].

La théorie des *staples* nous permet de comprendre comment l'économie de la Nouvelle-France a grandi et pourquoi sa croissance n'a pas été plus rapide. Le commerce des fourrures et la pêche étaient tellement rentables que, pendant deux siècles, ils ont détourné les capitaux des autres investissements qui rapportaient moins à court terme mais beaucoup plus à long terme. Une nouvelle génération d'histoire économétrique nous donne une meilleure compréhension des politiques et initiatives économiques de Champlain. À l'inverse, la carrière de Champlain nous fait voir comment l'exploitation des *staples* s'est développée du fait des actes et des choix de certains individus. Il y a lieu de se pencher plus avant sur les expériences de Champlain en fait d'entreprise mixte : tentatives qui l'ont conduit à dépasser les pratiques de son temps, voire à transcender les contraintes de la théorie économique néoclassique de notre propre époque[125].

Images : un Champlain aminci symbolise le développement économique

En 1958, les Canadiens ont fêté un nouvel anniversaire, le trois cent cinquantième de Québec, en s'offrant une nouvelle image de Champlain. Elle est apparue sur un timbre créé exprès pour l'occasion par un artiste qui ne manquait pas d'humour. Le visage imaginé de Champlain apparaît sous un angle nouveau. Il est vu de profil. Les traits s'inspirent des portraits précédents, et l'on s'en tient toujours à la formule de Sulte : « un petit air mousquetaire ».

Mais cette fois-ci, l'image est tracée dans un esprit différent. Le profil du fondateur est aminci, avec une simplicité audacieuse dans la ligne qui est typique du design du mitan du XXe siècle. La courbe du front et du nez aquilin ne fait qu'un trait. Ce Champlain aminci porte son regard sur la ville moderne de Québec, avec ses grands immeubles et son Château Frontenac surplombant la vieille ville. À l'avant-plan, un paquebot descend le fleuve, qui fait désormais partie de la Voie maritime du Saint-Laurent, chantier entrepris en 1954 et achevé au printemps 1959. Champlain, toujours vêtu façon XVIIe siècle, contemple avec satisfaction cette scène du XXe. L'interaction du passé et du présent produit une « drôlerie historique » tout à fait charmante, spirituelle et bien française.

L'histoire marxiste et néo-marxiste : de Hunt à Delâge

Au XXe siècle, les études des marxistes ont accru notre compréhension de Champlain. Marx et Engels eux-mêmes voulaient appliquer leurs modèles aux premiers stades de l'histoire, et ils avaient étudié attentivement le grand ouvrage de Lewis Henry Morgan sur les Iroquois[126]. Dans les années 1930, époque troublée, l'historiographie marxiste a fait des pas de géant en Amérique. On trouve ainsi un livre important et provocant en *The Wars of the Iroquois* de George Hunt, une analyse inspirée par le matérialisme historique. L'auteur fait valoir que la puissance des Iroquois tenait à la place centrale qu'ils occupaient dans les relations commerciales unissant les Européens et les nations indiennes, et que leurs guerres étaient motivées par des déterminants économiques. Cette thèse a été fort mal accueillie par les non-marxistes, qui lui ont reproché son caractère réducteur et son déterminisme, lequel, dans certains cas, fait des personnes les objets de l'histoire plutôt que ses agents. Mais les meilleures études marxistes étaient d'une chronologie rigoureuse, précises dans l'emploi des modèles de causalité, et c'est ce qui a permis d'approfondir la compréhension des structures et des processus, même pour les historiens qui ne partageaient pas les *a priori* idéologiques du marxisme[127].

À la fin du xxᵉ siècle, un mouvement intellectuel dit néomarxiste a recueilli des adhésions importantes dans le monde entier. L'un des meilleurs chercheurs de cette école est le spécialiste des sciences sociales Denys Delâge. En 1985, il a publié un livre marquant, *Le Pays renversé, Amérindiens et Européens en Amérique du Nord-Est, 1600-1664.* Cet ouvrage a été rendu en anglais par Jane Brierley sous le titre *Bitter Feast : Amerindians and Europeans in Northeastern North America*[128]. C'est un ouvrage marxiste du fait de son matérialisme historique, de son modèle de stades historiques et de son attention aux systèmes de production. Mais la facture est néomarxiste dans la mesure où son auteur tente d'intégrer un modèle matérialiste dans une histoire culturelle, et où il cherche à marier son intérêt pour les figures individuelles et son attention aux structures et aux processus. Delâge résume ainsi son cadre d'analyse : « La course à l'accumulation du capital a poussé des navires européens jusque sur les côtes de l'Amérique du Nord-Est, mettant en contact deux civilisations, l'une à l'âge de la manufacture naissante, l'autre à l'âge de pierre[129]. »

Delâge s'est vivement intéressé aux actes et choix individuels, particulièrement dans le cas de Champlain. De lui, il a écrit : « Champlain, mieux que tout autre, a saisi qu'il ne suffisait pas d'être marchand pour faire la traite des fourrures, qu'il fallait tenir compte des mœurs amérindiennes. De là lui vint son succès. Au-delà de l'homme, on observe l'organisation du commerce dans des formes compatibles aux deux économies. » Il a également reconnu que les Indiens jouaient eux aussi un rôle

664

Denys Delâge a construit une interprétation néomarxiste de Champlain comme une figure importante dans la structuration de la traite des fourrures, et il rappelle que « c'est assis au milieu d'un canot conduit par des Amérindiens que Champlain se fera transporter à travers sauts et portages » ; il n'aurait pu fonctionner sans eux. Ces deux thèmes sont bien rendus dans cette image.

vital : « C'est assis au milieu d'un canot conduit par des Amérindiens que Champlain se fera transporter à travers sauts et portages [...]. Sans les Amérindiens, ni Champlain ni les Jésuites n'auraient réussi à dessiner les cartes du nord-est de ce continent. » Mais il rappelle au lecteur que ce qui l'intéresse, ce ne sont pas tant les interventions politiques des dirigeants des puissances européennes que « la transition au capitalisme en cours dans ces formations sociales[130] ».

Delâge s'est montré prudent dans l'utilisation des preuves et des faits, mais je ne suis pas d'accord avec lui sur un point de son interprétation. Il note que les premiers colons français et les Indiens de l'Acadie et de la vallée du Saint-Laurent vivaient proche les uns des autres, mais qu'« en dépit de la pratique de la traite, de la signature de traités et des alliances matrimoniales » les rapports entre indigènes et Français étaient fondés sur un « profond malentendu ». Ici apparaît le thème de la « fausse conscience » marxiste pour les acteurs historiques qui niaient la dialectique. Une autre interprétation convient mieux à la preuve connue. L'alliance entre Champlain et les Indiens reposait sur une base solide d'intérêts matériels, notamment pour ce qui s'agissait de la sécurité militaire, des réseaux de traite et des coalitions politiques. On peut se demander quels autres choix auraient mieux servi leurs intérêts. De part et d'autre, on avait affaire à des gens très intelligents qui avaient une bonne compréhension de leurs alliances sur le plan des coûts et des avantages. D'autres ne seront pas d'accord[131].

La nouvelle ethnohistoire : Bruce Trigger

Alors que Trudel, les démographes et économistes historiens et les néo-marxistes travaillaient à leurs ouvrages, un autre domaine important pour l'étude de Champlain se développait rapidement. L'ethnographie historique est née de l'interaction de plusieurs disciplines. Elle a transformé notre connaissance de la culture autochtone en Amérique du Nord et marqué profondément les études sur Champlain.

Parmi ses chefs de file, Bruce Trigger, archéologue et anthropologue de l'Université McGill. Son idée de l'ethnohistoire a représenté *deux* pas en avant, dans la mesure où elle a élargi les méthodes historiques en anthropologie et appliqué la méthode ethnographique à l'histoire[132]. *Les Enfants d'Aataentsic* de Trigger ont redéfini l'histoire d'une nation indienne dans ses termes à elle plutôt qu'en des termes européens. Trigger a approfondi notre connaissance de l'histoire des Hurons en particulier et des Indiens en général, surtout parce qu'il les a étudiés comme agents et non comme objets des processus historiques. Trigger montre que l'histoire huronne était dynamique avant les contacts européens, qu'elle doit être vue à travers le prisme des relations entre populations indigènes, et que « la culture huronne avait fleuri grâce aux contacts européens tant et aussi longtemps que le peuple huron n'avait pas été dominé par les Européens ». Son livre est moins réussi dans son interprétation des Français, car il nie aux acteurs européens l'empathie et la compréhension empirique qu'il réclame pour les Indiens. L'ouvrage de Trigger demeure tout de même un point marquant de l'ethnohistoire et une contribution majeure à l'histoire d'une nation indigène[133].

Les iconoclastes universitaires : encore Trigger

Dans les années 1960 et 1970, une nouvelle génération d'historiens universitaires est arrivée à maturité. Leurs intérêts étaient divers, mais tous se mouvaient dans une conjoncture historique qui façonna leur pensée et les distingua des générations antérieures et subséquentes. Nombre d'entre eux étaient actifs dans le domaine de la nouvelle histoire sociale et culturelle, particulièrement dans l'étude de la race, des classes, du genre et de l'ethnicité, et ils ont grandement élargi la discipline historique dans ces dimensions. Ils avaient tendance à être de la gauche politique, de l'extrême gauche même ; et ils ont mûri à un moment où les gouvernements nord-américains et leur électorat viraient à droite. Leurs premiers travaux présentaient un ton positif. Le mouvement des droits civiques et les gouvernements libéraux du début des années 1960 les avaient beaucoup encouragés. Puis sont survenus le Vietnam, le Watergate et les troubles de 1968, que beaucoup d'intellectuels de gauche ont considérés comme une révolution ratée. En Amérique du Nord, les historiens de gauche se sont mis à ressentir une aliénation profonde à l'égard de leur société et de ses institutions, d'où une aigreur palpable dans leurs écrits.

Il en est résulté des textes iconoclastes en grand nombre sur la culture américaine et les grands hommes de l'histoire des États-Unis. En ce qui concerne les études sur Champlain, la charge la plus virulente est venue de Bruce Trigger. En 1971, il a publié un article intitulé « Champlain Judged by His Indian Policy: A Different View of Early Canadian History » (« Champlain à la lumière de sa politique indienne : un point de vue différent sur les débuts de l'histoire canadienne »), qui fut suivi par un livre en bonne et due forme, *Les Indiens, la fourrure et les Blancs, Français et Amérindiens en Amérique du Nord*[134]. Souhaitant réévaluer l'« âge héroïque » du Canada, Trigger faisait valoir, de manière convaincante, que bon nombre des écrits sur les débuts de l'histoire nord-américaine avaient ignoré ou méprisé les Indiens. Il plaidait vigoureusement pour l'intégration des approches historiques et ethnographiques. Bien des historiens étaient d'accord avec lui sur ce dernier point. Mais Trigger se tournait alors vers l'histoire des Français en Amérique et écartait du revers de la main une bonne part de ce qui avait été écrit sur la question. Trigger a soutenu que presque toutes les biographies de Champlain, « même les récentes, n'étaient que des hagiographies ». Il englobait dans son jugement les travaux de Dionne, Bishop, Morison, Trudel et bien d'autres. Il s'est lancé dans une attaque tous azimuts contre Champlain, l'homme lui-même et son œuvre, renversant les jugements que la plupart des autres auteurs avaient portés avant lui.

Trigger admettait que Champlain était « manifestement un homme brave et aventureux, qui avait su gagner le soutien de ses partenaires commerciaux indiens en les accompagnant dans leurs expéditions contre leurs ennemis ». Mais, dans l'ensemble, il était très hostile à Champlain et le disait « peu sûr de lui-même », « ambitieux » et « cynique ». Alors que la plupart des historiens avaient été impressionnés par l'humanité et la dignité de Champlain, et par son dévouement à une cause noble, Trigger affirmait que l'homme « en était venu à considérer les Indiens et même la plupart des Européens avec qui il avait eu des rapports moins comme des personnes que comme des moyens de mousser sa propre carrière ». En outre, il avançait que Champlain était « extrêmement ethnocentrique et inflexible », qu'il s'était peu soucié des Indiens, qu'il n'avait rien compris à leur culture et les avait maltraités, surtout après 1612[135].

Cette charge contre Champlain est esquissée dans *Les Enfants d'Aataentsic* et développée dans *Les Indiens, la fourrure et les Blancs*. De grands pans de ces deux ouvrages sont exacts et importants. Trigger avait raison de dire que les interactions entre Indiens et Européens jouaient un rôle essentiel dans l'histoire de la Nouvelle-France et qu'elles avaient été fort mal comprises. Il avait également raison d'insister sur le fait que les chercheurs devaient écrire sur ce sujet avec plus d'équanimité, et étudier les Indiens dans un esprit de compréhension et de respect. Enfin, il ne se trompait pas en disant que les traiteurs européens avaient été des figures négligées dans les débuts de l'histoire de la Nouvelle-France.

Mais il se trompait au sujet de Champlain et d'autres chefs français. Trigger n'a fait aucun effort pour comprendre ces hommes dans leur propre contexte. Sa lecture de Champlain était si hostile qu'elle l'a conduit à des inexactitudes flagrantes, le menant dans certains cas à comprendre le contraire de ce qui avait été écrit. Trigger a enfreint sa propre règle ethnographique en traitant Champlain, les récollets et les autres Français avec le même mépris et la même incompréhension qu'on avait témoignés aux Indiens. L'élévation d'esprit qui a inspiré le grand ouvrage de Trigger sur la Huronie devrait s'appliquer idéalement à l'étude de tous les peuples et de toutes les cultures qui se sont rencontrés en Amérique du Nord, y compris les Européens[136].

Les iconoclastes populaires et le retour de l'empathie

L'impulsion iconoclaste de la fin du XXe siècle s'est également exprimée dans la culture populaire et les médias de masse, où elle a pris une tournure encore plus hostile et cynique que dans le milieu universitaire. Au sujet de Champlain, on note l'exemple surprenant de René Lévesque, l'âme du souverainisme québécois, qui n'a ni plus ni moins que giflé le fondateur de Québec. En 1986, Lévesque écrivait sur le ton du mépris : « Champlain. Pas très stimulant, le fondateur. Sa femme paraissait de loin beaucoup plus "le fun". Ce gars toujours mal pris avec son chantier de l'Abitation que les Anglais ne cessaient de prendre et de reperdre, alors que la belle Hélène ne s'embêtait surtout pas dans ces palais lointains où peut-être avait-elle rencontré à la sauvette un certain cadet de Gascogne, ou Athos aux yeux de velours, ou encore ce jésuite à la jupe si vite troussée, Aramis[137]… »

Oublions un moment que les Anglais se sont emparés de Québec une seule fois au temps de Champlain et que le fondateur a su reprendre sa ville. Oublions aussi que la belle Hélène avait pris le chemin du couvent. Oublions tous ces faits. Pour René Lévesque, l'histoire ressemblait à un pastiche de Rabelais, de Dumas et des *Contes drolatiques* de Balzac. Son camouflet à Champlain est proprement renversant, surtout de la part d'un ancien chef du Parti québécois. La réponse du Canadien anglais Joe Armstrong : « Quand on n'est pas plus fier que ça de son patrimoine, pas étonnant qu'on rate sa révolution[138]. » Mais on trouve bien pire dans les ouvrages de vulgarisation de Pierre Berton, qui traite Champlain d'« assassin » et l'accuse d'avoir tué des « Indiens qui ne se doutaient de rien », niant totalement la qualité de ses rapports avec ses voisins indiens. Lévesque s'était contenté de trouver Champlain ennuyeux. Berton mettait au pilori rien de moins qu'un criminel[139].

Il y aura toujours des iconoclastes, mais leur influence semble être sur le déclin en ce début de XXIe siècle. Un ton nouveau et plus nuancé ressort dans la littérature populaire sur Champlain. On en trouve un bon exemple dans un magnifique livre pour enfants de Caroline Montel-Glénisson, *Champlain au Canada, Les aventures d'un gentilhomme explorateur*. Le narrateur de l'histoire est Guillaume Couillard, qui est arrivé au Canada en 1613 et a épousé Guillemette Hébert, la fille de Louis. Champlain y apparaît en chef à l'aise parmi les siens à Québec. La violence et la cruauté du Nouveau Monde y sont décrites sans fard. Mais Champlain y prend la figure d'un homme bon et très sympathique, souvent environné d'enfants, indiens aussi bien qu'européens, comme c'était d'ailleurs le cas. Les charmantes illustrations de Michel Glénisson le montrent jouant avec des enfants, cultivant son jardin et pêchant sur la glace avec eux. Dans bien d'autres scènes, on voit un Champlain circulant sans cérémonie parmi les Indiens, les missionnaires, les traiteurs et des gens de toutes sortes. Le thème de l'ouvrage est l'esprit humain de Champlain. Le ton est irrévérencieux et affectueux, une pointe d'iconoclasme mêlée à l'empathie et au respect, soit une synthèse heureuse des approches d'autrefois doublée d'une impulsion entièrement nouvelle[140]. On note la même approche dans le *Champlain, La découverte du Canada* (2004) de la même Caroline Montel-Glénisson, une brève biographie pour lecteurs adultes où se manifestent les mêmes qualités : nuance, intelligence et empathie.

L'émergence d'un nouvel esprit : le quatre centième anniversaire

À l'orée du XXIᵉ siècle, l'intérêt pour Samuel de Champlain a connu un nouvel élan, stimulé bien sûr par le quatre centième anniversaire de la fondation de la Nouvelle-France, qui a été célébré à Sainte-Croix en 2004, en Acadie en 2005, à Québec en 2008 et aux États-Unis en 2009. Le quadricentenaire a été fêté dans un esprit différent de l'approche monumentale du tricentenaire. Une nouvelle tendance s'est fait jour. Après des années de rectitude politique, de multiculturalisme, de postmodernisme, de relativisme et d'aigreur idéologique, après toutes ces vogues, les chercheurs dans plusieurs disciplines ont redécouvert des possibilités empiriques avec une autre vision. On en voit de nombreux exemples dans les nouveaux écrits sur Champlain, la fondation de la Nouvelle-France et l'interaction des cultures indiennes et européennes dans le Nouveau Monde. De 2004 à 2007, des historiens de plusieurs pays ont publié six ouvrages collectifs sur Champlain et son monde, avec plus d'une centaine d'articles, souvent d'excellente qualité[141].

Ce renouveau fut d'abord l'œuvre de deux historiens québécois, Raymonde Litalien et Denis Vaugeois. En 2004, ils ont publié *Champlain, La naissance de l'Amérique française,* un ouvrage majeur contenant de nombreuses études importantes sur Champlain et son époque. Ce livre renferme toutes sortes d'indications sur les orientations que pourrait prendre la recherche historique au XXIᵉ siècle. On y voit la croissance d'une nouvelle histoire mondiale et le renouveau de la recherche empirique, après le relativisme et le postmodernisme qui ont dominé à la fin du XXᵉ siècle. Les nouveaux outils numériques augmentent la portée de l'enquête historique et raffermissent l'emprise de l'historien sur son champ d'investigation. Entre autres résultats, notons ces projets de nouvelles synthèses rédigées à partir des sources d'époque. Cette production en cours fait un usage plus exhaustif des images et des artefacts, non pas seulement à titre d'illustrations, mais aussi comme « documents ». Dans un processus de fusion, on lie des sous-champs distincts et on combine les points forts de chacun. Il en naît des récits « tressés » plutôt que des monographies analytiques, où l'on combine l'art de la narration et la résolution de problèmes d'une manière qui fait ressortir la qualité épistémique des approches historiques. On s'éloigne également des polémiques idéologiques pour favoriser des enquêtes plus ouvertes, et l'on entrevoit une maturité croissante dans le jugement historique. Dans les écrits sur Champlain, cette nouvelle génération de chercheurs commence à saisir comme il faut l'équilibre entre Européens et Indiens d'Amérique.

L'une des tendances les plus porteuses est cet effort que l'on fait pour étudier le passé tel qu'il était et, en même temps, le relier au présent. Il y a à peine une génération, les universitaires tenaient ces deux perspectives pour mutuellement exclusives, et choisissaient l'une ou l'autre. Certains insistaient même pour dire que toute tentative de penser le présent en étudiant le passé était « anhistorique ». D'autres jugeaient l'idée tout juste bonne pour les historiens amateurs. Les chercheurs du XXIᵉ siècle sont en train de trouver un juste milieu, et ils ont dégagé de nouvelles possibilités que nous commençons à peine à découvrir. Dans tout cela, la tendance fondamentale est à la croissance du savoir historique dans les sciences humaines et à une idée plus généreuse de l'humanité, dans l'esprit de Champlain lui-même.

LA DATE DE NAISSANCE DE CHAMPLAIN

C'est la grande énigme. Nous n'avons aucune trace de son baptême, et il n'y a jamais moyen de dire avec certitude quel âge il avait à un moment ou un autre de sa vie. Il n'a jamais non plus révélé son âge à son lecteur, ni à quiconque l'a connu. Aux débuts de l'époque moderne, les Christophe Colomb, Cabot, Verrazano et Cartier, pour ne nommer que ceux-là, sont tous dans le même cas. Ces hommes étaient nés avant que l'enregistrement des naissances et des décès devienne obligatoire. Les archives paroissiales étaient souvent incomplètes, se perdaient ou étaient saccagées, surtout en France pendant les guerres de religion et les révolutions qui ont suivi. Par exemple, la ville natale de Champlain, Brouage, changea de mains plusieurs fois pendant les luttes que se livrèrent protestants et catholiques au XVIᵉ siècle ; et les archives municipales qui survécurent aux combats furent anéanties par un incendiaire avant 1690.

On ne trouvera sans doute jamais l'acte de naissance de Champlain. Il serait plus probable que l'on découvre une référence quelconque à son âge dans une autre source, mais rien de semblable n'était encore apparu au moment où nous rédigions ces lignes[1].

En l'absence de preuve ferme, les spécialistes ont proposé trois dates de naissance. La première est apparue pour la première fois dans la *Biographie saintongeaise ou dictionnaire historique de tous les personnages* (Saintes, 1851) de Pierre Damien Rainguet, qui nous dit que « ce navigateur célèbre naquit à Brouage d'une famille de pêcheurs, en 1567 ». Rainguet lui-même était fonctionnaire, notaire de son état ; c'était un auteur prolifique qui vivait à Saint-Fort-sur-Gironde, à une cinquantaine de kilomètres au sud de Brouage. Il a consacré sa vie à l'histoire de sa région, en connaissait les archives et les coutumes. Mais d'autres chercheurs ont décelé des erreurs dans ses travaux, et il ne donne aucune source ni référence. Un historien nous dit son agacement : « Jamais nous ne saurons si [l'auteur] avait eu accès à des documents perdus depuis, ou si tout cela n'était que conjectures[2]. »

Dans les années 1860, l'abbé Laverdière, érudit canadien-français de premier plan et éditeur des œuvres de Champlain, a vérifié l'estimation de Rainguet en la comparant à deux passages tirés des écrits de Champlain. Dans le premier, celui-ci disait avoir été maréchal des logis pendant quelques années dans l'armée de Bretagne sous le maréchal d'Aumont, qui est mort en août 1595. Laverdière écrivit que Champlain « occupait déjà un poste de confiance qui d'ordinaire ne se donne qu'à une personne de quelque expérience », et il en déduisit que Champlain aurait eu environ vingt-cinq ans lorsqu'il y fut élevé, donc peut-être en 1592. Laverdière en conclut que Champlain devait être né vers 1567.

Laverdière a mal compris lorsque Champlain disait qu'il avait servi plusieurs années sous d'Aumont, mort en 1595, rappelons-le. Champlain a écrit qu'il avait servi « quelques » années sous d'Aumont, Saint-Luc et aussi Brissac, lequel avait survécu à la guerre. Celle-ci avait pris fin en 1598, alors que Champlain était toujours sous les drapeaux. On ne peut pas soustraire quelques années de la date de la mort du maréchal d'Aumont, comme Laverdière l'a fait, pour conclure que Champlain avait été son aide de camp dès 1592. La date la plus probable ici serait 1594. Ainsi, quand Laverdière déduit que l'année de la naissance serait 1567, si l'on suit son propre raisonnement, ce serait quelques années trop tôt[3].

Laverdière s'appuie également sur le passage où Champlain écrit de son collègue François Gravé, sieur du Pont (également appelé Pont-Gravé ou Du Pont Gravé) en 1619 : « Son âge me le ferait respecter comme mon père. » Laverdière a calculé que Pont-Gravé devait avoir « au moins dix ou douze ans » de plus que Champlain, et il cite à ce propos Gabriel Sagard qui donnait environ soixante-cinq ans à Pont-Gravé en 1619, ce qui le ferait naître en 1554 ou 1555. Si douze ans séparaient les deux hommes, Champlain serait né autour de 1567. En se basant sur ce raisonnement, Laverdière a conclu que 1567 comme année de naissance « n'est pas loin de la vérité[4] ».

Au XIXe siècle, les conjectures de Laverdière ont fait l'unanimité. Sur les monuments en France et au Canada, on a écrit dans le marbre que Champlain était né en 1567. Les biographes, les éditeurs et les auteurs d'ouvrages de référence ont suivi le mouvement. Bishop exprimait l'opinion générale lorsqu'il écrivit que, « dans l'ensemble, 1567 apparaît comme à peu près juste[5] ».

D'autres chercheurs ont calculé différemment, et une deuxième estimation est apparue à la fin du XIXe siècle et au début du XXe. L'auteur Narcisse-Eutrope Dionne a écrit en 1891, sans donner d'explication, que « l'immortel fondateur de Québec y vit le jour [à Brouage] vers l'année 1570 ». L'un des plus grands historiens canadiens du XXe siècle, Marcel Trudel, a abondé dans le même sens : « On calcule généralement qu'il est né vers 1570, sinon en 1567. » On se mit ainsi à écrire « vers 1570 ». En 1972, l'historien américain Samuel Eliot Morison écrivait dans son style lapidaire, très anglais de Boston, que Champlain était né « vers 1570, jour inconnu et année sujette à caution ». Cette estimation est reprise dans nombre d'ouvrages[6].

En 1978, Jean Liebel, historien français et biographe du compagnon de Champlain, Pierre Dugua, sieur de Mons, avança une nouvelle date. Dans ses recherches, Liebel a découvert un nouvel élément de preuve. Aux archives de la cathédrale de Saint-Malo, il a retrouvé l'acte de baptême de François Gravé du Pont, daté du 27 novembre 1560, ce qui le rajeunissait un peu par rapport à ce que d'autres historiens avaient cru. Sagard pensait que Pont-Gravé avait été baptisé en 1559 ou l'année d'avant ; Laverdière avait calculé qu'il était né entre 1555 et 1557. La découverte de Liebel venait déplacer le point de référence qui fondait l'âge de Champlain pour nombre d'auteurs.

Liebel a publié un article où il a fait valoir que si Champlain respectait Gravé du Pont « comme [son] père », il devait y avoir eu « au moins vingt ans » entre les deux hommes et non douze, comme Laverdière l'avait écrit. Partant de cette hypothèse et de la preuve nouvelle que constituait l'acte de baptême de Pont-Gravé, Liebel concluait que Champlain était né en 1580[7].

Plusieurs difficultés se posent ici. Première chose : la découverte de Liebel a devancé de un à six ans la naissance de Gravé du Pont, mais Liebel s'en est servi pour devancer celle de Champlain de dix à treize ans. Deuxième chose : Liebel en avait gros sur le cœur, comme on dit familièrement au Québec. Le sujet de sa biographie, Pierre Dugua, sieur de Mons, avait été relégué, croyait-il, à un rôle mineur dans la fondation de Québec, et il estimait que l'on faisait trop grand cas de Champlain. Liebel en avait particulièrement contre la mention « fondateur de Québec » qui apparaît souvent sur les monuments dédiés à Champlain au Canada. Ce noble titre revenait de droit à son héros, De Mons, lui qui avait donné à Champlain les moyens, les hommes, le matériel et les provisions nécessaires pour construire l'habitation de Québec[8].

Dans son plaidoyer, Liebel écrivait : « Le mot "fondateur", que l'on voit, de nos jours, si souvent suivre son nom, évoque un homme non seulement riche et puissant, mais aussi âgé. [...] Il n'en fut pas qualifié de son vivant [...]. Les grades, titres ou qualités dont on a gratifié Champlain après sa mort étant tous abusifs, il n'y a aucune raison de lui supposer un âge en rapport avec eux. » Il en concluait qu'en 1608, année de la fondation de Québec, Champlain avait vingt-huit ans, et non trente-huit ou quarante et un[9].

Quels qu'aient été les motifs de Liebel, la validité de son argument historique est une question empirique, et l'exactitude de son affirmation n'a rien à voir avec les raisons qui l'ont poussé à la faire. Après la parution de l'article de Liebel en 1978, plusieurs chercheurs français et canadiens lui ont donné raison. Dans un ouvrage collectif sur Champlain publié en 2004, la plupart des auteurs qui traitent de la naissance de leur sujet marchent dans les traces de Liebel. Nathalie Fiquet écrit que « l'hypothèse selon laquelle il serait né vers 1580 semble le mieux correspondre à l'image qui transparaît de ses écrits ». D'autres se montrent également convaincus[10]. Mais la thèse de Liebel est-elle compatible avec la preuve ? Retournons aux sources. Même si Champlain n'a jamais mentionné son âge ou sa date de naissance, on trouve au moins quatre indices dans ses écrits et dans d'autres documents.

Le premier indice nous vient du passé militaire de Champlain. Cette preuve figure non seulement dans le *Brief Discours,* comme l'affirme Liebel, mais aussi dans les livres de comptes de l'armée que Robert Le Blant et René Baudry ont retrouvés et publiés. En l'année 1595, nous apprennent-ils, Champlain toucha une solde de fourrier, qui est un sous-officier d'intendance, dans les mois de mars et avril. À la fin de cette même année, il était inscrit comme « ayde du Sieur Hardy, marschal de logis de l'armee du roy ». Le livre de solde révèle qu'il a reçu un supplément en 1595 pour « certain voyage secret qu'il a fait important le service du Roy ». Champlain était également présent au siège de Crozon en 1594, et il s'est distingué dans ce furieux combat au point où son nom est mentionné dans l'histoire de la bataille. En 1507, il apparaît encore dans les registres militaires comme « capitaine d'une compagnie » à Quimper, une ville de garnison en Bretagne méridionale, à mi-chemin entre Brest et Blavet, où l'on sait qu'il a servi pendant ces années[11].

En outre, durant la période 1595-1597, les rôles militaires lui attribuent dans toutes les mentions sauf une le nom de « sieur de Champlain ». On lui avait donné un titre qui suscite le respect, ainsi que la particule nobiliaire. Ces distinctions ne faisaient pas de lui un noble, mais rappelons qu'elles étaient réservées aux officiers haut gradés et aux gentilshommes occupant des places d'honneur ou de confiance.

Dire que Champlain est né en 1580, c'est admettre qu'au beau milieu d'une guerre, on lui ait attribué des missions de confiance et des distinctions honorables alors qu'il avait quatorze ou quinze ans. C'était peut-être possible pour des membres de la famille royale ou des princes du sang, ou encore des fils de grandes familles titrées, mais Champlain n'était pas de ce monde-là. Et il s'agissait de service actif en temps de guerre. Il est donc raisonnable de penser qu'il avait plus que quatorze ou quinze ans : il était peut-être dans la jeune vingtaine quand il a assumé des responsabilités importantes dans l'armée de Bretagne, en 1595-1597, par exemple lorsqu'il fut nommé capitaine responsable d'une compagnie. Ce qui nous donnerait une date de naissance approchant 1570, plus ou moins quelques années.

Une autre série d'indices figurent dans les affirmations qu'a faites Champlain à propos des années où il a été en mer. L'une d'elles apparaît dans une lettre dédicatoire à la régente, en 1613. Au sujet de « l'art de naviguer », Champlain écrit que « c'est cet art qui m'a, dès mon bas âge, attiré à l'aimer [la mer], et qui m'a provoqué à m'exposer presque toute ma vie aux ondes impétueuses de l'Océan[12] ». Ce passage prend de l'importance si on le compare à la préface de son *Traitté de la marine et du devoir d'un bon marinier* de 1632. Champlain y note qu'il a passé « trente-huit ans de mon âge à faire plusieurs voyages sur mer[13] ».

Le propos est simple, mais que veut-il dire exactement ? On peut le comprendre d'au moins trois façons. Peut-être Champlain voulait-il dire qu'il comptait à son actif trente-huit ans de ce qu'on appelle dans la marine le « service en mer », soit le temps passé à bord ; mais cela est impossible. Faire le compte de ses nombreux voyages, comme nous le faisons à l'appendice B, c'est constater que, pour tous ses voyages, le temps total passé en mer est loin d'atteindre les trente-huit ans. Manifestement, ce n'était pas cela qu'il voulait dire.

Il voulait peut-être dire qu'il naviguait depuis trente-huit ans, à la date où il a fait cette affirmation. C'est ainsi que Liebel a compris ce passage, et il en a déduit que Champlain a commencé à prendre la mer en 1594, ce qui lui aurait donné un total de trente-huit ans en 1632, quand cette déclaration fut publiée. L'interprétation de Liebel se heurte à plusieurs difficultés, cependant. D'abord, Champlain nous dit qu'il est allé en mer dans son jeune âge. Ensuite, ce n'est pas exactement ce que Champlain a écrit. Il n'a pas dit qu'il naviguait depuis trente-huit ans mais bien qu'il avait « passé » trente-huit ans à voyager sur les mers. La différence entre ces deux affirmations compte pour beaucoup si on se souvient que, dans la période qui s'étend de 1594 à 1632, Champlain a passé de nombreuses années sur la terre ferme, parfois jusqu'à deux ou trois ans d'affilée. Quand on refait la chronologie de ses voyages, on constate qu'il a été en mer vingt-deux années sur trente-quatre, de 1598 à 1632. Pour atteindre son total de trente-huit ans en mer, il aurait donc dû naviguer pendant au moins seize ans avant 1597.

Pour atteindre un total de trente-huit ans, selon la thèse de Liebel qui fait naître Champlain en 1580, celui-ci aurait dû naviguer pendant seize des dix-sept premières années de sa vie, chose fort improbable. On ne peut donc qu'en conclure que Champlain a entrepris ses voyages en mer avant 1580. Si ce qu'a dit Champlain sur ses années en mer est exact, l'estimation que Liebel donne de sa date de naissance est forcément erronée.

La thèse de Liebel pose un autre problème. Reprenons l'affirmation de Champlain selon laquelle il aurait été attiré par « l'art de la navigation » à un « très jeune âge » et qu'il aurait passé presque toute sa vie « sur les ondes impétueuses de l'océan ». De là, il est raisonnable de penser que Champlain ne s'est pas mis à voyager en 1594, comme l'avance Liebel, mais beaucoup plus tôt, alors que, enfant, il accompagnait son père en mer, son père étant un pilote chevronné et probablement son maître en navigation. Les historiens de Brouage croient que Champlain a également passé quelques-unes de ses premières années sur la terre ferme, probablement à faire ses classes à l'académie de la ville.

Si Champlain était né en 1570, il aurait passé seize de ses premières vingt-sept années en mer, de 1570 à 1597, et cela lui aurait donné le temps de passer son enfance dans les bras de sa mère et d'aller à l'école quelques années. Une date de naissance située en 1570 s'insère mieux dans ce cadre temporel que l'année 1580. Cette idée est également compatible avec le sens littéral qu'a l'affirmation de Champlain à propos de ses trente-huit ans de navigation en mer et son intérêt pour l'art de la navigation à un très jeune âge. Ces preuves nous amènent à conclure que, si l'on retenait la thèse de Liebel, Champlain aurait dû entreprendre ses périples sur la mer océane à l'âge d'un an.

Il y a un troisième indice dont faisait état Laverdière en 1870 et qui fonde la thèse de Liebel. C'est l'affirmation de Champlain selon laquelle il considérait Pont-Gravé comme un père du fait de son âge[14]. La plupart des spécialistes tiennent pour véridique la découverte qu'a faite Liebel, à savoir que Pont-Gravé a été baptisé le 27 novembre 1560, mais ici se pose un problème d'interprétation. Quelle devait être la différence d'âge entre les deux hommes pour que Champlain voie un père en Pont-Gravé ? Vingt ans, répond Liebel. Laverdière croyait que dix ou douze ans faisaient l'affaire.

Dans la marine américaine, pendant et après la Seconde Guerre mondiale, les jeunes matelots et aspirants avaient tendance à voir des figures paternelles en leurs quartiers-maîtres et officiers qui, souvent, étaient leurs aînés de bien moins que vingt ans. S'adressant à leurs subalternes, les officiers avaient coutume de dire *son* (« mon fils »), même si l'écart d'âge était de moins de dix ans. On le voit dans les mémoires de John A. Williamson, lieutenant à bord de l'*USS English*, une corvette qui coula six sous-marins japonais en douze jours. Au beau milieu de cette campagne, Williamson s'acheminait vers le mess pour s'y offrir cet élixir aimé des marins, un bon café, quand un « jeune matelot » vint à lui : « Mon lieutenant, dit-il, me permettez-vous de vous poser une question ?… Mon lieutenant, ces sous-marins, est-ce qu'on les coule vraiment ?

« Oui, absolument, répondit l'officier.

« Et l'idée de tuer tous ces hommes, ça vous dérange ? »

Williamson se souvenait qu'il n'avait pas su quoi répondre mais qu'il n'en avait rien montré. Il s'était contenté de dire : « Mon fils, faire la guerre, c'est tuer des gens. Plus on tuera d'ennemis, plus on pourra en tuer, et plus on coulera de leurs bateaux, plus vite ce sera terminé… Nous faisons une guerre que nous devons gagner à tout prix, car la perdre serait bien pire. »

Williamson ajoutait plus loin : « Mon jeune interrogateur avait eu l'air soulagé. Au moins, il m'avait remercié. Mais quand je suis parvenu au mess, je ne sais pas pourquoi, mon café avait moins bon goût tout à coup. »

Le « jeune matelot » dans cette anecdote ne pouvait pas avoir moins de dix-sept ans, seize au minimum, dix-huit au maximum. Le lieutenant Williamson en avait vingt-cinq ou vingt-six. Soit à peu près neuf ans de différence, et pourtant, ils se parlaient comme s'ils avaient été père et fils[15].

En somme, Liebel a certainement raison quant à l'âge de Pont-Gravé. Sa découverte de l'acte de baptême est une contribution utile. Mais Laverdière a raison quant à la différence d'âge qui aurait suffi pour motiver le sentiment filial de Champlain à l'égard de Pont-Gravé. Dix ans auraient suffi, peut-être même moins, selon les circonstances. Aucune preuve matérielle ne nous permettant de trancher cette question, elle demeurera toujours sujette à interprétation. Qu'il suffise de dire qu'un écart d'une dizaine d'années pouvait fort bien concorder avec la déclaration filiale de Champlain.

Un quatrième indice tend à exclure une date de naissance qui serait de beaucoup antérieure à 1570. En 1634, Champlain proposait à Richelieu de se mettre lui-même à la tête d'une expédition punitive en pays iroquois. Bishop écrit à ce sujet : « Le vieil et vaillant gentilhomme avait beau être en forme, il ne devait pas avoir plus de soixante-dix ans. Ce qui nous donne 1564 comme date de naissance la plus éloignée[16]. »

Résumons. Les historiens ont proposé quatre dates de naissance possibles. Voici l'âge que Champlain aurait eu à divers moments de sa vie suivant chacune des quatre hypothèses :

	Né en 1564	Né en 1567	Né en 1570	Né en 1580
Auteur	Bishop	Rainguet	Dionne, Trudel	Liebel
Première navigation en mer	17	14	11	1
Armée, 1594-1597	30-33	27-30	24-27	14-17
Indes occidentales, 1599-1601	35-37	32-34	29-31	19-21
Tadoussac, 1603	39	36	33	23
Sainte-Croix, 1604	40	37	34	24
Québec, 1608	44	41	38	28
Mariage, 1610	46	43	40	30
Décès, 1635	71	68	65	55
Âge de Pont-Gravé	+ 4	+ 7	+ 10	+ 20

À mon avis, une date de naissance avoisinant l'année 1570 est la plus probable. L'année 1567, qui est l'estimation la plus ancienne, pourrait également être juste. Une naissance en 1564 serait la limite extrême, et très improbable. Après 1580, on dépasse la limite dans l'autre sens, et ce serait impossible. J'en conclus que Champlain est né vers 1570, plus ou moins quelques années.

LES VOYAGES DE CHAMPLAIN

Chronologie

JEUNESSE

1570-1594   Nombreux voyages avec son père, pilote et capitaine.

BRETAGNE

1594-1598   Campagnes en Bretagne ; missions secrètes et au moins un voyage pour le compte du roi.

ESPAGNE ET NOUVELLE-ESPAGNE

1598   De Blavet (aujourd'hui Port-Louis) à Cadix (Espagne), à bord du *Saint-Julien*

1598-1599   De Cadix à Sanlucar, à Séville, à Sanlucar

1599   De Sanlucar à la Guadeloupe, à bord du *Saint-Julien,* devenu le *San Julian*

            De la Guadeloupe aux îles Vierges, à bord du *San Julian*

            Des îles Vierges à Margarita, à bord de la patache *Sandoval*

            De l'île Margarita à Porto Rico, à bord de la patache *Sandoval*

            De Porto Rico à Haïti, à bord du *San Julian*

            De Haïti au Mexique, à bord du *San Julian*

            Du Mexique à Panama

            Du Mexique à Cuba, à bord du *San Julian*

            De Cuba à Carthagène

            De Carthagène à Cuba

1600   De Cuba à la Floride et retour ?

            De Cuba à l'Espagne, en passant par les Bermudes et les Açores

1600-1601   À Cadix avec son oncle

1601   De Cadix en France ?

1602-1603   En France, visite à la famille à Brouage ; étudie avec des géographes à Paris ; travaille avec des armateurs à Dieppe ; visite d'autres ports et lieux

TADOUSSAC, 1603

1603   *15 mars :* part pour Honfleur à bord de la *Bonne Renommée,* accompagnée de la *Françoise*

            26 mai : arrive au havre de Tadoussac

27 mai : tabagie à la pointe Saint-Mathieu (pointe aux Alouettes)

28 mai-9 juin : rencontres avec les Montagnais, les Etchemins et les Algonquins à Tadoussac

11-17 juin : explore le cours inférieur du Saguenay

18 juin-11 juillet : explore le Haut-Saint-Laurent de Tadoussac jusqu'aux grands rapides près de Montréal

15-19 juillet : explore le Bas-Saint-Laurent de Tadoussac à Gaspé, et rentre à Tadoussac

20 juillet-3 août : explore le Haut-Saint-Laurent

16 août-20 septembre : de Tadoussac à Honfleur, à bord de la *Bonne Renommée*

FRANCE, 1603-1604

1603   *20 septembre* : arrive à Honfleur à bord de la *Bonne Renommée*

15 novembre : reçoit la permission de publier son premier livre, *Des sauvages*

Septembre-avril : travaille en France

ACADIE ET NOREMBÈGUE, 1604-1605

1604   *7 avril-8 mai* : fait voile de Honfleur (Normandie) à La Hève (Acadie) à bord du *Don de Dieu*, avec De Mons, Pont-Gravé et Poutrincourt

13 mai-juin ? : explore la côte de l'Acadie de Port-Mouton jusqu'à la baie Sainte-Marie, son premier commandement en Nouvelle-France

16-24 juin : explore la côte de l'Acadie jusqu'à la baie Française (Fundy) avec De Mons comme commandant ; repère les sites de futures colonies à cap Sable, à la baie Sainte-Marie, Port-Royal, à l'île Sainte-Croix et au fleuve Saint-Jean

Juillet-septembre : travaille à l'île Sainte-Croix ; explore la rivière Sainte-Croix

31 août : Poutrincourt quitte Sainte-Croix pour la France à bord du *Don de Dieu*

2 septembre-2 octobre : explore la côte du Maine de Sainte-Croix à Penobscot et jusqu'à l'embouchure de la rivière Kennebec ; son second commandement

2 octobre : retour à l'île Sainte-Croix

Hiver à l'île Sainte-Croix

PORT-ROYAL, 1605-1607

1605   *15 mars-10 avril* : explore la côte et les îles de l'Acadie, avec Pont-Gravé pour commandant et Champdoré comme pilote ; leur barque s'échoue près de Port-Royal ; Champlain sauve tous les passagers et l'équipage

18 juin-3 août : explore la côte de la Nouvelle-Angleterre jusqu'à Cape Cod, avec De Mons pour commandant

23 juillet : livre bataille aux Indiens à Mallebarre (Nauset, à Cape Cod)

Août-septembre : prend part au déménagement de la colonie à Port-Royal

Novembre-décembre ? : voyage de Port-Royal au fleuve Saint-Jean et à Port-aux-Mines, à la recherche de gisements de cuivre

1605-1606   *Hiver* à Port-Royal (aujourd'hui Annapolis Royal, en Nouvelle-Écosse)

1606   *Printemps* : explore la côte de l'Acadie avec Pont-Gravé pour commandant

26 juillet : arrivée de Poutrincourt, qui prend le commandement à Port-Royal

5 septembre-14 novembre : explore la côte de la Nouvelle-Angleterre, avec Poutrincourt comme commandant

15-16 octobre : bataille contre les Indiens à Misfortune Harbor (Stage Harbor, Cape Cod)

1606-1607   *Hiver* à Port-Royal

1607   *Juillet* : De Mons ordonne aux colons de rentrer en France

11 août-2 septembre : fait voile de Port-Royal à Canseau

3-30 septembre : fait voile de Port-Royal à Saint-Malo, à bord du *Jonas*

FRANCE, 1607-1608

1606   *30 septembre* : arrivée à Saint-Malo

Rencontre avec De Mons et le roi

1607-1608   *Hiver* en France, où il met la dernière main à sa carte manuscrite de 1607 (aujourd'hui à la Bibliothèque du Congrès)

1608   On lui offre le commandement d'un nouvel établissement à Québec

13 avril-3 juin : fait voile de Honfleur pour Tadoussac à bord du *Don de Dieu*

QUÉBEC, 1608-1609

1608   *3-29 juin* : explore le Saguenay et le Bas-Saint-Laurent

30 juin : remonte le fleuve à partir de Tadoussac

3 juillet : fondation de Québec

4 juillet : on entreprend la construction du premier magasin et de la première habitation

Juillet : « quelque temps après » le 3 juillet, le complot de Jean Duval visant à assassiner Champlain est découvert ; Duval est exécuté ; ses complices sont renvoyés en France chargés de chaînes

18 septembre : Pont-Gravé fait voile pour la France ; Champlain reste à la tête de vingt-huit hivernants

Septembre-octobre : Montagnais et Français pêchent l'anguille ensemble

18 novembre : première neige abondante

1608-1609   Hiver très dur, avec deux ou trois brasses de glace et de neige sur le fleuve ; de nombreux Montagnais périssent ; seulement huit hivernants français sur vingt-huit survivent

1609   *5 juin :* des vivres et des hommes arrivent de France

7 juin : Champlain fait voile de Québec pour Tadoussac ; reçoit une lettre du sieur de Mons le rappelant en France

18 juin : Champlain explore le Haut-Saint-Laurent ; y rencontre des Indiens ; prépare un coup de main contre les Agniers

28 juin : quitte Québec avec des Montagnais

3-12 juillet : rejoint les Algonquins et les Hurons ; entre dans la rivière des Iroquois

12-29 juillet : double les rapides sur la rivière des Iroquois menant au lac Champlain et explore le lac et la rive du côté de l'actuel Vermont en attendant la nouvelle lune

30 juillet : Champlain et ses alliés remportent la bataille contre les Agniers ; après, il explore le déversoir du lac George

Août : visite les Montagnais à Tadoussac et les Algonquins à Québec

1er septembre : quitte Québec pour Tadoussac, d'où il s'embarquera pour la France

5 septembre-10 octobre : après avoir fait voile de Tadoussac, se rend à l'île Percée, et de là au Conquet et à Honfleur

FRANCE, 1609-1610

1609   *10 octobre :* arrivée à Honfleur

Octobre : se rend à Fontainebleau en chaise de poste ; y rencontre De Mons et Henri IV

Novembre : De Mons et Champlain rencontrent des financiers à Rouen, travaillent en étroite collaboration avec Lucas Le Gendre à la préparation d'une nouvelle expédition

Décembre-février : chez De Mons à Paris

28 février : se rend à Rouen et à Honfleur ; y recrute des artisans, des colons

1610   *7 mars :* fait voile de Honfleur ; Champlain tombe malade ; rentre au Havre

15 mars : rentre à Honfleur pour faire reballaster le navire

8 avril : fait voile de Honfleur à bord de la *Loyale* ; Pont-Gravé commande l'expédition

QUÉBEC, 1610

1610   *26 avril :* parvient à Tadoussac, après dix-huit jours de navigation

28 avril : quitte Tadoussac pour Québec ; constate que tout va bien

18 mai : rencontre des Montagnais et d'autres Indiens ; prépare une nouvelle campagne contre les Iroquois

14 juin : quitte Québec pour se porter à la rencontre des Montagnais, des Algonquins et des Hurons ; les Iroquois sont aux Trois-Rivières

19 juin : quitte les Trois-Rivières pour la rivière des Iroquois

19 juin : arrive à la rivière des Iroquois où il apprend que ses alliés ont cerné les Agniers à l'intérieur d'une barricade où se dresse maintenant la ville de Sorel ; Champlain et ses arquebusiers prennent part aux combats ; presque tous les Agniers sont tués ou capturés ; cette bataille met fin aux grandes hostilités avec les Agniers pour vingt ans

Juillet : Champlain rencontre Iroquet ; prend des dispositions pour qu'Étienne Brûlé aille vivre parmi les Algonquins de la Petite Nation d'Iroquet

Juillet-août : Champlain rentre à Québec, où il apprend que Henri IV a été assassiné le 4 mai ; le lettre du sieur de Mons prie Champlain de rentrer immédiatement

8 août : quitte Québec pour Tadoussac et la France

FRANCE, 1610-1611

1610   *27 septembre* : arrive à Honfleur, après une longue traversée de cinquante jours

30 décembre : épouse Hélène Boullé à Paris

QUÉBEC, 1611

1611   *1er mars* : quitte Honfleur pour le Canada

13-17 mai : arrive à Tadoussac ; fait voile pour Québec à bord d'une barque qui prend l'eau

21 mai : arrive à Québec ; fait réparer les avaries ; repart en exploration

28 mai : arrive aux grands rapides près de Montréal

Juin : explore le Saint-Laurent

1-13 juin : choisit l'emplacement de la future ville de Montréal ; fait aménager des jardins expérimentaux

13 juin-18 juillet : rencontre des Hurons, des Algonquins, et retrouve Étienne Brûlé ; explore le Haut-Saint-Laurent

18 juillet : rentre à Québec ; remet en état l'établissement, plante des roses

20 juillet-3 août : part pour Tadoussac

11 août : rentre en France

FRANCE, 1611-1613

1611   *10 septembre* : arrive à La Rochelle ; rend visite à De Mons en Saintonge

Septembre : part pour la cour ; manque de périr lorsqu'un cheval tombe sur lui ; rencontre De Mons à Fontainebleau ; se concerte avec le président Jeannin, le chancelier Brûlart et le maréchal Brissac pour soutenir la Nouvelle-France ; ils recommandent la nomination d'un protecteur de haute noblesse ; Champlain s'assure le concours du sieur de Beaulieu, l'aumônier de Louis XIII

1612   *27 septembre :* grâce aux bons offices de Beaulieu, Champlain se met en rapport avec le comte de Soissons et le prie d'accepter la charge de gouverneur de la Nouvelle-France ; celui-ci accepte

12 octobre : Soissons, cousin de Louis XIII, est nommé lieutenant général et gouverneur de la Nouvelle-France, avec pouvoirs vice-royaux

15 octobre : Soissons fait de Champlain son lieutenant en Nouvelle-France

1er novembre : Soissons meurt subitement ; on pressent le prince de Condé pour le remplacer

22 novembre : Condé est nommé vice-roi de la Nouvelle-France ; fait de Champlain son lieutenant

1613   *9 janvier :* Champlain publie *Les Voyages* et sa deuxième carte générale

Janvier-février : Champlain et Condé se heurtent à l'opposition des marchands ; Champlain fait trois voyages à Rouen ; prépare une expédition comptant trois navires partant de Rouen et un de Saint-Malo avec, à bord, des hommes et des vivres pour Québec

6 mars : quitte Honfleur à bord d'un navire commandé par Pont-Gravé

10 avril : aperçoit le Grand Banc ; pêche ; survit à une tempête monstre

QUÉBEC, 1613

1613   *29 avril :* arrive à Tadoussac après une traversée de cinquante-quatre jours ; les Montagnais reconnaissent Champlain à ses cicatrices, lui souhaitent la bienvenue

2-7 mai : fait voile vers Québec ; trouve les colons en bonne santé et des champs « émaillés de fleurs »

13-27 mai : départ pour les grands rapides de Montréal ; y rencontre des Algonquins qui se plaignent des attaques venues de l'Iroquoisie centrale

29 mai-17 juin : explore la rivière des Outaouais jusqu'à l'île Morrison et aux rapides des Allumettes ; y rencontre des nations indiennes et forge des alliances ; autres rencontres avec des Indiens ; prend des dispositions pour former des interprètes

27 juin : quitte les rapides pour redescendre le fleuve

6 juillet : parvient à Tadoussac ; attend son navire et le retour du beau temps pour rentrer en France

19 août : quitte l'île Percée près de Gaspé pour le Grand Banc

28 août : arrive au Grand Banc, « où nous fîmes pêcheries de poisson »

FRANCE, 1613-1615

1613   *26 septembre* : arrive à Saint-Malo ; y rencontre des marchands et les invite à former une nouvelle compagnie avec leurs confrères de Rouen
15 novembre : la nouvelle Compagnie du Canada est fondée à Rouen, parfois appelée la compagnie de Champlain ; ce dernier l'appelle la compagnie de Condé

1614   *Janvier-septembre* : avec l'appui de Louis Hoüel, le secrétaire du roi, voit à recruter des récollets pour la Nouvelle-France ; rencontre aussi Roberto Ubaldini, le nonce papal en France, dans le même but
27 octobre : rencontre tous les cardinaux et évêques de France qui sont venus à Paris assister aux états généraux ; tous font bon accueil au plan de Champlain visant à recruter des missionnaires et contribuent eux-mêmes pour 1 500 livres à son projet
Novembre : Champlain est à Fontainebleau ; prononce à la cour une conférence sur la Nouvelle-France ; noue des liens avec Louis XIII

1615   *28 février* : quitte Paris pour Rouen où il rencontre les bailleurs de fonds de la compagnie et les présente aux récollets ; d'autres investisseurs se joignent à la compagnie ; établit de bons rapports avec Condé
20 mars : Champlain, les récollets et les investisseurs se rendent à Honfleur
24 avril : quitte Honfleur à bord du *Saint-Étienne*, avec Pont-Gravé pour commandant

QUÉBEC, 1615-1616

1615   *25 mai* : arrive en vue de Tadoussac après une traversée de trente et un jours
27 mai : Champlain et les récollets partent pour Québec ; on déboise des terres et bâtit des logements pour la mission des récollets ; ceux-ci s'établissent
8-9 juin : Champlain et les récollets remontent le fleuve pour aller aux grands rapides
23 juin : la messe est dite à la rivière des Prairies devant un grand concours d'Indiens
26 juin : Champlain rentre à Québec
4 juillet : Champlain s'apprête à remonter le fleuve pour parcourir la Huronie et livrer bataille aux Iroquois du centre
9 juillet : quitte la rivière des Prairies ; explore le Haut-Saint-Laurent ; emprunte la route du nord pour éviter les partis de guerre iroquois ; visite plusieurs nations en chemin
26 juillet : rencontre la nation des Népissingues
28 juillet ? : rencontre les Cheveux-Relevés

HURONIE, 1615-1616

1615	*1er août* : arrive en Huronie
	17 août : rencontre les guerriers hurons à Cahiagué
	1er septembre : Étienne Brûlé et douze Hurons partent en mission chez les Andastes
	Septembre-octobre : organise la campagne contre les Onontagués
	9-16 octobre : bataille au fort onontagué (aujourd'hui Syracuse, dans l'État de New York)
	18 octobre : d'abondantes chutes de neige ralentissent la retraite vers la Huronie
	28 octobre : chasse le cerf en Huronie jusqu'au 4 décembre
	23 décembre : arrive à Cahiagué, en Huronie ; hiverne avec les Hurons
1616	*Janvier* : rencontre le père Le Caron à Carhagouha
	4 janvier : visite les Algonquins de la Petite Nation
	17 janvier : visite la nation des Pétuns ; de même que les Cheveux-Relevés et les Népissingues
	15 février : à Cahiagué, assure la médiation entre les Hurons et la Petite Nation
	20 mai : quitte la Huronie pour les grands rapides du Saint-Laurent
	1er juillet : parvient aux grands rapides ; repart pour Québec
	11 juillet : arrive à Québec
	20 juillet : se rend à Tadoussac
	3 août : fait voile de Tadoussac à Honfleur

FRANCE, 1616-1617

1616	*Septembre* : arrive à Honfleur
	25 octobre : Thémines est nommé vice-roi ; Champlain perd sa lieutenance
	Automne ? : publie sa carte de la Nouvelle-France
1617	*17 janvier* : Champlain est reconduit à la lieutenance par Thémines
	7 mars ? : quitte Honfleur pour Québec à bord du *Saint-Étienne*

QUÉBEC, 1617

1617	*14 juin* : arrive à Tadoussac, monte à Québec pour une brève visite ; est de retour en France le 20 juillet

FRANCE, 1617-1618

1617	*22 juillet* : Samuel et Hélène Champlain signent un contrat avec Isabelle Terrier, à Paris, preuve que Champlain n'est demeuré à Québec que quelques semaines

1618   *9 février :* Champlain présente un plan important pour le développement de la Nouvelle-France à la Chambre de commerce de Paris, et le même jour adresse une proposition au roi
12 mars : Louis XIII accepte la proposition
24 mai : Champlain arrive à Tadoussac

QUÉBEC, 1618

1618   *24 juin :* arrive à Tadoussac ?
Juin-juillet : à Québec
26 juillet : fait voile de Tadoussac pour Honfleur

FRANCE, 1618-1620

1618   *28 août :* rentre à Honfleur
21 décembre : obtient l'accord de bailleurs de fonds pour favoriser l'établissement de quatre-vingts colons à Québec
24 décembre : Louis XIII accorde à Champlain une pension de 600 livres

1619   Les directeurs de la compagnie interdisent à Champlain de faire voile vers la Nouvelle-France à bord de leur navire ; le roi intervient, mais il est trop tard pour la saison
18 mai : Champlain reçoit la permission de publier ses *Voyages… depuis l'année 1615*

1620   *25 février :* Condé vend sa charge de vice-roi à Montmorency
8 mars : Montmorency nomme Champlain lieutenant
7 mai : Louis XIII confirme la lieutenance de Champlain
Printemps : fait voile pour le Canada à bord du *Saint-Étienne* en compagnie d'Hélène

QUÉBEC, 1620-1624

1620   *7 juillet :* arrive à Moulin-Baudé, à une lieue de Tadoussac
11 juillet : quitte Tadoussac pour Québec
Été : ordonne la réfection de l'habitation de Québec ; construction du fort Saint-Louis
Novembre : le vice-roi Montmorency accorde à la compagnie de Caën un monopole de quinze ans sur le commerce avec la Nouvelle-France
Décembre-mars : les colons de Québec survivent à l'hiver et ne comptent qu'un seul décès accidentel ; Hélène Desportes naît à Québec

1621   *2 février :* Dolu adresse un rapport favorable à Montmorency, qui reconduit la lieutenance de Champlain
7 mai : le Conseil du roi décrète que la nouvelle compagnie de Caën et l'ancienne partageront le monopole et les coûts de l'établissement
Juin : le navire de l'ancienne compagnie commandé par Pont-Gravé

arrive à Tadoussac ; de Caën s'en saisit ; Champlain rétablit l'ordre ; le navire est rendu à son propriétaire légitime

18 août : l'assemblée des colons se réunit pour rédiger un cahier général de doléances adressées au roi ; ils appuient fermement les mesures prises par Champlain ; le roi y répond favorablement ; il augmente la pension de Champlain

12 septembre : Champlain énonce les règlements qui régiront l'établissement de Québec

1622   *Printemps :* encourage les Montagnais à cultiver la terre près de Québec

1er avril : le Conseil du roi confirme les droits de la nouvelle compagnie de Caën

6 juin : Champlain encourage les pourparlers de paix avec les Iroquois

24 décembre : le Conseil définit les relations entre l'ancienne compagnie et la nouvelle

1623   *23 juillet :* Champlain rencontre des Hurons et des Algonquins aux Trois-Rivières

Juillet-août : arbitre une affaire de meurtre avec les Indiens

Août : prépare l'établissement d'une ferme à cap Tourmente

Novembre : une route est construite jusqu'au fort Saint-Louis

Hiver : on coupe du bois pour le fort et le magasin de Québec ; Champlain prévoit la construction d'une nouvelle habitation

1624   *29 avril :* en France, Richelieu est nommé au Conseil du roi ; moins d'une année plus tard, il devient le « principal ministre » de Louis XIII

Avril-juillet : Champlain et les chefs indiens essaient de restreindre Simon, un Montagnais fou qui assassine un Iroquois ; la paix avec les Iroquois est préservée

1er mai : on commence les travaux d'excavation pour la nouvelle habitation de Québec

6 mai : la première pierre est posée

Juin-août : beaucoup d'échanges et de rencontres avec les Montagnais, les Algonquins et les Hurons

15 août : Champlain, sa femme et leur suite quittent Québec pour Tadoussac

24 août : ils quittent Tadoussac pour Gaspé afin de former un convoi

6 septembre ? : le convoi de quatre navires fait voile pour la France

FRANCE, 1624-1626

1624   *1er octobre :* Champlain et sa famille arrivent à Dieppe

Octobre : Champlain se rend à Paris ; de là, il va à Saint-Germain rencontrer Montmorency, le roi et le Conseil, « auquel je fis la relation de mon voyage »

Automne : à Paris, il rencontre d'anciens et de nouveaux actionnaires ; Montmorency vend sa charge vice-royale à Ventadour

1625   *15 février :* Ventadour fait de Champlain son lieutenant pour la Nouvelle-France
     Printemps + : Champlain travaille avec Ventadour à son hôtel de Paris
     Été + : on reçoit des rapports défavorables sur la Nouvelle-France des jésuites et des récollets
     29 décembre : Champlain vend une part de la propriété héritée de son oncle

1626   *10 mars :* Ventadour concède aux Jésuites des terres en Nouvelle-France
     15 avril : Champlain quitte Dieppe avec cinq navires

QUÉBEC, 1626-1629

1626   *29 juin :* arrive à Tadoussac après une traversée de soixante-cinq jours
     5 juillet : arrive à Québec
     Juillet-août : agrandit la ferme de cap Tourmente
     Octobre : Richelieu prend le contrôle du commerce, des colonies et des affaires maritimes

1626-1627 *Novembre-avril :* hiver dur et long à Québec

1627   *Printemps :* Ventadour n'est plus vice-roi ; ses pouvoirs sont assumés par Richelieu
     29 avril : la compagnie de Caën est remplacée par la Compagnie de la Nouvelle-France (les Cent-Associés) ; Richelieu est le premier associé ; Champlain s'y joint à titre de cinquante-deuxième associé ; sa part de 3 000 livres est payée par sa femme
     14 juillet : tabagies avec les Hurons aux Trois-Rivières ; Champlain plaide pour la paix avec les Iroquois
     7 octobre : rencontre avec des « capitaines » indiens à propos du meurtre de deux Français

1627-1628 *Novembre-avril :* autre hiver très rude

1628   *2 février :* on présente à Champlain trois fillettes montagnaises qu'il baptise Foi, Espérance et Charité, âgées respectivement de onze, douze et quinze ans
     Printemps : Charles Ier d'Angleterre autorise des mercenaires britanniques à s'emparer de la Nouvelle-France ; la famille Kirke saisit des navires dans le Saint-Laurent et sur les côtes ; des partis écossais font main basse sur l'Acadie
     Printemps : les Cent-Associés équipent une flotte très imposante à bord de laquelle se trouvent des colons pour la Nouvelle-France. Les directeurs refusent de l'envoyer de crainte qu'elle ne soit capturée par les forces anglaises. Richelieu insiste pour qu'elle fasse voile ; il en résulte un désastre
     Printemps : Champlain continue d'encourager l'agriculture à Québec ; collabore étroitement avec les Indiens ; encourage les missions
     Juillet : les Kirke incendient la ferme de cap Tourmente
     9 juillet : Champlain apprend que des navires anglais sont à Tadoussac

10 juillet : les Kirke apparaissent devant Québec et exigent sa reddition ; Champlain refuse et se prépare au combat ; les Kirke battent en retraite et décident plutôt d'affamer les Français pour les contraindre à se rendre
17-18 juillet : la grande flotte des Cent-Associés est capturée par les Kirke
Août : les Kirke rentrent en Angleterre avec un butin considérable ; la France n'envoie aucun secours

1628-1629   *Novembre-avril :* troisième hiver éprouvant à Québec avec grave pénurie alimentaire ; les Hurons, les Algonquins, les « Canadiens », les Etchemins et quelques Montagnais aident les Français en apportant de quoi manger à l'établissement ; on souffre beaucoup de la faim mais non du scorbut, et personne ne meurt de faim

1629   *Printemps :* la France n'envoie toujours aucun secours ; Champlain continue d'envoyer des Français vivre chez les Hurons, les Algonquins, les « Canadiens », les Etchemins et d'autres nations ; les autres habitants tirent péniblement leur subsistance de l'agriculture, de la chasse et de la cueillette
24 avril : le traité de Suze met fin à la guerre entre l'Angleterre et la France ; les conditions du traité prévoient le retour des biens saisis après la conclusion de la paix
25 juin : les navires de guerre de Kirke arrivent dans le Bas-Saint-Laurent
19 juillet : les Kirke exigent la reddition de Québec ; Champlain, n'ayant presque plus de vivres et de munitions, propose des conditions de reddition
20 juillet : Champlain accepte de rendre Québec ; les habitants sont traités humainement ; certains décident de rester à Québec sur les conseils de Champlain, avec la garantie de la jouissance de leurs biens
24 juillet : les Kirke emmènent Champlain à Tadoussac
14 septembre : Champlain est emmené en Angleterre par les Kirke

ANGLETERRE, 1629

1629   *27 octobre :* Champlain débarque à Douvres ; apprend que le traité de paix a été conclu
29 octobre : Champlain refuse d'être rapatrié en France ; se rend à Londres, y rencontre l'ambassadeur de France pour exiger la restitution de la Nouvelle-France étant donné que sa saisie était illégale en vertu du traité de Suze
Novembre : les Anglais acceptent en principe, mais refusent de rendre la colonie tant que Louis XIII n'aura pas payé la dot promise lors du mariage de sa sœur Henriette Marie

FRANCE, 1629-1632

1629   *30 novembre :* Champlain se rend d'Angleterre en France

Décembre : il implore le roi, Richelieu et les Cent-Associés de hâter la restitution de la Nouvelle-France

1630   *Printemps :* il adresse de nouvelles suppliques et protestations aux autorités françaises

Avril : Louis XIII exige la restitution de la Nouvelle-France

27 septembre : Champlain vend deux maisons à Brouage

1631   *Juillet :* Charles Ier ordonne aux Kirke de rendre Québec

Août : Champlain insiste pour que l'on rende l'Acadie et d'autres parties de la Nouvelle-France

1632   *13 février :* partage des biens entre Champlain et Hélène Boullé

29 mars : le traité de Saint-Germain-en-Laye rend Québec à la France ; l'Angleterre accepte d'évacuer l'Acadie et toute la Nouvelle-France ; Louis XIII accepte de payer la dot de sa sœur

Printemps ? : Champlain publie *Les Voyages de la Nouvelle France occidentale*

20 avril : Richelieu fait d'Isaac de Razilly son lieutenant pour la Nouvelle-France ; celui-ci refuse le poste et insiste pour dire que Champlain est plus apte que lui

CAP-BRETON, 1632

1632   Champlain se serait rendu de France jusqu'à Sainte-Anne, au cap Breton ; ce voyage n'est pas mentionné par Laverdière, Dionne, Biggar, Morison et d'autres biographes ; Campeau et Trudel croient qu'il a eu lieu ; sa date exacte est inconnue, et la preuve est moins que concluante, mais deux grands historiens de la Nouvelle-France croient que Champlain a fait ce voyage, et d'autres documents appuient cette hypothèse

FRANCE, 1632-1633

1633   *1er mars :* Richelieu, à contrecœur, nomme Champlain son lieutenant pour la Nouvelle-France

23 mars : Champlain quitte Dieppe pour la Nouvelle-France avec trois navires : le *Saint-Pierre* (navire amiral), le *Don de Dieu* et le *Saint-Jean*, chargés de 150 colons

CANADA, 1633-1635

1633   *22 mai :* Champlain reprend possession de Québec

Printemps : entreprend la construction de Notre-Dame-de-la-Recouvrance

Été : renouvelle ses alliances avec les Montagnais, les Algonquins et les Hurons

	13 août : Champlain adresse à Richelieu un rapport où il le presse de circonscrire le commerce anglais et de former une unité militaire suffisamment armée pour maintenir la paix ; Richelieu ne répond pas ; les deux problèmes s'aggravent
1634	*Printemps :* établit des forts et des postes de traite aux îles Sainte-Croix et Richelieu sur le Saint-Laurent
	Été : fonde un nouvel établissement aux Trois-Rivières ; Champlain fait des voyages entre Québec et Trois-Rivières
	18 août : Champlain adresse un nouveau rapport à Richelieu, qui, une fois de plus, ne répond ni n'agit
1635	*Printemps :* l'état de santé de Champlain se dégrade
	Octobre : une attaque massive le laisse paralysé
	17 novembre : signe son testament
	25 décembre : meurt à Québec, le jour de Noël

Résumé des voyages

De 1599 à 1635, Champlain a probablement fait la traversée de l'Atlantique vingt-sept fois en trente-sept ans. Il a fait aussi de nombreux voyages le long des côtes et sur les rivières d'Europe, des Antilles et d'Amérique du Nord. On ne compte pas ici les voyages qu'il a faits du temps où il était sous les drapeaux, ni les voyages de son enfance à bord des navires de son père. Le compte de Morison est erroné[1].

LE *BRIEF DISCOURS*

Exactitude et authenticité

Pendant un demi-siècle, des spécialistes de six pays ont débattu de l'exactitude et de l'authenticité du *Brief Discours* de Champlain, son récit de voyage dans l'empire espagnol de 1598 à 1601. Au cœur de cette controverse, il y a le texte lui-même, bien sûr, mais aussi le caractère moral de Champlain et le jugement que nous portons sur sa vie et son œuvre.

Le *Brief Discours* pose problème à maints égards, entre autres du fait que Champlain ne l'a pas publié de son vivant. Au moins trois copies du manuscrit ont survécu. Aucune n'est écrite de la main de Champlain, mais toutes trois portent son nom sur la page titre. Le manuscrit le plus complet se trouve à la bibliothèque John Carter Brown de l'université Brown de Providence, au Rhode Island. Sa provenance est une saga en soi. En 1884, un agent de la bibliothèque a acheté le manuscrit d'une maison respectée, la Librairie Maisonneuve de Paris. Celle-ci l'avait acquis de P. J. Féret, un collectionneur de Dieppe et descendant d'Aymar de Chaste, le gouverneur de Dieppe qui fut partisan de la Nouvelle-France et ami de Champlain dans les années 1602-1603. On pense que De Chaste ou sa famille avait laissé cette copie en dépôt pendant un certain temps au couvent des Minimes de Dieppe. La continuité de possession remonte donc jusqu'à Champlain lui-même.

Une autre copie du manuscrit — moins complète et avec des variantes — se trouve à la bibliothèque de l'université de Bologne et semble à peu près contemporaine de l'exemplaire de la Brown. Une troisième copie a été retrouvée à l'Archivio di Stato de Turin. Leurs dates sont incertaines et leur provenance obscure. Les trois copies sont incomplètes, avec des interruptions dans le texte et des références à des illustrations manquantes, mais le texte de la Brown est plus riche que les deux autres, avec soixante-deux illustrations, plans et cartes. Certains spécialistes croient que le document de la Brown constitue le manuscrit original, mais chaque copie comporte des éléments qui manquent dans les deux autres. L'analyse textuelle montre bien que les trois copies dérivent d'un original qui n'a pas encore été retrouvé. Il a peut-être été remis à Henri IV, ou Champlain l'aurait conservé, on ne sait. Telles sont les conclusions de l'étude attentive des trois textes qu'a faite Laura Giraudo, historienne à l'université de Milan[1].

Les éditions publiées et les jugements critiques

Le *Brief Discours* a été publié pour la première fois non pas en français mais dans une traduction anglaise de haute qualité, signée Alice Wilmere et Norton Shaw, à la Hakluyt Society en 1859. La première édition française a vu le jour en 1870 dans l'excellente collection des *Œuvres de Champlain* de Charles-Honoré Laverdière. Un troisième texte a paru dans l'édition bilingue des œuvres de Champlain publiée par la Champlain Society, avec une transcription textuelle de l'exemplaire de la Brown et une traduction anglaise réalisée par l'équipe éditoriale formée de H. P. Biggar, H. H. Langton, W. F. Ganong et J. Home Cameron.

Les éditeurs des trois publications ont découvert de nombreuses inexactitudes dans le *Brief Discours*. Ils ont ajouté des notes abondantes sur la « confusion des dates », les erreurs orthographiques et géographiques, les noms tronqués ainsi que les erreurs dans la description des événements, de la flore et de la faune. Mais tous les éditeurs admettaient l'authenticité du texte, s'entendaient pour dire que Champlain en était l'auteur, et croyaient qu'il avait bel et bien fait ce voyage en Amérique espagnole, plus ou moins de la manière décrite dans le *Discours*[2].

Le jugement des premiers biographes

Avant 1950, les biographes canadiens-français de Champlain étaient eux aussi d'accord pour reconnaître l'authenticité du *Brief Discours*, et dans la plupart des cas on en acceptait la lettre. Ce fut particulièrement le cas de N.-E. Dionne, Gabriel Gravier et H.-R. Casgrain[3].

Les biographes anglophones ne partageaient pas ce point de vue. Francis Parkman a écrit : « Il existe à Dieppe un curieux manuscrit, rédigé d'une main résolue, qui donne cette écriture quelque peu policée du XVIᵉ siècle, garni de soixante et une illustrations en couleurs dont le style artistique pourrait être imité sans peine par un enfant de dix ans. […] On y trouve également des descriptions d'objets naturels, chacun avec son propre croquis, certains faits d'après nature, d'autres de mémoire — par exemple, un caméléon à deux pattes — et d'autres encore d'après ouï-dire, entre autres le portrait d'un griffon dont on dit qu'il hante certaines régions du Mexique : un monstre avec des ailes de chauve-souris, une tête d'aigle et une queue d'alligator. C'est le journal de Champlain. »

Parkman, qui admirait vivement Champlain, croyait aussi en l'authenticité du *Brief Discours*, mais il l'avait lu comme une œuvre d'imagination et l'avait étudié pour y retrouver le caractère « d'un vrai héros, modelé sur le chevalier médiéval », « fortement imprégné de l'esprit romanesque ». Explication de Parkman : « Quoique sérieux, sagace et pénétrant, Champlain inclinait à croire au merveilleux ; et la foi qui illuminait sa vie aventureuse le conduisait quelquefois à outrepasser les bornes de la raison et à s'égarer dans le domaine de l'imagination. D'où le caractère trouble de certains de ses exploits, d'où sa croyance naïve dans l'existence du griffon mexicain. » C'était mal comprendre Champlain, qui n'avait rien d'un paladin du Moyen Âge. Cela dit, Parkman fut le premier à voir dans les failles et les inexactitudes du *Brief Discours* des preuves de son authenticité[4].

Voyons un autre biographe anglophone, Morris Bishop, professeur de langues romanes à l'université Cornell et auteur de *Champlain : The Life of Fortitude* (1948). Bishop compara le *Brief Discours* aux documents se trouvant à l'Archivo general de Indias de Séville, et fut le premier à le faire. Il embaucha un assistant de recherche, qui lui fit savoir qu'il « n'avait trouvé nulle part le nom de Champlain dans les manifestes du convoi de Don Francisco Colona de 1599, ni aucune mention de lui dans les documents accessoires ». Bishop se demanda s'il n'avait pas voyagé sous un nom d'emprunt. « Il a dû faire le voyage, écrivit-il, car il n'aurait pu copier ces erreurs nulle part. » Bishop était très conscient des erreurs que contenait le récit, mais, à l'instar de Parkman, il y a vu une preuve de son authenticité. Il croyait lui aussi que ces erreurs étaient indicatives du caractère moral de l'auteur[5].

Les premières attaques contre le Brief Discours

Après la parution du livre de Morris Bishop, en 1948, trois auteurs iconoclastes au Canada et en France ont entrevu la brèche qui leur permettrait de discréditer Champlain en mettant en doute l'exactitude du *Brief Discours*. Tous trois tenaient Champain pour son auteur et ont contesté en bloc sa véracité.

En 1950, l'écrivain canadien Jean Bruchési publiait un article au titre tapageur, « Champlain a-t-il menti ? ». Bruchési donnait à entendre que Champlain avait falsifié ses états de service dans l'armée de Bretagne, qu'il avait prétendu faussement avoir été capitaine du *Saint-Julien*, qu'il n'avait jamais fait ce voyage aux Indes occidentales et qu'il s'était servi des livres de bord du capitaine Provençal pour « rédiger ensuite, sous son nom, la relation d'un voyage qu'il n'a pas fait[6] ». Cette critique était présentée sous forme d'hypothèse, sans conclusion véritable. Mais presque toutes ses conjectures étaient unilatérales, et elles enveloppaient le document et Champlain d'un voile de suspicion.

On prouva rapidement que cette thèse était essentiellement fausse. Les états de service de Champlain en Bretagne furent confirmés par la recherche de Le Blant et les documents qu'il publia en 1967. Et même une lecture superficielle du *Brief Discours* révèle que Champlain n'a jamais affirmé avoir commandé le *Saint-Julien*. Néanmoins, l'accusation que comportait le titre de Bruchési, à savoir que Champlain était un menteur, fit plus de bruit que les correctifs et connut une belle postérité.

L'archiviste canadien Claude de Bonnault fit sienne l'hypothèse de Bruchési et l'enrichit de quelques thèses bien à lui, à savoir que Champlain n'avait jamais mis les pieds à Blavet, qu'il avait inventé l'histoire du capitaine Provençal et qu'il n'était jamais allé aux Antilles. De Bonnault couronna le tout avec une histoire de complot où le *Brief Discours* aurait été un document à caractère politique composé en 1612 pour soutenir le comte de Soissons et le prince de Condé contre le parti espagnol de la reine en France, et pour encourager un rapprochement avec l'Angleterre. De Bonnault en concluait que le *Brief Discours* était une « histoire fantaisiste » et fausse au premier degré, soit une fausseté délibérée et préméditée que Champlain aurait commise pour s'avantager. Cette thèse, avancée par un grand archiviste canadien, fit tache d'huile[7].

Ces jugements furent amplifiés par Hubert Deschamps, le directeur d'une autre édition des œuvres de Champlain intitulée *Les Voyages de Samuel de Champlain, saintongeais* (1951). Deschamps n'avait rien d'un iconoclaste. À maints égards, il admirait Champlain et louait son action en Nouvelle-France. Mais il tenait le *Brief Discours* pour un faux. S'appuyant sur Bruchési, il écrivit : « Maintenant ce voyage paraît des plus douteux et n'est probablement qu'une compilation de récits d'autres voyageurs[8]. »

Un botaniste trouve des preuves d'authenticité

La thèse de la forfaiture ne convainquit pas tout le monde. L'attaque de Bruchési inspira une autre critique qui aboutit à la conclusion contraire. En 1951, l'éminent botaniste français Jacques Rousseau se pencha sur les descriptions botaniques qui composent le quart du *Brief Discours*. Il aborda le texte d'un point de vue scientifique et analysa les informations qui y abondent. Rousseau constata que certaines étaient très confuses et manifestement erronées. Il en vint à croire que le document avait été écrit à la va-vite par un « voyageur de passage » dans un pays inconnu, obligé de se livrer à des conjectures et de trop s'en remettre à sa mémoire. Mais Rousseau conclut lui aussi que les erreurs du texte étaient en elles-mêmes des preuves d'authenticité. Il jugea que les descriptions botaniques, « malgré leurs imperfections, sont faites d'après nature », que « le récit est l'œuvre d'un Français ayant fait le voyage aux Antilles et au Mexique », et que ce Français devait être originaire de Saintonge étant donné qu'il « s'y trouve plusieurs termes saintongeais ». En bref, l'analyse botanique de Rousseau identifiait nombre d'inexactitudes dans le *Brief Discours*, mais en confirmait l'authenticité et débusquait des preuves que Champlain lui-même en était l'auteur[9].

Un jugement mitigé : Vigneras

Un autre auteur a dépouillé les archives espagnoles et abouti à un résultat différent. L. A. Vigneras fit un séjour de plusieurs mois à l'Archivo general de Indias à Séville et à l'Archivo de Simanca. En 1957, il publia ses constatations dans un article important, détaillé, et qui constitue une critique équitable de la plus haute valeur pour tout lecteur sérieux de Champlain. Comme l'assistant de recherche de Bishop, Vigneras ne trouva aucune mention explicite de Champlain dans les archives de la flotte des Indes espagnole de 1599 à 1601. Il décela également dans le *Brief Discours* de nombreuses erreurs dans les faits, les dates et la chronologie. Mais il confirma aussi l'exactitude de larges pans du texte et en conclut que son auteur avait été un témoin oculaire de bon nombre des scènes et événements décrits dans l'ouvrage.

En particulier, Vigneras confirma l'exactitude des premières pages du *Brief Discours* concernant le traité de Vervins, la charte-partie du vaisseau du capitaine Provençal et le voyage de Blavet en Espagne. Il corrobora bon nombre des déplacements du *Saint-Julien* exactement comme Champlain les avait décrits ; il écrivit que Champlain avait raison de dire qu'à chaque galion était assignée une patache ; et que le *San Julian* était jumelé avec la patache *Sandoval* qui fut envoyée prendre livraison des perles à l'île Margarita[10]. En revanche, Vigneras était d'avis que le récit qu'avait fait Champlain de sa visite en Guadeloupe, de son voyage à l'île Margarita et de son séjour à México et à Portobelo était impossible, sinon très douteux.

En résumé, Vigneras se disait incapable de confirmer ou d'infirmer l'exactitude du *Brief Discours*. Dans sa conclusion hésitante, il suggère que Champlain a peut-être fait le voyage à titre de passager clandestin, ou qu'il aurait pu baser son récit sur des entretiens qu'il aurait eus avec d'autres personnes qui étaient allées aux Antilles et au Mexique. Vigneras recommandait qu'on fasse de plus amples recherches, qu'on s'abstienne de conclure hâtivement et qu'on respecte le souvenir de Champlain qui ne devait pas être condamné pour une « possible erreur de jeunesse[11] ».

À la défense du Discours : Bishop, Morison et Trudel

Devant ces diverses critiques, certains auteurs se portèrent à la défense de Champlain. Morris Bishop composa une réponse nuancée à Bruchési, De Bonnault, Vigneras et d'autres, ces « quelques historiens canadiens qui ont traité le père du Canada avec un mépris indigne d'un fils, qui l'ont en fait traité de menteur ». Bishop faisait remarquer que tous, même les plus hostiles, avaient « grandement étendu notre connaissance » sur des points importants. C'était Bruchési, après tout, qui avait découvert que Guillermo Eleno et le capitaine Provençal ne faisaient qu'un. On devait à De Bonnault d'avoir trouvé le manuscrit turinois du *Brief Discours*. Vigneras, quant à lui, avait été le premier à signaler l'existence du manuscrit bolognais et avait exhumé plusieurs renseignements nouveaux aux archives espagnoles.

Mais Bishop faisait valoir que les détracteurs de Champlain avaient versé eux aussi dans l'erreur et n'avaient pu résoudre ces questions essentielles : Champlain avait-il fait le voyage lui-même ? Avait-il fait passer pour sien le vécu des autres ? Avait-il menti ? Bishop avançait qu'il fallait répondre à ces questions non seulement par une analyse du *Brief Discours*, mais aussi en se fondant sur « notre propre expérience de la vie, notre connaissance des hommes et de leur comportement ». Il ajoutait que non seulement Champlain avait été un honnête homme, mais il avait « toujours eu le mensonge en horreur ». Bishop donna quelques exemples de sa franchise et conclut : « Pour Champlain, comme pour les Indiens, le mensonge était le pire des crimes. Dans mon étude de Champlain, je ne l'ai jamais surpris à mentir. J'ai trouvé des inadvertances, certes ; des erreurs, souvent ; des trous de mémoire, régulièrement. Mais jamais de fieffé mensonge. Ajoutez à cela le chœur de ses contemporains, qui louaient sa rectitude, sa conscience élevée, la droiture de son esprit. » Bishop faisait également valoir que Champlain aurait eu peu à gagner et beaucoup à perdre d'une « falsification maladroite et risquée ». Il concluait : « Champlain n'a pas menti. » Le texte de Bishop était bien tourné, spirituel et sagace, mais il lui manquait un fondement empirique et il ne sut pas convaincre les iconoclastes, ceux qu'il appelait les « misocamplanites[12] ».

Une autre ligne de défense se dressa dans la biographie de Samuel Eliot Morison. Celui-ci avait une connaissance intime des eaux des Antilles et de l'Amérique du Nord. Il avait le plus grand respect pour la véracité des écrits de Champlain et il fustigea ses détracteurs : « Vigneras trouve tellement d'inexactitudes dans le *Brief Discours* qu'il va jusqu'à laisser entendre que Champlain n'a jamais quitté l'Espagne et l'a composé à terre en interrogeant d'autres navigateurs ! Dans mon esprit, cette hypothèse est réfutée par la qualité des croquis couleur qui (sauf pour la vue à vol d'oiseau des villes) n'auraient pu être copiés dans les livres de l'époque et sont manifestement de la même main que ceux qu'on retrouve dans les livres de Champlain sur le Canada. J'en conclus que, en sa qualité de Français se trouvant dans une situation délicate (l'Inquisition était déjà fermement établie au Mexique et la présence même de Champlain sur place était illégale), il n'a pas osé prendre des notes ou faire des croquis, mais qu'il a écrit son texte et peint ses illustrations de mémoire après son retour en France. Voilà qui expliquerait pourquoi il confond parfois les caractéristiques de plusieurs plantes dans la même illustration. Le style artistique de Champlain est manifestement inspiré de celui de Théodore de Bry, dont certains ouvrages illustrés sur le Nouveau Monde ont paru assez tôt pour qu'il les ait vus, ou peut-être même possédés[13]. »

Le jugement de Marcel Trudel constitue le troisième rempart. Le premier volume de son excellente *Histoire de la Nouvelle-France* comporte un passage bref mais nuancé où il traite avec sérieux les fautes qu'ont relevées les détracteurs dans le *Brief Discours*, mais il fait valoir que les dessins sont probablement de la main de Champlain. Il trouve pour les inexactitudes des explications qui n'obligent pas à condamner sans appel le texte ou son auteur[14].

Les attaques reprennent et s'amplifient : Liebel et Codignola

Au Canada comme en France, les attaques contre le *Brief Discours* se sont poursuivies jusqu'à la fin du XXe siècle. Le livre de Jean Liebel, historien saintongeais et auteur d'une biographie importante du sieur de Mons fondée sur des sources nouvelles, utiles et abondantes, fait ainsi valoir que l'importance de Champlain a été exagérée au détriment du sieur de Mons. Il condamne avec la dernière sévérité le *Brief Discours,* « dont l'origine douteuse, la publication bien après la mort de Champlain, les erreurs et invraisemblances nombreuses font penser qu'il n'a sûrement pas été écrit par Champlain ». « [Ce dernier] ne se serait pas permis, écrit-il, d'égarer le lecteur en des mensonges aussi grossiers que ceux du *Brief Discours* : c'était un honnête homme[15]. »

Un autre détracteur a poussé plus avant la thèse de Liebel. Luca Codignola, un canadianiste italien, a publié deux essais où il avance que Champlain est bel et bien allé aux Antilles avant 1601, mais il condamne le *Brief Discours*, disant que ce récit n'est qu'un « prétendu voyage », « dépourvu d'intérêt » et « rempli d'erreurs grossières ». Codignola est d'avis que le *Discours* n'est pas de la main de Champlain, mais un faux commandé par un collectionneur de « souvenirs exotiques », peut-être « le collectionneur le plus fêté et le plus passionné de l'époque de Champlain », l'érudit et savant Nicolas-Claude Fabri de Peiresc. Codignola admet cependant que sa thèse relève du « domaine de la spéculation ».

Cette hypothèse ne repose sur aucune preuve, et il en existe d'autres qui la réfutent. Peiresc a laissé une collection imposante de documents mais ne fait nulle part mention du *Brief Discours*. Il était tenu pour un homme honorable, d'une honnêteté scrupuleuse. La généalogie du manuscrit de Dieppe a invalidé l'hypothèse de Codignola, mais celle-ci a eu pour effet d'alimenter le scepticisme au sujet du *Brief Dis-*

cours et de Champlain lui-même, scepticisme qui allait croissant à la fin du XXe siècle[16].

De nouvelles sources : Armstrong

Une contribution plus positive vint de Joe C. W. Armstrong qui, dans son *Champlain*, publia un nouvel élément de preuve important : le dernier testament du capitaine Provençal, l'oncle de Champlain, fait à Cadix et rédigé le 26 juin 1601. Ce document se trouvait dans la collection de l'Archivo historico provincial de Cadix, et une copie en fut remise aux Archives nationales du Canada (aujourd'hui Bibliothèque et Archives Canada) en 1975. Le document prouvait que Champlain était présent en cette occasion et qu'il l'avait signé de son nom. L'écrivain public espagnol qui avait rédigé le texte, un homme du nom de Marco Riveras, avait orthographié ainsi le nom de Champlain : « Samuel Zamplen », une variante qui pourrait expliquer pourquoi on n'a trouvé aucune mention de Champlain dans les archives espagnoles[17].

Cette découverte confirmait hors de tout doute la nature du rapport entre Champlain et son oncle, parenté qui avait été contestée par plusieurs iconoclastes. Elle confirmait aussi le récit qu'en avait donné Champlain, situait les déplacements du *Saint-Julien* en 1598-1599, plaçait Champlain de nouveau à Cadix pendant une longue période au printemps 1601 et expliquait sa présence là-bas : il était au chevet de son oncle. Le testament désignait Champlain comme seul héritier de biens considérables en Espagne et en France[18]. Armstrong a enrichi le dossier sur un autre point. Ayant étudié les références de Champlain à la Floride, il en concluait que Champlain y avait fait une visite clandestine pendant la dernière partie de son voyage en Nouvelle-Espagne : « Il est raisonnable de présumer que Champlain a vraiment exploré la côte de Floride. » Ainsi, Armstrong avait dévoilé une preuve nouvelle et importante de l'authenticité du *Brief Discours* de Champlain[19].

De nouvelles sources : Giraudo

Deux projets de recherche de Laura Giraudo ont produit des résultats favorables. Dans le premier, elle a fait une étude comparative rigoureuse des trois copies du *Brief Discours* et constaté que les copistes étaient responsables de certaines erreurs qu'on avait attribuées à Champlain. Giraudo a publié un second article faisant état de nouvelles recherches dans les archives espagnoles : une fois de plus à l'Archivo general de Indias à Séville (où Vigneras avait fait des recherches) et, pour la première fois, à l'Archivo ducal de Medina Sidonia (auquel Vigneras n'avait pas eu accès). Elle n'a pas trouvé, là non plus, de mention explicite de la présence de Champlain avec la flotte des Indes, mais elle a découvert des preuves qui corroborent les dires de Champlain sur les déplacements des navires eux-mêmes : les manifestes de Pedro de Zubiaur et Francisco Coloma, les contrats avec l'oncle provençal de Champlain, la charte-partie du *San Julian*, le voyage de l'Espagne à l'Amérique, les événements de Porto Rico, les déplacements du *San Julian* de San Juan à Saint-Domingue et à Vera Cruz, et tout ce qui s'était produit en chemin. Elle a trouvé des éléments de preuve qui pourraient placer Champlain à México, d'autres concernant le voyage du *San Julian* du Mexique à Cuba, et elle a étoffé le récit des événements dont Champlain aurait été témoin aux Antilles et durant le voyage de retour en Espagne. Giraudo en a conclu que l'hypothèse selon laquelle Champlain aurait été un passager clandestin à bord du *San Julian* « apparaît de plus en plus probable ». Elle se dit également d'avis que de nouvelles recherches aux archives espagnoles pourraient être encore plus fructueuses[20].

Évaluations positives et jugements tempérés : Gagnon et Glénisson

Une contribution importante d'un autre genre a été versée au dossier par François-Marc Gagnon. Il s'agit d'une explication de texte. Gagnon a trouvé de nouvelles erreurs dans les travaux de Bruchési, De Bonnault et Vigneras. Il a également esquissé des scénarios qui permettraient de concilier le témoignage de Champlain avec d'autres sources, particulièrement les archives espagnoles. Cette approche ouvre des perspectives nouvelles et utiles dans les études sur Champlain[21].

En 2004, nouvelle contribution importante. Raymonde Litalien a publié cette année-là une entrevue avec un historien et paléographe français très respecté, Jean Glénisson, à qui elle a demandé son opinion sur le *Brief Discours*. « À mon sens, a-t-il répondu, il n'y a absolument aucune raison de douter de l'authenticité du voyage de Champlain en Amérique espagnole. » Il rappelait que Champlain « n'avait pas, évidemment, la permission de divulguer les informations qu'il avait recueillies dans son voyage, d'autant que les Espagnols observaient la plus grande discrétion sur leurs riches colonies d'Amérique. Le *Brief Discours* offert à Henri IV a donc quelque chose de clandestin. Il ressemble beaucoup à un rapport d'espionnage. » Glénisson ajoutait que Champlain lui-même affirmait avoir fait le voyage et qu'il en avait fait état « à plusieurs reprises » dans d'autres ouvrages ainsi que dans une requête adressée à Louis XIII en 1630. En outre, la matière du *Discours* rejoignait à maints égards celle contenue dans ces autres écrits[22].

Notre point de vue

Après tant de controverse, que dire du *Brief Discours* ? La première chose à faire est de se demander de quel genre de texte il s'agit. Comme Morison et Glénisson l'ont signalé, ce n'est pas un journal ou un carnet de bord. De même, il n'est pas intitulé *Voyage de Champlain* mais plutôt *Brief Discours des choses plus remarquables que Samuel Champlain de Brouage a reconnues aux Indes Occidentales*. Il s'agit aussi d'un rapport d'espionnage dont l'unique lecteur devait être Henri IV[23].

Il convient aussi de se demander comment le *Brief Discours* a été composé. On en trouve un indice important dans sa chronologie. Le *Discours* de Champlain et les archives espagnoles ne comptent pas le temps de la même façon. Les bureaucrates espagnols travaillaient à partir de documents et se servaient des dates du calendrier. Champlain travaillait de mémoire et comptait le temps, en se basant non pas sur des dates fixes, mais sur des intervalles en semaines et en mois. Il mentionne rarement le calendrier, et quand il le fait ses références sont vagues et les dates ne sont jamais précises. En l'absence d'un carnet de bord ou d'un journal, le fait de ne compter que sur sa mémoire l'a conduit à de nombreuses erreurs, et c'est cela aussi qui l'a égaré dans son estimation du temps. Partout dans le *Brief Discours*, Champlain a tendance à surestimer la longueur des intervalles de temps, manifestation évidente d'une distorsion mémorielle. Par exemple, à propos du voyage de Blavet à la baie de Vigo, il dit qu'il y a mis onze jours; les archives espagnoles montrent que le trajet n'en a pris que cinq. Ce genre d'erreur apparaît souvent dans le texte. Champlain ne pouvait pas prendre de notes ou tenir un journal de quelque sorte que ce soit, et tout le texte a été rédigé à son retour d'Amérique. J'y vois une preuve de plus qu'il était passager clandestin, comme c'était d'ailleurs le cas de six autres personnes à bord du *San Julian*.

Partant de ces constatations, on peut aborder le texte de Champlain dans un esprit de critique constructive. Il faut avant tout confronter le *Brief Discours* de Champlain avec d'autres preuves. Faire cela, c'est d'emblée repérer et corriger nombre d'erreurs relatives aux dates et autres inexactitudes. Mais au lieu de dresser la liste des contradictions, comme l'ont fait les détracteurs, il est plus utile de reconstruire les voyages de Champlain aux Antilles d'une manière cohérente qui concilie les lignes principales de son récit et les preuves émanant d'autres sources. On voit le résultat de cette démarche dans le chapitre 5 du présent ouvrage : un récit qui n'évacue pas les problèmes d'interprétation mais en fait état dans les notes, l'historiographie étant commentée en appendice.

Ce travail fait, il est apparu évident que le *Brief Discours* est souvent inexact mais parfaitement authentique, et que, dans ses grandes lignes, il est compatible avec les preuves trouvées dans les archives espagnoles. Le *Brief Discours* est précisément ce qu'il prétend être : un texte de Samuel Champlain, Français de Saintonge, qui a rapporté à son roi les « choses remarquables » qu'il avait vues de ses propres yeux en Amérique espagnole.

La prochaine étape consiste à examiner le document de nouveau et à se demander ce qu'il nous dit à propos de Champlain lui-même. Il s'agit en fait d'une source importante et révélatrice. Le *Brief Discours* nous renseigne sur ses objectifs et sur son processus de développement. Nous y trouvons une curiosité insatiable pour le monde, une fascination pour les autres peuples, un intérêt vif pour les autochtones d'Amérique et les esclaves africains, ainsi qu'une attitude faite de sympathie et de respect. Champlain était un chrétien à la foi profonde et constante. Il était horrifié par les atrocités de la conquête espagnole, indigné par la conduite de certains ecclésiastiques espagnols et choqué par les horreurs commises au nom du Christ. On y voit un Champlain bientôt désireux de s'établir auprès de peuples autochtones, et son indifférence à la recherche d'or, d'argent, de perles et autres pierres précieuses. On voit aussi son esprit humain et son noble dessein sur terre. En un mot, le *Brief Discours* est non seulement un ouvrage authentique mais aussi un élément essentiel dans la compréhension de Champlain lui-même.

L'ŒUVRE PUBLIÉE DE CHAMPLAIN

À propos de l'auteur

Plusieurs ont contesté l'authenticité des *Voyages* de Champlain, et en particulier de son dernier livre, *Les Voyages de la Nouvelle France...* (Paris, 1632). L'abbé Laverdière affirmait que les jésuites avaient modifié son texte, supprimé les références aux récollets et qu'ils y avaient ajouté des louanges à leur ordre. « Non seulement quelqu'un a revu, ou même retouché le récit de Champlain ; mais on peut affirmer que le travail a été fait soit par un jésuite, soit par un ami des religieux de cet ordre[1]. »

D'autres historiens ne sont pas de cet avis. Biggar a écrit : « Quant à l'hypothèse selon laquelle les jésuites ont mis la main à la production de ce livre, je ne vois rien qui la fonde. Les quelques erreurs citées par Laverdière auraient pu se glisser dans n'importe quel ouvrage de cette ampleur, et sont sans doute le fait de l'imprimeur pour la plupart. » Biggar était d'avis que Champlain lui-même avait supprimé les passages sur les récollets pour deux raisons. D'abord parce qu'il résumait ici ses ouvrages antérieurs, et ensuite parce qu'« il ne leur portait plus la même estime qu'avant du fait de la conduite du père Georges, le récollet que Champlain soupçonnait d'avoir adressé de fausses lettres au roi[2]. »

Biggar concluait que l'édition de 1632 reflétait le jugement de Champlain lui-même, et que sa force et son importance tenaient à l'intégrité sans égale de l'homme. « Les écrits de Champlain, assurait-il, sont une source de premier ordre, et si l'on peut regretter les années qu'il a passées sous silence, justement, cette lacune même hausse la valeur du reste car elle prouve que ses écrits ne contiennent rien qu'il n'a pas vu ou vécu lui-même[3]. »

Des érudits laïcs du XXe siècle ont également exprimé des doutes sur le ton piétiste qui marque les œuvres tardives de Champlain. Mais ses inédits et ses textes parus dans le *Mercure François* montrent les mêmes tendances que ses *Voyages*. Exemple incontournable : le manuscrit de son testament. La foi croissante de Champlain s'y manifeste avec plus d'éclat que dans tout autre écrit qui aurait pu être falsifié par les jésuites ou par d'autres.

Une troisième vague de critiques est survenue à la fin du XXe siècle de la part d'iconoclastes qui avançaient que les écrits de Champlain étaient des actes éhontés de magnification personnelle. Comment évaluer ces critiques-là et d'autres, ainsi que les écrits eux-mêmes ? La première chose à faire est de se pencher sur l'objectif de ces écrits. L'étude du *Brief Discours* de 1601 et des quatre grands ouvrages que Champlain a publiés en 1603, 1613, 1619 et 1632 révèle plusieurs tendances. Toutes les œuvres publiées de Champlain étaient des textes de propagande, mais pas d'autopromotion. Leur objet premier était de promouvoir son grand dessein pour la Nouvelle-France et non de faire connaître leur auteur. À cet égard, comparons-les aux ouvrages du capitaine John Smith, qui embellissait ses cartes et ses livres de grands autoportraits. Rien de tel chez Champlain. Comme l'ont noté de nombreux spécialistes, Champlain est très discret lorsqu'il s'agit de lui-même, de ses réflexions et de ses sentiments. Ce ne sont pas là les marques de l'autopromotion. Il est aussi très franc lorsqu'il parle des échecs et des erreurs ; par exemple, la décision d'aller s'installer à l'île Sainte-Croix.

On entrevoit un autre indice dans le rythme de ses publications et le moment où elles ont paru. Ses ouvrages ont été rédigés à des moments charnières, alors que le destin de la Nouvelle-France était en jeu : l'hiver 1603-1604, l'hiver 1612-1613, en hiver et au printemps 1618-1619, et en hiver et au printemps 1631-1632. Dans les moments de danger ou de promesses, tous ces textes faisaient la promotion du grand dessein de Champlain, de sa vision de la Nouvelle-France.

Cette propagande visait la cour de France, tout particulièrement le monarque. Les principaux livres de Champlain sont dédiés à des figures occupant des postes d'autorité : Charles de Montmorency (amiral de France en 1603, et oncle du futur vice-roi) ; Marie de Médicis, reine et régente en 1612-1613 ; le jeune Louis XIII, dont le règne personnel commençait en 1618-1619 ; et le cardinal de Richelieu en 1631-1632.

Le ton de ces œuvres variait, non pas parce que les jésuites avaient récrit les dernières, mais parce que Champlain s'évertuait à rejoindre des personnages puissants dont les valeurs et les objectifs variaient. On relève deux tendances dans ses livres. L'une est la continuité dans sa recherche d'appuis pour son grand dessein. L'autre est l'évolution dans le ton et la substance : il exalte les principes d'Henri IV dans le *Brief Discours* de 1601 et dans *Des Sauvages* (1603), puis se montre attentif à la piété de Marie de Médicis dans les *Voyages* de 1613. Dans ses ouvrages tardifs, il flatte les ambitions de Louis XIII dans les *Voyages* de 1619, et celles de Richelieu dans les *Voyages* de 1632. Ces opérations de réclame ont eu l'effet escompté. Elles ont permis à Champlain de maintenir en vie son grand projet.

À propos de la question de l'exactitude, les écrits publiés de Champlain contiennent tous de petites erreurs, des affirmations inexactes, des confusions dans les dates. Les manuscrits étaient remis en vitesse à l'imprimeur dans des moments de crise, et leur composition porte toujours les marques de la hâte. Il est évident que certaines parties sont basées sur des carnets de bord et des journaux. Biggar écrit pour sa part : « Il a dû tenir un journal, et en plusieurs endroits l'existence d'une source de ce genre est manifeste. Ainsi, à la fin du dernier chapitre de la première partie de l'édition de 1613, il rend compte de ce qui s'est passé presque chaque jour du mois de septembre 1607. Il n'aurait pas pu écrire cela s'il n'avait pas tenu un journal. » Biggar observe qu'un « journal très fidèle de ses observations a été tenu » dans cette partie du livre. Dans d'autres passages, Champlain écrivait de mémoire, et des erreurs se sont glissées, comme dans le cas du *Brief Discours*. Mais il s'efforçait toujours d'être fidèle aux faits, et il révèle habituellement ses sources. Biggar a constaté que Champlain « se contente le plus souvent de décrire les événements dont il a été le témoin oculaire et où il a joué un rôle important. » Quand il avait une source différente, il prenait généralement la peine d'en informer le lecteur ou d'ajouter un avertissement[4].

À notre époque à nous, il est de plus en plus possible de mesurer l'exactitude d'une bonne part des *Voyages* de Champlain à l'aide d'autres sources très variées. Pour le voyage de 1603, nous avons de la documentation corroborante qui provient des registres des ports, des lettres et édits d'Henri IV, et des entrevues menées plus tard par Marc Lescarbot pour son *Histoire de la Nouvelle-France.* Pour les explorations sur la côte acadienne de 1604, nous disposons de l'histoire orale des Micmacs, qui correspond aux sources françaises. Pour les établissements de l'île Sainte-Croix et de Québec, nous avons d'abondantes preuves archéologiques. Pour la colonie de Port-Royal, Marc Lescarbot a confirmé l'exactitude des textes de Champlain dans tous leurs aspects importants, et ce, même si les deux auteurs ne se parlaient plus. Lescarbot en a fait autant à propos de la campagne contre les Agniers. Plus la recherche avance, plus on trouve de preuves corroborantes pour les événements en France, en Angleterre et en Amérique. Les écrits des récollets et des jésuites, de même que les textes publiés dans le *Mercure françois*, confirment l'exactitude des *Voyages* de Champlain presque en tous points chaque fois qu'il y a moyen de les confronter les uns aux autres. De plus en plus, le dépouillement des documents d'État donne les mêmes résultats. Ces preuves permettent fréquemment de corriger des erreurs mineures dans les dates (la confusion des mois est un problème fréquent). Champlain avait également des partis pris marqués et des objectifs bien précis. Mais ce sont là les écrits d'un homme honnête et honorable.

Appendice E

LE *TRAITTÉ DE LA MARINE*

Essai sur l'art de commander

Vers la fin de sa vie, Champlain a composé un petit traité voué entièrement à l'art de commander. Il l'a publié avec le dernier de ses *Voyages,* en 1632, dans un long appendice, bien qu'il s'agisse en réalité d'un ouvrage distinct avec sa propre page titre et son propre thème. Il l'a intitulé *Traitté de la marine et du devoir d'un bon marinier.* On peut le lire dans le texte bilingue établi par H. P. Biggar pour son édition des principales œuvres de Champlain[1].

Les spécialistes ont étudié le *Traitté* sous divers angles. Morris Bishop, qui était spécialiste de littérature française, y a vu « l'œuvre littéraire la plus marquante de Champlain » et a dit que c'est « le seul effort qu'il ait fait pour se hisser au-dessus du journal que l'on tient quotidiennement et créer une œuvre littéraire en soi et pour soi ». Bishop y voyait une œuvre « d'auto-révélation » où le « bon navigateur » est « l'homme qu'il aspire à être[2] ». Joe Armstrong, homme d'affaires canadien et collectionneur de cartes, y voyait une œuvre « débordant de confiance, vivante et d'une langue foisonnante » ainsi qu'un élément essentiel de « sa contribution à titre de géographe, naturaliste et cartographe[3] ». Samuel Eliot Morison, spécialiste de l'histoire maritime et lui-même plaisancier, l'a qualifié de « manuel du marinier pour la conduite et la navigation des navires ». Morison avait été particulièrement impressionné par le « sens de la mer » de Champlain et avait traduit de larges extraits du *Traitté* pour l'édification des futures générations de mariniers[4].

L'ouvrage s'inscrit dans un corpus traitant de navigation qui était déjà abondant à l'époque de Champlain. Lui-même vécut à l'époque où l'art de la navigation devint une science. Sa contribution la plus importante ici ne tient pas à une découverte quelconque mais bien à l'invention d'un procédé qui permet de faire des découvertes et de les partager avec autrui. À cette fin, l'instrument le plus utile n'était pas un navire, une arbalète de Jacob ou un astrolabe, mais plutôt une presse d'imprimerie. L'historien D. W. Waters a recensé 203 traités sur la navigation publiés par des auteurs portugais, espagnols, anglais, hollandais et français avant 1640[5]. Certains de ces livres étaient des manuels techniques portant sur les outils de navigation. D'autres étaient des ouvrages de mathématiques ou des monographies sur l'astronomie, ou des manuels traitant de logarithmes, de trigonométrie, de géométrie sphérique, de cartographie ou d'autres sujets spécialisés. On retient surtout ici l'*Arte de navegar* de Pedro de Medina (Séville, 1545), excellent exposé des méthodes qui permettent de déterminer la latitude d'après la position du soleil et des étoiles, avec un tableau très exact de la déclinaison solaire. Il avait été traduit en anglais par John Frampton, *The Arte of Navigation… made by Master Peter de Medina* (Londres, 1581). Il était également paru en français, en italien et en hollandais, et était utilisé partout dans le monde. L'explorateur hollandais William Barents avait emporté avec lui le *Arte de navegar* de Medina lors de sa dernière expédition arctique, et son exemplaire fut retrouvé au XIXe siècle, préservé dans la glace polaire. Frobisher et Drake se servaient eux aussi du livre de Medina, et Champlain en avait fait une lecture attentive[6].

D'autres traités de navigation prenaient la forme de ce qu'on appellerait aujourd'hui des instructions nautiques ou cartes de pilotage. L'ouvrage le plus important du genre fut le *T'eerste Deel Vande Spieghel der Zeevaerdt vandde Navigatie der Westersche Zee* (*Pars prima du Miroir de la navigation de la mer occidentale[7]*) de Lucas Janszoon Wagenaer. En anglais, l'ouvrage était intitulé *The Mariner's Mirror*. Les pages titres des éditions anglaise et hollandaise montraient toutes deux un groupe de navigateurs et de savants étudiant un globe qui était également un miroir sphérique réfléchissant les visages des marins qui l'avaient parcouru.

On trouvait aussi des dictionnaires des termes de la navigation composés par des explorateurs anglais. Les exemples les plus connus sont les deux livres du capitaine John Smith, qui a joué le rôle que l'on sait à Jamestown, en Virginie. Le premier ouvrage de Smith, si l'on en croit son éditeur moderne, « n'est qu'un fourre-tout des noms que l'on donne aux accessoires et personnes qui forment un navire et son équipage ». Son second livre est semblable au premier, mais plus considérable. Signalons dans cette catégorie l'ouvrage de John Davis, *The Seaman's Secrets* (reproduit dans Albert Hastings Markham [dir.], *The Voyages and Works of John Davis, the Navigator*) et celui de Sir Henry Mainwaring, *The Seaman's Dictionary* (dans G. E. Mainwaring et de W. G. Perrin [dir.], *The Life and Works of Sir Henry Mainwaring*, vol. 54 et 56). Aucun de ces textes ne ressemble cependant au *Traitté* de Champlain[8].

Champlain avait lu ces livres en professionnel qu'il était et avait exprimé le « singulier plaisir » qu'il avait tiré de sa « lecture des livres faits sur ce sujet ». Mais il voulait écrire un autre genre de livre « pour ceux qui auront la curiosité de le savoir plus particulièrement, ce que je n'ai vu décrit ailleurs[9] ».

Étudier le corpus sur la navigation et lire ensuite le *Traitté de la marine* de Champlain, c'est voir tout de suite que son livre est d'un caractère particulier, qui le situe à part. Il s'agit en fait d'un livre où l'on apprend à commander aux hommes dans des conditions extrêmes, lorsque l'on s'aventure dangereusement « ès lieux lointains et étrangers ». Plus que cela, c'est un traité sur le commandement, nourri par une longue expérience.

Champlain commence par s'adresser au lecteur, le traitant en camarade ou en collègue, « ami lecteur », comme il l'écrit, sur le ton sympathique qui était caractéristique de son style de commandement. Il nous dit qu'il a passé trente-huit ans à faire des voyages en mer, et qu'il a couru « maints périls et hasards desquels Dieu m'a préservé ». Il mentionne le plaisir qu'il a pris à son métier, « ayant toujours eu désir de voyager ès lieux lointains et étrangers, où je me suis grandement plu, principalement en ce qui dépendait de la navigation, apprenant tant par expérience que par instruction que j'ai reçue de plusieurs bons navigateurs, qu'au singulier plaisir que j'ay eu en la lecture des livres faits sur ce sujet ». Son propos, dit-il, est de composer pour son propre contentement un petit traité sur « ce qui est nécessaire » pour devenir un bon marinier et un chef adroit[10].

Religion, moralité et discipline personnelle

Aux yeux de Champlain, le bon chef doit être avant toute chose un « homme de bien, craignant Dieu ». L'expression a plus d'un sens pour lui. Cela signifie « ne permettre en son vaisseau que Son saint Nom soit blasphémé [...] être soigneux soir et matin de faire faire les prières avant toute chose, et si le navigateur peut avoir le moyen, je lui conseille de mener avec lui un homme d'Église ou religieux pour faire des exhortations de temps en temps aux soldats et mariniers, afin de les tenir toujours en la crainte de Dieu, comme aussi les assister et confesser[11] ».

Il était convaincu que le commandement nécessitait que l'on se montre digne de confiance. Par-dessus tout, écrivait Champlain, un chef doit n'avoir qu'une parole, « car celui qui ne la tient est réputé lâche de courage, perd son honneur, sa réputation, quelque vaillant qu'il soit, et jamais ne met-on de confiance en lui ». Le chef est fidèle et loyal à ses hommes, et il voit à leur bien-être : « Premier que s'embarquer il est nécessaire d'avoir tout ce qui est requis pour assister les hommes[12]. »

Champlain croyait également que le chef doit être vigoureux, résistant, discipliné, et par-dessus tout, sobre. Le chef doit vivre simplement et s'accoutumer aux conditions difficiles, « ne doit être délicat en son manger, ni en son boire, s'accommodant selon les lieux où il se trouvera ». Il doit, écrivait-il, « être robuste, dispos, et avoir le pied marin, infatigable aux peines et travaux, afin que quelque accident qu'il arrive il se puisse présenter sur le tillac, et d'une voix forte commander à chacun, ce qu'il doit faire. » Surtout, « il ne doit se laisser surprendre au vin, car quand un chef ou un marinier est ivrogne, il n'est pas trop bon de lui confier le commandement ni conduite, pour les accidents qui peuvent en arriver, lors qu'il dort comme un pourceau, et qu'il perd tout jugement et raison[13] ».

Des manières de travailler en équipe

Tout aussi importante est la manière de traiter les autres. Champlain croit qu'un bon chef doit « être doux et affable en sa conversation, absolu en ses commandements, ne se communiquer trop facilement avec ses compagnons, si ce n'est avec ceux qui sont de commandement. Ce que ne faisant lui pourrait avec le temps engendrer un mépris. » Le chef travaille au milieu de ses hommes mais demeure clairement le maître : « Quelques fois il ne doit mépriser de mettre lui-même la main à l'oeuvre, pour rendre la vigilance des matelots plus prompte, et que le désordre ne s'ensuive. »

Le chef est sévère mais bon. Il doit « châtier sévèrement les méchants, et faire état des bons, les aimant et gratifiant de fois à autre de quelque caresse, louant ceux-là, et ne mépriser les autres, afin que cela ne lui cause de l'envie, qui souvent fait naître une mauvaise affection, qui est comme une gangrène qui peu à peu corrompt et emporte le corps, ni pour avoir prévu de bonne heure, apportant quelque fois à conspirations, divisions ou ligues, qui souvent font perdre les plus belles entreprises[14]. »

Champlain croit que le bon chef doit chercher à apprendre des autres : « Le sage et avisé capitaine doit considérer tout ce qui est à son avantage, en demander avis aux plus expérimentés, pour, avec ce qu'il jugera être nécessaire et utile, l'exécuter[15]. » Il

708

ajoute : « Le marinier sage et avisé ne se doit tant fier en son esprit particulier, lors qu'il est principalement besoin d'entreprendre quelque chose de conséquence ou changer de route hasardeuse, qu'il prenne conseil de ceux qu'il connaîtra les plus avisés, notamment des anciens navigateurs qui ont éprouvé le plus de fortunes à la mer, et sont sortis des dangers et périls. » Champlain lui conseille « de goûter les raisons qu'ils pourront alléguer, toute chose n'étant souvent dans la tête d'un seul ». Mais il ajoute qu'après que le chef a consulté les siens, il doit prendre les grandes décisions, et une fois sa décision prise, il « doit parler seul, pour ce que la diversité des commandements, et principalement aux lieux douteux, ne fasse faire une manœuvre pour l'autre[16] ».

Prudence et prévoyance, particulièrement dans les entreprises périlleuses

Le bon chef est prudent, écrit Champlain, particulièrement dans les entreprises périlleuses. « Il doit être craintif et retenu sans être trop hasardeux, soit à la connaissance d'une terre, principalement en temps de brunes, mettre côte en travers selon le lieu, ou mettre un bord sur autre, d'autant qu'en ce temps de brune ou obscur il n'y a point de pilote : ne faire trop porter de voile pensant avancer chemin, qui souvent les fait rompre [...] le sage marinier doit craindre autant les inconvénients qui peuvent arriver, comme ce qui est de l'estime[17]. »

Le chef est vigilant, et il doit exiger cette qualité des autres. Il doit notamment « appréhender de se voir ès périls ordinaires, soit par cas fortuit, où quelques fois l'ignorance ou la témérité vous y engage, comme tomber avant le vent d'une côte, s'opiniâtrer à doubler un cap, ou faire une route hasardeuse de nuit parmi les bans, battures, écueils, îles, rochers et glaces[18] ». En mer, recommande Champlain, le chef « doit faire du jour la nuit et veiller la plus grande part d'icelle, coucher toujours vêtu pour promptement accourir aux accidents qui peuvent arriver ». Il faut, précise-t-il, « être grandement soigneux de dormir plus le jour que la nuit ».

Le bon chef doit anticiper l'imprévu en s'aidant de sa mémoire. Le chef prévoyant tire des plans et prend des précautions. Il doit « être soigneux de faire sonder toutes côtes, rades », et « avoir bonne mémoire pour la connaissance des terres, caps, montagnes et gisement des côtes, transports des marées, leurs gisements où il aura été[19] ».

Le commandant prévoyant doit « n'être paresseux de faire caler les voiles bas, quand on aperçoit quelque grand vent qui se forme sur l'horizon. [...] Quand une tourmente arrive, et que le vaisseau est côté en travers, abaisser les mâtereaux, les vergues basses et bien saisies, comme de toutes autres manœuvres, démonter le canon si besoin est, et qu'au débat de la mer il ne travaille et ne rompe ses manœuvres[20] ».

Courage et résolution

Le bon chef selon Champlain est homme de courage, prêt à se battre en cas d'attaque. Au combat, il donne l'exemple à ses hommes. Champlain avait la guerre en horreur, mais il croyait que certains maux étaient pires que la guerre et qu'un homme de paix devait être prêt à se battre. Il écrit : « Quand le malheur vous y porte, c'est où il faut montrer un courage mâle, se moquer de la mort bien qu'elle se présente, et [il] faut d'une voix assurée et d'une résolution gaie inciter un chacun à prendre courage, faire ce que l'on pourra pour sortir du danger, et ainsi ôter la timidité des cœurs les plus lâches : car quand on se voit en un lieu douteux chacun jette l'œil sur celui que l'on juge avoir de l'expérience, car si on le voit blêmir, et commander d'une voix tremblante et mal assurée, tout le reste perd courage, et souvent on a vu perdre des vaisseaux au lieu d'où ils eussent pu sortir, s'ils avaient vu leur chef courageux et résolu user d'un commandement hardi et majestueux. » Il ajoute : « Que le chef soit toujours alerte, tantôt en un lieu tantôt en un autre, pour encourager un chacun à son devoir[21]. »

Champlain avait appris tôt dans la vie que le chef doit être courageux. Les Français ont de nombreux mots pour désigner cette qualité, et chacun a son sens propre. Ainsi le courage, qui vient du mot *cœur*, était pour les hommes de son époque une qualité du cœur. On désignait ainsi la profondeur innée du courage physique ou moral. La « bravoure » en était la manifestation extérieure : on dit à l'enfant qui pleure qu'il doit être brave, et on lui enseigne à se conduire bravement. Mais cette posture portée à son excès devient « bravade ». La « galanterie » de l'époque consistait à avoir des manières, à être courtois et à se montrer digne devant le danger. Agir avec « élan », c'était être rapide et intuitif. Être « intrépide », c'était agir comme si on ne connaissait pas la peur. Montrer de l'« effronterie », c'était donner les apparences de l'audace. La « défiance » consistait à être sur ses gardes. De toutes ces manières, écrit Champlain, le chef devait se montrer courageux devant le danger, résolu devant l'adversité et magnanime dans la victoire.

Humanité, honnêteté et honneur

Champlain soutient que le bon chef doit traiter ses ennemis, ses amis et les étrangers avec humanité. Le chef animé de principes élevés « doit être libéral selon ses commodités, et courtois aux vaincus, en les favorisant selon le droit de la guerre. [...] Il ne doit aussi user de cruauté ni de vengeance, comme ceux qui sont accoutumés aux actes inhumains, se faisant voir par cela plutôt barbares que chrétiens, mais si au contraire il use de la victoire avec courtoisie et modération, il sera estimé de tous, des ennemis mêmes, qui lui porteront tout honneur et respect[22] ».

Par-dessus tout, le bon chef est honnête et honorable. On peut voir dans la longue carrière d'explorateur et de découvreur de Champlain une sorte de navigation morale. Il était toujours guidé dans ses périples par une constellation de valeurs morales qui traçaient un chemin lumineux dans les ténèbres de son époque violente et cruelle, où rageaient les guerres sectaires et les antagonismes politiques.

Au cœur de cette constellation, une étoile scintillait plus que toutes les autres, à laquelle Champlain donnait un nom fort simple : l'honnêteté. Ce principe était le fondement même de son être. Au soir de sa vie, il écrivait, tout simplement : « Ie suis honneste homme[23]. » Il orthographiait le mot à la mode de son temps, utilisant une graphie proche de sa racine latine, *honestas*. Le mot et ses dérivés voulaient dire parler vrai, non seulement dans le sens de ne jamais mentir mais, plus largement, de parler avec son cœur. L'honnêteté dénotait aussi un code de conduite. Cela signifiait agir avec équité, raisonnablement, sans profiter de la naïveté d'autrui. « Honnête » avait encore un autre sens dans le français de Champlain. Le *Grand Robert* définit l'« honnête homme » comme étant un « homme du monde, agréable et distingué par les manières comme par l'esprit[24] ».

Cette définition occupait une place centrale dans l'esprit des jeunes contemporains français de Champlain. Blaise Pascal lui a donné une autre définition dans ses *Pensées* : « Il est honnête homme. Cette qualité universelle me plaît seule. » Un autre auteur français disait : « L'honnête homme est à sa place partout. » Il s'acquitte de tout avec une supériorité qui ignore la méthode et l'artifice, mais qui est toujours naturelle et aisée.

L'honnête homme, c'était aussi pour Champlain l'homme d'honneur, notion encore plus complexe. Au premier degré, l'« honneur » désignait le renom que l'on acquérait à faire son devoir comme il le faut. Plus que cela, c'était la considération qui entourait la personne qui, peu importe son rang ou son sexe, était connue pour faire passer le devoir avant toute chose. Par-dessus tout, c'était un idéal d'intégrité qui obligeait chacun à se conduire avec probité, même si cet idéal était rarement atteint. Relire les *Voyages* de Champlain avec ce *Traitté* à l'esprit, c'est découvrir la pureté de cet idéal éthique, et la résolution inébranlable qu'il avait de l'incarner.

UN AUTRE AUTOPORTRAIT ?

Outre le minuscule autoportrait de Champlain que l'on trouve dans son dessin de la « Deffaite des Yroquois » en 1609, quelques autres croquis de sa personne apparaissent dans les gravures qui ornent ses livres. On voit l'une de ces images dans son dessin représentant l'attaque de la palissade iroquoise à Sorel en 1610 *(voir page 323).* C'est une figure très semblable aux huit autres arquebusiers français, et la légende indique qu'il s'agit de Champlain, mais elle est si petite et esquissée si grossièrement qu'elle ne révèle rien de plus que celle qu'on voit dans la « Deffaite des Yroquois ». Une troisième gravure, qui illustre le siège du village onontagué de 1615, nous montre douze petites figures françaises. L'une d'entre elles doit représenter Champlain, mais laquelle ? Elles sont toutes anonymes.

On voit d'autres images de Champlain sur ses cartes. Marcel Trudel s'est penché sur deux d'entre elles. Ce sont des visages ronds, sertis dans une rose des vents sur les cartes de 1612 et 1632. Trudel croit qu'elles nous révèlent le visage d'un Champlain plus mûr. Certains spécialistes ne sont pas d'accord. François-Marc Gagnon et Denis Martin font remarquer que de nombreux cartographes ornaient leurs cartes de « visages solaires » qui étaient la norme dans les cartes du XVII[e] siècle[1].

Un autre portrait de face n'a pas été relevé par ses biographes. Il apparaît sur la seule carte manuscrite qui subsiste de Champlain et qui porte sa signature : il s'agit de sa « Descr[ipsion des costs p[or]ts, rades, Illes de la novvele France ». Elle est datée de 1606 et a été corrigée en 1607 avec un trait plus affirmé. Elle se trouve à la Division cartographique de la Bibliothèque du Congrès, où on la considère comme une des pièces les plus précieuses de toute la collection. L'original est magnifique. La plupart des reproductions en altèrent la couleur et occultent la finesse du trait.

Dans une frange détaillée entourant le cartouche de la carte, Champlain a ajouté deux croquis, l'un montrant un jeune homme imberbe et l'autre un homme plus âgé, barbu, à la chevelure hirsute. Ce sont de tout petits dessins, et leur objet n'est pas évident. Peut-être s'agit-il simplement d'images abstraites symbolisant la jeunesse et la vieillesse. Mais elles pourraient aussi vouloir dire tout autre chose. On se demande si le premier croquis ne serait pas un autoportrait de l'artiste en jeune homme. Le second visage pourrait représenter un homme plus âgé jouant quelque rôle important dans sa vie. Il pourrait s'agir du sieur de Mons. Si c'est le cas, nous tiendrions là l'unique portrait du personnage.

L'hypothèse selon laquelle le jeune homme serait un autoportrait de Champlain se bute à deux difficultés. Les figures sont stylisées d'une manière bizarre ; et en 1609, Champlain portait la barbe et se représentait en homme d'âge mûr. Or, le visage jeune et imberbe du cartouche a été dessiné seulement une année ou deux auparavant. Pourtant, ce ne sont pas là des figures conventionnelles, comme les visages solaires figurant sur les autres cartes. Elles ont des traits bien marqués et semblent constituer des représentations de personnages réels. Mais qui représentent-elles ? La question mérite plus ample étude[2].

APPENDICE G

LES SUPÉRIEURS DE CHAMPLAIN

Vice-rois et lieutenants généraux de la Nouvelle-France

De 1604 à 1635, la Nouvelle-France fut placée sous l'autorité d'un vice-roi nommé par le souverain lui-même. Sauf une exception (le sieur de Mons), il s'agissait d'un régnant forain qui déléguait ses pouvoirs à un lieutenant. Champlain fut le mandataire de tous ces vice-rois.

Les historiens considèrent traditionnellement le poste de vice-roi comme une sinécure sans grande importance dans l'histoire de la Nouvelle-France. L'un d'eux a même emprunté, pour les décrire, une expression de la France mérovingienne, les traitant de « vice-rois fainéants ». Champlain n'était pas de cet avis. Selon lui, le vice-roi pouvait jouer un rôle utile en faisant la promotion de la colonie à Paris, et il encouragea chacun à y prendre une part active. Tous l'ont fait, sauf Soissons, qui n'occupa sa charge que quelques semaines. Les autres contribuèrent à la mission de Champlain d'une manière ou d'une autre.

C'était là un autre rôle pour Champlain, qu'il a cependant joué en coulisses. Il y fallait du tact, de la sagacité, ainsi qu'une intelligence politique très aiguë. Les vice-rois étaient pour la plupart issus d'un cercle étroit, mais ils étaient tous différents sur le plan du caractère, de leurs objectifs et de leurs principes. Champlain entretint des relations cordiales avec presque tous, ce qui l'obligea à adapter ses tactiques chaque fois, sans jamais perdre de vue son grand dessein. S'il fut l'homme de confiance de tous ces vice-rois, ceux-ci lui furent également utiles et firent avancer ses projets.

La plupart des vice-rois sont absents *du Dictionnaire biographique du Canada*. Le bref portrait que nous donnons de chacun fait ressortir une dimension nouvelle dans la carrière de Champlain. Cet homme dut reprendre pied à maintes occasions. Il sut s'entendre avec tous ses supérieurs, sauf Richelieu. Avec tous les changements de direction qui marquèrent les débuts de la Nouvelle-France, Champlain incarna une continuité essentielle.

DE MONS (variantes : Monts, Montz), Pierre Dugua, sieur de Mons (1558 ?-1628), issu d'une famille d'aristocrates saintongeais, élevé dans le protestantisme, soldat de l'armée d'Henri IV, avait été nommé gentilhomme de la chambre du roi, ce qui valait une pension substantielle, et gouverneur de Pons. De Mons visita la Nouvelle-France en compagnie de Chauvin en 1600. En 1603, le roi lui accorda le monopole de la traite des fourrures et l'autorisation de fonder un établissement permanent. On lui donna alors le titre de lieutenant général pour la Nouvelle-France. Il avait sollicité celui de vice-roi, ce qui lui fut refusé, mais on lui conféra des pouvoirs vice-royaux ainsi que l'accès direct au roi et à son conseil.

De Mons fut le premier à réussir une œuvre de colonisation en Nouvelle-France. Il vint en Amérique en 1604-1605 — le seul personnage vice-royal à faire le voyage —

et fonda des établissements à l'île Sainte-Croix et à Port-Royal. Il y avait invité Champlain à titre de géographe, et lui confia de plus amples responsabilités. De Mons avait du mal à nouer des liens avec les Indiens, mais il donna l'exemple d'un gouvernement humain et moral. En France, il fonda aussi une compagnie commerciale en 1603, mais perdit son monopole en 1606, ce qui l'obligea à ordonner le rapatriement de ses colons en 1607. La même année, il réunit des crédits pour la fondation de Québec et y nomma Champlain comme lieutenant.

Après la mort d'Henri IV, en 1610, il fut interdit à De Mons de paraître devant la reine régente ; il pria donc Champlain de prendre le relais à la cour. De Mons continua de soutenir l'œuvre de la Nouvelle-France en coulisses, prit le parti de Champlain contre ses rivaux, contribua financièrement à la fondation de la colonie et y envoya des missions commerciales pendant de nombreuses années. Champlain et Lescarbot, ainsi que tous ceux qui l'approchèrent, le tenaient en très haute estime. C'est une figure importante dans la fondation de la Nouvelle-France[1].

SOISSONS, Charles de Bourbon, comte de Soissons (1566-1612), était prince du sang, fils de Louis de Bourbon, premier prince de Condé, et de Françoise d'Orléans, cousine germaine d'Henri IV, et cousin de Louis XIII (et non son oncle, comme certains l'ont écrit). Champlain et ses conseillers jouèrent de leurs relations pour recruter Soissons, car ils recherchaient un protecteur pour la Nouvelle-France. Soissons succéda donc au sieur de Mons avec le titre de lieutenant général et vice-roi le 8 octobre 1612. On lui accorda le monopole de la traite dans la vallée du Saint-Laurent durant douze ans. L'une des premières mesures qu'il prit fut de nommer Champlain à la lieutenance, le 25 octobre 1612, et il se mit à aider son protégé à la cour. Tout allait bien entre eux lorsque Soissons tomba malade et mourut subitement, après n'avoir été en poste que trois semaines. Champlain, dont la lieutenance n'avait duré qu'une quinzaine de jours, écrivit que sa mort fut vivement « regrettée[2] ».

CONDÉ, Henri de Bourbon, prince de Condé (1588-1646), était lui aussi prince du sang, fils d'Henri, premier prince de Condé, et de Charlotte-Catherine de La Trémouille. Baptisé protestant, il avait été élevé dans la religion catholique. En 1609, il épousa Marguerite de Montmorency. Il fut le père du « Grand Condé », avec qui on le confond parfois. Un rédacteur du *Mercure François* lui prêtait une « vivacité d'esprit » et une « connaissance extraordinaire des langues et de nombreuses sciences ». Champlain en était proche du fait de son mariage : Hélène Boullé, la femme de Champlain, était la belle-sœur de Charles Deslandes, secrétaire du prince de Condé, depuis que Deslandes avait épousé Marguerite Boullé. En 1612, après la mort de son cousin Soissons, Condé acheta la charge de lieutenant général, amiral et désormais vice-roi de Nouvelle-France, et il acquit le monopole de la traite sur le fleuve Saint-Laurent et ses affluents pendant douze ans. Sa charge lui valait chaque année un pur-sang de mille écus, ou trois mille livres. Condé nomma aussitôt Champlain lieutenant, le 22 novembre 1612. Les deux hommes s'entendirent bien. De 1612 à 1615, Condé joua un rôle actif dans l'octroi de congés pour le commerce en Nouvelle-France, haussa le revenu de la colonie, aida les Récollets à s'y établir et soutint fermement Champlain. Mais en 1615, Condé prit la tête du parti opposé à la reine régente, Marie de Médicis, et à son cercle catholique. L'année suivante, il fut arrêté sur les ordres de la régente, et emprisonné à la Bastille puis à Vincennes[3].

THÉMINES, Pons de Lauzières, marquis de Thémines de Cardillac (1552-1627), était un courtisan proche de la régente, Marie de Médicis, et fut fait par elle maréchal de France en 1616, à l'âge de soixante-quatre ans. La même année, sur l'ordre de la régente, il arrêta Condé au Louvre et le conduisit à la Bastille. Le 25 octobre suivant, Thémines recevait une nouvelle récompense de la régente, qui le nommait vice-roi de la Nouvelle-France alors que Condé croupissait à la Bastille. Sa nomination fut confirmée rapidement, le 24 novembre, avec la même dotation que son prédécesseur, soit mille écus ou trois mille livres. La reine nomma également un ami de Thémines à la lieutenance qu'occupait Champlain. Celui-ci contre-attaqua. Thémines ne tarda pas à se quereller avec son lieutenant au sujet du partage des revenus de leurs charges. Thémines le démit et, le 15 janvier 1617, rétablit Champlain dans sa lieutenance. Les deux hommes réussirent à s'accorder. Leurs relations étaient cependant compliquées. Dans un document du Conseil royal en date du 18 juillet 1619, alors que Condé était toujours dans sa geôle, il est dit de Champlain qu'il servait de lieutenant à Thémines et Condé en même temps. Il arriva à servir ses deux maîtres, pourtant ennemis jurés. Thémines aida Champlain à faire valoir son programme de 1618 et resta en place jusqu'à l'année suivante, lorsque Condé fut libéré de sa prison de Vincennes. Thémines fut démis de sa charge vice-royale et Condé la reprit, la conservant brièvement de 1619 à 1620. Il collabora avec Champlain à l'organisation de l'expédition de 1620 en Nouvelle-France, puis vendit sa charge de vice-roi à son beau-frère, le duc de Montmorency, pour la somme de trente mille livres[4].

MONTMORENCY, Henri, deuxième duc de Montmorency et de Damville (1594-1632), était le fils d'Henri, premier duc de Montmorency, et de Louise de Bourbon en Budos, et le beau-frère du prince de Condé. Il avait succédé à son oncle, Charles, duc de Damville, au poste d'amiral de France. Le 25 février 1620, il reçut ses lettres patentes de vice-roi de la Nouvelle-France. Douze jours plus tard, le 8 mars, il nomma Champlain à la lieutenance. Montmorency fut l'un des vice-rois de Nouvelle-France les plus capables ; c'était un dirigeant rompu aux affaires coloniales et maritimes. Le vice-roi Montmorency restructura le commerce en Nouvelle-France, créa le poste d'intendant, réussit à financer les fortifications et encouragea l'édification d'une maison et d'une chapelle pour les récollets. Certains historiens font remonter l'origine du régime seigneurial en Nouvelle-France à la concession du cap Tourmente et de l'île d'Orléans à Guillaume de Caën, le 3 janvier 1624. Montmorency appuya Champlain sans fléchir, accrut ses pouvoirs et sa solde et se fit le protecteur du Canada en France. Champlain connut une lieutenance heureuse de 1620 à 1624 grâce aux bons rapports qu'il entretenait avec ce vice-roi. En 1625, après avoir été en poste cinq ans, Montmorency résigna sa charge. C'était un défenseur acharné des droits des parlements et des provinces. Plus tard, Montmorency donna son aval à un mouvement politique dans le Languedoc, initiative que le roi considéra comme un acte de trahison. Il se peut aussi que Richelieu voyait en lui un rival, même s'il lui avait marqué son appui. En 1632, Montmorency fut arrêté et exécuté pour trahison, à l'âge de trente-huit ans[5]. Il avait été un ami fidèle de Champlain et de la Nouvelle-France.

VENTADOUR (variante : Vantadour), Henri de Lévis, duc de Ventadour (1596-1680), était le fils d'Anne de Lévis, duc de Ventadour, et de Marguerite de Montmorency, et le neveu du vice-roi précédent. Au printemps de 1625, Ventadour acheta la charge vice-royale de son oncle, le duc de Montmorency, pour la somme de cent mille livres. Ventadour avait été attiré à cette fonction du fait de son catholicisme ardent et de la résolution qu'il avait de propager la foi chrétienne en Amérique. Dès son entrée en fonction, il s'empressa de reconduire Champlain à la lieutenance. Ils travaillèrent ensemble à son hôtel de Paris. Champlain était en accord avec l'œuvre missionnaire que préconisait Ventadour, et le nouveau vice-roi encourageait les projets de son lieutenant. Un différend s'éleva entre eux à propos de l'exclusion des protestants de Nouvelle-France. Champlain demeurait sur ce point le fidèle sujet d'Henri IV : il était d'accord pour que le catholicisme soit la religion établie, mais il tenait aussi à ce que les protestants puissent vivre et commercer dans la colonie. Les deux hommes, même s'ils divergeaient d'avis sur cette question, surent tout de même poursuivre leur collaboration[6].

RICHELIEU, Armand-Jean du Plessis, évêque de Luçon, cardinal, duc de Richelieu et de Fronsac (1585-1642), était un homme de petite noblesse, le fils de François du Plessis, sieur de Richelieu, et de Suzanne de La Porte. Son frère aîné fut tué en duel par le marquis de Thémines en 1619. Il entra dans les ordres et fut nommé à l'évêché de Luçon afin de voir aux intérêts de sa famille ; à la cour, il profita du soutien de Mme de Guercheville ; il devint le premier ministre d'État sous la régente et la suivit dans sa disgrâce lorsqu'elle fut bannie de la cour ; puis il aida la reine à se réconcilier avec son fils, Louis XIII, médiation qui lui valut d'être fait cardinal en 1622 et membre du Conseil du roi en 1624. Quatre mois plus tard, il fut nommé à la tête du Conseil et principal ministre. Richelieu prit en mains les affaires coloniales et maritimes, et en 1626 le roi le nomma grand-maître, chef et surintendant général de la navigation et du commerce de France. Il fonda la Compagnie des Cent-Associés, nomma son parent Isaac de Razilly à la tête de l'Acadie, et confirma à contrecœur la lieutenance de Champlain à Québec et dans la vallée du Saint-Laurent. Richelieu mit au service de la Nouvelle-France sa puissance et son énergie. Il n'eut jamais de cesse d'affirmer qu'il avait la haute main sur cette entreprise, mais on ne peut pas dire que celle-ci occupa toutes ses pensées, et c'est pourquoi ses décisions ne furent pas toutes heureuses. Il réussit à réunir des ressources pour aider les Cent-Associés à mener une entreprise de colonisation imposante, mais ne tint aucun compte des conseils informés qu'on lui adressait et insista pour qu'une flotte considérable fît voile pour la Nouvelle-France alors qu'une force navale britannique supérieure mouillait dans le Saint-Laurent. La flotte fut entièrement perdue, et les Cent-Associés se retrouvèrent au bord de la faillite. Richelieu choisissait les dirigeants de la colonie selon leur rang, leur religion et leur loyauté à sa personne, et non selon leur expérience et leurs capacités. Dans les années critiques de 1633 à 1635, il ne fut d'aucun secours à Champlain[7].

LES COMPAGNIES DE COMMERCE ET LES MONOPOLES EN NOUVELLE-FRANCE, 1588-1635

Avant 1636, la Nouvelle-France était financée par des compagnies de commerce. À strictement parler, il ne s'agissait pas d'entreprises privées mais bien d'instruments de l'État. La distinction public/privé telle que nous la connaissons aujourd'hui est une invention du XVIIIe siècle. Ces compagnies étaient créées et régulées par la monarchie, mais elles étaient obligées d'assurer leur propre financement et de subventionner le peuplement, souvent contre leur gré. Les monopoles qu'elles tenaient du roi leur permettaient de tirer des revenus de la vente de permis de traite.

Le monopole de la famille Cartier, 1588

En 1587, Stephen Chaton, sieur de la Jannaye, et Jacques Nouel sollicitèrent du roi Henri III le monopole de la traite des fourrures en Nouvelle-France. Tous deux étaient capitaines dans la marine royale et neveux de Jacques Cartier. Ils arguèrent qu'on devait encore à Jacques Cartier et à ses héritiers la somme de seize cents livres. Une commission d'enquête royale leur donna raison. En janvier 1588, ils obtinrent le monopole de la traite des fourrures et de l'exploitation minière en Nouvelle-France pour une période de douze ans, ainsi que l'autorisation d'y transporter soixante bagnards et d'y fonder un établissement. Le monopole fut aussitôt contesté par les marchands et les pêcheurs et fut révoqué, sauf pour ce qui était des droits miniers. Rien ne semble être advenu de ce projet de colonisation.

Le monopole de La Roche, 1598

En 1577, Troilus du Mesgouez, seigneur de La Roche-Helgomarche, marquis de Coëtarmoal, vicomte de Carentan et Saint-Lô, reçut d'Henri III des lettres patentes le nommant gouverneur « ès dites terres neuves et pays occupés par gens barbares qu'il prendra et conquestera ». Il fut autorisé à prendre le titre de vice-roi et seigneur de toutes les terres dont il pourrait s'emparer et de les gouverner comme s'il s'agissait d'un fief personnel. Rien n'advint de cette concession, mais son esprit révèle une attitude envers le Nouveau Monde très éloignée de celle de Champlain et de son cercle. La Roche, comme on l'appelait, fut capturé pendant les guerres de religion en France et retenu prisonnier de la Ligue de 1589 à 1596. En 1598, Henri IV accorda à La Roche de nouveaux pouvoirs à titre de lieutenant général « ès pays du Canada […] et autres terres adjacentes » ainsi que le monopole du commerce. Le roi lui-même y alla d'une contribution de douze mille écus. Il en résulta l'un des pires désastres de l'histoire de la colonisation européenne en Amérique.

Le monopole de Chauvin, 1599-1603

En 1599, une partie du monopole de La Roche fut cédée à Pierre Chauvin, sieur de Tonnetuit, marchand calviniste né à Dieppe et résidant de Honfleur. La même année, il avait sollicité du roi le monopole de la traite des fourrures sur un territoire qui s'étendait sur une centaine de lieues le long du Saint-Laurent. Le monopole devait durer dix ans et obligeait Chauvin à y transporter cinquante colons par année, cinq cents au total. Il dépêcha des navires à Tadoussac en 1600, fit une abondante récolte de fourrures, y laissa seize colons sans trop se préoccuper de leur sort et rentra en France. Champlain était d'avis que l'affaire de Chauvin était frauduleuse et qu'il était indifférent à la colonisation. Quoi qu'il en soit, il ne parvint pas à s'acquitter de ses obligations. Son monopole lui fut retiré au bout de trois ans, en partie pour calmer les marchands rivaux de Saint-Malo, Dieppe et La Rochelle. Chauvin mourut en 1603.

Le monopole d'Aymar de Chaste, 1603

En 1603, le monopole de Chauvin fut cédé à Aymar de Chaste. Cet homme admirable était le gouverneur de Dieppe. Il jouissait de bonnes relations à la cour et du respect de ses collaborateurs. Il parvint à constituer un groupe dynamique de bailleurs de fonds de Dieppe, Rouen et Saint-Malo. Le groupe finança un voyage de reconnaissance sous le commandement de Pont-Gravé. Champlain l'accompagna à titre de géographe, explorateur, cartographe et observateur au service du roi. De Chaste, dont la santé était mauvaise, resta en France. Le voyage de Tadoussac fut couronné de succès à tous égards. On repéra des sites d'établissement, on noua de bonnes relations avec les Indiens de la vallée du Saint-Laurent, et l'expédition rapporta un profit estimé à 40 % du capital investi. De Chaste mourut avant le retour des voyageurs, et sa compagnie avec lui.

Le premier monopole du sieur de Mons et la compagnie de Rouen, 1603-1608

En 1603, le sieur de Mons reçut un monopole de dix ans sur le commerce en Nouvelle-France, du quarantième au quarante-sixième parallèle, avec obligation d'y installer cinquante colons. Il fonda la compagnie de Rouen, appelée également compagnie de Mons. En février 1604, des marchands y investirent quatre-vingt-dix mille livres en cinq « portions ». Deux portions étaient réservées aux marchands de Saint-Malo, deux à ceux de La Rochelle et de Saint-Jean-de-Luz, et une à ceux de Rouen. Les bailleurs de fonds s'entendirent pour dépêcher deux navires de commerce de Saint-Malo, un navire de commerce et baleinier de Saint-Jean-de-Luz, et deux vaisseaux de colonisation du Havre et de Honfleur. Deux colonies furent fondées, la première à l'île Sainte-Croix en 1604-1605, et la seconde à Port-Royal en 1605-1607. Le monopole se heurta à une forte opposition à la cour menée par Sully et des intérêts rivaux. Il fut révoqué en 1607, et les établissements furent abandonnés. De 1607 à 1608, la liberté de commerce l'emporta.

Le second monopole du sieur de Mons et la compagnie de Mons, 1608-1609

Sur les instances de Champlain et du sieur de Mons, Henri IV rétablit le monopole de ce dernier en 1607, mais pour une année seulement, avec obligation de fonder des établissements en Nouvelle-France. La compagnie d'investissement fut accréditée à Rouen, et De Mons réunit des fonds au moyen d'accords individuels et de prêts. Cette compagnie réussit à fonder un premier établissement permanent à Québec, sous le commandement de Champlain. Le monopole expira en 1609, et une autre période de commerce libre suivit, de 1609 à 1612.

Le monopole de Soissons, 1612

Le 27 septembre 1612, Soissons reçut le monopole du commerce pour douze ans. L'entreprise connut une fin abrupte avec sa mort quelque temps après, avant même qu'on eût pu fonder une compagnie. Le commerce avec la Nouvelle-France resta entre les mains des marchands de Rouen, Dieppe, Honfleur, Saint-Malo et La Rochelle.

Le monopole de Condé et la compagnie de Rouen et Saint-Malo, 1613-1620

Cette nouvelle entreprise marcha sur les brisées de la précédente. Elle fut créée le 15 novembre 1613 et prit divers noms : Champlain l'appelait la compagnie de Condé, tandis que les historiens l'appellent la compagnie de Champlain. Les gens de l'époque disaient « la compagnie de Rouen et Saint-Malo ». Elle était régie par un nouveau monopole commercial dans la vallée du Saint-Laurent, qui avait été accordé à Condé à titre de vice-roi, lequel l'avait à son tour cédé à cette compagnie pour onze ans. Les bailleurs de fonds acceptaient d'obéir au vice-roi, de soutenir Champlain et de transporter six familles de colons. Aucune de ces promesses ne fut tenue, et la compagnie fit faillite.

Le monopole de Montmorency et la première compagnie de Caën, 1620-1625

Ce nouveau groupe fut formé le 8 novembre 1620. On l'appela au début la compagnie de Montmorency, et plus tard la compagnie de Caën. Elle avait le monopole de la traite des fourrures du quarante-huitième au cinquante-deuxième parallèle pour une période de onze ans, qui fut plus tard prolongée à quinze. La compagnie devait rémunérer Champlain et subvenir aux besoins de sa famille. Elle acceptait aussi d'établir six missionnaires récollets et s'engageait à installer six familles en Nouvelle-France. Le capital-actions de la compagnie fut divisé en 1621, sept douzièmes allant à la compagnie de Caën et cinq douzièmes aux membres de l'ancienne compagnie de Rouen et Saint-Malo.

Le monopole de Ventadour et la nouvelle compagnie de Caën, 1626-1627

Il s'agit ici de l'ancienne compagnie de Caën reconstituée sous l'autorité du nouveau vice-roi, Ventadour. Les marchands de Rouen et de Saint-Malo reçurent l'ordre de céder leurs parts dans la compagnie pour une somme forfaitaire égale à 40 % de leurs actifs. En 1627, elle mourut de sa belle mort lorsque Richelieu prit la direction de la Nouvelle-France et fonda une nouvelle compagnie.

La Compagnie de la Nouvelle-France, 1627-1632

Cette nouvelle entreprise était aussi appelée Compagnie des Cent-Associés ou compagnie de Richelieu. Fondée par le cardinal le 29 avril 1627, elle reçut sa charte royale en mai 1628. Le premier nom figurant sur la liste des cent actionnaires est celui du cardinal lui-même. Chaque actionnaire devait verser trois mille livres. La compagnie détenait le monopole sur la vente des fourrures canadiennes en Europe. Elle entreprit de coloniser la Nouvelle-France.

Richelieu causa un désastre lorsqu'il donna l'ordre aux directeurs de la compagnie d'envoyer un convoi de navires avec quatre cents personnes à bord, en dépit de la guerre avec l'Angleterre et des avertissements selon lesquels des navires anglais rôdaient sur la côte. Les directeurs furent forcés d'obtempérer, et les vaisseaux français furent interceptés dans le Saint-Laurent. Tous furent capturés, sauf un petit navire. La compagnie y perdit tout son avoir et fut conduite au bord de la faillite. L'établissement de Québec ne reçut aucun ravitaillement ou secours de Richelieu et de la compagnie pendant les deux années qui suivirent. Champlain et les colons français furent acculés à la famine et contraints de se rendre au petit effectif de corsaires anglais, perdant ainsi presque toute la Nouvelle-France.

Richelieu et Ventadour causèrent d'autres difficultés en imposant le conformisme religieux à la Nouvelle-France. Le règlement de la compagnie exigeait de tous les habitants qu'ils fussent « naturels français de foi catholique ». Au départ, cette politique ne fut pas mise en œuvre. Champlain fit tout en son pouvoir pour préserver une certaine tolérance religieuse dans la vallée du Saint-Laurent, comme le voulait l'esprit de l'édit de Nantes. Mais l'exclusion des protestants devint la règle, une vraie calamité pour la Nouvelle-France. Les établissements permanents de la France et de l'Angleterre avaient été fondés en Amérique au même moment, soit en 1607-1608. En 1760, les colonies anglaises, plus ouvertes et plus diverses, avaient une population de 1,6 million d'habitants alors que la Nouvelle-France, à cause de ses restrictions nationales et religieuses, n'en comptait que 60 000.

Les filiales de la Compagnie de la Nouvelle-France, 1632-1635

Les Cent-Associés reprirent le contrôle de la Nouvelle-France après le traité de Saint-Germain-en-Laye du 23 mars 1632. La compagnie, qui manquait cruellement de capitaux, se mit à créer des filiales et des partenariats financés séparément. On appelait ces entreprises « compagnies particulières » ou « compagnies sous-contractantes ». Voici les filiales les plus importantes que l'on dénombre dans la période 1630-1635 :

La compagnie de Bordeaux de 1630 fut formée par un consortium de six des Cent-Associés. Elle alimentait les comptoirs de commerce des La Tour au cap Sable et à l'embouchure du fleuve Saint-Jean.

La compagnie Tuffet succéda à la compagnie de Bordeaux.

La compagnie de Normandie fut fondée en 1631 pour soutenir l'établissement du fort Sainte-Anne au cap Breton. Champlain s'y est peut-être rendu en 1632.

La compagnie Desportes de Lignières tenait son nom de son fondateur, Pierre Desportes de Lignières, l'un des Cent-Associés. Elle prit la succession de la compagnie de Normandie et continua d'encourager le peuplement et le commerce au cap Breton.

La compagnie Cheffault-Rozée, fondée en 1632, réunit un capital de cent mille livres pour la création d'établissements et de postes de traite à l'île Miscou, dans la baie des Chaleurs, et dans le Bas-Saint-Laurent. Champlain lui-même en fut l'un des bailleurs de fonds.

La compagnie Razilly, fondée en 1632, dirigée par Isaac de Razilly et appuyée par Champlain, fut autorisée à rassembler des capitaux pour le peuplement de l'Acadie, d'abord à La Hève, puis à Port-Royal. Sous la direction inspirée de Razilly, elle parvint à installer le noyau de la population acadienne durant la période allant de 1632 à 1635, l'année du décès de Razilly.

La compagnie de Beaupré, sous le régime des Cent-Associés, acquit la seigneurie de l'île d'Orléans et de la Côte-de-Beaupré, sur la rive nord du Saint-Laurent, en aval de Québec.

D'autres compagnies suivirent après la mort de Champlain en 1635, avec des concessions seigneuriales et des droits sur la pêche et la navigation dans la vallée du Saint-Laurent et d'autres régions de la Nouvelle-France[1].

LES NATIONS INDIENNES DANS LE MONDE DE CHAMPLAIN, 1603-1635

NOTE

Tout au long de notre livre, les Indiens sont appelés « Indiens », choix lexical qui, après une génération de correction politique, nécessite explication. Il y a quelques années, j'ai été invité à la bibliothèque Newberry de Chicago pour y rencontrer des leaders de plusieurs nations indiennes des États-Unis. Ils avaient demandé à rencontrer des historiens afin de discuter de certains problèmes dans l'écriture de l'histoire américaine. Au cours de nos entretiens, je leur ai demandé comment ils préféraient qu'on les appelle. Leur réponse fut la même, des Apaches du Sud-Ouest aux Wampanoags du Nord-Est : sans exception, ils voulaient qu'on leur donne le nom de leur propre nation. Je leur ai demandé alors comment il fallait appeler leurs peuples pris ensemble, et ils ont répondu que le mot « Indien » convenait tout à fait, qu'il valait même mieux que d'autres. Ils se désignent ainsi eux-mêmes avec fierté, et c'est le mot qui a été adopté ici. L'usage évolue. Aux États-Unis, le mot « Indien » revient en grâce, sans aucune connotation péjorative. Au Canada, on préfère « Premières Nations », mais on emploie encore fréquemment « Amérindiens ». Champlain appelait les peuples indigènes des Caraïbes « Indiens », et les habitants des forêts de l'est de l'Amérique du Nord « Sauvages », parce que le mot signifiait à l'époque « habitants des bois ». Lorsqu'il s'agissait de groupes, Champlain a toujours parlé de « nations », jamais de tribus. Cet usage a la préférence d'un grand nombre d'Indiens et a été adopté dans le présent ouvrage. À l'arrivée de Champlain, les nombreuses nations de l'Est nord-américain étaient à former des confédérations, processus qui avait commencé bien avant les contacts avec les Européens.

Il n'existe aucune taxonomie définitive pour les nations indiennes que Champlain a connues. De nombreuses listes ont été dressées, et on n'en trouve pas deux semblables. La plupart des tentatives en ce sens commencent avec les groupes linguistiques, puis on les subdivise en nations, et celles-ci étaient nombreuses. Toutes les nations avaient un nom par lequel elles se désignaient elles-mêmes, à quoi s'ajoutaient les noms que leur donnaient leurs voisins indiens et les Européens. Nombre d'entre elles ont également pris des noms espagnols, portugais, basques, bretons, hollandais, français et anglais (voir les sources à la fin de cet appendice).

GROUPE LINGUISTIQUE INUIT

Les nations inuites étaient appelés Esquimaux par les Français. Elles occupaient le Labrador et la région subarctique.

GROUPE LINGUISTIQUE BÉOTHUK

Il s'agit des Béothuks, ou Indiens de Terre-Neuve, ainsi nommés d'après l'île où ils habitaient.

LES INDIENS DU NORD

Les Naskapis, Mistassinis, Peribonkas et Ashuamouchuans étaient des nations de chasseurs qui vivaient à de nombreuses journées de marche au nord du Saguenay. Ils habitaient le long de rivières portant leurs noms, qui se jettent dans le lac Saint-Jean et le lac Mistassini ; certaines d'entre elles pouvaient « voir la mer salée » de la baie d'Hudson. Elles commerçaient avec les Montagnais du Sud, et c'est ainsi que Champlain entendit parler d'elles[1].

LES GROUPES ALGIQUES (AUSSI APPELÉS ALGONQUIENS)

Pour les spécialistes, le groupe algonquien désigne une grande famille linguistique. Les Algonquins désignent certaines nations du groupe algonquien.

Montagnais ou Innus

Cette nation se nomme aujourd'hui les Innus, à ne pas confondre avec les Inuits. Les Français les appelaient Montagnais, ou habitants des montagnes. C'était un peuple de chasseurs qui comptait de nombreux sous-groupes :

> Papinachois
>
> Kakouchakis (nation du Porc-épic)
>
> Attikamègues (nation du Poisson blanc)
>
> Chicoutimis
>
> Tadoussacs
>
> Nekubanistes
>
> Chomonchouanistes
>
> Outabitibecs

Algonquins

La nation des Algoumekins à l'arrivée de Champlain ; ils se nomment aujourd'hui Anishinabis (« les Humains »). (DC)

> Andatouats, Outaouacs ou Odawas
> Pour les Français : les Cheveux-Relevés (WSC, CM)
>
> Ouescharinis ou Oueskarinis
> Les Algonguins de la Petite-Nation pour Champlain et les Français. (CM)

Kichesperinis, les Algonquins de l'Île ; Champlain connaissait leur chef, Tessouat.

Allumettes pour les Français ; Algonquins de l'île Morrison pour les Anglais (DC)

Kinoucheperinis, Algonquins du lac du Rat-musqué
Champlain rencontra leur chef, Nibachis.

Onontchataronons, les Algonquins d'Iroquet
Atontrataronnons pour les Hurons, chez qui ils hivernèrent ; Champlain collabora avec leur chef, Iroquet. (WSC, DC, CH)

Matouweskarinis
Algonquins de la rivière Madawaska

Les Algonquins Bastiquans (carte de 1612 dans WSC) vivaient à l'est de la rivière des Outaouais, près de la rivière Saint-Maurice ; Champlain leur avait donné le nom de leur chef, Batiscan. Certains ethnographes croient qu'ils étaient Montagnais. (DC)

Otagouttouenmins, Kotakoutouemis, Mataouchkairinis et Ounchatarounoungas, qui étaient des peuplades de chasseurs vivant au nord de la Kichesperini. (DC)

Sagnitaouigamas et Sagaiguninis vivaient au nord des Hurons, sur la baie Georgienne.

Les Attikameks (ou Têtes-de-Boule), qui vivaient sur le Haut-Saint-Maurice.

Algonquiens du Nord-Ouest à l'exclusion des Algonquins

Épicerinis : appelés « les Sorciers » par leurs voisins algonquins, qui les considéraient comme un peuple à part. Pour Champlain, ils étaient les Népissingues, car il les avait rencontrés près du lac du même nom (aujourd'hui Nipissing). Ils parlaient une langue algique, mais étaient distincts des autres nations algonquines. (M, CH, DC)

Abitibis, nation qui vivait sur les bords du lac Abitibi, au sud de la baie James. (DC)

Témiscamingucs, qui vivaient sur les bords du lac Témiscamingue, au sud du lac Abitibi.

Sakis, Ousakis ; Sauks ou Renards pour les Français. C'était le peuple de Na-Nà-Ma-Kee qui vivait « près de Montréal » et qui plus tard a migré vers l'ouest et le sud.

Cris

O'pimittish Ininiwac (Gens de Terre)

Kilistinons

Ojibwés (Chippewas)

Mississagués (Ousimagi)

Nocquet (Nokes)

Pauoitigoueieuhak (Sauleurs)

Roquai

Mantoue

Outchibous (en anglais O'chiiboy, Chippewa)

Algonquiens de l'Est

Wabenakis de l'Est, ou Confédération abénaquise (FMW)

Etchemins (que Champlain appelait Estechemins)

Pesmocodys (en anglais Passamaquoddy)

Pentagouets (en anglais Penobscot)

Malécites

Abénaquis

Confédération micmaque

Souriquois pour les Français, Micmac pour les Anglais

Une confédération comptant sept sous-groupes (FMW)

Canadaquoas (Canadaquois ; Canadiens) (WSC)[2]

Algonquiens du Sud

Almouchiquois ou Sacos (CM)

Confédération Wabénaquise-Penacook de l'Ouest (FMW)

Penacook

Abénaquis de l'Ouest

Pawtuckets (Wamesits)

Confédération indienne côtière des Massachusetts (KJB)

Massachusetts

Pokanokets (Wampanoags)

Nausets (Indiens du Cap)

Narrangasetts

Indiens des Montagnes

Mahigans ou Loups pour les Français ; Mohicans pour les Anglais

Wappingers

Confédération de la rivière Mohegan-Pequot (FMW)

Mohegans-Pequots

Nehantics

Nipmucs

Podunks

Tunxis

Nanatucks

LES GROUPES DE LANGUE IROQUOIENNE regroupent trois grandes confédérations, les Iroquois, les Hurons, les Neutres, et bien d'autres nations.

La ligue iroquoise

Ils s'appelaient Hodenosaunees, le « peuple de la longue maison ». Les Français les appelaient Yroquois, Hiroquois ou Iroquois, mot qui trouve son origine dans un mot emprunté au pidgin franco-montagnais-basque. Aux XVIIe et XVIIIe siècles, les Anglais les appelaient les Cinq Nations.

> Agniehronnons (Agniers en français, Mohawk en anglais ; Champlain les appelait Yroquois et employait le mot aussi bien pour les Agniers que pour la grande ligue)
>
> Oneiochronnons (Onnéïouts en français, Oneida en anglais ; Champlain écrivait Entohonorons, d'après le nom que les Hurons leur donnaient)
>
> Onontagereronnons (Onontagués en français, Onondaga en anglais ; Champlain les appelait aussi Entohonorons, d'après le huron)
>
> Ouioenrthonnon (Goyogouins en français, Cayuga en anglais ; Champlain disait encore Entohonorons)
>
> Sonnontouans (Tsonnontouans en français, Seneca en anglais ; Champlain, imitant les Hurons, écrivait Chouontouarpuon ou Sonontoerrhonons[3])

La confédération huronne

Le nom qu'on donne aux Hurons vient du français *hure,* qui désigne la touffe de poil qui se dresse sur la tête du sanglier. Champlain les appelait Ochateguins du clan de l'Ours (CM). Eux-mêmes se donnaient bien d'autres noms. Certains ont pris le nom de Wendats ou Wyandots (les Insulaires). La plupart se nommaient d'après leur clan ou fratrie, qui étaient au nombre de cinq ou davantage (T, 749) :

> Attigouautans (WSC, 3 : 55) ou Attignawantan (nation de l'Ours) (T, CM)

Atinouaentans, qui pourraient être les mêmes ou un sous-groupe (WSC)

Arendarhonons (nation de la Pierre) (T, 30)

Attingueenougnahacs (nation de la Corde) (T, 30)

Tahontaenrats (nation du Cerf) (T, 30)

Ataronchronons (nation des Marais) (T, 30)

La confédération neutre

Champlain les appelait les Neutres. Les Hurons disaient Attiwandarons, « la nation qui parle une langue légèrement différente ». Les Iroquois les appelaient Atirhagenrats, ou Adirondacks, nom qu'ils employaient aussi pour d'autres peuples au parler iroquoien. Champlain a écrit : « La nation Neutre est une nation qui se maintient contre toutes les autres et n'ont aucune guerre, sinon contre les Assistaqueronons, elle est fort puissante ayant quarante villages fort peuplés » (WSC, 6 : 249)[4]. Comme les Hurons et les Iroquois, les Neutres formaient une confédération :

Onguiarahronons, ou nation de la rivière Ongniarah (Niagara), la principale nation, ceux qu'on appelait les Neutres proprement dits (GKW, 6)

Awenrohronons, ou Ouenro, qui vivaient près de l'Iroquoisie, dans ce qui est maintenant l'État de New York

Aondironons, qui vivaient à proximité des Hurons, au sud de l'Ontario actuel

Attiouendarankhronons, qui vivait à l'ouest de la rivière Niagara et au nord du lac Érié

Les nations de cette confédération furent décimées par les Iroquois après la mort de Champlain (GKW).

Iroquoiens de l'Ouest

Erieehronons (les Ériés en français)

Tionnontatés (ou Pétuns en français)

Nation du Chat (SP, 16/53)

Mascoutens (nation du Feu) (SC, 16/53 ; CM, 326M)

Iroquoiens du Sud

Andastes, que les Hurons appelaient Andastoéronons. Les Français disaient Andastogues, les Anglais Susquehannocks ou Susquehannah. (T, 504)

LES NATIONS DE LANGUE SIOUSE

Les Winnebagos, qui vivaient dans ce qui est aujourd'hui le Wisconsin. L'interprète de Champlain les a rencontrés et les a appelés Ouinipigous, comme les jésuites. Il s'agit peut-être de la nation que Champlain avait appelée les Puants. Les Français découvrirent vite qu'ils parlaient une langue différente.

SOURCES

WSC   Henry Percival Biggar (dir.), *The Works of Samuel de Champlain*, 6 vol., plus une chemise de cartes, Toronto, 1922-1936, réédition de 1971.

CCE   La carte ethnographique de Champlain, « Le Canada faict par Sr de Champlain, 1616 ». Elle subsiste sous forme d'épreuve d'imprimerie inachevée, peut-être gravée pour les *Voyages et descouvertures* de Champlain de 1619, mais n'ayant pas été publiée dans ce volume. On en trouve des copies à la Bibliothèque John Carter Brown de l'université Brown à Providence (Rhode Island) et à la Bibliothèque nationale de Russie. La plaque aurait été acquise par le cartographe Pierre du Val, qui l'a réutilisée en 1653, avec des ajouts et des corrections.

KJB   Kathleen J. Bragdon, *Native People of Southern New England*, Norman (Oklahoma), 1996, p. 243.

DC   Daniel Clément (dir.), *The Algonquins*, Hull, 1996 [traduction du numéro special de *Recherches amérindiennes au Québec*, 23 (1993), *Les Algonquins*].

RCH   R. Cole Harris, *Historical Atlas of Canada*, Toronto, 1987 [*Atlas historique du Canada*, Montréal, 1987].

CH   Conrad Heidenreich, *Huronia*, Toronto, 1971, carte 24.

CM   Christian Morisonneau, dans Raymonde Litalien et Denis Vaugeois (dir.), *Champlain. La naissance de l'Amérique française*, Montréal, 2004, p. 162.

HSR   Howard S. Russell, *Indian New England before the Mayflower*, Hanover (New Hampshire), 1980, p. 19-29.

T   Bruce G. Trigger, *Children of Aataentsic*, Montréal, 1976, 1987 [*Les Enfants d'Aataentsic*, Montréal, 1991].

FMW   Frederick M. Wiseman, *The Voice of the Dawn : An Autohistory of the Abenaki Nation*.

GKW   Gordon K. Wright, *The Neutral Nations*, Rochester (New York), 1963.

APPENDICE J

LA BATAILLE DE 1609 CONTRE LES AGNIERS

Où a-t-elle eu lieu?

Le lieu où s'est déroulée la bataille du lac Champlain de 1609 a fait l'objet d'un long débat entre historiens. La plupart des spécialistes s'accordent à dire qu'elle ne peut avoir eu lieu qu'en deux endroits, et des monuments ont été érigés en l'un et l'autre. Le premier est à Crown Point ; le second, à Ticonderoga.

La preuve permettant de trancher le débat nous vient sous deux formes : la cartographie et la chronologie des récits de Champlain. Dans sa carte de 1632, Champlain mentionne explicitement le « lieu dans le lac Champlain où les Yroquois furent deffaits ». Il porte le numéro 65 dans sa légende et est situé entre le lac George et le lac Champlain. Sur cette carte, le croquis que Champlain trace de son lac homonyme montre clairement le promontoire de Ticonderoga et Willow Point au nord. Son indication, 65, est placée entre ces deux points, à une saillie qu'on a appelée depuis Sandy Beach[1].

La seconde preuve réside dans la chronologie des événements que narre Champlain. Il écrit qu'après la bataille, il a visité la chute qui se jette du lac George dans le lac Champlain et qu'il l'a explorée jusqu'aux rapides les plus bas : « un saut d'eau que je vis[2] ». Champlain affirme également qu'il n'avait que trois heures après la bataille pour explorer les lieux, avant que ses alliés ne plient bagages. Ce fut sa seule visite dans la région. La distance en canot de la plage sablonneuse au détour du promontoire de Ticonderoga jusqu'à la chute est d'environ 2,9 kilomètres. À l'été 2007, nous avons refait ce parcours à quatre en deux canots (Nick Westbrook, Ann McCarty, ma femme et moi). Il nous a fallu environ quarante-cinq minutes pour faire l'aller. Champlain aurait aisément pu faire l'aller-retour (5,8 kilomètres) en une heure et demie, ce qui lui aurait laissé suffisamment de temps pour pagayer ou remonter la chute en partant du pied des rapides, et rentrer en moins de trois heures.

En le soumettant au même chronométrage, le site de Crown Point se trouve exclu comme lieu possible de la bataille. La distance en canot de Crown Point (où les Français érigeraient le fort Saint-Frédéric) jusqu'à la chute, aller-retour, est d'environ dix-neuf kilomètres, et il aurait fallu au minimum six heures à Champlain pour faire l'aller-retour à la chute. Si le récit de Champlain est exact, Crown Point ne peut pas être le lieu de la bataille. Seul un site près de Ticonderoga s'accorde avec son récit. En bref, la carte de 1632 et le récit de Champlain confirment que Ticonderoga fut le lieu de la bataille. La thèse de Crown Point ne tient pas.

Des deux côtés, on a avancé d'autres arguments fondés sur la description qu'a faite Champlain du champ de bataille. Aux deux sites, il y a un promontoire ou un cap. À chaque endroit, les rives sont escarpées et il y a une plage sablonneuse ; le terrain est plat et il y a une forêt derrière. À mon avis, ces arguments paysagers ne sont pas concluants, alors que la preuve reposant sur la carte de 1632 et le récit de Champlain font pencher la balance en faveur de Ticonderoga.

L'hypothèse favorisant Crown Point est apparue d'abord dans les éditions des œuvres de Champlain de Laverdière et de Biggar. L'un et l'autre étaient d'éminents érudits, mais aucun des deux ne semble s'être rendu au lac Champlain, et leur thèse ne repose sur aucune preuve. D'autres historiens les ont suivis dans leur erreur. L'hypothèse de Crown Point a été soutenue par la commission du tricentenaire de l'État de New York, par Guy Omeron Coolidge et par Joe Armstrong. Celle de Ticonderoga a été articulée par S. H. P. Pell, Morison, Trudel et d'autres spécialistes[3].

L'ATTAQUE DE 1615 CONTRE LE FORT IROQUOIS

Quel fort ? Quelle nation ?

Où était ce fort iroquois que Champlain a attaqué en 1615 ? Contre quelle nation iroquoise se battait-il ? La controverse dure depuis plus de deux siècles.

Le récit que Champlain a donné de la bataille demeure obscur sur ces deux points. Il appelle l'ennemi les Entohonorons, car c'était ainsi qu'il comprenait leur nom en langue huronne. Les experts des langues iroquoiennes sont d'avis que ce mot pouvait désigner les Onneïouts ou les Onontagués, peut-être aussi les Goyogouins. Mais le mot n'identifie clairement aucune de ces trois nations iroquoises.

L'emplacement précis de la bataille aurait dû normalement résoudre l'énigme, mais sur cette question les avis sont partagés. La plupart des historiens s'entendent sur le parcours qu'a suivi Champlain pour se rendre de la Huronie jusqu'en pays iroquois, chemin qui l'aurait mené aussi loin que Brewerton, à la sortie du lac Oneida. Les mêmes disent que le fort se situait au bord d'un lac, non loin de là, où convergeaient de petits ruisseaux. Mais de quel lac s'agit-il précisément ? Les historiens de la région qui connaissent le terrain ont porté leur choix sur plus d'un site dans le nord de l'État de New York. Le problème ici est de savoir, non seulement l'emplacement du fort, mais aussi l'identité de la nation iroquoise qui l'occupait.

Au milieu du XIXe siècle, E. B. O'Callaghan, Francis Parkman et l'abbé Laverdière croyaient que ce fort se dressait sur les bords du lac Canandaigua, à une quarantaine de kilomètres au sud de Rochester. Ce lieu était situé à l'extrémité ouest de l'Iroquoisie et constituait le foyer de la nation des Tsonnontouans, « les gardiens de la porte occidentale de la longue maison ». Examen fait, ce lieu ne correspond pas à la route qu'a suivie Champlain. C'est beaucoup trop loin pour le temps dont il disposait, et on n'a trouvé aucune preuve substantielle que tel aurait pu être le cas. Parkman a délaissé cette hypothèse dans les éditions subséquentes de son livre[1]. D'autres historiens ont affirmé qu'il s'agissait du lac Cayuga et que Champlain s'en était pris à la nation iroquoise de ce nom (en français, les Goyogouins). Mais cela aurait également exigé une interminable marche vers l'ouest, et il n'existe là non plus aucune preuve déterminante permettant d'affirmer une chose pareille.

Une troisième thèse nous est venue des historiens amateurs John S. Clark et Lambertus Ledyard, qui ont soutenu que Champlain avait attaqué un village onneïout situé au bord de l'étang Nichols, à Fenner, dans le comté de Madison, État de New York, à trente kilomètres au sud-est de Syracuse. Sur ce site, des archéologues ont justement trouvé des artefacts indiens qui ont persuadé de nombreux chercheurs des années 1950 que cette thèse était juste. Jusqu'en 1972, la plupart des spécialistes de Champlain croyaient que ce site était le bon, et que Champlain avait combattu la nation onneïoute. Samuel Eliot Morison s'est fait le champion de cette interprétation[2].

Les archéologues William Ritchie et Peter Pratt ont excavé le site et retrouvé les restes d'un village onneïout antérieur au contact avec les Européens, mais ils ont conclu qu'il avait été abandonné un siècle avant l'attaque de Champlain. Ils ont également découvert que la palissade sur ce site ne correspondait pas à la description que Champlain avait donnée du fort, et l'étang Nichols a été pendant des siècles (et demeure aujourd'hui) beaucoup plus un marécage qu'un lac. Nous avons parcouru le site à l'été 2007 et estimé qu'il ne répondait pas au signalement noté par Champlain[3].

Pratt, le principal expert sur cette question, a conclu, après de nombreuses années d'étude, que le fort attaqué par Champlain était à l'extrémité sud du lac Onondaga, sur un site qu'occupe actuellement le Carousel Shopping Mall de la ville de Syracuse, dans l'État de New York. J'ai visité le site en 2007 et noté que l'emplacement et le terrain répondaient aux descriptions qu'on trouve dans le récit de Champlain. Le sol a subi les effets du développement urbain, mais nombre d'artefacts indiens y ont été découverts, ce qui conforte la thèse d'un grand fort onontagué sur les lieux à l'époque de Champlain. Les critères du temps et de la distance confirment que le site concorde avec la chronologie de Champlain. De nombreux ethnohistoriens partagent aujourd'hui cet avis. D'autres sites ont été proposés, sur les rives nord et est du lac Onondaga, mais ils posent divers problèmes, du fait des dates d'occupation, de la topographie et de l'hydrographie[4].

Au vu de la preuve existante, l'emplacement le plus probable pour ce fort est situé entre deux ruisseaux sur la rive sud du lac Onondaga. Champlain s'en était pris à l'un des principaux bourgs de la nation onontaguée, souvent impliquée dans les raids contre les convois de pelleteries au nord.

L'ARME FAVORITE DE CHAMPLAIN

L'arquebuse à rouet

Quelles armes à feu européennes Champlain a-t-il employées dans ses campagnes ? On a souvent écrit que Champlain s'était servi d'une arquebuse à mèche lors de ses grands affrontements dans les forêts américaines, de 1609 à 1615[1]. Cette hypothèse ne résiste pas à un examen rigoureux. Les textes et gravures dans les œuvres de Champlain, les inventaires d'armes à feu de Québec et les expertises menées sur les armes elles-mêmes démontrent hors de tout doute que Champlain s'est servi d'une arquebuse à rouet dans tous ces affrontements, et non d'une arquebuse à mèche. L'arquebuse à rouet fut inventée au XVIe siècle pour remédier aux grandes déficiences de l'arquebuse à mèche.

Pour faire feu avec une arquebuse à mèche, il fallait que l'extrémité allumée de la mèche à combustion lente soit abaissée dans un bassinet contenant de la poudre, déclenchant le tir. Le rouet fonctionnait différemment. Le mécanisme était fait d'un rouet d'acier cru qui frottait contre une pierre à fusil, ce qui avait pour effet de faire jaillir une pluie d'étincelles dans la poudre d'amorçage, exactement comme un briquet moderne. Parfois, le rouet était fait d'un minéral cru qui entrait en contact avec un sabot d'acier, ce qui donnait le même résultat. Ce fut la première arme d'épaule à allumage automatique.

Le rouet présentait plusieurs avantages. Il était difficile d'allumer une mèche à combustion lente et d'en conserver l'incandescence, surtout en situation de combat. Par temps pluvieux ou très humide, la mèche refusait de s'allumer. Une fois celle-ci allumée, l'arquebuse à mèche était dangereuse, étant donné que la mèche risquait de mettre le feu aux autres poudres qui se trouvaient à proximité de l'arme. Pendant une bataille, l'arquebuse à la mèche allumée gâchait l'effet de surprise puisque la fumée et l'odeur qui s'en dégageaient pouvaient alerter l'ennemi et révéler la position de l'attaquant.

Le rouet aurait été inventé par Johann Kiefuss, en Allemagne, en 1517. Ce mécanisme résolvait certains problèmes mais pouvait en causer d'autres. C'était un mécanisme complexe et fragile qui exigeait un entretien fréquent ainsi qu'une manutention prudente. Il était également très coûteux — le double du prix du dispositif à mèche — et ne pouvait être produit à une grande échelle.

Ont suivi d'autres inventions qui visaient à remédier à ces inconvénients. À la fin du XVIe siècle, les armuriers ont mis au point un mécanisme appelé platine à chenapan. Une pierre à fusil était rivée à un bras à ressort. Lorsque la détente libérait le bras, le ressort le propulsait contre une plaque de métal, provoquant une friction qui faisait jaillir des étincelles dans un bassinet de poudre.

Le principe de la platine à chenapan fut simplifié par l'invention de la pierre à fusil, qui combinait en une seule pièce la platine et le bassinet. On en doit l'invention

En 1609-1610, Champlain a combattu les Agniers avec cette arquebuse à rouet, arme qui ne nécessitait pas l'emploi d'une mèche. C'était aussi une arquebuse de chasse, une arme de l'épaule assez légère pour être utilisée sans l'aide d'une fourche. Il aurait été très difficile, voire impossible, de tirer avec une arquebuse à mèche lors de la bataille du lac Champlain.

à un maître armurier d'Henri IV, Marin Le Bourgeois, qui avait son atelier au sous-sol du Louvre, et on s'en servait déjà en 1612. La pierre à fusil était de fabrication peu coûteuse, plus facile d'entretien et plus simple d'usage. Durant la période 1639-1642, la valeur moyenne d'une arquebuse à rouet était de quatre-vingts livres ; l'arquebuse à mèche coûtait six livres.

Champlain a maintes fois affirmé que ses compagnons et lui utilisaient une arquebuse, mais de quelle sorte ? Russel Bouchard, expert des armes à feu en usage en Nouvelle-France, a étudié les gravures de Champlain et en a conclu qu'il employait une arquebuse à rouet. On ne voit aucune mèche dans ces gravures ; c'est plutôt un rouet que l'on distingue. Les inventaires des armes de Québec mentionnent explicitement la présence d'« harquebuses à rouet ». C'est ce que confirment aussi les inventaires de biens de la colonie. Les usages ont évolué après 1615. En 1619, le nouveau mousquet à mèche était devenu l'arme à feu de choix en Nouvelle-France. Un inventaire dressé à Québec cette année-là recense quatre « harquebuses à rouet » et quarante « mousquets avec leurs bandoliers ». La proportion des mousquets a continué de s'accroître dans cette période[2].

Les armes de Champlain étaient particulières pour une autre raison. Les modèles primitifs d'arquebuse étaient lourds. Certaines étaient montées sur un chariot et tiraient une balle de quatre-vingt-cinq grammes. D'autres étaient portées par des soldats, mais ne pouvaient être utilisées qu'avec une fourche soutenant le canon. Ce modèle ancien était appelé « arquebuse à croc », du nom du dispositif nécessaire à la stabilisation de l'arme. À l'époque de Champlain, le rouet était combiné avec des armes plus légères et des canons plus courts, et on put faire de l'arquebuse à rouet une arme d'épaule avec laquelle on tirait sans l'aide d'une fourche. Cette arquebuse plus légère avait été inventée pour la chasse, et Champlain l'avait adoptée pour son usage en Amérique. Elle mesurait entre 80 et 130 centimètres. On pouvait la charger de plusieurs balles d'une *once* chacune, qui étaient mortelles pour le gros gibier et les combattants dépourvus de cuirasses de métal. D'après les auteurs de l'époque, ces armes pesaient entre quatre et sept kilos, moins qu'une arquebuse à croc. M. A. O. Paulin-Desormeaux, dans son traité sur ces armes, les appelle arquebuses de chasse. L'arme favorite de Champlain combinait les caractéristiques de l'arquebuse à rouet et de l'arquebuse de chasse[3].

La technologie qui a produit l'arquebuse à rouet a également conduit à l'invention du pistolet à rouet, qui était plus gros que l'arme de poing moderne, mais assez petit pour être dissimulé dans un vêtement. Ce pistolet devint l'arme privilégiée des assassins. En 1584, c'est avec un pistolet à rouet que fut assassiné Guillaume le Taciturne, en Hollande. On a également noté son emploi dans le massacre de la Saint-Barthélemy[4].

En bref, Champlain s'est battu au lac Champlain, et probablement aussi à la rivière des Iroquois (Richelieu) et au village onontagué, avec une arquebuse dont la mise à feu était assurée par un rouet. C'était une arme assez légère et courte pour être utilisée comme arme d'épaule, mais son canon était assez solide pour autoriser une charge triple ou quadruple. Cette arme ne nécessitait pas une mèche à combustion lente ou une fourche, ce qui en facilitait l'emploi en campagne. L'absence de mèche à combustion lente permit à Champlain de surprendre l'adversaire au lac Champlain, et, du fait qu'il pouvait se passer de la fourche, il put se déplacer avec plus d'aisance sur le champ de bataille. L'issue de ces batailles, surtout la première, aurait peut-être été bien différente sans les avantages qu'offrait cette arme coûteuse et très perfectionnée.

Les historiens ont présumé à tort que Champlain s'était servi de cette arme, une arquebuse à mèche qui nécessite une mèche incandescente. Cette arme était d'une lourdeur telle qu'on ne pouvait l'utiliser sans l'aide d'une fourche pour soutenir le canon. Étant donné les tactiques qu'employait Champlain, cette arme l'aurait bien mal desservi à la bataille du lac Champlain.

LES NAVIRES ET EMBARCATIONS DE CHAMPLAIN

Dans ses quarante années et plus passées sur les flots, Champlain a navigué à bord de toutes sortes de navires et d'embarcations. Il les a décrits très brièvement, habituellement en termes de tonnage et de type de vaisseau. La langue qu'il emploie pour les décrire est déroutante pour le lecteur moderne et pose même problème aux experts. Les notes et les traductions dans l'édition des œuvres de Champlain par Biggar sont fréquemment inexactes, et même le navigateur historien Samuel Eliot Morison s'est parfois trompé sur ce sujet.

Les navires de Champlain étaient des produits de la révolution qui s'était opérée dans la technologie maritime au début de l'ère moderne. À son époque, les navires pouvaient déplacer personnes et biens plus rapidement que les moyens de transport terrestres, qui avaient connu peu d'améliorations depuis les Romains. Avant le XIXe siècle, l'eau était plus « perméable » aux innovations que le sol, comme aujourd'hui l'air est plus perméable que l'eau[1].

Les navires perfectionnés de l'époque de Champlain étaient des engins complexes, les produits industriels les plus évolués de l'époque. C'étaient des machines à convertir en mouvement l'énergie des vents et des courants. C'étaient aussi des habitations pour leur équipage, parfois pour des mois ou des années, et de véritables entrepôts flottants contenant des vivres, des plateformes pour les canons, des outils scientifiques, des instruments de pouvoir, des emblèmes d'autorité et les symboles dynamiques d'une culture occidentale qui allait bientôt s'étendre sur toute la planète. Les caractéristiques que présentaient ces navires firent la carrière de Champlain mais lui imposèrent aussi des bornes. Pour les comprendre, commençons par définir quelques termes ; d'abord la question du tonnage, puis les types de navires et leurs propriétés.

LE TONNAGE. Pour Champlain, il s'agissait essentiellement d'une mesure de volume et non de poids. On estimait ainsi la capacité d'un navire, et cette mesure était le nombre de grands tonneaux d'eau ou de vin que le navire pouvait transporter. C'était une façon absurde de mesurer un navire, mais son usage s'était répandu parce qu'elle était commode pour les percepteurs de taxes et parce qu'elle servait depuis la nuit des temps. Dans l'Antiquité romaine, Cicéron parlait d'un navire de « deux mille jarres ». Dans l'Europe médiévale, l'unité de mesure était passée des jarres de grès aux tonneaux de bois[2].

À l'époque de Champlain, cette méthode était employée dans toute l'Europe, mais la définition du tonneau variait d'un pays à l'autre, et aussi d'une province ou d'un port de mer à l'autre. En Angleterre, la tonne avait une capacité de 252 gallons, et lorsque le tonneau était rempli d'eau, il pesait 2 240 livres, ou 1 016 kilos ; on trouve là l'origine de la « longue tonne » anglaise, qui devint la mesure maritime de base, préférée à la petite tonne qui faisait 2 000 livres, ou 907 kilos[3].

En France, le « tonneau de mer » équivalait à « quatre barriques bordelaises » de vin ou d'eau, lesquelles valaient en tout 480 pots (*voir l'appendice N*). Ainsi, le tonneau de mer français contenait approximativement 239 gallons anglais, c'est-à-dire environ 5 % de moins que la longue tonne anglaise[4].

En Espagne, après 1590, l'unité officielle de mesure était la *tonel macho* ou *tonel de Vizcaya*, qui équivalait au tonneau de mer français en usage à Bordeaux. Ce tonneau était 1,2 fois plus gros que la *tonelada* ou *tonel de Andalusia* qu'on employait plus tôt[5].

La tonne anglaise à la capacité légèrement supérieure donnait un tonnage total qui était inférieur d'environ 5 % au tonnage calculé à partir du tonneau de mer français ou du *tonel macho* espagnol. Mais ces variations étaient inférieures à la marge d'erreur de l'estimation du tonnage.

C'est en tonnage, donc, qu'il faut mesurer les navires de Champlain. Ce tonnage de portée ne saurait être confondu avec d'autres mesures qui sont apparues plus tard, comme le tonnage de déplacement. Ce dernier s'inspire de l'idée d'Archimède selon laquelle le tonnage d'un navire devait être égal au poids de l'eau déplacée par le navire. Au XXe siècle, le tonnage de déplacement est devenu la mesure standard des bâtiments de guerre. Pour un même navire, cette mesure donnait un nombre beaucoup plus élevé que le tonnage de portée utilisé par Champlain.

À l'époque de Champlain, la plupart des États occidentaux avaient adopté des conventions permettant de calculer le tonnage : c'était une équation fondée sur la longueur de la quille, la largeur du navire et sa profondeur intérieure. En Angleterre, pour calculer le nombre de tonneaux que pouvait transporter un navire, on multipliait la longueur de la quille par la largeur et par la profondeur, le tout divisé par 100 :

$$Tp = \frac{QLP}{100}$$

Le rapport entre le tonnage et des dimensions comme la longueur, la largeur et la profondeur était très variable, essentiellement du fait des différences dans la conception et la construction des navires. Mais les estimations étaient faites pour des catégories particulières de navires et de bateaux sur la base des mesures tangibles et des tendances dominantes relatives aux proportions. Nous allons maintenant passer ces tailles en revue.

LES TROIS-MÂTS CARRÉS (avec tonnage de portée se situant entre 350 et 1000 tonneaux) englobaient les navires que Champlain et ses contemporains appelaient *navires*, *naos*, *hourques*, *felibotes*, *flûtes* et *galions*. L'un de ses plus grands vaisseaux fut le *Saint-Julien* de son oncle. D'après le témoignage de Champlain et les descriptions espagnoles, ce navire était d'environ 500 tonneaux. Il le décrit comme étant un « grand navire[6] ». Dans les archives espagnoles, on en parle comme d'un *nao*, d'un *felibote* ou d'une *hourque*.

On appelait généralement « grand navire » tout vaisseau hauturier, habituellement un navire marchand, appelé aussi « navire de commerce ». Dans un traité français, on définit le navire comme étant « un vaisseau rond et de hauts bords tels que sont ceux de l'océan ». Ces « vaisseaux ronds » étaient propulsés entièrement à voile, contrairement aux autres « longs bateaux » qui faisaient usage de voiles et de rames.

Nao (« nef », en français) était un mot portugais désignant un trois-mâts portant de larges voiles carrées sur deux ou trois mâts, auxquelles s'ajoutaient parfois une voile latine sur l'artimon et un mât plus petit appelé bonaventure, à l'arrière de l'artimon.

La hourque dénotait un gros navire conçu pour transporter de lourdes cargaisons, dont la coque était caractéristique : fort maître-bau, proue et poupe arrondies, carène assez plate, et un bordage renflé que les marins appellent « frégatage ». Ces navires étaient construits en Europe du Nord sur le modèle des grandes péniches hollandaises qui servaient au transport des marchandises.

Le *felibote* espagnol ou flibot français était, comme le définit R. M. Nance, « une péniche élargie et mâtée, faite pour transporter le plus de marchandises possible avec l'équipage le plus réduit qui soit ». Des hourques et des flibots jaugeant plus de 600 tonneaux n'étaient pas rares à l'époque de Champlain. Ils avaient la réputation d'être d'une construction grossière et d'avancer lentement. Champlain disait du *Saint-Julien* que c'était un « fort navire et bon de voile ». Si c'était le cas, il s'agit d'un cas exceptionnel. Sur mer, c'était un navire fragile qui faisait eau à un point tel qu'il venait souvent près de sombrer. Si l'on en juge d'après les proportions des autres navires de la même époque, on peut penser que son pont faisait entre 30 et 36 mètres de long et son barrot, entre 10 et 12 mètres[6]. Plus tard, comme on le verra, les flibots, ou *flyboat* en anglais, en vinrent à désigner tout à fait autre chose : des vaisseaux petits et rapides, souvent lourdement armés pour leur taille.

Ce navire (tiré de la carte de Champlain de 1612) est typique des vaisseaux qu'il employait pour le commerce nord-américain, soit un navire marchand de taille moyenne avec voiles basses carrées et huniers, une martingale sous le beaupré et un mât d'artimon à latine ou de bonaventure à voile latine. Ce n'était pas un navire rapide mais il était solide et tenait bien la mer. Champlain n'en a jamais perdu un.

Le galion espagnol était l'aboutissement d'une longue évolution aux XVIᵉ et XVIIᵉ siècles. C'était le type de navire que Champlain aurait connu en 1599 : plus petit que les grands galions qui avaient formé l'Invincible Armada de 1588, mais d'un tonnage très élevé. Le mât de misaine avait de l'inclinaison et le grand mât de la quête. La poupe élevée constituait une plateforme pour le combat en mer.

Le *galion* était un autre type de grand navire que Champlain connaissait bien. Il avait accompagné des galions lors de son voyage dans l'empire espagnol, de 1598 à 1601. Leur conception évolua avec le temps. Au milieu du XVIᵉ siècle, les galions étaient des vaisseaux de taille moyenne, souvent d'environ 200 tonneaux, avec gaillards d'avant et d'arrière élevés. Ils se sont vite mis à prendre des proportions plus imposantes. L'armada espagnole de 1588 comptait trois galions portugais de 1 000 tonneaux et six galions espagnols de 800 tonneaux, ces navires étant parmi les plus imposants de leur époque dans le monde occidental. À l'époque de Champlain, ils avaient changé de nouveau. Au début du XVIIᵉ siècle, ils s'étaient stabilisés autour de 400 à 600 tonneaux, avec un pont de 30 à 36 mètres (36 à 42 mètres au total, incluant la proue mais non le beaupré), un barrot de 9 ou 10 mètres et un ratio d'environ 1:3,5 à 1:4 comparativement aux navires marchands comme le *Saint-Julien*, qui auraient été plus près de 1:3.

Du temps de Champlain, le haut gaillard d'avant avait été diminué et le gaillard d'arrière était plus élevé qu'autrefois. Le mât de misaine était incliné, le grand mât était presque vertical et le petit mât d'artimon avait une légère quête. Les mâts de misaine et d'artimon étaient surmontés d'une flèche ou parfois d'un mât de perroquet. Pour équilibrer le navire, on ajoutait une civadière sous le beaupré et une voile latine au mât d'artimon, ce qui facilitait le travail du timonier. Il n'y avait pas de focs, mais par petit temps on pouvait capeler des voiles supplémentaires appelées bonnettes.

Ces galions avaient à leur bord une batterie de grands canons répartis sur deux ou même trois ponts de batterie, et ils étaient bondés d'hommes. Dans l'ensemble, il s'agissait de navires très évolués, le fruit d'une longue expérience des mers. Les officiers de la flotte des Indes espagnole étaient des navigateurs très habiles. Champlain apprit beaucoup de ces navires et des hommes qui les pilotaient[7].

Le « vaisseau des Indes », que les Anglais appelaient *East Indiaman*, était un autre type spécialisé de grand navire qui vit le jour au début du XVIIᵉ siècle. Il était de conception hybride : un gros navire marchand de fort tonnage, conçu pour des voyages pouvant durer jusqu'à deux ou même trois ans. Ayant la carrure solide d'un bâtiment de guerre, il était lourdement armé, avec un bau important à la ligne de flottaison lui permettant de soutenir le poids des canons et de la cargaison. On en trouve des exemples dans les deux navires normands que possédaient des marchands de Rouen et de Dieppe, qui les envoyaient aux Indes orientales avitaillés pour deux ans et demi. L'un était *Le Montmorency*, 450 tonneaux, 22 canons et un équipage de 126 hommes. L'autre était *L'Espérance*, 400 tonneaux, 26 canons et un équipage de 126 hommes. Les officiers et membres d'équipage de ces vaisseaux faisaient aussi des voyages vers l'Amérique. Robert Gravé, Claude du Boullay, Claude de Godet et le sieur des Maretz connaissaient tous aussi bien les eaux des Indes orientales que celles de la Nouvelle-France. Mais ils ne naviguaient pas sur le même type de navires lorsqu'ils changeaient de théâtre. Le vaisseau des Indes apparaissait rarement dans les eaux nord-américaines, les voyages de ce côté étant plus courts, les capitaux plus rares, et les rivières et havres moins profonds ; la sécurité posait moins problème et la vitesse ici comptait plus que la force ou l'endurance.

LES NAVIRES DE MOYEN TONNAGE, de 100 à 350 tonneaux, avaient donc la préférence de Champlain. Il a fait presque toutes ses traversées de l'Atlantique à bord de ces navires, et les mentionne fréquemment dans ses *Voyages*. La plupart étaient d'un port de 100 à 200 tonneaux. Champlain a traversé l'Atlantique en 1603 et 1604 à bord de la *Bonne Renommée*, dont on estimait le tonnage à 100 ou 120 tonneaux, avec une longueur de 27 mètres au total, incluant sa longue proue. En 1605, il voyageait à bord du *Don de Dieu*, qui était estimé à 120 ou 160 tonneaux et plus de 30 mètres de longueur. Son plus gros navire fut le *Saint-Étienne*, de 350 tonneaux, qu'il emprunta en 1615 et de nouveau en 1620[8].

Ces navires de moyen tonnage avaient tendance à être plus longs par rapport à leur capacité que les gros navires comme le *Saint-Julien*, ce qui les rendait plus rapides. Par beau temps et vents favorables, ils pouvaient soutenir une moyenne de huit nœuds, ce qui veut dire qu'ils pouvaient atteindre, voire légèrement dépasser, les dix nœuds pendant des périodes plus courtes[9].

Les plans de voilure différaient d'un navire à l'autre. Un manuscrit de Jacques de Vaulx, pilote au Havre, les décrit en détail. Il s'agissait pour la plupart de trois-mâts à voiles basses carrées, comme leurs grands cousins. Leurs mâts de misaine et leurs grands mâts portaient des voiles basses carrées, parfois aussi des huniers, mais on leur voyait rarement de ces mâts de perroquet qui commençaient à apparaître sur les plus gros vaisseaux. Ils portaient aussi, sous le boute-hors fortement incliné, une civadière capelée sur une vergue du beaupré. Quoique carrée, la civadière pouvait être bordée quasiment au plus près. Les peintures maritimes du XVIIe siècle montrent souvent des civadières ainsi tendues, à des angles qui semblent improbables pour les marins d'aujourd'hui, mais les peintres ne se trompaient guère. La civadière et la voile latine de l'artimon étaient là pour équilibrer le navire davantage que pour lui donner un surcroît de puissance. Un navire bien équilibré pouvait naviguer avec plus d'aisance, et le timonier avait moins de mal à faire son travail. Par petit temps, si le navire était pris en chasse par l'ennemi, on pouvait ajouter aux grandes voiles carrées, à tribord et à babord, des voiles supplémentaires appelés bonnettes. Ainsi combinés, cette forme de carène et ce type de gréement donnaient un navire exceptionnellement sûr et stable, justement une des raisons pour lesquelles Champlain n'en a jamais perdu un seul[10].

Les navires de moyen tonnage étaient armés d'une batterie principale : dix canons sur le *Don de Dieu*, douze sur le *Saint-Jean* et « seize pièces de canon en batterie » sur la *Marguerite* en 1629[11]. Armement plus que suffisant pour tenir les corsaires à distance respectueuse et éloigner les petits prédateurs. Les navires de ce type assuraient tout le commerce maritime en Nouvelle-France. Ils faisaient souvent seuls la traversée de l'Atlantique Nord — en temps de paix du moins, puisqu'en temps de guerre le convoi était la règle.

Un autre type de navire de tonnage moyen, qu'on appelait « heus » dans les archives de Normandie, était construit dans les chantiers navals à l'embouchure de la Seine. Ces navires étaient gréés différemment de ceux qu'on appelait les navires communs. Il s'agissait de vaisseaux à deux mâts, avec le grand mât à l'avant, un bourcet et une grande voile latine. Ils étaient plutôt petits, peut-être entre 60 et 80 tonneaux. Quelques-uns d'entre eux ornent les cartes de Champlain. Il les appelait « barques », l'un des nombreux usages de ce terme générique[12].

Les archives portuaires de Normandie mentionnent un troisième type de navire moyen, le roberge, ou « robarge » dans les sources plus tardives. Ces vaisseaux étaient longs et étroits, conçus pour être propulsés par des voiles et des rames. Ils avaient jusqu'à trois mâts, et tous portaient de grandes voiles latines. Tous avaient aussi un seul rang de rames et ressemblaient à ces galères à voile comme la *barca longa* de la Méditerranée. On a retrouvé les spécifications d'une roberge dans les archives portuaires normandes de 1576. C'était un vaisseau de 76 tonneaux. Il avait une quille de 13 mètres de long, sa longueur totale était de 28 mètres, et son tirant d'eau de 3 mètres. Le rapport entre la longueur et la largeur au maître-bau était probablement de 5 pour 1[13]. On n'a pas retracé de navire roberge en Nouvelle-France, mais d'après les archives portuaires de Normandie, des marchands en envoyaient commercer en Méditerranée et en Afrique.

LES LONGS-COURRIERS DE PETITE TAILLE, entre 20 et 100 tonneaux, se départageaient en deux types qui étaient fréquents en Nouvelle-France et qui sont souvent mentionnés dans les récits de Champlain. Les plus communs étaient les vaisseaux qu'il appelait « barques », à ne pas confondre avec les barques européennes du XIXe et du XXe siècle qui étaient définies par leur gréement (généralement deux mâts à voiles carrées, et un troisième à gréement aurique). Ces barques plus tardives étaient aussi imposantes que les navires à gréement complet et furent très utilisées au XIXe siècle pour des raisons d'économie et de polyvalence.

Au début du XVIIe siècle, les barques françaises appartenaient à une tout autre catégorie de bateaux. Dans son *Dictionarie of the French and English Tongues* de 1611, Randall Cotgrave définit la barque ainsi : « petit navire, grand bateau ». Champlain pouvait employer le mot *barque* dans ces deux sens. Il avait parfois à l'esprit un petit navire de 30 à 100 tonneaux. Dans d'autres passages, il décrivait une grande embarcation de 6 à 20 tonneaux qui pouvait être transportée à bord d'un grand navire.

Les barques long-courriers étaient assez larges par rapport à leur longueur, et on les disait « arrondies » ou « ventrues ». Ainsi cette barque construite en 1590 qui avait une capacité de 35 tonneaux, une quille d'une longueur de 10 mètres, 4 mètres de largeur et une cale profonde d'environ 2 mètres. C'était un trois-mâts gréé comme d'ordinaire, avec des voiles basses carrées, des huniers, une voile d'artimon (peut-être latine) et des bonnettes pour les voiles carrées. Les barques furent les premiers navires construits en Nouvelle-France et dans les colonies anglaises[14].

Les barques hauturières ou long-courriers, qui ne jaugeaient parfois qu'une trentaine de tonneaux, étaient souvent des trois-mâts, le mât de misaine et le grand mât portant des voiles basses carrées et des huniers, et l'artimon une voile latine, avec en plus des bonnettes pour les voiles carrées. On en voit un exemple sur la carte de Beauport (aujourd'hui Gloucester, au Massachusetts) dressée par Champlain. C'est un trois-mâts avec beaupré fortement oblique frappé d'une martingale, dont la misaine et le grand mât portent chacun une seule voile carrée, et le petit mât d'artimon une voile latine. Un vaisseau anglais très semblable est la barque *Kathryn*, comptant deux ponts, 35 tonneaux, et dont le gaillard d'avant et la poupe étaient surélevés. D'autres barques françaises portaient deux mâts avec des plans de voilure variant selon les cas. Souvent, elles portaient un bourcet, ou voile au tiers, sur le mât de misaine (voir explication plus bas), ou alors elles avaient pour seule voilure deux voiles au tiers, sur le mât de misaine et le grand mât[15].

Les archives portuaires de Normandie font état de barques faisant tout juste 20 tonneaux qu'on envoyait faire de longs voyages en haute mer jusqu'en Amérique du Nord et même en Inde. Pour les voyages de longue durée, elles naviguaient souvent en compagnie de grands navires. On en perdit beaucoup en mer ou dans des naufrages sur des rivages étrangers. On disait que les bancs au large de l'île de Sable, sur le Grand Banc, étaient jonchés d'épaves de barques françaises.

Mais Champlain n'a jamais perdu une barque. Son seul accident faillit se produire le jour où il était passager à bord d'une barque avec Pont-Gravé comme capitaine et Champdoré comme maître. C'était une barque de 17 ou 18 tonneaux. Pont-Gravé avait été pris d'un « mal de cœur », probablement une crise cardiaque. Il demeurait étendu dans son hamac, refusant de céder son commandement, et il avait ordonné à Champdoré d'appareiller sous le vent, la pluie et le brouillard. Ordre insensé, mais Champdoré dut obtempérer. Il ordonna qu'on « appareille l'ancre sur le bourcet » et tenta en vain de se dégager d'une côte sous le vent. Le vaisseau, poussé par le vent et les courants de marée, se retrouva couché sur les brisants sous les grosses déferlantes. Champlain se précipita sur le pont, prit le commandement et ordonna qu'on hisse la grande voile dans l'espoir que la barque condamnée glisse par-dessus les rochers pour ainsi conduire l'équipage à terre. Manœuvre désespérée mais couronnée de succès. Le vaisseau fut mis en pièces mais tous en sortirent vivants, et le gros des vivres fut réchappé. Des Indiens apparurent dans leurs canots et ramenèrent l'équipage et les vivres au port. Le récit que Champlain donne de cette aventure en dit long sur la barque, son gréement et sa voilure[16].

Il y avait un autre type de petit vaisseau hauturier en Nouvelle-France, que Champlain appelait « patache ». Les navigateurs anglais disent *pinnace*. Les pataches de Champlain et ses barques avaient à peu près le même tonnage. Il parlait de pataches de « quarante tonneaux et six canons chacune », et d'autres qui ne faisaient pas plus de 17 ou 18 tonneaux[17]. La patache était conçue pour des usages autres que ceux de la barque, et leurs coques étaient différentes. Les barques étaient faites pour le transport de petites cargaisons. Les pataches étaient conçues pour l'exploration, la découverte, la reconnaissance. En 1628, un traité de marine français définissait la patache comme « un petit bâtiment de guerre fait pour la surveillance des côtes[18] ». Elle était conçue pour la navigation rapide et était fortement armée pour sa taille. En France et en Espagne, on s'en servait aussi comme vedette, et c'est pourquoi Champlain parle de « pataches d'avis ». La flotte des Indes espagnole les employait aussi pour escorter les grands navires. Champlain écrivit à ce propos que tout galion avait sa patache.

En 1604, Champlain explora la côte du Maine à bord d'une patache. C'était, disait-il, un vaisseau à quille courte, avec un tirant d'eau de près de 2 mètres et une capacité de 17 ou 18 tonneaux. Il mesurait entre 10 et 13 mètres, avec un barrot d'un peu plus de 2 mètres. Il était ponté et fait pour les voyages en mer dangereuse, contrairement à la chaloupe non pontée que Champlain utilisait dans les eaux protégées.

La patache était un bâtiment qu'on utilisait pour la reconnaissance, les relevés et l'exploration. C'était un petit bâtiment de guerre, fin et fortement toilé, idéal pour les relevés et l'exploration, fait pour frôler les dangers et s'échapper aussitôt. On en voit un exemple sur la carte que Champlain a dressée de l'île Sainte-Croix.

La carte de Sainte-Croix de Champlain montre un fin navire de moyen tonnage qui pourrait avoir été cette patache. Elle était construite comme un bâtiment de guerre, avec des entrées d'eau fines, de longues lignes assurant une marche vive, et une poupe surélevée équipée d'une batterie de couleuvrines montées sur des four-quines. Ses têtes de mât étaient coiffées de larges nids de pie[19].

Champlain mentionne enfin un troisième type de vaisseau hauturier qu'il appelle « flibot ». Il en décrit un qui était de « cent tonneaux et dix canons », avec un équipage de « quelque soixante-quinze hommes », et il le distingue de deux « pataches du port de quarante tonneaux, chacune dix canons ». Mais c'était là un vaisseau anglais qui avait presque la taille d'un navire[20].

LES PETITES EMBARCATIONS RÉSERVÉES À LA NAVIGATION CÔTIÈRE ET FLUVIALE étaient essentielles à la vie en Nouvelle-France. Là encore, Champlain en employait de deux types : la barque moyenne et la chaloupe. Les deux étaient de taille semblable, d'un port de 2 à 3 tonneaux et pouvant aller jusqu'à 16 tonneaux. La plupart jaugeaient entre 6 et 8 tonneaux. Champlain parle entre autres d'une petite « barque du port » de 5 à 8 tonneaux, et d'une barque moyenne de 10 à 13 tonneaux. Les barques étaient pontées, avec quelques hamacs dans une cale à l'épreuve des intempéries. Les cha-loupes n'étaient pas pontées et n'offraient aucune protection contre le vent ou le mauvais temps.

Les barques étaient les bêtes de somme de la Nouvelle-France. Normalement, les navires de 100 à 200 tonneaux mouillaient à Tadoussac, et l'on transbordait leurs cargaisons sur des barques qui les emmenaient en amont. Champlain se servait de ces embarcations pour transporter des marchandises sur le Saint-Laurent et le long des côtes de l'Acadie, et pour conduire des marchandises de traite jusqu'à la limite de la navigation fluviale. Il employa aussi des barques pour transporter des maisons préfabriquées jusqu'à Port-Royal, du bétail à la ferme du cap Tourmente, des vivres jusqu'aux Trois-Rivières et des articles de commerce jusqu'au Sault Saint-Louis (Montréal)[21].

Les chaloupes de Champlain étaient suffisamment petites pour qu'on puisse les bâtir en sections ou leur faire traverser l'Atlantique en *fagots*, ou pièces détachées. Elles avaient un ou deux mâts, chacun portant une seule voile. Les fargues étaient équipées d'une rangée de tolets en bois dur pour les avirons, ceux-ci servant souvent pour la navigation fluviale. C'étaient des embarcations peu profondes et sans véri-table quille, mais équipées plutôt de dérives latérales, et elles pouvaient chavirer en cas de grain subit. C'est dans un accident comme celui-là, sur le Saint-Laurent, que Jean Nicollet, l'interprète de Champlain, perdit la vie.

Les chaloupes étaient construites avec des coques diverses. L'une des plus com-munes était la chaloupe biscayenne ou basque. C'était une embarcation aux lignes fines et à l'arrière pointu que les Basques utilisaient pour la chasse à la baleine. On trouve le plan d'une telle chaloupe biscayenne au musée des beaux-arts de San Fran-cisco[22]. On dispose aussi de récits mentionnant des chaloupes biscayennes sur les côtes de la Nouvelle-France, dont certaines appartenant aux Indiens, qui les avaient probablement acquises de baleiniers basques.

Les autres chaloupes étaient plus rondes, avec une étrave arrondie et un bordage moulé et frégaté. On en voit plusieurs exemples dans les illustrations apparaissant dans les cartes de Champlain. Elles étaient gréées de différentes façons : un seul mât ou deux avec des voiles carrées ou parfois auriques, ou avec une civadière, ou encore avec ce que, dans ma jeunesse, on appelait le gréement à houari et qui équipait les canots monoxyles[23].

LES TRÈS PETITES EMBARCATIONS : ESQUIFS ET CANOTS. Champlain se servait aussi de toutes petites embarcations sur les rivières et dans les havres. Il recourait souvent à ce qu'il appelait des « esquiffes », c'est-à-dire le genre d'embarcation qu'on trouve à bord d'un navire. Champlain en avait souvent à bord de ses navires et barques. Dans une scène sur le fleuve Saint-Laurent, près de Montréal, il décrit son esquif comme étant « un petit bateau fort léger » mais suffisamment grand pour porter quatre matelots maniant des avirons, un timonier et deux officiers[24]. Il se servait de tels esquifs pour relever les havres, tâche qui exigeait une demi-douzaine d'hommes : pour manœuvrer le bateau, jeter la ligne de sonde, prendre les relèvements qui étaient essentiels à l'exactitude des cartes et noter l'endroit de chaque sondage dans le journal de bord et sur les cartes. Si l'on en juge d'après ses descriptions, l'esquif de Champlain tenait davantage du canot ou de la vedette — avec son bordage à clins et sa tonture arrondie — que des annexes qu'on connaît aujourd'hui, qui ont souvent un fond plat et un bordage en contreplaqué, et qui chavirent s'il y a plus de trois personnes à bord.

Des embarcations plus imposantes étaient appelées bateaux ou « batteaux ». Elles ont joué un rôle important dans l'histoire des rivières et des lacs de l'Amérique du Nord. Il s'agissait d'embarcations à fond plat et non pontées, propulsées par des avirons et des voiles, et on les employait à de multiples usages. Champlain les mentionne rarement.

À l'époque de Champlain, les baleiniers basques en Nouvelle-France avaient inventé la belle et très légère barge baleinière, qui avait deux têtes et des virures d'une finesse incroyable permettant aux avironneurs de glisser sur les eaux. Elle n'a pas été inventée par les Yankees de Nantucket, comme le veut une croyance chauvine. C'étaient des Basques français et espagnols qui l'avaient conçue à partir de la chaloupe biscayenne, qu'on appelle *chalupa* en basque. Sa structure était faite de chêne naturellement cambré, le fond bordé de virures de chêne très fines, avec des clins au-dessus de la ligne de flottaison, et bordée à franc bord pour réduire la résistance et accroître la vitesse. Elle pouvait transporter sept ou huit hommes. Ces *chalupas* étaient en usage sur la côte du Labrador et dans le Bas-Saint-Laurent dès 1600. Les spécialistes de l'archéologie maritime de Red Bay, au Labrador, en ont découvert des exemples anciens, remarquablement intacts[25].

Les pêcheurs du Grand Banc avaient eux aussi mis au point des bateaux de pêche bien à eux, qui étaient beaucoup plus gros que le doris venu plus tard et conçus pour accueillir un équipage de six hommes. Chacun comptait deux compartiments appelés « rum », un pour le pêcheur et l'autre pour sa prise. Ces bateaux pouvaient contenir entre cinq et six cents gros flétans ou morues. C'étaient des bateaux lourds, à la quille solide, avec des planchers de bois appelés *varengues* qui avaient huit centimètres d'épaisseur, et des flancs élevés couronnés d'un plat-bord de cinq centimètres. Ils avaient été conçus pour une époque de grande abondance dans la pêches à la morue, et après l'époque de Champlain ils furent remplacés par les doris, plus petits[26].

Les petites embarcations qu'employaient les Amérindiens fascinaient Champlain. Il les utilisait fréquemment ; il en a étudié la construction et décrit leurs caractéristiques dans ses *Voyages*. Elles étaient très variées, et on pourrait les diviser en trois types : les canots, les pirogues et les embarcations à coque de cuir.

Le canot d'écorce de boulot était l'embarcation de choix dans la vallée du Saint-Laurent. Champlain prenait grand plaisir à l'utiliser : « Leurs canaux [...] sont de huit ou neuf pas de long et environ un pas ou pas et demi de large par le milieu, et vont en diminuant des deux bouts. Ils sont fort sujets à tourner si on ne sait bien les gouverner, et sont faits d'écorce de bouleau, renforcés par dedans de petits cercles de cèdre blanc, bien proprement arrangés, et sont si légers qu'un homme en porte aisément un. Chacun peut porter la pesanteur d'une pipe[27] » (environ 500 litres). Au cours d'un voyage, Champlain se déplaça avec son serviteur, un interprète et dix Indiens dans deux canots[28]. La conception du canot d'écorce différait d'une nation indienne à l'autre. Les Indiens les construisaient à une vitesse étonnante, et dans diverses tailles. En général, ces canots étaient légers, maniables, stables entre les mains d'un pagayeur aguerri, et très rapides[29].

Les canots d'écorce d'orme étaient utilisés par les Indiens au sud du Saint-Laurent, qui manquaient d'écorce de bouleau. Les Iroquois pouvaient en construire un avec l'écorce d'un seul arbre. Ils étaient gros et solides, mais lents et difficiles à manœuvrer. Les différences entre le canot d'écorce de bouleau et celui d'écorce d'orme influencèrent l'issue de la bataille de 1609 entre les Agniers et Champlain et ses alliés indiens, sur le lac Champlain. On trouve encore un exemple de canot iroquois en écorce d'orme au musée Peabody-Essex de Salem, orné de bandes rouges en diagonale, motif qui était reproduit sur les pagaies et l'équipement de pêche[30].

Les pirogues étaient employées par les Indiens situés plus au sud, du cap Ann au Massachusetts jusqu'en Floride. Champlain avait examiné ces petites embarcations en marin de métier qu'il était. Il observa que les Indiens au sud du cap Ann se servaient de pirogues qu'ils creusaient à même des troncs d'arbres « avec des haches de pierre car ils n'ont point de couteaux ». Champlain essaya un de ces « canots faits tout d'une pièce » et constata que, comme les canots d'écorce de bouleau, ils étaient « fort sujets à tourner si on n'est bien adroit à les gouverner[31] ». Les pirogues étaient des embarcations fort anciennes, utilisées dans le monde entier. Certaines étaient étonnamment légères et manœuvrables, beaucoup plus que les versions modernes. Des archéologues en ont trouvé un modèle très ancien, parfaitement préservé, dans un ancien marais de Paris. On pense qu'il a plus de six mille ans, et on peut le voir au sous-sol du musée Carnavalet. Il est d'une légèreté incroyable et magnifiquement ouvré, avec des lignes longues et très minces qui devaient en faire une embarcation très rapide.

Les Indiens au nord de la vallée du Saint-Laurent utilisaient beaucoup le kayak. Les premiers modèles retrouvés présentent des ressemblances remarquables avec le kayak moderne dans leur apparence, leur construction et leur usage[32].

Les interprètes de Champlain qui se sont aventurés à l'intérieur du continent vers l'ouest ont aperçu des coracles. Ceux-ci étaient faits de peaux d'orignal ou de bison cousues ensemble et apposées sur une structure de branchages. Certains avaient la taille d'un canot. Dans les Prairies, les coracles étaient de forme arrondie. Ils faisaient rarement plus d'un mètre et demi de diamètre, et ils étaient rarement assez grands pour transporter une personne. Les nageurs s'en servaient pour transporter des marchandises de l'autre côté d'un étang ou d'une rivière[33].

LES POIDS ET MESURES

Champlain et ses contemporains se servaient de nombreuses unités de mesures différentes. Celles-ci émanaient d'un système coutumier des poids et mesures, et ces coutumes étaient compliquées. Certaines mesures renvoyaient à des objets qui étaient eux-mêmes des quantités variables : le grain d'orge ou le pied du roi, par exemple. Marcel Trudel a ainsi découvert une mesure de longueur équivalant à « la hauteur du ventre d'un cheval blanc[1] ». Les unités variaient aussi selon les régions et les denrées. Champlain avait pour habitude de noter les unités telles qu'elles lui avaient été données par son interlocuteur. Il en est résulté pour la Nouvelle-France toute une série de mesures provenant de nombreuses sources : indiennes, anglaises, espagnoles, hollandaises et françaises.

Les mesures indiennes de la distance et du temps

Champlain notait souvent les unités de mesures indiennes, qui étaient fondées sur les rapports existant dans le monde naturel. Il suivait l'exemple indien lorsqu'il calculait en jours de canot les longues distances qu'il parcourait sur les eaux. Les distances intermédiaires sur terre étaient exprimées en jours de marche. Les longs espaces temporels étaient comptés en lunes ; et l'orientation était déterminée par rapport au levant et au couchant.

Les mesures de longueur : françaises et anglaises

La plupart des mesures de longueur de Champlain étaient basées sur les coutumes du royaume de France, où elles étaient spécifiées par la « mesure royale ».

> le *grain d'orge* était égal à la moitié d'une *ligne*
>
> la *ligne* était un douzième de *pouce*
>
> le *pouce* était littéralement un gros orteil, au XVIIᵉ siècle, semblable au pouce anglais mais un peu plus grand ; pour la mesure royale, le gros orteil du roi était normalisé à 1,06575 pouce anglais (2,7070 cm)
>
> le *pied du roi* faisait 12 *pouces,* soit un peu plus que le pied anglais (32,4841 cm)
>
> le *pas* mesurait la longueur d'un pas, ce qui donnait 3 *pieds du roi* dans la plupart des régions de la Nouvelle-France, mais 3,5 *pieds du roi* en Martinique
>
> l'*aune* équivalait à 3 *pieds du roi* et 8 *pouces,* soit 1,1369 m
>
> la *toise* était 6 *pieds du roi*, ou 1,9490 m. C'était la *toise* du maçon. La *toise* du charpentier mesurait 5,5 *pieds du roi* (1,7866 m)

la *perche* valait 3 *toises,* 18 *pieds du roi,* ou 5,8471 m. Celle-ci était la *perche de Paris.* Une *perche royale et forestière* valait 22 *pieds du roi.* Une *perche moyenne* équivalait à 20 *pieds du roi*

l'*arpent* mesurait 10 *perches,* ou 58,4713 m. Il s'agissait de l'*arpent* linéaire, qui se distinguait de l'*arpent* mesure de superficie, dont on traitera plus loin.

Les mesures de distance

La *lieue* était la mesure de distance la plus commune chez Champlain, et aussi la plus variable.

une *lieue* marine valait 3 milles marins, ou 3 minutes de latitude, soit 5,5560 km. C'est l'origine de la « limite de trois milles » en droit maritime international. Un mille marin, vaut 1 852 m, ou exactement une minute, soit un soixantième de degré de latitude. Chaque degré de latitude est équivalent à 60 milles marins ou 20 *lieues* marines.

les *lieues* espagnoles mesuraient 3,428 milles marins (6,3486 km). Un degré de latitude valait approximativement 17,5 *lieues* espagnoles[2]. C'était la mesure conventionnelle de la distance maritime chez Champlain.

la *lieue* commune dans l'usage français était de deux types. La *lieue* terrestre commune valait 84 *arpents* linéaires, ou 4,9116 km. C. E. Heidenreich la situe à 2,43 milles terrestres (3,9107 km)[3].

une *lieue de poste* valait 2,3 milles terrestres (3,70 km), et Champlain se servait communément de cette unité pour mesurer ses déplacements terrestres. Ses *lieues* intérieures valaient en moyenne 2,3 milles terrestres (2,38 km).

une *petite lieue* faisait 2,03 milles terrestres (3,27 km)

Dans la pratique, les lieues tendaient à être élastiques dans l'usage que Champlain en faisait. Des chercheurs ont essayé de mesurer la distance réelle dans des cas particuliers, avec des résultats divers. W. F. Ganong a établi la *lieue* de Champlain à « environ deux milles et demi de nos milles géographiques » (environ 4 km). S. E. Morison a mesuré les *lieues* de Champlain sur ses cartes et constaté une variation d'environ 10 %, essentiellement entre 2,2 et 2,7 milles marins[4].
Heidenreich a noté pour sa part que les *lieues* de Champlain n'étaient pas les mêmes sur terre que sur les eaux. Il a relevé que les cartes de Champlain indiquent des échelles de distance où 17,5 lieues valent un degré de latitude. La seule lieue correspondant à cette mesure est la lieue espagnole. Heidenreich a constaté que la plupart des mesures itinéraires en mer libre de Champlain correspondaient à ce chiffre, soit environ 3,5 milles terrestres. Mais sur terre et sur les cours d'eau intérieurs, les lieues de Champlain faisaient à peu près 2,1-2,3 milles anglais par lieue (3,4-3,7 km), et ce,

dans les soixante-deux mesures qu'a compilées Heidenreich. Dans ses voyages terrestres, Champlain employait aussi la *lieue de poste*. En eaux côtières, les lieues de
Champlain montraient de grandes variations[5]. Les estimations de Heidenreich sont
fondées sur les échantillons les plus grands.

Les mesures de superficie

le *pouce carré* est comparable au pouce carré anglais (6,45 cm^2)

le *pied carré* est égal à 144 *pouces carrés* et est comparable au pied carré
anglais (929 cm^2)

la *toise carrée*, qui vaut 36 *pieds carrés* (3,8 m^2)

la *perche carrée*, qui est égale à 9 *toises carrées* (34,19 m^2)

l'*arpent*, qui est égal à 100 *perches carrées* ou 5/6 d'un acre anglais
(0,34 ha)

la *lieue carrée* qui vaut 7,056 *arpents* (environ 2 400 ha)

En comparaison :

Un acre anglais est égal à 120 *perches carrées*. Les *arpents* et les *acres* n'ont
pas la même valeur. Un hectare est égal à 2,47 acres anglais.

Les mesures de profondeur

La *brasse* est la mesure dont se servait Champlain pour mesurer la profondeur. Elle ressemble au *fathom* anglais. Pour être précis, la *brasse*
française mesure 6 *pieds du roi*, ou 1,06575 *fathom* anglais, qui équivaut
à 6 pieds anglais. La *brasse* de Champlain était de 6,6 % supérieure au
fathom anglais.

Les mesures de poids

l'*once* était comparable à l'once anglaise *avoirdupoids*

la *livre* valait 16 *onces,* soit la même chose que la livre anglaisc (454 g)

le *quintal* pesait 100 livres, ce qui est comparable au poids de 100 livres
anglaises

la *tonne courte* valait 2 000 livres ; à ne pas confondre avec le tonnage
maritime dans ses diverses significations ; voir pour cela l'appendice M
sur les navires et les petites embarcations de Champlain.

Les mesures de volume liquide

la *roquille* est équivalente au *gill* anglais, soit 4 onces de mesure liquide,
ou une demie-tasse anglaise

le *demiard* vaut 2 *roquilles* ou une *demie-chopine*, ou 8 onces

la *chopine*, à peu près équivalente à la pinte anglaise, vaut 2 *demiards* ou la moitié d'une *pinte* française

la *pinte*, similaire au quart anglais, vaut 2 *chopines* ou un demi-*pot*

le *pot*, unité basique, vaut 2,2648 litres, ou approximativement la moitié d'un gallon de l'Échiquier anglais de 1601

la *barrique* valait habituellement 100 *pots*, mais parfois aussi 120 *pots*, et même jusqu'à 180 *pots*

la *pipe*, 220 *pots*

le *tonneau de Bordeaux* (ou *tonneau de mer*) valait 440 *pots*, ou 2 *pipes*, ou 4 *barriques*

le *tonneau de vin* équivalait à environ 440 *pots*

Les marchands français employaient de nombreuses mesures spécialisées fondées sur les barils pour des usages particuliers :

une *velte* valait 4 *pots*

une *ancre*, qui valait 32 *pots*, était un baril réservé à l'eau-de-vie (7,45 ou 7,61 litres)

le *baril* ou *barril* contenait entre 35 et 40 *pots*, ou jusqu'à 55 *pots*

le *quart* faisait environ 80 *pots* ; le *quart* français n'a rien à voir avec le quart anglais

le *poinçon*, 93 *pots*, proche du *puncheon* anglais

le *muid*, environ 140 *pots*, proche du *hogshead* anglais

le *tonneau d'Orléans*, environ 280 *pots*

Les mesures de volume sec

le *litron*, un demi-*quart*

le *quart* vaut 3,25 litres

le *boisseau* est égal à 4 *quarts*

le *minot* est égal à 3 *boisseaux* (39 litres)

le *setier* est égal à 4 *minots* ou 12 *boisseaux*

le *muid* est égal à 12 *setiers*

la *pipe* est égale à 1,5 *muid*

Ces mesures variaient d'une denrée à l'autre. Elles indiquaient généralement le poids brut. Le poids net équivalait au poids brut moins la *tare* qui était le poids du contenant.

Les mesures de volume dans les transactions commerciales

Ces unités variaient selon la denrée.

les peaux de castor étaient mesurées au *ballot,* qui pesait normalement 120 livres (54,4 kg)

le *bois à brûler* était compté à la *corde,* une pile de bois qui faisait 8 pieds de profondeur, 4 pieds de large et 4 pieds de haut, semblable en cela à la *cord* anglaise, mais si l'on comptait en *pieds du roi,* cela donnait une *corde* française, qui était de 6,575 % plus grosse dans chacune de ses dimensions linéaires ; ainsi, elle était de 21,05 % plus grosse en volume cubique que la *cord* anglaise.

le bacon était vendu en *ancres de lard* de 70 livres et plus

les céréales : un *minot* de grain pouvait faire 37 litres ou 1,05 *boisseau*

le sel était vendu à la *barrique de sel,* qui était égale à 6 *minots*

les *pois* et les petits haricots (mais non les fèves) étaient vendus au *poinçon de pois* qui était égal à 9 *minots*

la farine était vendu au *baril* de 180 livres et plus

le sucre était vendu à la *barrique* qui pesait jusqu'à 1 000 livres

la morue et d'autres poissons étaient vendus *à la poignée.* Par grandes quantités, on les vendait au *cent,* mais le « cent de morue » était en fait 132 morues ; un *quarteron* de cette unité donnait 33 morues

L'ARGENT

Les systèmes monétaires de l'époque de Champlain étaient à certains égards plus complexes que ceux que nous connaissons aujourd'hui. La plupart des économies nationales avaient deux types d'unités monétaires : la monnaie de compte et la monnaie d'échange. La monnaie de compte n'existait pas sous forme d'espèces. Dans l'Angleterre du début de l'époque moderne, par exemple, il n'existait pas de pièce pour la livre sterling. Il s'agissait d'un terme de comptabilité. La monnaie d'échange tangible comprenait la guinée d'or, le shilling d'argent, le penny de cuivre et d'autres pièces. À notre époque, au contraire, la livre sterling (20 shillings) est devenue une monnaie d'échange, et la guinée (21 shillings), une monnaie de compte pour les mondains, qui s'en servent pour calculer le prix d'une Rolls Royce, d'un billet au Oxford Commemoration Ball, ou les honoraires des médecins de Harley Street. Dans les faits, on paie tout cela en livres[1].

Le système monétaire français était semblable mais non identique. En 1602, la monnaie de compte française était établie ainsi :

> 12 *deniers* valaient un *sou*
>
> 20 *sous* valaient un *livre tournois*
>
> 3 *livres tournois* valaient un *écu*

Les *deniers* étaient à peu près comparables aux pennies anglais (douze pour un shilling) ; les *sous* aux shillings (vingt pour une livre anglaise), les *livres* françaises aux livres anglaises, et l'écu français équivalait à trois livres anglaises. La valeur de ces unités monétaires variait selon les régions. Par exemple, une *livre parisis* était égale à vingt-cinq *sous*. Mais les *livres tournois* (vingt *sous*) étaient de plus en plus la norme dans le monde de Champlain. La monnaie d'échange française (c'est-à-dire les espèces en circulation) était faite de pièces de billon, de cuivre, d'argent et, plus tard, d'or. Le billon était un alliage d'étain, de cuivre et d'argent, et il était conçu pour avoir la couleur de l'argent. Voici les pièces qui circulaient en Nouvelle-France :

billon	un *douzain* = 12 *deniers*
cuivre	*double tournois* = 2 *deniers* (4 *deniers* en Nouvelle-France)
	liard = 3 *deniers*
	demi-sou = 6 *deniers*
	sou = 12 *deniers*
	douzain = 12 *deniers* (réévalué à 15 en 1640)
	2 sols = 24 *deniers*

argent	*mousquetaire* = 20 *deniers*
	4 sols = 32 *deniers*
	6 sols = 48 *deniers*, 1/20 écu
	12 sols = 96 *deniers*, 1/10 écu
	24 sols = 192 *deniers*, 1,5 écu
	petit écu ou demi *écu blanc*
	écu ou *3 livres*
or	*demi-louis d'or* = environ 3 *écus*
	louis d'or = un peu plus de 6 *écus*

Les pièces retrouvées le plus souvent sur les sites archéologiques du Québec sont le *double tournois* de cuivre, le *douzain* de cuivre, le *douzain* de billon, le *liard de cuivre* et le *quatre sols* d'argent.

Que vaudraient ces unités monétaires à notre époque ? Difficile de donner une réponse qui ait du sens, étant donné que la valeur de nombreux biens a évolué de diverses manières, et que les devises ont fluctué les unes par rapport aux autres. Les séries d'indices de prix fondés sur des paniers de biens, construites par les historiens, n'ont qu'une utilité limitée. Mieux vaut répondre à la question en termes de salaires. Lors du voyage fondateur de Québec en 1608, les « gentilshommes » avaient droit à 500 livres tournois pour deux ans. Un serrurier qualifié touchait 120 livres tournois pour deux ans de service. Le jardinier Martin Béguin toucha 90 livres tournois pour la même période, et les ouvriers Clément et Guillaume Morel reçurent 75 livres tournois chacun. Tous ces gages couvraient deux années de service, nourriture et logement compris[2].

APPENDICE P

LES CALENDRIERS

Du vivant de Champlain, deux calendriers étaient en usage. Champlain se servait du calendrier grégorien, plus récent et plus exact, qui avait été adopté par la France catholique en 1582 pour remplacer l'ancien calendrier julien. Les pays protestants continuaient d'employer ce dernier, essentiellement parce que le nouveau calendrier était associé à l'Église de Rome. Les calvinistes hollandais ne l'ont pas adopté avant 1700. L'Angleterre et ses colonies américaines ont conservé le calendrier julien jusqu'en 1752[1].

À l'époque de Champlain, les dates juliennes marquaient dix jours de retard, et la nouvelle année commençait le 25 mars. Le calendrier grégorien corrigea cette erreur cumulative et marqua le 1er janvier comme début de l'année civile. Les dates grégoriennes étaient identifiées S.N., *stille nouveau,* et les dates juliennes S.V., *stille vieux.*

Ces usages différents ont été à l'origine de différences dans la datation des documents du vivant de Champlain. Les auteurs catholiques français se basaient sur le calendrier grégorien ; les auteurs de langue anglaise employaient le calendrier julien. Les documents qui transcendaient ces frontières linguistiques et religieuses portaient deux dates. On en trouve un exemple dans la lettre de David Kirke à Champlain exigeant la reddition de Québec. La date de la lettre de Kirke est inscrite ainsi : « 18. Juillet 1628. Stille vieux, ce 8. de Juillet stille nouveau[2]. » (C'était en fait l'inverse.)

Une autre complication tient à la vieille coutume française suivant laquelle on numérotait les mois selon leur place dans l'ancien calendrier julien, où l'année débutait en mars. Les quatre derniers mois de l'année étaient désignés par les chiffres qu'ils avaient dans le latin original : septembre était 7bre ; octobre devenait 8bre ; novembre, 9bre ; et décembre, Xbre. Pour ajouter à la complexité des choses, cette coutume julienne s'est maintenue en France et en Nouvelle-France longtemps après l'adoption du calendrier grégorien, où le premier mois de l'année passait de mars à janvier et faisait de septembre le neuvième mois, octobre le dixième, novembre le onzième et décembre le douzième. Les noms des mois sont restés les mêmes et n'ont toujours pas changé, survivance du calendrier julien qui s'est maintenue jusqu'à notre époque.

Des unités de temps coutumières ont coexisté avec ces calendriers en Nouvelle-France. Au Canada, une courte unité de temps était appelée *pipe,* soit le temps qu'il fallait pour fumer une pleine pipe de tabac. La *pipe* est aussi devenue une mesure itinéraire. L'éminent historien Marcel Trudel se souvient d'avoir entendu dire d'un village qu'il était à « trois pipes » de distance.

Remerciements

L'idée de ce livre est née à l'île du Mont-Désert, dans le Maine, où tout le monde connaît Samuel de Champlain. C'est lui qui a donné son nom à l'île en 1604, ainsi que l'essentiel de son identité. À l'occasion du quatrième centenaire de sa première visite chez nous, deux amis et insulaires comme moi, Steve Katona et Ed Blair, m'ont invité à prononcer une conférence au College of the Atlantic. Leur invitation a marqué le début de ce livre. Sans eux, je n'en aurais rien fait.

Nombreux ont été ceux qui m'ont aidé. Il y a maintenant un demi-siècle que je hante les grandes bibliothèques du Massachusetts et que je harcèle le personnel de l'American Antiquarian Society, de la Boston Public Library, de la Bostonian Society, des bibliothèques de Brandeis et de Harvard, et de la Massachusetts Historical Society.

La Bibliothèque publique de New York a joué un rôle important dans ce projet, avec ses collections de revues françaises et canadiennes, ses monographies, ses procès-verbaux, ainsi que ses instruments de recherche qui répertorient les articles d'une manière exemplaire. À la bibliothèque de l'Institut Peabody de Baltimore, il y a très longtemps de cela, je me suis initié à l'œuvre de Champlain en écoutant Lloyd Brown, un spécialiste de la cartographie ancienne qui était directeur de la bibliothèque alors que je n'étais qu'un tout jeune préposé au classement, et c'est ainsi que je suis entré dans la fraternité bibliophile.

À Princeton, en 1955-1956, ma première recherche poussée dans ce domaine fut un travail de premier cycle sur l'histoire maritime française au début de l'époque moderne. Mon lecteur avait pour nom Elmer Beller, un érudit qui savait tout de l'Europe du XVIIe siècle et un maître exigeant. À Johns Hopkins, j'ai étudié avec Frederic Lane, qui conjuguait une maîtrise inégalée des sources relatives à l'histoire maritime et des antécédents dans le monde des affaires maritimes.

À la Division des manuscrits de la Bibliothèque du Congrès, mon vieil ami Jeffrey Flannery m'a ouvert sa vaste collection de manuscrits sur Champlain et la Nouvelle-France, issue des archives des ministères français et de la Bibliothèque nationale. Le personnel de la Division cartographique m'a également permis d'étudier attentivement la seule carte manuscrite de Champlain qui subsiste.

J'ai eu le plaisir de rendre visite à la Virginia Historical Society de Richmond et de m'y entretenir avec mon ami, collègue et co-auteur James C. Kelly, de même qu'avec Barbara Clarke Smith du Smithsonian, au moment où tous deux planchaient sur Champlain. Et à la bibliothèque Newberry de Chicago, il y a quelques années de cela, Frederick Hoxie m'a invité à rencontrer des chefs d'une trentaine de nations indiennes. Mes entretiens avec eux ont vivement marqué mon enquête.

À la bibliothèque John Carter Brown de Providence, le directeur Ted Widmer et son personnel m'ont donné accès à une collection imposante d'imprimés anciens, notamment toutes les éditions originales des œuvres de Champlain et presque toutes les variantes des livres de Marc Lescarbot. C'est ainsi que j'ai pris connaissance d'une copie manuscrite du *Brief Discours* de Champlain qui contient des aquarelles lumineuses, une œuvre dont il faut absolument avoir vu l'original.

J'ai profité également du précieux concours du centre de recherche de Fort Ticonderoga, dans l'État de New York, dont le directeur, Nick Westbrook, et son personnel nous ont guidés dans leurs réserves d'imprimés, de cartes et de documents. En compagnie de Nick et Ann McCarty, Judy et moi nous sommes lancés en canot sur le lac Champlain, et avons refait le parcours que mon héros et ses alliés avaient suivi : Willow Point, Sandy Beach, le promontoire de Ticonderoga et la chute du lac George.

Au lac Onondaga, près de Syracuse (New York), le personnel de Sainte Marie among the Iroquois nous a éclairés sur l'identité de la nation onontaguée. L'archéologue Peter Pratt de l'Université de l'État de New York à Oswego m'a parlé de ses travaux sur les villages onontagués lors d'une brève mais combien utile conversation téléphonique qui a orienté nos visites aux sites du comté de Madison.

Les archives de l'Acadia National Park à Bar Harbor possèdent des rapports manuscrits des fouilles archéologiques qui ont été réalisées à l'île Sainte-Croix. Nous tenons ici à dire notre reconnaissance à Stephen Pendry, l'archéologue principal du Service des parcs à Boston, qui a dirigé les projets les plus récents et a bien voulu s'intéresser au nôtre. Nous devons aussi des remerciements à Paul Haertel et Sheridan Steele, les surintendants de l'Acadia National Park, pour leur encouragement et leur appui. À Calais, dans le Maine, le nouveau centre de visite, qui est commandité conjointement par le National Park Service américain et Parcs Canada, possède des artefacts sur la colonie de Sainte-Croix. Un pêcheur du Maine nous a emmenés explorer la rivière Sainte-Croix dans son bateau. Sur la côte du Maine, Ed Blair, qui nous a mis sur ce projet, nous a lui aussi emmenés faire de l'exploration à bord de son bateau, et nous avons suivi le sillage de Champlain de si près que nous avons frôlé la saillie où la coque de sa patache a été percée, près d'Otter Cliffs. Pendant des années, nous avons navigué le long de la côte avec nos amis Colin et Virginia Steele et Richard et Jo Goeselt, et nous avons visité ainsi tous les havres que Champlain a cartographiés.

À Bibliothèque et Archives Canada, à Ottawa, nous avons eu la chance de rencontrer l'archiviste George De Zwaan, qui nous a permis de nous y retrouver dans les vastes collections de ce magnifique temple gorgé de trésors, avec sa masse de manuscrits provenant de nombreuses archives françaises, ses copies d'imprimés français rares et ses monographies également rares. Nous avons fait plusieurs visites au Musée des civilisations à Gatineau, de l'autre côté de l'Outaouais, en face d'Ottawa, et y avons vu des artefacts de Champlain et de superbes choses sur les nations indiennes et les cultures métisses.

Au Centre d'interprétation historique de Place-Royale, à Québec, nous avons pris connaissance des résultats des recherches archéologiques sur l'habitation de Champlain et d'autres sites. Visite également profitable au vieux Musée de l'Amérique française et au nouveau Musée de la civilisation. Dans les parcs du Québec, nous avons loué des canots, et exploré certaines rivières et quelques rapides. Nous avons aussi étudié le site du cap Tourmente, devenu un centre environnemental, et la réserve huronne-wendat de Wendake, où nous avons étudié les traditions de la nation huronne. On nous y a offert un déjeuner mémorable comme Champlain en aurait connu avec ses amis de la Huronie. À Tadoussac, les responsables du Centre d'interprétation et du Musée du poste de traite Chauvin nous ont montré leur collection, ont enrichi notre collecte de manuscrits et nous ont régalés d'un succulent déjeuner de phoque mariné.

Judy et moi avons exploré le Bas-Saint-Laurent et l'embouchure du Saguenay en canot pneumatique, et le port de Tadoussac en kayak. Notre voyage dans le Bas-du-Fleuve à l'est de Tadoussac a été marqué par deux visites à la réserve innue Essipit, où l'historien Martin Gagnon nous a accueillis. Il nous a fait voir son centre magnifique à Miles Bay, nous a dévoilé tout un trésor d'artefacts et a considérablement accru notre connaissance de l'histoire de la nation innue, les Montagnais de Champlain. Lorsque nous avons rencontré Jacques Martin dans sa maison de Tadoussac, nous avons beaucoup appris sur la tabagie de 1603, sujet qu'il connaît à fond.

En Nouvelle-Écosse, au Lieu historique national de Port-Royal ainsi qu'à Annapolis Royal, nous avons profité des lumières de Wayne et Alan Melanson, jumeaux identiques et grands experts des premières heures de l'histoire acadienne. Nous avons aussi appris bien des choses sur le site de la ferme Melanson du XVIIe siècle, où l'on a entrepris d'importantes recherches sur les aboiteaux acadiens. Notre visite à l'Université Sainte-Anne nous a ouvert les yeux sur la résilience de la culture francophone en Acadie ; nous avons vécu la même révélation au grand centre d'interprétation de la culture acadienne de Grand-Pré.

Sur la côte atlantique de la Nouvelle-Écosse, le Fort Point Museum de La Have dispose d'artefacts et de copies de manuscrits rares. À Liverpool Harbor, le Port Rossignol de Champlain, Mathew Verge nous a été d'un apport précieux dans notre initiation à l'histoire orale micmaque. À Lunenburg, le fascinant Musée des pêches de l'Atlantique est un centre important de recherche et d'interprétation sur ce sujet. Nous disons notre reconnaissance à son personnel si hospitalier et à l'équipage du schooner *Blue Nose*.

Au Nouveau-Brunswick, nous avons exploré les côtes et les rivières que Champlain avait visitées, de la rivière Sainte-Croix au fleuve Saint-Jean, ainsi que la baie de Fundy. Nous avons beaucoup aimé notre visite au Musée du Nouveau-Brunswick à Saint-Jean, qui est un centre de recherche et d'interprétation.

Au cours de nos voyages en France, nous nous sommes efforcés de visiter tous les lieux d'importance relativement à Champlain, et partout nous avons été traités en amis. Nous conservons un souvenir ému du personnel de la Maison Champlain de Brouage, de l'office du tourisme de la même ville, du musée de La Rochelle, de la base navale de Rochefort, où l'on nous a logés pendant nos explorations maritimes, et du musée historique de Royan. Nous tenons à témoigner notre reconnaissance au vicomte et à la vicomtesse de Kerdaniel, qui nous ont accueillis en Bretagne, où nous avons pu visiter le musée de la marine de Blavet/Port-Louis ainsi que des sites historiques à Crozon, Quimper et Blavet/Port-Louis. En Normandie, le personnel du Musée de la marine de Honfleur nous a reçus avec une chaleur mémorable. À Paris, nous avions pour point de chute l'Hôtel du Jeu de Paume, une salle de jeu de paume du XVIe siècle convertie en auberge, où Champlain lui-même aurait pu jouer. De là, le Paris de Champlain était à notre portée : le Louvre, le musée Carnavalet, qui contient tant de trésors, l'église où il a pris femme, et le quartier du Marais et de la rue du Temple, où il a vécu. Tous nos remerciements au personnel du Musée national de la marine à Paris et à celui de ses filiales de Rochefort et de Port-Louis, ainsi qu'au personnel du château de Chenonceau et du palais de Fontainebleau. Pour voir certains artefacts, nous avons profité de l'aimable collaboration des nombreuses bibliothèques et non moins nombreux musées dont les noms figurent dans notre iconographie.

Notre livre ayant commencé à prendre forme, mes agents Andrew Wylie et Scott Moyers se sont mis en campagne. Avant même qu'ils ne commencent à proposer le livre à des éditeurs, Scott a mis à profit ses talents de réviseur en en resserrant la structure. Andrew a multiplié les suggestions, et tous deux ont beaucoup contribué à la facture du livre. J'en garde le plus grand respect pour leur conscience professionnelle et leur parfaite intégrité ; au gré de cette collaboration, Scott et Andrew sont devenus des collègues et des amis.

Ils ont pris les dispositions voulues pour que le livre soit publié simultanément par deux grandes maisons. Aux États-Unis, Simon & Schuster a réussi à faire connaître au grand public des ouvrages d'histoire savante. Ce fut un privilège que de profiter de l'expérience et de l'encouragement de l'éditeur David Rosenthal. Nous avons pris grand plaisir à collaborer avec l'éditeur principal Bob Bender, qui nous est arrivé fort de sa compétence professionnelle et de sa longue expérience du domaine. Il a trouvé le temps d'assurer l'édition ligne à ligne du manuscrit, et j'en suis venu à m'en remettre à son jugement en toutes choses.

Knopf Canada incarne encore la tradition d'Alfred Knopf et publie de magnifiques livres de la plus haute qualité. La fondatrice et éditrice de la maison, Louise Dennys, a été ma muse canadienne. Elle a été une source constante d'encouragement, de soutien et de bon conseil. Ce fut un plaisir que de collaborer avec elle et l'équipe d'élite qu'elle a mise sur pied. L'édition ligne à ligne au Canada a été l'œuvre de Rosemary Shipton, qui y a apporté la compétence et la vigilance qui ont fait tant de grands livres. Jane McWhinney a fait un magnifique travail de révision, et a su redresser mon anglais parfois fantaisiste et corriger mon français, le tout avec patience, intelligence et élégance.

Les deux maisons se sont partagé le travail et ont collaboré dans l'harmonie. Il ne s'est posé aucun problème de coordination, et ce, grâce à Bob, Louise, et surtout Deirdre Molina, notre excellent coordinatrice, qui s'est avérée un maître d'œuvre aimable et jovial.

Pour ce qui est des nouvelles cartes qui figurent dans le livre, ce fut un plaisir renouvelé que de travailler avec Jeffrey Ward, le meilleur cartographe d'histoire qui soit. Son travail conjugue créativité et rigueur dans un esprit de professionnalisme et de collégialité.

Les nombreuses images contemporaines dans ce livre sont utilisées non seulement à titre d'illustrations, mais aussi d'artefacts, de preuves et d'interprétations. Quatre équipes se sont chargées de la tâche immense consistant à les réunir. Dans le Maine et au Massachusetts, Judy et moi avons établi une liste préliminaire, Judy s'occupant aussi de la numérisation et de la photographie en France. À New York, Bob Bender et Johanna Li ont joué un rôle important. Chez Knopf, Michelle MacAleese et ses collègues de Toronto ont réuni beaucoup de documentation canadienne. Le plus important a été fait par l'équipe brillante formée par Alexandra Truitt et Jerry Marshall à Salem (New York). Ils se sont appuyés sur un vaste réseau, ont trouvé de nombreuses images neuves, ont réuni des images numérisées à haute définition, obtenu toutes les permissions voulues et coordonné nos efforts.

En ce qui concerne ma connaissance de Champlain, je dois énormément à trois hommes que je n'ai jamais rencontrés : Henry Percival Biggar et Charles-Honoré Laverdière, qui ont établi l'édition des textes français de Champlain, et surtout Marcel Trudel, l'un des vrais grands historiens de notre temps. Ses nombreux livres et presque tous les cinq volumes de son *Histoire de la Nouvelle-France* (1963-1999) ont fécondé notre enquête. Signalons un autre ouvrage indispensable et plus récent, *Champlain, La naissance de l'Amérique française* (également disponible en version anglaise), dont la direction a été assurée par Raymonde Litalien et Denis Vaugeois. Nous leur devons d'avoir hissé leur sujet à un niveau inégalé de rigueur et de sérieux.

Denis Vaugeois a également accepté de s'éloigner de ses propres travaux pour lire mon manuscrit. Il a proposé plusieurs améliorations et m'a fait profiter de son savoir avec la même générosité qu'il a témoignée aux nombreux spécialistes de Champlain du monde entier. Je lui dois beaucoup.

Mes remerciements s'adressent aussi à Éric Thierry, l'un des meilleurs spécialistes de Champlain en France, qui m'a écrit pour me proposer la lecture de son excellent ouvrage *La France de Henri IV en Amérique du Nord.* J'ai vivement apprécié la gentillesse avec laquelle il m'a communiqué son savoir.

Mon ami et collègue de Brandeis, Paul Jankowski, spécialiste de l'histoire de France, a été une source constante d'aide et de conseils. Un ami de longue date, John Demos, m'a fait de judicieuses suggestions. Dona Delorenzo et Judy Brown ont assuré l'intendance et fait en sorte que notre bureau demeure une oasis de bonheur et de calme dans notre monde universitaire. Mes talentueux étudiants de Brandeis m'ont aussi appris des choses. Et notre très compétent président, Jehuda Reinharz, est mon collègue et mon ami depuis de nombreuses années.

À Boston, le consul général de France, François Gauthier, et son aimable épouse, Françoise, ont activement soutenu notre projet. L'un et l'autre sont historiens de formation et s'intéressent depuis toujours à Champlain. Ils ont suivi ses déplacements comme nous l'avons fait et, dans l'exercice de leurs fonctions et dans leur vie, ils incarnent l'esprit d'amitié et de concorde qu'était celui de Champlain.

Ce livre fut aussi un projet familial. Mon frère Miles m'a aidé de ses lumières pour les traductions du néerlandais. Susanna Fischer a lu plusieurs versions et fait d'excellentes suggestions, et Erik nous a dépannés à l'ordinateur à un moment critique. Anne et Fred Turner ont été une source d'encouragement constante, tout comme John et Ann Fischer, William et Kirstin Fischer. La génération nouvelle nous a inspirés aussi : Althea Turner, Mathew Mueller, Eliza Fischer, Kevin Fischer, Samuel Fischer et Natalie Fischer. Ma femme, Judy, a pris congé de son travail pour m'accompagner dans cette entreprise. Nous avons voyagé ensemble, et elle m'a donné un coup de main aux archives, à la cueillette des images, à l'édition du texte et à bien d'autres choses encore. Mon père, John, s'est avéré comme toujours mon conseiller le plus fiable. Ce livre lui est dédié, avec la reconnaissance de toute sa famille qui va s'élargissant, à lui qui nous a fait don de sa sagesse et de son jugement sûr.

D. H. F.
Blasted Ledge, île du Mont-Désert, Maine

Le traducteur tient à remercier :

Christophe Horguelin, réviseur émérite ; Barbara Pilek, qui a mis à sa disposition les immenses ressources de la Bibliothèque du Parlement ; son ami Michel Mertens, maître traducteur et navigateur aguerri ; Hervé Carrière, son grand copain de vingt ans qui connaît tous les secrets de la traduction.

Daniel Poliquin

Notes

INTRODUCTION

1. Raymonde Litalien, « Historiographie de Samuel Champlain », dans Raymonde Litalien et Denis Vaugeois (dir.), *Champlain. La naissance de l'Amérique française*, Sillery, 2004, p. 12.

2. Samuel de Champlain, *Les Voyages faits au Grand Fleuve Sainct Laurens par le sieur de Champlain Capitaine ordinaire pour le Roy en la marine, depuis l'année 1608 iusques en 1612*, Paris, 1613 ; traduits en anglais et édités par Henry Percival Biggar, *The Works of Samuel de Champlain*, 6 vol., Toronto, 1922-1936, réédition de 1971 (ci-après WSC), 2 : 1-236 ; l'autoportrait apparaît à la planche V, « Deffaite des Yroquois au Lac de Champlain », WSC, 2 : 100-101.

3. La nudité des guerriers est une inexactitude. Champlain écrit d'ailleurs que les Indiens étaient munis d'armures de bois dur nouées avec du chanvre ou du coton. L'erreur est probablement attribuable au graveur, qui se serait inspiré des images conventionnelles des Indiens d'Amérique que dessinaient Théodore de Bry et d'autres artistes européens. Plusieurs ont écrit que les arbres aux vagues allures de palmiers seraient une erreur d'origine semblable. Les historiens de Fort Ticonderoga croient pour leur part qu'on a voulu représenter ainsi les saulaies qu'on trouve encore sur cette rive du lac Champlain.

4. E. Ewart Oakeshott, *The Sword in the Age of Chivalry*, New York, 1964 ; Harold Peterson, *Arms and Armor in Colonial America, 1526-1783*, New York, 1956.

5. Stephen Bull, *An Historical Guide to Arms and Armor*, New York, 1991 ; Charles Ffoulkes, *The Armourer and His Craft*, Londres, 1912 (un classique).

6. Le panache blanc qu'Henri IV promenait à la tête de ses armées apparaît dans une gravure marquant son entrée dans Paris en mars 1594, gravure qui se trouve à la Bibliothèque nationale de France. Son panache de cour, aux proportions plus généreuses, figure dans un portrait officiel, « Henri IV, école française, ca 1595 », qui est au château de Versailles. Pour une étude sur le mot lui-même, voir Alain Rey *et al.* (dir.), *Dictionnaire historique de la langue française*, 3 vol., Paris, 2006, 2 : 2542-2543, *s.v.* « panache ».

7. À propos de l'arquebuse, l'ouvrage de référence est celui de M. A. O. Paulin-Desormeaux, *Nouveau Manuel complet de l'armurier, du fourbisseur et de l'arquebusier*, nouvelle édition, 2 vol., Paris, 1852 ; rééd. Paris, 1977, 1 : 11-14 ; l'auteur en possède un exemplaire. Sur l'usage que Champlain faisait de l'arquebuse, lire Russel Bouchard, *Les Armes à feu en Nouvelle-France*, Sillery, 1999, p. 102-106. Champlain semble avoir en main une arquebuse légère que Paulin-Desormeaux appelle un *fusil de chasse* (*ibid.*, 1 : 184-193) ; pour plus de détails, voir plus loin, chapitre 12, ainsi que l'appendice L.

8. WSC, 2 : 1-236 ; l'autoportrait apparaît dans la planche V, « Deffaite des Yroquois au Lac de Champlain », p. 101.

9. *Ibid.*

10. François-Marc Gagnon, « Champlain, peintre ? », dans Litalien et Vaugeois (dir.), *Champlain,* p. 302-311.

11. Pour plus de détails, voir plus bas « La mémoire de Champlain » ainsi que l'appendice F.

12. Morris Bishop, *Champlain: The Life of Fortitude,* New York, 1948, p. 7.

13. Samuel Eliot Morison, *Samuel de Champlain: Father of New France,* New York, 1972, p. 22.

14. Heather Hudak, *Samuel de Champlain,* Calgary, 2005, en couverture.

15. [Michael Hollingsworth], « The History of the Village of the Small Huts », inédit, 1985, p. 24 ; www.videoca/com/pdfs/nfchamplain

16. Samuel Eliot Morison, *Samuel de Champlain: Father of New France,* New York, 1972, p. xiii.

17. C. E. Heidenreich, *Explorations and Mapping of Samuel de Champlain,* Toronto, 1976.

18. Allan Forbes et Paul Cadman, *France and New England,* 3 vol., Boston, 1925-1929.

19. Pour un jugement positif sur Champlain, voir Carl O. Sauer, *Seventeenth-Century America,* Berkeley, 1980 ; pour une interprétation moins favorable, voir Bruce Trigger, *The Children of Aataentsic: A History of the Huron People to 1660,* Montréal, 1976, 1987 ; et Trigger, *Natives and Newcomers: Canada's 'Heroic Age' Reconsidered,* Montréal, 1985. Sauer était géographe à Berkeley ; Trigger a été longtemps anthropologue et archéologue à l'Université McGill.

20. Chandra Mukerji, « Champlain as Gardener », texte inédit d'une conférence, College of the Atlantic, 2005.

21. Pour l'historiographie de Champlain, voir « La mémoire de Champlain » à la fin de cet ouvrage.

22. Peter E. Pope, *The Many Landfalls of John Cabot,* Toronto, 1997, p. 165 et 225n.

23. W. J. Eccles, « Samuel de Champlain », *American National Biography,* New York, 1999, *s.v.* « Champlain ».

24. Raymonde Litalien et Denis Vaugeois (dir.), *Champlain. La naissance de l'Amérique française,* Sillery, 2004 ; traduction anglaise : *Champlain: The Birth of French America,* Montréal, 2004 ; Mickaël Augeron et Dominique Guillemet, *Champlain, ou les portes du nouveau monde. Cinq siècles d'échanges entre le Centre-Ouest français et l'Amérique du Nord, XVIᵉ-XXᵉ siècles,* Geste, 2004 ; Annie Blondel-Loisel et Raymonde Litalien, en collaboration avec Jean-Paul Barbiche et Claude Briot, *De la Seine au Saint-Laurent avec Champlain,* Paris, 2005 ; Bertrand Guillet et Louise Pothier (dir.), *France/Nouvelle-France : naissance d'un peuple français en Amérique,* Montréal et Paris, 2005 ; James Kelly et Barbara Clarke Smith (dir.), *Jamestown-Quebec-Santa Fe: Three North American Beginnings,* Washington et New York, 2007.

25. Robert Le Blant et René Baudry, *Nouveaux Documents sur Champlain et son époque,* vol. 1 (1560-1662), Ottawa, 1967, p. xii et xxiv.

26. « Indien » est l'ethnonyme que nous privilégions dans notre ouvrage. Lors de

ma rencontre avec des dirigeants autochtones venus de nombreuses régions des États-Unis, je leur ai demandé comment ils voulaient être appelés. Tous m'ont dit qu'ils voulaient être nommés selon le nom de leur nation. Je leur ai demandé alors comment ils voulaient être appelés collectivement. Ils m'ont répondu que le mot « Indien » leur convenait tout à fait. C'est un mot qu'ils emploient eux-mêmes avec fierté. Après avoir fait l'essai d'autres termes maladroits, « Indien » leur semblait plus approprié et plus euphonique. Voir l'appendice I.

I   UN CHEF EN DEVENIR

CHAPITRE PREMIER • ENFANT DE BROUAGE

1. Samuel Champlain, *Des Sauvages, ov, Voyage de Samuel Champlain, De Brouage, fait en la France nouvelle, l'an mil six cents trois*, Paris, 1603 ; voir WSC, 1 : 83 ; une excellente édition critique, *Des Sauvages*, par Alain Beaulieu et Réal Ouellet, a été publiée à Montréal en 1993, et le commentaire savant qu'on y trouve est fort utile.

2. Lancelot Voisin, sieur de La Popelinière, *L'Histoire de France enrichie des plus notables occurances*, 2 vol., La Rochelle, 1581 ; cité par Éliane et Jimmy Vigé, *Brouage, ville d'histoire et place forte*, Saint-Jean d'Angély, 1989 ; et Nathalie Fiquet, « Brouage au temps de Champlain, ville nouvelle ouverte sur le monde », dans Raymonde Litalien et Denis Vaugeois (dir.), *Champlain. La naissance de l'Amérique française*, Sillery, 2004, p. 39.

3. Le mot vient de *broue*, mot du patois saintongeais apparenté à *boue* et désignant un mélange d'eau et d'argile. Voir « Le grand lexique du patois charentais », *Xaintonge*, hors série 1 (2003), p. 48, *s.v.* « broue ; boue » ; et Alain Rey et al., *Le Grand Robert de la langue française*, nouvelle édition augmentée, 6 vol., Paris, 2001, 1 : 1576, *s.v.* « boue ». Pour l'étymologie de *brouage* en langue d'oïl, voir Nicolas Chéreau, *Visite historique de Brouage*, La Mothe-Achard, 2003, p. 1.

4. Éliane et Jimmy Vigé, *Brouage : capitale du sel et patrie de Champlain*, Bordessoules, 1990 ; Marcel Delafosse et Claude Laveau (*Le Commerce du sel de Brouage aux XVIIe et XVIIIe siècles, Cahier des Annales*, 17 [1960]), traitent de l'histoire économique du sel aux débuts de l'époque moderne ; Micheline Huvet-Martinet, *L'Aventure du sel*, Rennes, 1995, est l'œuvre d'une experte de l'histoire fiscale du sel ; voir aussi J. F. Bergier, *Une histoire du sel*, Paris, 1982, dont l'iconographie est magnifique.

5. À propos des couleurs du sel, voir Marc Seguin, *Histoire de l'Aunis et de la Saintonge*, Ligugé, 2005, p. 108.

6. Les exemples comprennent le Gap Portolano aux Archives du Département des Hautes-Alpes et le Portolano de Dijon à la Bibliothèque municipale de Dijon. Les deux sont d'une date incertaine ; voir Tony Campbell, « Census of Pre-Sixteenth-Century Portolan Charts », *Imago Mundi*, 38 (1986), p. 67-94.

Voir aussi Nathalie Fiquet et François-Yves Le Blanc, *Brouage, ville royale, et les villages du golfe de Saintonge,* Chauray-Niort, 1997, p. 25 ; et Nathalie Fiquet, « Brouage au temps de Champlain, ville nouvelle ouverte sur le monde », dans Litalien et Vaugeois (dir.), *Champlain,* p. 35, 33-42.

7. Nathalie Fiquet, « Brouage au temps de Champlain », p. 33-42 ; Seguin, *Aunis et Saintonge,* p. 92-96.

8. Delafosse et Laveau, *Le Commerce du sel de Brouage,* p. 13-26 ; Michael Mollat du Jourin, « Les marais salants charentais : carrefour du commerce international (XIIe-XVIe siècles) », *Annales de l'université francophone d'été Saintonge-Québec,* 1979.

9. Alice Drouin, *Les Marais salants en Aunis et Saintonge jusqu'en 1789,* Royan, 1999 ; Bernard Callame et Isabelle Delavaud, *Brouage et son marais. Pour une meilleure connaissance des marais littoraux en Charente-Maritime,* Saintes, 1996 ; citation de L. Papy, « Brouage et ses marais », *Revue géographique des Pyrénées et du Sud-Ouest,* 6 (1935), p. 281-323.

10. Nathalie Fiquet et François-Yves Le Blanc, *Les Arsenaux de Richelieu : Brouage, Brest, Le Havre, vers l'arsenal idéal,* Brouage, 2003, p. 25-27.

11. Plan de Brouage vers 1570, manuscrit au Public Record Office, aujourd'hui British National Archives, Kew et Londres. Pour de plus amples détails, voir Fiquet et Le Blanc, *Brouage, ville royale,* p. 76-78.

12. L'historien La Popelinière écrivait en 1581 : « C'est une petite ville nommée Jacopolis du nom de son fondateur qui vers 1555 y fit édifier les premières maisons et distribua les places pour y bastir ce qui se fit à grande difficulté […] étant tout ce rivage un marais […] tellement ce lieu semble avoir été conquis sur l'eau, qui paravant couvrait toute la place, et encore de présent, en hiver durant les grandes marées, les rues et bas de maisons sont tous pleins d'eau. » *Histoire de France enrichie,* p. 439 verso.

13. Fiquet, « Brouage au temps de Champlain », p. 36 et 39. Pour d'autres témoignages contemporains concernant son commerce, voir La Popelinière, *Histoire de France enrichie* ; Nicolas Alain, *De Santonum regione et illustrioribus familiis,* Bordeaux, 1598.

14. Robert Le Blant et René Baudry (dir.), *Nouveaux Documents sur Champlain et son époque,* p. xxvi (Rouen, La Rochelle, Brouage, Gaspé, Espagne, Marseille, Le Havre et retour au port d'attache dans le cadre d'un commerce hexagonal atlantique et méditerranéen de la plus haute complexité) ; Fiquet, « Brouage au temps de Champlain », p. 33-41.

15. Photo de Judith Fischer, juin 2006 ; avec mes remerciements à mon frère Miles Pennington Fischer pour la traduction de la devise hollandaise.

16. Fiquet, « Brouage au temps de Champlain », p. 39.

17. A.-L. Leymarie, « Inédit sur le fondateur de Québec », *Nova Francia,* 1 (1925), p. 80-85 ; Marcel Trudel, *Histoire de la Nouvelle-France,* Montréal, 1963-1979, 1 : 253.

18. Pour plus de détails sur la preuve existante, voir l'appendice A, « La date de naissance de Champlain ».

19. Au sujet du contrat de mariage de Champlain, voir WSC, 2 : 315-317 ; Narcisse-Eutrope Dionne, *Samuel de Champlain, fondateur de Québec et père de la Nouvelle-France*, Québec, 1891, 1926, 1 : 399-403 ; pour les travaux récents des généalogistes américains, voir Newbold Le Roy III et Scott C. Steward, *The Le Roy Family in America, 1753-2003*, Boston et Laconia, 2003, p. ix ; je remercie Scott Steward qui m'a communiqué cette information et fait cadeau d'un exemplaire de son livre.

20. Au sujet du père de Champlain, voir WSC, 2 : 315-317 ; Dionne, *Samuel de Champlain*, 1 : 399-403 ; Le Roy III et Steward, *The Le Roy Family in America* ; et aussi « Vente d'une moitié de navire par Antoine Chappelain, 23 déc. 1573 », dans Le Blant et Baudry (dir.), *Nouveaux Documents*, 1 : xxv, 10-11. Les éditeurs observent que selon « un faisceau d'indications concordantes qui établissent une forte probabilité », cet Antoine Chappelain était le père de Champlain. Guillaume Allène avait épousé Guillemette Gousse en 1563, et le couple était toujours marié en 1579. Était-elle la demi-sœur de Margueritte Le Roy, ou l'une d'entre elles avait-elle déjà été mariée, ou s'agissait-il d'un remariage pour Allène ? Pauline Arsenault, « L'Acadie de Champlain : de l'Arcadie à la Chine », dans Litalien et Vaugeois (dir.), *Champlain*, p. 120 ; Le Blant et Baudry, *Nouveaux Documents*, 1 : 2, 12-13.

21. Pablo F. Pérez-Mallaína, *Spain's Men of the Sea: Daily Life on the Indies Fleets in the Sixteenth Century*, Baltimore, 1998, p. 35-36, 39-41, 122-123.

22. *Ibid.*, p. 122-124, 87-92, 177-178.

23. *Ibid.*, p. 82-83, 92-95 et 100.

24. « Vente d'une moitié de navire », dans Le Blant et Baudry (dir.), *Nouveaux Documents*, 1 : 10-11.

25. Cette maison était « sise derrière l'église rue Saint-Jean (actuelle rue du Port) » et fut cédée à Du Carlo en 1616 ; au sujet de l'hôtel particulier de Christophe Depoy, voir Vigé et Vigé, *Brouage, ville d'histoire et place forte*, p. 292-293.

26. 1 Samuel : 7-8.

27. Plusieurs érudits datent « l'invasion des noms hébreux » de la publication de la Bible de Genève en édition compacte in-quarto de 1560. Voir David Hackett Fischer, « Forenames and the Family in New England: An Exercise in Historical Onomastics », dans Robert M. Taylor Jr. et Ralph J. Crandall (dir.), *Generations and Change: Genealogical Perspectives in Social History*, Macon (Géorgie), 1986, p. 215-241.

28. L'érudit abbé Laverdière, grand spécialiste de Champlain, est parvenu à la même conclusion. Il fait observer que les « deux noms » des parents sont « tout à fait catholiques » et que le prénom protestant du fils donne à croire que « le père et la mère avaient dû apostasier ». Nous sommes d'accord, sauf sur l'emploi du verbe « apostasier ». Voir C.-H. Laverdière, *Œuvres de Champlain*, publiées sous le patronage de l'Université Laval, Québec, 1870, 1 : xi (dans notre édition en cinq volumes).

29. Leonce Anquez, *Histoire des assemblées politiques des réformés de France*, Paris,

1959, p. 162-165 ; ces généralisations excluent les villes contrôlées par des nobles protestants à titre individuel.

30. Au sujet des protestants au Poitou et en Saintonge, voir *Guide du Protestantisme Charentais,* La Mothe-Achard, 2006, p. 19.

31. « Vente par Jacques Hersan et Marie Camaret à Samuel de Champlain de la moitié d'une maison, à Brouage, 23 février, 1620 » dans Le Blant et Baudry (dir.), *Nouveaux Documents,* 1 : 170 ; Marcel Delafosse, « L'oncle de Champlain », *RHAF,* 12 (1958), p. 208-216 ; L.-A. Vigneras, « Encore le capitaine provençal », *RHAF,* 13 (1959-1960), p. 544-549.

32. Thomas Platter, *Le Voyage de Thomas Platter,* édité par Emmanuel Le Roy Ladurie, Paris, 2000, p. 50, 573-577 ; Jean Glénisson, « Rencontre », dans Litalien et Vaugeois (dir.), *Champlain,* p. 282 ; Nathalie Fiquet est en désaccord et elle écrit qu'il est « peu probable qu'il ait été instruit ailleurs, dans une académie (réservée exclusivement aux nobles) », mais Platter observe que des jeunes gens n'appartenant pas à la noblesse fréquentaient aussi l'académie de Brouage. Voir Fiquet, « Brouage au temps de Champlain », p. 37.

33. Voir Trudel, *Histoire de la Nouvelle-France,* 1 : 256 ; Alain Rey (dir.), *Dictionnaire culturel en langue française,* Paris, 2005, *s.v.* « écuyer ». Dans la France médiévale, l'*écuyer* désignait un serviteur qui portait les armes d'un chevalier et soignait les chevaux.

34. Glénisson, « Rencontre », p. 282 ; et Fiquet, « Brouage au temps de Champlain », p. 37. Tous deux se basent sur Vigé et Vigé, *Brouage, capitale du sel.*

35. Par exemple, sur sa carte de 1612, il a noté, en anglais : « The Bay where Hudson did winter. » Samuel E. Morison, *Samuel de Champlain: Father of New France,* New York, 1972, p. 133.

36. Dionne, *Samuel de Champlain,* p. 1.

37. Champlain à Marie de Médicis, reine régente de France, 1632, dans *Voyages du sieur de Champlain Xainctongeois…,* Paris, 1613, préface ; WSC, 1 : 209-210.

38. *Ibid.* Pour l'autre phrase, « après avoir passé trente-huit ans de mon âge à faire plusieurs voyages sur mer », voir Champlain, *Traitté de la Marine et du Devoir d'Un Bon Marinier,* Paris, 1632 ; WSC, 6 : 255. Voir aussi l'appendice C.

39. Pour les navires de Champlain, voir l'annexe M.

CHAPITRE 2 • DEUX MESSIEURS DE SAINTONGE

1. WSC, 3 : 231-234.

2. Voir le nom de Champlain sur trois pages titres : « Samuel Champlain, De Brouage » dans *Des Sauvages,* 1603 ; « Sieur de Champlain Xainctongeois » dans *Les Voyages* de 1613 ; « Sr. de Champlain Xainctongeois » dans *Les Voyages* de 1632 ; WSC, 1 : 81-83, 202-207 ; 3 : 231-234.

3. Les biographes de Champlain n'ont guère attaché d'importance à ses origines saintongeaises. Samuel Eliot Morison *(Samuel de Champlain: Father of New*

France) et Narcisse-Eutrope Dionne *(Samuel de Champlain, fondateur de Québec et père de la Nouvelle-France)* ne font que mentionner sa province natale ; Morris Bishop *(Champlain: The Life of Fortitude)* et Joe Armstrong *(Champlain)* n'ont pas un mot pour elle. Il y a cependant deux catégories d'exceptions. À la première appartiennent les historiens qui ont vécu en Saintonge, comme Hubert Deschamps, Jean Glénisson et Nathalie Fiquet. Les seconds sont les descendants canadiens-français de Saintongeais, par exemple le généalogiste Jacques Saintonge.

4. L'excellent livre de Marc Seguin, *Histoire de l'Aunis et de la Saintonge. Le début des temps modernes, 1480-1610,* 2005, est une contribution récente à une littérature imposante et se démarque par l'excellence de sa bibliographie. Il s'insère dans une série publiée sous la direction de Jean Glénisson. Pour en savoir davantage sur la persistence des identités anciennes, lire la dynamique revue populaire intitulée *Xaintonge,* qui est publiée à Saint-Jean d'Angély depuis 1997.

5. Jules César, *The Gallic Wars,* [*La Guerre des Gaules*], édition Loeb, Londres, 1970, livre 1, p. 10-11 ; livre VII, p. 75. Pour les sources anciennes et les preuves numismatiques sur les Santons, voir www.cgb.fr/monnaies/vso/v15/gb

6. Nathalie Fiquet, « Brouage au temps de Champlain », dans Raymonde Litalien et Denis Vaugeois (dir.), *Champlain. La naissance de l'Amérique française,* Sillery, 2004, p. 33 ; voir aussi Maxime le Grelle, *Brouage Québec : foi de pionniers,* Saint-Jean d'Angély, 1980, p. 11.

7. Hubert Deschamps, *Les Voyages de Samuel Champlain, saintongeais, père du Canada,* Paris, 1951, 1952, p. 3.

8. Hugh Johnson, *The World Atlas of Wine,* New York, 1971, 1977, p. 258-259.

9. Deschamps, *Les Voyages de Samuel Champlain,* p. 1.

10. Mage de Fiefmelin, *Les Œuvres du Sieur Fiefmelin,* p. 44, cité dans Seguin, *Histoire de l'Aunis et de la Saintonge,* p. 104.

11. Seguin, *Histoire de l'Aunis et de la Saintonge,* p. 104, où sont citées les archives municipales de Bordeaux, manuscrit, p. 776, 881 (14 juillet 1570).

12. À propos de la guerre de Cent Ans, je m'en suis tenu aux dates traditionnelles qu'utilisent Édouard Perroy et Kenneth Fowler. Voir Édouard Perroy, *The Hundred Years War,* introduction de David C. Douglas, 1945, New York, 1965, p. 322 ; Kenneth Fowler, *The Hundred Years War,* Londres, 1971, p. 1. Pour les tendances climatiques et économiques, voir Emmanuel Le Roy Ladurie, *Times of Feast, Times of Famine: A History of Climate since the Year 1000,* New York, 1971, p. 21, 67, 348-350 [*Histoire du climat depuis l'an mil*] ; David Hackett Fischer, *The Great Wave: Price Revolutions and the Rhythm of History,* New York, 1996, p. 65-102 ; pour l'impact local de ces grands mouvements, voir Seguin, *Histoire de l'Aunis et de la Saintonge,* p. 334-337 (1573-1593) et 383-384 (1594-1595).

13. Seguin écrit à propos du littoral saintongeais : « La mer offre ses ressources alimentaires qui rendent les disettes exceptionnelles. » À propos du mot « disette », voir Fischer, *Great Wave,* p. 31, 53 et 77 ; et au sujet des disettes en

Saintonge, voir Seguin, *Histoire de l'Aunis et de la Saintonge,* p. 104, 334-337 (1573-1574) et 383-384 (1594-1595).

14. Seguin, *Histoire de l'Aunis et de la Saintonge,* p. 102 et 103.

15. Nathalie Fiquet, « Brouage au temps de Champlain », p. 34.

16. Seguin, *Histoire de l'Aunis et de la Saintonge,* p. 73 ; pour l'histoire sémantique du mot « individualisme » en France, lire l'excellente étude pionnière de Steven Lukes, *Individualism,* New York, 1973, p. 3-16.

17. Georges Musset, Marcel Pellisson et Charles Vigon, *Glossaire des patois et des parlers de l'Aunis et de la Saintonge,* 2 vol., La Rochelle, 1922. Un nouveau dictionnaire est en cours de publication depuis 2003, *Le Grand Lexique du patois charentais,* en six livrets, par les éditeurs de la revue *Xaintonge,* hors série 1-6 (mai 2003-décembre 2006).

18. Un numéro entier de la revue *Xaintonge,* 2 (1997), p. 1-32, est consacré à « La Cagouille : l'emblème des Charentais », avec des textes intitulés « Légendes et croyances », « Coutumes et traditions de la race Cagouillarde » et « Des Cagouilles sur les églises ».

19. Jacques Rousseau, « Samuel de Champlain, botaniste mexicain et antillais », *Les Cahiers des Dix,* 16 (1951), p. 39-61.

20. *Le Grand Lexique du patois charentais,* 2 : 35.

21. D'autres exemples : *acheneaux* pour « canaux », et *clairs* pour les endroits peu profonds dans les marais.

22. Paul Le Jeune, « Relation », 1633, *Relations des Jésuites,* 5 : 211 ; Bishop, *Champlain,* p. 337.

23. On a traduit ainsi cette maxime du *parlanjhe* en français moderne : « Qui va doucement, va sûrement », ce qui n'exprime pas du tout la même idée.

24. « Patoiser dans les Règles », « Proverbes charentais », http://membres. lycos.fr/xaintong/lang.htm ; J.-L. Buetas, « Patoiser dans les règles », 2007, p. 9-15.

25. « Patois Charentais », Société d'ethnologie et de folklore du Centre-Ouest, http://www.cths.fr/FICHES/Fisches_Societies/S_309.shtm ; « Lexique du patois charentais », http://membres.lycos.fr/xaintong/lexique.htm ; http:// membres.lycos.fr/xaintong/patois.htm

26. *Ibid.*

27. *Ibid.*

28. Maurice Bures, *Le Type saintongeais,* 1908, Paris, 1991, particulièrement les chapitres 3 et 4, « La Saintonge dans le passé » et « Le type social », p. 47-72. Ce livre traite essentiellement de la réaction à la « crise phylloxérique » qui ravagea les vignes de Saintonge ; celles-ci furent restaurées grâce aux pieds de vigne d'Amérique, en quelque sorte le remboursement de la dette américaine à la Saintonge.

29. *Ibid.,* p. 70, 57-59.

30. *Ibid.,* p. 57, 65-72.

31. *Ibid.,* p. 69.

32. WSC, 1 : 4.

33. Emmanuel Le Roy Ladurie, *Histoire du Languedoc*, Paris, 1962, 6ᵉ édition, 2000, p. 8-9, 28-29, 41-45, 59-60.

34. *Ibid.* Comme Champlain en son temps, Emmanuel Le Roy Ladurie a parcouru les grandes régions culturelles de la France. Il a séjourné chez nous lors de l'une de ses nombreuses visites en Amérique. Nous avons vu chez lui la même curiosité intense à l'égard des autres cultures et la même tolérance à la diversité qui animaient Champlain.

35. Des historiens ont décrit ainsi la religion chez Champlain, mais la religion n'était qu'une des multiples expressions de la diversité dans ses années d'apprentissage : une diversité régionale, linguistique, culturelle et écologique.

36. Ses contemporains l'appelaient de diverses façons. Champlain écrivait le nom de son ami « De Monts » ; les documents royaux l'appelaient De Montz. Son nom de famille présentait également des épellations diverses : Dugua, Du Gua, Du Gas, Du Guast. Son très compétent biographe, Jean-Yves Grenon, le nomme Pierre Dugua de Mons et signale que « l'épellation "Dugua de Mons" est privilégiée par les habitants de Royan et de la Saintonge moderne ». Voir Grenon, *Pierre Dugua de Mons, Founder of Acadie (1604-05) ; Co-founder of Quebec (1608)*, Annapolis Royal, 1997, 1999, 2000, p. 2.

37. Jean Liebel, *Pierre Duguu, sieur de Mons, fondateur de Québec*, Paris, 1999, p. 35.

38. William Inglis Morse, *Pierre Dugua, sieur de Mons ; Records: Colonial and « Saintongeois »*, Londres, 1939.

39. Jean Glénisson, *La France d'Amérique*, Paris, 1994 ; cité dans Jean-Yves Grenon, *Pierre Dugua de Mons, Founder of Acadie*, p. 1 ; Jean Liebel, *Pierre Duguu, sieur de Mons, fondateur de Québec*, Paris, 1999 ; Guy Binot, *Pierre Dugua de Mons, Gentilhomme Royanais, Premier Colonisateur du Canada, Lieutenant Général de la Nouvelle-France de 1603 à 1612*, Royan, 2004 ; Marie-Claude Bouchet, *Pierre Dugua de Mons*, Royan, 2000 ; pour d'autres interprétations, voir Bruce G. Trigger, *Natives and Newcomers: Canada's "Heroic Age" Reconsidered*, Montréal et Kingston, 1985, p. 172-177, 306-312, où l'auteur qualifie De Mons de vulgaire « trafiquant ».

40. Marcel Trudel, *Histoire de la Nouvelle-France*, 1 : 239 ; Morse (dir.), *Pierre Dugua, sieur de Mons* ; Grenon, *Pierre Dugua de Mons, Founder of Acadie* ; Liebel, *Pierre Dugua, sieur de Mons* ; Binot, *Pierre Dugua de Mons, Gentilhomme Royanais*, p. 1.

41. Marc Lescarbot, *History of New France*, 3 vol., Toronto, 1907, 2 : 250 et 277 [*Histoire de la Nouvelle-France*]. Le traducteur a préféré citer ici Marc Lescarbot, *Voyages en Acadie (1604-1607) suivis de La description des mœurs souriquoises comparées à celles d'autres peuples*, édition critique par Marie-Christine Pioffet, Presses de l'Université Laval, 2007, p. 107.

42. Cité dans Grenon, *Pierre Dugua de Mons, Founder of Acadie*, p. 13-14.

43. *Ibid.*, p. 1-3 ; Morse (dir.), *Pierre Dugua, sieur de Mons* ; Jean Liebel, *Pierre Dugua, sieur de Mons* ; M. G. Rodrigues, *Le Père du Canada : Pierre Dugua,*

1994 (que l'auteur n'a pas vu). Marcel Trudel, *Histoire de la Nouvelle-France*, vol. 1 : *Les vaines tentatives 1524-1603*.

44. Liebel, *Pierre Dugua, sieur de Mons*, p. 37.

45. WSC, 2 : 215 ; 3 : 319.

46. Liebel, *Pierre Dugua, sieur de Mons*, p. 8 ; passage qui a aussi le mérite de dissiper toute confusion autour du nom de famille.

47. *Ibid.*, p. 8 et 61 ; Le Blant et Baudry (dir.), *Nouveaux Documents*, 1 : xxv ; ce sont des documents judiciaires qui doivent encore exister. Pour les unités monétaires, voir l'appendice O.

48. Liebel, *Pierre Dugua, sieur de Mons*, p. 327 et 336.

49. *Ibid.*, p. 325, 329, 342 et 336.

50. *Ibid.*, p. 93.

CHAPITRE 3 • HENRI IV ET CHAMPLAIN

1. « Majesté, à laquelle j'étais obligé tant de naissance, que d'une pension de laquelle elle m'honorait » : WSC, 3 : 315.

2. *Ibid.*, 6 : 99.

3. *Ibid.*, 3 : 315. Pour connaître le sens du mot « obligé » à l'époque de Samuel de Champlain, voir *Le Grand Robert de la langue française*, 6 : 2050-2052, *s.v.* « obliger ». Le premier exemple est : « La loi naturelle, la loi divine nous oblige à honorer père et mère ». Le second sens est le suivant : « Assujettir par une obligation d'ordre moral ». Troisième, quatrième et cinquième sens : « Assujettir par une obligation d'ordre juridique » ; « Mettre quelqu'un dans la nécessité de (faire quelque chose) » ; « Attacher quelqu'un par une obligation ».

4. « Bail de Jacques Hersan et Marie Camaret », 15 mars 1619, dans Robert Le Blant et René Baudry (dir.), *Nouveaux Documents sur Champlain et son époque*, Ottawa, 1967, p. 165.

5. WSC, 3 : 315 ; Raymonde Litalien et Denis Vaugeois (dir.), *Champlain. La naissance de l'Amérique française*, Sillery, 2004, p. 364.

6. Marcel Trudel, *Histoire de la Nouvelle-France*, 1 : 255 ; Hubert Deschamps, *Les Voyages de Samuel Champlain, saintongeais, père du Canada*, Paris, 1951, 1952, p. 4n5.

7. *Life of Black Hawk or Mà-ka-tai-me-she-kià-kiàk Dictated by Himself*, J. B. Patterson (dir.), Cincinnati, 1834 ; nouvelle édition, Milo M. Quaife (dir.), Chicago, 1916, p. 24. La meilleure édition critique est *Black Hawk, An Autobiography*, Donald Jackson (dir.), Urbana (Illinois), 1955, 1964,1990, p. 41-45 et 45n ; Gordon M. Sayre, *Les Sauvages Américains*, Chapel Hill, 1997, p. 64 ; voir aussi *Conclusion*.

8. David Buisseret, *Henry IV*, Londres, 1984, p. 6-7 ; Pierre de Vaissière, *Henri IV*, Paris, 1925 ; Irene Mahoney, *Royal Cousin: The Life of Henry IV of France*, New York, 1970 ; Pierre-Victor Palma Cayet, *Chronologie Novenaire* [1589-1598] et *Chronologie septenaire* [1598-1604], édition de J. A. Buchon, Paris, 1836.

9. Au sujet de la présence du prince Henri en Saintonge, 1568-1572, voir Janine Garrison, *Henri IV*, Paris, 1984, p. 46-52 (« Le Prince de La Rochelle ») ; Jean-Pierre Babelon, *Henri IV*, Paris, 1982, p. 138-158.

10. La particule de noblesse et le titre « sieur de Champlain » apparaissent dès 1595 dans les livres de comptes de l'armée royale en Bretagne. Ces documents se trouvent aux Archives d'Ille-et-Vilaine, C2914 (fonds des États de Bretagne). Ils ont été découverts par Arthur de La Borderie, archiviste à Rennes, et mentionnés par Jouon de Longrais dans *Bulletin et mémoires de la Société archéologique du département d'Ille-et-Vilaine*, 42 (1913), p. xlvi-xlviii. On en trouve une transcription moderne chez Le Blant et Baudry, *Nouveaux Documents*, p. 17-19.

11. La particule « de » précédant un patronyme est souvent appelée particule de noblesse ou particule nobiliaire. Cela n'a jamais été un signe de noblesse authentique, seulement une marque de condition, de statut, de distinction ou de mérite qui était attribuée dans l'usage commun. À l'époque de Champlain, la particule de noblesse désignait couramment une personne que l'on jugeait digne de respect, habituellement du fait de sa condition ou de son statut, mais il ne s'agissait pas exclusivement de personnes ayant des titres nobiliaires authentiques. Au XIXe siècle, la bourgeoisie en fit un instrument d'ascension sociale. Comme le déplorait Victor Hugo dans *Les Misérables*, « la particule, on le sait, n'a aucune signification ». Voir *Le Grand Robert de la langue française*, 5 : 279, *s.v.* « particule », II.2.

Robert Le Blant fait observer que Champlain signait lui-même « Champlain », sans le « de ». La seule exception apparaît dans sa carte manuscrite de 1607. Voir Le Blant, « La condition sociale de Samuel Champlain », *Actes du 87e congrès national des sociétés savantes*, Poitiers, 1962 (inédit, 1963), p. 669-677. On notera que Pierre Dugua, sieur de Mons, signait pour sa part Pierredugua, ou Dugua, ou Monts, ou Mons, mais non de Mons ou de Monts. On trouve des photographies de ses signatures dans William Inglis Morse, *Pierre Dugua, sieur de Mons*, Londres, 1939, p. 93 et suivantes.

Le titre de « sieur » était communément défini comme étant un « titre honorifique pour un homme ». Dans le monde de Champlain, on l'attribuait selon les mêmes critères que la particule de noblesse. Il ne désignait pas exclusivement une personne de sang noble, mais bien des hommes que l'on jugeait dignes de respect. Seule une poignée d'hommes mentionnés dans les écrits de Champlain sont appelés « sieur ». Voir *Le Grand Robert de la langue française*, 6 : 436, *s.v.* « sieur », I-III.

12. WSC, 3 : 315.

13. Babelon, *Henri IV*, p. 7.

14. Voir par exemple René de La Croix de Castries, *Henri IV, roi de cœur, roi de France*, Paris, 1970 ; André Castelot, *Henri IV le passionné*, Paris, 1986 ; Marcelle Vioux, *Le Vert-galant. Vie héroïque et amoureuse de Henri IV*, Paris, 1935 ; François Bayrou, *Henri IV. Le roi libre*, Paris, 1994.

15. Christian Desplat, *Cultures en Béarn*, Librairie des Pyrénées et de Gascogne,

2001. Excellent livre sur la persistance des mœurs anciennes et médiévales ainsi que l'interaction entre les langues et cultures françaises et béarnaises ; Nicolas de Bordenave, *Histoire de Béarn et de Navarre,* Paris, 1873, œuvre de grande érudition.

16. Buisseret, *Henry IV,* p. 1, d'après Pierre-Victor Palma-Cayet, *Chronologie novenaire contenant l'histoire de la guerre,* Paris, 1608, 1 : 175.

17. Nancy Lyman Roelker, *Queen of Navarre: Jeanne d'Albret,* Cambridge (Massachusetts), 1968, ouvrage classique et charmant ; Marquis de Rochambeau, *Lettres d'Antoine de Bourbon et de Jehanne d'Albret,* Paris, 1878 ; Jeanne d'Albret, *Mémoires et poésies de Jeanne d'Albret,* Paris, 1893.

18. Roelker, *Queen of Navarre,* trad. fr. *Jeanne d'Albret, reine de Navarre,* Paris, 1979.

19. Frederic J. Baumgartner, *Henri II: King of France, 1547-1559,* Durham, 1988.

20. David Hackett Fischer, *The Great Wave: Price Revolutions and the Rhythm of History,* New York, 1996, p. 65-102.

21. Barbara B. Diefendorf, *Beneath the Cross: Catholics and Huguenots in Sixteenth-Century Paris,* New York, 1991, p. 50-56 ; Natalie Zemon Davis, « The Rites of Violence: Religious Riot in Sixteenth-Century France », *Society and Culture in Early Modern France,* Palo Alto, 1976, p. 152-187 ; Denis Richet, « Aspects socio-culturels des conflits religieux à Paris dans la seconde moitié du XVIᵉ siècle », *Annales ESC,* 32 (1977), p. 764-789.

22. Sylvia Shannon, « The Political Activity of François de Lorraine, duc de Guise, 1559-1563 », thèse de doctorat, Université de Boston, 1988, p. 344-382, où sont comparées quatre sources, deux protestantes, deux catholiques ; Arlette Jouanna *et al., Histoire et dictionnaire des guerres de religion,* Paris, 1998, p. 106-110.

23. Denis Crouzet, *Les Guerriers de Dieu. La violence au temps des troubles de religion, vers 1525 – vers 1610,* 2 vol., Paris, 1990, ouvrage majeur ; à propos de Sens et de Tours, voir Arlette Jouanna *et al., Histoire et dictionnaire des guerres de religion,* p. 117 ; et à propos de Montbrison, voir Robert Knecht, *The French Religious Wars 1562-1598,* Botley, 2002, p. 73-75.

24. Robert Knecht, *The French Religious Wars,* p. 29-37 ; voir aussi ce grand classique : Pierre de Ronsard, *Discours des misères de ce temps,* et sa suite, publiés dans ses *Œuvres complètes,* Paris, 1552.

25. Arlette Jouanna *et al., Histoire et dictionnaire des guerres de religion,* p. 163-185.

26. Mark Greengrass, *France in the Age of Henri IV: The Struggle for Stability,* New York, 1995, p. 11.

27. Éliane et Jimmy Vigé, *Brouage : capitale du sel et patrie de Champlain,* Bordessoules, 1990, p. 42, 44 et 49.

28. *Mémoires et autres écrits de Marguerite de Valois, la Reine Margot,* Yves Cazaux (dir.), Paris, 1971, 1986, p. 11-12, 58-59.

29. L'autre facteur en jeu était la guerre dans les Pays-Bas, où les protestants hollandais luttaient pour s'affranchir d'un souverain catholique et espagnol. En août 1572, le roi de France, Charles IX, donna à l'amiral de Coligny la permission de mener une armée aux Pays-Bas pour secourir les Hollandais. En assas-

sinant Coligny, le parti catholique espérait mettre un terme à cette intervention. Un émissaire papal rapporta que « si l'amiral avait été tué par ce coup de pistolet, personne d'autre n'aurait péri ». Mais l'amiral survécut et le massacre de la Saint-Barthélemy s'ensuivit. Voir Lisa Jardine, *The Awful End of William the Silent,* New York, 2006, p. 36.

30. Arlette Jouanna, *La Saint-Barthélemy. Les mystères d'un crime d'État, 24 août 1572,* Paris, 2007, p. 160-200.

31. Barbara B. Diefendorf, *Beneath the Cross: Catholics and Huguenots in Sixteenth-Century Paris,* New York, 1991 ; Philip Benedict, « The Saint Bartholomew's Massacres in the Provinces », *Historical Journal,* 21 (1978), p. 205-225 ; Greengrass, *France in the Age of Henri IV,* p. 9.

32. Buisseret, *Henry IV,* p. 10.

33. *Ibid.* ; Henri IV, *Lettres missives de Henri IV,* 9 vol., Paris, 1843-1876, 1 : 122.

34. Jean H. Mariéjol, *Henri IV et Louis XIII,* Paris, 1905, p. 252-253.

35. Michael Wolfe, *The Conversion of Henry IV: Politics, Power and Religious Belief in Early Modern Times,* Cambridge (Massachusetts), 1993, p. 22.

36. Marcel Trudel, le grand historien de la Nouvelle-France, qui a été élevé dans la religion catholique, a conclu que Champlain était né protestant et qu'il s'était converti au catholicisme. Voir *Histoire de la Nouvelle-France,* 1 : 235-236 ; Deschamps, *Les Voyages de Samuel Champlain,* p. 4-5. Samuel Eliot Morison, historien de confession protestante, affirmait, sans avancer de preuve, que Champlain était « probablement né catholique et avait sûrement été élevé dans cette foi » ; *Samuel de Champlain,* p. 17. D'autres érudits comme Bishop, *Champlain,* p. 4, et Armstrong, *Champlain,* p. 4, ne prennent pas position sur cette question.

37. Buisseret, *Henry IV,* p. 122.

38. Les livres pieux de Champlain sont énumérés chez Robert Le Blant, « Inventaire des meubles faisant partie de la communauté entre Samuel Champlain et Hélène Boullé, 21 novembre, 1636 », *Revue d'histoire de l'Amérique française,* 18 (1965), p. 595, 603 et 599 ; au sujet de la piété du roi Henri, voir Buisseret, *Henry IV,* p. 50.

39. Buisseret, *Henry IV,* p. 50-51, 54.

40. *Ibid.,* p. 178.

41. *Ibid.,* p. 12.

42. Knecht, *The French Religious Wars,* p. 91.

43. Diverses estimations de ces paiements apparaissent dans Claude Groulart, *Mémoires ou voyages par lui faits en cour,* Paris, 1857 ; Sully, *Les Œconomies royales de Sully,* édition de David Buisseret et Bernard Barbiche, Paris, 1970 ; voir aussi une édition antérieure, *Les Économies Royales,* par Michaud et Poujoulat, 2 vol., Paris, 1837, et les matériaux manuscrits dans Buisseret, *Henry IV,* p. 48 ; Greengrass, *France in the Age of Henri IV,* p. 87 et 393.

44. Buisseret, *Henry IV,* p. 48-49.

45. Éliane et Jimmy Vigé, *Brouage, ville d'histoire et place forte,* Saint-Jean d'Angély, 1989, p. 34-69.

46. S. Annette Finley-Croswhite, *Henri IV and the Towns: The Pursuit of Legitimacy in French Urban Society, 1589-1610*, Cambridge (Massachusetts), 1999, p. 20-22.

47. Henri IV aurait dit : « Si Dieu me donne encore de la vie, je ferai qu'il n'y aura point de laboureur en mon Royaume qui n'ait moyen d'avoir une poule dans son pot. » La source la plus ancienne que j'ai trouvée pour ce mot si souvent cité est l'évêque Hardouin de Beaumont de Péréfixe, *Histoire du Roy Henry le Grand*, 1661, texte corrigé et enrichi par l'auteur, Paris, 1681, annexe, « Recueil de quelques belles actions et paroles mémorables du Roy Henri Le Grand », p. 528. Péréfixe fut le tuteur de Louis XIV.

48. Jean-Pierre Babelon, *Demeures parisiennes sous Henri IV et Louis XIII*, Paris, 1965 ; Buisseret, *Henry IV*, p. 196.

49. Buisseret, *Henry IV*, p. 139-140.

50. Péréfixe, *Histoire du Roy Henry le Grand*, annexe, « Recueil de quelques belles actions », p. 529.

51. Jean-François Labourdette, « L'importance du traité de Vervins dans l'histoire de l'Europe », p. 15-26.

CHAPITRE 4 · UN SOLDAT EN BRETAGNE

1. Livret de solde de Champlain, 1595, Archives de l'Ille-et-Vilaine, Fonds des États de Bretagne, C. 1924, folios 229, 523-527 ; Robert Le Blant et René Baudry (dir.), *Nouveaux Documents sur Champlain et son époque*, Ottawa, 1967, p. 17-19.

2. Pour un survol, voir la grande œuvre d'érudition de Denis Crouzet, *Les Guerriers de Dieu. La violence au temps des troubles de religion (vers 1525 – vers 1610)*, 2 vol., Seyssel, 1990 ; et James B. Collins, « La guerre de la Ligue et le bien public », dans Jean-François Labourdette, Jean-Pierre Poussou et Marie-Catherine Vignal (dir.), *Le Traité de Vervins*, Paris, 2000, p. 81-96.

3. Louis Grégoire, *La Ligue en Bretagne*, Paris et Nantes, 1856. Les principaux documents sont cités dans le second volume de Pierre-Victor Palma Cayet, *Chronologie novenaire* et *Chronologie septenaire*, Paris, 1836 ; et Henri IV, *Recueil des lettres missives*, 9 vol., Paris, 1843-1876, vol. 4-5.

4. Mark Greengrass, *France in the Age of Henri IV*, 2ᵉ édition, 1984, Londres, 1995, p. 86 ; H. Wacquet, *Mémoires du chanoine Jean Moreau sur les guerres de la Ligue en Bretagne*, Quimper, 1960.

5. Les livrets de solde de Champlain sont reproduits dans Le Blant et Baudry (dir.), *Nouveaux Documents*, 1 : 9-11.

6. Pour les unités monétaires, voir Frank C. Spooner, *The International Economy and Monetary Movements in France, 1493-1725*, Cambridge (Massachusetts), 1972 ; John J. McCusker, *Money and Exchange in Europe and America, 1600-1775*, Chapel Hill, 1978, p. 9-13, 87-97, 280-290 et *passim* ; David Hackett Fischer, *The Great Wave: Price Movements in World History*, New York, 1996.

En règle générale, un écu d'argent valait trois livres tournois (qui était une monnaie de compte) ou environ six shillings d'argent anglais en 1619 ; pour la valeur des monnaies, voir Frank C. Spooner. Pour les unités monétaires à l'époque de Champlain, voir l'appendice O.

7. « Paiement de diverses sommes à Jean Hardy et Samuel Champlain pour leurs gages dans l'armée royale de Bretagne », mars-décembre 1595, dans Le Blant et Baudry (dir.), *Nouveaux Documents*, 1 : 17-19.

8. « A Samuel de Champlain, ayde du sieur Hardy… pour certain voiage secret qu'il a faict important le service du Roy », mars-décembre 1595, dans *ibid.*, 1 : 18.

9. Ce titre apparaît dans les livrets de solde pour la période de mars à décembre 1595. Avant la référence dans le folio 195 au voyage secret et au service du roi, il semble qu'on l'ait appelé simplement Champlain. Par après, il est appelé le « sieur de Champlain ». Le Blant et Baudry (dir.), *Nouveaux Documents*, 1 : 17-19.

10. « Au sieur de Champlain la somme de trois escuz pour aller trouver Monsieur le maréchal et luy représenter quelques chose important le service du Roy », *ibid.*, 1 : 19. Au sujet de Saint-Luc, voir Éliane et Jimmy Vigé, *Brouage, ville d'histoire et place forte*, Saint-Jean d'Angély, 1989, p. 34-55.

11. Claude de Chastillon, « The Royal Camp of Henri IV at the Siege of La Fère », janvier 1596, British Library ; David Buisseret, *Henry IV*, Londres, 1984, planches 8 et 9. Cette gravure nous donne une bonne idée du rôle du *Logis du Roy* dans les campagnes.

12. Des combattants et des historiens anglais ont fait le récit de cette campagne : R. B. Wernham, *After the Armada: Elizabethan England and the Struggle for Western Europe*, Oxford, 1984 ; J. S. Nolan, « English Operations around Brest, 1594 », *Mariner's Mirror*, 81 (1995), p. 259-274 ; James McDermott, « The Crozon Peninsula, *El Leon*, 1594 », dans *Martin Frobisher, Elizabethan Privateer*, New Haven, 2003, p. 407-423.

13. Au sujet de la présence de Champlain à Crozon, voir Arthur Le Moyne de La Borderie et Barthélemy Pocquet, *Histoire de Bretagne*, 6 vol., Rennes, 1905-1914, 5 : 260 ; Samuel E. Morison, *Champlain: Father of New France*, New York, 1972, p. 17 ; Morris Bishop, *Champlain: The Life of Fortitude*, New York, 1948, 1963, p. 10 ; Joe C. W. Armstrong, *Champlain*, Toronto, 1987, p. 22 ; voir aussi Narcisse-Eutrope Dionne, *Samuel de Champlain, fondateur de Québec et père de la Nouvelle-France*, Québec, 1891, 1926, 1 : 8, qui se trompe en le plaçant du côté de la Ligue ; et voir Champlain lui-même, WSC, 1 : 3.

14. Rapport des officiers anglais après la bataille, 8 novembre 1594, manuscrit Cotton, Caligula E IX, 1, folio 211, British Library, cité dans McDermott, *Frobisher*, p. 480n.

15. Champlain, *Brief Discours*, WSC, 1 : 3 ; *Voyages* (1613), *ibid.*, 2 : 257 ; *Voyages* (1632), *ibid.*, 4 : 156.

16. « Champlain, capitaine d'une compagnie en garnison à Quimper », dans Le Blant et Baudry (dir.), *Nouveaux Documents*, 1 : 11.

17. Champlain, *Traitté de la marine*, WSC, 6 : xii-xiv.

18. *Ibid.*

19. Voir McDermott, *Martin Frobisher*, p. 407-423.

20. James McDermott (dir.), *The Third Voyage of Martin Frobisher to Baffin Island*, Londres, 2001, p. 409-417.

21. V. Steffanson (dir.), *The Three Voyages of Martin Frobisher*, 2 vol., Londres, 1938 ; McDermott (dir.), *The Third Voyage of Martin Frobisher* ; Samuel Eliot Morison, *The European Discovery of America: The Northern Voyages, AD 500-1600*, New York, 1971 ; à propos de Champlain mentionnant « Messire Martin Forbicher », voir WSC, 1 : 227 ; 3 : 300 ; 6 : 196.

22. Nancy Lyman Roelker (dir.), *The Paris of Henry of Navarre, as seen by Pierre de l'Estoile ; Selections from his Mémoires-Journaux*, Cambridge (Massachusetts), 1958, p. 287 (mars 1698) ; les extraits sont de De l'Estoile, *Mémoires-Journaux*, édition de Brunet *et al.*, 12 vol., Paris, 1875-1896.

23. Le texte complet se trouve dans Roland Mousnier, *The Assassination of Henri IV*, trad. anglaise Joan Spencer, New York, 1973, appendice 4, p. 316-363 [*L'Assassinat d'Henri IV*].

24. Pour un survol, voir Jean-François Labourdette, « L'importance du traité de Vervins », dans Labourdette, Poussou et Vignal (dir.), *Le Traité de Vervins*, p. 15-26.

25. Peter Kruger, « Vervins : le résultat précoce d'une vue systémique des affaires étrangères en Europe », dans Labourdette, Poussou et Vignal (dir.), *Le Traité de Vervins*, p. 415-429.

26. David Buisseret, *Henry IV*, Londres, 1984, p. 69.

27. Samuel Eliot Morison, *The European Discovery of America: The Southern Voyages, 1492-1616*, New York, 1974, p. 97-98 ; Francis G. Davenport (dir.), *European Treaties Bearing on the History of the United States and its Dependencies*, Washington, 1914 ; Luis Weckmann, *Las bulas alejandrinas de 1493 y la teoría política del papado medieval*, México, 1949.

28. Ce sujet a donné lieu à beaucoup de confusion dans les travaux des historiens, et l'expression « lignes d'amitié » a plus d'un sens. Pour un survol du savoir sur cette question, voir Éric Thierry, « La paix de Vervins et les ambitions françaises en Amérique », dans Labourdette, Poussou et Vignal (dir.), *Le Traité de Vervins*, p. 373-389 ; Olive Dickason, *The Myth of the Savage and the Beginnings of French Colonization in the Americas*, Edmonton, 1984, p. 139.

29. Thierry, « La Paix de Vervins », p. 375 ; citant David Asseline, *Antiquités et chroniques de la ville de Dieppe*, Dieppe, 1874, 2 : 149.

30. L. Pauliat, *La Politique coloniale sous l'Ancien Régime d'après des documents empruntés aux archives coloniales du ministre de la marine et des colonies*, Paris, 1887, p. 177-179 ; Thierry, « La paix de Vervins », p. 375 ; Carl Bridenbaugh, *No Peace Beyond the Line*, New York et Oxford, 1972, p. 3.

31. Thierry, « La paix de Vervins », p. 375-377. Si j'ai bien compris Claude Groulart, Henri IV aurait dit en 1600 qu'il n'avait pu conclure d'accord dans le cadre du dernier traité pour des échanges pacifiques au Brésil, aux Indes occidentales et en d'autres lieux « au-delà de la ligne » et que, comme les Espagnols s'empa-

raient des navires français qui s'y trouvaient, il en ferait autant de leurs navires. Voir Claude Groulart, *Mémoires ou voyages par lui faits en cour*, Paris, 1857.

32. Buisseret, *Henry IV*, p. 138 ; également Auguste Poirson, *Histoire du règne de Henri IV*, 4 vol., Paris, 1865, 2 : 283-287.

33. Robert Le Blant, « Henri IV et le Canada », *Revue de Pau et du Béarn*, 12 (1984-1985), p. 43-57.

34. Yves Cazaux, *Henri IV : les horizons du règne*, Paris, 1986, p. 284-285 ; Le Blant, « Henri IV et le Canada », p. 44.

35. Buisseret, *Henry IV*, p. 19.

36. Étienne Taillemite, « La marine royale au temps de Champlain », dans Raymonde Litalien et Denis Vaugeois (dir.), *Champlain. La naissance de l'Amérique française*, Sillery, 2004, p. 19-23.

37. Bernard Barbiche, « Autour de la visite de Henri IV au Havre en septembre 1603 », dans Annie Blondel-Loisel, Raymonde Litalien, Jean-Paul Barbiche et Claude Briot (dir.), *De la Seine au Saint-Laurent avec Champlain*, Paris, 2005, p. 55-66 ; Buisseret, *Henry IV*, p. 88, 103, 108 et 157 ; Jean-Pierre Babelon, *Henri IV*, Paris, p. 708, 866 et 888.

38. Taillemite, « La marine royale au temps de Champlain », p. 19-23.

39. *Ibid.*, p. 21-22.

40. *Ibid.*, p. 19-23.

41. Bernard Barbiche, « Henri IV et l'outre-mer : un moment décisif », dans Litalien et Vaugeois (dir.), *Champlain*, p. 24-32.

42. Richard Colebrook Harris, *The Seigneurial System in Early Canada: A Geographical Study*, Madison, 1968, p. 3 ; Edmond Lareau, *Histoire du droit canadien*, Montréal, 1888, 1 : 159-160.

43. Barbiche, « Henri IV et l'outre-mer », p. 30 ; Sully, *Les Œconomies Royales*, 2 vol. (1611-1617, 1638), Paris, 1836-1837, publiées dans la deuxième série de la *Nouvelle Collection des mémoires pour servir à l'histoire de France*, 1 : 516b ; David Buisseret, *Sully and the Growth of Centralized Government in France, 1598-1610*, Londres, 1968, p. 178.

44. *Les Œconomies royales de Sully*, David Buisseret et Bernard Barbiche (dir.), Paris, 1988, 2 : 257.

45. Barbiche, « Henri IV et l'outre-mer », p. 30.

46. Champlain, WSC, 3 : 302.

CHAPITRE 5 • ESPION EN NOUVELLE-ESPAGNE

1. Henry Percival Biggar (dir.), *The Works of Samuel de Champlain*, 6 vol., plus une chemise de cartes (WSC), Toronto, 1922-1936, réédition de 1971, 1 : 63.

2. WSC, 1 : 3. La véracité de cet épisode espagnol dans la vie de Champlain a été mise en doute par les sceptiques, les détracteurs et les iconoclastes de la fin du XXe siècle. Pour notre part, nous traitons ici de ce que Champlain a réellement fait, et nous avançons dans nos notes les preuves historiques qui réfutent les

thèses hostiles à Champlain. On trouvera à l'appendice C une étude historiographique sur cette question.

3. Aux XIXe et XXe siècles, le centre du commerce et de l'industrie sur la côte sud de la Bretagne s'est déplacé vers les ports modernes de Lorient et Saint-Nazaire. Blavet/Port-Louis a conservé en grande partie ses proportions du XVIe siècle du fait de l'évolution rapide des autres villes ; tendance également visible à Brouage, Crozon, Honfleur et autres lieux qui occupent une place importante dans les premières années de la vie de Champlain. Quand nous avons visité ces charmantes petites villes, nous avons eu l'impression de remonter dans le temps.

4. La première objection des sceptiques était de savoir si Champlain avait fait la campagne de Bretagne et s'il avait pu servir à Blavet. En 1950, Jean Bruchési a allégué que Champlain avait falsifié ses états de service à l'armée de Bretagne. Voir « Champlain a-t-il menti ? », *Cahiers des Dix,* 15 (1950), p. 39-53. De nombreuses preuves éclairent maintenant le passé militaire de Champlain, notamment les livrets de solde conservés par le trésorier Gabriel Hus, qui confirment le propos de Champlain dans son *Brief Discours.* Ces documents ont été publiés dans Robert Le Blant et René Baudry (dir.), *Nouveaux Documents sur Champlain et son époque (1560-1622),* Ottawa, 1967, I : xxv, 18-21.

5. WSC, 1 : 4.

6. *Ibid.*

7. Les capitaines espagnols étaient autorisés à employer des étrangers, « à l'exception des Anglais et des Hollandais rebelles ». Voir L. A. Vigneras, « Le Voyage de Samuel de Champlain aux Indes occidentales », *RHAF,* 11 (1957), p. 163-200.

8. Pour les types de navires, voir l'appendice M. Claude de Bonnault affirme que Champlain n'a jamais été à Blavet et que le capitaine Provençal est sorti tout droit de son imagination. Voir « Encore le Brief discours : Champlain a-t-il été à Blavet en 1598 ? », *Bulletin des recherches historiques,* 60 (1954), p. 59-64. Un document important a été trouvé à Cadix et publié par Joe C. W. Armstrong dans son *Champlain,* Toronto, 1987, p. 274-277. Il s'agit d'un testament et d'une entente signés par Champlain et son oncle le 26 juin 1601. Ces textes confirment la relation entre les deux hommes telle que Champlain l'avait décrite, ainsi que de nombreux passages du *Brief Discours.*

9. Marcel Delafosse, « L'oncle de Champlain », *RHAF,* 12 (1959-1960), p. 544-549 ; Champlain, « Brief Discours », WSC, 1 : 4 ; Narcisse-Eutrope Dionne, *Samuel de Champlain, fondateur de Québec et père de la Nouvelle-France,* Québec, 1891, 1926, 1 : 14-19 ; Samuel Eliot Morison, *Samuel de Champlain: Father of New France,* New York, 1972, p. 18.

10. WSC, 1 : 4. Plusieurs ont affirmé que le capitaine Provençal n'était pas l'oncle de Champlain. Mais les deux hommes ont confirmé qu'ils étaient oncle et neveu dans une déclaration assermentée signée à Cadix le 26 juin 1601, que l'on trouve à l'Archivo histórico provincial de Cadix, en Espagne. Il existe une copie de ce document aux Archives nationales du Canada, et on peut en lire

la transcription dans Joe C. W. Armstrong, « The Testament of Guillermo Elena », *Champlain,* appendice II, p. 274-278. Cf. Delafosse, « L'oncle de Champlain », p. 208-216 ; Vigneras, « Encore le capitaine provençal », p. 544-549 ; WSC, 1 : 4, 7-8.

11. WSC, 1 : 7. En ce qui concerne la preuve des archives espagnoles confirmant que le *Saint-Julien* avait été affrété pour transporter des troupes espagnoles de Blavet en Espagne, voir Laura Giraudo, « Rapport de recherche : une mission en Espagne », et François-Marc Gagnon, « Le *Brief Discours* est-il de Champlain ? », dans Raymonde Litalien et Denis Vaugeois (dir.), *Champlain. La naissance de l'Amérique française,* Sillery, 2004, p. 86-88, 93-97 ; voir aussi Vigneras, « Voyage », p. 168.

12. Gaston de Carné, *Correspondance du duc de Mercœur,* Rennes, 1899, 2 : 162.

13. WSC, 1 : 3n ; 2 : 257n ; 4 : 156 ; le contrat du gouverneur de La Hautière lui accordait 40 réaux par tonneau, ce qui aurait donné un total de 2 000 réaux pour l'affrètement du *Saint-Julien.* Le capitaine Provençal avait touché 400 réaux à titre de maître du navire.

14. Vigneras, « Le Voyage de Samuel de Champlain ». Les détracteurs ont fait grandement état du fait que le *Brief Discours* massacrait le nom du capitaine général Zubiaur, le général de la flotte, l'appelant parfois Soubriago. Dans son étude de l'orthographe des trois premiers manuscrits du *Brief Discours,* Laura Giraudo a démontré que le nom du général est écrit dans deux d'entre eux Subiaure et Subiaur, ce qui est très proche de l'original Zubiaur. Les variations orthographiques étaient chose courante à l'époque ; les lettres *s* et *z* étaient souvent interchangeables en espagnol et en français. Un document judiciaire de Cadix donne à Champlain le nom de Zamplen. Voir Gagnon, « Le *Brief Discours* est-il de Champlain ? », p. 86 ; et Laura Giraudo, « Les manuscrits du *Brief Discours* », dans Litalien et Vaugeois (dir.), *Champlain,* p. 67.

15. Au sujet de la contrebande à bord du *Saint-Julien* et de la participation de Zubiaur, voir Giraudo, « Rapport de recherche », p. 95.

16. WSC, 1 : 3-4. Les preuves à l'appui ont été retrouvées par Giraudo, « Rapport de recherche », p. 93-95.

17. Les détracteurs de Champlain se sont longuement étendus sur les incompatibilités chronologiques entre le *Discours* et les archives espagnoles. Champlain disait avoir quitté Blavet « au début du mois d'août ». Il disait être arrivé au cap Finisterre dix jours plus tard, avoir atteint la baie de Vigo le lendemain et en être reparti six jours après ; il avait doublé le cap Saint-Vincent trois jours plus tard et était arrivé à Cadix peu après ; il affirmait aussi être resté à Cadix un mois. Les archives espagnoles nous donnent la date du 23 août pour le départ de Blavet, le 28 août pour l'arrivée à la baie de Vigo, le 7 septembre pour le départ de la baie de Vigo, le 14 septembre pour l'arrivée à Cadix, et les dates du 14 septembre au 12 octobre 1598 pour le séjour à Cadix. Champlain s'est trompé dans son souvenir de la date de départ, mais pour la suite, toutes ses dates sont conformes à celles des archives, et il est clair qu'il décrit le même voyage. L'erreur initiale s'explique du fait que Champlain rédigeait son texte

de mémoire longtemps après les événements, sans pouvoir s'appuyer sur un journal ou un registre. Cf. WSC, 1 : 5-7 ; Vigneras, « Voyage », p. 168 ; Giraudo, « Rapport de recherche », p. 86 ; Gagnon, « Le *Brief Discours* est-il de Champlain ? », p. 86.

18. Zubiaur, rapport, 7 octobre 1598, cité dans Vigneras, « Voyage », p. 168.

19. WSC, 1 : 5.

20. Vigneras, « Voyage », p. 168-169.

21. John Cummins, *Francis Drake, The Lives of a Hero*, New York, 1995, 1997, p. 164-178 ; Julian S. Corbett, *Drake and the Tudor Navy*, 2 vol., Londres, 1892 ; Kenneth Andrews, *Drake's Voyages, a Reassessment…*, Londres, 1964.

22. WSC, 1 : 7 et planche. À propos des plans des villes espagnoles tracés par Champlain, Vigneras observe que « ces deux cartes sont exactes et semblent l'œuvre de quelqu'un qui a été sur place ». Voir Vigneras, « Voyage », p. 170.

23. Vigneras, « Voyage », p. 169, a découvert dans les archives espagnoles que le *Saint-Julien* était resté à Cadix du 14 septembre au 12 octobre et qu'il était allé s'ancrer à Sanlucar par la suite : exactement ce que Champlain a dit.

24. Au sujet de l'exactitude du plan de Champlain, voir Vigneras, « Voyage », p. 170.

25. On trouve chez Richard T. Spence, *The Privateering Earl: George Clifford, 3rd Earl of Cumberland, 1558-1605*, p. 141-175, un récit complet qui confirme la mention de ces événements chez Champlain.

26. Les nominations de Zubiaur sont corroborées par les archives espagnoles. Voir Giraudo, « Rapport de recherche », p. 95.

27. *Ibid.*, p. 95-97. Voir aussi Vigneras, « Voyage », p. 163.

28. Au sujet de la *patache d'avis*, voir WSC, 1 : 8.

29. WSC, 1 : 9 ; Giraudo, « Rapport de recherche », p. 95.

30. Giraudo, « Rapport de recherche », p. 95.

31. Les huit béatitudes dans le Sermon sur la montagne : « Bienheureux les pauvres d'esprit, ceux qui sont doux, ceux qui ont le cœur pur, les miséricordieux, les artisans de paix ; bienheureux ceux qui pleurent, ceux qui ont faim et soif de justice, et bienheureux ceux qui souffrent persécution à cause de la justice. »

32. Au sujet du mot *bizarria*, voir Pablo E. Pérez-Mallaína, *Los hombres del océano. Vida cotidiana de los tripulantes de las flotas de Indias, siglo XVI*, Séville, 1992 ; trad. anglaise Carla Rahn Phillips, *Spain's Men of the Sea: Daily Life on the Indies Fleets in the Sixteenth Century*, Baltimore, 1998, p. 1152.

33. WSC, 1 : 10.

34. *Ibid.*

35. Au sujet des six passagers clandestins, voir Vigneras, « Voyage », p. 174 ; et Gagnon, « Le *Brief Discours* est-il de Champlain ? », p. 87.

36. Gagnon, « Le *Brief Discours* est-il de Champlain ? », p. 87 ; Vigneras a découvert la liste des officiers du *San Julian*. Le nom de Champlain n'y figure pas. Don Francisco Coloma a également écrit que personne à bord du *San Julian* ne possédait de procuration des propriétaires. Laura Giraudo écrit : « L'hypo-

thèse avancée par Vigneras selon laquelle Champlain aurait entrepris le voyage comme clandestin ou dans un rôle subalterne apparaît de plus en plus probable. » Elle a trouvé d'autres preuves selon lesquelles il y avait des passagers clandestins à bord du *San Julian* ; « Rapport de recherche », p. 95.

Le statut de Champlain est éclairé par ses propres choix de termes. Champlain écrit exactement : « Mon oncle […] me commit la charge dudit vaisseau pour égard à icelui », WSC, 1 : 10. Les mots clés ici sont « charge » et « égard ». En français de l'époque, « charge » avait un sens plus général qu'aujourd'hui. Voir *Le Grand Robert, s.v.* « charge ». *Esgard* vient du verbe *esgarder,* qui veut dire « être attentif à quelque chose » ou « veiller sur quelque chose ». Le mot ne renvoie pas nécessairement à une notion de pouvoir ou d'autorité. *Esgard* ne s'emploie plus en ce sens en français moderne, mais son usage était répandu en français de l'époque.

37. Le *Brief Discours* et les archives espagnoles disent la même chose concernant le départ pour les Indes occidentales, mais les dates ne sont pas les mêmes. Gagnon écrit : « Le décalage d'un mois entre la date donnée par Champlain et la date réelle, connue par les documents officiels, reste à expliquer. » (Gagnon, « Le *Brief Discours* est-il de Champlain ? », p. 87.)

Champlain écrit que son navire a « hissé les voiles » pour l'Amérique au début de janvier 1599. Il s'agit peut-être de la date où les navires ont commencé à changer de mouillage à Sanlucar pour ensuite descendre le fleuve et aller rejoindre la flotte qui s'assemblait à l'intérieur de la barre. Selon les archives espagnoles, le *San Julian* a franchi la barre à l'embouchure du Guadalquivir le 3 février 1599, avec à son bord le pilote Adrian Garcia. Nous savons cela du fait de la somme importante versée au pilote, soit dix ducats vénitiens, ce qui laisse supposer qu'il avait passé un certain temps à bord du navire, peut-être lorsqu'il l'a piloté vers l'aval à partir de son mouillage en amont.

Les détracteurs de Champlain ont exploité à fond cette lacune, mais les deux affirmations pourraient être exactes. Les navires de la flotte avaient mouillé dans le fleuve Guadalquivir, jusqu'à quatre-vingts kilomètres en amont dans certains cas. Pendant la Seconde Guerre mondiale, des convois plus petits que la flotte des Indes espagnole mettaient des semaines à s'assembler dans le port de Halifax. Il pourrait aussi y avoir eu des retards, car les pilotes du fleuve étaient attentifs aux vents et marées autour de la barre traîtresse de Sanlucar. WSC, 1 : 10 ; Vigneras, « Voyage », p. 174 ; Gagnon, « Le *Brief Discours* est-il de Champlain ? », p. 87.

38. Pérez-Mallaína, *Spain's Men of the Sea,* p. 8-15.

39. WSC, 1 : 10. Le récit de Champlain et les archives espagnoles s'accordent sur la traversée de l'Atlantique, avec exactement les mêmes trajets de Sanlucar jusqu'à l'arrivée à l'île de La Désirade aux Indes occidentales, en passant par les Canaries. Mais on trouve ici encore une différence dans les dates. Champlain calcule que la traversée a pris soixante-six jours ; les archives espagnoles disent quarante-cinq. L'écart s'explique peut-être du fait de la différence dans les dates de départ, entre la date que donne Champlain pour le moment où

l'on a hissé les voiles dans le fleuve Guadalquivir et la date espagnole où le *San Julian* a franchi la barre. Voir WSC, 1 : 10-11 ; Vigneras, « Voyage », p. 175 ; Pérez-Mallaína, *Spain's Men of the Sea*, p. 10-11.

40. WSC, 1 : 10-11 ; Pérez-Mallaína, *Spain's Men of the Sea*, p. 10.

41. WSC, 1 : 11 ; Pérez-Mallaína, *Spain's Men of the Sea*, p. 10-11 ; Gagnon, « Le *Brief Discours* est-il de Champlain ? », p. 87.

42. WSC, 1 : 11. Nouvel écart chronologique entre le *Brief Discours* de Champlain et les archives espagnoles. Champlain calcule que la traversée a pris deux mois et six jours depuis le moment où le *San Julian* a quitté ses amarres dans le fleuve Guadalquivir. Les sources espagnoles fixent l'arrivée à l'île de La Désirade au 18 mars, ce qui donne une traversée d'un mois et quinze jours. Le *San Julian* aurait pu quitter ses amarres en amont en janvier et attendre le rassemblement de la flotte à l'embouchure du fleuve. Si c'est le cas, l'estimation de l'arrivée aux Indes occidentales par Champlain serait aussi la mi-mars, comme le confirment les archives espagnoles. Ici encore, Champlain donne la date du moment où l'on a hissé les voiles pour la première fois. Les sources espagnoles donnent la date du jour où l'on a franchi la barre.

43. Au sujet des difficultés à bord du *San Julian*, voir Vigneras, « Voyage », p. 188 ; Giraudo, « Rapport de recherche », p. 95.

44. Vigneras et Giraudo ont découvert la preuve que Coloma avait jumelé les grands navires à des pataches et, précisément au cours de ce voyage, le *San Julian* était jumelé avec la patache *Sandoval*. Vigneras a également trouvé aux archives espagnoles la preuve que Coloma s'est rendu directement à Porto Rico et que le *San Julian* marquait le pas. Toutes ces preuves trouvent leur sens si l'on en conclut que le *San Julian* a réparé ses avaries à la Guadeloupe et que ce navire et le *Sandoval* ont fait voile ensemble vers San Juan ; s'approchant des îles Vierges, les commandants ont constaté que le *San Julian* pouvait se rendre de lui-même à San Juan, et c'est alors que le *Sandoval* a été détaché pour le voyage à l'île Margarita. Les archives espagnoles confirment que la patache *Sandoval* a été envoyée à Margarita pour la livraison de perles annuelle et qu'elle a rejoint la flotte à San Juan par la suite. Tout cela rejoint le récit de Champlain. WSC, 1 : 12-13 et les textes déjà cités de Vigneras, Giraudo et Gagnon.

45. WSC, 1 : 12.

46. *Ibid.*

47. Plusieurs détracteurs ont tancé Champlain pour ses inexactitudes flagrantes dans son croquis de la Guadeloupe, y voyant la preuve que l'explorateur n'y avait jamais mis les pieds. Il est vrai que le dessin est inexact dans sa représentation de la côte échancrée de la Guadeloupe, qui donne à l'île la forme distincte d'un papillon. Champlain nous dit qu'il était de l'autre côté de l'île, et cette côte-là est représentée avec plus d'exactitude. Cela prouve une fois de plus qu'il travaillait à partir de ses propres observations et non à partir d'autres sources. Voir Vigneras, « Voyage », p. 176 ; Gagnon, « Le *Brief Discours* est-il de Champlain ? », p. 91.

48. Cette interprétation réconcilie le récit de Champlain avec la preuve découverte

par Vigneras aux archives espagnoles. Coloma s'est rendu directement à Porto Rico ; le *San Julian* marquait le pas, et la patache *Sandoval* fut dépêchée à l'île Margarita. Cf. WSC, 1 : 12-13 ; Vigneras, « Voyage », p. 176-177 et 189. Il n'y a pas nécessairement de contradiction ici, et les affirmations que fait Bishop dans son *Champlain,* p. 16-17, sont infondées.

49. WSC, 1 : 13 ; Gagnon, « Le *Brief Discours* est-il de Champlain ? », p. 83 et 87 ; R. A. Donkin, *Beyond Price: Pearls and Pearl Fishing: Origins to the Age of Discoveries,* Philadelphie, 1998.

50. WSC, 1 : 12-13 ; Clyde L. MacKenzie Jr., Luis Troccoli et Luis B. Leon, « History of the Atlantic Pearl-Oyster, *Pinctata imbricata,* Industry in Venezuela and Colombia, with Biological and Ecological Observations », *Marine Fisheries Review,* 65 (2003), p. 1-20 ; F[ernando] Cervigon, *Las perlas en la historia de Venezuela,* Caracas, 1998 ; R. A. Donkin, *Beyond Price: Pearls and Pearl Fishing.*

51. WSC, 1 : 12-14 ; Vigneras, « Voyage », p. 177 et 189 ; cf. Gagnon, « Le *Brief Discours* est-il de Champlain ? », p. 83, 87, 90-91.

52. WSC, 1 : 14.

53. *Ibid.,* 1 : 17. Voici un autre écart chronologique que les iconoclastes ont invoqué pour discréditer le *Brief Discours.* Les archives espagnoles signalent que les corsaires anglais sont partis beaucoup plus tôt ; Champlain a écrit que certains d'entre eux étaient partis à peine quinze jours avant l'arrivée des vaisseaux de don Francisco. Les archives anglaises indiquent que le comte de Cumberland est parti plus tôt, mais son second, Sir John Berkeley, est resté à San Juan pour assurer la destruction de la forteresse.

Le récit de Champlain est confirmé par Richard T. Spence, *The Privateering Earl,* p. 141-175. Le compte rendu le plus fidèle de l'attaque anglaise est celui du docteur John Layfield, professeur à Oxford, qui était l'aumônier du comte de Cumberland. Son manuscrit se trouve à la British Library, Sloane MS 3289, et a été publié en partie par S. Purchas : *Hakluytus Posthumus, or Purchas His Pilgrimes,* 20 vol., Glasgow, 1905-1907, 16 : 43-106 ; le récit du comte se trouve dans Purchas, 6 : 29-42 ; il existe aussi un récit basé sur les entrevues menées par Richard Robinson dans George Williamson, *George, Third Earl of Cumberland (1558-1605),* Cambridge, 1920, p. 177-185.

54. WSC, 1 : 15, 18-19 et 22.

55. *Ibid.,* 1 : 18 ; Vigneras, « Voyage », p. 177.

56. WSC, 1 : 19-20. Les iconoclastes n'ont vu que fantaisies dans ces récits. Champlain a peut-être décrit un bosquet d'arbres portoricains appelé le figuier de Benjamin, *Ficus benjamina,* et non le *Ficus sp.* comme le croyait Biggar. Les études modernes disent que sa « couronne dépasse tous les autres arbres de l'île », et que « ses branches innombrables forment un réseau à partir duquel surgissent d'autres troncs dotés de racines aériennes », ce que Champlain a justement observé. Le plus grand *Ficus benjamina* connu de la botanique moderne a une couronne d'environ soixante mètres. Un bosquet comme celui-là aurait pu couvrir un très grand espace. Cf. WSC, 1 : 19-22, et John K. Francis, *Champion Trees of Puerto Rico,* Rio Piedras (Porto Rico), 2001, p. 1 ;

et John K. Francis et Carol A. Lowe (dir.), *Bioecología de arboles nativos y exóticos de Puerto Rico y las Indias Occidentales,* U.S. Department of Agriculture, Forest Service, International Institute of Tropical Forestry, Rio Piedras (Porto Rico), rapport général et technique IITF-15, juin 2000.

57. Le récit que donne Champlain du partage de la flotte et de l'itinéraire de son escadre est parfaitement corroboré par les archives espagnoles. Cf. WSC, 1 : 25-31 ; Vigneras, « Voyage », p. 179-180.

58. C'est ce que dit Biggar dans WSC, 1 : 31n. Vigneras a comparé le texte de Champlain aux archives espagnoles et conclu : « L'auteur du *Brief Discours* suit avec exactitude l'itinéraire de Joannes de Urdayre, et ses croquis de Puerto Plata, Manzanillo, Mosquitos et Monte Christi semblent pris sur le vif ou sont d'excellentes copies. » Comme toujours, Vigneras ne peut s'empêcher de conclure sans assener un rude coup à Champlain ! Cf. WSC, 1 : 25-31 ; Vigneras, « Voyage », p. 179, et les preuves découvertes par Vigneras et Laura Giraudo aux archives espagnoles.

59. Le compte rendu que donne Champlain de l'itinéraire de l'escadre le long de cette côte a été confirmé par la recherche aux archives espagnoles. Cf. WSC, 1 : 25-31 ; et les découvertes aux archives de Vigneras, p. 179.

60. Vigneras (« Voyage », p. 179-180) conclut de sa recherche aux archives espagnoles que « la version qu'en donne Champlain s'accorde avec les sources espagnoles, à l'exception de quelques menus détails ».

61. Le récit de Champlain diverge des archives espagnoles au niveau de plusieurs détails, par exemple, le nombre de navires ennemis (treize selon lui, onze selon les archives). Il y a aussi divergence quant au lieu de l'affrontement. Le *Brief Discours* le situe sur le versant sud du cap Saint-Nicolas ; les sources espagnoles le placent aux Gonaïves. Quand on étudie le relief de la côte, on s'aperçoit que la divergence tient à une question de langue ; les deux récits disent essentiellement la même chose. Cf. WSC, 1 : 26-31, et Vigneras, « Voyage », p. 179-180.

62. WSC, 1 : 32.

63. WSC, 1 : 23.

64. La description que donne Champlain de la côte aride du sud de Cuba avec la Sierra Maestra qui se dresse derrière est très exacte, et je peux en témoigner pour l'avoir longée plusieurs fois. Cf. WSC, 1 : 32-33.

65. WSC, 1 : 33-34. Les détracteurs de Champlain ont avancé qu'il n'a pas pu visiter les îles Caïmans étant donné que les journaux des escadres espagnoles n'en font aucune mention : le sophisme de la preuve négative. Champlain écrit que la pause n'a duré qu'une journée. Les Caïmans se situaient directement sur leur trajet. La description que Champlain donne de la faune et de la flore est exacte. On lui a reproché d'avoir écrit que les îles Caïmans sont au nombre de six ou sept. On en compte aujourd'hui trois, les autres n'étant que des îlots. Il a pourtant noté que seulement trois îles avaient des havres. Vigneras, « Voyage », p. 181.

Le récit de Champlain a l'accent de la vérité dans la mesure où il donne des détails vivants et idiosyncratiques. Il écrit : « Nous mouillâmes l'ancre entre les îles, et y fûmes un jour. Je mis pied à terre en deux d'icelles, et vis un très beau havre fort agréable. Je cheminai une lieue dans la terre au travers des bois qui sont fort épais, et y pris des lapins qui y sont en grande quantité, quelques oiseaux, et un lézard gros comme la cuisse, de couleur grise et feuille morte. » Il a décrit la flore et la faune avec exactitude, et s'est dit fasciné par les bois profonds, les grandes quantités d'oiseaux, les « très bons fruits » et les grands iguanes des Caïmans, qui sont aujourd'hui une espèce protégée. Il a attrapé un oiseau qui ne volait pas et qui avait la grosseur d'une oie. Il a essayé de le manger : grave erreur, car il avait « fort mauvais goût ». Voilà qui témoigne de la curiosité omnivore de Champlain et de l'authenticité de son expérience. WSC, 1 : 33-34.

66. Cela est également confirmé par le *West India Pilot*, où il est dit que « le marin est attiré par les lieux de pêche indiqués sur la carte du Banc de Campeche, où quelques heures de retard sont amplement repayées par d'abondantes provisions de rascasses et de vivaneaux rouges ». *West India Pilot*, Londres, 1903, 1 : 453 ; citation de WSC, 1 : 35n.

67. Le récit du séjour de Champlain au Mexique forme la plus grande partie du *Brief Discours*, soit près de 40 % de l'ouvrage. C'est aussi le passage le plus controversé, et il a fait l'objet d'attaques virulentes des détracteurs qui avancent que, lorsque Champlain prétend avoir mis pied à terre à Vera Cruz, s'être rendu à México et avoir visité Panamá à bord d'un petit vaisseau, il donne dans la fiction ou la fausseté (Vigneras, « Voyage », p. 182-185).

En effet, il se pose ici un vrai problème de chronologie. Vigneras a trouvé à Séville des textes où il est dit que l'escadre d'Urdayre est restée à Vera Cruz environ neuf semaines, du 1er mai au 29 juin 1599. Dans sa lecture du *Brief Discours*, le navire y était pour plus de quinze semaines, peut-être dix-huit. Champlain dit qu'il a passé deux semaines à San Juan de Luz ; qu'il a passé « un mois entier » à México ; qu'il a fait un voyage de trois semaines à Portobelo ; qu'il est resté un mois à Panamá ; qu'il est rentré à San Juan de Luz (sans donner de date), et qu'il est demeuré encore quinze jours à San Juan de Luz alors que le *San Julian* était caréné et radoubé une nouvelle fois. Cela semble faire au total quinze semaines, auxquelles s'ajoute le retour de Panamá, et Vigneras calcule à ce propos quatre mois et demi. De cette lacune, Vigneras déduit que Champlain n'a pas eu le temps de passer un mois à México et un autre à Portobelo, et qu'il faut donc « rejeter un de ces voyages, peut-être les deux » (Vigneras, « Voyage », p. 183 ; WSC, 1 : 38, 66 et 70).

Mais l'analyse de Vigneras n'est pas sans lacune non plus. Le nombre de semaines dans le texte de Champlain n'est pas clair, particulièrement pour ce qui concerne le voyage à Portobelo. Vigneras part de l'hypothèse que Champlain a mis trois semaines à s'y rendre, qu'il a passé un mois à Panamá, et qu'il a mis trois semaines à en revenir, pour un total de onze ou treize semaines. Mais il n'est pas sûr que ces unités de temps sont distinctes, ou si elles se chevauchent, et Champlain n'a pas donné d'approximation pour son voyage de retour.

Il y a à peu près 1 200 milles marins entre Vera Cruz et Portobelo. À une vitesse de cinq nœuds, chaque voyage aurait pris dix jours, et Champlain aurait peut-être passé dix jours à Portobelo, pour un total de quatre ou cinq semaines, ou un mois en tout, ou même un peu moins, mais non onze ou douze semaines. C'est peut-être ce qui s'est réellement produit.

Le *Discours* de Champlain et les archives espagnoles n'emploient pas les mêmes mesures temporelles. Les Espagnols travaillaient à partir des documents et des dates du calendrier. Champlain travaillait de mémoire et comptait le temps en semaines et en mois. Il cite rarement le calendrier, et quand il le fait, il se contente de vagues références, sans donner de dates exactes. Cela a manifestement déformé son estimation du temps. Tout au long du *Discours,* Champlain a tendance à surestimer les intervalles de temps, cas manifeste de distorsion mémoriale. Par exemple, il se souvient qu'il a fallu onze jours pour aller de Blavet à la baie de Vigo ; les archives espagnoles montrent que le voyage a duré cinq jours. Dans son souvenir de la traversée de l'Atlantique de Sanlucar à La Désirade, il a fallu entre soixante-six et soixante-dix jours, dit-il ; les archives espagnoles disent quarante-cinq jours. L'écart est à peu près comparable aux estimations temporelles pour le séjour en Nouvelle-Espagne.

Cette fausse appréciation du temps semble avoir joué sur le souvenir qu'a Champlain du voyage à Portobelo et du temps qu'il a passé à San Juan de Luz. De même, les quinze jours pour la carène du *San Julian* à San Juan de Luz auraient fort bien pu coïncider avec son voyage de retour de Portobelo. Quand on corrige cette surappréciation des espaces temporels dans le récit de Champlain, et si l'on pense que certains intervalles ont pu se chevaucher, il est possible qu'il ait pu se rendre à México aussi bien qu'à Portobelo pendant les neuf semaines où son escadre mouillait à San Juan de Luz.

Gagnon propose une autre interprétation, à savoir que Champlain aurait inclus des événements dont il a été témoin et d'autres vécus par ses compagnons de navigation. Gagnon dit qu'il faut surveiller ici l'emploi qu'il fait des pronoms. Parfois il dit « je », parfois il dit « nous », pour parler des voyages faits par lui et d'autres de son escadre. Je pense que c'est une interprétation correcte, qui est importante aussi pour bien comprendre le texte de Champlain. Mais elle ne s'applique pas au voyage mexicain et à celui de Portobelo parce que les deux sont narrés à la première personne du singulier. Champlain nous fait savoir sans équivoque qu'il était là. Gagnon, « Le *Brief Discours* est-il de Champlain ? », p. 91.

68. WSC, 1 : 36.

69. *Ibid.,* 1 : 36-37.

70. Gagnon, « Le *Brief Discours* est-il de Champlain ? », p. 91 ; WSC, 1 : 66 ; les archives espagnoles confirment qu'Urdayre a ordonné au capitaine du *San Julian* de se rendre à México, et le voyage aurait pris trente-neuf jours, ce qui est très semblable à ce que Champlain a déclaré. On détient ici la preuve indubitable que Champlain est bel et bien allé à México, comme il l'a affirmé. Vigneras n'en était pas persuadé, mais ses propres recherches aux archives

espagnoles corroborent le récit de Champlain, même si son nom n'est pas mentionné explicitement.

71. WSC, 1 : 39-41.

72. *Ibid.*, 1 : 56.

73. *Ibid.*, 1 : 54.

74. WSC, 1 : 60. Vigneras a parfaitement raison de noter la prudence que montre Champlain dans ses affirmations, chose que ses détracteurs n'ont pas vue. Vigneras, « Voyage », p. 185.

75. WSC, 1 : 63-65.

76. *Ibid.*, 1 : 43.

77. *Ibid.*, 1 : 63.

78. *Ibid.*

79. Sur ces points, ses détracteurs avaient raison et Champlain se trompait. Mais ces problèmes d'exactitude sur des points précis n'entament en rien l'authenticité du texte.

80. WSC, 1 : 66-67.

81. *Ibid.*, 1 : 70.

82. *Ibid.*, 1 : 69.

83. *Ibid.*, 1 : 70-71. Le récit de Champlain est confirmé par les livres de solde mentionnant les matelots qui ont assuré le radoub le 20 juin 1599. Voir Giraudo, « Rapport de recherche », p. 26, qui cite AWI Contratación 2965. La confirmation pour la carène à San Juan de Luz apparaît également aux archives espagnoles ; mais encore une fois la chronologie fait problème.

84. WSC, 1 : 71.

85. Les archives espagnoles confirment que le navire s'est éloigné de l'escadre, qu'il était très abîmé et qu'il a gagné La Havane par chance.

86. Le récit de Champlain et les archives espagnoles concordent sur la séparation du *San Julian* de l'escadre d'Urdayre, sur les rapports selon lesquels on l'avait presque perdu, et sur l'arrivée de Coloma plus tard. Vigneras, « Voyage », p. 188.

87. Giraudo, « Rapport de recherche », p. 95.

88. WSC, 1 : 73.

89. *Ibid.*, 1 : 77.

90. *Ibid.*, 1 : 77-79.

91. À propos des problèmes d'ordre chronologique dans cette partie des voyages de Champlain, voir Morris Bishop, *Champlain: The Life of Fortitude*, New York, 1948, 1963, p. 343-344. À noter que Coloma était de retour en février 1600 ; Champlain nous dit qu'il est rentré deux ans et deux mois après son départ, ce qui nous aurait donné mars ou avril 1601.

92. Testament de Guillermo Elena, 26 juin 1601 ; Armstrong, *Champlain*, p. 275.

93. *Ibid.*

94. WSC, 1 : 208.

95. *Ibid.*, 1 : 68.

96. *Voyages* (1632), WSC, 3 : 314 ; à noter la coïncidence avec le récit des Indes occidentales et le rapport personnel avec le roi.
97. *Voyages* (1632) ; WSC, 3 : 315.
98. WSC, 4 : 362.

II L'EXPLORATEUR DE L'ACADIE

CHAPITRE 6 • GÉOGRAPHE AU LOUVRE

1. WSC, 3 : 293-294.
2. Philippe Erlanger, *La Vie quotidienne sous Henri IV,* Paris, 1958, p. 69 ; au sujet de la présence de Champlain à la cour, voir WSC, 3 : 314-316.
3. Cité par Erlanger, *La Vie quotidienne,* p. 70.
4. Au sujet de la composition de la maison royale en 1602, voir la liste contemporaine du Public Record Office, « Officiers de la couronne », Public Record Office, SP 78/44, folio 404 ; cette source et d'autres sont citées par David Buisseret, *Henry IV,* Londres, 1984, p. 94-105. Les praticiens de l'histoire sociale ont réalisé de nombreux travaux analytiques très intéressants sur les cours de Louis XIV, Louis XV et Louis XVI. Voir Emmanuel Le Roy Ladurie, *Saint-Simon and the Court of Louis XIV,* Chicago, 2001 [*Saint-Simon ou le Système de la Cour*] ; William R. Newton, *L'Espace du roi. La cour de France au Château de Versailles, 1682-1789,* Paris, 1999 ; et Newton, *La Petite Cour. Services et serviteurs à la Cour de Versailles,* Paris, 2006. La cour d'Henri IV était plus restreinte que celle de Louis XIV mais semblable dans de nombreux éléments de sa structure et de sa fonction.
5. Louis Battifol, *Le Louvre sous Henri IV et Louis XIII. La vie de la cour de France au XVIᵉ siècle,* Paris, 1930, p. 13 ; Michel Carmona, *Le Louvre et les Tuileries. Huit siècles d'histoire,* Paris, 2004, p. 75-80.
6. Jean-Pierre Babelon, *Henri IV,* Paris, 1982, p. 814-817 ; Babelon, « Les travaux de Henri IV au Louvre et aux Tuileries », *Paris et Île de France Mémoires,* 29 (1978), p. 55-130 ; Battifol, *Le Louvre sous Henri IV et Louis XIII* ; Jacques Thuillier, « Peinture et politique : une théorie de la galerie royale sous Henri IV », *Études d'art français offertes à Charles Sterling,* Paris, 1975 ; Michel Carmona, *Le Louvre et les Tuileries,* p. 71-108.
7. Buisseret, *Henry IV,* p. 94 ; Bertrand de Jouvenel, *Du Pouvoir. Histoire naturelle de sa croissance,* Genève, 1945, Paris, 1972.
8. Buisseret, *Henry IV,* p. 94-95.
9. Keith Thomas a rédigé des textes magnifiques, encore inédits, sur le thème de la mode et du changement au début de l'ère moderne.
10. Buisseret, *Henry IV,* p. 94 et 96 ; il cite des listes contemporaines figurant à la Bibliothèque nationale de France, Collection Clairambault, 837, folio 3225-3349 ; AN KK 151, 152, 153 ; également « Officiers de la couronne », Public Record Office, SP 78/44, folio 404.

11. David Buisseret, *The Mapmaker's Quest: Depicting New Worlds in Renaissance Europe*, Oxford, 2003, p. 64, 67, 116, 131, 139 et *passim*. Voilà un excellent ouvrage, d'une grande érudition, signé par un expert de la cartographie ancienne doublé d'un biographe d'Henri IV. Il est essentiel à la compréhension de la carrière de Champlain et fait entrevoir l'activité déployée par Henri IV en faveur de la géographie et de la cartographie. L'auteur décrit également le contingent d'experts géographes et de cartographes dont s'entourait le roi, par exemple Claude de Chastillon et Pierre Fougeu, et d'arpenteurs et de fabricants d'instruments comme Philippe Danfrie au Louvre.

12. Marc Lescarbot dit de Champlain qu'il est « géographe du roi » dans son *Histoire de la Nouvelle-France*, 2ᵉ édition, révisée, corrigée et augmentée, Paris, 1611, p. 612, John Carter Brown Library. Marcel Trudel est sceptique : « Était-il *géographe du roi*, comme le saluera Lescarbot dans un sonnet de 1607 ? Nulle part Champlain ne porte ce titre et personne d'autre que Lescarbot ne le lui donne ; rien n'établit que Champlain, tout en agissant en géographe, ait occupé le poste officiel de géographe du roi. » Marcel Trudel, *Histoire de la Nouvelle-France*, Montréal, 1963, 1 : 258. Le mot n'apparaît pas dans le sonnet de Lescarbot mais figure dans la seconde édition de son histoire de la Nouvelle-France déjà citée.

    Trudel a raison pour ce qui est du titre officiel de *géographe du roi*, mais Buisseret écrit que nombre de géographes, cartographes et spécialistes des sciences connexes étaient à l'emploi du roi et occupaient des appartements au Louvre. Nous avons la preuve que Champlain recevait une pension annuelle du roi de six cents livres et qu'il était au Louvre à cette époque, et Champlain lui-même a écrit que le roi désirait le garder « auprès de sa personne ». Buisseret écrit que « le roi fut un mécène important pour Samuel de Champlain, qui bientôt allait dessiner ses cartes remarquables de l'Amérique du Nord ». Voir Buisseret, *The Mapmaker's Quest*, p. 64, 92-95. J'en conclus que Trudel a raison de dire que Champlain n'était pas *géographe du roi* en titre, mais Buisseret et Lescarbot sont également en droit de dire qu'il était l'un des nombreux *géographes du roi* à œuvrer dans les caves du Louvre, sous la Grande Galerie.

13. Un portrait biographique de Champlain dans *Biographie Saintonge* de 1852 dit que Champlain avait été armateur à Dieppe pendant ces années ; voir aussi Morris Bishop, *Champlain: The Life of Fortitude*, New York, 1948, 1963, p. 37.

14. WSC, 3 : 260.

15. Guilheume Allene [*sic*], Contrat, 7 novembre 1570, folios 709-710, Archives départementales de la Charente-Maritime ; reproduit dans Pauline Arseneault, « L'Acadie de Champlain : de l'Arcadie à la Chine », dans Raymonde Litalien et Denis Vaugeois (dir.), *Champlain. La naissance de l'Amérique française*, Sillery, 2004, p. 114-120.

16. Samuel E. Morison, *Samuel de Champlain: Father of New France*, New York, 1972, p. 24-25.

17. Les spécialistes de l'archéologie sous-marine ont réchappé certains de ces bateaux du XVIᵉ siècle au large des côtes du Labrador. Ils sont remarquablement

semblables aux baleiniers de Nantucket et de New Bedford du XIXe siècle. Voir James A. Tuck et Robert Grenier, *Red Bay, Labrador, World Whaling Capital A.D., 1550-1600*, St. John's (Terre-Neuve), 1989, p. 36-37.

18. WSC, 1 : 463 ; 3 : 415 ; Lescarbot, *History of New France*, 2 : 362 [*Histoire de la Nouvelle-France*] ; Cartier avait lui aussi croisé des pêcheurs basques dès 1534 et 1535. Voir également Tuck et Grenier, *Red Bay, Labrador,* p. 2-3.

19. Robert Le Blant et René Baudry, *Nouveaux Documents sur Champlain et son époque,* Ottawa, 1967, p. xxvii.

20. René Bélanger, *Les Basques dans l'estuaire du Saint-Laurent, 1535-1635,* Montréal, 1971 ; Laurier Turgeon, « Pêcheurs basques et indiens des côtes du Saint-Laurent au XVIe siècle : perspectives de recherches », *Études canadiennes/Canadian Studies,* 13 (1982), p. 9-14 ; Turgeon, « Pêches basques en Atlantique Nord (XVIIe-XVIIIe siècles) : étude d'économie maritime », Bordeaux, thèse de doctorat, 1982, et les nombreux essais de Selma Barkham, dont « The Basques: Filling a Gap in Our History between Jacques Cartier and Champlain », *Canadian Historical Journal,* 96 (1978), p. 8-19 ; « The Documentary Evidence for Basque Whaling Ships in the Strait of Belle Isle », dans G. M. Story (dir.), *Early European Settlement and Exploitation in Atlantic Canada: Selected papers,* St. John's (Terre-Neuve), 1982, p. 53-95 ; « The Basque Whaling Establishment in Labrador, 1536-1632: A Summary », *Arctic,* 37 (1984), p. 515-519 ; « A Note on the Strait of Belle Isle during the Period of Basque Contact with Indians and Inuit », *Études/Inuit/Studies,* 4 (1980), p. 51-58.

21. Peter Bakker, « A Basque Etymology for the Word "Iroquois" », *Man in the Northeast,* 40 (1990), p. 89-93 ; Bakker, « The Language of the Coast Tribes is Half Basque: A Basque-Amerindian Pidgin in Use between Europeans and Native Americans in North America, ca. 1540-ca. 1640 », *Anthropological Linguistics,* 31 (1989), p. 117-141 ; G. M. Day, « Iroquois, An Etymology », *Ethnohistory,* 15 (1968), p. 389-402 ; et I. Goddard, « Synonymy », dans B. G. Trigger (dir.), *Handbook of North American Indians, Northeast,* Washington, 1978, 15 : 319-321.

22. WSC, 1 : 228.

23. *Ibid.,* 3 : 261.

24. Ramsay Cook (dir.), *The Voyages of Jacques Cartier,* Toronto, 1993, p. xxv-xli et *passim* ; Gustave Lanctot, *A History of Canada,* Toronto, 1963, p. 55. [*Histoire du Canada*].

25. Au sujet de l'enlèvement de Donnacona et de ses fils, voir Cook (dir.), *The Voyages of Jacques Cartier,* p. xxxviii-xxxix. Voir aussi Roland Tremblay, *Les Iroquoiens du Saint-Laurent. Peuple du maïs,* Montréal, 2006, p. 100-111.

26. Cook (dir.), *The Voyages of Jacques Cartier,* p. xli, où l'on trouve plus de détails sur la méfiance à l'égard de Cartier.

27. WSC, 6 : 193 ; 3 : 298-299 ; 1 : 227 ; H. P. Biggar (dir.), *The Voyages of Jacques Cartier,* Ottawa, 1924 ; *A Collection of Documents relating to Jacques Cartier and the Sieur de Roberval,* Ottawa, 1930 ; Lanctot, *A History of Canada,* 1 : 52-75. [*Histoire du Canada*].

28. WSC, 3 : 264.

29. *Ibid.*, 3 : 265-266.

30. *Ibid.*, 3 : 268-269.

31. *Ibid.*, 3 : 290-291.

32. *Ibid.*, 3 : 275.

33. *Ibid.*, 2 : 289-291.

34. Marq de Villiers et Sheila Hirtle, *Sable Island*, New York, 2004, p. 2-10, 123-133.

35. Joseph de Ber (dir.), « Un document inédit sur l'île de Sable et le Marquis de La Roche », *Revue d'histoire de l'Amérique française*, 2 (1948-1949), p. 199-213 ; Lescarbot, *History of New France*, 2 : 398-405 [*Histoire de la Nouvelle-France*] ; Dionne, *Samuel Champlain*, appendice, p. 354-360.

36. Lescarbot, *History of New France*, p. 194-195 [*Histoire de la Nouvelle-France*] ; Lanctot, *A History of Canada*, [*Histoire du Canada*] ; Trudel, *Histoire de la Nouvelle-France*, 1 : 231-233 ; Bishop, « The Marquis de La Roche and Sable Island », dans *Champlain*, p. 347-349 ; Gustave Lanctot, « L'Établissement du Marquis de La Roche à l'Île de Sable », *Rapport de la Société historique du Canada, 1933*, p. 33-37 ; Charles Bréard et Paul Bréard, *Documents relatifs à la Marine normande et à ses armements aux XVIe et XVIIe siècles*, Rouen, 1889, p. 79-83.

37. WSC, 3 : 302-304.

38. Ce Pierre de Chauvin ne saurait être confondu avec le capitaine Pierre Chauvin de La Pierre (var. Chavin) de Dieppe, que Champlain nomma commandant intérimaire à Québec en 1609-1610. Au sujet de Dieppe et de l'Amérique du Nord et des deux Chauvin, voir Pierre Ickowicz et Raymonde Litalien, *Dieppe-Canada : cinq cents ans d'histoire commune*, Dieppe, 2004, p. 14 et suivantes.

39. WSC, 3 : 311.

40. *Ibid.*, 3 : 308.

41. *Ibid.*, 3 : 305-312.

42. *Ibid.*, 3 : 310 ; Bréard et Bréard, *Documents relatifs à la Marine normande*, p. 65-92.

43. WSC, 3 : 293-294.

44. *Ibid.*, 2 : 294-295.

45. *Ibid.*, 3 : 302-304.

46. H. P. Biggar, *The Early Trading Companies of New France*, 1901, 1937, Clifton (New Jersey), 1972, p. 45-49.

47. WSC, 1 : 229 ; 3 : 312-318 ; 6 : 194.

48. *Ibid.*, 3 : 313.

49. *Ibid.*, 3 : 313-314.

50. *Ibid.*, 3 : 315.

51. *Ibid.*, 3 : 316.

CHAPITRE 7 • TADOUSSAC

1. Alain Beaulieu, « La naissance de l'alliance franco-amérindienne », dans Raymonde Litalien et Denis Vaugeois (dir.), *Champlain. La naissance de l'Amérique française,* Sillery, 2004, p. 160.
2. WSC, 3 : 315-316.
3. WSC, 5 : 92-93 et 198 ; 3 : 316 ; Morris Bishop, *Champlain: The Life of Fortitude,* New York, 1948, 1963, p. 38 ; Samuel E. Morison, *Samuel de Champlain: Father of New France,* New York, 1972, p. 23.
4. D'Aumont à Henri IV, 3 juillet 1594, dans Robert Le Blant et René Baudry, *Nouveaux Documents sur Champlain et son époque,* Ottawa, 1967, p. 15-16.
5. WSC, 3 : 305.
6. *Ibid.,* 4 : 363.
7. Bishop, *Champlain,* p. 39 ; Joe C. W. Armstrong, *Champlain,* Toronto, 1987, p. 39 ; WSC, 1 : 98.
8. Ces navires sont décrits en détail dans les actes notariés des 18 et 24 février et des 10 et 12 mars 1603, Charles Bréard et Paul Bréard, *La Marine normande aux XVIᵉ et XVIIᵉ siècles pour le Canada, l'Afrique, les Antilles, le Brésil et les Indes,* Rouen, 1889, p. 99-101.
9. *Idem.*
10. Pour plus de détails sur les desseins de Champlain, voir Alain Beaulieu et Réal Ouellet (dir.), *Des Sauvages,* Montréal, 2002, p. 36-37.
11. WSC, 3 : 316. Pour l'envoi des bateaux préfabriqués, voir William A. Baker, *The Mayflower and Other Colonial Vessels,* Londres, 1983, p. 65-74. On trouvera une description des chaloupes transportées en pièces détachées dans le récit que donne le capitaine John Smith de son premier voyage en Virginie, et dans *Mourt's Relation,* un journal relatant l'aventure des pèlerins de Plymouth.
12. WSC, 1 : 92.
13. *Idem.*
14. WSC, 1 : 92-94 ; Morison, *Samuel de Champlain,* p. 27.
15. WSC, 3 : 316.
16. *Ibid.,* 1 : 105-106. Certains historiens croient que ce campement était tout petit, et que le grand groupe s'était formé en réaction à l'arrivée des Français. Mais Champlain écrit en toutes lettres : « Ils étaient au nombre de mille personnes, tant hommes que femmes et enfants. Le lieu de la pointe de Saint-Mathieu, où ils étaient premièrement cabanés, est assez plaisant. »
17. Eleanor Leacock, « Seventeenth-Century Montagnais Social Relations and Values », et Edward S. Rogers et Eleanor Leacock, « Montagnais-Legaspi », dans June Helm (dir.), *Handbook of North American Indians,* 6 : *Subarctic,* Washington, 1981, p. 169-189, 190-195 ; notes et documents du Musée canadien de la civilisation, Gatineau, Québec ; conversations avec Martin Gagnon, ethnographe et historien de la nation montagnaise au Centre culturel innu de la réserve Essipit.
18. WSC, 1 : 103. Champlain parle toujours de nations et jamais de tribus, et il a

noté ainsi leurs noms : « Montagnes, Estechemins & Algoumekins ». Certains chercheurs se sont demandé si les trois nations étaient présentes ou s'il s'agissait exclusivement d'un regroupement de Montagnais. Alain Beaulieu conclut qu'il s'agissait de trois nations. Absolument d'accord : je m'en remets aux termes qu'emploie Champlain, aux chiffres qu'il cite dans les deux passages, à l'emplacement de la réunion par rapport aux foyers de ces nations et à la description de la tabagie. Voir Beaulieu, « La naissance de l'alliance franco-amérindienne », p. 15-62.

19. Camil Girard et Édith Gagné, « Première alliance interculturelle. Rencontre entre Montagnais et Français à Tadoussac en 1603 », *Recherches Amérindiennes au Québec,* 25 (1995), p. 3-14.

20. Anadabijou était-il un nom ou un titre ? Certains passages chez Champlain laissent supposer qu'il s'agissait d'un titre ; d'autres, que c'était son nom. Pour en savoir davantage, voir Beaulieu, « La naissance de l'alliance franco-amérindienne ». Au sujet de la longueur de la cabane, voir WSC, 1 : 101, où Champlain dit qu'« il y avait huit ou dix chaudières, pleines de viande au milieu de ladite cabane, et étaient éloignées les unes des autres quelques six pas, et chacune a son feu » ; voir aussi Victor Tremblay, « Anadabijou », *Saguenayensia,* septembre-octobre 1959, p. 98-101.

21. WSC, 1 : 99-101.

22. *Ibid.,* 1 : 101.

23. *Ibid.,* 1 : 104.

24. *Ibid.,* 1 : 104.

25. *Ibid.,* 1 : 108-109 et 118.

26. *Ibid.,* 1 : 109-111.

27. *Ibid.,* 1 : 110.

28. Les historiens en sont venus à des conclusions divergentes quant à la nature de cet événement. Les premiers auteurs y voyaient une entente portant sur la traite des fourrures et l'exploration. Benjamin Sulte, en 1882, a peut-être été le premier à y voir une alliance entre Français et Indiens. L'abbé Tremblay y voyait plus qu'une alliance, un « traité ». Marcel Trudel préfère parler d'une « entente » plutôt que d'un traité ou d'une alliance officielle. Olive Patricia Dickason parle d'une « alliance selon le rituel amérindien », affirmant que c'était aussi l'idée que Champlain s'en faisait. Je crois que cette dernière interprétation est juste. Cette entente officieuse, ancrée dans les rituels indiens, s'est avérée plus durable que bien des traités ou pactes officiels de type européen. Pour plus de détails, voir Girard et Gagné, « Première alliance interculturelle », p. 5-9.

29. Marcel Trudel, *Histoire de la Nouvelle-France. Les vaines tentatives, 1524-1603,* Montréal, 1963, p. 260-261 ; Beaulieu et Ouellet, dans leur excellente édition de *Des Sauvages* de Champlain, p. 11-60. Ma femme, Judy, et moi avons beaucoup appris de nos conversations du 7 août 2007 avec Jacques Martin, à sa maison près de la pointe aux Alouettes (aussi appelée la pointe Saint-Mathieu de Champlain), sur le Saguenay. Martin connaît intimement les lieux, les acteurs et l'événement. Il vit le rêve de Champlain et d'Anadabijou, tout comme nous,

il se voue à la préservation de son souvenir, et il nous a montré certains artefacts qu'il a trouvés dans la région.

30. Marcel Trudel, « Bâtir une Nouvelle-France plutôt sur l'axe Tadoussac-Baie d'Hudson ? », *Mythes et réalités dans l'histoire du Québec,* Montréal, 2001, p. 39-47.

31. *Ibid.,* p. 39-48.

32. Les sondages de Champlain figurent sur sa carte, « Port de Tadoussac », reproduite dans WSC, 2 : 19 sur la page en regard ; également dans *ibid.,* 2 : 16 ; 1 : 96-97, 121-124 ; si l'on en croit les sondages du XXᵉ siècle, le Saguenay n'est plus aussi profond de nos jours. Des riverains nous ont dit que des sédiments s'étaient accumulés dans le fond jusqu'à une hauteur de 152 mètres près de l'embouchure.

33. *Ibid.,* 2 : 16-19 ; Pierre Béland, *Beluga: A Farewell to Whales,* New York, 1996, p. 32-49.

34. WSC, 1 : 96-97.

35. *Ibid.,* 2 : 19.

36. *Ibid.,* 2 : 18.

37. Trudel, « L'axe Tadoussac », p. 41.

38. WSC, 1 : 96-97.

39. WSC, (1632), 3 : 316.

40. WSC, 1 : 137.

41. *Ibid.,* 1 : 127.

42. *Ibid.,* 1 : 129.

43. *Ibid.,* 1 : 131-132.

44. *Ibid.,* 1 : 137.

45. *Ibid.,* 1 : 135.

46. *Ibid.,* 1 : 138, 140-141.

47. *Ibid.,* 1 : 149 ; 3 : 316-317.

48. *Ibid.,* 1 : 151.

49. *Ibid.*

50. *Ibid.,* 1 : 152.

51. *Ibid.,* 1 : 156.

52. *Ibid.,* 1 : 153-156.

53. *Ibid.,* 1 : 180-185 ; Carl O. Sauer, *Northern Mists,* Berkeley (Californie), 1970, p. 78.

54. Morison, *Samuel de Champlain,* p. 32.

55. *Idem.*

56. Samuel de Champlain, *Des Sauvages, ou, Voyage de Samuel Champlain, de Brouage, fait en la France nouvelle en l'an mil six cens trois,* Paris, chez Claude de Monstr'œil, tenant sa boutique en la Cour du Palais, au nom de Jésus, avec privilège du Roy, 1603. Une édition moderne, l'œuvre d'Alain Beaulieu et de Réal Ouellet, a été publiée par Les Messageries de Montréal en 1993. L'édition bilingue anglais-français est dans WSC, 1 : 181-189.

57. Alain Rey *et al.* (dir.), *Le Grand Robert de la langue française,* 6 vol., Paris, 2001, 6 :

213 et suivantes, *s.v.* « sauvage ». Pour plus de détails, lire Peter N. Moogk, *La Nouvelle France: The Making of French Canada, A Cultural History*, East Lansing (Michigan), 2000, p. 17 et suivantes ; également Gervais Carpin, *Histoire d'un mot. L'ethnonyme* Canadien *de 1535 à 1691*, Sillery, 1995, chapitre 2, « Le Canadien nommant le "Sauvage" », p. 25-66 ; et Olive Patricia Dickason, *The Myth of the Savage and the Beginnings of French Colonialism in the Americas*, Edmonton, 1984.

58. WSC, 1 : 110.

59. *Ibid.*, 3 : 81 et suivantes, 91n ; 169-172 ; 4 : 267, 275, 335.

60. Marc Lescarbot, *History of New France*, 3 vol., Toronto, 1907, 1 : 32-33 [*Histoire de la Nouvelle-France*] ; WSC, 1 : 308.

61. WSC, 1 : 110.

62. *Ibid.*, 1 : 110.

63. *Ibid.*, 1 : 111 et 117.

64. *Ibid.*, 1 : 111.

65. *Ibid.*, 1 : 111.

66. *Ibid.*, 3 : 222 ; Bruce Trigger a écrit à propos de Champlain : « Croyant que tout pouvoir ne pouvait provenir que d'un échelon supérieur, il ne comprenait absolument pas que la structure politique des Indiens reposait sur le consensus de la communauté, et que les chefs indiens, ne disposant pas d'un pouvoir unilatéral de décision, ne pouvaient rien sans l'approbation de chacun de leurs sujets. », Trigger, *Les Indiens, la fourrure et les Blancs. Français et Amérindiens en Amérique du Nord*, trad. Georges Khal, Montréal, 1990, p. 178. C'est Trigger qui n'a rien compris. Champlain a noté à maintes reprises que les chefs détenaient très peu d'autorité au sens européen du terme. Cette observation revient sous sa plume depuis 1603 jusqu'à la fin de ses jours, et sa politique amérindienne prenait souvent en compte le consensus qui fonde les mœurs politiques des Indiens.

67. WSC, 1 : 119.

68. *Ibid.*, 3 : 13.

69. *Ibid.*, 3 : 17.

CHAPITRE 8 • L'ÎLE SAINTE-CROIX

1. WSC, 1 : 307.

2. *Ibid.*, 3 : 317.

3. On n'a pas retrouvé de traces du « discours fort particulier » ni de la carte manuscrite qui fut remise à Henri IV en 1603. Le discours devait probablement faire état de la tabagie de Tadoussac et des perspectives d'établissement dans la vallée du Saint-Laurent. Le tout aurait été fort différent du texte *Des Sauvages*. Champlain avait explicitement reçu du sieur de Chaste et du roi l'ordre de soumettre un tel document (WSC, 3 : 318).

La carte se focalisait probablement sur le fleuve Saint-Laurent. Champlain devait écrire plus tard : « Je fis la carte fort exactement de ce que je vis, que je fis graver en l'an 1604, qui depuis a été mise en lumière aux discours de mes premiers voyages [en 1612]. » On n'a retrouvé aucune carte gravée par Champlain en 1604. Sa carte de 1612 illustre ses observations dans la vallée du Saint-Laurent et les témoignages des Indiens à propos des Grands Lacs. Elle contient aussi beaucoup d'informations supplémentaires sur l'Acadie et la Norembègue que Champlain avait recueillies lors de ses voyages sur la côte de 1604 à 1606. La carte de 1612 était vraisemblablement basée sur la carte manuscrite de 1603 et la gravure de 1604, avec des additions provenant des voyages subséquents. Voir WSC, 3 : 411 et 318, et l'explication que renferme l'excellent ouvrage de C. E. Heidenreich, *Explorations and Mappings of Samuel de Champlain, 1602-1632,* Toronto, 1976, p. 2-4 ; monographie 17 de *Cartographica* ; également publiée sous forme de supplément au *Canadian Cartographer,* 13 (1976).

4. WSC, 3 : 318.

5. Jean Liebel, *Pierre Dugua, sieur de Mons, fondateur de Québec,* Québec, 1999, p. 75, citant un manuscrit de la Bibliothèque nationale de France, n. acq. fr. 9281, folio 2, recto ; voir aussi Guy Binot, *Pierre Dugua de Mons,* Royan, 2004, p. 66-70. Certains des principaux documents ont été publiés sous le titre *Commissions du Roy et de Monseigneur l'Admiral au sieur de Monts, pour l'habitation ès terres de Lacadie, Canada, et autres endroits en la nouvelle France. Ensemble les défenses premières et secondes à tous autres de trafiquer avec les Sauvages desdites terres. Avec la vérification en la Cour de Parlement à Paris,* Paris, 1605 ; facsimilé publié à Bar Harbor (Maine), 1915 ; également, *Collection de manuscrits contenant lettres, mémoires, et autres documents historiques relatifs à la Nouvelle-France, recueillis aux Archives de la Province de Québec ou copiés à l'étranger,* 4 vol., Québec, 1883, 1 : 40-49. Ces sources primaires et d'autres sur la nomination du sieur de Mons figurent aussi dans Binot, *Pierre Dugua de Mons,* p. 247-255 ; voir également William Inglis Morse (dir.), *Pierre du Gua, sieur de Monts: Records Colonial and "Saintongeois",* Londres, 1939, p. 4-13.

6. Binot, *Pierre Dugua de Mons,* p. 60.

7. WSC, 1 : 231.

8. Au sujet de l'association de Champlain avec ces trois hommes — Pierre Jeannin (1540-1622 ?), Nicolas Brûlart, marquis de Sillery (1544-1624) et Charles II de Cossé-Brissac (vers 1550-1621) — voir WSC, 1 : 3 ; 2 : 243 et 257 ; à propos des hommes eux-mêmes, voir Pierre Saumaise, *Éloge sur la vie de Pierre Janin,* Dijon, 1623 ; Henri Ballande, *Rebelle et conseiller de trois souverains : le président Jeannin (1542-1643),* Paris, 1981 ; L. E. Bois, *Le Chevalier Noël Brûlart de Sillery, Étude Biographique,* nouvelle édition corrigée, Québec, 1871 ; tout le texte de ce livre est accessible en ligne sur OurRoots/NosRacines.ca ; il s'agit du fils de Nicolas Brûlart de Sillery ; voir aussi Pierre Cossé, *Les Brissac et l'histoire,* Grasset, 1973 ; et Cossé, *Les Brissac,* Farquelle, 1952.

9. WSC, 3 : 320.

10. *Ibid.,* 3 : 320-321 ; Guy Binot, Saintongeais lui aussi, a noté que De Mons était attiré par l'Acadie, pays « plus méridional, situé sur la même latitude que sa Saintonge natale ». *Pierre Dugua de Mons,* p. 65.

11. Samuel E. Morison, *Samuel de Champlain: Father of New France*, New York, 1972, p. 35.

12. Elizabeth Jones, *Gentlemen and Jesuits: Quests for Glory and Adventure in the Early Days of New France*, Toronto, 1986, p. 19.

13. Ernest H. Wilkins, « Arcadia in America », *APS Proceedings*, 101 (1957), p. 4-30 ; Carl O. Sauer, *Seventeenth-Century North America*, Berkeley (Californie), 1980, p. 77 ; Andrew H. Clark, *Acadia: The Geography of Early Nova Scotia to 1760*, Madison (Wisconsin), 1968, p. 71n.

14. Le texte de la commission figure dans Morse (dir.), *Pierre Du Gua, sieur de Monts*, p. 4-6.

15. De Mons, « Articles proposés le 6 novembre 1603 », dans *Collection de manuscrits contenant lettres, mémoires, et autres documents historiques relatifs à la Nouvelle-France*, 1 : 40-43.

16. Réponse aux « Articles proposés le 6 novembre 1603 », *ibid.*, 1 : 40-43.

17. « Commission du 8 novembre 1603 » ; « Remonstrances par le sieur de Mons, 18 décembre 1603 », Bibliothèque nationale, Dupuy, vol. 318, p. 107-108r ; pour plus de détails, voir Binot, *Pierre Dugua de Mons*, p. 65-67 ; Liebel, *Pierre Dugua, sieur de Mons*, p. 78-83 ; Marcel Trudel, *Histoire de la Nouvelle-France*, Montréal, 1963, 2 : 9-11.

18. Binot, *Pierre Dugua de Mons*, p. 68.

19. Walter Isaacson et Evan Thomas, *The Wise Men*, New York, 1986. Dans la littérature pourtant foisonnante sur les pères fondateurs de l'Amérique, personne n'a fait le lien entre les misères qu'ils avaient connues et leurs idéaux élevés. À ces deux générations, on pourrait ajouter les cercles qui s'étaient formés autour d'Élisabeth Ire en Angleterre et d'Henri IV en France.

20. Documents datés du 17 janvier et du 25 janvier 1604 dans Henri Matisse, *Notes pour servir à l'histoire, à la bibliographie, et à la cartographie de la Nouvelle-France et des pays adjacents, 1545-1700*, Paris, 1872, p. 280-282 ; et Édouard Gosselin, *Nouvelles Glanes historiques normandes puisées exclusivement dans des documents inédits*, Rouen, 1873 ; Trudel, *Histoire de la Nouvelle-France*, 2 : 14.

21. « The Two Monopolies of Monts », H. P. Biggar, *The Early Trading Companies of New France*, 1937, rééd. Clifton (New Jersey), 1937, p. 51-55 ; Trudel, *Histoire de la Nouvelle-France*, 2 : 14-15 ; Contrat du 19 février 1604 dans Gosselin, *Nouvelles Glanes*, p. 24-29 ; Binot, *Pierre Dugua de Mons*, p. 81-82 ; Liebel, *Pierre Dugua, sieur de Mons*, p. 85-93 ; « Association de Samuel Georges et Jean Macain à la compagnie de Pierre du Gua, sieur de Mons », 10 février 1604, et autres documents connexes de la même date dans Robert Le Blant et René Baudry (dir.), *Nouveaux Documents sur Champlain et son époque*, Ottawa, 1967, 1 : 80-85.

22. WSC, 3 : 321.

23. Liebel, *Pierre Dugua, sieur de Mons*, p. 105 ; Trudel, *Histoire de la Nouvelle-France*, 2 : 63, 465 et 486 ; Marc Lescarbot, *History of New France*, Toronto, 1907, 3 : 231 [*Histoire de la Nouvelle-France*].

24. Adrien Huguet, *Jean de Poutrincourt, fondateur de Port-Royal en Acadie, Vice-Roi*

du Canada, 1557-1615 : campagnes, voyages et aventures d'un colonisateur sous Henri IV, Amiens et Paris, 1932, p. 154-172. Le titre est inexact : Poutrincourt ne fut jamais vice-roi du Canada ou de la Nouvelle-France, mais ce livre demeure l'étude la plus complète qui soit sur Poutrincourt.

25. Lescarbot, *History of New France,* 2 : 27, 228 [*Histoire de la Nouvelle-France*] ; WSC, 1 : 234, 277 et 391 ; Trudel, *Histoire de la Nouvelle-France,* 2 : 24. Ce Boullay ou Boulet ne saurait être confondu avec Eustache Boullé, le futur beau-frère de Champlain, qui joua un rôle important dans les voyages subséquents. Cf. Biggar, qui se trompe, dans WSC, 1 : 247n ; et Trudel, *Histoire de la Nouvelle-France,* 2 : 24n, qui rétablit les faits.

26. Charles Bréard et Paul Bréard, *Documents relatifs à la Marine normande et à ses armements aux XVIᵉ et XVIIᵉ siècles,* Rouen, 1889, p. 56 et 102 ; WSC, 1 : 230, 276n et 363 ; Lescarbot, *History of New France,* 2 : 227 et 253 [*Histoire de la Nouvelle-France*] ; Liebel, *Pierre Dugua, sieur de Mons,* 1999, p. 123.

27. La liste la plus complète figure dans le croquis que Champlain a tracé de l'île Sainte-Croix. On trouve aussi des références éparses à ces personnes dans les écrits de Champlain et Lescarbot. Au sujet du sieur Ralluau, voir WSC, 1 : 239 et *passim.*

28. Trudel, *Histoire de la Nouvelle-France,* 2 : 34 ; WSC, 1 : 246-247.

29. Liebel, *Pierre Dugua, sieur de Mons,* p. 98.

30. WSC, 1 : 233 ; 3 : 321.

31. Trudel, *Histoire de la Nouvelle-France,* 2 : 34 et 36.

32. Une procuration de Pierre du Gua pour Mathieu De Coste le dit « nègre » ou « naigre ». De Mons avait obtenu ses services d'un certain Nicolas de Bauquemare, marchand à Rouen ; voir la Déclaration de Nicolas de Bauquemare au sujet du nègre Mathieu De Coste pour ses services « de Canada Cadie et ailleurs… Canada, Acadie, et Nouvelle France » ; Le Blant et Baudry (dir.), *Nouveaux Documents,* p. 105-106, 194, 195, 203, 212, 235 et 388. Au sujet de son enlèvement et de sa rançon, voir Morse (dir.), *Pierre du Gua, sieur de Monts,* p. 51 ; et Le Blant et Baudry, *Nouveaux Documents,* 1 : 196. Morison a massacré son nom en l'écrivant « d'Acosta » et écrit avec mépris qu'il « avait réussi, on se demande comment, à apprendre les langues indiennes et […] causé moult ennuis à ses maîtres », p. xxvi.

33. WSC, 1 : 253-254 et 275 ; Lescarbot, *History of New France,* 2 : 232, 242-244 et 247 ; 3 : 45 et 130 [*Histoire de la Nouvelle-France*].

34. Trudel, *Histoire de la Nouvelle-France,* 2 : 25 ; WSC, 3 : 327 ; Gabriel Sagard, *Histoire du Canada,* 1636, 1 : 9.

35. Liebel, *Pierre Dugua, sieur de Mons,* p. 103.

36. Jean Liebel a trouvé de nombreux documents primaires dans les archives manuscrites du port de Honfleur et d'autres textes dans les archives départementales du Calvados, 8E 6 517, folio 6Or ; 6566, folio 149r ; 6666, folio 106v, 184vr ; 6517, folio 302r ; 335r ; 5520, folio 318, 342 ; 6666, folios 184v, 185r, 196r, 197v, T96v ; 6517, f335r, 107v, 184v recto ; tout cela se trouve dans *Pierre Dugua, sieur de Mons,* p. 95-108. Il a également débusqué une source pour le rapport entre le tonnage et la longueur dans Père Fournier, s.j., *Hydrographie, contenant*

la théorie et la pratique de toutes les sources de la navigation, Paris, 1643, chapitre
« Architecture navale », p. 16-43.

37. Liebel, *Pierre Dugua, sieur de Mons,* p. 100.

38. WSC, 1 : 238-239 ; Liebel, *Pierre Dugua, sieur de Mons,* p. 127.

39. Au moins quatre récits de ce voyage subsistent : l'un dans les *Voyages* de Champlain de 1613, WSC, 1 : 234-236 ; un autre dans les *Voyages* de 1632, WSC, 3 :
321-325 ; un troisième par Lescarbot (qui n'était pas à bord mais interrogea plus
tard Poutrincourt et d'autres), *History of New France,* 2 : 227-231 [*Histoire de la
Nouvelle-France*] ; et un essai anonyme paru dans le *Mercure françois,* volume
de 1608 (1611), p. 294 ; réédité dans *Transactions of the Royal Society of Canada,*
8 (1902), 2 : 172. Voir aussi les nouveaux documents dans Liebel, *Pierre Dugua,
sieur de Mons,* p. 108-112.
Champlain écrit dans son premier récit que la date de départ était le 7 avril 1604.
Lescarbot et le *Mercure françois* le situent le 7 mars. L'éditeur des œuvres de
Champlain, H. P. Biggar, croyait que Lescarbot et le *Mercure françois* avaient
raison et que Champlain s'était trompé, jugement repris par d'autres. Mais
c'était Champlain qui avait raison et Lescarbot qui se trompait. La preuve
découverte aux archives judiciaires montre qu'il y avait encore des marchands
qui s'embarquaient comme passagers le 17 mars 1604, que le *Don de Dieu* était
encore à Honfleur le 24 mars, puis qu'il avait fait voile ce jour-là pour Le Havre
où il était allé rejoindre la *Bonne Renommée* qui y était déjà depuis le 17 mars
au moins. Voir Liebel, *Pierre Dugua, sieur de Mons,* p. 98 et 104.

40. Lescarbot, *History of New France,* 2 : 301 [*Histoire de la Nouvelle-France*].

41. *Ibid.,* 2 : 228.

42. WSC, 1 : 234 ; 3 : 321.

43. WSC, 1 : 236n ; Nicolas Denys, *The Description and Natural History of the Coasts
of North America (Acadia),* William F. Ganong (éd.), Toronto, 1908, p. 147n, une
édition bilingue publiée par la Champlain Society [*Description géographique et
historique des costes de l'Amérique septentrionale avec l'histoire naturelle du païs*].
Note du traducteur : nous avons utilisé l'édition de 1672.

44. WSC, 1 : 235 ; 3 : 322. Biggar ne croyait pas cela possible, mais Champlain a fait
des traversées encore plus rapides que celle-là. En 1615, il est parti d'Honfleur
le 24 avril (il avait écrit « août » par erreur) et a atteint Tadoussac le 24 mai. Il a
réédité cet exploit en 1618, quittant Honfleur le 24 mai et rejoignant Tadoussac
le 24 juin. Voir Liebel, *Pierre Dugua, sieur de Mons,* p. 110.

45. La carte fut publiée à Paris en 1613. Elle est reproduite avec une carte moderne
dans WSC, 1 : 236f.

46. Sheila Chambers *et al., Historic LaHave River Valley: Images of Our Past,* Halifax,
2004 ; Joan Dawson, « History », www.fortpointmuseum.com/history.asp

47. Silas Tertius Rand, *Legends of the Micmacs,* Wellesley Philological Publications,
New York et Londres, 1894, p. 225-226 ; cf. Nicolas Denys, *Description,* p. 323.
Les textes des célébrations du quadricentenaire de Sainte-Croix, parrainé par
le National Park Service en 2004, affirmaient que les Micmacs avaient cru que
les navires de Champlain étaient de grands oiseaux blancs. Affabulation gro-

tesque. La longue histoire de l'activité maritime sur la côte de l'Atlantique Nord a laissé des preuves archéologiques abondantes. Peter Pope écrit que « la silexite translucide de la baie de Ramah dans le nord du Labrador témoigne de la vaste répartition des sites pré-contacts le long de la côte orientale de l'Amérique du Nord à bonne distance en direction du sud jusqu'au détroit de Long Island ». Peter Pope, *The Many Landfalls of John Cabot*, Toronto, 1997, p. 152.

48. WSC, 1 : 237. Champlain se trompait lorsqu'il estimait à cinq lieues la distance entre La Hève et Port au Rossignol (aujourd'hui Liverpool) ; une distance de huit lieues serait plus exacte. Lescarbot en donne un récit semblable, dans Lescarbot, *History of New France*, 2 : 229 [*Histoire de la Nouvelle-France*]. Le troisième récit, celui de Pont-Gravé, se trouve dans Bréard et Bréard, *Documents relatifs à la Marine normande*. Tous confirment l'exactitude des récits de Champlain. Les propriétaires du navire saisi intentèrent un procès, et les parties finirent par s'entendre après quatre années de procédures. De Mons et ses associés, « mûs par la pitié et compassion », leur firent un cadeau de neuf cents livres mais gardèrent les fourrures. Pour le procès qui s'ensuivit en France et son résultat, voir « Procuration donnée par les bourgeois du navire *La Levrette*… », 26 mars 1608, et « Transaction de Pierre Dugua, Samuel Georges et leurs associés, avec les bourgeois havrais du navire *La Levrette* », 4 avril 1608, dans Le Blant et Baudry (dir.), *Nouveaux Documents*, 1 : 166-167, 169-172. Pour plus de détails sur *La Levrette*, voir Liebel, *Pierre Dugua, sieur de Mons*, p. 112-113. Il estime qu'on a offert cinq cents livres à Rossignol et aux bourgeois de *La Levrette*, ce qui diffère des autres sources.

49. Une version de ce conte oral a été publiée par Mike Parker, *Guides of the North Woods: Hunting and Fishing Tales from Nova Scotia 1860-1960*, Halifax, 1990, p. 95-96, d'où nous viennent nos citations.

50. Nous connaissons cette histoire grâce à une heureuse conjonction de sources. Les légendes orales des Micmacs et des Métis de l'Acadie coïncident parfaitement avec les récits de Champlain, Marc Lescarbot, François Pont-Gravé et les documents judiciaires français. Ces éléments se sont réunis quatre siècles plus tard, le 22 août 2004, lorsque nous avons entendu ces légendes de Matthew Verge par un beau jour d'été tardif dans le port où ces événements avaient eu lieu. Un grand merci à Matthew Verge, qui nous a prêté un exemplaire du livre de Mike Parker et a pris le temps de causer avec nous lors de notre visite à Liverpool à l'été 2004.

51. WSC, 1 : 237-238 et 251 ; 3 : 332 ; 6 : 233 ; Lescarbot, *History of New France*, 2 : 229 [*Histoire de la Nouvelle-France*].

52. WSC, 1 : 239.

53. *Ibid.*, 1 : 239-240.

54. *Ibid.*, 1 : 241-243.

55. *Ibid.*, 1 : 243.

56. *Ibid.*, 1 : 247-249.

57. *Ibid.*, 1 : 250-251.

58. À propos de Jean Ralluau, voir WSC, 1 : 239, 267, 280, 388 et 456 ; Trudel, *His-

toire de la Nouvelle-France, 1 : 22, 26, 30, 52, 70, 174 et 482 ; Le Blant et Baudry (dir.), *Nouveaux Documents,* 1 : xii, xxiv, 212, 225, 317-318 et *passim.*

59. WSC, 1 : 255n.

60. *Ibid.,* 1 : 256.

61. *Idem.*

62. *Ibid.,* 1 : 258-259.

63. *Ibid.,* 1 : 261-263.

64. *Ibid.,* 1 : 265-268.

65. *Ibid.,* 1 : 269.

66. À lire : l'étude encore dominante de William F. Ganong, *Champlain's Island,* 1902, édition élargie, Saint-Jean (Nouveau-Brunswick), p. 122-139, 74-77 ; on y examine les témoignages oculaires de Champlain et de Lescarbot, lui qui visita l'île peu après qu'elle eut été abandonnée. La recherche de Ganong confirme l'exactitude des deux récits. À noter, l'autre étude d'Edwin A. Garrett IV, « L'île Sainte-Croix–St. Croix Island », manuscrit, 2007, avec nos remerciements à l'auteur, qui a bien voulu nous transmettre un exemplaire de son texte.

67. WSC, 1 : 302.

68. Champlain nous dit qu'ils avaient atteint le fleuve Saint-Jean le 24 juin 1604, le jour de la Saint-Jean. Ils se rendirent jusqu'aux chutes réversibles mais « pas plus loin », ce qui nécessitait l'arrivée de deux marées, puis ils explorèrent les îles au sud, allèrent chasser, et poursuivirent vers le sud jusqu'à la rivière Sainte-Croix. Ce déplacement aurait nécessité au moins deux journées après le 24 juin, peut-être trois ou quatre. Cela étant, on pourrait estimer la date de leur arrivée à Sainte-Croix entre le 26 et le 28 juin. La date du 24 juin 1604 donnée pour le « choix de l'île Sainte-Croix » dans la chronologie pourtant excellente de Litalien et Vaugeois, *Champlain,* p. 365, n'est pas plausible. Dans son *Champlain,* p. 41, Morison se trompe quand il mentionne la « mi-juin ». Liebel a à peu près raison quand il donne le 26 juin 1604 dans son *Pierre Dugua, sieur de Mons,* p. 121.

69. WSC, 1 : 275.

70. *Ibid.,* 1 : 277.

71. *Ibid.,* 1 : 274-275.

72. *Ibid.,* 1 : 277 ; Lescarbot, *History of New France,* 2 : 255 [*Histoire de la Nouvelle-France*] ; Liebel, *Pierre Dugua, sieur de Mons,* p. 124 ; Ganong, *Champlain's Island,* p. 90.

73. WSC, 1 : 277-278 ; Lescarbot, *History of New France,* 2 : 255 [*Histoire de la Nouvelle-France*] ; Liebel, *Pierre Dugua, sieur de Mons,* p. 124 ; Ganong, *Champlain's Island,* p. 64-78.

74. WSC, 1 : 275-277 ; Lescarbot, *History of New France,* 2 : 255 [*Histoire de la Nouvelle-France*].

75. Ganong a écrit, au terme d'une étude attentive de l'île, que « le graveur a probablement utilisé un croquis sommaire mais assez exact fait par Champlain, et il en a tiré cette image plaisante ». WSC, 1 : 275-279. Un relevé archéologique fait sur l'île Sainte-Croix figure dans l'article de Gretchen Fearn Faulkner, « A

History of Archeological Investigation on St. Croix », texte inédit, Université du Maine, 1982 ; on en trouve un exemplaire à la bibliothèque de l'Acadia National Park, Bar Harbor (Maine).

Les premières fouilles d'importance ont été réalisées dès 1796-1797 par des colons loyalistes du Nouveau-Brunswick qui voulaient déterminer s'il s'agissait en fait de la rivière Sainte-Croix et si leurs concessions foncières étaient assurées au nord de la rivière. Thomas Wright, arpenteur général de l'Île-du-Prince-Édouard, a arpenté l'île et constaté que les fondations de la colonie concordaient avec les plans et descriptions publiés par Champlain. Pour plus de détails, voir Ganong, *Champlain's Island,* p. 122-139, 74-77.

De nombreuses recherches menées par des amateurs ont suivi au XIXe siècle, après quoi des archéologues professionnels ont pris le relais au XXe siècle. L'un de ces projets, dirigé par Wendell Hadlock, est décrit dans son « Narrative Report on Preliminary Exploration at St. Croix Island, Dec. 4, 1950 ». Voir aussi J. C. Harrington, « Preliminary Archeological Excavations at St. Croix Island, Maine », 30 janvier 1951.

Une autre étude a suivi à la fin des années soixante. Son responsable, Jacob W. Gruber, a décrit ses résultats dans « The French Settlement on St. Croix Island, Maine, Excavations for the National Park Service, 1968-69 », rapport manuscrit, 1970 ; et « Champlain's Dead: The Cemetery at St. Croix », département d'anthropologie, université Temple, Philadelphie.

D'autres travaux ont été faits dans les années quatre-vingt-dix. Voir Thomas A. J. Crist, « Biocultural Response to Scurvy: An Example from Ste. Croix Island, New France, 1604-05 », texte inédit, 1995 ; et Eric S. Johnson, « Archeological Overview and Assessment of the Saint Croix Island International Historic Site, Calais, Maine », Service archéologique de l'Université du Massachusetts, Amherst (Massachusetts), 1996.

Le plus grand chantier a été une série de réexcavations et d'analyses menée en 2003-2005 par Steven Pendry et Lee Terzis. Leurs résultats n'avaient pas encore été publiés au moment où nous rédigions notre texte. Chacune de ces études a été progressivement raffinée, mais le terrain était aussi de plus en plus perturbé. Les rapports et de nombreux artefacts se trouvent à la bibliothèque de l'Acadia National Park de Bar Harbor et au Bureau régional de l'Atlantique Nord du National Park Service à Boston.

76. Jean Grove, *The Little Ice Age,* Routledge, 1988, ouvrage d'érudition ; l'essai de Brian Fagan, *Little Ice Age,* est un texte vivant ; les séries climatologiques annuelles ont été établies par Hal Fritts de l'Université de l'Arizona.

77. Thomas J. Crist, Marcella H. Sorg, Robert Larocque et Molly H. Crist, « Champlain's Cemetery: Skeletal Analysis of the First Acadians, Saint Croix Island International Site, Calais, Maine », texte rédigé pour le compte du National Park Service des États-Unis, Acadia National Park, Bar Harbor (Maine) ; le manuscrit est conservé au Utica College, Utica (New York), 2005.

78. La preuve la plus frappante était le tomodensitogramme d'un colon français réalisé par le Dr John Benson, directeur de l'imagerie médicale au Mount Desert

Hospital de Bar Harbor (Maine), le 26 juin 2003. Les résultats furent rapportés par le Dr Benson dans une communication à la Société radiologique d'Amérique du Nord le 29 novembre 2004. On trouvera les pellicules et les rapports à la bibliothèque de l'Acadia National Park, Mount Desert Island (Maine). Le crâne autopsié a été réexhumé par un groupe dirigé par le Dr Steven Pendry en juin 2003 et analysé par une équipe canado-américaine d'anthropologues judiciaires menée par les docteurs Thomas Crist et Molly Crist du Utica College, le docteur Marcella Sorg, anthropologue judiciaire de l'État du Maine, et le docteur Robert Larocque de l'Université Laval. Voir Thomas A. Crist et Marcella H. Sorg, « "We Opened several of them to determine the Causes of their Illness:" Samuel de Champlain and the New World's First Adult Autopsy, L'île Sainte-Croix, 1604-1605 », communication au congrès annuel de l'Académie américaine des sciences judiciaires, Dallas (Texas), 2004.

79. Kenneth J. Carpenter, *The History of Scurvy and Vitamin C*, Cambridge (Massachusetts), 1986, p. 11.

80. Champlain a compté trente-cinq morts ; Lescarbot en a signalé trente-six. Cf. WSC, 1 : 204-205 ; Lescarbot, *History of New France*, 2 : 258 [*Histoire de la Nouvelle-France*] ; Pierre Biard, Relation de 1616, *Relations des Jésuites*, 3 : 52-53.

81. Kenneth J. Carpenter, *The History of Scurvy and Vitamin C*, p. 230-233, passe en revue la preuve sur cette question, en s'appuyant autant sur les expériences des explorateurs polaires comme Stefansson, sur les études nutritionnelles de l'acide ascorbique présent dans la viande fraîche de la diète inuite, que sur d'autres sources disponibles en Amérique du Nord comme le bois de réglisse, l'oxyrie de montagne et l'angélique.

82. Paul Gafferel, *Histoire du Brésil français au seizième siècle*, Paris, 1878, avec documents originaux ; Trudel, *Histoire de la Nouvelle-France*, 1 : 180-192 ; 2 : 2, 3, 31 et 33.

CHAPITRE 9 • LA NOREMBÈGUE

1. Marcel Trudel, *Histoire de la Nouvelle-France*, Montréal, 1963, 2 : 62.

2. WSC, 1 : 280.

3. *Ibid.* ; pour sa longueur probable, voir Jean Liebel, *Pierre Dugua, sieur de Mons*, 1999, p. 127 ; aussi Père Fournier, *Hydrographie contenant la théorie et la pratique de toutes les parties de la navigation*, Paris, 1643, p. 11. Le texte de 1628 définissant la patache, « petit navire préposé à la surveillance des côtes », est cité par Alain Rey *et al.* (dir.), *Le Grand Robert*, Paris, 2001, 5 : 333 ; Samuel Eliot Morison, *Samuel de Champlain: Father of New France*, New York, 1972, donne une définition erronée de la patache lorsqu'il écrit que son gréement carré est semblable à celui d'un ketch. Les dessins d'époque montrent que sa carène était très différente de celle des grands navires et des petites chaloupes, qui se caractérisait par une proue renflée, un bau important, une dérive latérale et un fort

frégatage, comme c'était la mode au début du XVIIᵉ siècle. Pour plus de détails sur ces bateaux, voir l'appendice M.

4. WSC, 1 : 428.

5. Sur certains plans, ces petites embarcations possédaient deux mâts, soit une misaine et un grand mât, soit un grand mât et un artimon. Le mât de misaine portait une voile que Champlain appelait bourcet, un genre de voile de forme trapézoïdale frappée sur une vergue transversale oblique. Lors d'un virement de bord, il fallait hâler bas l'extrémité au vent de la vergue pour faire passer celle-ci sur le bord sous le vent. WSC, 1 : 377 ; Howard I. Chapelle, *American Small Sailing Craft: Their Design, Development and Construction,* New York, 1951, p. 284-285 ; cartes et dessins dans Allan Forbes et Paul Cadman, *France and England,* Boston, 1925-1929, 3 : 11-12.

6. WSC, 1 : 280 et 390.

7. *Ibid.,* 2 : 437 et 276 ; au sujet de Champlain et des pièces de rechange, voir son *Traitté de la Marine,* WSC, 6 : 253-348.

8. Lors d'autres voyages, Champlain utilisa une petite barque du port jaugeant entre cinq et huit tonneaux, naviguant de conserve ou en remorque. Voir WSC, 1 : 276-278 ; et l'appendice M sur les navires et petites embarcations de Champlain.

9. WSC, 1 : 280. Pour confirmer l'exactitude du récit de Champlain, voir Hank et Jan Taft, aidés de Curtis Rindlaub, *A Cruising Guide to the Maine Coast,* 3ᵉ édition révisée et élargie, 1988, Peaks Island (Maine), 1996 ; également James L. Bildner, *A Visual Cruising Guide to the Maine Coast,* Camden (Maine), 2006, qui combine utilement des segments de cartes marines et des photographies aériennes. Autre outil précieux à signaler : les images satellite de la côte du Maine aisément accessibles dans les programmes de cartographie de Google, avec liens entre les cartes et les photographies satellite.

10. WSC, 1 : 281.

11. Carl O. Sauer, *Seventeenth-Century America,* Berkeley (Californie), 1980, p. 78 ; Kenny Taylor, *Puffins,* Stillwater (Minnesota), 1999, p. 26.

12. Morison croyait que les îles Rangées de Champlain étaient les îles Cross, Libby's, Head Harbor, Steel Harbor et Great Wass. Je crois pour ma part qu'il s'agit des petits îlets au sud de l'île Roque, qui sont encore plus réguliers. Cf. Morison, *Champlain,* p. 46, et les cartes satellite de Google, *s.v.* « Roque Island ».

13. De nombreux auteurs ont affirmé que Champlain avait passé la nuit quelque part près de Schoodic. Biggar croit pour sa part qu'il a dormi sur l'île Heron, du côté ouest de Schoodic. Morison a écrit que Champlain « a fait relâche dans l'un de ces petits ports (Birch, Wonsqueak ou Prospect) » et qu'il a passé la nuit du côté est de Schoodic. Ce n'est pas ce que Champlain a écrit, et son récit est notre seul guide. Le texte de Champlain nous dit très clairement qu'il a quitté la rivière Sainte-Croix le 5 septembre, qu'il a parcouru 25 lieues en direction du sud-ouest (probablement environ 75 milles marins ou 140 kilomètres sur terre), et que *ce mesme jour,* il a atteint l'endroit qu'il a baptisée l'île des Monts déserts. Le récit de Champlain ne fait nulle mention d'une nuitée à Schoodic ; Morison,

Biggar et Slafter (*Champlain's Voyages*, Boston, 1878-1882) sont dans l'erreur. Cf. WSC, 1 : 282 et la note de Biggar ; Morison, *Champlain*, p. 46.

14. WSC, 2 : 282-283.

15. En 1608, alors qu'il explorait la vallée du Saguenay, il écrivait : « Il y a quelques îles dedans icelle rivière qui sont *fort désertes*, n'étant que rochers, couvertes de petits sapins et bruyères. » *Ibid.*, 2 : 17.
Autre exemple du même passage : « Toute la terre que j'y ai vue ne sont que montagnes et promontoires de rochers, la plupart couverts de sapins et bouleaux, terre fort mal plaisante, tant d'un côté que d'autre ; enfin ce sont de *vrais déserts*, inhabités d'animaux et d'oiseaux. » *Ibid.*, 2 : 17.

16. WSC, 1 : 282.

17. Pour ce trajet de vingt-cinq lieues, voir WSC, 1 : 281 ; en mer, Champlain avait tendance à compter en lieues espagnoles, équivalentes à trois milles marins ; voir l'appendice N.

18. « Peregrine Falcons in Acadia », U.S. National Park Service, 1999 ; Candace Savage, *Peregrine Falcons*, San Francisco, 1994 ; J. T. Harris, *The Peregrine Falcon in Greenland*, Columbia (Missouri), 1981 ; A. C. Bent, *Life Histories of North American Birds of Prey*, 1937, New York, 1961.

19. WSC, 2 : 282.

20. Champlain ne mentionne pas l'anse dans son récit. Certains insulaires croient qu'il s'est peut-être échoué dans l'anse de Salisbury, ou Cromwell Harbor, ou encore Compass Harbor, mais Otter Cove aurait été plus proche et plus commode pour la mise en carène de la patache, et plus conforme au texte. Morison, *Champlain*, p. 46, est d'accord.

21. L'actuelle baie Frenchman ne doit pas être confondue avec la baie Française de Champlain, qui est aujourd'hui la baie de Fundy.

22. Le récit de Morison est erroné, comme c'est le cas d'ailleurs des autres ouvrages qui ont suivi le sien. Cf. Morison, *Champlain*, p. 47, et WSC, 1 : 283-284.

23. WSC, 1 : 286.

24. *Ibid.*, 1 : 290.

25. *Ibid.*, 1 : 291.

26. *Ibid.*, 1 : 291.

27. Lucien Campeau, « Bonaventure, enfant montagnais », *Monumenta Novae Franciae*, 2 : 662, 120, 248, 480 et 602 ; WSC, 1 : 289-296, 352-361.

28. WSC, 1 : 294 ; Pierre Biard dans « Relation de la Nouvelle France », *Relations des Jésuites*, IV ; Colin Calloway (dir.), *Dawnland Encounters: Indians and Europeans in Northern New England*, Hanover (New Hampshire), 1991.

29. WSC, 1 : 294-295. Champlain n'était pas le premier chrétien à avoir remonté la rivière Penobscot. L'explorateur portugais Estevan Gómez y était allé en 1525 et avait laissé une inscription sur une carte : « Pas d'or ici ». Gómez avait exploré la côte de l'Amérique du Nord, n'y avait rien trouvé de valeur et, pour rentabiliser son expédition, avait rempli son navire d'Indiens qu'il avait capturés, espérant les vendre comme esclaves en Europe. Comme il avait désobéi aux ordres explicites de Charles Quint, les autorités espagnoles le forcèrent à libérer les

quelques Indiens qui avaient survécu à ses mauvais traitements. Gómez accompagna également l'escadrille de Magellan à bord d'un navire différent, fomenta une mutinerie, assassina son capitaine et déserta. Heureusement pour Champlain, les Indiens de la Penobscot n'avaient presque rien vu de Gómez, ou semblaient l'avoir oublié en 1604. Cf. Morison, *European Discovery of America: The Northern Voyages,* New York, 1971, p. 326-331.

30. WSC, 1 : 295. Au sujet du lieu de la rencontre, la plupart des historiens s'en remettent au jugement de Fannie Eckstrom, une érudite de grand talent qui connaissait le terrain ainsi qu'une observatrice rigoureuse qui ne plaisantait pas avec l'exactitude. C'est elle qui a écrit : « Les affirmations de tant d'historiens ou historiens amateurs sont tellement truffées de contradictions ou d'erreurs qu'il est inutile de les citer en preuve, encore plus de les démolir parce qu'elles sont fausses. » Fannie Hardy Eckstrom, *Old John Neptune and other Maine Indian Shamans,* 1945, rééd. Portland, 1980, p. 76.

31. WSC, 1 : 294-296 ; *The Maine Atlas and Gazetteer,* 25ᵉ édition, Yarmouth, 2002, cartes 23 et 77. Du côté ouest de la rivière Penobscot se trouvait la grande chênaie qui fit l'admiration de Champlain. Sur la rive est se trouvait le beau bosquet de pins blancs dans ce qui est maintenant la ville de Brewer. Les historiens du lieu croient que la rencontre a eu lieu à la jonction des deux rivières, près de l'intersection des rues Oak et Washington à Bangor.

32. WSC, 1 : 296.

33. *Ibid.,* 1 : 297 ; cf. *The Maine Atlas and Gazetteer,* planche 23.

34. La US Route 1 suit de très près le rivage de cette rivière dans cette région qui s'étend de Moose Point jusqu'au pont Belfast.

35. WSC, 1 : 284n ; Samuel E. Morison, *Northern Voyages,* New York, 1971, p. 67, 464-470, 488-489 ; Sigmund Diamond, « Norumbega : New England Xanadu », *American Neptune,* 11 (1951), p. 95-107.

36. WSC, 1 : 297-299.

37. *Ibid.,* 1 : 299.

38. *Ibid.,* 1 : 300.

39. *Ibid.,* 1 : 298. À propos de l'identité ethnique de ces peuples, lire ce texte utile et très important de Bruce J. Bourque, « Ethnicity on the Maritime Peninsula, 1600-1759 », *Ethnohistory,* 36 (1989), p. 257-284 ; également Dean R. Snow, « The Ethnohistoric Baseline of the Eastern Abenake », *Ethnohistory,* 23 (1976), p. 291-306. Les œuvres de Fannie Eckstrom demeurent toujours aussi pertinentes, notamment « The Indians of Maine », dans Louis C. Hatch (dir.), *Maine: A History,* New York, 1919, p. 43-64 ; Jeanne Patten Whitten, *Fannie Hardy Eckstrom: A Descriptive Bibliography of Her Writings, Published and Unpublished,* Orono (Maine), 1976, p. 38-52.

40. WSC, 1 : 311-312 et 362 ; Sauer, *Seventeenth-Century America,* p. 80.

41. James L. Bildner, *A Visual Cruising Guide to the Maine Coast,* Camden (Maine), 2006, p. 224-225.

42. WSC, 1 : 312 ; Morison, *Champlain,* p. 56.

43. Morison affirme que Champlain a quitté l'île aux Corneilles et que, « sans s'ar-

rêter, il a longé l'île des Monts déserts et l'île au Haut, pour enfin jeter l'ancre dans un port près de Bedabedec ». Ce qui ne peut être juste, car Champlain nous dit qu'ils ont mis treize jours et treize nuits à faire le chemin de Sainte-Croix jusqu'à Bedabedec. Entre les deux endroits, Champlain ne mentionne que l'île aux Corneilles, l'île des Monts déserts et « l'une des îles à l'embouchure de la rivière Kennebec ». D'où la question : où a-t-il passé ses treize nuits le long de cette côte, du 18 juin au 1er juillet 1605 ? À mon avis, il est probable qu'ils soient restés quelques jours à chacun de ces endroits, dont à l'île des Monts déserts, peut-être sur l'île elle-même. Cf. WSC, 1 : 312 ; Morison, *Champlain*, p. 56.

44. Champlain a toujours appelé la Penobscot « rivière de Norembègue ». WSC, 1 : 312-313 ; pour les temps de voyage, voir Joe C. W. Armstrong, *Champlain*, Toronto, 1987, p. 59.

45. WSC, 1 : 314-315.

46. Edmund Slafter et l'abbé C.-H. Laverdière ont retracé le parcours de Champlain. Il a été cartographié par Henry Biggar et confirmé par Morison, qui a fait le trajet à bord d'une petite embarcation. WSC, 1 : 315 ; Morison, *Champlain*, p. 56-59 ; Edmund F. Slafter (dir.), *Champlain's Voyages*, Boston, 1878-1882.

47. WSC, 1 : 316.

48. *Ibid.*, 1 : 317-320 ; Taft et Rindlaub, *A Cruising Guide to the Maine Coast*, p. 107-110.

49. WSC, 1 : 325 ; les Almouchiquois de Champlain étaient aussi les Almouchiquois de Lescarbot et du père Biard ; cf. Lescarbot, *History of New France*, Toronto, 1907, 2 : 308, 325 ; 3 : 144 [*Histoire de la Nouvelle-France*] ; Pierre Biard, « Relation de la Nouvelle France. Écrite en 1614 », *Relations des Jésuites*, 3 : 208-209 ; John Smith, *Complete Works*, Chapel Hill (Caroline du Nord), 1986, 1 : 328, 2 : 407. Pour plus de détails sur les groupes ethniques de cette partie du Maine, voir Bruce J. Bourque, *Twelve Thousand Years: American Indians in Maine*, Lincoln (Nebraska), 2001, p. 103-126 ; Bruce Bourque et Ruth Whitehead, « Trade and Alliances in the Contact Period », *Norumbega: American Beginnings*, Emerson W. Baker *et al.* (éd.), Lincoln (Nebraska), 1994, p. 327-341.

50. WSC, 1 : 327 ; Bourque, *Twelve Thousand Years*, p. 106 ; Howard S. Russell, *Indian New England before the Mayflower*, Hanover (New Hampshire), 1980, p. 133-164.

51. WSC, 1 : 330.

52. *Ibid.*, 1 : 333.

53. *Ibid.*, 1 : 335.

54. *Ibid.*, 1 : 335.

55. *Ibid.*, 1 : 337.

56. *Ibid.*, 1 : 337-338 ; Lescarbot, *History of New France*, 3 : 95 [*Histoire de la Nouvelle-France*] ; S. F. Cook, *The Indian Population of New England in the Seventeenth Century*, Berkeley (Californie), 1976 ; William S. Simmons, *Spirit of the New England Tribes: Indian History and Folklore*, Hanover (New Hampshire), 1986, p. 15-16 ; Kathleen Bragdon, *Native People of Southern New England, 1500-1650*, Norman (Oklahoma), 1996, p. 20-23.

57. WSC, 1 : 340-341.

58. *Ibid.,* 1 : 345.

59. *Ibid.,* 1 : 348-349.

60. *Ibid.,* 1 : 348-349.

61. WSC, 1 : 351 ; Sauer, *Seventeenth-Century North America,* p. 83.

62. WSC, 1 : 351-352 ; Sauer, *Seventeenth-Century North America,* p. 80-82.

63. WSC, 1 : 354.

64. Lescarbot, *History of New France,* 2 : 277-278 [*Histoire de la Nouvelle-France*] ; WSC, 1 : 354-355.

65. WSC, 1 : 355.

66. *Ibid.,* 1 : 357.

67. George Rosier, « The Voyage of George Waymouth, 1605 », rep. dans Charles Herbert Levermore (dir.), *Forerunners and Competitors of the Pilgrims and Puritans,* 2 vol., New York, 1912, 1 : 335 ; WSC, 1 : 365.

68. Levermore (dir.), *Forerunners and Competitors of the Pilgrims and Puritans,* 1 : 63-64 et 67.

69. Lescarbot, *History of New France,* 2 : 253 [*Histoire de la Nouvelle-France*].

70. *Ibid.,* 2 : 322 ; WSC, 1 : 393.

71. WSC, 1 : 394.

72. *Ibid.,* 1 : 363 et 395 ; Lescarbot, *History of New France,* 2 : 324 [*Histoire de la Nouvelle-France*].

73. Au sujet de cette coutume sur la côte nord-ouest du Pacifique, voir Helen Codere, *Fighting with Property,* New York, 1950 ; Gordon MacGregor, *Warriors without Weapons,* Chicago, 1946.

74. WSC, 1 : 395-396 ; Lescarbot, *History of New France,* 2 : 323-324 [*Histoire de la Nouvelle-France*]. Les deux récits disent essentiellement la même chose. Lescarbot n'y était pas, mais il se serait appuyé sur le témoignage oculaire de Poutrincourt.

75. WSC, 1 : 398 ; Lescarbot, *History of New France,* 2 : 324-325 ; 2 : 327 [*Histoire de la Nouvelle-France*].

76. WSC, 1 : 399-400.

77. Lescarbot, *History of New France,* 2 : 328 [*Histoire de la Nouvelle-France*] ; WSC, 1 : 402.

78. WSC, 1 : 413-414 ; Cook, *The Indian Population of New England,* p. 40-45 ; Frank G. Speck, *Territorial Subdivisions and Boundaries of the Wampanoag, Massachusett, and Nauset Indians,* Museum of the American Indian Publications Misc. Series, 7 (1928), p. 1-152 ; Bragdon, *Native People of Southern New England,* p. 24.

79. WSC, 1 : 417.

80. *Ibid.,* 1 : 416.

81. *Ibid.,* 1 : 418.

82. Au sujet de l'érection des croix, on verra plus tard un exemple contrastant lorsque Champlain explorera l'Outaouais.

83. WSC, 1 : 422.

84. *Ibid.*, 1 : 422 ; Lescarbot, *History of New France,* 2 : 330-337 [*Histoire de la Nouvelle-France*].
85. Morison, *Champlain,* p. 82 ; WSC, 1 : 421-422 ; Lescarbot, *History of New France,* 2 : 330-337 [*Histoire de la Nouvelle-France*].

CHAPITRE 10 • PORT-ROYAL

1. Marc Lescarbot, *Histoire de la Nouvelle-France,* 3ᵉ édition, 3 vol., Paris, 1617 ; et Edwin Tross éditeur, 3 vol., Paris, 1866 ; trad. anglaise *The History of New France,* W. L. Grant (traducteur), H. P. Biggar (dir.), 3 vol., Toronto, 1907, 1 : 32-33.
2. Marc Lescarbot, *Une lettre inédite de Lescarbot publiée avec une notice biographique sur l'auteur,* G. Marcel (éd.), Paris, 1885, p. 7 ; Éric Thierry, *Marc Lescarbot (vers 1570-1641). Un homme de plume au service de la Nouvelle-France,* Paris, 2001, p. 124.
3. Lescarbot, *History of New France,* 2 : 344 [*Histoire de la Nouvelle-France*] ; WSC, 1 : 367.
4. WSC, 1 : 267, 269-270.
5. Charles Bréard et Paul Bréard, *Documents relatifs à la Marine normande et à ses armements aux XVIᵉ et XVIIᵉ siècles,* Rouen, 1889, p. 146, 200-206.
6. Nicolas-Claude de Fabri, seigneur de Peiresc, « Observations de Peiresc sur les curiosités rapportées d'Acadie par Pierre du Gua, sieur de Mons », 26 novembre 1605 et 13 mars 1606 ; Robert Le Blant et René Baudry (dir.), *Nouveaux Documents sur Champlain et son époque,* Ottawa, 1967, p. 102-106 ; voir aussi le Journal de Jehan Herouard, médecin du roi, A.-Léo Leymarie (éd.), « Le Canada pendant la jeunesse de Louis XIII », *Nova Francia,* 1 (1925), p. 161-170, plus particulièrement la p. 169 ; Guy Binot, *Pierre Dugua de Mons, gentilhomme royanais,* Royan, 2004, p. 110 ; Elizabeth Jones, *Gentlemen and Jesuits: Quests for Glory and Adventure in the Early Days of New France,* Toronto, 1986, p. 63-64, 266-267 ; Marcel Trudel, *Histoire de la Nouvelle-France,* vol. 2 : *Le comptoir, 1604-1627,* Montréal, 1966, p. 50.
7. WSC, 1 : 277 et 370 ; Trudel, *Histoire de la Nouvelle-France,* 2 : 24, 34, 36, 50, 481 et 485.
8. WSC, 1 : 370.
9. M. A. MacDonald, *Fortune and La Tour: The Civil War in Acadia,* Halifax, 2000, p. 4.
10. WSC, 1 : 373 et 376 ; le résultat des premiers travaux archéologiques sur le site figure dans la planche de Ganong à la page 373.
11. WSC, 1 : 376.
12. On a reconstruit le fort dans tous ses détails sur un site différent.
13. Lescarbot, *History of New France,* 2 : 281 [*Histoire de la Nouvelle-France*].
14. *Ibid.,* 2 : 316.
15. WSC, 1 : 371.

16. *Ibid.*, 1 : 373. À propos de la tonnelle, voir Samuel E. Morison, *Samuel de Champlain: Father of New France*, New York, 1972, p. 72.

17. WSC, 1 : 261-262 ; 169-170, 180-184.

18. WSC, 1 : 375 ; Lescarbot, *History of New France*, 2 : 280-285 [*Histoire de la Nouvelle-France*].

19. WSC, 1 : 376.

20. *Ibid.*, 1 : 375-376, 449, 303-306 ; 2 : 29-63 ; 3 : 264-265 ; 5 : 213 ; 6 : 181 ; Kenneth J. Carpenter, *The History of Scurvy and Vitamin C*, Cambridge (Massachusetts), 1986, p. 229-233 ; Stephen R. Brown, *Scurvy*, New York, 2003, p. 32.

21. Lescarbot, *History of New France*, 2 : 344 [*Histoire de la Nouvelle-France*].

22. Adrien Huguet, *Jean de Poutrincourt, fondateur de Port-Royal en Acadie, Vice-Roi du Canada, 1557-1615 : campagnes, voyages et aventures d'un colonisateur sous Henri IV*, Amiens et Paris, 1932, p. 3-138. Récit très complet et fort utile sur les origines de Poutrincourt et les débuts de sa vie.

23. Huguet, *Jean de Poutrincourt*, p. 112-113, 297-298. Sa famille s'intéressait depuis longtemps à l'Amérique. L'un des cousins de Poutrincourt avait épousé une jeune fille d'une famille basque espagnole et tenté de fonder une colonie en Amérique. Ayant échoué dans sa tentative, il avait abandonné ses animaux sur les rivages de l'île de Sable, où leurs descendants demeurèrent pendant des siècles.

24. Lescarbot, *History of New France*, 2 : 484-486 [*Histoire de la Nouvelle-France*]. Le second passage est emprunté par Lescarbot aux Psaumes, 45 : 7. Pour une excellente étude, voir Éric Thierry, *Marc Lescarbot*, p. 71-112 ; Bernard Émont, *Marc Lescarbot. Mythes et rêves fondateurs de la Nouvelle-France*, Paris, 2002, en particulier p. 216-256, 289-300 ; et Louis-Martin Tard, *Marc Lescarbot. Le Chantre de l'Acadie*, Québec, 1997.

25. Lescarbot, *History of New France*, 2 : 288 [*Histoire de la Nouvelle-France*]. Le texte complet de l'« Adieu à la France » figure dans *ibid.*, 2 : 532-535 ; on peut le comparer à ses œuvres subséquentes « Adieu aux François », 25 août 1606, et « Adieu à la Nouvelle-France », 30 juillet 1607, dans *ibid.*, 3 : 470-472, 480-489.

26. Lescarbot, *History of New France*, 2 : 531 ; 3 : 333 [*Histoire de la Nouvelle-France*] ; WSC, 1 : 279 ; pour un examen de la preuve, voir Trudel, *Histoire de la Nouvelle-France*, 2 : 29 ; et Le Blant et Baudry, *Nouveaux Documents*, p. 163, 237, 276, 344, 368, 242-243. Poutrincourt figure dans les archives judiciaires comme le maître de « la seigneurie de Port-Royal et des terres adjacentes ».

27. Sur les La Tour, si l'on cherche leur louange, voir Azarie Couillard-Després, *Charles de Saint-Étienne de la Tour, lieutenant-général en Acadie, et son temps, 1593-1666*, Arthabaska, 1930. Si l'on préfère leur exécration, voir Lauvrière, « Deux Traîtres d'Acadie et leur victime : les La Tour père et fils et Charles d'Aulnay-Charnisay », *Canada français*, 19 (1931-1932), p. 14-33, 83-105, 168-179, 233-238, 317-343 ; également publié à Paris, 1932. Pour la réfutation, voir Azarie Couillard-Després, *Charles de Saint-Étienne de la Tour, gouverneur en Acadie, 1593-1666, au tribunal de l'histoire*, sans date. On retiendra l'excellent ouvrage de M. A. MacDonald, *Fortune and La Tour: The Civil War in Acadia*, Halifax, 2000.

28. WSC, 1 : 422n ; Jones, *Gentlemen and Jesuits*, p. 74.

29. Ne pas confondre ce capitaine du Boullay avec Eustache Boullé ou Boulay, le futur beau-frère de Champlain et son compagnon à Québec, vers 1618-1629 ; voir *Dictionnaire biographique du Canada, s.v.* « Eustache Boullé » ; et Trudel, *Histoire de la Nouvelle-France*, 2 : 24, 26, 34, 36, 49, 273, 471 et 495.

30. Les compagnons charpentiers avaient nom Jehan Pussot et Simon Barguin de Reims, et Guillaume Richard de Lusignan dans le Poitou. Les trois compagnons bûcherons qui avaient signé pour une année pour la somme de cent livres étaient Antoine Esnault de Montdidier en Picardie, Michel Destrez de Magny en Vexin et Michel Genson de Troyes en Champagne.

31. Lescarbot, *History of New France*, 2 : 289 [*Histoire de la Nouvelle-France*].

32. *Ibid.*, 2 : 288.

33. Trudel, *Histoire de la Nouvelle-France*, 2 : 63, 465 et 486.

34. Lescarbot, *History of New France*, 2 : 330, 333 et 350 [*Histoire de la Nouvelle-France*] ; Jones, *Gentlemen and Jesuits*, p. 75 ; Richardson (dir.), *The Theatre of Neptune*, xxii ; Champlain, WSC, 1 : 209 et 422 ; Trudel, *Histoire de la Nouvelle-France*, 2 : 474 et 486.

35. Marc Lescarbot, *Conversion des Sauvages qui ont esté baptisés en la Nouvelle France, avec un bref récit du voyage du Sieur de Poutrincourt*, Paris, s.d. [1610], rcp. dans *The Jesuit Relations and Allied Documents*, New York, 1959, 1 : 102-103.

36. *Mercure françois*, 1 : 296 ; Trudel, *Histoire de la Nouvelle-France*, 2 : 63 ; WSC, 1 : 439-440, avec une carte de Biggar retraçant son emplacement probable. Lescarbot, *History of New France*, 2 : 347 [*Histoire de la Nouvelle-France*], notait que ce moulin était « fort admiré des Indiens ». Pour son emplacement aujourd'hui, voir Brenda Dunn, *A History of Port-Royal/Annapolis Royal (1605-1800)*, Halifax, 2004, p. 6 ; MacDonald, *Fortune and La Tour*, p. 199.

37. Trudel, *Histoire de la Nouvelle-France*, 2 : 54-56 ; Jones, *Gentlemen and Jesuits*, p. 146 pour la citation.

38. Lescarbot, *History of New France* [*Histoire de la Nouvelle-France*] ; Trudel, *Histoire de la Nouvelle-France*, 2 : 62 ; Jones, *Gentlemen and Jesuits*, p. 146.

39. Lescarbot, *History of New France*, 2 : 317 ; 3 : 246-249 [*Histoire de la Nouvelle-France*].

40. *Ibid.*, 2 : 320.

41. *Ibid.*, 2 : 320.

42. *Ibid.*, 2 : 321.

43. *Ibid.*, 2 : 320-321.

44. Voir le chapitre précédent.

45. Nous avons ici également de multiples sources faisant état de cet événement. Champlain le mentionne brièvement (WSC, 1 : 438), et Lescarbot, l'auteur de la pièce, en fait autant dans son *History of New France*, 2 : 341 [*Histoire de la Nouvelle-France*] ; Lescarbot a aussi mis le texte en appendice de son histoire, et il est intitulé « Les Muses de la Nouvelle-France », *ibid.*, 3 : 473-479. Il a été fréquemment republié : en 1611, 1612, 1617 et 1618. Au XXᵉ siècle, il a été repris dans l'édition des œuvres de Lescarbot produite par la Champlain Society. Des

textes bilingues complets ont été soigneusement édités par Harriette Taber Richardson (dir.), *The Theatre of Neptune in New France*, Boston, 1927. Il existe une autre traduction anglaise, celle de Eugene et Renate Benson, « Marc Lescarbot and the Theatre of Neptune », *Canadian Drama*, 15 (1989), p. 84-85, reproduit dans Anton Wagner, *Canada's Lost Plays*, Toronto, 1982. Tous ces textes ont été reproduits avec l'introduction érudite de Jerry Wasserman dans *Spectacle of Empire: Marc Lescarbot's Theatre of Neptune in New France*, édition du 400e anniversaire, Vancouver, 2006.

46. Trudel dans *Histoire de la Nouvelle-France*, 3 : 63, citant Bibliothèque nationale de France, Archives nationales de France, 9.269.193v.

47. Don B. Wilmeth et Christopher Bigsby (dir.), *The Cambridge History of American Theatre*, New York, 1998, 1 : 22-23.

48. Note du traducteur : dans la version anglaise, cette note était une comparaison commentée des traductions anglaises. Comme elle n'est d'aucun intérêt pour le public de langue française, nous avons jugé bon de la supprimer.

49. Wasserman, *Spectacle of Empire*, p. 23 ; Lescarbot, *History of New France*, 2 : 344 et 352 [*Histoire de la Nouvelle-France*]. Les iconoclastes et détracteurs canadiens ont interprété la pièce d'une manière tout à fait contraire. Un groupe de Montréal a condamné le texte, disant qu'il s'agissait d'« une pièce extrêmement raciste […] faite pour subjuguer les Premières Nations par l'appropriation de leurs identités, leurs voix collectives et leurs terres ». Ils ont ensuite tenté de monter ce qu'ils ont appelé une « contre-performance subversive et déconstructive » intitulée *Sinking Neptune* ; Wasserman, *Spectacle of Empire*, p. 14.

50. Thomas E. Warner, « European Musical Activities in North America before 1620 », *Musical Quarterly*, 70 (1984), p. 77-95.

51. Lescarbot, *History of New France*, 2 : 346 [*Histoire de la Nouvelle-France*].

52. WSC, 1 : 451 ; 2 : 353. Il ne s'agissait pas de Gaston, le troisième fils d'Henri IV, mais de son frère aîné, qui naquit à Fontainebleau le 16 avril 1607 et décéda en 1611.

53. WSC, 1 : 447-448 ; Lescarbot est d'accord pour dire qu'il en est le fondateur. Voir *History of New France*, 2 : 342-343 [*Histoire de la Nouvelle-France*] ; Éric Thierry, « Une création de Champlain : l'ordre de Bon Temps », dans Raymonde Litalien et Denis Vaugeois (dir.), *Champlain. La naissance de l'Amérique française*, Sillery, 2004, p. 135-142.

54. WSC, 1 : 448.

55. Lescarbot, *History of New France*, 2 : 342n [*Histoire de la Nouvelle-France*]. Ganong, Grant et Biggar ont expliqué que la rue aux Ours était la « rue des rôtisseurs ou des marchands de viandes cuites ». C'est une rue très ancienne dans le troisième arrondissement, non loin de la rue Saint-Martin. Dans le Paris médiéval, on l'appelait en latin *vitus ubi coquntur anseres*, « la rue où l'on fait rôtir les oies ». Au début de l'époque moderne, c'était aussi la rue des pelletiers qui avaient des liens étroits avec la Nouvelle-France. Jacques Hillairet (dir.), *Dictionnaire historique des rues de Paris*, 2 vol., 10e édition, Paris, 1957-1961, et son supplément, 4e édition, 1972, 2 : 207, *s.v.* « Ours ».

56. Lescarbot, *History of New France*, 2 : 342-343 [*Histoire de la Nouvelle-France*].

57. *Ibid.*, 2 : 343.

58. Michael Salter, « L'Ordre de Bon Temps: A Functional Analysis », *Journal of Sport History*, 3 (1976), p. 2.

59. Cette information est tirée des listes figurant chez Trudel, *Histoire de la Nouvelle-France*, vol. 2 : *Le comptoir, 1604-1627*, Montréal, 1966, p. 465-500, qui énumère les hivernants en Nouvelle-France de 1606 à 1627. Au sujet d'Addenin, voir Éric Thierry, « Une création de Champlain : l'ordre de Bon Temps », p. 135-142 et 142n ; Lescarbot, *History of New France*, 2 : 231n [*Histoire de la Nouvelle-France*].

60. Lescarbot, *History of New France*, 2 : 344 [*Histoire de la Nouvelle-France*].

61. Au sujet de la perception que Champlain avait des Abenaquioits, voir WSC, 1 : 321, 6 : 12, 43-45 ; pour les Canadiens, voir *ibid.*, 2 : 57 ; 6 : 26 et 39 ; pour les Etchemins, *ibid.*, 1 : 103-120, 292-298, 308-309, 4 : 370-376, 5 : 313-318, 6 : 42 et 44 ; pour les Souriquois, *ibid.*, 1 : 384, 444-458, 2 : 53-57, 6 : 307. Il divisait les Etchemins en plus petits groupes, se basant surtout sur les rivières où ils vivaient et trafiquaient : la Penobscot, la Kennebec (qu'il appelait la Norembègue) et le fleuve Saint-Jean. Observer Champlain faire œuvre de pacificateur, c'est découvrir une nouvelle fois jusqu'à quel point se trompent les iconoclastes universitaires qui ont affirmé qu'il avait dressé les nations indiennes les unes contre les autres. Tous ses actes et toutes ses paroles visaient le but contraire. Champlain a toujours considéré que les hostilités entre les Indiens constituaient une menace mortelle pour la concrétisation de son dessein en Nouvelle-France, et il montra plus d'habileté à les décourager qu'aucun autre dirigeant colonial.

62. Pierre Biard écrit que ce jeune homme « se confessa en l'orée de la mer, en la présence de tous les sauvages, qui s'émerveillaient d'ainsi le voir à genoux devant moi si longtemps. Depuis il communia avec grand exemple, et puis dire que les larmes m'en vinrent aux yeux, et ne fus pas seul. Le diable fut confus de cet acte : aussi pensa-t-il subitement tout troubler l'après-dîner suivante, mais Dieu merci, par l'équité et bonté de M. de Poutrincourt, le tout a été remis en ordre ». Biard dans *Relations des Jésuites*, 1 : 171.

63. MacDonald, *Fortune and La Tour*, p. 6.

64. À propos de Bessabez, voir WSC, 1 : 284, 296, 442-445, 457-458 ; 3 : 360-361 ; à propos de Secoudon, *ibid.*, 1 : 267, 374-375, 381-382, 393-394, 436 442 ; à propos de Sasinou, *ibid.*, 1 : 316, 319, 364-365, 457-458 ; 3 : 366-368.

65. Biard, *Relations des Jésuites*, 1 : 167.

66. Lescarbot, *History of New France*, 2 : 354 [*Histoire de la Nouvelle-France*] ; Lucien Campeau dans *Dictionnaire biographique du Canada, s.v.* « Membertou, Henri ».

67. Lescarbot, *History of New France*, 2 : 354 [*Histoire de la Nouvelle-France*].

68. *Ibid.*, 2 : 350-351.

69. *Ibid.*, 2 : 359.

70. Marc Lescarbot, *Conversion des Sauvages*, 1 : 51-113.

71. Lescarbot, *History of New France*, 2 : 337 [*Histoire de la Nouvelle-France*], fait

état d'un registre des baptêmes qui diffère de l'autre liste sur des petits détails et l'ordre. Voir aussi *Exgrait du Registre de Bapteme de l'Église du Port Royal en la Nouvelle France Le iour Sainct Iehan Baptiste 24 de juin* [1610], le registre de baptêmes du sagamo Membertou et de sa nombreuse famille le jour de la Saint-Jean 1610, par Jessé Fléché. L'original se trouve à la bibliothèque John Carter Brown de Providence, au Rhode Island. Il est également publié dans les *Relations des Jésuites,* 1 : 108-113 ; c'est une source intéressante concernant la structure d'une famille micmaque au début du XVIIe siècle.

72. Lescarbot, *History of New France,* 2 : 340 [*Histoire de la Nouvelle-France*].
73. Champlain, WSC, 1 : 384.
74. WSC, 1 : 457, 458n, 451, et 442. On trouve également un récit de cette expédition dans *The Relation of a Voyage to Sagadahoc,* 1607 ; WSC, 1 : 458n.
75. WSC, 1 : 444.
76. Lescarbot, *History of New France,* 3 : 184 [*Histoire de la Nouvelle-France*].
77. Lescarbot, *History of New France,* 2 : 347 et 571 [*Histoire de la Nouvelle-France*] ; WSC, 1 : 449.
78. Lescarbot, *History of New France,* 2 : 347 [*Histoire de la Nouvelle-France*].
79. WSC, 1 : 450.
80. *Ibid.,* 1 : 450.
81. *Ibid.,* 1 : 454.
82. *Ibid.,* 1 : 456-458.
83. *Ibid.,* 1 : 466 ; 1 : 468-469 ; Lescarbot, *History of New France,* 2 : 364-365 [*Histoire de la Nouvelle-France*] ; Nicolas Denys, *The Description and Natural History of the Coasts of North America (Acadia),* William F. Ganong (dir.), Toronto, 1908, p. 164 [*Description géographique et historique des costes de l'Amérique septentrionale avec l'histoire naturelle du païs*].
84. Lescarbot, *History of New France,* 2 : 237-238 [*Histoire de la Nouvelle-France*].

III LE FONDATEUR DE QUÉBEC

CHAPITRE 11 • QUÉBEC

1. WSC, 3 : 326.
2. Marc Lescarbot, *History of New France,* Toronto, 1907, 2 : 365-366 [*Histoire de la Nouvelle-France*].
3. *Ibid.,* 2 : 366-367.
4. WSC, 2 : 3. L'adresse du sieur de Mons à Paris le 17 octobre 1607 figure dans la « procuration de Pierre du Gua pour s'opposer à l'enlèvement par Samuel Georges des pelleteries rapportées au cours de l'année 1607 », dans Robert Le Blant et René Baudry (dir.), *Nouveaux Documents sur Champlain et son époque,* Ottawa, 1967, p. 144-145.
5. Samuel de Champlain, « Descr[i]psion des costs p[or]ts, rades, Illes de la nouvele France faict selon son vray méridien Avec la déclinaison de le[y]ment de

plussiers endrois selon que le sieur de Castelfranc le demontre en son liure de la mecometrie de le[y]mant faict et observe par le Sr de Champlain, 1606, 1607 ». On a écrit la date par-dessus l'année, 1606. Division des cartes, Bibliothèque du Congrès. Les images modernes qu'on en tire lui rendent rarement justice. L'original est très délicat et raffiné, tracé dans un style fluide et élégant. Les reproductions modernes sont plus grossières et le décalage des couleurs ne se voit pas dans l'original.

6. David Buisseret, *The Mapmaker's Quest: Depicting New Worlds in Renaissance Europe*, Oxford, 2003, p. 94-95 et 106.

7. Guillaume de Nautonier, sieur de Castelfranc, *Mécométrie de Leymant, cest a dire la manière de mesurier des longitudes par le moyen de l'eyment*, Toulouse, 1603. Pour plus de détails, voir C. E. Heidenreich, *Cartographica: Explorations and Mapping of Samuel de Champlain, 1603-1632*, Toronto, 1976, p. 55-59. Champlain semble s'être servi des travaux de Nautonier, non pour calculer les longitudes, mais pour orienter sa carte vers le nord vrai.

8. WSC, 4 : 33 ; Henry Percival Biggar, *Early Trading Companies: A Contribution to the History of Commerce and Discovery in North America*, Toronto, 1901, 1937, rééd. Clifton (New Jersey), 1972, p. 63-64.

9. WSC, 3 : 324.

10. « Interrogatoire de Pierre du Gua... », avril 1612, dans Le Blant et Baudry (dir.), *Nouveaux Documents*, p. 213-214 ; voir aussi Jean Liebel, *Pierre Dugua, sieur de Mons, fondateur de Québec*, Paris, 1999, p. 210.

11. Sully aurait accumulé une fortune évaluée à cinq ou six millions de livres, une misère à côté de celle de Richelieu (vingt millions) ou de Mazarin (trente-huit millions), mais c'était tout de même substantiel. Voir Liebel, *Pierre Dugua, sieur de Mons*, p. 210 ; Bernard Barbiche et Ségolène de Dainville-Barbiche, *Sully. L'homme et ses fidèles*, Paris, 1997, p. 305-309, 397-399 ; Joseph Bergin, *Cardinal Richelieu: Power and the Pursuit of Wealth*, New Haven (Connecticut), 1985, p. 243 ; et Claude Dulong, *La Fortune de Mazarin*, Paris, 1990, p. 133.

12. William L. Riordan, *Plunkitt of Tammany Hall: A Series of Very Plain Talks on Very Practical Politics*, 1906, New York, 1993, chapitre 1.

13. Maximilien de Béthune, duc de Sully, au président Jeannin, s.d., Bibliothèque nationale, Coll. Colbert Cinq Cents, vol. 203, folio 236 ; tel que cité dans Biggar, *Early Trading Companies*, p. 64.

14. Marcel Trudel, *Histoire de la Nouvelle-France*, Montréal, 1966, 2 : 66-67 ; WSC, 3 : 326 ; Lescarbot, *History of New France*, 2 : 351 [*Histoire de la Nouvelle-France*].

15. Le jugement impitoyable de Champlain à l'égard de Boyer est confirmé par Lescarbot. WSC, 4 : 343-346, 363, 366-370 ; et Lescarbot, *History of New France*, 2 : 318-319 [*Histoire de la Nouvelle-France*].

16. Au début du XXe siècle, Biggar a retrouvé ces contentieux aux Archives municipales de Saint-Malo, série EE4, 138. Il les a résumés dans son livre *Early Trading Companies*, p. 69. Une partie de ces documents ont été perdus pendant la Seconde Guerre mondiale.

17. WSC, 3 : 325-327.

18. WSC, 2 : 4.

19. Lescarbot, « A Samvel Champlein, Sonnet », *History of New France*, 3 : 304 [*Histoire de la Nouvelle-France*].

20. WSC, 2 : 4.

21. WSC, 4 : 33 ; Champlain a toujours cru que la révocation de la commission du sieur de Mons en 1607 avait coûté très cher aux Français en Amérique du Nord. Avec le recul, écrivit-il, « si ces choses eussent été bien ordonnées […] les Anglais et les Flamands n'auraient joui des lieux qu'ils ont surpris sur nous, qui s'y sont établis à nos dépens ». WSC, 3 : 328.

22. Commission de Henri IV au sieur de Monts, Paris, 7 janvier 1608 ; reproduit dans WSC, 2 : 5-9 ; 4 : 32 ; Arthur Giry, *Manuel diplomatique*, Paris, 1894, 1925, p. 628, 759, 771-774, cité dans Biggar, *Early Trading Companies*, p. 51-68.

23. Liebel, *Pierre Dugua, sieur de Mons*, p. 214-225.

24. Robert Le Blant, « La première bataille pour Québec en 1608 », *Bulletin philologique et historique* (jusqu'à 1610), année 1971, Paris, 1977, p. 113-125. Cet excellent essai a donné une nouvelle base empirique à l'idée que nous nous faisions de la fondation de Québec. Sont également utiles les documents dans Le Blant et Baudry (dir.), *Nouveaux Documents*, p. 158-180. Liebel a découvert de nouveaux textes lui aussi aux Archives départementales du Calvados, dont certains sont accessibles sur microfilm à Bibliothèque et Archives Canada à Ottawa ; voir *Pierre Dugua, sieur de Mons*, p. 221-226. À lire aussi avec profit : Charles Bréard et Paul Bréard, *Documents relatifs à la Marine normande… XVIe et XVIIe siècles*, Rouen, 1889, p. 106-113.

25. Les chiffres sont ceux de Le Blant dans « Première bataille », p. 115.

26. Le Blant dans « Première bataille », p. 116-117 ; Liebel, *Pierre Dugua, sieur de Mons*, p. 232.

27. WSC, 3 : 325.

28. *Ibid.,* 4 : 28.

29. *Ibid.,* 4 : 28.

30. *Ibid.,* 4 : 31. Des arguments semblables, avec des tonalités différentes, furent soumis aux responsables religieux, aux bailleurs de fonds, aux colons, à De Mons et au roi lui-même.

31. WSC, 4 : 31-32. Ce double dessein a été omis dans les études antérieures, et il n'apparaît pas non plus dans les écrits de Champlain. Il a émergé avec plus de clarté dans les recherches récentes faites en France par Liebel et Le Blant. Voir Liebel, *Pierre Dugua, sieur de Mons*, p. 222-223 ; Le Blant, « Première bataille », p. 119-121 ; Lescarbot, *History of New France*, 3 : 303 [*Histoire de la Nouvelle-France*].

32. WSC, 4 : 32.

33. *Ibid.,* 3 : 1-14.

34. Le Blant et Baudry (dir.), *Nouveaux Documents*, p. 154-161 ; Trudel, *Histoire de la Nouvelle-France*, 2 : 152-153, 486-487 ; Liebel, *Pierre Dugua, sieur de Mons*, p. 230-231 ; John A. Dickinson, « Champlain administrateur », dans Raymonde

Litalien et Denis Vaugeois (dir.), *Champlain. La naissance de l'Amérique française*, Sillery, 2004, p. 211-217.

35. Nous avons encore les contrats de Jean Duval et d'Antoine Notay, serruriers ; Robert Dieu et Antoine Audry, scieurs de planches ; Lucas Louriot, Jean Pernet et Antoine Cavallier, charpentiers ; Martin Béguin, jardinier ; Nicolas du Val, Lyevin Lefranc, François Jouan et Marc Balleny, charpentiers ; Mathieu Billoteau dit La Taille, tailleur ; Pierre Linot, bûcheron ; Clément Morel et Guillaume Morel, journaliers ; François Bailly et Jean Loireau, maçons. Les manuscrits sont aux Archives nationales de France, minutier XV 18 (registre de Cuvillier). Richard Cuvillier était le notaire du Châtelet de Paris qui a dressé ces contrats. Quatre d'entre eux sont reproduits dans Le Blant et Baudry (dir.), *Nouveaux Documents*, 1 : 154-161 ; le chirurgien Bonnerme et les garçons sont mentionnés dans les écrits de Champlain, WSC, 2 : 31-32 et 59 ; 136-142 et *passim* ; 4 : 118 ; 5 : 128.

36. WSC, 2 : 4-8, 11-14, 32-34 ; 4 : 8 et 19 ; Trudel, *Histoire de la Nouvelle-France*, 2 : 152-153, 158, 469 et 479 ; Le Blant et Baudry (dir.), *Nouveaux Documents*, 1 : 95 et 151.

37. WSC, 3 : 327.

38. *Ibid.*, 4 : 28.

39. Au sujet des préparatifs et des départs, voir les récits de Champlain dans WSC, 2 : 4, 8-9, 4 : 32 et 37. Mais la meilleure source ici demeure Le Blant et Baudry (dir.), *Nouveaux Documents*, 1 : 95 et 151.

40. Les ouvrages plus anciens identifient ce navire comme étant le *Don de Dieu*, nom qui figure dans les registres de tabellionage du port de Honfleur de 1564 à 1670, comme l'ont noté Bréard et Bréard (dir.), *Documents relatifs à la Marine normande*, p. 112, où une entrée du 4 avril 1608 mentionne le « navire nommé le Don-de-Dieu, de 160 tonneaux, icelluy navire estant présent de présent en ce port et havre prest à faire le voyage de Canada à la conduite de Henry Couillard ». Il avait été armé par Gilles Beuzelin, marchand à Rouen. Cela fonde la conclusion de Trudel, *Histoire de la Nouvelle-France*, 2 : 152, et de Samuel E. Morison, *Champlain : Father of New France*, New York, 1972, p. 103 ; mais le *Don de Dieu*, qui jaugeait cent cinquante, cent quatre-vingts ou deux cents tonneaux, ne peut pas être le navire à bord duquel Champlain a pris place. Ce *Don de Dieu* a en effet fait voile de Honfleur pour l'Amérique au printemps de 1608, mais pas avant la période allant du 30 avril au 7 mai 1608, et son capitaine, Henri Couillart ou Couillard, était également allé à Brouage et à La Rochelle en quête d'un chargement de sel pour la pêche (Le Blant, « Première bataille », p. 119-120). Autre complication : son capitaine et propriétaire partiel, Henri Couillard, avait été mêlé à un procès contre De Mons peu avant le voyage ; voir Le Blant et Baudry (dir.), *Nouveaux Documents*, p. 69, 70, 131 et 139.

Liebel est d'accord pour dire que Champlain n'a pas pu s'embarquer avec le *Don de Dieu* et avance qu'il a peut-être fait voile avec la petite *Levrette*, qui, selon les archives, aurait été armée en décembre 1607 pour la saison de pêche à la morue de 1608 à Terre-Neuve. Ce navire figure dans d'autres entrées de mars 1608 selon lesquelles il devait appareiller pour Terre-Neuve avec à son bord Pierre Chauvin, Izaac Levasseur et François Longin (ou Tongin). Chauvin devint l'un des officiers de Champlain à Québec, mais rien ne prouve la présence de Champlain à bord. Si ce vaisseau était *La Levrette* de Rossignol, il aurait été trop petit pour transporter tous les passagers et les « choses nécessaires et propres à un établissement » dont parlait Champlain. (Liebel, *Pierre Dugua, sieur de Mons,* p. 233n, citant une pièce manuscrite des Archives départementales du Calvados, 8E6521, folios 158, 169, 281, 289, 318, 349, 353 et 381.)

41. Le *Liepvre,* selon certains documents.

42. Bréard et Bréard, *Documents relatifs à la Marine normande,* p. 111 ; Le Blant et Baudry (dir.), *Nouveaux Documents,* p. 92 et 94 ; Trudel, *Histoire de la Nouvelle-France,* 2 : 152-153 ; Liebel, *Pierre Dugua, sieur de Mons,* p. 231-233 ; Le Blant, « Première bataille », p. 119.

43. Lescarbot, *History of New France,* 2 : 367-368 [*Histoire de la Nouvelle-France*] ; Trudel, *Histoire de la Nouvelle-France,* 2 : 152.

44. Le Blant, « Première bataille », p. 115-116 ; Liebel, *Pierre Dugua, sieur de Mons,* p. 232-233.

45. Paul Laramée et Marie-José Auclair, *La Gaspésie. Ses paysages, son histoire, ses gens, ses attraits,* Monréal, 2003, p. 233-248.

46. Champlain l'appelait Darache. Le Blant l'a identifié dans les documents des Archives départementales des Pyrénées-Atlantiques et a résumé ses constatations dans « Première bataille », p. 125.

47. Marcel Trudel écrit que Pont-Gravé avait l'habitude de traquer les contrebandiers et souligne son zèle parfois excessif sur ce point. En 1604, il avait arraisonné quatre vaisseaux basques en Acadie et saisi leurs marchandises. Il avait récidivé en 1606. En d'autres occasions, Pont-Gravé avait saisi des fourrures appartenant à un investisseur de la compagnie de Mons, lequel avait contraint le sieur de Mons à lui verser des dommages-intérêts. Trudel, *Histoire de la Nouvelle-France,* 2 : 153n, 66-67 ; Lescarbot, *History of New France,* 2 : 526 [*Histoire de la Nouvelle-France*].

48. WSC, 2 : 12.

49. *Ibid.,* 2 : 12-13.

50. *Ibid.,* 2 : 13-14, et l'abondante documentation chez Le Blant, « Première bataille », p. 122-125.

51. WSC, 2 : 17.

52. Le Blant, « Première bataille », p. 120-121 ; Le Blant et Baudry (dir.), *Nouveaux Documents,* p. 151 et 162 ; Trudel, *Histoire de la Nouvelle-France,* 1 : 86-88 ; *Mercure François,* 1 : 297 recto ; Biard, « Relation » (1616), *Relations des Jésuites,* 3 : 162-164 ; Liebel, *Pierre Dugua, sieur de Mons,* p. 224 et 278.

53. Lescarbot, *History of New France,* 3 : 36 [*Histoire de la Nouvelle-France*].

54. *Ibid.,* 2 : 325, 368-369 ; Lucien Campeau, *Monumenta Novae Franciae,* Québec, 1967, 1 : 120, 566, 568, 604-606 et 661.

55. WSC, 2 : 22.

56. *Ibid.*, 2 : 23.

57. Les mesures de Champlain semblent inexactes ici. Il estimait que l'île faisait six lieues de long, avec une largeur d'une lieue et demie, ce qui est moins que sa taille réelle. Les chutes Montmorency lui parurent faire « près de vingt-cinq toises de haut », soit moins de cinquante mètres. Elles sont hautes de quatre-vingts mètres.

58. WSC, 2 : 23.

59. *Ibid.*, 2 : 24.

60. *Ibid.*, 2 : 25.

61. Trudel, *Histoire de la Nouvelle-France*, 2 : 157.

62. Gustave Lanctot, *A History of Canada: From its Origins to the Royal Régime*, Toronto, 1963, 1 : 103 [*Histoire du Canada*]. Les grandes fouilles archéologiques effectuées à Québec confirment une fois de plus l'exactitude du récit de Champlain. Pour les excavations au site qu'on appelle aujourd'hui la place Royale dans le Vieux-Québec, voir Françoise Niellon et Marcel Moussette, *Le Site de l'habitation de Champlain à Québec : étude de la collection archéologique* (1976-1980), Québec, 1985, p. 26-78. De nombreux artefacts ont été ainsi exhumés, notamment ce qui aurait été l'écritoire de Champlain et d'autres articles précieux, dont certains sont exposés aujourd'hui au Centre d'interprétation de Place-Royale. Soulignons d'autres apports, dont l'ouvrage de Norman Clermont, Claude Chapdelaine et Jacques Guimont, *L'Occupation historique et préhistorique de Place Royale*, Québec, 1992 ; et aussi celui de Camille Lapointe, Béatrice Chassé et Hélène de Carufel, *Aux origines de la vie québécoise*, Québec, 1983, édition révisée, 1994. Nous ne mentionnons que ces trois ouvrages mais il y a plus de cent études archéologiques de très grande qualité qui ont été publiées par le ministère de la Culture et des Communications dans sa série « Collection Patrimoine ».

63. Trudel, *Histoire de la Nouvelle-France*, 2 : 157.

64. WSC, 2 : 44.

65. *Ibid.*, 2 : 52.

66. *Ibid.*, 2 : 60-61.

67. *Ibid.*, 2 : 52.

68. *Ibid.*, 2 : 17.

69. Voir le chapitre 9.

70. WSC, 2 : 25-34 ; Lescarbot, *History of New France*, 2 : 334 ; 3 : 6, 303-304 [*Histoire de la Nouvelle-France*] confirme le récit que Champlain donne de cet épisode ; Le Blant et Baudry (dir.), *Nouveaux Documents*, p. xxvi, 118 et 154 ; Campeau, *Monumenta Novae Franciae*, 1 : 90 ; Trudel, *Histoire de la Nouvelle-France*, 2 : 157-158.

71. WSC, 2 : 26.

72. *Ibid.*, 2 : 34.

73. *Ibid.*, 2 : 34.

74. *Ibid.*, 2 : 35.

75. Trudel, *Histoire de la Nouvelle-France*, 2 : 157.

76. WSC, 2 : 45.
77. *Ibid.,* 4 : 53.
78. *Ibid.,* 2 : 69.
79. *Ibid.,* 2 : 69.
80. *Ibid.,* 2 : 52-53.
81. *Ibid.,* 4 : 50 ; au sujet de l'histoire et de la culture des Montagnais, qui se nomment aujourd'hui Innus, nous avons beaucoup appris au contact de Martin Gagnon, ethnographe et historien au Centre culturel innu sur la réserve Essipit, à l'est de Tadoussac, au bord du Saint-Laurent. Pour les sources publiées, voir Peter Armitage, *The Innu (The Montagnais Nagaspi),* New York, 1991. Les Innus ont maintenant un programme de publication d'œuvres rédigées dans leur langue. Soulignons un livre très attrayant sur les légendes culturelles de ce peuple de chasseurs, celui de An-Mani Saint-Onge André et Guilaine Saint-Pierre Bertrand, *An-Mani utipatshimunissima,* publié par l'Institut culturel et éducatif montagnais, Sept-Îles, 1996.
82. WSC, 2 : 44-45 ; 4 : 50.
83. *Ibid.,* 4 : 53.
84. Eleanor Leacock, *The Montagnais "Hunting Territory" and the Fur Trade,* American Anthropological Association Memoirs, 78 (1954), p. 1-9.
85. WSC, 4 : 61.
86. *Ibid.,* 2 : 45-46.
87. *Ibid.,* 2 : 54.
88. *Ibid.,* 4 : 52, 55 et 60.
89. *Ibid.,* 2 : 53.
90. *Ibid.,* 2 : 63 ; Kenneth J. Carpenter, *The History of Scurvy and Vitamin C,* Cambridge (Massachusetts), 1986, p. 10-11, 153 et *passim.*

CHAPITRE 12 • L'IROQUOISIE

1. WSC, 5 : 73-78.
2. Le capitaine Claude Godet des Maretz apparaît sous le nom de Des Marais dans les écrits de Champlain (WSC, 2 : 63, 73, 78, 80, 110, 116, 143 ; 5 : 97 ; Trudel, *Histoire de la Nouvelle-France,* 2 : 161n, 167 et 473. Il ne faut pas le confondre avec son fils, François Godet des Maretz, qui remplaça Pont-Gravé à Québec en 1629. Voir WSC, 6 : 32 ; Trudel, *ibid.,* 2 : 315, 473 et 499. Le frère de Claude avait nom Jean Godet du Parc, et il prit le commandement à Québec en l'absence de Champlain. Les membres de cette famille du Perche jouèrent un rôle important dans les premières heures de l'histoire du Québec, plus important en tout cas que ne le laisse entendre l'historiographie. Champlain avait confiance en eux, et ils le soutinrent sans faille. (Trudel, *ibid.,* 2 : 103, 173, 238, 245, 487 et 489. Quant au pilote Jean Routier (que Champlain appelle La Routte), voir WSC, 2 : 73 ; Trudel, *idem,* 2 : 161n, 169 et 483.
3. WSC, 2 : 63.

4. *Ibid.*, 2 : 108 ; Trudel, *Histoire de la Nouvelle-France*, 2 : 485.

5. WSC, 2 : 64.

6. Dans les années cinquante, certains historiens ont affirmé que les guerres endémiques entre Indiens étaient attribuables à l'arrivée des Européens, qui avaient importé en Amérique leurs rivalités commerciales, leurs conflits politiques, la désintégration culturelle et leur crise démographique. Voir George T. Hunt, *The Wars of the Iroquois*, Madison (Wisconsin), 1940 ; et Francis Jennings, *The Invasion of America: Indians, Colonialism and the Cant of Conquest*, Chapel Hill (Caroline du Nord), 1975.

   Même des pratiques comme la torture et le scalp furent alors attribuées aux Européens. Pour un examen rigoureux de ces travaux, voir James Axtell, « The Unkindest Cut, or Who Invented Scalping ? A Case Study », et « Scalping: The Ethnohistory of a Moral Question », dans *The European and the Indian: Essays in the Ethnohistory of Colonial North America*, Oxford, 1981, p. 16-35, 207-241. Axtell a été l'un des premiers à démontrer la valeur de l'ethnographie, de l'archéologie et de la linguistique historique dans la recherche historique. Sur la question de savoir si les Indiens étaient « généralement pacifiques » avant l'arrivée des Européens, voir Lawrence H. Keeley, *War Before Civilization*, New York, 1996, p. 30-31 ; et pour un examen général de ces thèses, voir William Engelbrecht, *Iroquoia: The Development of a Native World*, Syracuse (New York), 2003, p. 6-8, 41-46 et *passim*.

7. James W. Bradley, *Evolutions of the Onondaga Iroquois: Accommodating Change, 1500-1655*, Syracuse (New York), p. 108 ; Dean R. Snow, Charles T. Gehring et William A. Starna (dir.), *In Mohawk Country: Early Narratives about a Native People*, Syracuse (New York), 1996 ; Charles T. Gehring et William A. Starna (dir.), *A Journey into Mohawk and Oneida Country, 1634-1635*, Syracuse (New York), 1988 et 1991.

8. WSC, 2 : 143.

9. WSC, 2 : 63-64, 67-70. D'autres ont avancé un motif différent. Marc Lescarbot a écrit en 1610 que Champlain, « désireux de voir le pays des Iroquois, afin qu'en son absence les sauvages ne se saisissent point de son fort [Québec], il leur persuada d'aller là faire la guerre ». Voir Lescarbot, *La Conversion des Sauvages*, Paris, 1610 ; reproduit dans *Relations des Jésuites*, 1 : 49-113, p. 103. Hypothèse qui ne repose sur aucune preuve. Champlain entretenait de bonnes relations avec les Indiens domiciliés près de son établissement et ne les craignait nullement. D'ailleurs, pendant sa campagne, la plupart des guerriers laurentiens restèrent dans la vallée.

10. Bruce Trigger, *Natives and Newcomers: Canada's "Heroic Age" Reconsidered*, Montréal, 1985, 1994, p. 186 ; William N. Fenton, *The Great Law and the Longhouse: A Political History of the Iroquois Confederacy*, Norman (Oklahoma), 1998, p. 245.

11. WSC, 2 : 64.

12. *Idem.*

13. *Ibid.*, 2 : 65.

14. *Ibid.*, 2 : 65 ; 1 : 130-131.

15. *Ibid.*, 2 : 68.

16. Au sujet d'Ochasteguin, voir WSC, 2 : 68-71 et 186 ; 3 : 73 ; 4 : 67-70, 136-150 et 260 ; au sujet d'Iroquet, voir WSC, 2 : 69-104 ; 4 : 67-103 ; également Trigger, *Children of Aataentsic,* p. 246-249 et *passim.*

17. Au sujet de l'*orenda,* voir William Engelbrecht, *Iroquoia,* p. 4-6, 145-146 ; Hope L. Isaacs, « Orenda and the Concept of Power among the Tonawanda Seneca », dans Raymond D. Fogelson et Richard Adams (dir.), *The Anthropology of Power: Ethnographic Studies from Asia, Oceania, and the New World,* New York, 1977, p. 168-173.

18. La même chose se produisit lorsque l'explorateur hollandais Harmen van den Bogaert visita le pays agnier en 1634. On demanda à Bogaert à maintes reprises de faire feu avec son arme. Un historien écrit : « Pour les Iroquois, l'*orenda* peut résider dans un objet, et manifestement les armes à feu étaient douées de puissance. » Voir Harmen Meyndertsz van den Bogaert, « A Journey into Mohawk and Oneida Country, 1634-1635 », dans Dean R. Snow, Charles T. Gehring et William A. Starna (dir.), *In Mohawk Country: Early Narratives about a Native People,* Syracuse (New York), 1996, p. 1-13 ; Engelbrecht, *Iroquoia,* p. 4-6, 145-146.

19. WSC, 2 : 70-71 ; Trigger, *Natives and Newcomers,* p. 175.

20. *Ibid.*, 2 : 71-72 ; à propos des types de canots, voir l'appendice M.

21. WSC, 2 : 72-73.

22. *Ibid.*, 2 : 73.

23. *Ibid.*, 2 : 73-74, 76-77 ; 1 : 136.

24. Champlain appelait ses adversaires les Iroquois. Les chercheurs s'entendent pour dire que, dans cette campagne, il combattait une seule nation de la ligue iroquoise, les Agniers (qui se nomment aujourd'hui Mohawks). Champlain employait les noms des autres nations iroquoises (ou, dans la plupart des cas, ceux que leur donnaient les Hurons). Mais il employait le mot *Iroquois* pour désigner les Agniers aussi bien que toutes les nations de la ligue iroquoise.

25. WSC, 2 : 76 ; Fenton, *The Great Law and the Longhouse,* p. 53, 54, 57, 473 et *passim* ; Engelbrecht, *Iroquoia,* p. 124-130. À propos des Agniers, voir Snow, Gehring et Starna (dir.), *In Mohawk Country.*

26. WSC, 2 : 76-78.

27. *Ibid.*, 2 : 78-79.

28. *Ibid.*, 2 : 80. Lescarbot a écrit en 1612 que Champlain était « accompagné d'un homme et d'un laquais du sieur de Monts ». Voir Marc Lescarbot, *Histoire de la Nouvelle-France,* 2ᵉ édition, revue, corrigée et augmentée par l'auteur, Paris, 1612, p. 626. Il existe un exemplaire de cet ouvrage rarissime à la John Carter Brown Library de Providence, au Rhode Island. Ce passage n'apparaît que dans la deuxième édition et dans la réédition de l'*Histoire de la Nouvelle-France* de Lescarbot (Tross éditeur), 3 : 600. Lescarbot n'avait pas mentionné ce personnage dans la première édition et l'a fait disparaître de la troisième. Ce « domestique du sieur de Mons », comme dit Lescarbot, était probablement François

Addenin, un tireur d'élite connu pour ses chasses heureuses à Port-Royal. C'était peut-être le même homme à qui Henri IV avait donné l'ordre d'accompagner De Mons en Amérique pour assurer sa garde rapprochée. Son nom était orthographié diversement, Addenin ou Admarin. Voir Lescarbot, *History of New France*, 3 : 231 [*Histoire de la Nouvelle-France*] ; Trudel, *Histoire de la Nouvelle-France*, 2 : 63, 461, 486 et 162. L'autre homme n'a pas été identifié, mais il devait s'agir aussi d'un arquebusier adroit. Si Lescarbot mentionne Addenin (que Champlain ne nomme pas), c'est qu'il avait une source autre que les récits de Champlain. Ce qui nous donne deux récits de la campagne contre les Agniers, celui de Lescarbot, le premier à être publié, et l'autre de Champlain. Lescarbot corrobore le récit de Champlain.

29. Marc Lescarbot, *La Conversion des Sauvages*, Paris, 1610 ; *Relations des Jésuites*, 1 : 104.

30. WSC, 2 : 84.

31. *Ibid.*, 2 : 85. Pour une étude approfondie de cette campagne dans le contexte de l'histoire militaire, voir Fred Anderson et Andrew Cayton, *The Dominion of War: Empire and Liberty in North America, 1500-2000*, New York, 2005, p. 1-53.

32. Les dates font problème ici. Champlain nous dit qu'il a quitté les rapides sur la rivière des Iroquois le 2 juillet. Cette date est erronée. Les lecteurs attentifs de son récit s'entendent pour dire que ce devait être le 12 juillet. Champlain et les siens campèrent cette nuit-là sur une île qui faisait près de cinq kilomètres de long, probablement l'île Sainte-Thérèse. Le lendemain, 13 juillet, ils remontèrent la rivière jusqu'à l'entrée du lac Champlain. Ils campèrent de nouveau et « le lendemain entrâmes dans le lac ». Ce qui aurait été le 14 juillet 1609. WSC, 2 : 82-90. Pour le nom donné au lac, voir Trudel, *Histoire de la Nouvelle-France*, 2 : 162.

33. Guy Omeron Coolidge, *The French Occupation of the Champlain Valley from 1609 to 1759*, 1938, Flieschmanns (New York), 1999, p. 8-15.

34. WSC, 2 : 90 ; Coolidge, *French Occupation of the Champlain Valley*, p. 11.

35. WSC, 2 : 94. Au sujet de l'importance de la lune, je m'en suis tenu à l'excellent manuscrit inédit de Robert Pell-Ducharme, l'un des meilleurs comptes rendus de la bataille qu'il m'a été donné de lire. Il en existe un exemplaire à la bibliothèque de Fort Ticonderoga. Son hypothèse est confirmée par les calendriers lunaires de la NASA. Voir http://sunearth.gsfc.nasa.gov ; voir aussi http://eclipse.gsfc.nasa.gov/phase/phasecat.html

36. WSC, 2 : 89-94.

37. *Idem.*

38. WSC, 2 : 95 ; Engelbrecht, *Iroquoia*, p. 48 ; Anthony F. C. Wallace, « Dreams and the Wishes of the Soul: A Type of Psychoanalytic Theory among the Seventeenth Century Iroquoians », *American Anthropologist*, 60 (1958), p. 234-248.

39. Au sujet de la signification probable que Champlain donne au mot *cap*, il faut retenir la définition suivante : « pointe de terre souvent élevée qui s'avance dans la mer » ; Alain Rey *et al.* (dir.), *Le Grand Robert de la langue française*, nouvelle

édition élargie, 6 vol., Paris, 2001, 1 : 1893, *s.v.* « cap ». L'emplacement du cap de Champlain fait encore l'objet de débats. La plupart des historiens croient qu'il est situé à Ticonderoga. Pour la preuve, voir l'appendice J.

40. Au XIXᵉ siècle, la chute a été convertie en canal à moulin. À la fin du XXᵉ siècle, on en a fait un joli parc dans la ville de Ticonderoga.

41. Robert Louis Stevenson a écrit un poème gothique sur Ticonderoga et son « nom insolite » qui « souffle dans l'oreille endormie » des chants funèbres pour nombre d'Écossais et d'Anglais, de Français et d'Indiens aussi. Voir son *Ticonderoga, A Legend of the West Highlands*.

42. Des travaux archéologiques importants ont été réalisés sur ce site. Voir William A. Ritchie, *The Archaeology of New York State*, New York, 1980 ; John H. Bailey, « A Rock Shelter at Fort Ticonderoga », *Bulletin of the Champlain Valley Historical Society*, 1 (1937), p. 5-16 ; également Dechame, manuscrit inédit, qui cite d'autres études archéologiques et légendes iroquoises du clan agnier.

43. WSC, 2 : 95.

44. Il subsiste un exemple de canot d'écorce d'orme iroquoien au musée Peabody-Essex, orné de bandes diagonales rouges. On trouve le même motif sur les pagaies et les engins de pêche. Voir William N. Fenton et Ernest Dodge, « An Elm Bark Canoe in the Peabody-Essex Museum of Salem », *American Neptune*, 9 (1949), p. 185-206 ; pour un récit ancien, voir Baron de Lahontan, *New Voyages to North-America*, Reuben G. Thwaites (dir.), 1703, 2 vol., New York, 1970, 1 : 80 [*Nouveaux Voyages du baron de Lahontan*] ; voir aussi Engelbrecht, *Iroquoia*, p. 141-142 ; au sujet des canots des cinq nations — Inuits, Montagnais, Têtes-de-Boule, Outaouais et Algonquins —, voir Olive Patricia Dickason, *The Myth of the Savage*, Edmonton, 1984, p. 89, qui cite Bécard de Granville, *Les Raretés des Indes*, BAC C-33287.

45. WSC, 2 : 96 ; Lescarbot, *History of New France*, 3 : 12-13 [*Histoire de la Nouvelle-France*].

46. WSC, 2 : 96-97.

47. *Ibid.*, 2 : 97n. Ces passages suivent la version originale française et non la traduction anglaise de Biggar.

48. Iconoclastes et détracteurs ont affirmé que le seul récit de la bataille était celui de Champlain. Faux. Le premier récit a été publié non par Champlain, mais par Marc Lescarbot dans son *Histoire de la Nouvelle-France*, Paris, 1609, et dans *La Conversion des Sauvages qui ont esté baptizés en la Nouvelle France, cette année 1610*, Paris, 1610, reproduit dans *Relations des Jésuites*, 1 : 49-113. Ces ouvrages circulaient trois ans avant que Champlain ne publie son premier récit. Ces auteurs s'entendent sur la plupart des faits importants, dont le premier coup d'arquebuse, mais ajoutent des détails qui sont absents du texte de Champlain. Lescarbot a également publié d'autres éditions de l'*Histoire de la Nouvelle-France* (1611, 1612 et 1618), enrichies de détails qui varient d'une édition à l'autre. Nous avons pu étudier ces diverses éditions dans les superbes collections de la John Carter Brown Library. Elles confirment les lignes principales du témoignage de Champlain et contiennent des détails qui ne figurent pas dans son récit. Elles

nous révèlent qu'au moins une des sources de Lescarbot autres que Champlain devait être un arquebusier qui accompagnait l'explorateur. Ces récits ont été publiés à l'époque où tous les protagonistes étaient en vie. Même si Lescarbot et Champlain étaient brouillés, l'écrivain a maintenu la version de l'explorateur.

49. Au cœur de cet événement se trouve l'arquebuse à rouet de Champlain, qui n'était pas, comme l'ont cru à tort de nombreux historiens, une arquebuse à mèche. Voir l'appendice L.

50. Lescarbot, *La Conversion des Sauvages,* dans *Relations des Jésuites,* 1 : 105.

51. Certains croient que la bataille a eu lieu sur la plage sablonneuse. Le dessin qu'en a fait Champlain et le cours des événements indiquent que la bataille s'est déroulée dans une clairière au-dessus de la plage, probablement près de l'actuel « Pavillon » à Ticonderoga. Si la bataille avait eu lieu sur la plage, les compagnons arquebusiers de Champlain n'auraient pas eu cet angle de tir avantageux à partir des bois.

52. WSC, 2 : 98 ; Lescarbot, *La Conversion des Sauvages,* dans *Relations des Jésuites,* 1 : 105.

53. WSC, 2 : 99. Le récit de Lescarbot diffère ici de celui de Champlain sur certains détails. Lescarbot affirme notamment que Champlain a chargé deux balles, et non quatre comme Champlain l'a écrit. Voir Lescarbot, *Histoire de la Nouvelle-France,* Paris, 1609, et *La Conversion des Sauvages,* dans *Relations des Jésuites,* 1 : 51-113.

Lescarbot a plus tard donné d'autres versions de la bataille, dans les éditions subséquentes de son *Histoire de la Nouvelle-France* (1611, 1612 et 1618). Il a ajouté ici des informations qui ne figurent pas dans le récit de Champlain et qui traitent du temps qu'il faisait et de l'identité de l'un des deux arquebusiers qui accompagnaient Champlain à la bataille. Voir la note 47, *supra.*

54. WSC, 2 : 101.

55. *Ibid.,* 2 : 100.

56. La latitude de Ticonderoga est de 43 degrés, 50 minutes nord. Crown Point est à 43 degrés, 55 minutes.

57. WSC, 2 : 94 ; 1 : 284.

58. La question du moment est essentielle pour ce qui est de savoir si la bataille s'est déroulée à Ticonderoga ou à Crown Point. Champlain n'avait que trois heures pour explorer les lieux après la bataille. Voir l'appendice J.

59. WSC, 2 : 94. Le problème du temps et de la distance est crucial lorsqu'il s'agit de déterminer l'emplacement de la bataille à Ticonderoga. Elle n'aurait pas pu se dérouler à Crown Point. La preuve est examinée à l'appendice J.

60. WSC, 2 : 101. À propos d'Henry Hudson, voir Samuel Purchas, *Purchas, His Pilgrims,* 1613, 3 : 567-609.

61. WSC, 2 : 105.

62. *Ibid.,* 2 : 101.

63. *Ibid.,* 2 : 102.

64. *Ibid.,* 2 : 103.

65. *Ibid.,* 2 : 101-105.

66. Nathaniel Knowles, « The Torture of Captives by the Indians of Eastern North America », *American Philosophical Society Proceedings*, 82 (1940), p. 151-225 ; Thomas S. Abler, « Iroquoian Cannibalism: Fact not Fiction », *Ethnohistory*, 27 (1980), p. 309-316. Pour d'autres preuves archéologiques du cannibalisme, voir James A. Tuck, *Onondaga Iroquois Prehistory : A Study in Settlement Archaeology*, Syracuse (New York), 1971, p. 113-114.

67. Par exemple, Daniel K. Richter, *The Ordeal of the Long House : The Peoples of the Iroquois League in the Era of European Colonization*, Chapel Hill (Caroline du Nord), 1993 ; Roger M. Carpenter, *The Renewed, the Destroyed and the Remade : The Three Thought Worlds of the Iroquois and the Huron, 1609-1650*, East Lansing (Michigan), 2004, p. 22, 25 et 26.

68. WSC, 2 : 105.

69. *Ibid.*

70. *Ibid.*, 2 : 106.

71. La Nouvelle-France était largement une entreprise familiale, et les relations de parenté y étaient complexes. Ainsi, Jean Godet du Parc était le frère du capitaine Claude Godet des Maretz, gendre de Pont-Gravé, et oncle de François Godet des Maretz. Les Godet appartenaient à une famille noble du Perche. Voir Trudel, *Histoire de la Nouvelle-France*, 2 : 167 et 472.

72. WSC, 2 : 109-110.

73. Samuel E. Morison, *Samuel de Champlain: Father of New France*, New York, 1972, p. 231-233 ; Daniel Boorstin, *The Image: A Guide to Pseudo-Events*, New York, 1961, 1972, est une histoire de la révolution intellectuelle qui sépare le monde de Champlain du nôtre. À l'analyse de Boorstin, on pourrait ajouter des documents français comme les écrits du comte de Mirabeau sur le langage où l'auteur argue, vers 1776, que les mots sont des choses et qu'ils ont une existence indépendante des choses qu'ils se proposent de décrire.

74. WSC, 2 : 109.

75. *Ibid.*, 2 : 110 ; Gustave Lanctot, *A History of Canada: From Its Origins to the Royal Régime*, Toronto, 1963, 1 : 106 [*Histoire du Canada*].

76. WSC, 2 : 110.

77. *Ibid.*, 2 : 112.

78. *Ibid.*, 2 : 117 ; Lanctot, *A History of Canada*, 1 : 106 [*Histoire du Canada*].

79. WSC, 2 : 118.

80. *Ibid.*, 2 : 121.

81. *Ibid.*, 2 : 118-119.

82. *Ibid.*, 2 : 123.

83. WSC, 2 : 125. La nouvelle lune était le 21 juin 1610. Voir National Aeronautics and Space Administration, *Six Millennium Catalog of Phases of the Moon*, en ligne : http://sunearth.gsfc.nasa.gov ; voir aussi http://eclipse.gsfc.nasa.gov/phase/phasecat.html, qui donne une reconstruction utile du calendrier lunaire.

84. WSC, 2 : 126.

85. Champlain se trouvait alors en terrain bas et marécageux, à la jonction de trois rivières : le Saint-Laurent, la Yamaska et le Richelieu, qu'il appelait la rivière des

Iroquois. Il se déplaçait sur un vaste secteur de terres humides qu'on nomme de nos jours la Réserve mondiale de la biosphère du lac Saint-Pierre. On y trouve 40 % des terres humides du Saint-Laurent et des centaines d'espèces d'oiseaux, dont la plus imposante colonie de hérons en Amérique du Nord. Les nuées de moustiques y sont toujours elles aussi.

86. WSC, 2 : 127-128 ; 4 : 105-118.

87. *Ibid.*, 2 : 128. Champlain écrit qu'ils étaient allés à environ « une lieue et demie » du fleuve Saint-Laurent. La barricade des Agniers était située sur la rive sud-est du Richelieu, à un peu moins de cinq kilomètres du Saint-Laurent, à un cap qu'on a appelé le *cap de la victoire* ou *cap du massacre*. Les Hurons appelaient ce lieu Onthrandéen. Il se trouve maintenant à l'intérieur de la ville de Sorel-Tracy. Voir l'abbé A. Couillard-Després, *Histoire de Sorel, de ses origines à nos jours,* Montréal, 1926, p. 12, 21-24. Biggar, dans WSC, 4 : 105, se trompait quant à l'emplacement, et il confondait les références de Champlain au Richelieu et au Saint-Laurent. Les historiens qui ne s'y sont pas trompés sont Trudel, dans *Histoire de la Nouvelle-France,* 2 : 171, et Morison, *Champlain,* p. 120-121.

88. WSC, 2 : 128.

89. *Ibid.*, 2 : 130.

90. *Ibid.*, 2 : 130-133.

91. *Ibid.*, 2 : 131.

92. *Ibid.*, 2 : 132.

93. *Ibid.*, 2 : 131-134 ; 4 : 112-113.

94. *Ibid.*, 2 : 134.

95. *Ibid.*, 2 : 136.

96. *Ibid.*, 2 : 137. Pour un examen sérieux de la question, voir Elisabeth Tooker, *Ethnographie des Hurons, 1615-1649,* Montréal, 1987, 1997, p. 32-40. Cet excellent ouvrage a été publié en anglais d'abord, « An Ethnography of the Huron Indians, 1615-1649 », *Bureau of American Ethnology Association,* 190 (1964).

97. William N. Fenton, *The Great Law and the Longhouse,* p. 243-244.

98. Pour une estimation haute, voir Léo-Paul Desrosiers, *Iroquoisie,* Montréal, 1947, p. 47 ; pour une estimation plus modeste, voir Trudel, *Histoire de la Nouvelle-France,* 2 : 164 et 171. Pour la population des Agniers vers 1600, les estimations de Snow et Starna fluctuent entre 8 110 et 10 570. Engelbrecht juge ces estimations « généreuses », et Trigger calcule que la population des Agniers « ne dépassait probablement pas 5 000 personnes ». Cf. Dean R. Snow et William A. Starna, « Sixteenth-Century Depopulation: A View of the Mohawk Valley », *American Anthropologist,* 91 (1989), p. 142-149 ; Engelbrecht, *Iroquoia,* p. 125 ; Trigger, *The Children of Aataentsic: A History of the Huron People to 1600,* 1976, nouvelle édition, Montréal, 1987, p. 260.

99. Trigger, *Natives and Newcomers,* p. 176-177 ; *The Children of Aataentsic,* p. 260-261. D'autres facteurs ont joué, par exemple l'expansion du commerce avec les Hollandais dans la vallée de l'Hudson au sud et les affrontements dans la vallée de l'Outaouais.

CHAPITRE 13 • MARIE DE MÉDICIS

1. WSC, 2 : 144-145 ; 3 : 15.
2. *Ibid.*, 2 : 117, 147.
3. *Ibid.*, 2 : 145.
4. *Ibid.*, 2 : 144-145.
5. Marcel Trudel, *Histoire de la Nouvelle-France*, vol. 2 : *Le comptoir, 1604-1627*, Montréal, 1966, p. 167 ; WSC, 4 : 34.
6. WSC, 2 : 146-147. Claude Godet des Maretz était capitaine dans la marine du roi. Lescarbot le qualifie de « jeune gentilhomme ». Il était originaire du Perche et avait épousé Jeanne, fille de François Gravé du Pont. Étaient également actifs en Nouvelle-France son fils, François Godet des Maretz, né à Honfleur en 1616, et son frère, Jean Godet du Parc. Ils allaient jouer un rôle important à Québec pendant de nombreuses années : en 1609, 1610, 1611, 1613, 1616-1617 et 1623. Godet du Parc était commandant en 1610-1611, et de nouveau en 1616-1617. Voir WSC, 2 : 63, 143, 117, 146n et 305 ; 3 : 603, 182, 167, 273, 473, 486-487 ; 5 : 97 ; Trudel, *Histoire de la Nouvelle-France*, 2 : 161, 167, 473 et *passim*.
7. WSC, 2 : 154.
8. *Ibid.*
9. Victor-L. Tapié, *France in the Age of Louis XIII and Richelieu*, Paris, 1952, 1957, trad. Cambridge, 1974, 1984, p. 4 [*La France de Louis XIII et de Richelieu*].
10. Joe C. W. Armstrong, *Champlain*, Toronto, 1987, p. 268.
11. Tapié, *France in the Age of Louis XIII*, p. 65 [*La France de Louis XIII et de Richelieu*].
12. *Ibid.*, p. 49 ; Gustave Lanctot, *History of Canada*, 1 : 107 [*Histoire du Canada*].
13. La pension que Champlain avait obtenue d'Henri IV fut annulée par la reine régente, rétablie par Louis XIII, supprimée par Richelieu et rétablie de nouveau par Louis XIII. Il toucha aussi divers salaires à titre de lieutenant, qui furent surtout versés par des compagnies de commerce. Morison, *Champlain*, p. 208 ; Robert Le Blant et René Baudry (dir.), *Nouveaux Documents sur Champlain et son époque*, Ottawa, 1967, 1 : 17, 253, 259, 316 et 412.
14. WSC, 3 : 15.
15. *Idem.*
16. *Ibid.*, 2 : 257 ; 4 : 156.
17. Lescarbot, *History of New France*, 1 : 11 ; 2 : 335 [*Histoire de la Nouvelle-France*].
18. WSC, 2 : 257 ; 4 : 156.
19. Robert Le Blant, « La famille Boullé, 1586-1639 ; 1. Nicolas Boullé », *Revue d'histoire de l'Amérique française*, 17 (1963), p. 455-469 ; « L'ascension sociale d'un huissier : Nicolas Boullé », *Bulletin philologique et historique*, 1969, p. 819-836 ; voir aussi Le Blant et Baudry (dir.), *Nouveaux Documents*, 1 : 16n, 108, 330, 398 et 401.
20. Le Blant, « L'ascension sociale d'un huissier » ; et « La famille Boullé ».
21. Les documents sur les conditions du mariage, notamment le contrat de mariage, ont été réunis par E. Cathelineau dans *Nova Francia*, 5 (1930), p. 142-

155 ; voir aussi Trudel, *Histoire de la Nouvelle-France*, 2 : 174 ; l'abbé C.-H. Laverdière (dir.), *Œuvres de Champlain publiées sous le patronage de l'Université Laval*, Québec, 1946, p. 372, 1445-1447.

22. Contrat de mariage en date du 27 décembre 1610, Archives nationales de France, Paris, série Y, vol. 150, p. 293 et suivantes. Le texte est reproduit dans WSC, 2 : 315-324.

23. WSC, 3 : 23.

24. Buisseret, *Henry IV*, Londres, 1984, p. 122.

25. Madame de Guercheville (vers 1570-1632) était née Antoinette de Pons, fille du comte de Marenne. Elle avait été mariée fort jeune au comte de La Roche Guyon, qui la laissa veuve et mère d'un petit garçon en 1586 ; elle avait alors à peu près seize ans. Elle s'était ensuite retirée au manoir de La Roche Guyon en Normandie. En 1594, elle avait épousé Charles du Plessis, marquis de Liancourt et comte de Beaumont-sur-Oise. Elle et ses deux maris étaient très fortunés et furent des figures marquantes à la cour. Voir Lucien Campeau, *Monumenta Novae Franciae*, 1 : 679-680 ; Trudel, *Histoire de la Nouvelle-France*, 2 : 95-96 ; Adrien Huguet, *Jean de Poutrincourt (fondateur de Port-Royal en Acadie…)*, Amiens et Paris, 1932, p. 292-295 ; Herouard, « Journal », dans *Le Canada pendant la jeunesse de Louis XIII*, A.-Léo Leymarie (dir.), *Nova Francia*, 1 : 161-165.

26. L'histoire a été racontée par l'abbé de Choisy et écrite par Francis Parkman, *Pioneers of France in the New World*, 1865, édition révisée et corrigée, 1885 ; rééd. Boston, 1901, p. 290-291. Les sources que donne Parkman sont les *Mémoires de l'Abbé de Choisy*, livre 12 ; *Biographie générale* et *Biographie universelle*, et *Les Amours du Grand Alcandre* [surnom méchant que les catholiques avaient donné à Henri IV] ; *Collection Petitot*, 63 : 515 ; Morison, *Champlain*, p. 148.

27. Parkman, *Pioneers of France*, p. 290-291.

28. Pierre-François-Xavier de Charlevoix, *Histoire de l'établissement des progrès et de la décadence du christianisme…*, Rouen, 1713, 1 : 122 ; Parkman, *Pioneers of France*, p. 202 ; les sources primaires figurent dans le *Factum du procès entre Jean de Biencourt, Sr. de Poutrincourt et les Pères Biard et Massé, Jésuites*, 1614, Paris, 1887, qui renferme des lettres qu'ont échangées Mme de Guercheville et le confesseur jésuite d'Henri IV, Pierre Coton.

29. « Association des Jésuites au trafique du Canada », contrat en date du 20 janvier 1611, dans Parkman, *Pioneers of France*, p. 294.

30. D'autres insulaires ont situé Saint-Sauveur ailleurs, mais Jesuit Point est l'endroit le plus probable, à notre humble avis.

31. Champlain raconte ce désastre dans ses *Voyages*, WSC, 4 : 2-34 ; le récit le plus complet est celui du père Biard dans son rapport à ses supérieurs, *Relations des Jésuites*, 2 : 4-285 ; voir aussi les documents réunis par Lucien Campeau aux archives de Rome et publiés dans *Monumenta Novae Franciae*, 1 : 3-638, qui va plus loin que ce qui est dit dans les *Relations des Jésuites*.

32. WSC, 4 : 28 ; Lescarbot, *History of New France*, 3 : 47, 48-49n [*Histoire de la Nouvelle-France*].

CHAPITRE 14 • ALLERS-RETOURS, HAUTS ET BAS

1. WSC, 2 : 242.
2. Elsie McLeod, « Savignon », *Dictionnaire biographique du Canada, s.v.* « Savignon » ; Marcel Trudel, « Nicolas Vignau », *ibid., s.v.* « Vignau » ; Marcel Trudel, *Histoire de la Nouvelle-France,* vol. 2 : *Le comptoir, 1604-1627,* Montréal, 1966, p. 174-175.
3. À propos de Thomas Le Gendre, voir Charles Bréard et Paul Bréard, *Documents relatifs à la Marine normande… aux XVIe et XVIIe siècles,* Rouen, 1889 ; au sujet de Lucas Le Gendre, voir Robert Le Blant et René Baudry (dir.), *Nouveaux Documents sur Champlain et son époque,* Ottawa, 1967, p. xiii, xiv, 224, 256, 289 et *passim* ; pour les autres à bord, voir Trudel, *Histoire de la Nouvelle-France,* 2 : 274.
4. WSC, 2 : 157.
5. *Ibid.,* 2 : 158-159.
6. *Ibid.,* 2 : 160.
7. *Ibid.,* 2 : 161.
8. *Idem.*
9. *Ibid.,* 2 : 167.
10. *Ibid.,* 2 : 157, 168 ; Samuel E. Morison, *Champlain: Father of New France,* New York, 1972, p. 124-125.
11. WSC, 2 : 171.
12. Consul Wilshire Butterfield, *History of Brûlé's Discoveries and Explorations,* Cleveland (Ohio), 1898, p. 18-25.
13. WSC, 2 : 173.
14. *Ibid.,* 2 : 175.
15. *Ibid.,* 2 : 176. Au sujet des premiers habitants, voir Roland Tremblay, *Les Iroquoiens du Saint-Laurent. Peuple du maïs,* Montréal, 2006, p. 99-130.
16. WSC, 2 : 178-179 ; Trudel, *Histoire de la Nouvelle-France,* 2 : 174-176.
17. Cela figure sur la carte de Champlain de 1612. Reproduite dans Laverdière (dir.), *Œuvres de Champlain publiées sous le patronage de l'Université Laval,* Québec, 1870, vol. 3 : pages de garde ; Trudel, *Histoire de la Nouvelle-France,* 2 : 177.
18. WSC, 2 : 179.
19. *Ibid.,* 2 : 181.
20. *Ibid.,* 2 : 185.
21. *Ibid.,* 2 : 184-185. Au sujet du nom donné aux rapides, voir Trudel, *Histoire de la Nouvelle-France,* 2 : 176 ; il aurait été tout à fait caractéristique de Champlain d'avoir eu en tête les deux buts qu'évoque Trudel.
22. WSC, 2 : 187-188.
23. *Ibid.,* 2 : 188-189.
24. *Ibid.,* 2 : 189-192.
25. *Ibid.,* 2 : 196-197. Voir Bruce Trigger, *Natives and Newcomers: Canada's "Heroic Age" Reconsidered,* Montréal, 1985, p. 195-197, qui nous montre des Hurons

très favorables aux trafiquants et méfiants à l'égard de Champlain. Trigger affirme également que Champlain a essayé de doubler les trafiquants dans leurs rapports avec les Hurons. C'est exactement le contraire qui s'est produit. Les Hurons se méfiaient extrêmement des trafiquants et se plaignaient d'eux à Champlain. Lui, de son côté, essaya de les défendre.

26. WSC, 2 : 204.

27. *Idem.*

28. *Ibid.,* 2 : 205.

29. *Ibid.,* 2 : 206-212.

30. *Ibid.,* 2 : 213.

31. *Ibid.,* 2 : 214.

32. *Ibid.,* 2 : 242-243 ; N.-E. Dionne, *Champlain. Fondateur de Québec et père de la Nouvelle-France,* Québec, 1891, 1906, 1 : 303-305 ; Jean Liebel, *Pierre Dugua, sieur de Mons, fondateur de Québec,* Paris, 1999, p. 280-285 ; William Inglis Morse, *Pierre Du Gua, sieur de Monts,* Londres, 1939, p. 52.

33. WSC, 2 : 215.

34. *Ibid.,* 2 : 243.

35. *Ibid.,* 2 : 243 ; au sujet du jeune roi en 1611-1612, voir Lloyd Moote, *Louis XIII, the Just,* Berkeley (Californie), 1989, p. 39-60 ; et Jehan Herouard, *Journal sur l'enfance et la jeunesse de Louis XIII,* 2 vol., Paris, 1868.

36. Gustave Lanctot, *A History of Canada: From Its Origins to the Royal Régime,* Toronto, 1963, p. 107 [*Histoire du Canada. Des origines au régime royal,* Montréal, 1959].

37. WSC, 2 : 243-244 ; 4 : 208 ; 5 : 143 ; Lanctot, *A History of Canada,* p. 106 [*Histoire du Canada*].

38. Pour ce qui est du rôle central qu'a joué Champlain, voir Henry Percival Biggar, *Early Trading Companies: A Contribution to the History of Commerce and Discovery of North America,* Toronto, 1901, 1937, rééd. Clifton (New Jersey), 1972, p. 86 ; Biggar écrit que le nom de Soissons « avait été avancé » par Champlain et qu'à sa demande la vice-royauté et le monopole avaient été transférés au neveu de Soissons, le jeune Condé. Trudel marque son accord dans son *Histoire de la Nouvelle-France,* 2 : 188.

39. Louis XIII à Condé, 13 novembre 1612 ; Biggar a trouvé une copie de cette lettre aux archives du Parlement de Rouen, *Early Trading Companies,* p. 195-196 ; le droit de réguler le commerce semble avoir été limité au Saint-Laurent et ne comprenait pas l'Acadie ; voir Lescarbot, *History of New France,* Toronto, 1907, 3 : 335 [*Histoire de la Nouvelle-France*] ; Trudel, *Histoire de la Nouvelle-France,* 2 : 188-189.

40. Morison, *Champlain,* p. 137.

41. Lanctot, *A History of Canada,* p. 107 [*Histoire du Canada*].

42. WSC, 2 : 244-247.

43. On sait peu de chose sur Québec pendant la période qui s'étend de l'automne 1611 au printemps 1613. Nous ne savons pas combien d'habitants il y avait ni leurs noms. Le commandant avait dû être Jean Godet du Parc, qui por-

tait ce titre en 1613 et 1616. Voir la reconstruction de la liste des habitants par Trudel pour chaque hiver dans *Histoire de la Nouvelle-France,* 2 : 488-489.

44. WSC, 2 : 257-258.

45. *Ibid.,* 2 : 258.

46. *Ibid.,* 2 : 249-250.

47. *Ibid.,* 2 : 251.

48. *Ibid.,* 2 : 251 et 255.

49. *Ibid.,* 2 : 252.

50. *Idem.*

51. *Ibid.,* 2 : 252-253.

52. *Ibid.,* 2 : 255.

53. *Ibid.,* 2 : 255-256.

54. *Ibid.,* 2 : 261.

55. *Ibid.,* 2 : 263.

56. *Ibid.,* 2 : 262-264.

57. Ces Algonquins étaient également appelés Kinounchepirinis. Ils vivaient près de la rivière des Outaouais, au sud de l'île aux Allumettes. Voir les notes dans Laverdière, *Œuvres de Champlain,* et aussi le commentaire de Biggar dans WSC, 2 : 264-265.

58. WSC, 2 : 265-266 et 271.

59. *Ibid.,* 2 : 274-275. Au sujet de l'astrolabe de Champlain, voir H. Scadding, *The Astrolabe of Samuel Champlain,* Toronto, 1880 ; C. MacNamara, « Champlain's Astrolabe », *Canadian Field Naturalist,* 33 (1919), p. 103-109 ; Jean-Pierre Chrestien, « L'astrolabe dit de Champlain », dans Raymonde Litalien et Denis Vaugeois (dir.), *Champlain. La naissance de l'Amérique française,* Sillery, 2004, p. 351-353.

60. WSC, 2 : 276.

61. *Ibid.,* 2 : 274-276.

62. *Ibid.,* 2 : 78.

63. *Ibid.,* 2 : 297.

64. WSC, 2 : 255-258, 287-305 et 307 ; 4 : 203-206. D'autres ont avancé que Vignau était une victime innocente de Tessouat, et que les Algonquins Kichespirinis voulaient seulement empêcher Champlain d'entrer en contact avec les Népissingues. Ce qui est peut-être vrai, mais Champlain nourrissait de forts doutes à l'égard de Vignau bien avant de discuter avec Tessouat. Voir Trigger, *Natives and Newcomers,* p. 179 ; WSC, 2 : 255.

65. Trudel, *Histoire de la Nouvelle-France,* 2 : 206.

66. Les principaux documents en date des 14, 15 et 20 novembre 1613 se trouvent à la Bibliothèque nationale de France, Paris, NAF, 9269, et sont cités par Trudel, *Histoire de la Nouvelle-France,* 2 : 206n. Voir aussi les Lettres patentes du 14 décembre 1613 que Biggar a lues aux archives du Parlement de Rouen et qui sont citées dans *Early Trading Companies of New France,* p. 94 ; voir également Trudel, *ibid.,* 2 : 205-206 ; Morison, *Champlain,* p. 147 ; Laverdière, *Œuvres de Champlain,* 3 : 326 ; Robert Le Blant et Marcel Delafosse, « Les Rochelais dans

la vallée du Saint-Laurent (1599-1618) », *Revue d'histoire de l'Amérique française*, 3 (1956), p. 333-363.

67. WSC, 3 : 23 ; Biggar, *Early Trading Companies*, p. 96-97.

68. Biggar, *Early Trading Companies*, p. 94.

69. Morison, *Champlain*, p. 133.

70. C. E. Heidenreich, *Explorations and Mapping of Samuel de Champlain, 1603-1632*, Toronto, 1976, p. 79-82.

71. Pour une excellente étude, voir Denis Vaugeois, « Seeking Champlain », *The Beaver*, spécial du 400ᵉ anniversaire, Winnipeg, 2008, p. 34 ; Raymonde Litalien, Jean-François Palomino et Denis Vaugeois, *La Mesure d'un continent. Atlas historique de l'Amérique du Nord, 1492-1814*, Sillery (Québec), 2007, p. 82-89, 111-113 ; et Litalien et Vaugeois (dir.), *Champlain*, p. 294, 301, 319-320.

72. WSC, 2 : 222-223 ; Morison, *Champlain*, p. 134 ; Heidenreich, *Explorations and Mapping*, p. 104.

73. *Ibid.*, 3 : 16 ; Trudel, *Histoire de la Nouvelle-France*, 2 : 210 ; Gabriel Sagard, *Histoire du Canada... depuis l'an 1615*, éd. Tross, 1865, 1 : 24-42.

74. WSC, 3 : 17.

75. *Ibid.*, 3 : 18.

76. « Exhérédation de Hélène Boullé.., », 10 janvier 1614 ; « testament de Marguerite Alix », 14 février 1614 ; et « Révocation », 23 mai 1636, dans Le Blant et Baudry (dir.), *Nouveaux Documents*, p. 330-335.

77. Champlain, « Testament », ANF, minutier central, minutes de Fleffé, 62 : 138 ; reproduit dans les Archives numérisées ArchivesCanadaFrance.com ; voir aussi Robert Le Blant, « Le Testament de Samuel Champlain », *Revue d'histoire de l'Amérique française*, 17 (1963), p. 269-286.

CHAPITRE 15 • LA HURONIE

1. WSC, 3 : 65.

2. *Ibid.*, 3 : 23.

3. *Ibid.*, 3 : 22.

4. Alain Rey *et al.* (dir.), *Le Grand Robert de la langue française*, Paris, 2001, 5 : 977, *s.v.* « porte-parole », signification 1 et surtout 2 : « qui représente les idées de quelqu'un ».

5. WSC, 3 : 23.

6. Charles Bréard et Paul Bréard, *Documents relatifs à la Marine normande et ses armements aux XVIᵉ et XVIIᵉ siècles*, Rouen, 1889, p. 124, 126-128 et *passim* ; WSC, 3 : 24.

7. Bréard et Bréard, *Documents relatifs à la Marine normande*, p. 127-128.

8. WSC, 3 : 24.

9. Pour plus de détails, lire David Hackett Fischer, *Liberty and Freedom*, New York et Oxford, 2006, p. 1-13, 712, 714, 716-724.

10. WSC, 3 : 23-24.

11. Genèse 39 : 2.

12. WSC, 3 : 24-25.

13. *Ibid.*, 3 : 27.

14. *Ibid.*, 3 : 26.

15. *Ibid.*, 3 : 27.

16. *Idem.*

17. *Ibid.*, 3 : 27-28.

18. *Ibid.*, 3 : 31.

19. *Ibid.*, 3 : 31-32.

20. *Idem.*

21. *Ibid.*, 3 : 32, 35.

22. *Ibid.*, 3 : 34 ; Chrestien Le Clercq, *Premier Établissement de la foy dans la Nouvelle-France*, Paris, 1691, 1 : 62-65.

23. WSC, 3 : 34-36.

24. C. E. Heidenreich, *Explorations and Mapping of Samuel de Champlain, 1603-1632*, Toronto, 1976, p. 23.

25. WSC, 3 : 34-36, 37-38 ; 4 : 234-235.

26. *Ibid.*, 3 : 38-39.

27. *Ibid.*, 3 : 45-46.

28. *Ibid.*, 3 : 43-45.

29. *Ibid.*, 3 : 48.

30. *Ibid.*, 3 : 51.

31. *Ibid.*, 3 : 48-56 ; Gabriel Sagard, *Le Grand Voyage du pays des Hurons*, Paris, 1632 ; C. E. Heidenreich, *A History and Geography of the Huron Indians (1600-1650)*, Toronto, 1971, p. 34-36.

32. WSC, 3 : 50-53 ; l'étude la plus complète est celle de Heidenreich, *Huronia*, p. 79-80.

33. WSC, 3 : 49-50 ; Sagard, *Le Grand Voyage du pays des Hurons*, p. 150 ; Heidenreich, *Huronia*, p. 79-80.

34. WSC, 3 : 53.

35. À ne pas confondre avec le lac Onondaga, en Iroquoisie même. Le nom que Champlain utilisait — Entouhonoron ou Antouhonoron — dérivait du mot Onontaeerhonon, le nom que les Hurons donnaient aux Onontagués ; WSC, 3 : 54-55 ; 4 : 244n et 283 ; 5 : 230 ; 6 : 249-250 ; Morris Bishop, *Champlain: The Life of Fortitude*, New York, 1948, 1963, p. 356 ; James W. Bradley, *Evolution of the Onondaga Iroquois: Accommodating Change, 1500-1650*, Syracuse (New York), 1987 ; James A. Tuck, *Onondaga Iroquois Prehistory: A Study in Settlement Archaeology*, Syracuse (New York), 1990 ; Dennis Connors, *Onondaga: Portrait of a Native People*, Syracuse (New York), 1986. Pour une autre vision des choses, entièrement erronée, où l'on dépeint les Onontagués « en peuple vaincu [...] vivant sur la défensive, retranché profondément dans la forêt », voir George Hunt, *The Wars of the Iroquois*, 1940, Madison (Wisconsin), 1960, p. 24 et 161.

36. Champlain et Sagard ont laissé des témoignages directs de Cahiagué. Les archéologues ont ajouté beaucoup de détails aux portraits de ce lieu extraordi-

naire grâce aux excavations au site de Warminster, que nombre de spécialistes, mais pas tous, croient être l'emplacement de Cahiagué. Cf. WSC, 3 : 49, 53, 56 et 94 ; 4 : 240, 244 et 247 ; Sagard, *Le Grand Voyage du pays des Hurons* ; T. F. McIlwraith, « Archaeological Work in Huronia, 1946 : Excavations near Warminster », *Canadian Historical Review,* 27 (1946), p. 394-401 ; « On the Location of Cahiagué », *Transactions of the Royal Society of Canada,* série 3, 41 (1947), ii : 99-102.11 ; J. N. Emerson, « Cahiagué », miméographie, Orillia, University of Toronto Archaelogical Field School, 1961 ; J. G. Cruickshank et C. E. Heidenreich, « Pedological Investigations at the Huron Village of Cahiagué », *Canadian Geographer,* 13 (1969), p. 34-46 ; Bruce Trigger, *The Children of Aataentsic: A History of the Huron People to 1660,* Montréal, 1976, 1987, p. 302-305 ; W. R. Fitzgerald, « Is the Warminster Site Champlain's Cahiagué ? », *Ontario Archaeology,* 45 (1986), p. 3-7. Certains archéologues croient que Champlain a peut-être doublé le nombre de maisons longues mais estiment tout de même que c'était un très grand bourg, comptant peut-être jusqu'à trois mille habitants. Si Champlain avait raison (et cela se peut fort bien), on y aurait dénombré jusqu'à six mille habitants.

37. WSC, 3 : 5 ; Le Jeune, « Relation » (1636), *Relations des Jésuites,* 9 : 260-261.

38. WSC, 3 : 55.

39. Marcel Trudel, *Histoire de la Nouvelle-France,* Montréal, 1963-1979, 2 : 219.

40. WSC, 3 : 61.

41. *Idem.*

42. *Ibid.,* 3 : 62.

43. *Ibid.,* 3 : 59-62. Le récit que Champlain donne du voyage est clair de manière générale, mais douteux quant à certains détails. On trouvera une reconstruction ainsi qu'une carte de la route de Champlain dans Elizabeth Metz, *Sainte Marie among the Iroquois,* Syracuse (New York), 1995, p. 41. Mais le meilleur récit reste celui de Bishop, *Champlain,* p. 230-232. Samuel E. Morison, *Samuel de Champlain: Father of New France,* New York, 1972, p. 155-157, a essayé de suivre le trajet par la voie des airs mais s'est trompé sur la destination de Champlain. Lecture toujours utile : O. H. Marshall, « Champlain's Expedition of 1615 », *Historical Writings of the late Orasmus H. Marshall,* Albany, 1887, p. 101 et suivantes.

44. WSC, 3 : 63.

45. Bishop, *Champlain,* p. 231-232 ; James W. Bradley, *Evolution of the Onondaga Iroquois: Accommodating Change (1500-1655),* Syracuse (New York), 1987, p. 113.

46. WSC, 3 : 65.

47. Le Jeune, « Relation » (1636), 9 : 258-261. Champlain ne mentionne pas cet épisode dans son récit, mais Le Jeune l'a noté, observant : « Je sais bien qu'ils ont quelque sorte de raison, ou plutôt excuse, traitant leurs ennemis en cette sorte ; car les Iroquois les tenant sont encore plus enragés qu'eux. » Il ajoutait : « Ces peuples […] ne veulent recevoir aucun joug. »

48. Sur l'emplacement du fort, les historiens ne se sont jamais entendus. La

meilleure preuve archéologique indique maintenant le lac Onondaga. Pour plus de détails, voir l'appendice K.

49. WSC, 3 : 67.

50. *Ibid.,* 3 : 73.

51. *Ibid.,* 3 : 72-73 ; 4 : 260.

52. *Ibid.,* 3 : 73-75 ; Trudel, *Histoire de la Nouvelle-France,* 2 : 219 et 222.

53. WSC, 3 : 76.

54. *Ibid.,* 3 : 72 ; O. H. Marshall, « Champlain's Expedition of 1615 », p. 43-66.

55. Trudel, *Histoire de la Nouvelle-France,* 2 : 222-223.

56. Bruce Trigger, *Natives and Newcomers: Canada's "Heroic Age" Reconsidered,* Montréal, 1985, p. 309.

57. José António Brandão, *Your Fyre Shall Burn No More: Iroquois Policy toward New France and its Native Allies to 1701,* 1997, Lincoln (Nebraska), 2000, p. 93-98.

58. William N. Fenton, *The Great Law and the Longhouse: A Political History of the Iroquois Confederacy,* Norman (Oklahoma), 1998, p. 243-244.

59. WSC, 3 : 76-77.

60. *Ibid.,* 3 : 78-79.

61. *Ibid.,* 3 : 80-81.

62. *Ibid.,* 3 : 114.

63. Elisabeth Tooker, *Ethnographie des Hurons, 1615-1649,* Montréal, 1987, p. 4-7, et beaucoup plus, dans une comparaison très intéressante à trois avec Gabriel Sagard.

64. WSC, 3 : 81-83.

65. *Ibid.,* 3 : 83-91.

66. *Ibid.,* 3 : 81-83, 91-95.

67. *Ibid.,* 3 : 115-116.

68. *Ibid.,* 3 : 106 et 109, 101 et 107.

69. *Ibid.,* 3 : 47, 138-140 ; Trigger, *Children of Aataentsic,* p. 300, 367-368, 388, 718-719.

70. WSC, 3 : 136.

71. Le Jeune, « Relation » (1634), *Relations des Jésuites,* 6 : 228-235.

72. WSC, 3 : 52 et 145.

73. *Ibid.,* 3 : 148-149.

74. *Ibid.,* 3 : 143.

75. *Ibid.,* 3 : 52.

76. *Ibid.,* 3 : 142.

77. *Ibid.,* 3 : 137.

IV LE BÂTISSEUR DE LA NOUVELLE-FRANCE

CHAPITRE 16 • LA COUR DE LOUIS XIII

1. WSC, 4 : 339.
2. *Ibid.*, 3 : 173-175 ; 4 : 338 ; on trouve d'autres faits chez Gabriel Sagard, *Histoire du Canada et voyages que les Frères Mineurs recollects y ont faicts pour la conversion des infidèles depuis l'an 1615*, première édition, Paris, 1636 ; Tross, 1866, 1 : 44 ; Chrestien Le Clercq, *Premier Établissement de la foy dans la Nouvelle-France*, Paris, 1691, 1 : 101 ; Marcel Trudel, *Histoire de la Nouvelle-France*, vol. 2 : *Le comptoir, 1604-1627*, Montréal, 1966, p. 238.
3. WSC, 4 : 339 ; Trudel, *Histoire de la Nouvelle-France*, 2 : 238-239 ; le duc d'Aumale, *Histoire des princes de Condé pendant les XVIe et XVIIe siècles*, 8 vol., Paris, 1855-1896, 2 : 222-348 ; 3 : 483-664.
4. Champlain écrit que ce « certain personnage » s'était adressé au sieur de Beaumont, maître des requêtes et ami du maréchal de Thémines. Le maréchal lui conseilla de « demander la charge de lieutenant de roi de la Nouvelle-France, pendant la détention de monseigneur le prince : lequel l'obtint de la reine-mère régente ». Cf. WSC, 4 : 340, et l'interprétation de Trudel, *Histoire de la Nouvelle-France*, 2 : 240-241.
5. WSC, 4 : 340 et 345.
6. Adrien Huguet, *Jean de Poutrincourt (fondateur de Port-Royal en Acadie, Vice-Roi du Canada, 1557-1615). Campagnes, voyages et aventures d'un colonisateur sous Henri IV*, Amiens et Paris, 1932, p. 427-444, avec un récit manuscrit de la bataille de Méry-sur-Seine, p. 513-520.
7. Victor-Louis Tapié, *France in the Age of Louis XIII and Richelieu*, Paris, 1952, 1957, trad. anglaise, Cambridge, 1974, 1984, p. 77 [*La France de Louis XIII et de Richelieu*].
8. D'Aumale, *Histoire des princes de Condé*, 2 : 222-348 ; 3 : 483-664 ; A. Lloyd Moote, *Louis XIII, the Just*, Berkeley (Californie), 1989, p. 86-87.
9. Tapié, *France in the Age of Louis XIII and Richelieu*, p. 77 [*La France de Louis XIII et de Richelieu*].
10. *Ibid.*, p. 91.
11. Moote, *Louis XIII*, p. 187-189, 283 et 282.
12. WSC, 4 : 345 ; Trudel, *Histoire de la Nouvelle-France*, 2 : 241.
13. Trudel, *Histoire de la Nouvelle-France*, 2 : 241 ; Henry Percival Biggar, *The Early Trading Companies of New France: A Contribution to the History of Commerce and Discovery in North America*, Toronto, 1901, 1937 ; rééd. Clifton (New Jersey), 1972, p. 107.
14. WSC, 4 : 342.
15. *Ibid.*, 4 : 340-341.
16. *Ibid.*, 4 : 342.
17. *Ibid.*, 4 : 343.

18. *Ibid.*, 4 : 344.

19. *Ibid.*

20. Le capitaine Morel avait commandé la *Bonne Renommée* lors du voyage de 1604 ; voir Lescarbot, *History of New France*, 2 : 227 [*Histoire de la Nouvelle-France*] ; WSC, 1 : 234n.

21. Certains historiens, dont Morris Bishop, doutent que Champlain soit allé en Nouvelle-France en 1617, mais ils ont omis de prendre connaissance d'affirmations nettes de Champlain à ce sujet. Pour les sources, voir WSC, 3 : 209-210 ; 4 : 343-345 ; Le Clercq, *Premier Établissement de la foy*, 1 : 104-105 ; Sagard, *Histoire du Canada*, 1 : 34-41 ; pour plus de détails, voir Trudel, *Histoire de la Nouvelle-France*, 2 : 241n.

22. Trudel, *Histoire de la Nouvelle-France*, 2 : 242.

23. Charles Bréard et Paul Bréard, *Documents relatifs à la Marine normande et à ses armements aux XVIe et XVIIe siècles pour le Canada, l'Afrique, les Antilles, le Brésil et les Indes*, Rouen, 1889, p. 129 ; Le Clercq, *Premier Établissement de la foy*, 1 : 105. Au sujet de l'émigration d'Hébert avec sa famille, Lucien Campeau avance la date du 11 avril 1617. Je crois pour ma part que c'était le 11 mars de la même année, mais il a peut-être raison, auquel cas c'est la date de Champlain qui est erronée dans ses *Voyages*. Voir *Monumenta Novae Franciae*, 1 : 670.

24. Trudel, *Histoire de la Nouvelle-France*, 2 : 474 et 468.

25. Nous savons tout cela non seulement de Champlain mais aussi des pères récollets et de la famille elle-même. Le récit le plus complet sur ce point est celui du père Le Caron, *Au Roy sur la Nouvelle France* (pamphlet inédit, 1626) ; voir aussi Le Clercq, *Premier Établissement de la foy*, 1 : 104-105 ; et Sagard, *Histoire du Canada*, 1 : 45-46.

26. Trudel, *Histoire de la Nouvelle-France*, 2 : 502-503.

27. *Ibid.*, 2 : 234-236, 324-327, 489-491.

28. *Ibid.*, 2 : 103, 167, 173, 238, 245, 273 et *passim* ; dans les écrits de Champlain, il est appelé le Sieur du Parc ; WSC, 2 : 117, 146-147 ; 3 : 182.

29. WSC, 4 : 344.

30. Contrat relativement à l'emploi d'Isabel Terrier signé par Samuel de Champlain, Richard Terrier, Hélène Boullé et deux autres. Étienne Charavay, *Documents inédits sur Samuel de Champlain*, Paris, 1875, p. 4-5 ; reproduit dans WSC, 2 : 324-325.

31. WSC, 2 : 339.

32. *Ibid.*, 2 : 341.

33. Champlain à la Chambre de commerce, s.d., vers 1617-1618 ; texte dans WSC, 2 : 339-345.

34. WSC, 3 : 326.

35. *Ibid.*, 2 : 326-327.

36. *Ibid.*, 2 : 327.

37. *Ibid.*, 2 : 329.

38. *Ibid.*, 2 : 330-331.

39. Champlain au roi et aux seigneurs du Conseil. WSC, 2 : 326-339.

40. *Ibid.*, 4 : 364-365.

41. « De par le Roy, 12 mars, 1618 », signé Louis, et en dessous « Potier ». WSC, 4 : 365.

42. WSC, 3 : 177-178.

43. *Ibid.*, 3 : 205.

44. *Ibid.*, 3 : 180 et 203.

45. *Ibid.*, 3 : 181-213.

46. *Ibid.*, 3 : 181.

47. *Ibid.*, 3 : 191.

48. *Ibid.*, 3 : 201.

49. *Ibid.*, 3 : 191.

50. *Ibid.*, 3 : 210.

51. *Ibid.*, 3 : 201-202.

52. *Ibid.*, 3 : 208.

53. *Ibid.*, 3 : 209, 226-227.

54. *Ibid.*, 4 : 227, 210-211.

55. *Ibid.*, 3 : 229-230.

56. Cette nouvelle adresse figure dans des documents juridiques datés des 15 mars 1619 et 23 février 1620, dans Robert Le Blant et René Baudry, *Nouveaux Documents sur Champlain et son époque (1560-1662)*, Ottawa, 1967, 1 : 374 et 397. Plus tôt, Champlain avait habité rue du Marché, dans le quartier du Marais et du Temple, qui était plus proche du Louvre. Voir Moote, *Louis XIII*, p. 282 ; WSC, 5 : 138.

57. François Moureau, « Les Amérindiens dans le ballet de cour à l'époque de Champlain », dans Raymonde Litalien et Denis Vaugeois (dir.), *Champlain. La naissance de l'Amérique française*, Sillery, 2004, p. 43 ; Paul Lacroix, *Ballets et mascarades sous Henri IV et Louis XIII*, 6 vol., Genève, 1868-1870, traite de la période s'étendant de 1581 à 1652. De superbes images de ce livre sont reproduites dans Litalien et Vaugeois, *Champlain*.

58. Moureau, « Les Amérindiens dans les ballets de cour », p. 43-49.

59. *Ibid.*, p. 43.

60. *Idem.*

61. *Idem.*

62. WSC, 3 : 5-6.

63. *Ibid.*, 4 : 3.

64. *Ibid.*, 3 : 4.

65. Samuel E. Morison, *Samuel de Champlain: Father of New France*, New York, 1972, p. 174.

66. WSC, 4 : 350.

67. *Ibid.*, 4 : 350-351.

68. *Ibid.*, 4 : 351.

69. *Ibid.*, 4 : 352.

70. *Ibid.*, 4 : 357.

71. *Ibid.*, 4 : 353-354.

72. *Ibid.*, 4 : 361.

73. *Ibid.*, 4 : 362-363.

74. *Ibid.*, 4 : 366.

75. *Ibid.*

76. *Idem.*

CHAPITRE 17 • GOUVERNER LA NOUVELLE-FRANCE

1. Louis XIII à Champlain, 7 mai 1620, signé Louis et Brûlart, reproduit dans WSC, 4 : 370-371.

2. WSC, 5 : 60 et 72.

3. Au sujet de Louis XIII, voir A. Lloyd Moote, *Louis XIII, the Just*, Berkeley (Californie), 1989, p. ix, 13-15 et *passim*.

4. Marcel Trudel, *Histoire de la Nouvelle-France*, vol. 2 : *Le comptoir, 1604-1627*, Montréal, 1966, p. 264 ; *Le Mercure françois*, 1619, 6 : 334-340.

5. WSC, 4 : 367-368. Trudel a trouvé copie de la transaction qui prévoyait le versement de dix mille écus ou couronnes, plus mille pour les intérêts : *Histoire de la Nouvelle-France*, 2 : 264, citant la Bibliothèque nationale, Fonds français 16738, soc 143 : 4. Montmorency le vice-roi ne doit pas être confondu avec l'amiral Charles de Montmorency, à qui Champlain avait dédié son premier ouvrage et donné son nom aux chutes situées près de Québec.

6. WSC, 4 : 367.

7. De nombreuses sources tertiaires sur la Nouvelle-France affirment que la charge d'intendant fut « créée dans les années 1630 par le cardinal de Richelieu » ou que « le premier intendant de Nouvelle-France fut Jean Talon, qui entra en fonction en 1665 ». Ces deux affirmations sont erronées. Les intendants faisaient partie du paysage administratif français bien avant Richelieu, et le premier intendant de Nouvelle-France fut Jean-Jacques Dolu, nommé en 1620. Voir W. B. Munro, « The Office of Indendant in New France : A Study in French Colonial Policy », *AHR*, 12 (1906), p. 15-38.

8. WSC, 4 : 369 ; Trudel, *Histoire de la Nouvelle-France*, 2 : 265-267, avec citations relatives aux commissions et articles de la Bibliothèque nationale.

9. WSC, 4 : 369-370.

10. WSC, 4 : 370.

11. Louis XIII à Champlain, 7 mai 1620, signée par Louis XIII et Brûlart, 7 mai 1620 ; le texte se trouve dans WSC, 4 : 370-371.

12. À propos d'Isabelle Terrier, voir Trudel, *Histoire de la Nouvelle-France*, 2 : 242, 262, 267, 483n, 492-495. Au sujet du valet de Champlain, voir sa mention du « Français, qui avait été mon serviteur », un jeune homme qui avait été envoyé vivre parmi les Indiens et qui y avait perdu la vie. WSC, 5 : 127.

13. Chrestien Le Clercq, *Premier Établissement de la foy dans la Nouvelle-France*, 2 vol., Paris, 1691, 1 : 162 ; Gabriel Sagard, *Histoire du Canada et voyages que les Frères Mineurs recollects y ont faicts pour la conversion des infidèles depuis*

l'an 1615, Paris, 1636 ; réédition Librairie Tross, 1866, 1 : 68 ; Trudel, *Histoire de la Nouvelle-France,* 2 : 267 ; WSC, 5 : 1-3 et 11.

14. WSC, 5 : 1-3.

15. Au sujet du départ de Champlain et de son arrivée en Nouvelle-France, voir WSC, 5 : 2. Je ne vois aucune raison pour corriger la date de départ que mentionne Champlain comme l'a fait Biggar. Champlain a écrit ailleurs que le roi lui avait écrit une lettre en date du 7 mai 1620, « le jour de mon départ » (WSC, 4 : 370). Au sujet du navire, voir Charles Bréard et Paul Bréard, *Documents relatifs à la Marine normande et à ses armements aux XVIe et XVIIe siècles pour le Canada, l'Afrique, les Antilles, le Brésil et les Indes,* Rouen, 1889, p. 130.

16. WSC, 5 : 5-7.

17. John A. Dickinson, « Champlain administrateur », dans Raymonde Litalien et Denis Vaugeois (dir.), *Champlain. La naissance de l'Amérique française,* Sillery, 2004, p. 211 ; au sujet des soldats, voir WSC, 5 : 11.

18. WSC, 5 : 7.

19. *Ibid.,* 5 : 5.

20. *Ibid.,* 5 : 8.

21. *Ibid.,* 5 : 90-91.

22. *Ibid.,* 5 : 9.

23. *Ibid.,* 5 : 8.

24. *Ibid.,* 5 : 111.

25. *Ibid.,* 5 : 2-3.

26. Trudel, *Histoire de la Nouvelle-France,* 2 : 267.

27. Francis Parkman, *Pioneers of France in the New World,* 1865, édition révisée avec corrections, 1885, rééd. Boston, 1901, p. 431 ; *Extraits des Chroniques de l'Ordre des Ursulines, Journal de Québec,* 10 mars 1885.

28. *Chroniques de l'Ordre des Ursulines,* citées par N.-E. Dionne, *Champlain. Fondateur de Québec, père de la Nouvelle-France,* Toronto, 1962, 2 : 395-403, appendice I ; Morris Bishop, *Champlain : The Life of Fortitude,* New York, 1948, 1963, p. 282 ; Samuel E. Morison, *Samuel de Champlain : Father of New France,* New York, 1972, p. 179 ; Dominique Deslandres, « Samuel de Champlain et la religion », dans Litalien et Vaugeois, *Champlain,* p. 198.

29. Litalien et Vaugeois, *Champlain,* p. 198 ; Nicole Fyfe-Martel, *Hélène de Champlain,* 2 vol., Québec, 2003, 1 : 11-12.

30. WSC, 4 : 368.

31. Il augmenta le traitement de Champlain à deux cents couronnes. Voir WSC, 4 : 368 ; 5 : 6, 7, 11, 13, 15, 37, 39 et 84 ; 6 : 35a ; appendice I, 5 : 399 ; Trudel, *Histoire de la Nouvelle-France,* 2 : 274, 277, 283, 288, 290 et 301. On trouve de nombreux renseignements sur Dolu chez Robert Le Blant et René Baudry, *Nouveaux Documents sur Champlain et son époque (1560-1662),* Ottawa, 1967, 1 : 407, 415, 417, 423, 426, 430, 432, 444 et 464. Pour les valeurs monétaires, consulter l'appendice O.

32. WSC, 5 : 9-10.

33. *Ibid.,* 1 : 10.

34. *Ibid.*, 5 : 127.
35. Dickinson, « Champlain administrateur », p. 215.
36. WSC, 5 : 123 et 126.
37. *Ibid.*, 5 : 116, 127, 131-134.
38. Trudel, *Histoire de la Nouvelle-France*, 2 : 280-281.
39. *Ibid.*, 2 : 281. Voir aussi Sagard, *Histoire du Canada*, 1 : 845-849 ; Le Clercq, *Premier Établissement de la foy*, 1 : 176. Étaient présents Champlain lui-même, le commissionnaire Baptiste Guers, les pères récollets, Louis Hébert, Gilbert Courseron, Eustache Boullé, Olivier Le Tardif et d'autres. Les agents de la compagnie, dont le vieil ami de Champlain, Pont-Gravé, et le capitaine Raymond de La Ralde, n'y étaient pas.
40. Lanctot, *Histoire du Canada*, 1 : 117-119 ; Trudel, *Histoire de la Nouvelle-France*, 2 : 280-283. Pour les membres de l'assemblée, voir Sagard, *Histoire du Canada*, 1 : 84-89 ; Le Clercq, *Premier Établissement de la foy*, 1 : 176.
41. WSC, 5 : 55.
42. *Ibid.*, 5 : 56.
43. Dickinson, « Champlain administrateur », p. 212.
44. WSC, 5 : 15-16 et 39.
45. *Ibid.*, 5 : 86.
46. *Ibid.*, 5 : 207.
47. Charles Lalemant à Jérôme Lalemant, 1er août 1626, *Relations des Jésuites*, Reuben Gold Thwaites (dir.), Cleveland (Ohio), 1896-1901, 4 : 210 ; Jean-Paul de Lagrave, *La Liberté d'expression en Nouvelle-France (1608-1760)*, Montréal, 1975.
48. WSC, 5 : 108, 100-101, 108 ; Trudel, *Histoire de la Nouvelle-France*, 2 : 481, 465-485 et *passim*.
49. WSC, 5 : 12, 124-125.
50. *Ibid.*, 5 : 124-125.
51. *Ibid.*, 5 : 98.
52. *Ibid.*, 5 : 61 ; Bruce Trigger, *Natives and Newcomers: Canada's "Heroic Age" Reconsidered*, Montréal, 1985, 1994, se trompe sur ce point.
53. D'autres lui donnent le nom de Mahigan Aticq Ouche. Voir WSC, 5 : 60-71, 73-80, 82, 215-245, 257 et 412 ; Trudel, *Histoire de la Nouvelle-France*, 2 : 358n, 360n et 370 ; Sagard, *Histoire du Canada*, 3 : 623.
54. WSC, 5 : 73, 75-80.
55. *Ibid.*, 5 : 80.
56. *Ibid.*, 5 : 117 et 130.
57. *Ibid.*, 5 : 118.
58. *Ibid.*, 5 : 130-131.
59. *Ibid.*, 5 : 133. D'autres croient qu'on avait entériné un accord de paix dans les formes avec tous les Iroquois et qu'une cérémonie solennelle a eu lieu en ce sens en 1624. C'est ce qu'affirme Le Clercq dans *Premier Établissement de la foy*, 1 : 286. Mais Le Clercq s'appuyait sur des témoignages remontant à cinquante ans. Il maintenait aussi que les Iroquois s'étaient portés à l'attaque contre Québec à bord

de trente canots en 1622 et qu'ils avaient été repoussés. Il disait tenir ce récit de Guillemette Hébert, qui le lui avait fait de nombreuses années après cet événement. Aucune autre source ne confirme cette attaque ou l'existence d'un traité de paix. Champlain n'en fait nulle mention, Sagard ni les jésuites non plus. Trudel a écrit, avec raison à mon avis, que l'informateur de Le Clercq « a bien pu confondre ou exagérer les faits ; le silence de Champlain et de Sagard nous paraît beaucoup plus convaincant ». Trudel, *Histoire de la Nouvelle-France,* 2 : 369n ; Bruce Trigger (« The Mohawk-Mahican War (1624-1628): The Establishment of a Pattern », *Canadian Historical Review,* 52 (1971), p. 276-286) se trompe aussi.

60. WSC, 5 : 103.
61. *Ibid.,* 5 : 23.
62. *Ibid.,* 5 : 91.
63. *Ibid.,* 5 : 110-112.
64. *Ibid.,* 5 : 113-115.
65. *Ibid.,* 5 : 110 et 112.
66. *Ibid.,* 5 : 113, 119-120.
67. Cette pierre fut retrouvée longtemps après, mais disparut dans l'incendie de 1854.
68. WSC, 5 : 120 et 116 ; Marcel Trudel, « Champlain », *Dictionnaire biographique du Canada.*
69. WSC, 5 : 134.
70. *Ibid.,* 5 : 136.
71. *Ibid.,* 5 : 136-137.
72. *Ibid.,* 5 : 137 ; Sagard, *Histoire du Canada,* p. 38-39.
73. WSC, 5 : 137-138.

CHAPITRE 18 • LE CARDINAL ENTRE EN SCÈNE

1. Commission à Monsieur de Champlain, 1625 ; texte reproduit dans WSC, 5 : 143.
2. Gabriel Sagard, *Histoire du Canada et voyages que les Frères Mineurs recollects y ont faicts pour la conversion des infidèles depuis l'an 1615,* Paris, 1636, réédité par la Librairie Tross en quatre volumes, Paris, 1866, 4 : 830.
3. Joe C. W. Armstrong, *Champlain,* Toronto, 1987, p 213.
4. WSC, 5 : 138.
5. Pour plus de détails, voir Victor-L. Tapié, *France in the Age of Louis XIII,* Cambridge, 1984, p. 129.
6. Michel Carmona, *La France de Richelieu,* Paris, 1984, ch. 9, « Richelieu et les femmes », p. 331-336 ; Tapié, *France in the Age of Louis XIII and Richelieu,* Paris, 1952, 1957, trad. anglaise, Cambridge, 1974, 1984, p. 119, 135, 137, 232, 286 et 425 [*La France de Louis XIII et de Richelieu*] ; Joseph Bergin, *Cardinal Richelieu: Power and the Pursuit of Wealth,* New Haven (Connecticut), 1985, p. 39, 260, 288 et *passim.*
7. Au sujet de la vie de Richelieu, les deux classiques sont Carl Burckhardt, *Riche-*

lieu, 4 vol., Munich, 1933-1967, et Gabriel Hanotaux, avec la collaboration du duc de La Force, *Histoire du Cardinal de Richelieu*, 6 vol., Paris, 1893-1947. Pour les biographies plus courtes, on consultera C. V. Wedgewood, *Richelieu and the French Monarchy*, Londres, 1949 ; Michel Carmona, *Richelieu. L'ambition et le pouvoir*, Paris, 1983 ; et *La France de Richelieu*, Paris, 1984. À propos de la famille Richelieu, lire Maximin Deloche, *Les Richelieu*, Paris, 1923.

8. Tapié, *France in the Age of Louis XIII and Richelieu*, p. 130 [*La France de Louis XIII et de Richelieu*].

9. Richelieu affectionnait le secret dans la vie publique aussi bien que privée. On lui attribue de nombreuses maximes en ce sens.

10. « Il faut écouter beaucoup et parler peu pour bien agir au gouvernement », dans Richelieu, « Maximes et papiers d'État », Gabriel Hanotaux (dir.), *Mélanges historiques*, III, Paris, 1880, p. 705-822. Voir aussi Louis André (dir.), *Testament politique du Cardinal de Richelieu*, Paris, 1947. Au sujet de ses relations avec Louis XIII, lire Louis Battifol, *Richelieu et le roi Louis XIII. Les véritables rapports du souverain et de son ministre*, Paris, 1934 ; Richard Bonney, *Political Change in France under Richelieu and Mazarin, 1624-1661*, Oxford, 1978 ; et Orest Ranum, *Richelieu and the Councilors of Louis XIII*, Oxford, 1963. À propos de la fortune personnelle que Richelieu a accumulée avec ses charges, lire l'excellent ouvrage de Joseph Bergin, *Cardinal Richelieu: Power and the Pursuit of Wealth*, New Haven (Connecticut), 1985, p. 243-263.

11. G. Fagniez, *Père Joseph et Richelieu*, 2 vol., Paris, 1894 ; Tapié, *France in the Age of Louis XIII and Richelieu*, p. 130, 137-139 [*La France de Louis XIII et de Richelieu*].

12. Bergin, *Cardinal Richelieu*, p. 264 ; Tapié, *France in the Age of Louis XIII and Richelieu*, p. 137 [*La France de Louis XIII et de Richelieu*].

13. « Savoir dissimuler est le savoir des rois » ; « Pour tromper un rival, l'artifice est permis ; on peut tout employer contre ses ennemis. » Richelieu, « Maximes et papiers d'État », p. 705-822.

14. « Qu'on me donne six lignes écrites de la main du plus honnête homme, j'y trouverai de quoi le faire pendre. » Richelieu paraphrase Quintilien ici, et je n'ai pu trouver d'autre source plus proche de Richelieu que Françoise Bertaut, *Mémoires pour servir à l'histoire d'Anne d'Autriche*.

15. Bergin, *Cardinal Richelieu*, p. 264 ; Tapié, *France in the Age of Louis XIII and Richelieu*, p. 137 [*La France de Louis XIII et de Richelieu*].

16. Tapié, *France in the Age of Louis XIII and Richelieu*, p. 140 [*La France de Louis XIII et de Richelieu*].

17. Richelieu, *Testament politique*, p. 179-199. Des extraits ont été traduits en anglais dans Henry Bertram Hill, *The Political Testament of Cardinal Richelieu*, Madison (Wisconsin), 1961. Une édition plus récente du *Testament politique* a été publiée par Françoise Hildesheimer, Paris, 1995. Voir aussi Hanotaux, « Maximes et papiers d'État », p. 705-822.

18. Tapié, *France in the Age of Louis XIII and Richelieu*, p. 140 [*La France de Louis XIII et de Richelieu*].

19. A. Lloyd Moote, *Louis XIII, the Just*, p. 182 et 212 ; à propos de la jalousie de Richelieu à l'égard de Montmorency, lire Louis Vaunois, *Vie de Louis XIII*, Paris, 1961, p. 462-463.

20. WSC, 5 : 139.

21. Procuration en date du 29 avril 1625, dont copie se trouve à Bibliothèque et Archives Canada, MG3, série 19, 1. L'orthographe de son nom varie d'un document à l'autre. Dans la commission de Champlain, on a écrit *Ventadour*. Dans d'autres sources, c'est *Vantadour*, *Lévy-Vantadour* ou *Lévis-Vantadour*.

22. On trouve une notice biographique de Ventadour dans Lucien Campeau, *Monumenta Novae Franciae*, Québec, 1967, *s.v.* « Lévis » ; d'autres renseignements aussi chez Marcel Trudel, *Histoire de la Nouvelle-France*, Montréal, 1966, 2 : 291-313, 433-453 et *passim*.

23. Trudel, *Histoire de la Nouvelle-France*, 2 : 298 ; Campeau, *Monumenta Novae Franciae*, 2 : 839.

24. Ventadour, Commission à Samuel de Champlain, 15 février 1625, texte complet dans WSC, 5 : 142-149.

25. Voir les nombreux documents reproduits chez Campeau, *Monumenta Novae Franciae*, 2 : 839 et suivantes.

26. Ventadour, Commission à Samuel de Champlain.

27. WSC, 5 : 142-143.

28. Au sujet de Boullé, voir Robert Le Blant, « La famille Boullé, 1586-1639 », *Revue d'histoire de l'Amérique française*, 17 (1963), p. 55-69 ; WSC, 5 : 152 ; 1 : 247n ; 5 : 2-3, 218-220 et 317 et *passim* ; à propos de l'enseigne Destouches, WSC, 5 : 152 et 135 ; Trudel, *Histoire de la Nouvelle-France*, 2 : 299, 307, 314, 470 et 498.

29. WSC, 5 : 142.

30. *Ibid.*, 5 : 139.

31. Robert Le Blant et René Baudry (dir.), *Nouveaux Documents sur Champlain et son époque*, vol. 1 (1560-1662), Ottawa, 1967, p. 75 et 419n.

32. WSC, 5 : 150-151.

33. *Ibid.*, 5 : 150.

34. *Ibid.*, 5 : 152 ; Trudel, *Histoire de la Nouvelle-France*, 2 : 276.

35. Charles Lalemant à Champlain, 28 juillet 1625 ; Charles Lalemant au Révérend Père provincial des Récollets, 28 juillet 1625 ; Charles Lalemant au père Mutio Vitteleschi, général de la Société de Jésus, Rome, 1er août 1625 ; Charles Lalemant à son frère Jérôme Lalemant, 1er août 1626, publiée à Paris en 1627 ; voir *Relations des Jésuites*, 4 : 161-227 ; Joseph Le Caron, *Au Roy sur la Nouvelle France*, inédit, Paris, 1626 (je me suis servi d'une photocopie de Bibliothèque et Archives Canada ; une autre copie se trouve à la Bibliothèque nationale de France et a été publiée par Campeau, *Monumenta Novae Franciae*, 2 : 99-120).

36. *Relations des Jésuites*, 4 : 193, 178-179.

37. *Ibid.*, 4 : 179 et 199.

38. *Ibid.*, 4 : 195 et 199.

39. *Idem.*
40. *Ibid.*, 4 : 171.
41. *Ibid.*, 4 : 207.
42. Joseph Le Caron, *Advis au Roy sur les Affaires de la Nouvelle France*, Paris, 1626. Ce pamphlet très rare se trouve à la Bibliothèque nationale de France ; j'ai utilisé la photocopie de Bibliothèque et Archives Canada. Il est reproduit dans Campeau, *Monumenta Novae Franciae*, 2 : 99-120. Pour en savoir davantage sur le pour et le contre de l'argumentaire de Le Caron, voir Trudel, *Histoire de la Nouvelle-France*, 2 : 302-304 (contre) et l'introduction du père Campeau, *Monumenta Novae Franciae*, 2 : 99-102 (pour).
43. *Relations des Jésuites*, 4 : 171.
44. WSC, 5 : 143.
45. *Ibid.*, 5 : 144.
46. *Relations des Jésuites*, 5 : 153-155 ; WSC, 5 : 153-154, 194-195 ; Trudel, *Histoire de la Nouvelle-France*, 2 : 307n ; Gabriel Sagard, *Histoire du Canada*, 1636, Tross, 1865, 3 : 791.
47. WSC, 5 : 155.
48. *Ibid.*, 5 : 156.
49. *Ibid.*, 5 : 200.
50. *Ibid.*, 5 : 236-237.
51. *Ibid.*, 2 : 21 ; 4 : 45.
52. *Ibid.* 5 : 110 et 202. On trouvera un récit vivant, rigoureux et joliment écrit chez l'historien et archéologue Jacques Guimont, *La Petite-ferme du cap Tourmente. De la ferme de Champlain aux grandes volées d'oies*, Québec, 1996, p. 31.
53. WSC, 5 : 202-203.
54. Guimont, *La Petite-ferme*, p. 52 ; Léo-Guy de Repentigny, *La Ferme d'en bas du cap Tourmente. La petite ferme et la Réserve nationale de faune du cap Tourmente : occupation humaine des origines à 1763*, Québec, 1989. Cf. WSC, 5 : 203.
55. Guimont, *La Petite-ferme*, p. 51-52, 56-58 ; WSC, 5 : 202.
56. WSC, 5 : 213, 236 et 241 ; Guimont, *La Petite-ferme*, p. 51.
57. WSC, 5 : 241 ; Abbé C.-H. Laverdière, *Œuvres de Champlain*, Québec, 1870, p. 1134 ; Sagard, *Histoire du Canada*, 3 : 813-821. L'une des victimes était un journalier du nom de Dumoulin ; l'autre était un valet nommé Henri, qui était au service de la veuve Hébert.
58. Pour les sources, voir WSC, 5 : 257-259, confirmé par Sagard, 3 : 813-821 ; pour l'analyse, voir Trudel, *Histoire de la Nouvelle-France*, 2 : 360n.
59. Deux récits de cet épisode nous sont parvenus, celui de Champlain et celui de Sagard. Les deux auteurs s'entendent sur l'essentiel, et chacun fournit des détails dont l'autre ne fait pas mention. Voir WSC, 5 : 249-250 ; 6 : 52, 60, 70, 104-124 et 144 ; Sagard, *Histoire du Canada*, 4 : 829-830, 909-911. Pour plus de détails, lire Trudel, « Charité, Espérance, Foi », dans *Dictionnaire biographique du Canada, s.v.* « Charité », et Trudel, *L'Esclavage au Canada français. Histoire et conditions de l'esclavage*, Québec, 1960, p. 8. Champlain se trompe sur la date de

l'offre des Montagnais : il dit qu'elle a été faite le 2 janvier 1628 alors que c'était le 2 février.

60. Au sujet des efforts répétés de Champlain pour maintenir la paix avec les Iroquois, voir WSC, 5 : 72-80, 131-132, 208-209, 214-232.

61. WSC, 5 : 195 et 308.

62. Moote, *Louis XIII,* p. 46, 57 et 121.

63. WSC, 5 : 194-195.

64. « Articles accordez par le Roy, à la Compagnie du Canada, 29 avril, 1627 », article 2 ; dans Blanchet *et al.* (dir.), *Collection de manuscrits… relatifs à l'histoire de la Nouvelle-France,* Québec, 1883, 1 : 65. La phrase clé se lit ainsi : « Sans toutefois qu'il soit loisible aux dits associez et aultres, faire passer aucun estranger ès dits lieux, ainsy peupler la dite colonie de naturels François Catholiques. » Marcel Trudel en conclut : « La situation en 1627 n'est pas différente de celle d'avant : c'est une Nouvelle-France catholique que les protestants Chauvin de Tonnetuit, Du Gua de Monts, et de Caën avaient mission d'établir, comme c'est une Nouvelle-France catholique que l'on attend des Cent-Associés, mais les huguenots n'en sont exclus. » *Histoire de la Nouvelle-France,* vol. 3 : *La seigneurie des Cent-Associés, 1627-1663,* tome 1 : *Les événements,* p. 13. Je crois que l'interprétation de Trudel est juste.

65. WSC, 5 : 194.

66. *Ibid.,* 5 : 195.

67. *Idem.*

68. *Ibid.,* 5 : 194-195. Certains historiens ont donné une interprétation différente de cet épisode. Samuel F. Morison jugeait « cynique » la politique de Champlain, ce qui prouve qu'il la comprenait mal. Voir son *Samuel de Champlain: Father of New France,* New York, 1972, p. 186.

69. Henry Percival Biggar, *The Early Trading Companies of New France: A Contribution to the History of Commerce and Discovery in North America,* Toronto, 1901, 1937 ; rééd. Clifton (New Jersey), 1972, p. 134.

70. Trudel, *Histoire de la Nouvelle-France,* 3.1 : 1-22 ; Lucien Campeau, *Les Finances publiques de la Nouvelle-France sous les Cent-Associés, 1632-1665,* Montréal, 1975 ; Robert Le Blant, « Les débuts difficiles de la Compagnie de la Nouvelle-France : l'affaire Langlois », *Revue d'histoire de l'Amérique française,* 22 (1968), p. 25-34. Les principaux documents se trouvent dans une collection imposante mais peu consultée de photostats d'originaux provenant du Quai d'Orsay, du ministère de la Marine et de la Bibliothèque nationale qui a été assemblée au début du XXᵉ siècle, à la Bibliothèque du Congrès ; certains ont été publiés sans attribution dans J. Blanchet *et al.* (dir.), *Collection de manuscrits…,* Québec, 1883, 1 : 62-85.

71. Pour la liste des Cent-Associés et des 102 investisseurs subséquents, voir Trudel, *Histoire de la Nouvelle-France,* 3.1 : 415-437.

72. Les pouvoirs de la Compagnie sont énoncés dans les « Articles accordez par le Roy, à la Compagnie de Canada, 29 avril, 1628 », dans Blanchet *et al.* (dir.), *Collection de manuscrits… relatifs à l'histoire de la Nouvelle-France,* p. 64-72 ;

également à la Division des manuscrits de la Bibliothèque du Congrès. Pour la composition du conseil d'administration, voir Trudel, *Histoire de la Nouvelle-France*, 3.1 : 7-8n.

73. Le très utile « tableau des hivernements, 1604-1628 » de Trudel se trouve dans *Histoire de la Nouvelle-France*, 2 : 428 et 485-500.

CHAPITRE 19 • LA PERTE DE LA NOUVELLE-FRANCE

1. « Il ne faut pas négliger de se loger fortement, aussi bien en temps de paix que de guerre, pour se maintenir aux accidents qui peuvent arriver, c'est ce que je conseille à tous entrepreneurs de chercher lieu pour dormir en sûreté » ; Champlain, *Voyages*, 1632, dans WSC, 6 : 176.

2. Pour une meilleure analyse de ces comparaisons, lire J. H. Elliott, *The Count-Duke of Olivares: The Statesman in an Age of Decline*, New Haven (Connecticut), 1986, p. 146, 181-182, 220-224, 659 et *passim* ; également Victor-L. Tapié, *France in the Age of Louis XIII and Richelieu*, Cambridge, 1952, 1974, 1984, p. 141 [*La France de Louis XIII et de Richelieu*] ; Roger Lockyer, *Buckingham: The Life and Political Career of George Villiers, First Duke of Buckingham, 1592-1628*, Londres, 1981, 1984.

3. On trouvera le texte du contrat de mariage dans Henri Carré, *Henriette de France, reine d'Angleterre, 1609-1669*, Paris, 1947, p. 21-24.

4. Tapié, *France in the Age of Louis XIII and Richelieu*, p. 198 [*La France de Louis XIII et de Richelieu*] ; F. de Vaux de Folletier, *Le Siège de La Rochelle*, Paris, 1931.

5. WSC, 6 : 158.

6. *Ibid.*, 6 : 86 et 130. Au sujet de la famille Kirke, voir Maurice Duteurtre, « Jarvis Kirke et ses cinq fils », dans Pierre Ickowicz et Raymonde Litalien (dir.), *Dieppe-Canada : cinq cents ans d'histoire commune*, Dieppe, 2004, p. 44-46. À propos de la colonie écossaise de Dieppe, voir Pope, *Fish into Wine*, p. 132-144, qui s'appuie pour une bonne part sur de nouvelles données puisées aux archives britanniques ; également Charles de la Roncière, *Histoire de la Marine française*, Paris, 1934, 4 : 634.

7. WSC, 5 : 272-273.

8. Arrêt du Conseil d'État, 26 janvier 1628, Bibliothèque nationale, Fonds français 16 738 : 147 ; voir aussi Archives nationales, série E 95A : 95, citées par Marcel Trudel, *Histoire de la Nouvelle-France*, Montréal, 1966, vol. 3 : *La seigneurie des Cent-Associés, 1627-1663*, tome 1 : *Les événements*, p. 30n.

9. Trudel, *Histoire de la Nouvelle-France*, 3.1 : 30 ; WSC, 5 : 287 ; Gabriel Sagard, *Histoire du Canada*, 1636, Tross, 1865, 4 : 838 et 852.

10. WSC, 5 : 273 ; Trudel, *Histoire de la Nouvelle-France*, 3.1 : 32 ; Sagard, *Histoire du Canada*, 4 : 832 et 838 ; Henry Kirke, *The First English Conquest of Canada*, Londres, 1871.

11. WSC, 5 : 66-67.

12. WSC, 5 : 268.

13. La Fourière (ou La Ferrière, Forière, Fourière, Foyrière) était un chef montagnais également connu sous le nom d'Erouachy ou Esrouachit. Cf. WSC, 5 : 258-266, 268, 305-317 ; 3 : 190-191 ; 6 : 6-25 ; Trudel, *Histoire de la Nouvelle-France*, vol. 2 : *Le comptoir, 1604-1627*, p. 258n, 325, 356, 372 et 403.

14. WSC, 5 : 273 ; Trudel, *Histoire de la Nouvelle-France*, 3.1 : 32-34.

15. WSC, 5 : 275. Voir Jacques Guimont, *La Petite-ferme du cap Tourmente. De la ferme de Champlain aux grandes volées d'oies*, Québec, 1996. Guimont écrit que le fermier Pivert a survécu et qu'il est retourné au site après avoir fait son rapport à Champlain. Par après, la ferme a été abandonnée quelque temps, pour être ensuite remise en marche. Une grande ferme y fut érigée pour le Séminaire de Québec et exploitée pendant plus de trois siècles. Elle a été intégrée au réseau canadien des Parcs nationaux en 1969. C'est aujourd'hui un refuge faunique et un centre d'études naturelles. Il n'y avait aucun artefact historique sur place lorsque nous avons visité les lieux à l'été 2007.

16. Sagard, *Histoire du Canada*, 4 : 834.

17. *Ibid.*, 4 : 834.

18. WSC, 5 : 285 ; Guimont, *La Petite-ferme*, p. 61-64 ; Léo-Guy de Repentigny, *La Ferme d'en bas du cap Tourmente. La petite ferme et la Réserve nationale de faune du cap Tourmente : occupation humaine des origines à 1763*, Québec, 1989.

19. WSC, 6 : 22.

20. *Ibid.*, 5 : 276-277.

21. *Ibid.*, 5 : 277-279 ; Sagard, *Histoire du Canada*, 4 : 837.

22. David Kirke à Champlain, 18 juillet 1628 O.S. [*old style*], soit le 8 juillet 1628 N.S. [*new style*]. Nous avons repris le texte reproduit par Champlain dans WSC, 5 : 279-280, et dans Sagard 4 : 838-839 (copié de Champlain). L'Angleterre employait encore le calendrier julien ; la France était passée au calendrier grégorien (voir l'appendice P). Ce document et les autres figuraient dans Abbé C.-H. Laverdière, *Œuvres de Champlain*, 3 : 13-16.

23. WSC, 5 : 282-285.

24. *Ibid.*, 5 : 286 ; les autres documents proviennent des archives de Lucien Campeau, *Monumenta Novae Franciae*, Québec, 1967, 2 : 201-203.

25. WSC, 5 : 286.

26. *Ibid.*, 5 : 287.

27. Sagard, *Histoire du Canada*, 4 : 863 et 852 ; WSC, 5 : 287.

28. Le commis français Thierry Deschamps entendit le bruit de la bataille alors qu'il se trouvait à l'île Saint-Barnabé, en face du site actuel de Rimouski. Voir WSC, 5 : 291.

29. Sagard, *Histoire du Canada*, 4 : 863.

30. WSC, 6 : 131.

31. *Ibid.*, 6 : 2.

32. La date du 18 juillet est donnée par Sagard, 4 : 852 ; Trudel situe la rencontre entre les deux flottes le 17 juillet et le combat le lendemain 18.

33. WSC, 6 : 28.

34. *Ibid.*, 6 : 29.

35. Trudel, *Histoire de la Nouvelle-France,* 3.1 : 34, citant Henry Kirke, *The First English Conquest of Canada,* p. 65, 16, 206-208 ; également Léon Pouliot, « Que penser des frères Kirke ? », *Bulletin des recherches historiques,* 44 (1938), p. 321-335.

36. Cette découverte a été rendue publique par James Tuck et l'archéologue Barry Gaulton. Voir « Archaeologists Strike Gold ». *Memorial University Research Report* (2004-2005), www.mun.ca/research/2005report/results/archaeologists. php

37. WSC, 5 : 293.

38. *Ibid.,* 5 : 236 ; Trudel, *Histoire de la Nouvelle-France,* 2 : 428.

39. WSC, 5 : 296 et 298.

40. *Ibid.,* 6 : 48.

41. *Ibid.,* 5 : 297.

42. *Ibid.,* 5 : 298.

43. *Ibid.,* 5 : 300-301.

44. Sagard, *Histoire du Canada,* 4 : 885.

45. Sagard, *Histoire du Canada,* 4 : 853 ; WSC, 5 : 326.

46. *Ibid.,* 6 : 40.

47. WSC, 6 : 51 ; 5 : 300-304 ; Trudel, *Histoire de la Nouvelle-France,* 3.1 : 34 ; Sagard, *Histoire du Canada,* 4 : 885.

48. *Ibid.,* 6 : 48-49 ; Sagard, *Histoire du Canada,* 4 : 854.

49. WSC, 6 : 50.

50. *Ibid.,* 5 : 298, 321 et 266 ; 6 : 48 ; Sagard, *Histoire du Canada,* 4 : 854 ; Trudel, *Histoire de la Nouvelle-France,* 3.1 : 34.

51. WSC, 5 : 299.

52. *Ibid.,* 6 : 41.

53. *Ibid.,* 6 : 47.

54. *Ibid.,* 6 : 45-46.

55. *Ibid.,* 6 : 27-28.

56. *Ibid.,* 6 : 42-43. Champlain appelait ce frère de Chomina Ouagabemat. Sagard l'appelait Neogabinat et d'autres chercheurs écrivent Onagabemat.

57. *Ibid.,* 6 : 43-45.

58. *Ibid.,* 6 : 50.

59. Les documents figurent dans le *Calendar of State Papers, Colonial,* 5, n° 2 ; reproduit dans Kirke, *English Conquest of Canada,* appendice D ; Henry Percival Biggar, *The Early Trading Companies of New France : A Contribution to the History of Commerce and Discovery in North America,* Toronto, 1901, 1937 ; rééd. Clifton (New Jersey), 1972, p. 143.

60. WSC, 6 : 52.

61. Louis et Thomas Kirke à Champlain, 19 juillet 1629 ; WSC, 6 : 53-54.

62. Champlain à Louis et Thomas Kirke, 19 juillet 1629 ; WSC, 6 : 54-55.

63. « Articles accordés par le sieur Guer commandant de présent aux vaisseaux qui sont proches de Québec, aux sieurs de Champlain et du Pont, le 19 de juillet 1629 » ; texte intégral dans WSC, 6 : 56.

64. WSC, 6 : 59-61.
65. *Ibid.*, 6 : 62.
66. *Ibid.*, 6 : 63.
67. *Ibid.*, 6 : 68-69.
68. *Ibid.*, 6 : 63 et 69.
69. *Ibid.*, 6 : 67.
70. *Ibid.*, 6 : 71.
71. *Ibid.*, 6 : 70.
72. *Ibid.*, 6 : 74.
73. *Ibid.*, 6 : 69.
74. *Idem.*
75. *Ibid.*, 6 : 81-82.
76. *Ibid.*, 6 : 52, 60, 62, 70, 104-124 et 155 ; Sagard, *Histoire du Canada*, 4 : 908-911.
77. WSC, 6 : 143.
78. *Ibid.*, 6 : 142-143.
79. *Ibid.*, 6 : 86-87.

CHAPITRE 20 • RECONQUÉRIR LA NOUVELLE-FRANCE

1. Champlain, *Voyages* (1632), dans WSC, 6 : 69.
2. Gabriel Sagard, *Histoire du Canada*, 1636, Tross, 1865, 4 : 911 ; WSC, 4 : 144.
3. WSC, 6 : 144.
4. Champlain, *Traitté de la marine* ; WSC, 6 : 144-145.
5. WSC, 6 : 145 ; Victor-L. Tapié, *France in the Age of Louis XIII and Richelieu*, Cambridge, 1974, 1988, p. 253-255 [*La France de Louis XIII et de Richelieu*].
6. WSC, 6 : 126-127 ; Marcel Trudel, *Histoire de la Nouvelle-France*, Montréal, 1966, vol. 3 : *La seigneurie des Cent-Associés, 1627-1663*, tome 1 : *Les événements*, p. 41, 46 et 49 ; Lucien Campeau, *Monumenta Novae Franciae*, Québec, 1967, 2 : 58 et 59.
7. WSC, 6 : 145.
8. *Ibid.*, 6 : 146-147.
9. *Ibid.*, 6 : 147.
10. *Ibid.*, 6 : 146-149.
11. *Ibid.*, 6 : 148.
12. *Ibid.*, 6 : 150.
13. *Ibid.*, 6 : 150. Henri Carré, *Henriette de France, reine d'Angleterre, 1609-1669*, Paris, 1947, où l'on trouve le contrat de mariage, p. 21-24. Voir aussi Charles Ier à Sir Isaac Wake, ambassadeur d'Angleterre à Paris, 12 juin 1631, reproduit dans N.-E. Dionne, *Champlain, fondateur de Québec, père de la Nouvelle-France*, Toronto, 1962, 2 : 526-530, pièces justificatives, p. 13.
14. WSC, 6 : 149.
15. *Ibid.*, 6 : 149-150.
16. *Ibid.*, 6 : 107.

17. *Ibid.,* 6 : 69.

18. *Idem.*

19. Trudel, *Histoire de la Nouvelle-France,* 3.1 : 19-21, 50, 417, 433 et 439 ; M. A. MacDonald, *Fortune and La Tour: The Civil War in Acadia,* Halifax, 2000, p. 66-70.

20. WSC, 6 : 168.

21. *Idem.*

22. *Idem* ; documents dans C.-H. Laverdière, *Œuvres de Champlain,* Québec, 1870.

23. WSC, 6 : 151-522.

24. *Ibid.,* 6 : 169.

25. *Idem.*

26. *Idem.*

27. Trudel, *Histoire de la Nouvelle-France,* 3.1 : 47 ; WSC, 6 : 170-171.

28. *Le Mercure françois,* reproduit par Campeau dans *Monumenta Novae Franciae,* 2 : 350-397 ; 3 : 403-404.

29. Champlain, « Carte de la nouvelle France… 1632 », légende.

30. WSC, 6 : 224-252.

31. Trudel, *Histoire de la Nouvelle-France,* 3.1 : 55-60 ; Robert Le Blant, « Les Compagnies du Cap-Breton (1629-1647) », *Revue d'histoire de l'Amérique française,* 16 (1962), p. 81-94.

32. Charles Daniel, *Voyage à la Nouvelle France du Capitaine Charles Daniel de Dieppe,* Rouen, 1881, et WSC, 6 : 153-161. Le récit de Daniel confirme l'exactitude du texte de Champlain sur ce sujet.

33. WSC, 6 : 157 ; Daniel, « Voyage ».

34. WSC, 6 : 159 ; Daniel, « Voyage ».

35. WSC, 6 : 161 ; Daniel, « Voyage ».

36. « Il y aurait eu, nous dit Trudel, une deuxième compagnie sous-contractante, formée en Normandie et intéressée au Cap-Breton […] l'expédition étant dirigée cette fois par Samuel de Champlain. » Trudel, *Histoire de la Nouvelle-France,* 3.1 : 58, 62 et 120 ; Lucien Campeau, « Le dernier voyage de Champlain, 1633 », *Mémoires de la Société royale du Canada,* série 4, 10 (1972), p. 81-101 ; *Le Mercure françois,* 1633, 19 : 806.

37. Libert, Daniel et Desportes étaient tous trois membres des Cent-Associés. Trudel, *Histoire de la Nouvelle-France,* 3.1 : 60.

38. Campeau, « Le dernier voyage de Champlain, 1633 », p. 81-101 ; *Le Mercure françois,* 19 : 806-808 ; Trudel, *Histoire de la Nouvelle-France,* 3.1 : 58, 60 et 62.

39. Aucun biographe de Champlain n'était au courant de ce voyage. Il ne fait aucun doute qu'il a eu lieu, mais rien ne permet d'affirmer que Champlain était à sa tête. Campeau et Trudel font valoir que c'est fort probable. Cf. Lucien Campeau, « Le dernier voyage de Champlain, 1633 », p. 81-101, et Trudel, *Histoire de la Nouvelle-France,* 3.1 : 58-60. La preuve figure dans une relation anonyme du voyage de 1632 publiée dans *Le Mercure françois,* 19 (1633), p. 80. Le commandant qui était resté au fort était le sieur Lemercier ; les deux jésuites sur place étaient Antoine Daniel et Ambroise Davost.

40. WSC, 6 : 173 ; Trudel, *Histoire de la Nouvelle-France*, 3.1 : 47, qui cite « Extrait de l'état général des dettes passives de la Compagnie de la Nouvelle-France, 5 février 1632 » ; Robert Le Blant, « La Compagnie de la Nouvelle France et la restitution de l'Acadie », *Revue d'histoire des colonies*, 42, 146 (1955), p. 77-80 ; Lucien Campeau, *Les Finances publiques de la Nouvelle-France sous les Cent-Associés, 1632-1635*, Montréal, 1975, p. 31-33.

41. WSC, 6 : 175-178 et 181 ; Nicolas Denys, *The Description and Natural History of the Coasts of North America (Acadia)*, William F. Ganong (dir.), p. 131-137, 477-479 [*Description geographique et historique des costes de l'Amérique septentrionale avec l'histoire naturelle du païs*].

42. Trudel, *Histoire de la Nouvelle-France*, 3.1 : 64, 70 et *passim* ; l'auteur cite les documents des archives de la Charente-Maritime, BB 188 30-31v ; Denys, *Acadia*, p. 474, 476 et 479. Trudel nomme les navires qui ont commercé avec les établissements de La Tour : le *Cheval blanc* (120 tonneaux) ; le *Renard noir* (220 tonneaux) ; le *Saint-Luc* (90 tonneaux) ; le *Saint-Jean* (100 tonneaux) ; le *Pigeon blanc* (200 tonneaux) ; et le *Saint-Pierre* ; renseignement de Delafosse dans *Revue d'histoire de l'Amérique française*, 4 (mars 1951), p. 485 ; Trudel, *Histoire de la Nouvelle-France*, 3.1 : 60.

43. MacDonald, *Fortune and La Tour*, p. 50-51 ; WSC, 6 : 171-172, 198-199 ; Trudel, *Histoire de la Nouvelle-France*, 3.1 : 428.

44. WSC, 5 : 165, 212 et 280 ; Trudel, *Histoire de la Nouvelle-France*, 2 : 311 ; W. F. Ganong, « A History of Miscou », *Acadiensis*, 6 (1906), p. 79-94 ; et « The History of Miscou and Shippegan », révisée et élargie à partir des notes de l'auteur par Susan Brittain, *New Brunswick Historical Studies*, 5 (1946), p. 42-45 ; Denys, *Acadia*, p. 201 ; Robert Le Blant, « La Première Compagnie de Miscou, (1635-1645) », *Revue d'histoire de l'Amérique française*, 17 (1963), p. 269-281 ; N.-E. Dionne, « Miscou, hommes de mer et hommes de Dieu », *Le Canada français*, 2 (1889), p. 432-477, 514-531.

45. Trudel, *Histoire de la Nouvelle-France*, 3.1 : 60.

46. Marcel Hamelin, « Thierry Desdames », *Dictionnaire biographique du Canada*, *s.v.* « Desdames » ; WSC, 5 : 88, 94-96, 322-325 ; 6 : 40 et 95 ; Dionne, « Miscou, hommes de mer et hommes de Dieu », 2 : 445-447 ; Ganong, « The History of Miscou and Shippegan », p. 44-45.

47. Trudel, *Histoire de la Nouvelle-France*, 3.1 : 20-21, 60, 80 et 388 ; Robert Le Blant, « Inventaire des meubles faisant partie de la communauté entre Samuel Champlain et Hélène Boullé, 21 novembre 1636 », *Revue d'histoire de l'Amérique française*, 18 (1965), p. 601.

48. Trudel, « Émery de Caën », *Dictionnaire biographique du Canada*.

49. Déclaration de Razilly, 12 mai 1632, Bibliothèque et Archives Canada, C11 A, 2, I : 49, cité dans Trudel, *Histoire de la Nouvelle-France*, 3.1 : 121 ; voir aussi Joe C. W. Armstrong, *Champlain*, Toronto, 1987, p. 259.

50. Trudel, *Histoire de la Nouvelle-France*, 3.1 : 121 ; Champlain à Richelieu, 15 août 1633, et 18 août 1634, reproduit dans WSC, 6 : 375-378, appendices 6 et 7.

V   LE PÈRE DU CANADA FRANÇAIS

CHAPITRE 21 • L'INFATIGABLE RÊVEUR

1. Paul Le Jeune, « Relation de ce qui s'est passé en la Nouvelle France en l'année 1633… », Paris, 1634, dans Reuben Gold Thwaites (dir.), *Relations des Jésuites*, Cleveland (Ohio), 1896-1901, 5 : 253.

2. *Ibid.*, 6 : 103.

3. « Mémoire et instruction baillés au Sieur de Champlain par les Directeurs de la Nouvelle-France, Paris, 4 février 1633 » et « Supplément d'Instructions…, Dieppe, 17 mars 1633 », *Mercure françois*, 19 (1633), p. 809-811 ; Lucien Campeau, *Monumenta Novae Franciae*, Québec, 1967, 2 : 340-341, 359-360.

4. Il s'agissait probablement de la famille de Jacques Panis, qui était accompagné de sa femme, Marie Pouchet (ou Pousset), et de ses filles Isabeau et Marie. Les deux jeunes filles allaient se marier à Québec six ans plus tard, les 3 et 12 septembre 1639. Voir la note de Campeau dans *Monumenta Novae Franciae*, 2 : 354n.

5. [Champlain], « Relation du voyage du sieur de Champlain en Canada », *Mercure françois*, 19 (1636), p. 803-867, 803-806, reproduit dans Campeau, *Monumenta Novae Franciae*, 2 : 350-357 ; Le Jeune, « Relation », 1634, *Relations des Jésuites*, 5 : 220 ; Marcel Trudel, *Histoire de la Nouvelle-France*, Montréal, 1979, vol. 3 : *La seigneurie des Cent-Associés, 1627-1663*, tome 1 : *Les événements*, p. 121-122.

6. Au sujet de Champlain « nostre gouverneur », voir *Relations des Jésuites*, 9 : 207.

7. [Champlain], « Relation du voyage », *Mercure françois*, 19 (1636), p. 803-867 ; Campeau, *Monumenta Novae Franciae*, 2 : 353 ; au sujet de Jacquinot, voir Campeau, *Monumenta Novae Franciae*, 1 : 671-672.

8. [Champlain], « Relation du voyage », p. 804.

9. *Ibid.*, 19 : 805 ; Campeau, *Monumenta Novae Franciae*, 2 : 355.

10. Campeau, *Monumenta Novae Franciae*, 2 : 805. Une preuve de plus que Champlain avait été au fort Sainte-Anne en 1632.

11. Samuel E. Morison, *Samuel de Champlain: Father of New France*, New York, 1972, p. 216.

12. Le Jeune, « Relation », 1633, *Relations des Jésuites*, 5 : 83-85.

13. *Ibid.*, 5 : 201.

14. *Ibid.*, 5 : 202 ; 6 : 72-74 ; Trudel, *Histoire de la Nouvelle-France*, 3.1 : 121-122 ; John A. Dickinson, « Champlain administrateur », dans Raymonde Litalien et Denis Vaugeois (dir.), *Champlain. La naissance de l'Amérique française*, Sillery, 2004, p. 212.

15. Le Jeune, « Relation », 1634, *Relations des Jésuites*, 6 : 103-105.

16. *Ibid.*, 6 : 105.

17. *Ibid.*, 1632-1633, 5 : 211-213.

18. Champlain, *Traitté de la marine*, dans WSC, 6 : 259-260.

19. Samuel Eliot Morison (*The Founding of Harvard College*, Cambridge [Massachusetts], 1935, p. 416-418) traite brièvement du collège jésuite de Québec, disant que « la réponse à la question de savoir lequel des deux collèges fut le premier dépend de la définition qu'on donne du mot "collège" ». Morison a concocté une définition bien à lui en vertu de laquelle Harvard peut être « à bon droit considéré comme étant le premier collège » au nord de Mexico. Mais si l'on s'en tient à une définition raisonnable, le collège jésuite de Québec fut le premier.

20. Morison, *Samuel de Champlain*, p. 216-217.

21. Le Jeune, « Relation », 1634, *Relations des Jésuites*, 6 : 103.

22. *Ibid.*

23. Le Jeune, « Relation », 1635, *Relations des Jésuites*, 8 : 18 ; Champlain à Richelieu, 18 août 1634, WSC, 6 : 378-379 ; [Champlain], *Mercure françois*, 19 : 821 et 833, reproduit dans Campeau, *Monumenta Novae Franciae*, 2 : 367.

24. [Champlain], « Relation du voyage », *Mercure françois*, 19 : 828-838, reproduit dans Campeau, *Monumenta Novae Franciae*, 2 : 350-397, 372-378. Le meurtrier était toujours emprisonné quand le récit fut composé.

25. *Ibid.*, 2 : 375.

26. *Ibid.*, 2 : 378.

27. Le Jeune, « Relation », 1633, *Relations des Jésuites*, 5 : 221.

28. *Ibid.*, 5 : 203, 288n ; Chrestien Le Clercq, *Premier Établissement de la foy dans la Nouvelle-France*, 2 vol., 1691, John Gilmary Shea (dir.), New York, 1881, 1 : 161-174 ; C.-H. Laverdière, *Œuvres de Champlain*, Québec, 1870, p. 1042, 1113 et 1228.

29. Le Jeune, « Relation », 1633, *Relations des Jésuites*, 5 : 144-145, 178-195.

30. *Ibid.*, 5 : 123.

31. *Ibid.*, 5 : 203 (24 mai 1633).

32. Morison, *Samuel de Champlain*, p. 217.

33. Le Jeune, « Relation », 1633, *Relations des Jésuites*, 5 : 205.

34. *Ibid.*, 5 : 203-205, 207, 209-211.

35. [Champlain], « Relation du voyage », *Mercure françois*, 18 : 56-73, reproduit dans Campeau, *Monumenta Novae Franciae*, 2 : 380-381.

36. Selon une certaine chronologie, entre cinq et sept cents Hurons vinrent à Québec après que Champlain eut délégué Louys de Saincte Foy (que les Indiens appelaient Amantacha) chez les Hurons pour les inviter à venir traiter avec les Français. Voir [Champlain], « Relation du voyage », *Mercure françois*, 19 : 863-867, reproduit dans Campeau, *Monumenta Novae Franciae*, 2 : 350-397.

37. Le Jeune, « Relation », 1633, *Relations des Jésuites*, 5 : 243 ; [Champlain], « Relation du voyage », *Mercure françois*, 19 : 803-867, reproduit dans Campeau, *Monumenta Novae Franciae*, 2 : 383. Le même passage figure dans les récits de Champlain et de Le Jeune, mais ils ont tourné l'observation de manière différente. Champlain s'émerveille de la richesse et de la diversité des coutumes indiennes. Le père Le Jeune déplore justement les mêmes choses. Il écrit : « Oh

que l'esprit des hommes est faible ! Il y a plus de quatre mille ans qu'ils cherchent à s'embellir et à s'orner, et toutes les nations de la terre n'ont pu encore convenir au point de la beauté et de l'ornement. » Observation inexistante chez Champlain.

38. Le Jeune, « Relation », 1633, *Relations des Jésuites,* 5 : 247.

39. Le récit de Le Jeune se trouve dans *Relations des Jésuites,* 5 : 249 ; le récit de Champlain apparaît dans [Champlain], « Relation du voyage », *Mercure françois,* 19 : 803-867, reproduit dans Campeau, *Monumenta Novae Franciae,* 2 : 383.

40. Le Jeune, « Relation », 1633, *Relations des Jésuites,* 5 : 253.

41. *Ibid.*

42. *Ibid.,* 5 : 257.

43. *Ibid.,* 5 : 107.

44. *Ibid.,* 5 : 212-215 ; [Champlain], « Relation du voyage », *Mercure françois,* 19 : 821, reproduit dans Campeau, *Monumenta Novae Franciae,* 3 : 366-369 ; WSC, 6 : 376 ; Trudel, *Histoire de la Nouvelle-France,* 3.1 : 126-127.

45. Champlain à Richelieu, 15 août 1633, WSC, 6 : 375-377. Des photocopies de ces manuscrits du ministère des Affaires étrangères (Paris) se trouvent à la Division des manuscrits de la Bibliothèque du Congrès (Washington).

46. [Champlain], « Relation du voyage », 1633, reproduit dans Campeau, *Monumenta Novae Franciae,* 2 : 381-382.

47. Pour cette unité de « cent hommes », Champlain en énumérait cent vingt environ. [Champlain], « Relation du voyage », *Mercure françois,* 19 : 841-844, reproduit dans Campeau, *Monumenta Novae Franciae,* 2 : 381-382.

48. *Ibid.*

49. *Ibid.*

50. Champlain à Richelieu, 15 août 1633, WSC, 6 : 375-377.

51. *Ibid.*

52. Champlain à Richelieu, 15 août 1633, Archives du ministère des Affaires étrangères, Bibliothèque du Congrès ; texte original de Champlain, WSC, 6 : 375-377.

53. Champlain à Richelieu, 18 août 1634, WSC, 6 : 378-379.

54. Michel Carmona, *La France de Richelieu,* Paris, 1984, p. 187.

CHAPITRE 22 • LE PEUPLEMENT DU CANADA

1. Marcel Trudel, *Histoire de la Nouvelle-France,* Montréal, 1979, vol. 3 : *La seigneurie des Cent-Associés, 1627-1663,* tome 1 : *Les événements,* p. 130.

2. « C'est l'unique famille de Français habituée au Canada. » Paul Le Jeune, « Relation de ce qui s'est passé en la Nouvelle France en l'année 1633… », Paris, 1634, dans Reuben Gold Thwaites (dir.), *Relations des Jésuites,* Cleveland (Ohio), 1896-1901, 5 : 40-44. Champlain avait aidé d'autres familles à s'établir avant 1625, notamment Abraham Martin et sa femme, Marguerite Langlois, qui avaient plusieurs enfants ; Pierre Desportes et Françoise Langlois ; Nicolas

Pivert, sa femme, Marguerite Lesage, et une nièce dont on ne connaît pas le nom. Ces familles semblent avoir quitté la colonie après la conquête anglaise et être revenues en 1632. Il se peut qu'il y ait eu quelques autres couples mariés à Québec en 1632 ; si c'est le cas, ils étaient peu nombreux, et Le Jeune ne leur reconnaissait pas la qualité de « familles ». Cf. Trudel, *Histoire de la Nouvelle-France,* vol. 2 : *Le comptoir, 1604-1627*, p. 491-500 ; 3.1 : 33 et 53.

3. Madeleine Jurgens, « Recherches sur Louis Hébert et sa famille », *Mémoires de la Société généalogique canadienne-française,* 8 (1957), p. 106-112, 135-145 ; 11 (1960), p. 24-31 ; Azarie Couillard-Després, *La Première Famille française au Canada* et *Louis Hébert, premier colon canadien et sa famille,* Lille, 1913 ; Montréal, 1918 ; Champlain, WSC, 1 : 402 ; 3 : 203-205 ; 5 : 326-327 ; 6 : 48, 62, 70-74 et 184 ; Marc Lescarbot, *History of New France,* 3 vol., Toronto, 1907, 2 : 209, 234, 328 et 331 ; 3 : 246 [*Histoire de la Nouvelle-France*] ; Gabriel Sagard, *Histoire du Canada et voyages que les frères mineurs recollects y ont faicts pour la conversion des infidèles depuis l'an 1615,* Paris, 1636 ; rééd. Librairie Tross, 4 vol., Paris, 1866, 1 : 53, 83, 158-159 ; Chrestien Le Clercq, *Premier Établissement de la foy dans la Nouvelle-France,* 2 vol., 1691, John Gilmary Shea (dir.), New York, 1881, 1 : 164-167 et 281 ; *Relations des Jésuites,* 5 : 41-43.

4. Le Jeune, « Relation », 1632, *Relations des Jésuites,* 5 : 41.

5. *Ibid.*

6. *Ibid.*

7. Trudel, *Histoire de la Nouvelle-France,* 2 : 485 ; 3.1 : 123, 130 et 141. Nos estimations sont fondées sur les chiffres que donne Trudel pour les navires transportant des immigrants.

8. Trudel a pu identifier nominativement 9 ou 11 immigrants en 1633, 46 en 1634, 43 en 1635 et 98 en 1636 ; *Histoire de la Nouvelle-France,* 3.2 : 123, 130 et 141.

9. Hubert Charbonneau *et al., Naissance d'une population. Les Français établis au Canada au XVIIe siècle,* Montréal et Paris, 1987 ; Henri Bunle, *Mouvements migratoires entre la France et l'étranger,* Paris, 1943 ; Marcel Trudel, *Catalogue des immigrants, 1632-1662,* Montréal, 1983 ; Lucien Campeau, *Les Cent-Associés et le peuplement de la Nouvelle-France, 1633-1663,* Montréal, 1974.
La mutation profonde *(deep change)* est un modèle de changement historique. Elle se fonde sur l'hypothèse selon laquelle le monde change constamment, mais pas toujours de la même manière. Pour mesurer les rythmes de changement empiriquement, il faut trouver des preuves de « régimes de changement » *(change-regimes)* distincts, qui sont souvent dynamiques au dernier degré, mais stables également dans leur dynamisme, parfois sur de longues périodes. Ces régimes de changement cèdent invariablement le pas, tôt ou tard, à des moments de « mutation profonde », et sont suivis par un autre régime de changement, qui s'effondre de nouveau et est suivi par un troisième, et ainsi de suite. Au sujet de ce modèle de changement profond, voir David Hackett Fischer, *Price Revolutions and the Rhythm of History,* Oxford et New York, 1996 ; et une œuvre en cours intitulée provisoirement « Deep Change: The Rhythm of American History ».

10. En 1633, Champlain avait emmené avec lui la famille de Jacques Panis, qui était accompagné de sa femme, Marie Pouchet (ou Pousset), et de leurs filles Isabeau, ou Isabel, et Marie, âgées de treize et six ans. Les deux allaient se marier à Québec quelques années plus tard. Guillemette Hébert-Couillard eut une autre fille en 1632-1633. À l'automne de 1633 se trouvaient également à Québec la famille d'Abraham Martin et sa femme, Marguerite Langlois, avec leurs filles Anne, Marguerite et Hélène ; Pierre Desportes et sa femme, Françoise Langlois (la sœur de Marguerite), et leur fille Hélène ; Nicolas Pivert et sa femme, Marguerite Lesage. Ils étaient arrivés en Nouvelle-France dès 1629, peut-être avant (WSC, 5 : 329) mais étaient rentrés en France après la conquête anglaise. Ils n'étaient pas à Québec quand Le Jeune arriva en 1632, mais ils étaient de retour à l'automne de 1633. Voir Lucien Campeau, *Les Cent-Associés et le peuplement de la Nouvelle-France,* p. 18n ; *Monumenta Novae Franciae,* Québec, 1967, 2 : 354n.

11. Ces généralisations nous viennent de deux générations de démographes historiens qui ont appliqué rigoureusement la méthode de la « reconstitution des familles », inventée en France à l'Institut national d'études démographiques, fondé par Louis Henri. Ce centre parraina une étude pionnière sur la Nouvelle-France : celle de Jacques Henripin, *La Population canadienne au début du XVIIIᵉ siècle,* Paris, 1954, dont les résultats traitaient essentiellement de la période allant de 1660 à 1760. Dans le cadre d'un effort beaucoup plus important, des équipes canadiennes ont élargi considérablement la population étudiée. Ils ont fait remonter l'enquête dans le temps jusqu'aux débuts de l'établissement, avec les résultats qu'on vient de souligner. Voir Charbonneau *et al., Naissance d'une population.*

12. Charbonneau *et al., Naissance d'une population,* tableau 81, p. 107-125. Ce qui frappe également, c'est le fait que cette proportion ait très peu changé du milieu du XVIIIᵉ siècle jusqu'au milieu du XXᵉ siècle.

13. « Articles accordez par le Roi, à la Compagnie de Canada, 29 avril 1627, article 2 », dans J. Blanchet *et al., Collection de manuscrits contenant lettres, mémoires et autres documents relatifs à l'histoire de la Nouvelle France,* 4 vol., Québec, 1828-1888, 1 : 65.

14. Henry B. M. Best, « Abraham Martin, dit L'Écossais ou Maître Abraham », *Dictionnaire biographique du Canada,* Toronto, 1966, *s.v.* « Martin » ; Campeau, portrait biographique d'Abraham Martin dans *Monumenta Novae Franciae,* 2 : 842 ; Trudel, *Histoire de la Nouvelle-France,* 2 : 263, 491-497 et *passim.*

15. « Le premier enfant françois né en Amérique », 1621, dans Blanchet *et al., Collection de manuscrits,* 1 : 65.

16. Campeau, *Monumenta Novae Franciae,* 2 : 842.

17. *Ibid.*

18. Robert Le Blant, « Le testament de Samuel de Champlain, 17 novembre 1635 », *Revue d'histoire de l'Amérique française,* 17 (1963), p. 269-286.

19. J. M. LeMoine, *The Scot in New France, an Ethnological Study,* Montréal, 1881 ; R.-B. Casgrain, « La fontaine d'Abraham Martin et le site de son habitation »,

Royal Society of Canada, *Transactions,* 2, ensemble 9, 1903, p. 145-165 ; B. C. Roy, « Abraham Martin dit l'Écossais et les plaines d'Abraham », *Bulletin des recherches historiques,* 34 (1928), p. 568-570 ; Léon Roy, « La première canadienne-française », *ibid.,* 48 (1942), p. 205-208 ; *idem,* « Anne Martin, épouse de Jean Côté », *ibid.,* 49 (1943), p. 203-204.

L'argument révisionniste figure dans Jacques Mathieu et Eugen Kedl, *The Plains of Abraham: The Search for the Ideal,* Québec, 1993, p. 25-32 [*Les Plaines d'Abraham. Le culte de l'idéal*], où les auteurs minimisent le lien entre les plaines d'Abraham et Abraham Martin en se fondant sur des « arguments d'ordre historique, géographique et moral [!] ». Ils insistent pour dire que Martin n'a « jamais possédé les parcelles de terre qui portent son nom et qu'il n'y a jamais habité », qu'en outre il n'a « rien fait de remarquable qui aurait justifié qu'on donne son nom à ce site », et qu'il est « mort dans un déshonneur relatif du fait qu'il avait compromis son honneur avec une jeune séductrice de seize ans en 1649 ». Je ne suis pas de cet avis.

20. Don Thomson, *Men and Meridians: The History of Surveying and Mapping in Canada,* Ottawa, 1966, 1 : 36-38. Les actes notariés parlent très tôt de la « côte d'Abraham ». Une partie de la terre de Martin fut vendue à l'ordre des Ursulines en 1675, et on pense que c'est sur cette parcelle qu'on a bâti leur couvent.

21. Trudel, *Histoire de la Nouvelle-France,* 3.1 : 130.

22. Les conditions de la concession foncière de Giffard figurent dans Richard Colebrook Harris, *The Seigneurial System in Early Canada,* Madison (Wisconsin), 1968, p. 22, 55, 108 et 119 ; N.-E. Dionne, *Champlain, Founder of Quebec, Father of New France,* Toronto, 1962, 2 : 336-337 [*Champlain : fondateur de Québec, père de la Nouvelle-France*].

23. Trudel, *Histoire de la Nouvelle-France,* 3.1 : 131 ; Le Jeune, « Relation », 1634, *Relations des Jésuites,* 7 : 213.

24. Champlain à Richelieu, 18 août 1634, photocopie de la Bibliothèque du Congrès (Washington) de l'original qui se trouve aux Archives du ministère des Affaires étrangères, Paris ; texte français dans WSC, 6 : 378-379.

25. Dionne, *Champlain,* 2 : 346.

26. Les concessions, confirmations et actes de cession sont publiés dans *Pièces et documents relatifs à la tenure seigneuriale,* 2 vol., Québec, 1852-1854. La confirmation pour la famille Hébert figure en 2 : 373.

27. Les historiens ont appelé ces lignes d'arpentage *rhumb de vent.* C'est une adaptation incorrecte d'un usage de la navigation, mais cela n'aurait rien d'anormal dans une culture qui mariait de nombreux termes maritimes à des usages terrestres.

28. Harris, *The Seigneurial System,* p. 23 ; Honorius Provost, « Robert Giffard de Moncel », *Dictionnaire biographique du Canada* ; Campeau, *Monumenta Novae Franciae,* 2 : 824-825 ; Joseph Besnard, « Les diverses professions de Robert Giffard », *Nova Francia,* 4 (1929), p. 322-329 ; T. E. Giroux, *Robert Giffard, seigneur colonisateur…,* Québec, 1934.

29. Peter Moogk, *La Nouvelle France: The Making of French Canada: A Cultural History,* East Lansing (Michigan), 2000, p. 486.

30. Samuel Eliot Morison, *The Story of Mount Desert Island*, Boston, 1960, 1988, p. 19-21.

31. Les estimations varient entre 56 et 68 % pour le Canada.

32. De nombreuses études sont parvenues au même résultat. Voir Archange Godbout, « Nos hérédités provinciales françaises », *Les Archives de folklore*, 1 (1946), p. 26-40 ; Charbonneau *et al.*, *Naissance d'une population*, p. 46 ; Trudel, *Histoire de la Nouvelle-France*, vol. 3 : *La seigneurie des Cent-Associés, 1627-1663*, tome 2 : *La société*, p. 11-56 et *passim* ; Leslie Choquette, *Frenchmen into Peasants: Modernity and Tradition in the People of French Canada*, Cambridge (Massachusetts), 1997, trad. fr. *De Français à paysans. Modernité et tradition dans le peuplement du Canada français*, Québec, 2001 ; Gervais Carpin, *Le Réseau du Canada. Étude du mode migratoire de la France vers la Nouvelle-France (1628-1662)*, Québec et Paris, 2001 ; Moogk, *La Nouvelle France*, p. 87-120.

33. Les sources pour ces constatations sont, entre autres, Philippe Barbeau, *Le Choc des patois en Nouvelle-France. Essai sur l'histoire de la francisation au Canada*, Montréal, 1984 ; Raymond Mougeon et Édouard Béniak, *Les Origines du français québécois*, Québec, 1994 ; Lionel Meney, *Dictionnaire québécois français*, Montréal, 1999 ; Jean-Marcel Léard, *Grammaire québécoise d'aujourd'hui. Comprendre les québécismes*, Montréal, 1995.

34. J. S. Tassie, « The Use of Sacrilege in the Speech of French Canada », *American Speech*, 36 (1961). Plusieurs linguistes ont affirmé que ce type de juron est apparu dans les années 1830, ce qui est faux. Au sujet de l'usage du blasphème et du sacrilège, y compris les châtiments réservés aux blasphémateurs dans la France du XVIIe siècle, lire Philip Riley, *A Lust for Virtue: Louis XIV's Attack on Sin in Seventeenth-Century France*, Greenwood, 2001, p. 124-125. La ténacité de cette vieille façon de parler dans le Québec moderne est le thème d'une comédie bilingue désopilante intitulée *Bon Cop, Bad Cop* (2006), qui a remporté tous les grands honneurs en 2007. C'est l'histoire de deux détectives, l'un de la Sûreté du Québec et l'autre de la Police provinciale de l'Ontario, qui ont l'ordre de mener une enquête ensemble. L'humour du film tourne essentiellement autour du fait que le policier ontarien s'étonne d'entendre son collègue québécois marmonner des imprécations du genre « câlisse » et « tabarnac ».

35. Moogk, *La Nouvelle France*, p. 146.

36. Michel Lessard et Huguette Marquis, *Encyclopédie de la maison québécoise*, Montréal et Bruxelles, 1972, p. 35, 70-74, 488 et *passim*.

37. *Ibid.*, p. 35.

38. Pour la liste de tous les membres du clergé de 1604 à 1629, voir Trudel, *Histoire de la Nouvelle-France*, 2 : 460-462. À propos des arrivants de 1633-1634, voir aussi *Histoire de la Nouvelle-France*, 3.1 : 123n. Au sujet des six missions jésuites, du Cap-Breton au lac Huron, voir *Relations des Jésuites*, 7 : 3. Trudel fait également état de l'arrivée de sept autres pères jésuites en 1636 dans *Histoire de la Nouvelle-France*, 3.1 : 134n.

39. G.-É. Giguère, *Œuvres de Champlain*, Montréal, 1973, 1 : 409.

40. Pierre Biard, « Relation de la Nouvelle France. Écrite en 1614 », *Relations des Jésuites,* 4 : 100, Lyon, 1616 ; reproduite dans Reuben Gold Thwaites (dir.), *Relations des Jésuites,* 3 : 104 ; Bruce Trigger, *The Children of Aataentsic: A History of the Huron People to 1660,* 1976, nouvelle édition, Montréal, 1987, p. 269.

41. Robert Laroque, « Les agents pathogènes, des envahisseurs clandestins », dans Raymonde Litalien et Denis Vaugeois (dir.), *Champlain. La naissance de l'Amérique française,* Sillery, 2004, p. 266-275.

CHAPITRE 23 • LE BERCEAU DE L'ACADIE

1. Nicolas Denys, *The Description and Natural History of the Coasts of North America (Acadia),* édition bilingue, William F. Ganong (dir.), Toronto, 1908, p. 146n et 124n [*Histoire naturelle des peuples…*]. Pour les données statistiques, voir le U. S. Bureau of the Census, *1990 Census of Population, Supplementary Reports, Detailed Ancestry Groups,* 1990, CP-S-1-2. Les estimations canadiennes sont variables.

2. M. A. MacDonald, *Fortune and La Tour: The Civil War in Acadia,* 1993, rééd. Halifax, 2000, est un ouvrage magistral sur la question ainsi qu'une œuvre d'érudition historique de premier ordre. Brenda Dunn, *A History of Port-Royal/Annapolis Royal, 1605-1800,* Halifax, 2004, a écrit une excellente histoire de l'établissement principal fondée largement sur des sources primaires.

3. Au sujet de la Compagnie de Razilly, voir Marcel Trudel, *Histoire de la Nouvelle-France,* Montréal, 1979, vol. 2 : *Le comptoir, 1604-1627,* p. 52-54.

4. Pierre Castagnos, *Richelieu face à la mer,* Rennes, 1989, p. 78-80.

5. Joan Dawson, *Isaac de Razilly, 1587-1635: Founder of LaHave,* LaHave (Nouvelle-Écosse), 1982 ; George MacBeath, « Isaac de Razilly », *Dictionnaire biographique du Canada,* Toronto, 1966 ; Michel-Gustave de Rasilly, *Généalogie de la famille de Rasilly,* Laval, 1903 ; Léon Deschamps, *Un colonisateur au temps de Richelieu : Isaac de Razilly,* Paris, 1887.

6. WSC, 6 : 219-220.

7. *Mémoire du chevalier de Razilly,* 26 novembre 1626, publié par Léon Deschamps à titre de « mémoire inédit », *Revue de géographie,* 19 (1886), p. 374-383. L'original a été perdu ; on en trouve cependant une copie manuscrite à la bibliothèque Sainte-Geneviève de Paris.

8. Razilly fut admis dans la Compagnie des Cent-Associés par François Bertrand à titre de quarante-troisième membre le 9 janvier 1628 ; Champlain fut inscrit par sa femme, Hélène Boullé, à titre de cinquante-deuxième membre le 14 janvier 1628. Voir Trudel, *Histoire de la Nouvelle-France,* vol. 3 : *La seigneurie des Cent-Associés, 1627-1663,* tome 1 : *Les événements,* appendice A, p. 419-420. Au sujet de Razilly et de Richelieu, lire Pierre Castagnos, *Richelieu face à la mer,* p. 20, et Trudel, *Histoire de la Nouvelle-France,* 2 : 433 ; 3.1 : 4-6. Lucien Campeau, *Monumenta Novae Franciae,* Québec, 1967, 2 : 852-853, suit une approche différente dans la mesure où il minimise le rôle qu'a joué le mémoire de Razilly

et donne presque toute la place aux âmes religieuses du projet acadien, notamment les récollets et les jésuites.

9. Razilly, déclaration, 12 mai 1632, cité par Trudel, *Histoire de la Nouvelle-France,* 3.1 : 121 ; Joe C. W. Armstrong, *Champlain,* Toronto, 1987, p. 259.

10. WSC, 6 : 219-220.

11. Voir supra, chapitre 8.

12. René Baudry, « Charles D'Aulnay et la Compagnie de la Nouvelle-France », *Revue d'histoire de l'Amérique française,* 11 (1957), p. 218-241 ; Trudel, *Histoire de la Nouvelle-France,* 3.1 : 53.

13. René Baudry, « Quelques documents nouveaux sur Nicolas Denys », *Revue d'histoire de l'Amérique française,* 9 (1955), p. 14-30 ; Denys, *The Description.*

14. Joan Dawson, « Colonists or Birds of Passage ? A Glimpse of the Inhabitants of LaHave, 1632-1636 », *Nova Scotia Historical Review,* 9 (1989), p. 42-61.

15. Robert Le Blant, « La Compagnie de la Nouvelle-France et la Restitution de l'Acadie (1627-1636) », *Revue d'histoire des colonies,* 126 (1955), p. 71-93 ; Trudel, *Histoire de la Nouvelle-France,* 3.1 : 54.

16. Denys, *The Description,* p. 96.

17. *Ibid.*

18. *Ibid.,* p. 97 et 268 ; Dunn, *Port-Royal/Annapolis Royal,* p. 13.

19. Le musée qui se dresse aujourd'hui à Fort Point contient de nombreux trésors ainsi que des manuscrits qui racontent l'histoire du lieu.

20. Marcel Delafosse, « La Rochelle et le Canada au XVIIᵉ siècle », *Revue d'histoire de l'Amérique française,* 4 (1951), p. 469-511. Delafosse donne la liste des navires qui firent voile de La Rochelle à compter de 1632.

21. Azarie Couillard-Després, « Aux sources de l'histoire de l'Acadie », *Mémoires de la Société royale du Canada,* 3ᵉ série, 27 (1933), p. 63-81 ; Candide de Nant, *Pages glorieuses de l'épopée. Une mission capucine en Acadie,* Montréal, 1927, p. 91.

22. John G. Reid, *Maine and New Scotland: Marginal Colonies in the Seventeenth Century,* Toronto, 1981 ; MacDonald, *Fortune and La Tour,* p. 46-47.

23. John G. Reid, « The Scots Crown and the Restitution of Port-Royal, 1629-1632 », *Acadiensis,* 6 (1977), p. 106-177 ; Dunn, *Port-Royal/Annapolis Royal,* p. 15, citant Brigitta Wallace, « The Scots Fort: A Reassessment of its Location », manuscrit du Centre de services de l'Atlantique de Parcs Canada, 1994, que je n'ai pas vu.

24. Dunn, *Port-Royal/Annapolis Royal,* p. 15-16 ; Dawson, « Colonists or Birds of Passage ? », p. 42-61.

25. Razilly à Marc Lescarbot, 16 août 1634, BN 13423, f. 349, v. 350. Une copie se trouvait au musée de Fort Point à LaHave quand nous y étions.

26. Denys, *The Description,* p. 149-152.

27. George MacBeath, « Jean Thomas » et « Bernard Marot », *Dictionnaire biographique du Canada* ; René Baudry, « Nicolas Le Creux du Breuil », *ibid.* ; Candide de Nant, *Pages glorieuses.*

28. Geneviève Massignon, *Les Parlers français d'Acadie*, 2 vol., Paris, s.d. [1962 ?], 1 : 19.
29. Denys, *The Description*, p. 54. L'historien est Ganong, *Acadia*, p. 124n.
30. Massignon, *Les Parlers français d'Acadie*, 1 : 19. On trouve une étude sur une paroisse acadienne chez Rameau de Saint-Père, *Une colonie féodale en Amérique, 1604-1881*, 2 vol., Paris et Montréal, 1889, 2 : 322.
31. La meilleure étude sur la question est la thèse qu'a défendue en Sorbonne Geneviève Massignon, la linguiste historienne qui s'est intéressée aux origines des parlers de l'Acadie et du Québec. Elle s'est penchée sur les origines de la population acadienne telles qu'elles sont décrites dans les recensements de 1671, 1707 et 1938, et a comparé ses résultats avec les preuves statistiques qu'elle a recueillies sur le Québec et la vallée du Saint-Laurent. Voir Massignon, *Les Parlers français d'Acadie*, 1 : 42-75, et le résumé aux pages 74-75.
32. Massignon, *Les Parlers français d'Acadie*, 2 : 741 ; Yves Cormier, *Dictionnaire du français acadien*, Québec, 1999, avec une excellente bibliographie, p. 381-426 ; voir aussi Louise Péonnet *et al.*, *Atlas linguistique du vocabulaire maritime acadien*, Québec, 1998 ; Pascal Poirier, *Glossaire*, 1953, 1977, 1993 ; *idem, Le Parler franco-acadien et ses origines*, Québec, 1928.
33. Cormier, *Dictionnaire du français acadien*, p. 30.
34. Ces exemples sont tirés de Cormier, *Dictionnaire du français acadien* ; Poirier, *Glossaire* et *Le Parler franco-acadien et ses origines*.
35. Geneviève Massignon, dans *Parlers français d'Acadie*, nous donne un tableau comparatif fort utile, 2 : 741.
36. Andrew Hill Clark, *Acadia: The Geography of Nova Scotia to 1760*, Madison (Wisconsin), 1968, p. 158 ; Yves Cormier, *Les Aboiteaux en Acadie. Hier et aujourd'hui*, Moncton, 1990, p. 19 ; Françoise Marie Perrot, « Relation de la Province d'Acadie », Bibliothèque et Archives Canada ; à propos des plaines marécageuses, voir Denys, *The Description*, p. 53.
37. Denys, *The Description*, p. 81.
38. Dunn, *Port-Royal/Annapolis Royal*, p. 17.
39. Cormier, *Les Aboiteaux en Acadie*, p. 30-31.
40. Denys, *The Description*, p. 53.
41. Clark, *Acadia*, p. 360.
42. Bernard V. LeBlanc et Ronnie-Gilles LeBlanc, « La culture matérielle traditionnelle en Acadie », dans Jean Daigle (dir.), *L'Acadie des Maritimes*, Moncton, 1993, p. 601-648, comprenant une excellente étude sur l'architecture vernaculaire (p. 627-642). On trouve des témoignages contemporains dans Champlain, WSC, 1 : 373 ; Marc Lescarbot, *History of New France*, Toronto, 1907, 2 : 514 [*Histoire de la Nouvelle-France*] ; Gargas, « Mon séjour de l'Acadie, 1687-88 », dans William Inglis Morse (dir.), *Acadiensa Nova, 1598-1779*, Londres, 1935, 1 : 179 ; Baron de Lahontan, *New Voyages to North America*, Reuben G. Thwaites (dir.), 1703, 1 : 330-332 ; le récit de Meneval en 1688, dans Clark, *Acadia*, p. 138 ; Sieur de Dièreville, *Relation du voyage de Port Royal de l'Acadie, 1699-1700*, Toronto, Champlain Society, 1993.

Pour les preuves archéologiques, voir Andrée Crépeau et Brenda Dunn, *The Melanson Settlement: An Acadian Farming Community (ca. 1644-1755)*, Canadian Parks Research Bulletin 250, Ottawa, 1986 ; David J. Christianson, *Bellisle 1983: Excavations of a Pre-Expulsion Acadian Site, Curatorial Report 48*, Halifax, Nova Scotia Museum, 1984 ; Marc C. Lavoie, *Bellisle Nova Scotia, 1680-1755: Acadian Material Life and Economy, Curatorial Report 65*, Halifax, Nova Scotia Museum, 1988.

Pour une synthèse générale, voir Clarence Lebreton, *The Acadians in the Maritimes*, Moncton, 1982 ; Naomi Griffiths, *The Acadians: Creation of a People*, Toronto, 1973 ; Rameau de Saint-Père, *Une colonie féodale* ; Rodolphe Bourque, *Social and Architectural Aspects of Acadians in New Brunswick*, Fredericton, 1971.

43. Peter Moogk, *La Nouvelle France: The Making of French Canada: A Cultural History*, East Lansing (Michigan), 2000, p. 270.

44. À propos des systèmes hydrauliques et du pouvoir politique, voir Karl. A. Wittfogel, *Oriental Despotism*, New Haven (Connecticut), 1957, 1963.

45. Moogk, *La Nouvelle France*, p. 270.

46. Clark, *Acadia*, p. 387.

47. Massignon, *Les Parlers français*, 1 : 31 et 36.

48. Clark, *Acadia*, p. 361, 89, 95, 128, 377 et *passim*.

CHAPITRE 24 • TROIS-RIVIÈRES

1. Paul Le Jeune, « Relation de ce qui s'est passé en la Nouvelle France en l'année 1633… », Paris, 1634, Reuben Gold Thwaites (dir.), *Relations des Jésuites*, Cleveland (Ohio), 1896-1901, 5 : 211.

2. Alexander Ross, *The Red River Settlement: Its Rise, Progress and Present State*, Londres, 1856, p. 252.

3. Le Jeune, « Relation », 1634, *Relations des Jésuites*, 5 : 206 ; [Champlain], « Relation du voyage du sieur de Champlain en Canada », *Mercure françois*, 19 (1633), p. 803-867, à la p. 838, reproduit dans Lucien Campeau, *Monumenta Novae Franciae*, Québec, 1967, 2 : 350-397.

4. *Relations des Jésuites*, 7 : 225.

5. Marcel Trudel, *Histoire de la Nouvelle-France*, vol. 3 : *La seigneurie des Cent Associés, 1627-1663*, tome 1 : *Les événements*, Montréal, 1979, p. 130, 136-138.

6. « Laviolette », *Dictionnaire biographique du Canada*, Toronto, 1966 ; *Relations des Jésuites*, 4 : 261, 2 : 52 ; Benjamin Sulte, *Histoire des Canadiens-Français, 1608-1880*, 8 vol., Montréal, 1882-1884, 2 : 48-54 ; *idem, Histoire de la ville des Trois-Rivières*, Montréal, 1870 ; *Album de l'histoire des Trois-Rivières*, Montréal, 1881 ; Campeau, *Monumenta Novae Franciae*, 2 : 66 et 731.

7. Le mot avait été importé en France par des soldats à l'époque des Croisades, et répandu plus tard par les diplomates que François Ier avait dépêchés auprès de Soliman le Magnifique. Ses origines arabes et akkadiennes sont soulignées dans

Le Grand Robert, s.v. « truchement », et dans Alain Rey *et al., Dictionnaire historique de la langue française,* 2006, *s.v.* « truchement ». Pour une autre interprétation de la racine turque, voir Jean-Benoît Nadeau et Julie Barlow, *The Story of French,* New York, 2006, p. 100.

8. Plus de deux dizaines d'interprètes sont nommés dans ce chapitre, et des dizaines d'autres sont évoqués dans les descriptions citées plus loin ; à ce nombre s'ajoutent de nombreux interprètes d'origine indienne.

9. « Commençait à se licencier en la vie des Anglais. » C'est en ces termes que Champlain qualifiait le comportement du truchement Louis le Sauvage, WSC, 6 : 101-102.

10. Campeau, « Bruslé », dans *Monumenta Novae Franciae,* 2 : 808-809, qui corrige certains récits en s'appuyant sur des recherches plus récentes. Voir aussi Bruce Trigger, *Natives and Newcomers: Canada's "Heroic Age" Reconsidered,* Montréal, 1985, 1994, p. 177, 182, 194-197, 202, 246, 320, 326 et 331, où l'on trouve beaucoup de renseignements sur Brûlé et les Indiens. Source indispensable : WSC, 2 : 118-119, 138-142 ; 3 : 36 et 213 ; 4 : 213-266 ; 5 : 100n ; 6 : 98-102 et *passim.* Voir aussi les récits dans *Relations des Jésuites* ; Consul Willshire Butterfield, *History of Brûlé's Discoveries and Explorations, 1610-1626,* Cleveland (Ohio), 1898, p. 12-19, que les recherches récentes ont dépassé, mais dont les documents en appendice demeurent très utiles.

11. WSC, 2 : 139 et 142 ; Bruce G. Trigger, *The Children of Aataentsic: A History of the Huron People to 1660,* Montréal, 1976, 1987, p. 261-262. Trigger écrit : « Champlain n'a jamais expliqué et n'a probablement jamais su pourquoi Iroquet et Ochasteguin avaient conclu cet échange si compliqué. » Le récit de Champlain, qui mentionne explicitement Iroquet, les « Algoumequins », la tribu d'Ochasteguin et les négociations entre eux, montre bien qu'il comprenait parfaitement la complexité des rapports en jeu. Voir WSC, 2 : 142.

12. WSC, 2 : 188 ; 3 : 213. Une partie de cette description nous vient de Morris Bishop, *Champlain: The Life of Fortitude,* New York, 1948, 1963, p. 175.

13. WSC, 3 : 36, 53, 58, 213-226. Au sujet du voyage au lac Supérieur, voir Gabriel Sagard, *Le Grand Voyage au pays des Hurons,* Paris, 1632 ; Campeau, *Monumenta Novae Franciae,* 2 : 808-809 ; Conrad E. Heidenreich, « Explorations and Mapping of Champlain, 1603-1632 », *Cartographica,* 1976, p. 27-28. Trigger croit que Brûlé et ses compagnons sont passés par le territoire des Neutres, évitant ainsi les Iroquois. Ils ont dû franchir une partie de l'Iroquoisie, ont livré bataille victorieusement en chemin et sont parvenus au village de Carantouan, bourg bien fortifié avec ses « hautes et robustes palissades, aux pieux solidement attachés les uns aux autres », comptant huit cents guerriers. Ils arrivaient trop tard, Champlain était reparti depuis deux jours. Ils ont fait demi-tour, et Brûlé a dû y rester l'automne et l'hiver. Il s'est alors employé à explorer le pays, à visiter les tribus et les territoires avoisinants, et il a suivi une rivière [la Susquehanna ?] le long de laquelle vivaient de « nombreuses tribus puissantes et belliqueuses ». Il a suivi la rivière « jusqu'à la mer, longeant des îles et des côtes qui étaient habitées par plusieurs tribus et des peuples sauvages en grand nombre

qui étaient néanmoins bien disposés et aimaient la nation française plus que toutes les autres ».

14. WSC, 3 : 226.

15. WSC, 5 : 97, 100 et 132.

16. Campeau, *Monumenta Novae Franciae*, 2 : 808-809.

17. WSC, 5 : 128 ; André Vachon, *Dictionnaire biographique du Canda, s.v.* « Marsolet » ; *Relations des Jésuites*, 4 : 206-214 ; 5 : 112.

18. WSC, 5 : 63 ; 1 : 108.

19. WSC, 6 : 99-101.

20. *Ibid.*

21. Trigger privilégie l'hypothèse politique, mais sans avancer la moindre preuve tangible, et il soupçonne le capitaine Aenons, sur qui on en apprendra davantage dans l'appendice sur « La mémoire de Champlain ». Voir *The Children of Aataentsic*, p. 473-476.

22. Gabriel Sagard, *Histoire du Canada et voyages que les frères mineurs récollects y ont faicts pour la conversion des infidèles depuis l'an 1615*, Paris, 1636 ; rééd. Librairie Tross, 4 vol., Paris, 1866, p. 368-370, 397-404, 621-629, 1228 et 1249.

23. Le Jeune, « Relation », 1633, *Relations des Jésuites*, 4 : 206-214 ; 5 : 112.

24. Pour les biographies, voir Émile Ducharme, « Olivier le Tardif, juge-prévôt de Beaupré », *Mémoires de la Société généalogique canadienne-française*, 12 (1961), p. 4-20 ; Amédée Gosselin, « Olivier le Tardif, juge-prévôt de Beaupré », *RSCT*, 3e série, 17 (1923), p. 1-16 ; Marcel Trudel, *Dictionnaire biographique du Canada, s.v.* « Le Tardif » ; Chrestien Le Clercq, *Premier Établissement de la foy dans la Nouvelle-France*, 2 vol., 1691, John Gilmary Shea (dir.), New York, 1881, 1 : 161-174 ; C.-H. Laverdière, *Œuvres de Champlain*, Québec, 1870, p. 1042, 1113 et 1228 ; Campeau, *Monumenta Novae Franciae*, 2 : 838 ; Trudel, *Histoire de la Nouvelle-France*, 3.1 : 122 ; *Relations des Jésuites*, 5 : 288n.

25. *Relations des Jésuites*, 5 : 202 ; WSC, 5 : 95, 209 ; 6 : 62-63, 10 mai 1623, 25 août 1626.

26. Le Jeune, « Relation », 1633, *Relations des Jésuites*, 5 : 203 et 288 ; Campeau, *Monumenta Novae Franciae*, 2 : 452 ; Campeau, « Olivier Le Tardif », *ibid.*, 2 : 38 ; Le Clercq, *Premier Établissement de la foy*, 1 : 161-174.

27. Trudel, *Histoire de la Nouvelle-France*, vol. 2 : *Le comptoir, 1604-1627*, p. 149 ; 3.1 : 49, 117, 122, 149, 151, 160, 163, 178, 182-183, 191 et 194.

28. René Blémus, *Jean Nicollet en Nouvelle France. Un Normand à la découverte des Grands Lacs canadiens (1598-1642)*, Cherbourg, 1988, p. 120-125.

29. Les sources ne s'entendent pas sur la date de l'arrivée de Nicollet en Nouvelle-France. Barthélemy Vimont a écrit que Nicollet était arrivé en Nouvelle-France en l'an 1618, qu'on « l'envoya hiverner avec les Algonquins de l'île, afin d'apprendre leur langue » et qu'il « y demeura deux ans » (*Relations des Jésuites*, 23 : 276-278). Mais il subsiste un document juridique dans lequel il est dit que Jean Nicollet, fils de Thomas Nicollet, était présent lorsqu'un lopin de terre fut vendu à Hainneville, près de Cherbourg, le 10 mai 1619 (manuscrits Nicollet, Bibliothèque et Archives Canada). Trudel en conclut que « s'il est venu au pays

en 1618, ce ne serait que de passage ». Il est également possible que Nicollet soit venu plus tôt en Nouvelle-France et qu'il soit rentré en France pour un bref séjour en 1619. Voir aussi *Relations des Jésuites*, 8 : 247 ; Sagard, *Histoire du Canada*, 1866, p. 194.

30. Vimont, *Relations des Jésuites*, 23 : 276-278.

31. Le 18 janvier 1642, Madeleine-Euphrosine fut la marraine d'un enfant indien chez les Ursulines de Québec. Le 21 novembre 1642, elle épousa Jean Leblanc dit Lecourt, dont elle eut au moins cinq enfants. Le 22 février 1663, elle se remaria avec Élie Dusceau dit Lafleur ; elle eut quatre autres enfants. Voir Marcel Trudel, « Jean Nicollet dans le Lac Supérieur et non dans le Lac Michigan », *Revue d'histoire de l'Amérique française*, 34 (1980), p. 186n.

32. [Champlain], « Relation du voyage », *Mercure françois*, 19 : 803-867, reproduit dans Campeau, *Monumenta Novae Franciae*, 2 : 370 ; voir la note de Campeau, p. 370n.

33. Champlain écrit : « Le 20 juin arriva une chaloupe de Sainte-Croix, qui nous donna avis de l'arrivée de quatorze canots, qui étaient les Bésérévis, et avec eux un truchement français que le sieur de Caën avait envoyé avec eux l'année d'auparavant, pour inciter les sauvages à venir à la traite, lequel manda au sieur de Champlain qu'il s'en allât promptement à Sainte-Croix, désirant le voir. Ce qui lui fit aussitôt équiper une chaloupe, en laquelle il s'embarqua et, ce même jour, arriva à Sainte-Croix. » Le texte est tiré du récit qu'en donne Champlain lui-même dans sa « Relation du voyage », p. 370. L'interprète français n'est pas nommé. Campeau conclut que « cet interprète est plus probablement Jean Nicollet », p. 370n. Ce texte n'a pas été invoqué dans la controverse entourant le grand voyage de Nicollet.

34. Au sujet de la présence de Nicollet à Québec, voir [Champlain], « Relation du voyage », p. 372 et 387n ; témoignage confirmé par la « Relation » de Le Jeune, 1633 ; également par Campeau, *Monumenta Novae Franciae*, p. 405 et 460.

35. Dans les *Relations des Jésuites*, on les appelle Ouinipigous. Les Outaouais avaient dit à Champlain qu'on pouvait aller chez les Puants en passant par la rive nord du lac Huron. Pour plus de détails, voir Conrad E. Heidenreich, *Explorations and Mapping of Samuel de Champlain, 1603-1632*, Toronto, 1976, p. 95.

36. Ils sont ainsi nommés dans une version de la carte de Champlain de 1616 qui a été complétée par Pierre Duval en 1653 et reproduite par Heidenreich dans *Explorations and Mapping of Samuel de Champlain*, planches 85 et 114 ; planches 6 et 9.

37. La carte de Champlain de 1632 situe les Puants sur la rive nord du lac Supérieur. Marcel Trudel est de cet avis. Voir Marcel Trudel, « Jean Nicollet dans le Lac Supérieur », p. 188-189.

38. La plupart des chercheurs s'entendent pour dire que Nicollet a fait ce voyage, et qu'il a été extrêmement important dans l'histoire de la Nouvelle-France et de l'Amérique du Nord. Mais ils ne sont pas d'accord sur les détails. John Gilmary Shea en a esquissé une interprétation dans *Discovery and Exploration of the Mississippi Valley*, New York, 1953. Celle-ci a été développée par Ben-

jamin Sulte, *Mélanges d'histoire et de littérature,* Ottawa, 1876 ; et par Consul Willshire Butterfield, *History of the Discovery of the North-West by John Nicolet,* Cincinnati, 1881. Shea croyait que Nicollet était allé à l'ouest vers le lac Michigan, qu'il s'était frayé un chemin jusqu'à Green Bay et la rivière des Renards, et qu'il avait rencontré les Winnebagos dans ce qui est aujourd'hui le Wisconsin. Les historiens qui ont des liens marqués avec le Minnesota et le Michigan affirment que cette hypothèse est erronée et que Nicollet a traversé leurs États. On s'interroge aussi sur le moment où Nicollet a fait le voyage, la personne qui l'a envoyé, les gens qu'il a rencontrés et les conséquences qui en ont découlé. Voir Clifford P. Wilson, « Where Did Nicollet Go ? », *Minnesota History,* 27 (1946), p. 216-220 ; et Harry Dever, « The Nicolet Myth », *Michigan History,* 50 (1966), p. 318-322. Trudel a commenté ces idées dans « Jean Nicollet dans le Lac Supérieur et non dans le Lac Michigan », p. 183-196. On trouvera un aperçu utile dans Jerrold C. Rodesh, « Jean Nicolet », *Voyageur: The Historical Review of Brown County and Northeast Wisconsin,* 1984, p. 4-8 ; en ligne : www.uwgb.edu/wisfrench/library/articles/nicolet.htm

Une autre vague d'interprétations est apparue avec Robert L. Hall, « Rethinking Jean Nicolet's Route to the Ho-Chucks in 1634 » ; et Michael McCafferty, « Where did Jean Nicolet meet the Winnebago in 1634 ? A Critique of Robert L. Hall's "Rethinking Nicollet's Route" », *Ontario History,* 96 (2004), p. 170-182, avec corrections dans *Ontario History,* 96 (2005).

À mon avis, Trudel et les autres ont raison pour ce qui concerne la première partie du voyage de Nicollet, mais la preuve linguistique confirme la visite au pays des Winnebagos. Il est également possible qu'il ait suivi la rive nord du lac Huron jusqu'à son sommet, qu'il se soit rendu en canot de l'autre côté du lac, où se trouve le goulot étroit, qu'il ait visité le lac Michigan jusqu'au pays des Winnebagos et qu'il soit ensuite retourné vers le nord, à Sault-Sainte-Marie, où il aurait exploré une partie de la rive du lac Supérieur. Cette interprétation tire le meilleur parti de la preuve existante. Si c'est le cas, les historiens locaux du Michigan, du Minnesota et du Wisconsin qui se livrent encore la guerre auraient chacun une partie de la réponse, et ils pourraient ainsi vivre dans la paix et la vérité en se contentant de cette troisième hypothèse.

39. Vimont, *Relations des Jésuites,* 23 : 275-279.
40. WSC, 2 : 217.
41. Benjamin Sulte, « Les interprètes du temps de Champlain », *RSCT,* 1ʳᵉ série, 1 (1882-1883), p. 53.
42. WSC, 2 : 201-203, 205-206.
43. *Dictionnaire biographique du Canada, s.v.* « Hertel » ; *Relations des Jésuites,* 4 : 24 ; 8 : 37 ; 9 : 33.
44. *Relations des Jésuites,* 9 : 33, 57 et 305 ; C.-H. Laverdière, *Œuvres de Champlain,* 6 : 58.
45. Campeau, *Monumenta Novae Franciae,* 2 : 141.
46. Trudel, *Histoire de la Nouvelle-France,* 3.1 : xxxvi, 44, 160, 176 et 190 ; Campeau, *Monumenta Novae Franciae,* 2 : 108n.

47. Trudel, *Histoire de la Nouvelle-France*, 3.1 : 40 ; WSC, 1 : 108 ; 6 : 108.

48. Trudel, *Histoire de la Nouvelle-France*, 3.1 : 23.

49. Campeau, *Monumenta Novae Franciae*, 2 : 825, 168, 172 et 174 ; Sagard, *Histoire du Canada*, Tross, 4 : 880-992 ; Trudel, *Histoire de la Nouvelle-France*, 3.1 : 22.

50. Trudel, *Histoire de la Nouvelle-France*, 3.1 : 137, 160 et 176.

51. Pour un récit vivant sur cette question, lire Georges-Hébert Germain, *Les Coureurs des bois. La saga des Indiens blancs*, Québec, 2003.

52. Alexander Ross, *The Fur Hunters of the Far West*, 1885, Norman (Oklahoma), 2001.

53. Jean-Benoît Nadeau et Julie Barlow, *The Story of French*, p. 102-103.

54. Mitford Mathews, *Dictionary of Americanisms*, Chicago, 1951, *s.v.* « Ozark ».

55. Donna Evans, « On Coexistence and Convergence of Two Phonological Systems in Michif », Dakota du Nord, 1982 ; Peter Bakker, *A Language of our Own: The Genesis of Michif, the Mixed Cree-French Language of the Canadian Métis*, New York, 1997.

56. *Relations des Jésuites*, 35 : 213.

57. *Dictionnaire historique de la langue française, s.v.* « métis » ; Jennifer S. H. Brown, « Métis, Halfbreeds, and Other Real People: Changing Cultures and Categories », *The History Teacher*, 27 (1993), p. 20.

58. Les termes comme *sang-mêlé, métis* et *métif* se sont mis à apparaître de plus en plus fréquemment dans la littérature du voyage (Jacqueline Peterson, « The People in Between: Indian-White Marriage and the Genesis of a Métis Society and Culture in the Great Lakes Region, 1680-1830 », thèse de doctorat, Université de l'Illinois, Chicago, 1980, p. 39). Les Français appelaient ces gens les « boisbrûlé », de l'ojibwé *wisahkotewan niniwak,* ou « hommes partiellement brûlés » (Verne Dusenberry, « Waiting for a Day that Never Comes: Dispossessed Métis of Montana », dans Jacqueline Peterson et Jennifer S. H. Brown, *The New Peoples: Being and Becoming Métis in North America*, inédit, Montana, 1958, p. 120).

59. Duke Redbird, *We Are Métis: A Métis View of the Development of a Native Canadian People,* Willowdale, 1980, p. 53 ; cité dans Brown, « Métis, Halfbreeds », p. 24.

60. Dusenberry, « Dispossessed Métis », p. 121.

61. Brown, « Métis, Halfbreeds », p. 24.

62. Alexander Ross, cité dans Bob Beal et Rod Maclcod, *Prairie Fire*, Toronto, 1994, p. 17 ; Marcel Giraud, *Le Métis canadien. Son rôle dans l'histoire des provinces de l'ouest*, 1945 ; Jacqueline Peterson, « The People in Between» ; Jennifer S. H. Brown, « People of Myth, People of History: A Look at Recent Writings on the Métis », *Acadiensis*, 17 (1987), p. 150-162 ; film : Christine Welsh, *Women in the Shadows*, ONF, 1992.

63. Peterson et Brown, *The New Peoples*, Winnipeg, 1985, p. 7.

CHAPITRE 25 • SON DERNIER OUVRAGE

1. Paul Le Jeune, « Relation de ce qui s'est passé en la Nouvelle France en l'année 1635… », Paris, 1636, dans Reuben Gold Thwaites (dir.), *Relations des Jésuites*, Cleveland (Ohio), 1896-1901, 9 : 206-209.

2. Charles de la Morandière, *Histoire de la pêche française de la morue dans l'Atlantique septentrionale*, 3 vol., Paris, 1962-1966, 1 : 277-315, 248.

3. Gabriel Sagard, *Histoire du Canada et voyages que les frères mineurs recollects y ont faicts pour la conversion des infidèles depuis l'an 1615*, Paris, 1636 ; rééd. Librairie Tross, 4 vol., Paris, 1866, 4 : 830.

4. Benjamin Sulte, *Histoire des Canadiens-Français, 1608-1880*, 8 vol., Montréal, 1882-1884, 2 : 59 et 107 ; Marcel Trudel, *Histoire de la Nouvelle-France*, vol. 3 : *La seigneurie des Cent-Associés, 1627-1663*, tome 1 : *Les événements*, Montréal, 1979, p. 142, n. 64.

5. Trudel, *Histoire de la Nouvelle-France*, 3.1 : 141.

6. Le Jeune, « Relation », 1636, *Relations des Jésuites*, 9 : 208-209.

7. *Ibid.*, 9 : 209.

8. Robert Le Blant (dir.), « Inventaire des meubles faisant partie de la communauté entre Samuel Champlain et Hélène Boullé », *Revue d'histoire de l'Amérique française*, 18 (1965), p. 599.

9. Le Jeune, « Relation », 1636, *Relations des Jésuites*, 9 : 208-209.

10. *Ibid.*, 9 : 207-208.

11. *Ibid.*, 9 : 208-209.

12. Trudel, *Histoire de la Nouvelle-France*, 3.1 : 130, 142-146, 333, 446-447.

13. Lucien Campeau, *Monumenta Novae Franciae*, Québec, 1967, 2 : 818 ; Trudel, *Histoire de la Nouvelle-France*, 3.1 : 122, 141, 147 et 163 ; R. Douvelle, *Dictionnaire biographique du Canada*, *s.v.* « Derré de Gand ».

14. Campeau, *Monumenta Novae Franciae*, 2 : 815-816, 824-825 et 835.

15. Trudel, *Histoire de la Nouvelle-France*, 3.1 : 133n.

16. A. Godbout, « Poisson », *Mémoires de la Société généalogique canadienne-française*, 3.3 : 183-191.

17. Campeau, « Bonaventure, enfant montagnais », *Monumenta Novae Franciae*, 2 : 803.

18. Trudel, *Histoire de la Nouvelle-France*, 3.1 : xxvii, 132.

19. Ce qui suit est le texte du testament qui a été découvert aux Archives nationales de France en 1959. Il a été publié par Robert Le Blant, « Le Testament de Champlain, 17 novembre 1635 », *Revue d'histoire de l'Amérique française*, 17 (1963), p. 269-286.

20. David Hackett Fischer, *The Great Wave: Price Revolutions and the Rhythm of History*, Oxford et New York, 1996, données de la figure 0.01.

21. On trouve un inventaire partiel chez Robert Le Blant (dir.), « Inventaire des meubles », p. 594-603 ; voir aussi *idem*, « Le triste veuvage d'Hélène Boullé », *Revue d'histoire de l'Amérique française*, 18 (1965), p. 425-437. Ces preuves, comme le note M. A. MacDonald, « révèlent une fortune modeste, à l'image de

l'homme honorable et intègre qu'était le grand explorateur ». Bien vu. M. A. MacDonald, *Robert Le Blant, Seminal Researcher and Historian of Early New France: A Commented Bibliography*, Saint-Jean (Nouveau-Brunswick), 1986, p. 23.

22. A. Ledoux, « Abraham Martin, Français ou Écossais ? », *Mémoires de la Société généalogique canadienne-française*, 27, p. 162-164.

23. Trudel, *Histoire de la Nouvelle-France*, 3.1 : 122, 141 et 147 ; Le Jeune, « Relation », 1635, *Relations des Jésuites*, 7 : 302-303 ; Campeau, *Monumenta Novae Franciae*, 2 : 818.

24. Samuel E. Morison, *Samuel de Champlain: Father of New France*, New York, 1972, p. 224.

25. *Relations des Jésuites*, 9 : 206-207.

26. *Ibid.*

27. Paul Bouchart d'Orval, *Le Mystère du tombeau de Champlain*, Québec, 1951 ; Silvio Dumas, *La Chapelle Champlain et Notre-Dame de la Recouvrance*, Québec, 1958. Les fouilles effectuées dans les années 1980 n'ont donné aucun résultat.

28. Le Blant, « Le triste veuvage d'Hélène Boullé », p. 425-437.

29. Robert Le Blant, « L'annulation du testament de Champlain », *Revue d'histoire des colonies*, 131-132 (1950), p. 203-231.

30. Trudel, *Histoire de la Nouvelle-France*, 3.1 : 142-143.

31. J. E. Roy, « M. de Montmagny », *Nouvelle-France*, 5 (1906), p. 105-121, 161-173, 417-428, 520-530 ; Jean Hamelin, *Dictionnaire biographique du Canada*, *s.v.* « Charles Huault de Montmagny » ; Morison, *Samuel de Champlain*, p. 225.

32. Morison, *Samuel de Champlain*, p. 225.

33. Alain Rey, *Dictionnaire historique de la langue française*, 3 vol., Paris, 2006, *s.v.* « devoir » et « service ».

CONCLUSION · LE LEGS DURABLE D'UN CHEF

1. Morris Bishop, *Champlain: The Life of Fortitude*, New York, 1948, p. 341.

2. Pour une biographie d'Épervier noir, voir Roger L. Nichols, *Black Hawk and the Warrior's Path*, Wheeling (Illinois), 1992. On trouvera une histoire de sa nation dans William T. Hagan, *The Sac and Fox Indians*, Norman (Oklahoma), 1958. Au sujet de la guerre d'Épervier noir de 1831-1832, lire Ellen M. Whitney (dir.), *The Black Hawk War, 1831-1832*, 3 vol., Springfield (Illinois), 1970, avec une introduction utile d'Anthony F. C. Wallace.

3. J. B. Patterson, *Life of Mà-Ka-Tai-Me-She-Kià-Kiàk or Black Hawk… Dictated by Himself*, Rock Island (Illinois), 1833, avec certificat d'authenticité délivré par Antoine LeClaire, interprète du gouvernement américain auprès des Sakis et des Renards. D'autres éditions parurent à Boston, New York, Philadelphie, Baltimore et Mobile. La première édition savante fut l'œuvre de Milo Milton Quaife et parut chez Lakeside Classics de Chicago en 1916. La meilleure dans ce rayon est celle de Donald Jackson, *Black Hawk: An Autobiography*, Urbana

(Illinois), 1955, 1964, 1990. Deux siècles plus tard, l'autobiographie d'Épervier noir continue d'être rééditée et demeure une œuvre majeure de la littérature américaine. Le texte de la première édition a été mis en ligne dans le cadre du projet de numérisation historique Abraham-Lincoln. L'avertissement d'Épervier noir figure sur la page de dédicace. Pour une analyse littéraire, voir Mark Wallace, « Black Hawk's *An Autobiography*: The Production and Use of an Indian Voice », *American Indian Quarterly,* 18 (1994), p. 481-494.
Un certain Thomas Ford a dénoncé ce livre, le tenant pour un faux tramé par un « interprète à moitié indien ». LeClaire était un métis, d'un père canadien-français et d'une mère potawatomie. Il avait appris le français, l'anglais et une « dizaine de langues indiennes », et son nom figurait au bas de nombreux traités indiens. Il devint un citoyen éminent de l'Iowa, possédant une fortune évaluée à un demi-million de dollars ; il fut aussi le fondateur de la ville de Davenport, un homme renommé pour son intégrité et dont la photo apparaissait sur le billet de cinq dollars de la Banque d'État de l'Iowa. Winfield Scott a écrit de lui « qu'il avait été fidèle à tous, aussi bien aux Américains qu'aux Sakis et aux Renards ». Voir Charles Snyder, « Antoine LeClaire, the First Proprietor of Davenport », *Annals of Iowa,* 3ᵉ série, 23 (1941-1942), p. 79-117. Ford, son détracteur, ne semble pas avoir lu le livre. La récente étude de Donald Jackson en confirme l'authenticité.

4. Donald Jackson (dir.), *Black Hawk,* page de dédicace.
5. Les dates sont incertaines, ce qui est le propre de l'histoire orale. Le traducteur faisait dire à Épervier noir que l'ancêtre dont il parlait était son « arrière-grand-père », mais il est clair que la rencontre entre Na-Nà-Ma-Kee et le « père blanc » a eu lieu « bien avant » que « les Britanniques ne vainquent les Français » en 1759, et à l'époque où les ancêtres d'Épervier noir « n'avaient encore jamais vu un homme blanc ». Il aurait été plus exact pour LeClaire d'écrire « aïeul » de préférence à « arrière-grand-père ». Na-Nà-Ma-Kee aurait été en fait l'arrière-arrière-arrière-arrière-grand-père d'Épervier noir, soit son aïeul de six générations. On sait qu'au début du XVIIᵉ siècle, la nation des Sakis cohabitait avec les Algonquins dans le Haut-Saint-Laurent, qu'elle était en guerre contre les Français au début du XVIIIᵉ siècle et qu'elle a souvent migré, allant du Wisconsin à l'Iowa, puis au Wisconsin de nouveau et en Illinois.
6. L'histoire de Na-Nà-Ma-Kee est un conte oral, qui s'est allongé au fil des ans par accrétion. Certains de ses éléments ont été ajoutés plus tard : par exemple, il est dit que l'homme blanc avait donné entre autres des armes à feu à Na-Nà-Ma-Kee. Champlain n'a jamais donné d'armes à feu aux Indiens, et il s'est souvent opposé à ce que les traiteurs hollandais ou anglais leur en donnent ou leur en vendent. Rien ne prouve non plus qu'il leur ait donné des médailles, pratique beaucoup plus commune aux XVIIIᵉ et XIXᵉ siècles.
Mais la plupart des éléments de l'histoire conduisent à Champlain, et à Champlain seulement. Entre autres le fait que cet homme blanc était français, qu'il avait un lien privilégié avec le roi de France, qu'il était dans la vallée du Saint-Laurent, qu'il était le premier homme blanc que les compagnons de Na-Nà-

Ma-Kee aient vu, qu'il était un soldat et « un grand et courageux général », qu'il avait échangé des marchandises et des présents davantage pour établir un rapport de confiance et tisser des liens que pour faire du commerce (activité qui avait suivi plus tard), qu'il était un homme honnête et honorable qui tenait parole et traitait les Indiens avec respect. Aucun autre explorateur français ne correspond à cette description d'une rencontre qui avait eu lieu « il y avait longtemps de cela », avant que « les Britanniques ne vainquent les Français » au XVIIIe siècle, et à une époque où les ancêtres d'Épervier noir « n'avaient jamais encore vu d'homme blanc ».

Champlain a mentionné à maintes reprises que, dans ses voyages dans la vallée du Saint-Laurent, il avait rencontré des nations qui n'avaient jamais vu d'Européen. En outre, la substance de ce conte oral est propre à la région où Champlain a voyagé, et aussi à la façon dont il a noué des rapports avec les nations algonquines de la vallée du Saint-Laurent.

Deux historiens américains ont étudié l'autobiographie d'Épervier noir. Les deux en ont conclu que l'homme blanc de Na-Nà-Ma-Kee était Champlain. Voir Donald Jackson (dir.), *Black Hawk*, p. 45n ; et Gordon M. Sayre, *Les Sauvages américains*, Chapel Hill (Caroline du Nord), 1997, p. 64, une monographie sur l'image des Indiens dans la littérature américaine. Aucun biographe de Champlain ou historien de la Nouvelle-France ne semble connaître l'autobiographie d'Épervier noir.

7. Fred Anderson et Andrew Cayton, *The Dominion of War : Empire and Liberty in North America, 1500-2000*, New York, 2005, p. 41. Pour plus de souvenirs indiens des premières rencontres, voir Sylvie Vincent *et al., Traditions et récits sur l'arrivée des Européens en Amérique*, numéro spécial de *Recherches amérindiennes au Québec*, 22, 2-3 (1992). On lira surtout avec profit le texte de Denys Delâge, « Les premiers contacts », p. 101-116.

8. Perry Miller, *Roger Williams : His Contribution to the American Tradition*, New York, 1962, p. 49-73 ; Ola Elizabeth Winslow, *John Eliot, "Apostle to the Indians"*, Boston, 1968, p. 71-159 ; Henry W. Bowden et James P. Ronda (dir.), *John Eliot's Indian Dialogues*, Westport (Connecticut), 1980 ; Lewis Hanke, *The Spanish Struggle for Justice in the Conquest of America*, 1949, rééd. Boston, 1965, p. 20-22 et *passim*.

9. Ramsay Cook (dir.), *The Voyages of Jacques Cartier*, Toronto, 1993, p. xxv-xli et *passim*.

10. Le *Traitté* est le plus accessible en édition bilingue, celle de H. P. Biggar, dans son édition des grandes œuvres de Champlain parrainée par la Champlain Society, WSC, 6 : 253-346.

11. Voir l'appendice E.

12. WSC, 6 : 297, 295, 314, 279, 269-270.

13. WSC, 6 : 257-258.

14. WSC, 6 : 261.

LA MÉMOIRE DE CHAMPLAIN · IMAGES ET INTERPRÉTATIONS, 1608-2008

1. Gérard Malchelosse, *Trois-Rivières d'autrefois. Études éparses et inédites de Benjamin Sulte,* Montréal, 1934, cité par Denis Martin, « Champlain à visage découvert », dans Raymonde Litalien et Denis Vaugeois (dir.), *Champlain. La naissance de l'Amérique française,* Sillery, 2004, p. 358.

2. Pour un bref mais excellent survol de la recherche historiographique, voir Raymonde Litalien, « Historiographie de Samuel Champlain », dans Litalien et Vaugeois (dir.), *Champlain,* p. 11-16. En historiographie canadienne, les principales études générales sont : H. A. Scott, *Nos anciens historiographes et autres études d'histoire canadienne,* Québec, 1930 ; Serge Gagnon, *Le Québec et ses historiens,* Québec, 1978, dont des extraits ont été traduits dans deux volumes, *Quebec and Its Historians, 1840-1920,* Montréal, 1982, et *Quebec and Its Historians: The Twentieth Century,* Montréal, 1985, et dans « The Historiography of New France, 1960-1974 », *Journal of Canadian Studies,* 13 (1978), p. 80-99. Également à lire : D. A. Muise, *Approaches to the Native History of Canada,* Ottawa, 1977 ; Bruce G. Trigger, « The Indian Image in Canadian History », dans *Natives and Newcomers: Canada's « Heroic Age » Reconsidered,* Montréal et Kingston, 1985, 1986, 1994, p. 3-49 ; trad. de Georges Khal, *Les Indiens, la fourrure et les Blancs. Français et Amérindiens en Amérique du Nord,* Montréal, 1990.

3. Marc Lescarbot, *Histoire de la Nouvelle-France,* publiée à Paris en 1609, avec des traductions anglaises la même année et en allemand en 1613 ; les autres éditions françaises sont datées de 1611, 1612, 1617 et 1618. Voir aussi Marc Lescarbot, *History of New France,* 3 vol., Toronto, Champlain Society, 1907, édition de H. P. Biggar avec la traduction du linguiste d'Oxford W. L. Grant [*Histoire de la Nouvelle-France*] ; *idem, La Conversion des sauvages,* Paris, 1610, reproduit dans *Relations des Jésuites,* 1 : 49-113 ; et *idem, Relation dernière de ce qui s'est passé au voyage du sieur de Poutrincourt en la Nouvelle France depuis 20 mois ença,* Paris, 1612, reproduit dans *Relations des Jésuites,* 1 : 119-191. Voir Éric Thierry, *Marc Lescarbot (vers 1570-1641). Un homme de plume au service de la Nouvelle-France,* Paris, 2001 ; *idem,* « Champlain et Lescarbot : une impossible amitié », dans Litalien et Vaugeois (dir.), *Champlain,* p. 121-134 ; Bernard Émont, *Marc Lescarbot. Mythes et rêves fondateurs de la Nouvelle France,* Paris, Budapest et Turin, 2002 ; Louis-Martin Tard, *Marc Lescarbot. Le chantre de l'Acadie,* Québec, 1997 ; H. P. Biggar, « The French Hakluyt: Marc Lescarbot of Vervins », *American Historical Review,* 6 (1901), p. 671-692.

4. Marc Lescarbot, *Les Muses de la Nouvelle-France,* Paris, 1618, p. 49. La première édition est accompagnée d'une note : « Fait aux iles de Câpseau en la Nouvelle-France. »

5. W. L. Grant, dans Lescarbot, *New France,* 2 : 27 [*Histoire de la Nouvelle-France*].

6. WSC, 1 : 452 ; Lescarbot, *New France,* 2 : 169-170, 172 ; 1 : 30, 104 ; 2 : 76, 83-84, 99, 108, 110-111, 141, 168, 172-176, 179, 234, 241, 359 ; 3 : 6, 34 [*Histoire de la Nouvelle-France*].

7. Lescarbot, *New France*, 2 : 117, 22, 233, 342 ; 3 : 6, 9-15, 17, 24-27, 28-29 [*Histoire de la Nouvelle-France*].

8. Charles Daniel, *Voyage à la Nouvelle France du Capitaine Charles Daniel de Dieppe*, inédit, 1629 ; réimp. Rouen, 1881 ; WSC, 6 : 153-161 ; Pierre Victor Palma Cayet, *Chronologie Septenaire*, Paris, 1605, p. 415-424, avec passages tirés de l'ouvrage *Des Sauvages* de Champlain. L'*Histoire universelle depuis 1543 jusqu'en 1607*, de Jacques-Auguste de Thou, a été d'abord publiée en latin, puis en traduction française, à Paris, en 1739. Pour un exemple de la littérature en périodique, voir *Le Mercure françois*, 19 (1633), p. 802-867.

9. Paul Le Jeune, « Relation de ce qui s'est passé en la Nouvelle France en l'année 1636 », dans Reuben G. Thwaites (dir.), *Relations des Jésuites*, 9 : 218-283 ; Morris Bishop, *Champlain: The Life of Fortitude*, New York, 1948, p. 341.

10. Gordon M. Sayre, *Les Sauvages américains*, Chapel Hill (Caroline du Nord), 1997, p. 64 ; voir *supra*, « Conclusion ».

11. Pour certains de ces récits montagnais, voir Sylvie Vincent, « L'arrivée des chercheurs de terres : récits et dires des Montagnais de la Moyenne et Basse Côte-Nord », *Recherches amérindiennes au Québec*, 22 : 2-3 (1992), p. 19-29.

12. Le Jeune, « Relation », 1637, *Relations des Jésuites*, 12 : 86-87. Au sujet du capitaine Aenon, voir Bruce Trigger, *The Children of Aataentsic: A History of the Huron People to 1660*, 1976 ; nouv. éd., Montréal, 1987, p. 474 [trad. de Jean-Paul Sainte-Marie et Brigitte Chabert, *Les Enfants d'Aaataentsic*, Montréal, 1991] ; et *Relations des Jésuites*, 20 : 19.

13. Bishop, *Champlain: The Life of Fortitude*, p. 340.

14. *Ibid.*, p. 341.

15. David Knowles, *Great Historical Enterprises: Problems in Monastic History*, Londres, 1963, p. 3-62.

16. Gabriel Sagard, *Le Grand Voyage du pays des Hurons*, Paris, 1632 ; nouv. éd., Librairie Tross, Paris, 1865 ; il en existe une traduction anglaise intitulée *The Long Journey to the Country of the Hurons*, de H. H. Langton et George M. Wrong (dir.), Toronto, 1939. L'édition savante du texte français a été établie par Réal Ouellet, avec introduction et notes de Réal Ouellet et Jack Warwick, Québec, 1990 ; *idem, Histoire du Canada*, Paris, 1636 ; réimp., Librairie Tross, 4 vol., Paris, 1866, qui demeure l'édition de choix. Elle n'a pas fait l'objet d'une édition critique moderne.

17. Gilbert Chinard, *L'Amérique et le rêve exotique dans la littérature française aux XVIIe et XVIIIe siècles*, Paris, 1913 ; Bishop, *Champlain: The Life of Fortitude*, p. 259.

18. Chrestien Le Clercq, *Nouvelle Relation de la Gaspésie*, Paris, 1691 ; et *idem, Premier Établissement de la foy dans la Nouvelle-France*, 2 vol., Paris, 1691, et dans au moins deux autres éditions avec des variantes dans les titres. Les deux ouvrages ont été traduits en anglais : *New Relation of Gaspesia with the Customs and Religions of the Gaspesian Indians*, W. F. Ganong (dir.), vol. 5, publications de la Champlain Society, Toronto, 1910 ; et *First Establishment of the Faith in New France*, J. G. Shea (dir.), 2 vol., New York, 1881.

19. Le Clercq, *Premier Établissement de la foy*, p. 114-115, 129, 150-153, 158-159.

20. Champlain à Louis XIII, au sieur de Montmorency, au chancelier de Sillery et au sieur de Villemenon, 25 août 1622, BN [France], ms 16738, f° 143 ; cité dans H. P. Biggar, *Early Trading Companies of New France: A Contribution to the History of Commerce and Discovery in North America*, Toronto, 1901, 1937 ; réimp., Clifton (New Jersey), 1972, p. 279-280.

21. Pierre-François-Xavier de Charlevoix, *Histoire de l'établissement, des progrès et de la décadence du christianisme dans l'Empire du Japon*, 3 vol., Rouen, 1713.

22. Pierre-François-Xavier de Charlevoix, *Histoire et description générale de la Nouvelle France*, avec *Journal historique*, 3 vol. in-4°, 6 vol., Paris, 1744. On trouve une excellente édition moderne et savante des *Voyages* dans Pierre-François-Xavier de Charlevoix, *Journal d'un Voyage fait par ordre du roi dans l'Amérique septentrionale*, Pierre Berthiaume (dir.), 2 vol., Montréal, 1994. Les traductions en anglais sont : *History and General Description of New France*, trad. de John Gilmary Shea, 6 vol., New York, 1866-1872 ; rééd. Chicago, 1962 ; et Louise Phelps Kellogg, *Journal of a Voyage to North America*, 2 vol., Chicago, 1923. Voir aussi David M. Hayne, « Charlevoix », *Dictionnaire biographique du Canada*.

23. Charlevoix, *Journal d'un Voyage*, 1 : 317-318, 364-365 ; 2 : 89 et *passim*.

24. *Ibid.*, 2 : 89.

25. *Ibid.*, 1 : 215, 244, 251, 453-454 ; *idem*, *History and General Description of New France*, 2 : 12, 90 [*Histoire et description générale de la Nouvelle France*].

26. Charlevoix, *Journal d'un Voyage*, 2 : 32.

27. Cadwallader Colden, *History of the Five Indian Nations*, 1727, 1747, 1866 ; Ithaca (New York), 1958, chap.1, p. 1-6.

28. *Ibid.*, p. 6.

29. Jean le Rond d'Alembert et Denis Diderot, *Encyclopédie ou Dictionnaire raisonné des sciences, des arts, et des métiers*, Paris, 1751, *s.v.* « Québec ».

30. *Portrait de Samuel de Champlain*, sanguine anonyme, de date et de provenance inconnues, Archives nationales du Québec, reproduite dans Samuel de Champlain, *Des Sauvages*, Alain Beaulieu et Réal Ouellet (dir.), Montréal, 1993, p. 10.

31. François-Xavier Garneau, *Histoire du Canada, depuis sa découverte jusqu'à nos jours* ; mon édition est la seconde, corrigée et enrichie, 3 vol., Québec, 1852.

32. *Ibid.*, 1 : 121.

33. *Ibid.*, 1 : 120.

34. *Ibid.*, 1 : 121.

35. *Ibid.*, 1 : 120.

36. Andrew Bell, *History of Canada... translated from Histoire du Canada of F.-X. Garneau, Esq.*, 3 vol., Montréal, 1860, 1 : iv, 120, 128.

37. Marcel Trudel, *Mémoires d'un autre siècle*, Montréal, 1987 ; trad. Jane Brierley, *Memoirs of a Less Travelled Road: A Historian's Life*, Montréal, 2002, p. 152.

38. Francis Parkman, *Pioneers of France in the New World*, 1865, éd. révisée avec corrections, 1885 ; rééd. Boston, 1901, p. 186-187.

39. *Ibid.*, p. xix.

40. *Ibid.*, p. 280, 438.

41. *Ibid.*, p. 185, 255.

42. *Ibid.*, p. 243, 255.

43. *Ibid.*, p. 464.

44. *Ibid.*, p. xxv.

45. Les notes de Parkman et sa documentation figurent dans les collections de manuscrits de la Massachusetts Historical Society.

46. Gagnon, *Quebec and Its Historians, 1840-1920*, p. 45-66.

47. *Ibid.*, p. 54-55.

48. Parkman, *Pioneers*, p. 244.

49. Abbé Auguste Gosselin, « Le vrai monument de Champlain : ses œuvres éditées par Laverdière », *Mémoires de la Société royale du Canada*, 1 (1908), p. 3-23.

50. Philéas Gagnon, *Essai de bibliographie canadienne*, Québec, 1895, 1 : 103.

51. Gosselin, « Le vrai monument de Champlain », cité par Ronald Rudin, *Founding Fathers: The Celebration of Champlain and Laval in the Streets of Quebec, 1878-1908*, Toronto, 2003, p. 56.

52. Pour une brève biographie de Ducornet, voir Emmanuel Bénézit, *Dictionnaire critique et documentaire des peintres, sculpteurs, dessinateurs et graveurs*, Paris, 1999.

53. *Samuel de Champlain, gouverneur général du Canada*, lithographie, attribuée à Louis-César-Joseph Ducornet (1806-1856), 1854 ; Litalien et Vaugeois (dir.), *Champlain*, p. 356.

54. Litalien et Vaugeois (dir.), *Champlain*, p. 357.

55. *Samuel de Champlain*, gravure sur acier de J. A. O'Neil, vers 1866, reproduite dans Litalien et Vaugeois (dir.), *Champlain*, p. 357. La gravure d'O'Neil figurait au frontispice de l'édition de John Gilmary Shea de *History and General Description of New France*, de Charlevoix, publiée aux États-Unis cette même année.

56. Victor Hugo Paltsits, « A Critical Examination of Champlain's Portrait », *Acadiensis*, 4 (1904), p. 306-311, reproduit dans *Bulletin des recherches historiques*, 38 (1932), p. 755-759.

57. H. P. Biggar, « The Portrait of Champlain », *Canadian Historical Review*, 1 (1920), p. 379-380 ; Bishop, *Champlain: The Life of Fortitude*, p. 6n ; Joe C. W. Armstrong, *Champlain*, Toronto, 1987, p. 20-21 ; Jean Liebel, « Les faux portraits de Champlain », *Vie des arts*, 28 (1983), p. 112 ; Martin, « Samuel de Champlain à visage découvert », p. 354-362.

58. Martin, « Samuel de Champlain à visage découvert », p. 359 ; Marcel Trudel, *Champlain*, 2ᵉ éd. revue et enrichie, Montréal et Paris, 1968, p. 15.

59. « What Did Champlain really look like ? », en ligne : www.champlainsoc.ca

60. Martin, « Samuel de Champlain à visage découvert », p. 357.

61. Narcisse-Eutrope Dionne, *Champlain. Fondateur de Québec et père de la Nouvelle-France*, 2 vol., Québec, 1891. Une version abrégée a vu le jour en anglais sous le titre *Champlain: Founder of Quebec, Father of New France*, Toronto, 1962 ; Trudel, *Memoirs*, p. 182 et *passim* [*Mémoires d'un autre siècle*].

62. Henri-Raymond Casgrain, *Champlain. Sa vie et son caractère*, Québec, 1898 ; Gabriel Gravier, *Vie de Samuel de Champlain, fondateur de la Nouvelle-France*, Paris, 1900, p. 363.

63. Bon nombre des articles de Sulte ont paru dans ses *Mélanges littéraires* et *Mélanges historiques*, qui font 23 volumes (1918-1934). Son *Histoire populaire du Canada, d'après les documents français et américains* est plus accessible. On trouve une excellente étude de son travail dans Gagnon, *Le Québec et ses historiens*.

64. John Bach McMaster, *The History of the People of the United States*, 9 vol., New York, 1883-1927.

65. Gagnon, *Quebec and Its Historians, 1840-1920*, p. 90.

66. Benjamin Sulte, *Histoire des Canadiens-Français, 1608-1880*, 8 vol., Montréal, 1882-1884, 2 : 58 ; Gagnon, *Le Québec et ses historiens*, p. 74.

67. Sulte, *Histoire des Canadiens-Français*, 1 : 57, 5 : 35 ; Gagnon, *Quebec and Its Historians, 1840-1920*, p. 74, 86 et 89.

68. Trudel, *Memoirs*, p. 133 [*Mémoires d'un autre siècle*].

69. Le site de la Champlain Society contient des essais sur l'histoire de la société et sur Sir Edmund Walker : http://www.champlainsociety.ca.cs_origins-history. htm. Voir aussi la monographie de Heidenreich sur la publication des œuvres de Champlain.

70. Henry Perceval Biggar (dir.), *The Works of Samuel de Champlain*, 6 vol., plus une chemise de cartes, Toronto, 1922-1936 ; rééd. 1971 [WSC].

71. John Squair, *Autobiography of a Teacher of French*, inédit, Toronto, vers 1928, publié à titre posthume. Squair a également laissé un journal manuscrit et des mémoires ; voir en ligne : www.chass.utoronto.ca/french/dept-of-french/history/chap3a.html

72. Nicolas Denys, *The Description and Natural History of the Coasts of North America (Acadia)*, Toronto, Champlain Society, 1908 [*Description geographique et historique des costes de l'Amérique septentrionale avec l'histoire naturelle du païs*] ; Lescarbot, *History of New France*, [*Histoire de la Nouvelle-France*] ; et Sagard, *Le Grand Voyage du pays des Hurons.* La traduction anglaise de H. H. Langton, *The Long Journey to the Country of the Hurons*, est maintenant accessible en ligne dans des éditions numérisées autorisant des recherches par mots-clés, un outil extraordinaire pour les chercheurs sérieux. On y trouve sept volumes sur Champlain lui-même, et trois sur son camarade et futur ennemi. Conrad Heidenreich en est à publier une nouvelle édition des œuvres de Champlain à la Champlain Society.

73. William Francis Ganong, *Sainte Croix (Dochet) Island*, d'abord publié dans les *Transactions of the Royal Society of Canada* de 1902, texte révisé et enrichi par Susan Brittain Ganong, Saint-Jean (Nouveau-Brunswick) ; rééd. sous le titre *Champlain's Island*, Saint-Jean (Nouveau-Brunswick), 1946, 1972, 2003.

74. Ganong, *Champlain's Island*, p. 20.

75. L'étude dominante ici est celle de Ronald Rudin, *Founding Fathers: The Celebration of Champlain and Laval in the Streets of Quebec, 1878-1908*, Toronto, 2003, surtout les p. 53-102.

76. Patrice Groulx, « Se voir dans la peau de Champlain », dans Litalien et Vaugeois (dir.), *Champlain*, p. 338 ; David Russell Jack, « Proposed Champlain Memorial at Saint John, N. B. », *Acadiensis*, 5 (1905), cité par Groulx, *ibid.*, p. 378-379.

77. Groulx, « Se voir dans la peau de Champlain », p. 338-339.

78. Henry Raymond Hill, *The Champlain Tercentenary : First Report of the New York Lake Champlain Tercentenary Commission*, Albany, 1913. On trouve un jeu complet de ces documents au centre de recherche de Fort Ticonderoga.

79. La source de ce paragraphe est Groulx, « Se voir dans la peau de Champlain », p. 341.

80. Cité dans Gérard Malchelosse, *Trois-Rivières*, p. 13-14 ; Martin, « Samuel de Champlain à visage découvert », p. 358. En pratique, l'ensemble était plus éclectique. La formule normale combinait les costumes à la Louis XIII et les personnages d'Alexandre Dumas, auxquels s'ajoutait la coiffure de Napoléon III. Le sculpteur Hébert a ajouté un autre élément : pour le visage de La Violette, il a emprunté les traits de son ami Benjamin Sulte.

81. Rudin, *Founding Fathers*, p. 233, citant Maurice Aguilhon, « La "statuomanie" et l'histoire », *Ethnologie française*, 1978, p. 145-172.

82. Roger Motus, *Maurice Constantin-Weyer, écrivain de l'Ouest et du Grand Nord*, inédit, 1982.

83. Maurice Constantin-Weyer, *Champlain*, Paris, 1931, p. iv.

84. *Ibid.*, p. 11 (courage et humanité), vii (patience) et 113-116 (persévérance).

85. *Ibid.*, p. vi.

86. Bishop, *Champlain : The Life of Fortitude*, p. 87.

87. *Ibid.*, p. 341.

88. *Ibid.*, p. 87.

89. Hubert Deschamps, *Roi de la brousse. Mémoires d'autres mondes*, Paris, 1975.

90. William B. Cohen, recension, *International Journal of African Historical Studies*, 10 (1977), p. 300-303. À comparer avec la critique acerbe de Myro Echenberg dans la *Revue canadienne des études africaines*, 11 (1977), p. 157-159, qui avance que Deschamps n'était pas un socialiste démocrate, mais plutôt un « réactionnaire romantique ».

91. Hubert Deschamps, *Les Voyages de Samuel Champlain, saintongeais, père du Canada*, Paris, 1951.

92. *Ibid.*, p. 6.

93. Florian de la Horbe, *L'Incroyable Secret de Champlain*, préface d'Hubert Deschamps, Paris, 1958, collection de l'auteur.

94. Jean Bruchési, « Champlain a-t-il menti ? », *Cahiers des Dix*, 1950, p. 59-64.

95. Claude de Bonnault, « Encore le *Brief Discours* : Champlain a-t-il été à Blavet en 1598 ? », *Bulletin des recherches historiques*, 60 (1954), p. 59-64.

96. Wilson Smith, *Professors and Public Ethics*, Ithaca, 1955.

97. Marcel Trudel, *Histoire de la Nouvelle-France*, vol. 3 : *La seigneurie des Cent-Associés, 1627-1663*, tome 1 : *Les événements*, p. xix.

98. Raymonde Litalien, « L'inventaire des archives françaises relatives à la Nouvelle-France », *Archives*, 33 (2001-2002), p. 53-62.

99. M. A. MacDonald, *Robert Le Blant, Seminal Researcher and Historian of Early New France*, Saint-Jean (Nouveau-Brunswick), 1986.

100. Les trois premiers volumes de l'œuvre de Campeau revêtent une importance particulière : *La première mission d'Acadie, 1602-1616* ; *Établissement à Québec, 1616-1634*, Rome et Québec, 1979 ; *Fondation de la mission huronne, 1635-1637*. Les autres volumes sont : 4 : *Les grandes épreuves, 1638-1640* ; 5 : *La bonne nouvelle reçue, 1641-1643* ; 6 : *Recherche de la paix, 1644-1646* ; 7 : *Le témoignage du sang, 1647-1650* ; 8 : *Au bord de la ruine, 1651-1656*.

101. Documents reproduits dans Ganong, *Champlain's Island*. On trouve encore beaucoup de documents inédits aux archives et à la bibliothèque de l'Acadia National Park, à Bar Harbor (Maine).

102. Camille Lapointe, Béatrice Chassé et Hélène de Carufel, *Aux origines de la vie québécoise*, Québec, 1983, 1987, 1995, p. 102.

103. Yves Cormier, *Les Aboiteaux en Acadie. Hier et aujourd'hui*, Moncton, 1990 ; Alaric Faulkner et Gretchen Faulkner, *The French at Pentagoet, 1635-1674 : An Archaeological Portrait of the Acadian Frontier*, Saint-Jean (Nouveau-Brunswick) et Augusta (Maine), 1987, 1988 ; James A. Tuck et Robert Grenier, *Red Bay, Labrador, World Whaling Capital, 1550-1600*, Saint-Johns (Terre-Neuve), 1989, 1990.

104. Gregory M. Pfitzer, *Samuel Eliot Morison's Historical World*, Boston, 1991, qui retrace la carrière de Morison.

105. Samuel Eliot Morison, *Samuel de Champlain, Father of New France*, Boston, 1972. D'autres renseignements apparaissent dans *idem, The Story of Mount Desert Island*, Boston, 1960.

106. Morison, *Samuel de Champlain*, p. 22.

107. Conrad E. Heidenreich, *Huronia : A History and Geography of the Huron Indians, 1600-1650*, Toronto, 1971, p. 310-311.

108. Conrad E. Heidenreich, *Explorations and Mappings of Samuel de Champlain, 1603-1632*, Toronto, 1976, publié par le Département de géographie de l'Université York dans une série de monographies intitulée *Cartographica*, monographie 17, et aussi dans le supplément 2 de *Canadian Cartographer*, 13 (1976). Pour les citations, voir p. 71, 99 et 100.

109. Don W. Thomson, *Men and Meridians : The History of Surveying and Mapping in Canada*, Ottawa, 1966, p. 35-47. Il s'agit d'une histoire officielle rédigée par le secrétaire privé du ministre des Mines et des Relevés techniques du Canada. Le premier volume s'arrête en 1867. Champlain y occupe une place centrale. Voir aussi Paul La Chance, « L'arpenteur-géomètre au Canada français », Québec, 1962.

110. Carl O. Sauer, *Seventeenth-Century America*, Turtle Island Foundation, 1980, p. 89-113 ; Chandra Mukerji, conférence inédite sur Champlain, l'écologie et la pensée sociale donnée au College of the Atlantic, Bar Harbor (Maine), 2005.

111. Trudel, *Mémoires d'un autre siècle*, p. 11.

112. *Ibid.*, p. 240-241.

113. *Ibid.*, p. 251.

114. Gagnon, *Quebec and Its Historians: The Twentieth Century,* p. 20.

115. Marcel Trudel, *Histoire de la Nouvelle-France,* vol. 1 : *Les vaines tentatives (1524-1563),* Montréal et Paris, 1963 ; vol. 2 : *Le comptoir, 1604-1627,* Montréal, Paris et Ottawa, 1996 ; vol. 3 : *La seigneurie des Cent-Associés, 1627-1663;* tome 1 : *Les événements,* Montréal et Paris, 1979 ; tome 2 : *La société,* Montréal et Paris, 1983 ; vol. 4 : *La seigneurie de la Compagnie des Indes occidentales,1663-1674,* Montréal, 1997 ; et vol. 10 : *Le régime militaire et la disparition de la Nouvelle-France, 1759-1764,* Montréal, 1999.

116. Trudel, *Champlain.*

117. Gagnon, *Quebec and Its Historians: The Twentieth Century,* p. 42-43.

118. Trudel, *Histoire de la Nouvelle-France,* 1 : 212 ; Gagnon, *Quebec and Its Historians: The Twentieth Century,* p. 50-51.

119. Trudel, « Champlain », *Dictionnaire biographique du Canada.*

120. Louis Henry, *Fécondité des mariages. Nouvelle méthode de la mesure,* Paris, 1953.

121. Cyprien Tanguay, *Dictionnaire généalogique des familles canadiennes depuis la fondation de la colonie jusqu'à nos jours,* 7 vol., Montréal, 1871-1890 ; Jacques Henripin, *La Population canadienne au début du XVIIIe siècle. Nuptualité-fécondité-mortalité infantile,* Paris, 1954, p. 112.

122. Hubert Charbonneau, André Guillemette, Jacques Lagre, Bertrand Desjardins, Yves Landry, François Bault, Réal Bates et Mario Boleda, *Naissance d'une population. Les Français établis au Canada au XVIIe siècle,* Montréal et Paris, 1987 ; trad. anglaise de Paola Colozzo, *The First French Canadians: Pioneers in the St. Lawrence Valley,* Newark (Delaware), 1993.

123. Biggar, *The Early Trading Companies of New France,* p. 274-281 et *passim.*

124. Harold Innis, *The Fur Trade in Canada: An Introduction to Canadian Economic History,* éd. révisée, Toronto, 1956 ; idem, *The Cod Fisheries: The History of an International Economy,* éd. révisée, Toronto, 1956 ; idem, *Essays in Canadian Economic History,* Toronto, 1956 ; Melville Watkins, « A Staple Theory of Economic Growth », *Canadian Journal of Economics and Political Science,* 29 (1963), p. 141-158. Pour un raffinement de la théorie et son application à d'autres entités économiques, voir Marc W. Egnal, *New World Economies,* Oxford, 1998.

125. Egnal, *New World Economies,* p. 131, 212-213n ; John Hare *et al., Histoire de la ville de Québec, 1608-1871,* Montréal, 1987, p. 327 ; Louise Dechêne, *Habitants and Merchants in Seventeenth-Century Montreal,* Montréal, 1992, p. 292 [*Habitants et marchands de Montréal au XVIIe siècle*].

126. Lewis Henry Morgan, *League of the Ho-dé-no-sau-nee, or Iroquois,* Rochester, 1851.

127. George Hunt, *The Wars of the Iroquois,* Chicago, 1940, p. 184-185.

128. Denys Delâge, *Le Pays renversé. Amérindiens et Européens en Amérique du Nord-Est, 1600-1664,* Montréal, 1985.

129. *Ibid.,* p. 339.

130. *Ibid.,* p. 10 et *passim.*

131. Voir Denys Delâge, « Uneasy Allies », *The Beaver,* février-mars 2008, p. 14-21.

132. Trigger, *The Children of Aataentsic.*
133. *Ibid.*, p. 246-330.
134. Bruce Trigger, « Champlain Judged by His Indian Policy : A Different View of Early Canadian History », *Anthropologica,* 13 (1971), p. 85-114 ; *idem, Natives and Newcomers.*
135. Trigger, *The Children of Aataentsic*, p. 274.
136. Quelques points qui font problème :

Trigger se trompe quand il dit que Champlain et les récollets ne comprenaient pas les mœurs des Indiens, qu'ils ne « possédaient pas ce savoir et n'avaient pas non plus la motivation voulue pour l'acquérir » (*Natives and Newcomers,* p. 317). Ce que « comprendre » veut dire est sujet à caution, mais on ne peut pas leur reprocher d'avoir manqué de motivation : les récollets et Champlain n'ont jamais fait mystère de leur intérêt pour les mœurs indiennes, ils ont décrit tout ce qu'ils ont fait pour apprendre et comprendre, et ils ont beaucoup écrit sur la vie des Indiens.

Trigger fait fausse route également quand il affirme que Champlain, à la longue, ne voyait plus chez les Indiens des individus, mais bien des moyens de parvenir à ses fins. Dans ses écrits, Champlain parlait beaucoup de ses relations avec certains Indiens en particulier. Cette tendance s'est accrue avec le temps, tant dans ses relations avec les chefs que dans l'expression de sa charité chrétienne envers trois jeunes Indiennes, le garçonnet montagnais Bonaventure et bien d'autres encore.

L'argument de Trigger selon lequel un changement notable se serait opéré chez Champlain en 1612 n'est pas fondé. Presque toutes les attitudes et tous les jugements de Champlain sont les mêmes avant et après cette date ; ses actes aussi, pour ce qui concerne la conclusion d'alliances avec les Indiens, sa collaboration étroite avec eux et les rapports solides qu'il a établis avec les nations indiennes. L'exception est le différend qu'il a eu plus tard avec les Montagnais, mais la règle est solide.

Trigger avance que Champlain et les récollets ont « miné les relations entre Français et Montagnais par la brutalité de leur traitement ethnocentrique des autochtones », et qu'ils ont fait cela expressément pour persuader les Montagnais « de se sédentariser et de se faire cultivateurs », et même « de devenir français ». C'est mal comprendre Champlain. Il avait été ému par les souffrances des Montagnais et la famine qui les avait surpris à la fin de l'hiver et au début du printemps. Il les avait pressés d'ajouter à la chasse la culture de la terre, à l'instar des Algonquins, Hurons et Iroquois. Il ne leur demandait pas de se faire français, mais il conseillait à ceux qui se trouvaient dans la partie sud de leur territoire d'assurer leur subsistance en suivant l'exemple des autres nations indiennes. Cette politique a connu un certain succès.

Trigger accuse Champlain d'avoir imposé les conceptions françaises de la justice aux Indiens après que plusieurs Français eurent été assassinés par des Montagnais. C'est précisément le contraire qui s'est produit. Champlain s'est donné beaucoup de mal pour établir un processus judiciaire qu'Indiens et Européens tiendraient pour légitime.

Trigger écrit que Champlain « n'a pas su du tout comprendre le caractère consensuel de la vie politique autochtone. Étant donné qu'il considérait toute autorité comme émanant d'en haut, il ne comprenait pas que les chefs indiens ne pouvaient décider seuls mais qu'ils devaient obtenir le consentement de leurs semblables » (*Natives and Newcomers,* p. 199). Affirmation qui va exactement à l'encontre de ce que Champlain a fréquemment observé : à savoir que les chefs indiens contrôlaient peu leurs semblables. Il avait noté cela la première fois qu'il avait rencontré les Montagnais en 1603, encore une fois avec les Algonquins et ensuite avec les Hurons, et il soulignait souvent et avec force commentaires le manque de pouvoir et d'autorité des chefs. Lorsqu'il prépara sa dernière campagne contre l'Iroquoisie centrale, Champlain visita presque tous les villages de la Huronie pour persuader les chefs locaux et les guerriers de se joindre à lui. Trigger a mal lu les sources qui documentent ces événements et leur pourquoi. Il n'a pas compris non plus la motivation qui animait Champlain.

Trigger écrit : « En règle générale, Champlain semble avoir été extrêmement ethnocentrique et inflexible. Étant donné qu'aucun de ces attributs n'aurait pu lui avoir été très utile dans ses interactions avec les Indiens, il est probable que les premiers succès de Champlain résultaient beaucoup plus de la situation que des qualités de l'homme lui-même. Il semble aussi qu'il mettait en œuvre la politique indienne que lui ou ses employeurs avaient formulée avec moins d'intelligence et de sympathie envers les Indiens que ne l'ont imaginé la majorité des historiens. »

Il y a une part de vérité dans ces assertions. Il est vrai que Champlain a écrit que les Indiens étaient sans foi ni loi, et nombre d'ethnohistoriens l'ont reconnu coupable d'ethnocentrisme sur la foi de ces passages. Mais il convient de noter que Champlain connaissait bien la spiritualité et les coutumes juridiques des Indiens. Il les a décrites en détail. Toutefois, il croyait que les Indiens vivaient surtout selon la loi du talion, et que leur idée de la justice consistait à punir un tort en en commettant un autre. À son avis, ils n'avaient aucune conception du droit comme système de droits universels et de protection contre le mal, et en ce sens ils étaient sans loi.

Champlain estimait aussi que les croyances spirituelles des Indiens ne constituaient pas une religion universelle comme le christianisme. Il croyait que les nations pouvaient vivre en paix les unes avec les autres dans le respect mutuel et l'honnêteté uniquement si elles se dotaient de croyances éthiques et religieuses à caractère universel, qui reconnaissaient l'humanité fondamentale des personnes. Les spécialistes des sciences sociales d'aujourd'hui rejettent cette manière de pensée qu'ils qualifient d'ethnocentrique ; à certains égards, c'était le cas. Mais cette vision des choses transcendait l'ethnocentrisme dans ses aspirations à la justice universelle, à la foi, à la vérité et au règne du droit. En bref, ethnocentrique, oui, sur certains points, mais les attitudes de Champlain étaient fondées sur des idées comme la justice, la foi et la paix universelles. Trigger n'a pas compris le cœur de cet homme.

137. René Lévesque, *Attendez que je me rappelle,* Montréal, 1986, p. 85-86.

138. Armstrong, *Champlain*, p. xvi.

139. Pierre Berton, *My Country*, Toronto, 1976, p. 65.

140. Caroline Montel-Glénisson, *Champlain au Canada. Les aventures d'un gentil-homme explorateur*, Québec, 2004, avec illustrations de Michel Glénisson.

141. Des centaines d'études, dont beaucoup de très haute qualité, ont paru dans les ouvrages suivants : Litalien et Vaugeois (dir.), *Champlain* ; Mickaël Augeron et Dominique Guillemet, *Champlain, ou les portes du Nouveau Monde. Cinq siècles d'échanges entre le Centre-Ouest français et l'Amérique du Nord, XVIᵉ-XXᵉ siècles*, Ligugé, Éditions Geste, 2004 ; Annie Blondel-Loisel et Raymonde Litalien, en collaboration avec Jean-Paul Barbiche et Claude Briot, *De la Seine au Saint-Laurent avec Champlain*, Paris, 2005 ; Pierre Icowicz et Raymonde Litalien (dir.), *Dieppe-Canada. Cinq cents ans d'histoire commune*, Paris et Dieppe, 2004 ; Bertrand Guillet et Louise Pothier (dir.), *France/Nouvelle-France. Naissance d'un peuple français en Amérique du Nord*, Montréal et Paris, 2005 ; James Kelly et Barbara Clarke Smith (dir.), *Jamestown–Québec–Santa Fe: Three North American Beginnings*, Washington et New York, 2007.

APPENDICE A • LA DATE DE NAISSANCE DE CHAMPLAIN

1. Marcel Trudel, *Histoire de la Nouvelle-France*, vol. 1 : *Les vaines tentatives, 1524-1603*, Montréal et Paris, 1963, p. 255 ; A.-L. Leymarie, « Inédit sur le fondateur de Québec », *Nova Francia*, 1 (1925), p. 80-85.

2. Morris Bishop, *Champlain: The Life of Fortitude*, New York, 1948, p. 343.

3. C.-H. Laverdière, *Œuvres de Champlain*, Québec, 1870, 1 : x.

4. *Ibid.*, 1 : x-xii.

5. Bishop, *Champlain: The Life of Fortitude*, p. 344.

6. Narcisse-Eutrope Dionne, *Champlain, fondateur de Québec et père de la Nou-velle-France*, 2 vol., Québec, 1891 ; Marcel Trudel, *Histoire de la Nouvelle-France*, 1 : 255 ; Samuel Eliot Morison, *Samuel de Champlain: Father of New France*, New York, 1972, p. 16.

7. Jean Liebel, « On a vieilli Champlain », *Revue d'histoire de l'Amérique française*, 32 (1978), p. 229-237.

8. *Ibid.*, p. 233.

9. *Ibid.*

10. Raymonde Litalien et Denis Vaugeois (dir.), *Champlain. La naissance de l'Amé-rique française*, Sillery, 2004 ; dans la trad. anglaise, *Champlain and the Birth of French America*, Montréal, 2004, p. 37 et 121.

11. Les états de service à l'armée de Bretagne sont reproduits dans Robert Le Blant et René Baudry, *Nouveaux Documents sur Champlain et son époque*, Ottawa, 1967 ; pour Crozon, voir le chapitre 4.

12. *The Voyages of the Sieur de Champlain of Saintonge…*, Paris, 1613, préface ; Henry Percival Biggar (dir.), *The Works of Samuel de Champlain*, Toronto, 1922-1936, réédition de 1971 [WSC], 1 : 209-210.

13. « Après avoir passé trente-huit ans de mon âge à faire plusieurs voyages sur mer », WSC, 6 : 255.

14. WSC, 4 : 363.

15. John A. Williamson, *Antisubmarine Warrior in the Pacific,* Tuscaloosa (Alabama), 2005, p. 127.

16. Bishop, *Champlain: The Life of Fortitude,* p. 344.

APPENDICE B • LES VOYAGES DE CHAMPLAIN

1. Les chronologies des voyages de Champlain ont été établies par C.-H. Laverdière (dans Dionne, *Champlain, fondateur de Québec et père de la Nouvelle-France,* 2 vol., Québec, 1891) dans une liste intitulée « Affrètement de Navires, 1605-1615 », 1 : 288-295, et « 1616-1625 », 2 : 389-392 ; Samuel E. Morison, *Champlain: Father of New France,* New York, 1972, p. 231-233 ; Raymonde Litalien et Denis Vaugeois (dir.), *Champlain. La naissance de l'Amérique française,* Sillery, 2004, p. 364-371 ; Jean Glénisson, *La France d'Amérique. Voyages de Samuel Champlain,* Paris, 1944, p. 48-53. Il n'y a pas deux chronologies pareilles. La liste de Morison comprend quatre voyages qui n'ont jamais eu lieu et en omet deux qui ont eu lieu. Il se trompait en disant que Champlain avait fait vingt-neuf fois la traversée de l'Atlantique de 1599 à 1635.
Notre liste repose sur les sources, essentiellement les écrits de Champlain lui-même, et, pour la période postérieure à 1632, sur l'*Histoire de la Nouvelle-France* de Marcel Trudel, les *Monumenta Novae Franciae* de Lucien Campeau et les *Relations des Jésuites.* J'y ai incorporé également les études ponctuelles menées par Trudel, Campeau et les spécialistes des voyages de Champlain aux Antilles.

APPENDICE C • LE *BRIEF DISCOURS*

1. Pour une étude plus ample, voir Laura Giraudo, « Les manuscrits du *Brief Discours* », dans Raymonde Litalien et Denis Vaugeois (dir.), *Champlain. La naissance de l'Amérique française,* Sillery, 2004, p. 63-82 ; on trouve les résultats d'une enquête faite au milieu du XIXe siècle et confirmant sa provenance dans Francis Parkman, *Pioneers of France in the New World,* 1865, édition révisée avec corrections, 1885 ; rééd. Boston, 1901, p. 243.

2. Ces textes figurent dans Champlain, *Narrative of a Voyage to the West Indies and Mexico in the Years 1599-1602,* trad. d'Alice Wilmere, Norton Shaw (dir.), Londres, Hakluyt Society, 1859, 1880 ; Charles-Honoré Laverdière (dir.), *Œuvres de Champlain,* 2e édition, 6 vol., Québec, 1870, p. 1, 10, 25, 26, 32, 35, 47, 48 ; Henry Percival Biggar (dir.), *The Works of Samuel de Champlain,* 6 vol., Toronto, 1922-1936, réédition de 1971 [WSC], 1 : 5, 18, 46, 60, 69, 77 et 80.

3. Voir N.-E. Dionne, *Samuel de Champlain, fondateur de Québec et père de la Nouvelle-France*, 2 vol., Québec, 1891 ; Gabriel Gravier, *Vie de Samuel de Champlain, fondateur de la Nouvelle-France*, Paris, 1900 ; Henri-Raymond Casgrain, *Champlain. Sa vie et son caractère*, Paris, 1900.

4. Parkman, *Pioneers of New France*, p. 242-243.

5. Morris Bishop, *Champlain: The Life of Fortitude*, New York, 1948, p. 22.

6. Jean Bruchési, « Champlain a-t-il menti ? », *Cahiers des Dix*, 15 (1950), p. 39-53.

7. Voir Claude de Bonnault, « Encore le *Brief discours* : Champlain a-t-il été à Blavet en 1598 ? », *Bulletin des recherches historiques*, 60 (1954), p. 59-64 ; *idem*, « Les archives d'Espagne et le Canada : rapport sur une mission dans les archives d'Espagne », *Rapport de l'archiviste de la province de Québec*, 1951-1952, 1952-1953 ; *idem*, « Champlain et les Espagnols », essai dans la collection René-Baudry, Bibliothèque et Archives Canada.

8. Hubert Deschamps, *Les Voyages de Samuel Champlain, saintongeais, père du Canada*, Paris, 1951, p. 5.

9. Voir Jacques Rousseau, « Samuel de Champlain, botaniste mexicain et antillais », *Cahiers des Dix*, 16 (1951), p. 39-61.

10. WSC, 1 : 22 ; L. A. Vigneras, « Le Voyage de Samuel Champlain aux Indes occidentales », *Revue d'histoire de l'Amérique française*, 11 (1957), p. 177, 187, 189.

11. Voir Vigneras, « Le Voyage de Samuel Champlain », p. 163-200.

12. Voir Morris Bishop, « Champlain's Veracity: A Defence of the *Brief Discours* », *Queen's Quarterly*, 66 (1959), p. 127-134.

13. Voir Samuel Eliot Morison, *Samuel de Champlain: Father of New France*, New York, 1972, p. 277.

14. Cf. Marcel Trudel, *Histoire de la Nouvelle-France*, vol. 1 : *Les vaines tentatives, 1524-1603*, Montréal et Paris, 1963, p. 257-258.

15. Jean Liebel, « On a vieilli Champlain », *Revue d'histoire de l'Amérique française*, 32 (1978), p. 229-237 et 232.

16. Cf. Codignola, « Samuel de Champlain et les mystères de son voyage aux Indes occidentales, 1599-1601 : l'état de la recherche et quelques routes à suivre », dans Cecilia Rizza (dir.), *La Découverte de nouveaux mondes. Aventure et voyages imaginaires au XVIIe siècle*, actes du 22e colloque du Centre méridional de rencontres sur le XVIIe siècle, Gênes, 23-25 janvier 1992, Fasano, 1993 ; également Luca Codignola, « Le prétendu voyage de Samuel de Champlain aux Indes occidentales, 1599-1601 », dans Madeline Frédéric et Serge Jasumain (dir.), *La Relation de voyage. Un document historique et littéraire*, actes du séminaire de Bruxelles, Bruxelles, 1999.

17. Joe C. W. Armstrong, *Champlain*, Toronto, 1987, p. 274-278, 32-34 ; WSC, 1 : 79.

18. Armstrong, *Champlain*, p. 274-278.

19. *Ibid.*, p. 32-34 ; cf. WSC, 1 : 179.

20. Les constatations de Laura Giraudo ont paru dans « Rapport de recherche : une mission en Espagne » et dans « Les manuscrits du *Brief Discours* », tous deux dans Raymonde Litalien et Denis Vaugeois (dir.), *Champlain*, p. 63-82 et 93-97.

21. Voir François-Marc Gagnon, « Le *Brief Discours* est-il de Champlain ? », dans Litalien et Vaugeois (dir.), *Champlain*, p. 83-92.
22. Voir « Les récits de voyages de Champlain, rencontre avec Jean Glénisson », propos recueillis par Raymonde Litalien, complétés et validés par Jean Glénisson, dans Litalien et Vaugeois (dir.), *Champlain*, p. 280.
23. WSC, 1 : 1-2.

APPENDICE D • L'ŒUVRE PUBLIÉE DE CHAMPLAIN

1. Charles-Honoré Laverdière (dir.), *Œuvres de Champlain*, 2ᵉ édition, 6 vol., Québec, 1870, 5 : v-vi ; Morris Bishop, *Champlain: The Life of Fortitude*, New York, 1948, p. 324 ; et Le Blant, qui se dit d'accord avec Laverdière.
2. H. P. Biggar, *Early Trading Companies of New France: A Contribution to the History of Commerce and Discovery in North America*, Toronto, 1901, 1937 ; rééd. Clifton (New Jersey), 1972, p. 279.
3. *Ibid.*
4. *Ibid.*, p. 276 et 179.

APPENDICE E • LE TRAITTÉ DE LA MARINE

1. WSC, 6 : 253-346.
2. Morris Bishop, *Champlain: The Life of Fortitude*, New York, 1948, p. 324.
3. Joe C. W. Armstrong, *Champlain*, Toronto, 1987, p. 253.
4. Samuel Eliot Morison, *Samuel de Champlain: Father of New France*, New York, 1972, p. 236-267.
5. D. W. Waters, *The Art of Navigation in Elizabethan and Early Stuart Times*, New Haven (Connecticut), 1958, p. 625-628.
6. *Ibid.*, 232n ; WSC, 6 : 322.
7. C'est-à-dire à l'ouest de la mer de Zuider.
8. John Smith, *An Accidence, or The Path-way to Experience. Necessary for all Young Sea-men*, Londres, 1626, et sa suite, *A Sea Grammar, with the Plaine Exposition of Smith's Accidence for Young Seamen*, Londres, 1627 ; réédité par Philip L. Barbour (dir.), *The Complete Works of Captain John Smith (1580-1631)*, 3 vol., Chapel Hill (Caroline du Nord), 1986, 3 : 3-121. Pour la remarque de l'éditeur, 3 : 7.
9. WSC, 6 : 255-256.
10. *Ibid.*
11. *Ibid.*, 6 : 257-258.
12. *Ibid.*, 6 : 267.
13. *Ibid.*, 6 : 258 et 262.
14. *Ibid.*, 6 : 259-260.
15. *Ibid.*, 6 : 282.

16. *Ibid.*, 6 : 262-263, 259.
17. *Ibid.*, 6 : 297.
18. *Ibid.*, 6 : 312, 264 et 268.
19. *Ibid.*, 6 : 269-270.
20. *Ibid.*, 6 : 270.
21. *Ibid.*, 6 : 268, 282.
22. *Ibid.*, 6 : 261.
23. *Ibid.*, 4 : 362.
24. Alain Rey *et al.* (dir.), *Le Grand Robert de la langue française*, 6 vol., Paris, 2001, *s.v.* « honnête ».

APPENDICE F • UN AUTRE AUTOPORTRAIT ?

1. Cf. Marcel Trudel, *Histoire de la Nouvelle-France,* vol. 3 : *La seigneurie des Cent-Associés, 1627-1663,* tome 1 : *Les événements,* Montréal, 1975, p. 35 ; *idem,* « La carte de Champlain en 1632 : ses sources et son originalité », *Cartologica* (1978), p. 51 ; François-Marc Gagnon, *Premiers Peintres de la Nouvelle-France,* 2 vol., Québec, 1976, 2 : 25-26 ; Martin, « Samuel de Champlain à visage découvert », dans Raymonde Litalien et Denis Vaugeois (dir.), *Champlain. La naissance de l'Amérique française,* Sillery, 2004, p. 360-362.
2. On les trouve dans Samuel de Champlain, « Descr[i]psion des costs p[or]ts, rades, Illes de la nouvele France faict selon son vray méridien Avec la déclinaison de le[y]ment de plussiers endrois selon que le sieur de Castelfranc le demontre en son livre de la mecometrie de le[y]mant faict et observe par le Sr de Champlain, 1606, 1607 », Division des cartes manuscrites, Bibliothèque du Congrès (Washington).

APPENDICE G • LES SUPÉRIEURS DE CHAMPLAIN

1. Les études principales à son sujet sont : Jean Liebel, *Pierre Dugua, sieur de Mons, fondateur de Québec,* Paris, 1999 ; Jean-Yves Grenon, *Pierre Dugua de Mons, fondateur de l'Acadie (1604-05)* ; *Co-Fondateur de Québec (1608),* Annapolis Royal (Nouvelle-Écosse), 2000 ; Guy Binot, *Pierre Dugua de Mons,* Royan, 2004 ; William Inglis Morse, *Pierre de Gua, sieur de Monts,* Londres, 1939.
2. WSC, 2 : 243-244 ; 4, 208-216 ; 5 : 143 ; Lucien Campeau, *Monumenta Novae Franciae,* Québec, 1967, 1 : 665 ; Marcel Trudel, *Histoire de la Nouvelle-France,* vol. 2 : *Le comptoir, 1604-1627,* Montréal, 1966, p. 186-188 ; Docteur Cabanès, *Les Condé. Grandeur et dégénérescence d'une famille princière,* 2 vol., Paris, s.d. [1932].
3. Pour les sources, voir : WSC, 2 : 239 et 245 ; 3 : 15-20 ; 4 : 216-218, 339, 344-346, 367-370 ; Trudel, *Histoire de la Nouvelle-France,* 2 : 264-265, 297 et 452 ; Lucien

Campeau, *Monumenta Novae Franciae*, 4 : 228 ; Cabanès, *Les Condé* ; Robert Le Blant, « La famille Boullé, 1586-1639 », *Revue d'histoire de l'Amérique française*, 17 (1963), p. 55-69.

4. Voir WSC, 4 : 340-342, 344-347, 367 ; Trudel, *Histoire de la Nouvelle-France*, 2 : 240-241 et 452.

5. Voir WSC, 4 : 367-370 ; Trudel, *Histoire de la Nouvelle-France*, 2 : 264-265, 297 et 452 ; Campeau, *Monumenta Novae Franciae*, 1 : 678, avec correction dans 2 : 248.

6. Voir WSC, 5 : 139-152 ; Trudel, *Histoire de la Nouvelle-France*, 2 : 296-299.

7. Pour les sources sur Richelieu et la Nouvelle-France, voir Campeau, *Monumenta Novae Franciae*, 2 : 850-851 et *passim* ; Trudel, *Histoire de la Nouvelle-France*, 2 : 306, 432-434 ; Pierre Castagnos, *Richelieu face à la mer*, Rennes, 1989, p. 72-76, 125-127 ; Michel Carmona, *La France de Richelieu*, Paris, 1984, p. 185-193 ; WSC, 3 : 235-238 ; 5 : 288 ; 6 : 147, 153, 167-171, 214, 219-220.

APPENDICE H • LES COMPAGNIES DE COMMERCE ET LES MONOPOLES EN NOUVELLE-FRANCE, 1588-1635

1. Sources : H. P. Biggar, *The Early Trading Companies of New France*, Toronto, 1901, 1937 ; rééd. Clifton (New Jersey), 1972, ouvrage toujours utile pour la période allant de 1588 à 1632. On appréciera également les deux monographies de Lucien Campeau, *Les Finances publiques de la Nouvelle-France sous les Cent-Associés, 1632-1665*, Montréal, 1975, et *Les Cent-Associés et le peuplement de la Nouvelle-France (1633-1663)*, Montréal, 1974. Pour toute la période, surtout pour l'histoire des compagnies sous-contractantes, l'ouvrage indépassable est celui de Marcel Trudel, *Histoire de la Nouvelle-France*, vol. 3 : *La seigneurie des Cent-Associés*, 2 tomes, Montréal, 1979, 1983.

APPENDICE I • LES NATIONS INDIENNES DANS LE MONDE DE CHAMPLAIN, 1603-1635

1. WSC, 1 : 123 ; 2 : 18.

2. Lescarbot a écrit :« Les peuples de Gaspé et de la baie des Chaleurs qui sont environ le quarante-huitième degré de latitude au sud de ladite grande rivière [le Saint-Laurent] se disent Canadoquoa (ils prononcent ainsi), c'est à dire Canadaquois, comme nous disons » ; *Histoire de la Nouvelle-France*, 1609, 2 : 25. Champlain les appelait les Canadiens, et il a écrit que leurs coutumes étaient semblables à celles des Etchemins et des Souriquois.

3. WSC, 3 : 55.

4. WSC, 6 : 249.

APPENDICE J • LA BATAILLE DE 1609 CONTRE LES AGNIERS

1. Cf. « Carte de la nouvelle France, augmentée [...] » 1632, dans le portefeuille de cartes annexé à l'édition de Biggar ; la légende se trouve dans WSC, 6 : 240.
2. WSC, 2 : 93.
3. Guy Omeron Coolidge, *The French Occupation of the Champlain Valley, from 1609 to 1759*, New York, 1938, 1940, p. 12 ; et *Proceedings of the Vermont Historical Society*, 6 (1938), p. 143-153 ; pour Joe Armstrong, voir *Champlain*, Toronto, 1987, p. 298-299, et les commissaires du tricentenaire de New York qui ont érigé un monument en hommage à Champlain à Crown Point. La thèse en faveur de Ticonderoga apparaît dans S. H. P. Pell, « Was Champlain a Liar ? », *Bulletin of the Fort Ticonderoga Museum*, 5 (1939), p. 5-8. Morris Bishop a traité de la preuve dans son *Champlain: The Life of Fortitude*, New York, 1948, appendice E, « The Site of the Battle of 1609 », p. 353-354 ; en ont fait autant Marcel Trudel, *Histoire de la Nouvelle-France*, vol. 2 : *Le comptoir, 1604-1627*, Montréal, 1966, p. 164 ; Samuel Eliot Morison, *Samuel de Champlain: Father of New France*, New York, 1972, p. 110 ; et surtout Robert Pell-Ducharme dans son excellent manuscrit sur l'histoire du lieu. Quelques historiens locaux continuent d'affirmer que Crown Point est le lieu de la bataille, mais ils se trompent.

APPENDICE K • L'ATTAQUE DE 1615 CONTRE LE FORT IROQUOIS

1. Francis Parkman, *Pioneers of France in the New World*, 1865 ; édition révisée avec corrections, 1885 ; rééd. Boston, 1901, p. 413n.
2. Samuel Eliot Morison, *Samuel de Champlain: Father of New France*, New York, 1972, p. 156-158 ; Bruce Trigger, *Natives and Newcomers: Canada's « Heroic Age » Reconsidered*, Montréal et Kingston, 1985, 1986, 1994, p. 309 ; Louise W. Murray (dir.), *Selected Manuscripts of General John S. Clark relating to the Aboriginal History of the Susquehanna*, Athens (Ohio), 1931 ; A. G. Zeller, *The Champlain-Iroquois Battle of 1615*, New York, 1962.
3. Peter Pratt, *Archaeology of the Oneida Indians*, Occasional Publications in Northeastern Anthropology, n° 1, Rindge (New Hampshire), 1976, p. vii-ix ; *idem*, « A Perspective in Oneida Archaeology », dans Robert E. Funk et Charles F. Hayes III (dir.), *Current Perspectives on Northeastern Archaeology: Essays in Honor of William A. Ritchie, Researches and Transactions of the New York State Archaeological Association*, 17 (1977), n° 1 : 51-69 ; Daniel H. Weiskotten, « The Real Battle of Nichol Ponds », 1998.
4. Conversation avec Peter Pratt, 2007 ; William Engelbrecht, *Iroquoia: The Development of a Native World*, Syracuse (New York), 2003, p. 147 ; cf. O. H. Marshall, « Champlain's Expedition of 1615 », *Historical Writings of the Late Orasmus H. Marshall*, Albany, 1887, p. 43-66.

APPENDICE L · L'ARME FAVORITE DE CHAMPLAIN

1. Cf. Samuel Eliot Morison, *Samuel de Champlain: Father of New France*, New York, 1972, p. 282 ; Fred Anderson et Andrew Cayton, *Dominion of War: Empire and Liberty in North America, 1500-2000*, New York, 2005, p. 16.
2. Russel Bouchard, *Les Armes à feu en Nouvelle-France*, Sillery, 1999, p. 102-106.
3. M. A. O. Paulin-Desormeaux, *Nouveau Manuel complet de l'armurier, du four-bisseur et de l'arquebusier*, nouvelle édition, 2 vol., Paris, 1852 ; rééd. Paris, 1977, 1 : 11-14, 184-193, collection de l'auteur.
4. Lisa Jardine, *The Awful End of William the Silent: The First Assassination of a Head of State with a Handgun*, Londres, 2005.

APPENDICE M · LES NAVIRES ET EMBARCATIONS DE CHAMPLAIN

1. R. R. Palmer et Jacques Godechot, « Le Problème de l'Atlantique du XVIIe au XXe siècle », *Relazione del X congresso internazionale di scienze storiche, Roma 4-11 settembre 1955*, Florence, 1955, 5 : 175-239. Ce texte peu lu, qui a préparé la vogue de l'histoire de l'Atlantique à la fin du XXe siècle, se trouve à la Biblio-thèque du Congrès (Washington).
2. Frederic C. Lane, « Tonnages, Medieval and Modern », *Economic History Review*, 17 (1964), p. 213-233.
3. William A. Baker, *Colonial Vessels: Some Seventeenth-Century Ships Designs*, Barre (Massachusetts), 1962, p. 25-27.
4. Père Fournier, s.j., *Hydrographie, contenant la théorie et la pratique de toutes les parties de la navigation*, Paris, 1643, p. 49 ; Jean Liebel, *Pierre Dugua, sieur de Mons, fondateur de Québec*, Paris, 1999, p. 99 et 100 ; Charles Bréard et Paul Bréard, *Documents relatifs à la marine normande et à ses armements aux XVIe et XVIIe siècles*, Rouen, 1889, p. 2.
5. Carla Rahn Phillips, *Six Galleons for the King of Spain : Imperial Defense in the Early Seventeenth Century*, Baltimore, 1986, p. 228.
6. WSC, 1 : 6-8 ; Laura Giraudo, « Rapport de recherche : une mission en Espagne », dans Raymonde Litalien et Denis Vaugeois (dir.), *Champlain. La naissance de l'Amérique française*, Sillery, 2004, p. 96 ; L. A. Vigneras, « Le Voyage de Champlain aux Indes occidentales », *Revue d'histoire de l'Amérique française*, 1959-1960, p. 167 et 188 ; Samuel E. Morison, *The European Disco-very of America: The Southern Voyages, 1492-1616*, New York, 1974, p. 149 et 114.
7. Phillips, *Six Galleons for the King of Spain*, p. 33-34, 41-46, 71-72, 78-79, 229-233 ; Timothy Walton, *The Spanish Treasure Fleets*, Sarasota (Floride), 1994, p. 57-64 ; Palbo E. Pérez-Mallaína, *Spain's Men of the Sea: Daily Life on the Indies Fleets in the Sixteenth Century*, Baltimore, 1998, p. 8, 30, 134-135 ; Angus Konstam, *The Spanish Galleon, 1530-1690*, Wellingborough (Angleterre), 2004, p. 4-16.

8. WSC, 3 : 24 ; Liebel, *Pierre Dugua, sieur de Mons*, p. 98-100, a trouvé des estimations variables de tonnage, dont certaines renvoyaient à des navires différents mais portant le même nom. Pour d'autres exemples et études, voir WSC, 1 : 388n, 456n ; 6 : 153 ; Marcel Trudel, *Histoire de la Nouvelle-France*, vol. 2 : *Le comptoir, 1604-1627*, Montréal, 1966, p. 206 et 417 ; Samuel E. Morison, *Samuel de Champlain: Father of New France*, New York, 1972, p. 5, 8, 10, 77, 89, 94, 97-98, 186, 214 et 238 ; Bréard et Bréard, *Documents relatifs à la Marine normande*, p. 41-134.

9. Liebel, *Pierre Dugua, sieur de Mons*, p. 20 ; Fournier, *Hydrographie*, p. 16-43, 423.

10. Bréard et Bréard, *Documents relatifs à la marine normande*, p. 2.

11. WSC, 6 : 155.

12. Bréard et Bréard, *Documents relatifs à la marine normande*, p. 2.

13. *Ibid.*, p. 2 et 153.

14. William A. Baker, « A Colonial Bark, circa 1640 », dans Baker, *Colonial Vessels*, p. 78-110.

15. WSC, 1 : 401 ; Baker, *Colonial Vessels*, p. 82.

16. WSC, 1 : 377.

17. *Ibid.*, 6 : 61.

18. Cité dans Alain Rey *et al.*, *Le Grand Robert de la langue française*, 6 vol., Paris, 2001, 5 : 333.

19. WSC, 1 : 428.

20. *Ibid.*, 6 : 61.

21. *Ibid.*, 1 : 276-278 ; 3 : 203 ; Biggar traduit erronément la « barque » de Champlain par « *long boat* » ou « *pinnace* ».

22. Google Images, www.famsf.or/image base.

23. Voir WSC, 1 : 428.

24. WSC, 3 : 316. James Tuck et Robert Grenier, *Red Bay, Labrador*, St. John's (Terre-Neuve), 1989, p. 36-38.

25. Tuck et Grenier, *Red Bay, Labrador*, p. 36-38.

26. Le meilleur compte rendu direct est celui de Nicolas Denys, *Description and Natural History of the Coasts of North America (Acadia)*, Toronto, 1908, p. 295-301, 273-274, 302-305, dessin en regard de la p. 311 [*Description géographique et historique des costes de l'Amérique septentrionale. Avec l'Histoire naturelle du Païs*].

27. WSC, 4 : 39 ; voir aussi 1 : 104-105, 338-399, 339n ; 2 : 14-15 ; 3 : 384-385.

28. *Ibid.*, 3 : 37.

29. Un des premiers dessins des canots utilisés par les Montagnais, les Têtes de boule, les Outaouais et les Algonquins apparaît dans Olive Patricia Dickson, *The Myth of the Savage*, Edmonton, 1984, p. 89, tiré de Bécard de Granville, *Les Raretés des Indes*, Bibliothèque et Archives Canada, C-33287.

30. Voir William N. Fenton et Ernest Dodge, « An Elm Bark Canoe in the Peabody Museum of Salem », *American Neptune*, 9 (1949), p. 185-206. Pour une description plus ancienne, voir Baron de Lahontan, *New Voyages to North-*

America, Reuben G. Thwaites (dir.), 2 vol., 1703 ; New York, 1970, p. 1-80 [*Nouveaux Voyages dans l'Amérique septentrionale*] ; voir aussi William Engelbrecht, *Iroquoia: The Development of a Native World*, Syracuse (New York), 2003, p. 241-242. À noter l'excellent ouvrage général d'Edwin Tappan Adney et Howard I. Chapelle, *The Bark Canoes and Skin Boats of North America*, Washington, 1964, p. 7-174.

31. WSC, 1 : 337 ; Carl O. Sauer, *Seventeenth-Century America*, Berkeley (Californie), 1980, p. 81.

32. Les études les plus marquantes sur ce point sont celles d'E. Y. Arima, *Inuit Kayaks in Canada: A Review of Historical Records and Construction*, Service canadien d'ethnologie, dossier nᵒ 110, Ottawa, 1987 ; et Adney et Chapelle, *Bark Canoes and Skin Boats of North America*, p. 175-211.

33. Voir Adney et Chapelle, *Bark Canoes and Skin Boats of North America*, p. 219-220.

APPENDICE N • LES POIDS ET MESURES

1. Marcel Trudel, *Introduction to New France*, Toronto et Montréal, 1968, p. 221. [*Initiation à la Nouvelle-France*]

2. Jean Liebel, *Pierre Dugua, sieur de Mons, fondateur de Québec*, Paris, 1999, p. 12.

3. Conrad E. Heidenreich, *Explorations and Mappings of Samuel de Champlain, 1603-1632*, Toronto, 1976, p. 46, et plus généralement p. 43-50. (*N.d.T.* : Louise Dechêne donne la lieue de Paris à 3,89 km ; voir *Habitants et marchands de Montréal au XVIIᵉ siècle*, Paris, 1974, p. 528.)

4. WSC, 1 : 200 ; Samuel E. Morison, *Samuel de Champlain: Father of New France*, New York, 1972, p. xiii.

5. Heidenreich, *Explorations and Mapping*, p. 43-49.

APPENDICE O • L'ARGENT

1. Nos sources : John J. McCusker, *Money and Exchange in Europe and America, 1600-1775: A Handbook*, Chapel Hill (Caroline du Nord), 1978, p. 87-97 ; Frank C. Spooner, *The International Economy and Monetary Movements in France, 1493-1725*, Cambridge (Massachusetts), 1972 ; David Hackett Fischer, *The Great Wave: Price Revolutions and the Rhythm of History*, New York, 1996 ; pour la preuve archéologique, voir Françoise Niellon et Marcel Moussette, *Le Site de l'habitation de Champlain à Québec. Étude de la collection archéologique*, Québec, 1981, p. 139-144.

2. Les contrats originaux exécutés par le sieur de Mons, 17-22 février 1608, sont reproduits dans Robert Le Blant et René Baudry (dir.), *Nouveaux Documents sur Champlain et son époque*, vol. 1 : *1560-1662*, Ottawa, 1967, p. 154-159.

APPENDICE P • LES CALENDRIERS

1. Nos sources : Marcel Trudel, *Introduction to New France,* Toronto et Montréal, 1968, p. 221-224 [*Initiation à la Nouvelle-France*] ; Don W. Thomson, *Men and Meridians: the History of Surveying and Mapping in Canada,* Ottawa, 1966, 1 : 47 ; James Pritchard, *In Search of Empire: The French in the Americas, 1670-1730,* Cambridge (Massachusetts), 2004.
2. WSC, 5 : 282.

Bibliographie

Les biographes de Champlain et les historiens de la Nouvelle-France ont coutume de préfacer leurs ouvrages de la même lamentation obligée sur l'indigence des sources. Le gros des manuscrits et des documents de Champlain a en effet disparu. Nous savons qu'il a essayé de les préserver, et que Marc Lescarbot s'en est servi pour composer son histoire de la Nouvelle-France. Sur son lit de mort, Champlain a demandé au père Charles Lalemant et à François Derré de Gand de rassembler ses documents et de les transmettre à sa femme, Hélène Boullé, à Paris. Les deux hommes ont probablement accompli la volonté du mourant, mais les documents de Champlain se sont ensuite volatilisés sans laisser de traces. Quelques manuscrits épars ont survécu, surtout dans les archives judiciaires, financières et gouvernementales.

Le cas de Champlain n'est pas unique. La même chose s'est produite avec les documents d'Aymar de Chaste, du sieur de Mons, de Pont-Gravé, de Lescarbot, de Razilly et de la plupart des grandes figures des premières heures de la Nouvelle-France. Vers la fin du XXe siècle, le grand historien canadien Marcel Trudel a viré la France sens dessus dessous pour retrouver des manuscrits sur Champlain et la Nouvelle-France. Peine perdue. Même résultat pour les documents des compagnies commerciales, notamment la Compagnie de la Nouvelle-France, que conservaient les archives publiques depuis le milieu du XIXe siècle. Trudel en a conclu qu'ils avaient été détruits par les communards de 1871, qui les avaient sortis du Châtelet avec bien d'autres documents pour en faire un feu de joie dans les rues de Paris. Concernant la période précédant 1627, il se plaignait d'une « pauvreté de documentation extrême » et d'une « grande pénurie d'information ». Il a également noté que, dans le cours de ses recherches en France, il avait rarement « trouvé un manuscrit inédit » de grande importance. Il faisait observer d'ailleurs à ce propos que l'état des sources françaises pour le XVIIe siècle était très différent de celui des sources du XVIIIe et même du XVIe (*Histoire de la Nouvelle-France*, 1 : x ; 2 : xxiii ; 3.1 : xix).

Un éminent historien américain a vécu la même déception. Tout au long de sa féconde carrière, Samuel Eliot Morison a collectionné des documents sur Champlain. Ayant cherché en vain des sources publiées en France, il écrivait, irrité : « Fouillez le fonds français sous les règnes d'Henri IV et de Louis XIII, et vous ne trouverez que très, très peu de références au Canada, ironiques pour la plupart, et encore moins sur Champlain. » (Morison, *Champlain*, p. 188.)

Fort heureusement, de nombreux manuscrits et imprimés ont survécu, et au cours du XXe siècle les historiens se sont mis à y avoir accès. Les archivistes des États-Unis, de France et surtout du Canada ont tout fait pour retracer les manuscrits concernant l'Amérique dans les archives européennes. Parmi ces pionniers, on retrouve H. P. Biggar, qui avait œuvré aux archives de Grande-Bretagne et de France ; Claude de Bonnault, archiviste formé à l'École nationale des chartes, et tout récemment Raymonde Litalien qui a joué un rôle important. Dans leur labeur incessant, les archivistes canadiens ont commencé par dresser des inventaires ; puis ils ont commandé des transcriptions manuelles, et ce, jusqu'au début du XXe siècle. Après 1945, les projets de microfilmage ont permis de copier plus de 2,5 millions de pages de documents concernant la Nouvelle-France. À compter de 1988, les bases de données numérisées et les textes électroniques ont pris le relais. Depuis 1999, ces documents sont accessibles en ligne sur les sites parrainés par Bibliothèque et Archives Canada.

Manuscrits inédits : la Bibliothèque du Congrès

Aux États-Unis, la Division des manuscrits de la Bibliothèque du Congrès possède une collection de documents recopiés des archives de l'État français. Ces copies ont été faites au début du XXe siècle et concernent l'histoire américaine. Il s'agit essentiellement d'un lot massif de photocopies. Notre enquête a profité cependant des copies de manuscrits provenant du ministère des Affaires étrangères et du ministère de la Marine et des Colonies pour la période s'étendant de 1604 à 1635. Bon nombre de ces textes concernent la carrière de Champlain. On y trouve entre autres des édits d'Henri IV et de Louis XIII touchant la Nouvelle-France, de même que des chartes, des lettres patentes et autres documents officiels du Conseil royal. Dans ce dossier se trouvent aussi les documents sur la perte de la Nouvelle-France et son retour. Les instructions de Richelieu aux frères de Caën y sont ainsi que des mémoires sur le commerce en Nouvelle-France. Toujours dans ce dossier il y a des documents épars sur la Compagnie de la Nouvelle-France.

La Division de la géographie et de la cartographie de la Bibliothèque du Congrès détient le manuscrit de sa carte de la Nouvelle-France datée de 1607-1608. C'est le seul manuscrit connu de toute son œuvre cartographique. Cette carte a été souvent reproduite mais rarement avec exactitude. La meilleure image de cette carte se trouve dans l'ouvrage publié par la Division de la cartographie, *Geography and Maps : An Illustrated Guide* (Washington, 1996, p. 28). Quiconque s'intéresse sérieusement à Champlain doit avoir vu le manuscrit original pour acquérir une compréhension exacte de son œuvre.

Manuscrits inédits : la John Carter Brown Library

Le fondateur éponyme de cette bibliothèque hors série s'intéressait particulièrement à Champlain et a assemblé l'une des plus magnifiques collections d'imprimés au monde. La bibliothèque possède non seulement toutes les œuvres marquantes de Champlain et de Lescarbot mais aussi presque toutes les variantes des imprimés du début du XVIIe siècle. Ce qui est très important pour l'histoire de la Nouvelle-France de Lescarbot, étant donné que celui-ci a ajouté des données inédites qui enrichissent notre compréhension du monde de Champlain.

La bibliothèque John Carter Brown possède aussi la meilleure des trois copies connues du *Brief Discours*, ainsi que la collection la plus imposante des nombreuses illustrations en couleurs de Champlain, s'agissant ici de manuscrits originaux ou de copies contemporaines de leur auteur.

Manuscrits inédits : Bibliothèque et Archives Canada

On trouve ici de nombreuses collections utiles pour qui s'intéresse à la carrière de Champlain, notamment des copies de manuscrits se trouvant dans les archives éparpillées de France. Pendant de nombreuses années, les historiens avaient beaucoup de mal à y avoir accès. Après nombre d'années d'efforts de la part des archivistes canadiens et français, ces textes sont enfin accessibles sur microfilm au Canada, et de plus en plus en ligne, et ce n'est qu'un début. À Ottawa, nous avons exploité les collections que voici :

Bibliothèque nationale de France, Département des Imprimés : trente-cinq documents sur la Nouvelle-France.

Archives nationales de France, Documents concernant la Nouvelle-France, 1532-1759 : six bobines de microfilms.

Amirauté de France, Juridictions spéciales, 1572-1666.

Documents sur la Compagnie de Caën, la Compagnie de Montmorency et la Compagnie de la Nouvelle-France.

Fonds des Archives départementales de la Charente-Maritime, 1599-1787 : soixante bobines de microfilms.

Fonds des Archives départementales du Calvados, 1568-1791 : dix bobines de microfilms.

Fonds des Archives municipales de Honfleur : 1 document.

Fonds de la Compagnie de la Nouvelle-France, 1627-1635 : cinquante-sept pages.

Manuscrits inédits en ligne

Il existe une ressource d'une importance croissante pour les chercheurs dans ce domaine : le projet Gallica, lancé en 2004 par James H. Billington et Jean-Noël Jeanneney, le premier étant un responsable de la Bibliothèque du Congrès à Washington et le second occupant également une place en vue à la Bibliothèque nationale de France à Paris. C'est un site Web bilingue appelé « Gallica, La France en Amérique » qui renferme la documentation volumineuse de la Bibliothèque nationale sur la « présence française en Amérique du Nord ». Cette documentation se compose d'une masse colossale de manuscrits, d'imprimés, cartes, estampes, timbres et autres genres de sources primaires. Le tout est organisé autour de thèmes historiques. L'un est « l'exploration et la colonisation du continent » et contient beaucoup de données sur Champlain. Par exemple, c'est sur ce site qu'on trouve la requête adressée par Champlain à Louis XIII en 1630.

Dans la plupart des cas, il est loisible au chercheur de télécharger et d'imprimer gratuitement les textes destinés à la recherche, mais dans le cas de la reproduction des cartes et des imprimés, il faut demander une permission. Le site Web renferme des liens dans ce but. Les adresses Web ont évolué depuis la fondation de ce site, mais on y a accès en passant par le site Web de la Bibliothèque du Congrès en recherchant les mots « Gallica » ou « France Amérique ». Ce projet s'insère dans un vaste programme de la Bibliothèque du Congrès appelé *Global Gateway* qui a pour objet de lancer des projets de collaboration sur la Toile faisant appel à toutes les bibliothèques nationales du monde.

Il est un autre site Web important, Archives Canada France, fondé en 2004 grâce aux efforts combinés de Bibliothèque et Archives Canada, des Archives de France et de l'ambassade du Canada à Paris. Il s'agit ici d'ouvrir l'accès sur la Toile à une somme immense de manuscrits et autres documents. On y reproduit les dossiers de « l'administration centrale » à Paris qui concernent l'Amérique du Nord à partir des archives du ministère de Finances, de la Marine et des Colonies. On y trouve aussi les dossiers de l'amirauté pour Bayonne, Brouage, la Guyenne, Honfleur et La Rochelle, ainsi que des archives notariales et des registres de tabellionage de La Rochelle, Rochefort et Saint-Jean-de-Luz. Les textes d'archives du Québec et les documents privés font également partie de ce grand chantier.

Une recherche récente par mot-clé dans ce site n'a révélé que trois documents pour Samuel de Champlain lui-même : son récit de la prise de Québec en 1629, son dernier testament de 1635 et un autre texte. Il y a plus de documentation reliée indirectement à la carrière de Champlain. Le gros de ce qu'on trouve ici renvoie à des événements qui se sont produits après l'époque de Champlain. Ce projet immense est donc essentiellement une œuvre en cours. On en est encore à mettre au point des instruments et des moteurs de recherche. Mais cette grande entreprise archivistique promet de révolutionner le rapport entre les chercheurs et les sources historiques de la Nouvelle-France.

Manuscrits publiés provenant d'archives françaises

Il convient de souligner ici l'œuvre d'un grand archiviste français qui se passionnait pour Champlain. Robert Le Blant était avocat et conseiller à la Cour d'appel de Douai, ainsi qu'un archiviste de premier plan qui connaissait bien les méandres des institutions françaises. Ayant fait des recherches dans de nombreuses archives provinciales et nationales en France, il a exhumé une masse de documents qui avait échappé aux premiers spécialistes de Champlain. Le Blant et René Baudry ont publié les résultats de ses travaux dans des revues historiques et ont également fait paraître un ouvrage imposant intitulé *Nouveaux documents sur Champlain et son époque*. Le premier volume, qui traite de la période s'étendant de 1560 à 1622, a été publié en 1967 par ce qu'on appelait alors les Archives publiques du Canada. Le second volume promis, qui devait faire fond sur les années 1622 à 1635, n'a jamais vu le jour. On trouve une bibliographie complète des travaux de Le Blant chez M. A. MacDonald, *Robert Le Blant: Seminal Researcher and Historian of New France* (Saint-Jean (Nouveau-Brunswick), 1986). Des nombreuses publications de Le Blant parues sur un demi-siècle, les suivantes concernent Champlain :

Le Blant, Robert, et René Baudry, *Nouveaux Documents sur Champlain et son époque*, vol. 1 (1560-1622) (Ottawa, 1967), où figurent 196 documents liés directement ou indirectement à Champlain, s'agissant essentiellement de documents juridiques et financiers.

Le Blant, Robert, « Les trois mariages d'une acadienne : Anne d'Entremont (1694-1718), *Nova Francia*, vol. 7 (1932), p. 210-229.

—, « Une sédition basque à Terre-Neuve en 1690 », *Revue historique et archéologique de Béarn et du Pays basque* (1932), p. 56-57.

—, *Une figure légendaire de l'histoire acadienne : le baron de Saint-Castin*, Paris, 1934.

—, *Histoire de la Nouvelle-France : les sources narratives du début du XVIIIᵉ siècle et le Recueil de Gédéon de Catalogne*, Paris, 1940.

—, « Les études historiques sur la colonie française d'Acadie, 1603-1713 », *Revue d'histoire des colonies*, nᵒ 122 (1948), p. 84-113.

—, « L'annulation du testament de Champlain », *Revue d'histoire des colonies*, nᵒˢ 131 et 132 (1950), 203-231.

—, « La Compagnie de la Nouvelle-France et la restitution de l'Acadie (1627-1633) », *Revue d'histoire des colonies*, nᵒ 126 (1955), p. 71-93.

—, « Les arrêts du parlement de Rouen du 25 juin et les premières compagnies du Canada », *Revue des Sociétés savantes de Haute Normandie*, vol. 3 (1956), p. 41-55.

—, « Notes sur les découvreurs français… », *Revue d'histoire de l'Amérique française*, vol. 11 (1957-1958), p. 413-435, 563-574.

—, « Nouveaux documents additionnels aux trois voyages de Champlain (1560-1651) », *Bulletin philologique et historique jusqu'à 1610*, 1959, p. 369-380.

—, « Du nouveau sur les La Tour », *Mémoires de la Société généalogique canadienne-française*, vol. 11 (1960), p. 21-25.

—, « Les compagnies du Cap Breton (1629-1647) », *Revue d'histoire de l'Amérique française*, vol. 16 (1961), p. 81-94.

—, « Les écrits attribués à Jacques Cartier », *Revue d'histoire de l'Amérique française*, vol. 15 (1961), p. 90-103.

—, « Les plus anciens contrats de travail pour le Canada (1606-1608) », *Bulletin philologique et historique*, 1961, p. 309-317.

—, « Le commerce compliqué des fourrures canadiennes au début du 17ᵉ siècle », *Revue d'histoire de l'Amérique française*, vol. 16 (1962), p. 53-66.

—, « L'ascension sociale d'auvergnats Parisiens au XVIIᵉ siècle : les Chanut (1545-1703) », *Actes du 88ᵉ congrès des Sociétés savantes*, Clermont-Ferrand (1963), Section d'histoire moderne et contemporaine, p. 695-707.

—, « La condition sociale de Samuel de Champlain », *Actes du 87ᵉ congrès national des Sociétés savantes*, Poitiers (1962), Section d'histoire moderne et contemporaine, Imprimerie nationale (1963), p. 669-677.

—, « La famille Boullé (1586-1639) », *Revue d'histoire de l'Amérique française*, vol. 17 (1963), p. 55-69.

—, « La première compagnie de Miscou (1635-1645) », *Revue d'histoire de l'Amérique française*, vol. 17 (1963), p. 363-370.

—, « Le Testament de Samuel Champlain, 17 novembre 1635 », *Revue d'histoire de l'Amérique française*, vol. 17 (1963), p. 269-281.

—, « Le triste veuvage d'Hélène Boullé », *Revue d'histoire de l'Amérique française*, vol. 18 (1964), p. 425-437.

—, (dir.), « Inventaire des biens communs entre Samuel de Champlain et Hélène Boullé, 21 novembre 1636 », *Revue d'histoire de l'Amérique française*, vol. 18 (1965), p. 594-603.

—, « Un compagnon blaisois de Samuel Champlain : Jean Ralluau (5 janvier 1576-après 1er janvier 1628), *Revue d'histoire de l'Amérique française*, vol. 19 (1966), p. 503-512.

—, « La pêche et le périple des morues du Saint-Laurent », *Revue philologique et historique*, 1966, p. 259-271.

—, « Les prémices de la fondation de Québec », *Revue d'histoire de l'Amérique française*, vol. 22 (1966), p. 44-55.

—, « Marchands tourangeaux à Paris au début du XVIIe siècle », *Bulletin philologique et historique* (1968), p. 907-923.

—, « Les débuts difficiles de la compagnie de la Nouvelle-France : l'affaire Langlois (1628-1632) », *Revue d'histoire de l'Amérique française*, vol. 22 (1968), p. 323-334.

—, « L'ascension sociale d'un huissier : Nicolas Boullé (fin XVIe-début XVIIe siècle) », *Bulletin philologique et historique*, 1969, p. 819-836.

—, « Jean de Lauson et Marie Gaudard, leur appartenance à une structure sociale », *Revue d'histoire de l'Amérique française*, vol. 23 (1969), p. 110-121.

—, « La première bataille pour Québec en 1608 », *Bulletin philologique et historique*, vol. 2 (1971), p. 113-125.

—, « L'ascension sociale d'un aventurier champenois : Claude Turgis (XVIe-XVIIe siècle) », *Revue d'histoire de l'Amérique française*, vol. 26 (1972), p. 53-66.

—, « Documents inédits sur Guillaume Decaen, Protestant Normand au Canada sous le Cardinal de Richelieu », *Congrès des Sociétés savantes de Caen*, Section d'histoire moderne et contemporaine, 1 (1980), p. 445-460 (texte non consulté).

—, « Henri IV et le Canada », *Revue de Pau et du Béarn*, vol. 12 (1984-1985), p. 43-57.

Le Blant, Robert, et Marcel Delafosse, « L'avitaillement du Port-Royal d'Acadie par Charles de Biencourt et les marchands rochelais (1615-1618) », *Revue d'histoire des colonies*, nº 155 (1958), p. 563-574.

—, « Les Rochelais dans la vallée du Saint-Laurent (1599-1618) », *Revue d'histoire de l'Amérique française*, vol. 10 (1956), p. 333-363.

Principaux écrits de Champlain publiés

Voici les sources indispensables à toute étude sur Champlain. Les premières éditions sont les suivantes :

Des Savvages ov, Voyage de Samvel Champlain, De Brovage, fait en la France Nouuelle, l'an mil six cens trois (A Paris, Chez Clavde de Monstr'œil, tenant sa boutique en la Cour du palais, au nom de Iesus. Avec Privilege Dv Roy. 1603) (privilège en date du 13 novembre 1603).

Les Voyages Dv Sievr De Champlain, Xaintongeois, capitaine ordinaire pour le Roy, en la Marine. Divisez En Deux Livres (A Paris, Chez Iean Berjon, rue S. Jean de Beauuais, au Cheual volant, & en sa boutique au Palais, à la gallerie des prisonniers M.DC.XIII. Avec Privilege dv Roy (privilège en date du 9 janvier 1613).

Voyages Et Descovvertures Faites En La Nouvvelle France, depuis l'année 1615. iusques à la fin de l'année 1618. Par le Sieur de Champlain, Cappitaine ordinaire pour le Roy en la Mer du Ponant (A Paris, Chez Clavde Collet, au Palais, en la gallerie de prisonniers. M.DC.XIX (privilège en date du 18 mars 1619).

Les Voyages De La Novvelle France Occidentale, Dicte Canada, Faits Par le Sr De Champlain Xainctongeois, Capitaine pour le Roy en la Marine du Ponant, & toutes les Descouuertes qu'il faites en ce païs depuis l'an 1603 iusques en l'an 1629 (A Paris. Ches Clavde Collet au Palais, en la Gallerie de prisonniers, à l'Estoille d'Or. M.DC.XXXII (sans privilège).

Traitté De La Marine Et Dv Devoir D'vn Bon Marinier. Par le Sievr De Champlain [1632], relié et publié avec les *Voyages* de 1632.

La première édition savante de ces textes fut l'œuvre de C. H. Laverdière (dir.), *Œuvres de Champlain, publiées sous le patronage de l'Université Laval*, 6 vol., in quarto. Les autres reliures varient (Québec, 1870). Une édition en facsimilé a été publiée par les Éditions du Jour en 3 volumes (Montréal, 1973). Le *Champlain* de Laverdière conserve toute son utilité pour la qualité de ses commentaires et son appareil critique. Voir aussi l'abbé Auguste Gosselin, « Le vrai monument de Champlain : ses œuvres éditées par Laverdière », *Mémoires de la Société Royale du Canada*, 1 (1908), p. 3-23.

On doit à Henry Percival Biggar (dir.) et coll. l'édition bilingue moderne des principaux écrits de Champlain, avec textes en français XVIIe siècle et en anglais, *The Works of Samuel de Champlain*, 6 vol., Toronto, Champlain Society, 1922-1935 ; réédition, University of Toronto Press, 1971. Le volume 1 a été traduit et édité par H. H. Langton et W. F. Ganong ; le volume 2 par John Squair ; le volume 3 par H. H. Langton et W. F. Ganong ; le volume 4 par H. H. Langton ; le volume 5 par W. D. LeSueur ; et le volume 6 par W. D. LeSueur et H. H. Langton. Il est accessible en ligne sur le site Web de la Champlain Society, dans une édition numérique où l'on peut faire des recherches par mot-clé, outil merveilleux pour les chercheurs sérieux.

La Champlain Society a commandé une nouvelle traduction anglaise des œuvres de Champlain à une équipe éditoriale dirigée avec brio par Conrad Heidenreich et Janet Ritch. Un premier volume est paru en 2010 : *Samuel de Champlain before 1604: Des Sauvages and Other Documents Related to the Period* (Toronto et Montréal, Champlain Society et McGill Queen's University Press, 2010). Il s'agit d'une contribution majeure. Une autre édition importante des œuvres publiées de Champlain, en français moderne, a été dirigée par Éric Thierry. Cet ouvrage de très haut calibre est publié en quatre magnifiques volumes, dont deux sont déjà parus : *Les Fondations de l'Acadie et de Québec, 1604-1611* (Québec, Septentrion, 2008), *À la rencontre des Algonquins et des Hurons, 1612-1619* (Québec, Septentrion, 2010).

De nombreuses éditions d'œuvres choisies ou des textes individuels ont été publiés : des passages du livre *Des Sauvages* ont été reproduits par Pierre Victor Palma Cayet, *Chronologie Septenaire* (Paris, 1605), p. 415-424. On en trouve également des extraits chez Jacques-Auguste de Thou, dans son *Histoire universelle depuis 1543 jusqu'en 1607*, publiée d'abord en latin et plus tard en traduction française (Paris, 1739).

Shaw, Norton (dir.) *Narrative of a Voyage to the West Indies and Mexico in the Years 1599-1602*, traduction de Alice Wilmere. Il s'agissait de la première édition du manuscrit de Champlain, le *Brief Discours*, relatant ses voyages dans l'empire espagnol (Londres, Hakluyt Society, 1859, 1880).

Slafter, Edmund F. (dir.), *Voyages of Samuel de Champlain*, 3 vol., Publications of the Prince Society (Boston, 1878-1881).

Grant, W. L. (dir.), *Voyages of Samuel de Champlain, 1604-1618*. Publiés dans la série de J. F. Jameson, *Original Narratives* (New York, 1907, 1952, 1959) ; comprend les *Voyages* de 1613 et 1619.

Deschamps, Hubert, *Les Voyages de Samuel de Champlain : Saintongeais, père du Canada* (Paris, 1951, 1952).

Trudel, Marcel (dir.), *Champlain, textes choisis par M. Trudel*, Montréal, Fides, 1956.

Beaulieu, Alain, et Réal Ouellet (dir.), *Champlain, Des Sauvages* (Montréal, 1993). C'est la meilleure édition de cet ouvrage, du fait de l'excellente introduction de soixante-trois pages et de son appareil critique complet. On y trouve aussi de nombreux documents relatifs à l'expédition de 1603.

Glénisson, Jean (dir.), *La France d'Amérique : Voyages de Samuel de Champlain* (Paris, 1994). Édition en un volume, de belle facture.

On trouve des appréciations utiles chez Raymonde Litalien, « Les récits de voyage de Champlain : rencontre avec Jean Glénisson », propos recueillis, complétés et validés par Jean Glénisson, dans Raymonde Litalien et Denis Vaugeois (dir.), *Champlain : la naissance de l'Amérique française* (Sillery, 2004), p. 280.

Cartes de Champlain

Voici les titres qu'en donne Champlain, avec son orthographe vagabonde ; les sites et les dates nous viennent de C. E. Heidenreich, *Explorations and Mapping of Samuel*

Champlain, (Toronto, 1976), p. 110-114.

Cartes des rivières et des ports

Port de la Heue (rivière La Have, Nouvelle-Écosse), mai 1604.
Por du Ross ÿ nol (Liverpool, Nouvelle-Écosse), mai 1604.
Port au mouton (Port Mouton, Nouvelle-Écosse), mai 1604.
Port Royal (Annapolis Basin, Nouvelle-Écosse), juin 1604.
Port des mines (Advocate Harbour, Nouvelle-Écosse), juin 1604.
R. St. Jehan (fleuve Saint-Jean, Nouveau-Brunswick), juin 1604.
Isle de sainte Croix (Île Sainte-Croix, Maine), juillet (?) 1604.
Qui ni be quy (rivière Kennebec, Maine), juillet 1605.
Chauacoit R (rivière Saco, Maine), juillet 1605.
Port St Louis (Plymouth Harbor, Massachussetts), juillet 1605.
Malle-Barre (Nauset Harbor, Massachussetts), juillet 1605.
Le Beau-port (Gloucester, Massachussetts), septembre 1606.
Port fortuné (Stage Harbor, Massachussetts), octobre 1606.
Port de tadoucac (Tadoussac, Québec), juillet 1603, juin 1608.
Quebec (Québec), 1608.
Le grand sault st. louis (Montréal, Lachine), 1608, juin 1611.

Grandes cartes de la Nouvelle-France

« Descr[i]psion des costs p[or]ts, rades, Illes de la nouuele France faict selon son vray méridien Avec la déclinaison de le[y]mcnt de plussiers endrois selon que le sieur de Castelfranc le demontre en son liure de la mecometrie de le[y]mant faict et observe par le Sr de Champlain, 1606, 1607. » Division des cartes manuscrites, Bibliothèque du Congrès.

Carte Geographique De La Novvelle Franse Faictte Par Le Sievr De Champlain Saint Tongois Cap-pitaine Povr Le Roi En La Marine, faict len 1612.

Carte geographique de la Nouelle franse en sonvraymordia [1612 ?].

Carte geographique de la Nouelle franse en son vraymeridiein faicte par le Sr. Champlain Cappine por le Roy en la marine – 1613.

[La Nouvelle-France] faict par Sr. de Champlain 1616. Une épreuve de la carte que Champlain n'a pas publiée, John Carter Brown Library.

Carte de la nouuelle france, augmentée depuis la dernière scruant a la nauigation faicte en son vray Meridien, pa le Sr de Champlain Captaine pour le Roy en la Marine lequel depuis l'an 1603 jusques en l'année, 1629 ; a descouuert plusieurs costes, terres, lacs, riuieres, et Nations de sauuages, par cy devant incognuës, comme il se voit en ses relations quil faict Imprimer en 1632. ou il se uoit cette marque ce sont habitations qu'ont faict les françois. Faict l'an 1632 par le Sieur de Champlain. (Il existe deux épreuves de cette carte avec la même date.) Voir aussi Marcel Trudel, « La carte de Champlain en 1632 : ses sources et son originalité », *Cartologica*, 1978.

Autres textes et documents de Champlain publiés

Charavay, Étienne, *Documents inédits sur Samuel de Champlain, fondateur de Québec*, Extrait de la *Revue des documents historiques* (Paris, 1875).

Louis Audiat, *Brouage et Champlain, 1578-1667*, Documents inédits (Paris, 1879).

Champlain à Louis XIII, au Sieur de Montmorency, au Chancelier de Sillery et au Sieur de Villemenon, 25 août 1622, Bibliothèque nationale de France, ms 16738, fol 143. Dans Biggar, H. P., *Early Trading Companies of New France* (Toronto, 1901), p. 279-280.

« La minute notariée de contrat de mariage de Champlain » [27 décembre 1610, enregistrée le 11 janvier 1611], Emmanuel de Cathelineau (dir.), *Nova Francia*, 5 (1930), p. 142-155. Également dans Biggar, H. P. (dir.), *The Works of Samuel de Champlain*, 6 vol., plus une chemise de cartes (CWB), Toronto, 1922-1936, réédition de 1971, 2 : 315-324 ; 4 : 372-373.

Champlain, Samuel, et Helene Boullé, « Contrat d'engagement d'Ysabelle Terrier : entente pour l'embauche d'une servante, 27 juillet 1617 », dans Biggar, CWB, 2 : 324-326 ; N.-E. Dionne, *Champlain : fondateur de Québec*, 2 : 510-511.

« Au Roy et à nos seigneurs de son conseil » [Requête au roi et aux seigneurs de son Conseil], dans Biggar, CWB, 2 : 326-329. Publiée pour la première fois par Louis Audiat dans Archives historiques de la Saintonge et de l'Aunis, 6 : 381 ; également dans Audiat, Brouage et Champlain, p. 26-28.

Champlain, « De l'utilité que le roi peut tirer de la Nouvelle-France », s.d. [février 1618], dans Audiat, *Brouage et Champlain*, p. 29-35.

Champlain, « Plaise à messieurs de la chambre du commerce », Paris, février 1618, dans Biggar, CWB, 2 : 339-346 ; également dans Audiat, *Brouage et Champlain*, p. 35-38.

« Extrait des Lettres de la Chambre du Commerce sur la requête… et supplique au roi en sa faveur », Paris, 9 février 1618. *Ibid.*

Reçu pour le salaire de Champlain, 24 décembre 1618, dans Biggar, CWB 2 : 330.

Champlain *et al.*, « Articles de la commission en assemblée générale de Français residant au Canada et remise au P. georges le Baillif, Recolet, envoyé en France pour fair connaître au roi les plaintes et les désirs des habitants », 18 août 1621, dans Dionne, *Champlain : fondateur de Québec*, 2 : 513-515. La signature de Champlain est la première de douze ; le texte est suivi par les « Tres humbles remtrances et mémoires », 516-518.

Champlain, Documents, 1625-1626. « Inédit sur le fondateur de Québec ». A. Léo-Leymarie (dir.), *Nova Francia*, 1 (1925), p. 80-85.

« Commission du Roy à Champlain », 27 avril 1628, dans Dionne, *Champlain : fondateur de Québec*, 2 : 523-524.

« Commission à Champlain des Intendant et Directeurs de la Compagnie de la Nouvelle-France », 21 mars 1629, dans Dionne, *Champlain : fondateur de Québec*, 2 : 525-526.

Récit des voyages de 1608, vol. de 1608, imprimé en 1611. Page 294. Reproduit dans *Transactions of the Royal Society of Canada*, vol. 8 (1902), p. ii et 172.

Champlain, Correspondance et dépositions concernant la prise de Québec, 1629-

1632, dans C.-H. Laverdière, *Œuvres de Champlain, Pièces justificatives, documents*, p. 1-30.

Champlain, « Contrats de vente de 1630 ». M. Delafosse (dir.), *Revue d'histoire de l'Amérique française*, vol. 9 (1963), p. 282-286.

Champlain, Mémoire en Requête de Champlain pour la Continuation du paiement de sa Pension, vers 1630. Gabriel Marcel éditeur (Paris, Tross, 1886) ; copie à la bibliothèque publique de New York.

Champlain, « Contrat de Donation Mutuelle entre Champlain et Hélène Boullé », 13 février 1632, dans Dionne, *Champlain : fondateur de Québec*, 2 :239-240.

« Mémoir et instruction baillés au Sieur de Champlain par les Directeurs de la Nouvelle-France », Paris, 4 février 1633 ; « Supplément d'Instructions au Sieur de Champlain par les directeurs de la Nouvelle France… », Dieppe, 17 mars 1633 ; Mercure François, 19 (1633), p. 809-811 ; L. Campeau, *Monumenta Novae Franciae*, 2 :340-341, 359-360.

Champlain, « Relation du Voyage de sieur de Champlain en Canada » (1633). *Mercure François*, p. 803-867 ; rep. dans Campeau, *Monumenta Novae Franciae*, 2 :350-402.

Champlain, Samuel de, à Richelieu, 15 août 1633. Archives du Ministère des affaires étrangères. Texte original dans Biggar, CWB, 6 :375-377 ; et Dionne, *Champlain : fondateur de Québec*, 2 :246-249.

Champlain, Lettre au Cardinal Richelieu, 18 août 1634. Photocopie du manuscrit, Bibliothèque du Congrès. Tirée de l'original des Archives du ministère des Affaires étrangères, Paris ; transcriptions de la Bibliothèque du Congrès ; texte français dans Biggar, CWB, 6 :378-379.

Champlain, « Lettre au Cardinal de Richelieu », 15 août 1635, dans Dionne, *Champlain : fondateur de Québec*, 2 :537-539.

Champlain, « Testament », 17 novembre 1635. *Revue d'histoire de l'Amérique française*, vol. 17 (1963), p. 282-286 ; inventaire partiel, « l'inventaire des meubles qui faisaient partie de la communauté de biens entre Champlain et Hélène Boullé, *ibid.*, vol. 18 (1965), p. 594-603.

Écrits de Marc Lescarbot publiés

Histoire de la Nouvelle-France, publiée à Paris en 1609 avec des traductions anglaises la même année et une autre en allemand en 1613 ; les éditions françaises ont été reprises en 1611, 1612, 1617 et 1618. Les éditions françaises subséquentes étaient enrichies de nouveaux documents utiles pour qui veut suivre la carrière de Champlain. Presque toutes les variantes de ces éditions se trouvent à la Bibliothèque John Carter Brown.

Lescarbot, Marc, *Histoire de la Nouvelle-France*, Edwin Tross éditeur, 3 vol. (Paris, 1866).

—, *History of New France*, 3 vol. (Toronto, 1907). H. P. Biggar (dir.), avec une traduction du linguiste d'Oxford W. L. Grant.

—, *Histoire de la Nouvelle-France*, W. L. Grant et H. P. Biggar (dir.), 3 vol. (Toronto, 1914) ; *La Conversion des Savvages qui ont esté baptisés en la Novvelle France, avec un bref récit du voyage du Sieur de Povtrincourt* (Paris, s.d. [1610]) ; rep. dans Reuben Gold Thwaites (dir.), *The Jesuit Relations and Allied Documents*, 1 :49-113.

—, *Relation dernière de ce qui s'est passé au voyage du sieur de Poutrincourt en la Nouvelle-France depuis 20 mois en ça* (Paris, 1912) ; rep. dans *Jesuit Relations*, 1 : 119-191.

—, *La Conversion des Sauvages* (1610 ; rep. 1612).

—, *Les Muses de la Nouvelle-France* (Paris, 1618).

Documents et travaux d'autres personnes publiés

Albret, Jeanne d', *Mémoires et Poésies de Jeanne d'Albret*, Paris, 1893.

Avaux, comte d', *Correspondance inédite du comte d'Avaux avec son père (1627-1642)*, A. Boppe éditeur, Paris, 1887.

Barbour, Philip. L. (dir.), *The Complete Works of Captain John Smith (1580-1631)*, 3 vol.,Chapel Hill (Caroline du Nord), 1986.

Bertrand, le sieur, Lettre missive, touchant la conversion et baptesme du grand Sagamos de la nouvvelle France…lettre à son frère, le sieur de la Troncheraie, 28 juin 1610 (Paris, Regnoul, 1610) ; rep. dans *Jesuit Relations*, 1 :118-123 ; la copie de l'original se trouve à la Bibliothèque publique de New York.

Bideau, Michel (dir.), *Jacques Cartier : Relations*, Montréal, 1986.

[Black Hawk] Jackson, Donald (dir.), *Black Hawk: An Autobiography*, Urbana (Illinois), 1990. Patterson, J. B. (dir.), *Life of Mà-Ka-Tai-Me-She-Kia-Kiàk or Black Hawk… Dictated by Himself*, Rock Island (Illinois), 1833, avec certificat d'authenticité d'Antoine LeClaire, interprète du gouvernement américain auprès de la nation des Sakis et des Renards. D'autres éditions ont suivi à Boston, New York, Philadelphie, Baltimore et Mobile. La première édition moderne était l'œuvre de Milo Milton Quaife, publiée par Lakeside Classics, Chicago, 1916, sous le titre *Life of Mà-Ka-Tai-Me-She-Kia-Kiàk or Black Hawk… Dictated by Himself*, J. B. Patterson (dir.), Cincinnati, 1834 ; nouvelle édition, Milo Milton Quaife (dir.), Chicago, 1916.

[Bogaert] Gehring, Charles T. et William Sterna (dir.), *A Journey into Mohawk and Oneida Country, 1634-1635: The Journal of Harmen Meynderts van den Bogaert*, Syracuse (New York), 1988).

[Bourbon, Antoine de], Rochambeau, marquis de, *Lettres d'Antoine de Bourbon et Jeanne d'Albret*, Paris, 1877)

Bueil, Honorat de, seigneur de Racan, *Œuvres complètes*, Paris, 1857.

Cartier, Jacques, *The Voyages of Jacques Cartier*. Publiés à partir du texte original avec la traduction, les notes et les appendices de H. P. Biggar, Ottawa, 1924 ; *A Collection of Documents relating to Jacques Cartier and the Sieur de Roberval*, H. P. Biggar (dir.), Ottawa, 1930 ; *The Voyages of Jacques Cartier*, Ramsay Cook (dir.), Toronto, 1993.

Colden, Cadwallader, *History of the Five Indian Nations*, 1727, 1747 ; rééd. 1866 ; Ithaca (New York), 1958.

Charlevoix, Pierre-François-Xavier de, *Histoire et description générale de la Nouvelle France*, avec *Journal historique*, 3 vol., in quarto, 6 vol. in duodécimo, Paris, 1744. On trouve une excellente édition moderne et érudite des *Voyages* dans *Charlevoix, Journal d'un Voyage fait par ordre du roi dans l'Amérique septentrionale*, Pierre Berthiaume (dir.), 2 vol. (Montréal, 1994). Les traductions en anglais sont : *History and General Description of New France*, trad. de John Gilmary Shea, 6 vol., New York, 1866-1872 ; rééd. Chicago, 1962 ; et Louise Phelps Kellogg, *Journal of a Voyage to North America*, 2 vol., Chicago, 1923.

Charlevoix, Pierre-François-Xavier de, *Histoire de l'établissement des progrès et de la décadence du christianisme dans l'Empire du Japon*, 3 vol., Rouen, 1713.

Daniel, Charles, *Voyage à la Nouvelle France du Capitaine Charles Daniel de Dieppe*, 1629 ; rééd. Rouen, 1881 ; CWB 6 :153-161. Pour un exemple de la littérature périodique, voir *Le Mercure François*, 19 (1633), p. 802-867.

Davis, John, *The Seaman's Secrets*, Londres, 1607, dans Albert Hastings Markham (dir.), *The Voyages and Works of John Davis, the Navigator*, Hakluyt Society, série 1, vol. 54, Londres, 1880.

Denys, Nicolas, *Histoire Naturelle des Peuples, des Animaux, des Arbres et Plantes de l'Amérique Septentrionale, & de ses divers Climats. Avec une Description exacte de la Pesche des Moluës, tant sur le Grand Banc qu'à la Coste ; & et de tout ce qui s'y pratique de plus particulier*, Paris, 1672. Une autre copie au Public Records Office est datée du 10 mai 1687. Une traduction en néerlandais est parue en 1688, avec un texte additionnel et des gravures qui ne figuraient pas dans l'édition française. On trouve une édition bilingue anglo-française dans *The Description and Natural History of the Coasts of North America (Acadia)*, William Ganong (dir.), assortie d'un commentaire abondant, Toronto, 1908.

[De Coste, Mathieu] « Déclaration de Nicolas de Bauquemare, par laquelle il reconnaît avoir engagé le nègre Mathieu de Coste pour des services de Canada, Cadie et ailleurs ; Canada, Acadie, et Nouvelle-France », dans Le Blant et Baudry (dir.), *Nouveaux documents*, p. 105-106, 194, 195, 203, 212, 235 et 388.

[Elena, Guillermo] Testament de Guillermo Elena, 26 juin 1601. L'original est conservé au *Archivo Historico Provincial* de Cadix ; il en existe une copie à Bibliothèque et Archives Canada ; la traduction anglaise de l'original en espagnol a été publiée dans Joe C. W. Armstrong, *Champlain* (Toronto, 1987), appendice 2, p. 274-278.

Estoile, Pierre de l', *Mémoires-Journaux*, 12 vol., Brunet éditeur, Paris, 1875-1896.

—, *The Paris of Henry of Navarre, as seen by Pierre de l'Estoile: Selections from his Mémoires-Journaux (1574-1611)* Traduction et édition de Nancy Lyman Roelker ,Cambridge, 1958.

Fiefmelin, André Magé de, *Les Œuvres du Sieur Fiefmelin*, Poitiers, 1601.

Gargas, M. de, « Mon Séjour de l'Acadie, 1687-88 », dans William Inglis Morse (dir.), *Acadiensia Nova, 1598-1779*, Londres, 1935.

Giffard, Robert, « Contrat de mariage », *Bulletin des recherches historiques*, 9 (1903), p. 267-270.

—, « Concession à Robert Giffard, Sr. de Beauport », signée Bras-de-Fer Château-fort, 15 janvier 1634, dans N.-E. Dionne, *Champlain : fondateur de Québec*, p. 535-537.

Mercoeur, duc de, *Correspondance du duc de Mercoeur*, éditeur Gaston de Carné, Rennes, 1899.

Henri IV, *Recueil des Lettres missives de Henri IV*, M. F. Guessard éditeur, 9 vol., Paris, 1843-1876. Principale source. Bon nombre d'autres documents sont reproduits dans Bernard Barbiche (dir.), *Lettres de Henri IV…* (Rome, 1968). Une édition moderne et définitive des écrits épars d'Henri IV contribuerait pour beaucoup à notre compréhension de ce grand dirigeant de notre histoire récente.

Herouard, Jean, *Journal*, publié sous le titre « Le Canada pendant la jeunesse de Louis XIII », A. Léo-Leymarie (dir.), *Nova Francia*, 1 (1925), p. 161-170.

Juet, Robert, « The Voyage of the *Half Moon* from 4 April to 7 November 1609 », dans Robert M. Lunny (dir.), *Collection of the New Jersey Historical Society*, 12 (Newark (New Jersey)), [1609] 1959.

Lahontan, baron de, *New Voyages to North America*, Reuben G. Thwaites (dir.), 1703 ; 2 vol ; New York, 1970 ; *Œuvres complètes*, Réal Ouellet et Alain Beaulieu (dir.), 2 vol., Montréal, 1990. Il s'agit là de la meilleure édition.

La Tour, Charles Turgis de Saint-Étienne de, « Lettre à Louis XIII », 25 juillet 1627, dans Trudel, *Histoire de la Nouvelle-France*, 2 : 270.

Lauson, Jean de, « Lettre à Richelieu », 30 juin 1627, dans Archives du ministère des Affaires étrangères de France, *Mémoires et documents, France*, vol. 785 : 178r., VI 4 (mars 1953), p. 517-535.

Layfield, Dr. John, *Accounts of travels in the Spanish Empire*, vers 1599, dans S. Purchas (dir.), *Hakluytus Posthumous ; or Purchas His Pilgrimes…*, 20 vol., Glasgow, 1905-1907, 16 :43-106.

[Mons, var. Monts, Montz]

W. I. Morse (dir.), *Pierre du Gua, Sieur de Monts, Colonial and Saintongeais*, Londres, 1939. On trouve d'autres lettres du sieur de Mons dans Biggar, CWB ; Le Caron, *Au Roy* ; Lescarbot, *Nouvelle-France* et *Documents relatifs à la Nouvelle-France*.

Peiresc, Nicolas-Claude de Babri, seigneur du Peiresc, « Observations de Peiresc sur les curiosités rapportées d'Acadie par Pierre du Gua, sieur de Mons », 26 novembre 1605 et 13 mars 1606, dans Le Blant et Baudry (dir.), *Nouveaux Documents sur Champlain*, p. 102-106.

—, *Journal*. Publié par F.-W. Gravit sous le titre « Un document inédit sur le Canada », *Revue de l'Université Laval* 1, 4, 1946, p. 282-288.

Razilly, Isaac de, « Lettre de Razilly à Lescarbot, 16 août 1634 », *Bibliothèque nationale de France*, Fonds français, 13, 423 :349-350. On peut trouver copie de ce document à BAC et au musée Fort Point de La Have en Nouvelle-Écosse.

—, « Mémoire du chevalier de Razilly, 26 novembre 1626 ». Publié par Léon Deschamps à titre de « mémoire inédit » dans *Revue de Géographie*, 1886, p. 374-

383, 453-464. L'original a été perdu ; une copie du manuscrit se trouve à la Bibliothèque Sainte-Geneviève de Paris.

[La Roche] Le Ber, Joseph, « Un document inédit sur l'Ile de Sable et le marquis de la Roche », *Revue d'histoire de l'Amérique française*, 2 (1948), p. 199-213.

[Thevet] Schlesinger, R. et A. P. Stabler (dir.), *André Thevet's North America: A Six-teenth-Century View*, Montréal, 1986.

Sully, duc de, *Les Économies Royales*, 2 vol., 1611-1617, Paris, 1836-1837. La meilleure édition est celle de David Buisseret et Bernard Barbiche, 2 vol., Paris, 1970, 1988.

[Valois] *Mémoires de Marguerite de Valois*, M. F. Guessard éditeur, Paris, 1842.

Documents officiels

Bréard, Charles et Philippe Barrey (dir.), *Documents relatifs à la Marine Normande au XVe et XVIe siècles*, Rouen, 1906.

Bréard, Charles et Paul Bréard, *Documents relatifs à la Marine Normande et à ses armements aux XVIe et XVIIe siècles pour le Canada, l'Afrique, les Antilles, le Brésil et les Indes*, Rouen, 1889.

Bois, Monique, *Inventaire des documents relatifs au Canada de 1522 à 1604 dans les tabellionages de Rouen et du Havre conservés aux archives départementales Seine-Maritime*, Paris et Ottawa, 1990.

Calendar of State Papers, Colonial Series, 1574-1660 […] Édition de W. Noël Sains-bury […], Londres, 1860.

Bonnault, Claude de, « Les archives d'Espagne et le Canada. Rapport sur une mission dans les archives d'Espagne ». Rapport de l'archiviste de la Province de Québec, Québec, 1951-1952 et 1952-1953.

Brodhead, John Romeyn, *Documents Relative to the Colonial History of the State of New York: Procured in Holland, England and France by John Romeyn Brodhead* […]. Édition de E. B. O'Callaghan, Albany, 1853-1887.

Collection de manuscrits contenant lettres, mémoires et autres documents historiques relatifs à la Nouvelle-France, recueillis aux Archives de la Province de Québec ou copiés à l'étranger, Québec, 1879-1888.

Pièces et documents relatifs à la tenure seigneuriale, demandés par une adresse de l'Assemblée législative, 1851, 2 vol., Québec, 1852.

Conseil Supérieur de Québec, *Complément des ordonnances et jugements des gouverneurs et intendants du Canada*, Québec, 1856.

Gosselin, Édouard, *Nouvelles glanes historiques normandes puisées exclusivement dans des documents inédits*, Rouen, 1873.

Documents religieux : les Jésuites

L'ouvrage *The Jesuit Relations and Allied Documents*, 73 volumes, Cleveland, 1896-1901, rééd. New York, 1959, est une édition bilingue des rapports des jésuites à leurs supérieurs assortie de bien d'autres documents. Les traductions anglaises que contient cet ouvrage, qui a été à l'origine compilé et édité par l'historien Reuben Gold Thwaites, doivent être comparées aux textes originaux et utilisés avec la plus grande précaution. Ceux et celles qui s'intéressent à Champlain profiteront grandement des relations de Pierre Biard, Charles Lalemant, Énemond Massé, et surtout celles de Paul Le Jeune. Voici mes sources : Biard, « Relation, 1614 », *Jesuit Relations* 3 :83 ; 4 :7-67 ; « Relation, 1616 », « Relation, 1633 », *Jesuit Relations* 5 : 83-85 ; « Relation, 1636 », *Jesuit Relations* 9 :218-283 ; Le Jeune, « Relation, 1637 », *Jesuit Relations* 12 :86-87, 13 :147 ; Biard, Pierre, s.j., « Relation de la Nouvelle France. Écrite en 1634 », *Relations des Jésuites* 4 :100 (Lyon, 1616) ; rep. dans *Jesuit Relations* 3 :21-283, 4 :7-167.

Il convient également de souligner l'immense valeur d'une autre compilation, celle de l'érudit Lucien Campeau, s.j., qui a consacré sa vie à un grand projet de recherche historique qu'il avait baptisé *Monumenta Novae Franciae*. Le père Campeau voulait en faire une sous-série de la *Monumenta Historica Societatis Jesu*. Il voulait publier tous les grands documents traitant des jésuites au Canada et en Acadie, publication qui serait suivie d'une autre série portant sur l'Illinois et la Louisiane. Il s'agissait pour lui de dépasser la grande collection bilingue des *Relations des jésuites* de Thwaites. Au sujet de ses points forts et points faibles, voir « La mémoire de Champlain ».

En ce qui concerne Champlain, on notera tout particulièrement la valeur des trois premiers volumes de l'œuvre colossale du père Campeau : *La première mission d'Acadie, 1602-1616*; *Établissement à Québec, 1616-1634*, Rome et Québec, 1979 ; et *Fondation de la mission huronne, 1635-1637*. Les autres volumes sont : le vol. 4, *Les grandes épreuves, 1638-1640*; le vol. 5, *La bonne nouvelle reçue, 1641-1643*; le vol. 6, *Recherche de la paix, 1644-1646*; le vol. 7, *Le témoignage du sang, 1647-1650*; le vol. 8, *Au bord de la ruine, 1651-1656*.

On trouvera également d'une grande utilité les lettres personnelles du jésuite Charles Lalemant, qui ont été publiées séparément :

« Lettre à Champlain, 28 juillet 1625, écrite de Québec », dans Gabriel Sagard, *Histoire*, Tross éditeur, 3 :789. Reproduite dans Gabriel Sagard, *Histoire du Canada*, 4 :170.

« Lettre au Provincial des Récollets, 28 juillet 1625, écrite de Québec », dans Sagard, *Histoire du Canada*, 3 :789. Reproduite selon le texte de Sagard dans *Jesuit Relations*, 4 :172-175 [*Relations des jésuites*].

« Lettre à son frère Jérôme, 1er août 1626, écrite de Québec », publiée à Paris en 1627, *Mercure François*, 13 :12-34, 4 :185-227.

« Lettre au Général des Jésuites, août 1626, écrite de Québec », *Jesuit Relations* 4 :176-183 [*Relations des jésuites*].

Extrait du Registre de Bapteme de l'Eglise dv Port Royal en la Nouvelle France Le iour Sainct Iehan Baptiste 24. de juin [*1610*] *:* Jessé Fléché a noté les baptêmes du sagamo Membertou et de sa famille nombreuse le jour de la Saint-Jean 1610. L'original se trouve à la Bibliothèque John Carter Brown ; texte également publié dans *Jesuit Relations* 1 :108 [*Relations des jésuites*] ; c'est aussi une source inté-

ressante pour ce qui concerne la structure d'une famille micmaque au début du
XVIIe siècle.

Documents religieux : les récollets

Les relations des récollets et autres documents n'ont jamais fait l'objet d'un regroupement systématique comme les textes des jésuites, mais certains ouvrages demeurent très importants.

Le Baillif, Georges, *Plainte de la nouvelle France dicte Canada* (Paris (?), sans date). Bibliothèque et Archives Canada à Ottawa en possède une photocopie.

Le Caron, Joseph, *Au Roy sur la Nouvelle France* (Paris, 1626). Une photocopie se trouve à Bibliothèque et Archives Canada à Ottawa.

Le Clercq, Chrestien, *Nouvelle Relation de la Gaspésie*, Paris, 1691 ; cf. *New Relation of Gaspesia with the Customs and Religions of the Gaspesian Indians*, vol. 5 des publications de la Champlain Society, W. F. Ganong (dir.), Toronto, 1910.

—, *Premier établissement de la foy dans la Nouvelle-France*, Paris, 169), dans au moins deux autres éditions ayant des titres différents. Publié en traduction anglaise sous le titre *First Establishment of the Faith in New France*, J. G. Shea (dir.), 2 vol., New York, 1881.

Sagard, Gabriel, *Le grand voyage du pays des Hurons* (Paris, 1632) ; nouvelle édition, Paris, Tross éditeur, 1865. La traduction anglaise, intitulée *The Long Journey to the Country of the Hurons*, traduction de H. H. Langton, George M. Wrong (dir.), Toronto, Champlain Society, 1939 ; accessible en ligne dans des éditions numérisées autorisant des recherches par mots-clés. L'édition moderne en français s'intitule *Le grand voyage du pays des Hurons*, avec introduction de Marcel Trudel, *Cahiers du Québec*, série « Documents d'histoire », Montréal, 1976. Le texte est également paru dans une édition savante de la version française établie par Réal Ouellet, introduction et notes de Réal Ouellet et Jack Warwick, Québec, 1990.

—, *Histoire du Canada et voyages que les frères mineurs recollects y ont faicts pour la conversion des infidèles depuis l'an 1615* (première édition Paris, 1636) ; reproduite en quatre volumes duodécimo, qui demeure l'édition de choix. Elle n'a jamais été traduite en anglais ou reprise dans une édition moderne et savante.

Documents religieux : les Ursulines

« Chroniques de l'Ordre des Ursulines », dans Dionne, *Champlain : fondateur de Québec*, 2 :395-403, appendice I.

« Extraits des Chroniques de l'Ordre des Ursulines », *Journal de Québec*, 10 mars 1855.

Histoire orale des nations indiennes

Ouvrages généraux

Vincent, Sylvie (dir.), « Traditions et récits sur l'arrivée des Européens en Amérique »,
Recherches amérindiennes au Québec, 22, 2-3, automne 1992 ; il s'agit d'un
recueil de vingt essais et entrevues.

Algonquins

Jackson, Donald (dir.), *Black Hawk: An Autobiography*, (Urbana (Illinois), 1995,
1964, 1990 (Nation des Sakis et des Renards).

Brasser, T. J. C., « Group Identification along a Moving Frontier », dans *Verhandlun-
gen des XXXVIII Internationalen Amerikanistenkongresses*, Munich, 1971, 2 :261-
265.

Hurons

Le Jeune, Paul, « Relation, 1636 » *Jesuit Relations*, 9 :218-283 ; Le Jeune, « Relation,
1637 », *Jesuit Relations*, 12 :86-87, 13 :147 [*Relations des jésuites*].

Iroquois

Pratt, Peter P., *Archaeology of the Oneida Iroquois*, George's Mills (New Hampshire),
1976.

—, « A Perspective on Oneida Archaeology », dans Robert E. Funk et Charles F.
Hayes III (dir.), *Current Perspectives on Northeastern Archaeology: Essays in
Honor of William A. Ritchie*, New York State Archaeological Association, 17
(1977), 1 :51-69.

—, *Archaeology of the Oneida Indians*, dans *Occasional Publications in Northeastern
Anthropology*, 1 (Rindge (New Hampshire), 1976, p. viii-ix.

Micmacs

Porter, Mike, *Guides to the North Woods* (Halifax, 1990).

Rand, Silas Tertius, *Legends of the Micmacs*, New York, 1894.

Montagnais (Innus)

Vincent, Sylvie, « L'arrivée des chercheurs de terres : récits et dires des Montagnais
de la Moyenne et de la Basse Côte-Nord », *Recherches amérindiennes au Québec*,
22 :2-3 (1992), p. 19-29.

Winnebagos

Lurie, Nancy O., « Winnebago Protohistory », dans Sigmund Diamond (dir.), *Culture in History: Essays in Honor of Paul Radin*, New York, 1960, p. 790-808.

Wyandots

Clarke, Peter Dooyentate, Origin and Traditional History of the Wyandots, Toronto, 1870.

Archéologie et culture matérielle

Montagnais (Innus)

Moreau, Jean-François, « Objets amérindiens et européens au Saguenay-Lac-Saint-Jean. La portée des transferts culturels en forêt boréale », dans Michel Fortin (dir.), *L'archéologie et la rencontre de deux mondes*, Québec, 1992, p. 103-131.
—, « Indices archéologiques de transferts culturels par la voie du Québec central », dans Laurier Turgeon, Denys Delâge et Réal Ouellet (dir.), *Transferts culturels et métissages : Amérique/Europe XVIᵉ-XXᵉ siècles*, Québec et Paris, 1996, p. 209-242.
Clermont, Norman et Pierre Corbeil, *Pointe-du-Buisson : une expérience archéologique*, Melocheville, 1995.

Hurons

McIlwraith, T. F., « On the Location of Cahiagué », *Transactions of the Royal Society of Canada*, ser. 3, 41, 1947, ii :99-102.11.
—, « Archaeological Work in Huronia, 1946: Excavations near Warminster », *Canadian Historical Review*, 27 (1946), p. 394-401.
Fitzgerald, William, « Chronology to Cultural Process: Lower Great Lakes Archaeology, 1500-1650 ». Thèse de doctorat, Département d'anthropologie, Université McGill, Montréal, 1990.

Postes de pêche et de chasse à la baleine

Tuck, James A. et Robert Grenier, *Red Bay, Labrador: World Whaling Capital, 15550-1600*, St.John's (Terre-Neuve), 1989, 1990.
Fitzgerald, William et coll., « Late Sixteenth Century Basque Banded Copper Kettles », *Historical Archaeology*, 27 (1993), 1.

Rivière Saguenay et Tadoussac

Lapointe, Camille, Le Site de Chicoutimi : un établissement commercial sur la route des fourrures du Saguenay-Lac-Saint-Jean, Québec, 1985.

Acadie

Cormier, Yves, Les aboiteaux en Acadie, hier et aujourd'hui, Moncton, 1990.

Norembègue

Faulkner, Alaric et Gretchen Fearon Faulkner, *The French at Pentagoet, 1635-1674: An Archaeological Portrait of the Acadian Frontier*, Saint-Jean (Nouveau-Brunswick) et Augusta (Maine), 1987, 1988.

Cap Tourmente

Guimont, Jacques, *La Petite-ferme du Cap Tourmente* (Québec, 1996) ; Léo-Guy de Repentigny, *La Ferme d'en bas du Cap Tourmente : de la ferme de Champlain aux grandes volées d'oies*, Québec, Environnement Canada, Conservation et protection, 1989.

Québec

Niellon, François et Marcel Moussette, *L'habitation de Champlain*, Québec, 1981.
Lapointe, Camille, Béatrice Chassé et Hélène de Carufel, *Aux origines de la vie québécoise*, Québec, 1983, 1987, 1995.
Clermont, Norman, Claude Chapdelaine et Jacques Guimont, *L'occupation historique et préhistorique de la Place Royale*, Québec, 1992.

Iconographie

« Portrait de Samuel de Champlain », sanguine anonyme de provenance et de date inconnues, Archives nationales du Québec. Reproduit dans Alain Beaulieu et Réal Ouellet (dir.), *Samuel de Champlain : Des Sauvages*, Montréal, 1993.
« Samuel de Champlain, gouverneur général du Canada », lithographie, 1854. Attribuée à Louis-César-Joseph Ducornet (1806-1856) ; Litalien et Vaugeois, *Champlain : la naissance de l'Amérique française*, p. 356. Pour une courte biographie de Ducornet par Emmanuel Bénézit, voir *Dictionnaire critique et documentaire des peintres, sculpteurs, dessinateurs et graveurs*, Paris, 1999.
« Samuel de Champlain », gravure sur acier de J. A. O'Neil, vers 1866. Reproduite dans Litalien et Vaugeois, *Champlain : la naissance de l'Amérique française*, p. 357.
« Messire Michael Particelli Chevallie [*sic*] de Balthasar Moncornet, gravure, 1654, Bibliothèque nationale de France, C56240 ; « Samuel de Champlain », lithographie attribuée à Louis-César-Joseph Ducornet, 1854, Musée national des Beaux-Arts du Québec ; « Samuel de Champlain », gravure sur acier de J. A. O'Neil d'après un tableau de Théophile Hamel, en frontispice de l'ouvrage de J. G. Shea

(dir.), *History and General Description of New France* de Pierre-François-Xavier de Charlevoix, 1864, CA C14305 ; « Samuel de Champlain », en frontispice du livre de C.-H. Laverdière, *Œuvres de Champlain*, 1870, CA 13204 ; C14305.

Paltsits, Victor Hugo, « A Critical Examination of Champlain's Portrait », *Acadiensis*, 4 (1904), 3 :611 ; rep. dans *Bulletin des recherches historiques*, 38 (1932), p. 755-759 ; Biggar, Henry Percival, « The Portrait of Champlain », *Canadian Historical Review*, 1 (1920), p. 379-380 ; Bishop, Morris, *Champlain: The Life of Fortitude*, 6n ; Armstrong, Joe C. W., *Champlain*, p. 20-21 ; Liebel, Jean, « Les faux portraits de Champlain », *Vie des arts*, 28 (1983), p. 112 ; Martin, Denis, « Samuel de Champlain à visage découvert », dans Litalien et Vaugeois (dir.), *Champlain*, p. 354-362.

« Champlain », gravure d'Eugène Ronjat, vers 1870. Illustration chez Sulte, *Histoire des Canadiens-Français*, 1882 ; Litalien et Vaugeois (dir.), *Champlain*, p. 261.

Gagnon, François-Marc, *Premiers peintres de la Nouvelle-France*, 2 vol., Québec, 1976, 2 :25-26 ; Martin, Denis, « Samuel de Champlain à visage découvert », dans Litalien et Vaugeois (dir.), *Champlain*, p. 360-362.

Mascarades et ballets de cour

Moreau, François, « Les Amérindiens dans les ballets de cour à l'époque de Champlain », dans Litalien et Vaugeois (dir.), *Champlain : la naissance de l'Amérique française* ; y cite Paul Lacroix, *Ballets et mascarades de cour sous Henri IV et Louis XIII*, 6 vol., Genève, 1868-1870, 2 :158.

Ouvrages de cartographie et de navigation de l'époque de Champlain

Medina, Pedro de, *Arte de Navegar* (Séville, 1545). Traduction anglaise de John Frampton, *The Arte of Navigation… made by Master Peter de Medina*, Londres, 1581.

Wagenaer, Lucas Janszoon, *T'eerste Deel Vande Spieghel der Zeevaerdt vandde navigatie der Westersche Zee* [*La première partie du miroir de la navigation sur la Mer de l'Ouest*]. Traduction anglaise : *The Mariner's Mirror*.

Nautonier, Guillaume de, *Mécométrie de l'aimant*, Toulouse, 1603.

John Davis, *The Seaman's Secret*,(Londres, 1607), dans Albert Hastings Markham (dir.), *The Voyages and Works of John Davis, the Navigator*, publications de la Hakluyt Society, série 1, vol. 54, Londres, 1880.

Mainwaring, Sir Henry, « The Seaman's Dictionary », dans G. E. Mainwaring et W. G. Perrin (dir.), *The Life and Works of Sir Henry Mainwaring*, vol. 54 et 56 dans les publications de la Navy Records Society, Londres, 1920, 1922.

John Smith, *An Accidence, or The Path-way to Experience. Necessary for all Young Seamen*, Londres, 1626 et sa suite, *A Sea Grammar, with the Plaine Exposition of Smith's Accidence for Young Seamen*, Londres, 1627 ; reproduit par Philip L. Barbour (dir.), *The Complete Works of Captain John Davis (1580-1631)*, 3 vol., Chapel Hill (Caroline du Nord), 1986, 3 :3-121.

Dictionnaires et glossaires relatifs à l'époque de Champlain

Anonyme, *Lexique du patois Charentais*, http://membres.lycos.fr/xaintong/patois. htm

Académie française, *Dictionnaire de l'Académie française*, Paris, 1635.

Aubin, *Dictionnaire de Marine contenant les termes de la navigation et de l'architecture navale*, Amsterdam, 1702.

Cotgrave, Randle, *Dictionarie of the French and English Tongues*, Londres, 1611.

Guillet, sieur de, *Dictionnaire du gentilhomme*, La Haye, 1686.

Huguet, E., *Dictionnaire de la langue française du seizième siècle*, Paris, 1961.

Mainwaring, Henry, *The Seaman's Dictionary, or Nomenclator Navalis*, vers 1620.

Dictionnaires et études de linguistique historique

Léard, Jean-Marcel, *Grammaire québécoise d'aujourd'hui : comprendre les québécismes*, Montréal, 1995.

Massignon, Geneviève, *Les parlers français d'Acadie*, 2 vol., Paris, s.d. [1962 ?].

Mathews, Mitford, *Dictionary of Americanisms on Historical Principles*, Chicago, 1956.

Morissonneau, Christian, *Le langage géographique de Cartier et de Champlain*, Québec, 1978.

Musset, Georges, Marcel Pellisson et Charles Vigon, *Glossaire des patois et des parlers de l'Aunis et de la Saintonge*, 2 vol., La Rochelle, 1922.

« Métchif », en.wikipedia.org/wiki/Michif_language

Rey, Alain et coll. (dir.), *Le Grand Robert de la langue française*, 6 vol., Paris, 2001.

Rey, Alain, *Dictionnaire historique de la langue française*, 3 vol., édition révisée, Paris, 2006.

Xaintonge, « Le grand lexique du patois charentais », en six livrets, *Xaintonge*, journal hors série 1-6 (mai 2003-décembre 2006).

Dictionnaires biographiques et généalogiques, encyclopédies

Lancé en 1959, le *Dictionnaire biographique du Canada* se proposait de produire des biographies critiques de toutes les grandes figures de l'histoire canadienne. En 1961, le projet s'est élargi pour devenir une entreprise conjointe anglo-française avec pour directeurs George W. Brown de University of Toronto Press et Marcel Trudel de l'Université Laval. Le premier volume a vu le jour en 1966. La première série, qui nous conduisait à 1900, a été achevée en 1990. La deuxième série, qui traite des Canadiens ayant vécu au xxᵉ siècle, est parvenue à 1920. L'édition en ligne comprend des ajouts et des corrections.

D'Alembert, Jean le Rond, et Denis Diderot, *Encyclopédie, ou Dictionnaire Raisonné des Sciences, des Arts, et des Métiers*, Paris, Briasson, 1751, *s.v.* « Québec ».

Tanguay, Cyprien, *Dictionnaire généalogique des familles canadiennes depuis la fondation de la colonie jusqu'à nos jours*, 7 vol., Montréal, E. Senécal, 1871-1890.

Paléographie

Audisio, Gabriel, et Isabelle Rambaud, *Lire le français d'hier. Manuel de paléographie moderne xvᵉ-xviiiᵉ siècles*, 3ᵉ édition, Paris, Armand Colin, 2005 ; un excellent guide pour qui veut déchiffrer les manuscrits de l'époque de Champlain.

Hector, L. C., *The Handwriting of English Documents*, Londres, E. Arnold, 1958, 1966.

Études

Abler, Thomas S., « Iroquoian Cannibalism: Fact or Fiction », *Ethnohistory*, vol. 27 (1980), p. 309-316.

Adney, Edwin Tappan, et Howard I. Chapelle, *Bark Canoes and Skin Boats in North America*, Washington, Smithsonian Institution, 1964.

Anderson, Fred, et Andrew Cayton, *The Dominion of War: Empire and Liberty in North America, 1500-2000*, chapitre 1, « Champlain's Legacy: The Transformation of Seventeenth-Century North America », New York, Viking, 2005.

Andrews, Kenneth, *Drake's Voyages: A Reassessment of Their Place in Elizabethan Maritime Expansion*, Londres, Weidenfeld & Nicolson, 1967.

Anonyme, *Chronologie septenaire de l'histoire de la paix entre les Roys de France et d'Espagne* […], Paris, J. Richer, 1612.

—, « Lutte originale de Champlain contre le scorbut : "l'Ordre de Bon Temps" », *Vie médicale au Canada français*, vol. 1 (1972) ; non consulté.

Anquez, Leonce, *Histoire des assemblées politiques des Réformés de France*, Paris, A. Durand, 1859.

Arima, E. Y., *Inuit Kayaks in Canada: A Review of Historical Record and Construction*, Service canadien d'ethnologie, dossier nᵒ 110, Ottawa, Musée national de l'homme, 1987..

Armstrong, Joe C. W., *Champlain*, Toronto, Macmillan, 1987 ; on y trouve « The Testament of Guillermo Elena », appendice II, p. 274-278.

—, *From Sea unto Sea: Art and Discovery Maps of Canada*, Scarborough, Fleet, 1982.

Arsenault, Pauline, « L'Acadie de Champlain : de l'Arcadie à la Chine », dans Raymonde Litalien et Denis Vaugeois (dir.), *Champlain. La naissance de l'Amérique française*, Sillery, Septentrion, 2004.

Asseline, David, *Antiquités et chroniques de la ville de Dieppe*, Dieppe, A. Marais , 1874.

Audiat, Louis, *Samuel de Champlain de Brouage, fondateur de Québec, 1567-1635*, Saintes, Mme Z. Mortreuil, 1893 ; comprend des notes tirées de l'histoire locale.

Augeron, Mickaël, et Dominique Guillemet (dir.), *Champlain ou les portes du Nouveau Monde. Cinq siècles d'échanges entre le Centre-Ouest français et l'Amérique du Nord, XVIᵉ-XXᵉ siècles*, La Crèche, Geste, 2004.

Aumale, duc d', *Histoire des princes de Condé pendant les XVIᵉ et XVIIᵉ siècles*, 8 vol., Paris, Calmann-Lévy, 1855-1896.

—, *Histoire des princes de Condé*, Paris, M. Levy, 1863-1864.

Axtell, James, *The Invasion Within: The Conquest of Cultures in Colonial North America*, New York, Oxford University Press, 1985.

Babelon, Jean-Pierre, *Demeures parisiennes sous Henri IV et Louis XIII*, Paris, Le Temps, 1965.

—, *Henri IV*, Paris, Fayard, 1982.

Bachman, Van Cleaf, *Peltries or Plantations: The Economic Policies of the Dutch West India Company in New Netherland, 1623-1639*, Baltimore, Johns Hopkins Press, 1969.

Bailey, Alfred G., *The Conflict of European and Eastern Algonkian Cultures, 1594-1700: A Study in Canadian Civilization*, Sackville (N.-B.), Tribune Press, 1937 ; deuxième édition, Toronto, University of Toronto Press, 1969.

Baker, Emerson, *et al.*, *American Beginnings: Exploration, Culture and Cartography in the Land of Norumbega*, Lincoln University of Nebraska Press, 1994.

Baker, William A., *Colonial Vessels: Some Seventeenth-Century Ship Designs*, Barre (Massachussetts), Barre, 1962.

—, *The Mayflower and Other Colonial Vessels*, Annapolis (Maryland), Naval Institute Press, 1983.

Bakker, Peter, « A Basque Etymology for the Word 'Iroquois' », *Man in the Northeast*, vol. 40 (1990), p. 89-93.

—, *Language of Our Own: The Genesis of Michif, the Mixed Cree-French Language of the Canadian Métis*, New York, Oxford University Press, 1997.

—, « The Language of the Coast Tribes in Half Basque », *Anthropological Linguistics*, vol. 31, nᵒˢ 3-4 (1989), p. 117-147.

Barbeau, Marius, *Huron and Wyandot Mythology*, Ottawa, Government Printing Bureau, 1915.

Barbeau, Philippe, *Le Choc des patois en Nouvelle-France. Essai sur l'histoire de la francisation au Canada*, Sillery, Presses de l'Université du Québec, 1984.

Barbiche, Bernard, « Henri IV et l'outre-mer : un moment décisif », dans Raymonde Litalien et Denis Vaugeois (dir.), *Champlain. La naissance de l'Amérique française*, Sillery, Septentrion, 2004.

Barkham, Selma Huxley, « The Basques: Filling a Gap in Our History between Jacques Cartier and Champlain », *Canadian Geographical Journal*, vol. 96 (1978), p. 8-19.

—, « The Basque Coast of Newfoundland », manuscrit, 1989.

—, « The Documentary Evidence for Basque Whaling Ships in the Strait of Belle Isle », dans G. M. Story (dir.), *Early European Settlement and Exploitation in*

Atlantic Canada: Selected Papers, St. John's (Terre-Neuve), Memorial University of Newfoundland, 1982.

—, « The Basque Whaling Establishment in Labrador, 1536-1632: A Summary », *Arctic*, vol. 37 (1984), p. 515-519.

—, « A Note on the Strait of Belle Isle during the Period of Basque Contact with the Indians and Inuit », *Études Inuit Studies*, vol. 4 (1980), p. 51-58.

Battifol, Louis, *Le Louvre sous Henri IV et Louis XIII. La vie de la cour de France au XVIIᵉ siècle*, Paris, Calmann-Lévy, 1930.

Baudry, René, « Charles d'Aulnay et la Compagnie de la Nouvelle-France », *Revue d'histoire de l'Amérique française*, vol. 11 (1957), p. 218-241.

—, « Madame de Champlain », *Les Cahiers des Dix*, nᵒ 33 (1968), p. 12-53.

Baumgartner, Frederic, *Henri II, King of France, 1547-1559*, Durham (Caroline du Nord), Kendall & Hunt, 1996.

Baxter, James Phinney, « Samuel de Champlain », *Acadiensis*, vol. 4 (1904).

Bayrou, François, *Henri IV. Le roi libre*, Paris, Flammarion, 1994.

Beal, Bob, et Rod Macleod, *Prairie Fire*, Toronto, McClelland & Stewart, 1884, 1994.

Beaulieu, Alain, « La naissance de l'alliance franco-amérindienne », dans Raymonde Litalien et Denis Vaugeois (dir.), *Champlain. La naissance de l'Amérique française*, Sillery, Septentrion, 2004.

Beaulieu, Alain, et Réal Ouellet (dir.), *Des Sauvages*, Montréal, Typo, 1993.

Bélanger, René, *Les Basques dans l'estuaire du Saint-Laurent, 1535-1635*, Montréal, Presses de l'Université du Québec, 1971.

Benedict, Philip, « The Saint Bartholomew's Massacres in the Provinces », *Historical Journal*, vol. 21 (1978), p. 205-225.

Benes, Peter, et Jane Montague Benes (dir.), *Algonkians of New England: Past and Present*, Boston, Boston University, 1993.

Bent, C., *Life Histories of North American Birds of Prey*, , New York, Dover Publications, 1937, 1961.

Berger de Xivrey, M. (dir.), *Recueil des lettres missives de Henri IV*, Paris, Imprimerie royale [puis] Imprimerie impériale, 1843-1858.

Bergier, J. F., *Une Histoire du Sel*, Fribourg, Office du livre, 1982.

Bergin, Joseph, *Cardinal Richelieu: Power and the Pursuit of Wealth*, New Haven (Connecticut), Yale University Press, 1985.

Berthiaume, Pierre, « Gabriel Sagard : le grand voyage du pays des Hurons », *Lettres québécoises*, novembre 1977, p. 39-41.

Berton, Pierre, *My Country: The Remarkable Past*, Toronto, McClelland & Stewart, 1976.

Besnard, Joseph, « Les diverses professions de Robert Giffard », *Nova Francia*, vol. 4 (1929), p. 322-329.

Bideau, Michel, « L'Indien de Champlain : objet ethnologique ou sujet de colonisation », dans Gilles Thérien (dir.), *Les Figures de l'Indien*, Montréal, Typo, 1988 et 1995.

—, « Des Sauvages : une singularité narrative », *Études françaises*, vol. 22 (1986), p. 35-45.

Biggar, Henry Percival, « The Death of Poutrincourt », *Revue canadienne*, vol. 18 (1882).

—, *The Early Trading Companies of New France: A Contribution to the History of Commerce and Discovery in North America*, Toronto, University of Toronto Library, 1901 ; rééd., Clifton (New Jersey), A. M. Kelley, 1972.

—, « The French Hakluyt: Marc Lescarbot of Vervins », *American Historical Review*, vol. 6 (1901), p. 671-692.

—, « The Portrait of Champlain », *Canadian Historical Review*, vol. 1 (1920), p. 379-380.

Bildner, James L., *A Visual Cruising Guide to the Maine Coast*, Camden (Maine), International Marine et McGraw-Hill, 2006.

Binot, Guy, *Pierre Dugua de Mons, gentilhomme royannais, premier colonisateur du Canada, lieutenant général de la Nouvelle-France de 1603 à 1612*, Royan, Bonne Anse, 2004.

Bishop, Morris, *Champlain: The Life of Fortitude*, Toronto , McClelland & Stewart, 1948, 1963.

—, « Champlain's Veracity: A Defence of the *Brief Discours* », *Queen's Quarterly*, vol. 66 (1959), p. 127-134.

—, « The Marquis de la Roche and Sable Island », dans *Champlain: The Life of Fortitude*, Toronto , McClelland & Stewart, 1963, 1968, 1971, p. 347-349.

Blémus, René, *Jean Nicollet en Nouvelle-France. Un Normand à la découverte des grands lacs canadiens (1598-1642)*, Cherbourg, Isoète, 1988.

Blondel-Loisel, Annie, et Raymonde Litalien (dir.), en collaboration avec Jean Paul Barbiche et Claude Briot, *De la Seine au Saint-Laurent avec Champlain*, Paris, L'Harmattan, 2005.

Bonnault, Claude de, « Champlain et les Espagnols », Bibliothèque et Archives Canada, collection René Baudry,.

—, « Encore le Brief Discours : Champlain a-t-il été à Blavet en 1598 ? », *Bulletin des recherches historiques*, vol. 60 (1954), p. 59-64.

Bonnault, Claude de, et L.-A. Vigneras, « Le Voyage de Samuel Champlain aux Indes occidentales », *Revue d'histoire de l'Amérique française*, vol. 11 (1957), p. 163-200.

Bordenave, Nicolas de, *Histoire de Béarn et de Navarre*, Paris, J. Renouard, 1873.

Bordonove, Georges, *Henri IV le Grand*, Paris, Le Grand livre du mois , 1981.

Bouchard, Russel, *Les Armes à feu en Nouvelle-France*, Sillery, Septentrion, 1999.

—, *Le Dernier des Montagnais. De la préhistoire au début du XVIIIᵉ siècle*, Chicoutimi-Nord, R. Bouchard, 1995.

Bouchet, Marie-Claude, *Pierre Dugua de Mons*, Royan, Société du Musée de Royan, 1999.

Boulanger, Georges, « Samuel de Champlain, instaurateur de la langue française en Amérique du Nord », *Concorde* [magazine mensuel de la ville de Québec], s.d., p. 6.

Bourque, Bruce, *Diversity and Complexity in Prehistoric Maritime Societies: A Gulf of Maine Perspective*, New York, Plenum Press, 1995.

—, « Ethnicity on the Maritime Peninsula, 1600-1759 », *Ethnohistory*, vol. 36 (1989), p. 257-284.

—, *Twelve Thousand Years: American Indians in Maine*, Lincoln (Nebraska), University of Nebraska Press, 2001.

Bourque, J. Rodolphe, *Social and Architectural Aspects of Acadians in New Brunswick*, Fredericton (N.-B.), Research and Development Branch, Historical Resources Administration, 1971.

Bown, Stephen R., *Scurvy*, New York, Thomas Dunne Books, 2004.

Bridenbaugh, Carl, *No Peace Beyond the Line*, New York, Oxford University Press, 1972.

Bradley, James, et S. Terry Childs, « Basque Earrings and Panther's Tails: The Form of Cross-Cultural Contact in Sixteenth-Century Iroquoia », dans Robert M. Ehrenreich (dir.), *Metals in Society: Theory beyond Analysis*, Philadelphie, MASCA, The University Museum, University of Pennsylvania, 1991.

Bragdon, Kathleen J., *Native People of Southern New England*, Norman (Oklahoma), University of Oklahoma Press, 1996.

Brandão, José António, *Your Fyre Shall Burn No More: Iroquois Policy toward New France and Its Native Allies to 1701*, Lincoln (Nebraska), University of Nebraska Press, 1997, 2000.

Bréard, Charles, *Le Vieux Honfleur et ses marins : biographies et récits maritimes*, Rouen, Imprimerie de L. Gy, 1897.

Brooks, R. C., « A Problem of Provenance: A Technical Analysis of the "Champlain" Astrolabe », *Cartographica*, vol. 36 (1999), p. 1-16.

Brown, Jennifer S. H., « People of the Myth, People of History: A Look at Recent Writings on the Métis », *Acadiensis*, vol. 17 (1987), p. 150-162.

—, « Métis, Halfbreeds, and Other Real People: Changing Cultures and Categories », *The History Teacher*, vol. 27 (1993), p. 20.

Bruchési, Jean, « Champlain a-t-il menti ? », *Cahiers des Dix*, n⁰ 15 (1950), p. 39-53.

Brunelle, Gayle K., *The New World Merchants of Rouen, 1559-1630*, Kirksville (Missouri), Sixteenth Century Journal Publishers, 1991.

Buisseret, David, *Henry IV*, Londres, G. Allen & Unwin, 1984.

—, *Sully and the Growth of Centralized Government in France, 1598-1610*, Londres, Eyre & Spottiswoode, 1968.

—, *The Mapmaker's Quest: Depicting New Worlds in Renaissance Europe*, Oxford, Oxford University Press, 2003.

Bull, Stephen, *An Historical Guide to Armes and Armours*, New York, Facts on File, 1991.

Bunle, Henri, *Mouvements migratoires entre la France et l'étranger*, Paris, Imprimerie Nationale, 1943.

Bures, Maurice, *Le Type saintongeais*, Paris, Le Croît Vif, 1908, 1991.

Burley, David V., « Proto-Historic Ecological Effects of the Fur Trade on Micmac Culture in Northeastern New Brunswick », *Ethnohistory*, vol. 38 (1981), p. 203-216.

Burnet, M., et D. O. White, *Natural History of Infectious Disease*, 4ᵉ edition, Cambridge (Angleterre), University Press, 1972.

Butterfield, Consul Willshire, *History of the Discovery of the Northwest by John Nicolet*, R. Clarke, Cincinnati, 1881.

—, *History of Brulé's Discoveries and Explorations, 1610-1626*, Cleveland, Helman-Taylor, 1898.

Cabanès (Docteur), *Les Condé. Grandeur et dégénérescence d'une famille princière*, 2 vol., Paris, Albin Michel, 1932.

César, Jules, *The Gallic Wars*, Londres, Penguin Books, 1970 [*La Guerre des Gaules*].

Callame, Bernard, et Isabelle Delavaud, *Brouage et son marais. Pour une meilleure connaissance des marais littoraux en Charente-Maritime*, Saintes, Nature Environnement 17, 1996.

Calloway, Colin (dir.), *Dawnland Encounters: Indians and Europeans in Northern New England*, Hanover (New Hampshire), University Press of New England, 1991.

Campeau, Lucien, *Les Finances publiques de la Nouvelle-France sous les Cent-Associés, 1632-1635*, Montréal, Bellarmin, 1975.

—, « Bonaventure, enfant Montagnais », *Monumenta Novae Franciae*, vol. 2, p. 803, Québec, Presses de l'Université Laval, 1967.

—, *Les Cent-Associés et le peuplement de la Nouvelle-France (1633-1663)*, Montréal, Bellarmin, 1974.

—, « Les Jésuites ont-ils retouché les écrits de Champlain ? », *Revue d'histoire de l'Amérique française*, vol. 5 (1951), p. 340-361.

—, « Autour de la relation du Père Pierre Biard », *Revue d'histoire de l'Amérique française*, vol. 6 (1953), p. 517-535.

—, *Catastrophe démographique sur les Grands Lacs. Les premiers habitants du Québec*, Montréal, Bellarmin, 1986.

—, « La grande crise de 1612 à Port-Royal », *Lettres du Bas-Canada*, vol. 15 (1961), p. 7-27.

—, « La première mission des Jésuites en Nouvelle-France », *Lettres du Bas-Canada*, vol. 15 (1961), p. 129-157.

—, « Notre-Dame-des-Anges », *Lettres du Bas-Canada*, vol. 8 (1954), p. 77-107.

Candide de Nant, *Pages glorieuses de l'épopée canadienne : une mission Capucine en Acadie*, Montréal, Le Devoir, 1927.

Carmona, Michel, *La France de Richelieu*, Paris, Fayard, 1984.

—, *Le Louvre et les Tuileries. Huit siècles d'histoire*, Paris, La Martinière, 2004.

—, *Marie de Médicis*, Paris, Fayard, 1984.

Caron, Ivanhoe, « Liste des prêtres et religieux qui ont exercé le saint Ministère en Canada (1604 à 1629) », *Bulletin des recherches historiques*, vol. 47 (1941), p. 76-78.

Carpenter, Kenneth J., *The History of Scurvy and Vitamin C*, Cambridge, Cambridge University Press, 1986.

Carpenter, Roger M., *The Renewed, the Destroyed, and the Remade: The Three*

Thought Worlds of the Iroquois and the Huron, 1609-1650, East Lansing (Michigan), Michigan State University Press, 2004.

Carpin, Gervais, *Histoire d'un mot. L'ethnonyme Canadien de 1535 à 1691*, Sillery, Septentrion, 1995.

—, *Le Réseau du Canada. Étude du mode migratoire de la France vers la Nouvelle-France (1628-1662)*, Québec et Paris, Septentrion et Presses de l'Université de Paris-Sorbonne, 2001.

Casgrain, Henri-Raymond, *Champlain. Sa vie et son caractère*, Québec, L.-J. Demers et frère, 1898 ;

Castagnos, Pierre, *Richelieu face à la mer*, Rennes, Ouest-France, 1989.

Castelot, André, *Henri IV, le passionné*, Paris, Perrin, 1986.

Castries, René de La Croix, *Henri IV, roi de cœur, roi de France*, Paris, Larousse, 1970.

Cell, Gillian T., *Newfoundland Discovered: English Attempts at Colonisation, 1610-1630*, Londres, Hakluyt Society, 1982.

Cervigon, F. [Fernando], *Las perlas en la historia de Venezuela*, Caracas, Fundación Museo del Mar, 1998.

Chapelle, Howard I., *American Small Craft: Their Design, Development and Construction*, New York, Norton, 1951.

Charbonneau, Hubert, *et al., Naissance d'une population. Les Français établis au Canada au XVIIe siècle*, Montréal et Paris, Institut national d'études démographiques et Presses de l'Université de Montréal, 1987 ; trad. anglaise de Paola Colozzo, *The First French Canadians: Pioneers in the St.Lawrence Valley*, Newark (Delaware), University of Delaware Press et Associated University Presses, 1993.

Chinard, Gilbert, *L'Amérique et le rêve exotique dans la littérature française au XVIIe et XVIIIe siècles*, Paris, Hachette, 1913.

Chartier, Roger, et *al., L'Éducation en France du XVIe au XVIIIe siècle*, Paris, Société d'édition d'enseignement supérieur, 1976.

Choisy (abbé de), *Mémoires de l'Abbé de Choisy*, édition de Georges Mongrédien ; livre xii ; *Biographie générale, Biographie universelle*, et *Les Amours du Grand Alcandre* [mot péjoratif désignant Henri IV chez les catholiques], Paris, Mercure de France, 1966, 2000.

Choquette, Leslie, *Frenchmen into Peasants: Modernity and Tradition in the People of French Canada*, Cambridge (Massachussetts), Harvard University Press, 1997 ; trad. française, *De Français à paysans. Modernité et tradition dans le peuplement du Canada français*, Sillery, Septentrion et Presses de l'Université de Paris-Sorbonne, 2001.

Christianson, David J., « Belleisle 1983: Excavations of a Pre-Expulsion Acadian Site », *Curatorial Report* [Halifax], n° 48 (1984).

Christou, Marie-Françoise, « Les ballets-mascarades des Fêtes de la Forêt de Saint-Germain et de la Douairière de Billebahaut et l'œuvre de Daniel Rabel », *Revue d'histoire du théâtre*, vol. 1 (1961).

Clark, Andrew H., *Acadia: The Geography of Nova Scotia to 1760*, Madison (Wisconsin), University of Wisconsin Press, 1968.

Clément, Daniel (dir.), *The Algonquins*, Hull, Musée canadien de la civilisation, 1996.

Codignola, Luca, « Le prétendu voyage de Samuel de Champlain aux Indes occidentales, 1599-1601 », dans Madeline Frédéric et Serge Jasumain (dir.), *La Relation de voyage : un document historique et littéraire*, actes du séminaire de Bruxelles, Bruxelles, Éditions de l'Université de Bruxelles ,1999, p. 61-80.

—, « Samuel de Champlain et les mystères de son voyage aux Indes occidentales, 1599-1601 : l'état de la recherche et quelques routes à suivre », dans Cecilia Rizza (dir.), *La Découverte de nouveaux mondes. Aventure et voyages imaginaires au XVIIᵉ siècle*, actes du XXIIᵉ Colloque du Centre méridional de rencontres sur le XVIIᵉ siècle, Gênes, 23-25 janvier 1992, Fasano, Schena, 1993.

Colden, Cadwallader, *History of the Five Indian Nations*, 1727, 1747 ; rééd. 1866, Ithaca (NewYork), Great Seal Books, 1958.

Constantin-Weyer, M., *Champlain*, Paris, Plon, 1931.

Cook, Peter, « Vivre comme frères : Le rôle du registre fraternel dans les premières alliances franco-amérindiennes au Canada (vers 1580-1650) », *Recherches amérindiennes au Québec*, vol. 31 (2001), p. 55-65.

Coolidge, Guy Omeron, *The French Occupation of the Champlain Valley from 1609 to 1759*, Montpelier, Vermont Historical Society, 1938 ; 2ᵉ édition, Mamaroneck (N.Y.), Harbor Hill Books, 1989 ; Flieshmanns (N.Y.), Purple Mountain Press, 1999.

Corbett, Julian S., *Drake and the Tudor Navy*, 2 vol., Londres, Longmans et Green, 1898.

Couillard-Després, Azarie, *La Première Famille française au Canada*, Montreal, École catholique des sourds-muets, 1906 ; et *Louis Hébert. Premier colon canadien et sa famille*, Lille, Société Saint-Augustin, 1913 ; Montréal, Imprimerie de l'Institution des sourds-muets, 1918.

—, *Charles de Saint-Étienne de la Tour, gouverneur, lieutenant-général en Acadie, et son temps, 1593-1666*, Arthabaska, Canada imprimerie d'Arthabaska, 1930.

Crépeau, André, et Brenda Dunn, « The Melanson Settlement: An Acadian Farming Community (ca. 1664-1755) », *Bulletin de recherches de Parcs Canada,* nᵒ 250 (1986).

Cruickshank, J. G., et C. E. Heidenreich, « Pedological Investigations at the Huron Indian Village of Cahiagué », *Canadian Geographer*, vol. 13 (1969), p. 34-46.

Crouse, N. M., « Contributions of the Canadian Jesuits to the Geographic Knowledge of New France, 1632-75 », Ithaca (NewYork), thèse de Ph. D., Cornell University, 1924.

Cummins, John, *Francis Drake: The Lives of a Hero*, New York, St. Martin's Press, 1995, 1997.

Daeffler, Michael, « Le peintre et l'archéologue », dans Annie Blondel-Loisel, Raymonde Litalien et *al., De la Seine au Saint-Laurent avec Champlain*, Paris, L'Harmattan, 2005, p. 103-115.

Davenport, Francis G. (dir.), *European Treaties Bearing on the History of the United States and Its Dependencies*, Washington, Carnegie Institution, 1914.

Davis, Natalie Zemon, « The Rites of Violence and Religious Riots in Sixteenth-Century France », *Past and Present*, vol. 59 (1973) ; reproduit dans *Society and*

Culture in Early Modern France, Palo Alto (Californie), Stanford University Press, 1976.

Dawson, Joan, *Isaac de Razilly, 1587-1635: Founder of La Hève*, La Have (Nouvelle-Écosse), Lunenburg County Historical Society, 1982.

Day, G. M., « Iroquois, An Etymology », *Ethnohistory*, vol. 15 (1968), p. 389-402.

De Bry, Théodore, *Théâtre du Nouveau Monde. Les grands voyages de Théodore de Bry*, édition de Marc Bouyer et Jean-Paul Duviols, Paris, Gallimard, 1992.

Dechêne, Louise, *Habitants et marchands de Montréal au XVIIe siècle*, Paris, Plon, 1974 ; trad. anglaise de Liana Verdi : *Habitants and Merchants in Seventeenth-Century Montreal*, Montréal, McGill-Queen's University Press, 1992.

Delafosse, Marcel, « L'oncle de Champlain », *Revue d'histoire de l'Amérique française*, vol. 12 (1958), p. 208-216.

Delafosse, Marcel, et Claude Laveau, *Le Commerce du sel de Brouage aux XVIIe et XVIIIe siècles*, *Cahiers des Annales*, vol. 17 (1960), p. 13-26.

Delâge, Denys, *Le Pays renversé. Amérindiens et Européens en Amérique du Nord-Est, 1600-1664*, Montréal, Boréal, 1985 ; trad. anglaise de Jane Brierley, *Bitter Feast : Amerindians and Europeans in Northeastern North America, 1600-1664*, Vancouver, UBC Press, 1993.

—, « Les premiers contacts », dans Sylvie Vincent (dir.), « Traditions et récits sur l'arrivée des Européens en Amérique », *Recherches amérindiennes au Québec*, vol. 22 (1992), p. 101-116.

—, « Les influences amérindiennes sur la culture matérielle des colons de la Nouvelle-France », dans Michel Fortin (dir.), *L'Archéologie et la rencontre de deux mondes*, Québec, Musée de la civilisation, 1992, p. 173-203.

Dennis, Matthew, *Cultivating a Landscape of Peace : Iroquois-European Encounters in Seventeenth-Century America*, Ithaca (New York), Cornell University Press, 1993, 1995.

De Repentigny, Léo-Guy, *La Ferme d'en bas du Cap Tourmente*, Québec, Service canadien de la faune, conservation et protection, Environnement Canada, 1989.

Deschamps, Hubert, *Les Voyages de Samuel de Champlain : Saintongeais, père du Canada*, Paris, Presses universitaires de France, 1951 ; comprend un essai biographique.

—, « Pierre de Mons : fondateur de l'Acadie et du Canada », *Revue d'histoire des colonies*, 37 (1950), p. 37-55.

—, *Roi de la brousse. Mémoires d'un autre monde*, Paris, Berger-Levrault, 1975.

Deschamps, Léon, « Un colonisateur du temps de Richelieu. Isaac de Razilly : Biographie. Mémoire inédit », *Revue de géographie*, 19 (octobre 1886) ; non consulté.

—, *Un colonisateur au temps de Richelieu : Isaac de Razilly*, Paris, Institut géographique de Paris et Ch. Delagrave, 1887.

Deslandres, *Croire et faire croire. Les missions françaises au XVIIe siècle, 1600-1650*, Paris, Fayard, 2003.

Desplat, Christian, *Cultures en Béarn, XVIIe-XVIIIe siècle*, Pau, Princi Negue, 2002.

Desrosiers, Léo-Paul, *Iroquoisie 1534-1632*, Montréal, Études de l'institut d'histoire de l'Amérique française, 1947 ; nouvelle édition avec préface de Denis Vaugeois et introduction d'Alain Beaulieu, Québec, Septentrion, 1998.

Dever, Harry, « The Nicolet Myth », *Michigan History*, vol. 50 (1966), p. 318-322.

Dickason, Olive Patricia, *Canada's First Nations: A History of Founding Peoples from Earliest Times*, Toronto, McClelland & Stewart, 1992 ; traduction française de Jude Des Chênes, *Les Premières Nations*, Sillery, Septentrion, 1996.

—, *The Myth of the Savage and the Beginnings of French Colonization in the Americas*, Edmonton, University of Alberta Press, 1984 ; traduction française de Jude Des Chênes : *Le Mythe du sauvage*, Sillery, Septentrion, 1993.

Dickinson, John A., « La guerre iroquoise et la mortalité en Nouvelle-France, 1608-1666 », *Revue d'histoire de l'Amérique française*, vol. 35 (1982), p. 31-54.

—« The Pre-Contact Huron Population: A Reappraisal », *Ontario History*, vol. 72 (1980), p. 173-179.

—, « Champlain administrateur », dans Raymonde Litalien et Denis Vaugeois (dir.), *Champlain. La naissance de l'Amérique française*, Sillery, Septentrion, 2004, p. 211-217.

Diefendorf, Barbara B., *Beneath the Cross: Catholics and Huguenots in Sixteenth-Century Paris*, Oxford, Oxford University Press, 1991.

Dièreville, Simon, *Relation du Voyage de Port Royal de l'Acadie, 1699-1700*, Amsterdam, P. Humbert, 1710.

Dionne, Narcisse-Eutrope, *Champlain. Fondateur de Québec et père de la Nouvelle-France*, 2 vol., Québec, A. Coté, 1891 ; une version abrégée a vu le jour en anglais sous le titre *Champlain: Founder of Quebec, Father of New France*, Toronto, University of Toronto, 1963.

—, « Le plus grand des Souriquois », *Revue canadienne*, vol. 26 (1890), p. 577-586.

—, « Le sauvage Pastedechouan en France », *Bulletin des recherches historiques*, vol. 13 (1907), p. 120-124.

—, « Les Indiens en France », *Revue canadienne*, vol. 26 (1890), p. 641-658.

—, « Miscou, hommes de mer et hommes de Dieu », *Canada français*, vol. 2 (1889), p. 432-477, 514-531.

Doiron, Normand, « Sainte-Croix : le nom et le lieu », *Études canadiennes/Canadian Studies*, vol. 17 (1984).

Donkin, R. A., *Beyond Price: Pearls and Pearl Fishing: Origins to the Age of Discoveries*, Philadelphie, American Philosophical Society 1998.

Doughty, A. G., « Le drapeau de la Nouvelle-France », *Mémoires de la Société royale du Canada*, vol. 20 (1926), p. 43-46.

Doyan, Pierre-Simon, « L'iconographie botanique en Amérique française du XVIIe au milieu du XVIIIe siècle », thèse de doctorat, département d'histoire, Université de Montréal, 1993.

Drouin, Alice, *Les Marais salants d'Aunis et de Saintonge jusqu'en 1789*, Royan, J. Gatignol, 1999.

Duccini, Hélène, *Concini. Grandeur et misère du favori de Marie de Médicis*, Paris, Albin Michel, 1991.

Ducharlet, Émile, *Samuel Champlain, enfant de Brouage*. Brouage, Comité du mémorial des origines de la Nouvelle-France et La Lucarne ovale, 2002.

—, « Olivier Le Tardif », *Mémoires de la Société généalogique canadienne-française*, vol. 12 (1961), p. 4-20.

Dumas, Silvio, *La Chapelle Champlain et Notre-Dame-de-la-Recouvrance*, Québec, Société historique de Québec, 1958.

Dunn, Brenda, *A History of Port Royal/Annapolis Royal, 1605-1800*, Halifax, Nimbus, 2004.

Durand, Yves, *L'Ordre du monde. Idéal politique et valeurs sociales en France du XVIe au XVIIIe siècle*, Paris, Sedes, 2001.

Eccles, W. J., « Samuel de Champlain: Father of New France », *American Historical Review*, vol. 78 (1973), p. 1147-1148.

Eckstrom, Fannie Hardy, *Old John Neptune and Other Maine Indian Shamans*, 1945 ; rééd. Portland (Maine), University of Maine at Orono Press,1980.

Egnal, Mark, *New World Economies*, Oxford, Oxford Universiyty Press,1998.

Emerson, N., « Cahiagué », miméographie, University of Toronto Archaeological Field School, Orillia, 1961.

Émont, Bernard, *Marc Lescarbot. Mythes et rêves fondateurs de la Nouvelle-France*, Paris, Budapest et Turin, L'Harmattan, 2002.

Engelbrecht, William, *Iroquoia: The Development of a Native World*, Syracuse (New York), Syracuse University Press, 2003.

Erlanger, Philippe, *La Vie quotidienne sous Henri IV*, Paris, Hachette,1958, 1977.

Evans, Donna, « On Coexistence and Convergence of two Phonological systems in Michif », Work Papers of the Summer Institute of Linguistics, University of North Dakota Session, vol. 26, p. 158-173.

Fagniez, Gustave, *L'Économie sociale de la France sous Henri IV (1589-1610)*, Genève, Slatkine-Megariotis Reprints, 1975.

Fenton, William N., et Ernest Dodge, « An Elm Bark Canoe in the Peabody Museum of Salem », *American Neptune*, vol. 9 (1949), p. 185-206.

Fenton, William N., *The Great Law and the Long House: A Political History of the Iroquois Confederacy*, Norman (Oklahoma), University of Oklahoma Press, 1998.

Ferland, Jean-Baptiste-Antoine, *Cours d'histoire du Canada*, 2 vol., Québec, A. Coté, 1861-1865.

Ffoulkes, Charles, *The Armourer and His Craft*, Londres, Methuen, 1912.

Finley-Crosswhite, S. Annette, *Henri IV and the Towns: The Pursuit of Legitimacy in French Urban Society, 1589-1610*, Cambridge (Massachussetts), Cambridge University Press,1999.

Fiquet, Nathalie, et François-Yves Leblanc, *Brouage, ville royale, et les villages du golfe de Saintonge*, Chauray-Niort, Patrimoines et Médias, 1997.

Fiquet, Nathalie, « Brouage au temps de Champlain, ville ouverte sur le monde », dans Raymonde Litalien et Denis Vaugeois (dir.), *Champlain. La naissance de l'Amérique française*, Sillery, Septentrion, 2004, p. 35, 33-42.

Fischer, David Hackett, *Albion's Seed: Four Bristish Folkways in America*, New York et Oxford, Oxford University Press, 1989.

—, « Forenames and the Family in New England: An Exercise in Historical Onomastics », dans Robert M. Taylor Jr. et Ralph J. Crandall, *Generations and Change: Genealogical Perspectives in Social History*, Macon (Géorgie),Mercer, 1986.

—, *The Great Wave: Price Revolutions and the Rhythm of History*, New York, 1996 ; 4ᵉ édition, New York, Oxford University Press, 2006.

—, *Liberty and Freedom*, New York et Oxford, Oxford University Press, 2005.

Fisher, Roger, *L'Art de restaurer une maison paysanne*, Paris, Hachette,1966.

Fitzgerald, W. R., « Is the Warminster Site Champlain's Cahiagué ? », *Ontario Archeaology*, vol. 45 (1986), p. 3-7.

Forbes, Allan, et Paul Cadman, *France and New England*, 3 vol., Boston, State Street Trust, 1925-1929.

Fortier, Loftus M., *Champlain's Order of Good Cheer and Some Brief Notes Relating to Its Founder*, Toronto, Thomas Nelson, 1928.

Fortin, Jean, *Montagnais de la Côte Nord*, Québec, Institut culturel et éducatif montagnais,1992.

Fournier, Georges, *Hydrographie, contenant la théorie et la pratique de toutes les parties de la navigation*, Paris, J. Dupuis, 1643, 1667.

Francis, John K., *Champion Trees of Puerto Rico*, Rio Pedras (Porto Rico), United States Department of Agriculture, Forest Service, International Institute of Tropical Forestry, 2001.

Francis, John K., et Carol A. Lowe (dir.), « Bioecología de Arboles Nativos y Exóticos de Puerto Rico et las Indias Occidentales », Rio Pedras (Porto Rico), United States Department of Agriculture, Forest Service, International Institute of Tropical Forestry, General Technical Report IITF-15, juin 2000.

Frati, Lodovico, « Samuel de Champlain et son voyage aux Indes occidentales », *Bulletin de la Société de géographie de Québec*, vol. 19 (1925) ; non consulté.

Gagnon, François-Marc, « De la bonne manière de faire la guerre. Analyse de quatre gravures dans les Œuvres de Champlain », *Études littéraires*, vol. 10 (1977), p. 1-2.

—« Le *Brief Discours* est-il de Champlain ? », dans Raymonde Litalien et Denis Vaugeois (dir.), *Champlain. La naissance de l'Amérique française*, p. 83-92 ; l'auteur s'appuie ici sur son texte « Le *Brief Discours* est-il de Champlain ? », *Cahiers d'histoire*, vol. 4 (1983).

—, « L'iconographie indicnne », dans Daniel Drouin (dir.), *Louis-Philippe Hébert*, Montréal, Musée des beaux-arts de Montréal, 2001.

—, *Ces hommes dits sauvages*, Montréal, Libre Expression,1984.

—, *Premiers Peintres de la Nouvelle-France*, 2 vol., Québec, Ministère des Affaires culturelles, 1976.

Gagnon, Philéas, *Essai de bibliographie canadienne*, Québec, Imprimé par l'auteur, 1895.

—, « Notes bibliographiques sur les écrits de Champlain, manuscrits et imprimés », *Bulletin de la Société de géographie de Québec*, vol. 3 (1908), p. 55-77.

Gagnon, Serge, *Le Québec et ses historiens*, Québec, Presses de l'Université Laval, 1978 ; traduction anglaise de Yves Brunelle, *Quebec and Its Historians, 1840-1920*, Montréal, Harvest House 1982 ; et *Quebec and Its Historians: The Twentieth Century*, Montréal, Harvest House, 1985.

—, « The Historiography of New France, 1960-1974 », *Journal of Canadian Studies*, vol. 13 (1978), p. 80-99.

Ganong, William Francis, « Champlain's Narrative of the Exploration and First Settlement of Acadia », *Acadiensis*, vol. 5 (1904).

—, « Crucial Maps in the Early Cartography and Place Nomenclature of the Atlantic Coast of Canada », *Transactions of the Royal Society of Canada*, sec. 2, vol. 25 (1931) ; publié également sous le titre *Crucial Maps in the Early Cartography and Place Nomenclature of the Atlantic Coast of Canada*, Toronto, University of Toronto Press, 1964.

—, « Ste. Croix (Dochet) Island », *Transactions of the Royal Society of Canada*, 1902 ; révisé et republié par Susan Brittain Ganong, Saint-Jean (N.-B.), 1945 ; réédité en 1979 sous le titre *Champlain's Island* avec un nouvel avant-propos et une préface, Saint-Jean (N.-B.), New Brunswick Museum, 2003.

—, « The Identity of the Animals and Plants Mentioned by the Early Voyagers to Eastern Canada and Newfoundland », *Proceedings and Transactions of the Royal Society of Canada*, vol. 3 (1903).

—, « The History of Miscou and Shippegan », texte révisé et enrichi à partir des notes de l'auteur par Susan Brittain, *New Brunswick Historical Studies*, vol. 5 (1946), p. 42-45 ; Ganong a également écrit sur l'histoire naturelle de l'île dans le *Bulletin of the Natural History Society of New Brunswick*, vol. 5, p. 449-464.

—, « A Visitor's Impression of the Champlain Tercentenary », *Acadiensis*, vol. 5 (1904), p. 15-23.

Garneau, François-Xavier, *Histoire du Canada depuis sa découverte jusqu'à nos jours*, 2ᵉ édition, corrigée et enrichie, 3 vol., Québec, J. Lovell, 1852 ; traduction de Andrew Bell : *History of Canada from the Time of Its Discovery till the Union Year (1840-1) translated from Histoire du Canada of F.-X. Garneau, Esq.*, 3 vol., Montréal, J. Lovell, 1860.

Garrisson, Janine, *L'Édit de Nantes et sa révocation. Histoire d'une intolérance*, Paris, Seuil, 1985.

—, *Henri IV*, Paris, Seuil, 1984.

Gellner, Ernest, *Nations and Nationalism*, Oxford, Basil Blackwell, 1983.

Gilbert, Roger Paul, *De l'arquebuse à la bure*, Montréal, Méridien, 1999.

Girard, Camil, et Mathieu D'Avignon, « Champlain et les Montagnais (Innus) : alliances, diplomatie et justice. Ingérence et déférence, 1600-1635 », actes du colloque d'Amérique et d'Atlantique, Tadoussac, Cégep de Baie-Comeau et Presses du Nord, 2000.

Girard, Camil, et Édith Gagné, « Première alliance interculturelle : rencontre entre Montagnais et Français à Tadoussac en 1603 », *Recherches amérindiennes au Québec*, vol. 25 (1995), p. 3-14.

Girard, Camil, et Normand Perron, *Histoire du Saguenay–Lac-Saint-Jean*, Québec,

Institut québécois de recherche sur la culture, Presses de l'Université Laval, 1995.

Giraud, Marcel, *Le Métis canadien. Son rôle dans l'histoire des provinces de l'Ouest*, Paris, Institut d'ethnologie, 1945 ; traduction anglaise de George Woodcock : *The Metis in the Canadian West*, Edmonton, University of Alberta Press, 1984.

Giraudo, Laura, « Rapport de recherche : une mission en Espagne », dans Raymonde Litalien et Denis Vaugeois (dir.), *Champlain. La naissance de l'Amérique française*, Sillery, Septentrion, 2004, p. 63-82.

—, « Les manuscrits du *Brief Discours* », dans Raymonde Litalien et Denis Vaugeois, *Champlain. La naissance de l'Amérique française*, Sillery, Septentrion, 2004, p. 93-97.

Giroux, T.-E., *Robert Giffard, seigneur colonisateur au tribunal de l'histoire*, Québec, L'Action sociale, 1934.

Glénisson, Caroline Montel, « Champlain : la découverte du Canada », inédit, 2004.

—, *Un tour de France canadien. Guide des noms et des lieux aux sources de la Nouvelle-France*, Montréal, La Presse, 1979.

Glénisson, Jean, « Les récits de voyage de Champlain : rencontre avec Jean Glénisson », dans Raymonde Litalien et Denis Vaugeois (dir.), *Champlain. La naissance de l'Amérique française*, Sillery, Septentrion, 2004, p. 279-283.

—, « Samuel de Champlain et François Gravé, sieur du Pont, remontent le Saint-Laurent », dans Henri-Alexandre Vallon, *Célébrations nationales*, Paris, 2003.

Godbout, Archange, « Poisson », *Mémoires de la Société généalogique canadienne-française*, vol. 3, p. 183-191.

—, « Nos hérédités provinciales françaises », *Les Archives de folklore*, vol. 1 (1946), p. 26-40.

Gosselin, Auguste, « Le vrai monument de Champlain : ses Œuvres éditées par Laverdière », *Mémoires de la Société royale du Canada*, vol. 1 (1908), p. 3-23.

Gosselin, Amédée, « Champlain, sa jeunesse. Voyages aux Indes occidentales », *Bulletin de la Société de géographie de Québec*, vol. 3 (1908), p. 2.

—, « Olivier le tardif, juge-prévôt de Beaupré », *Mémoires de la Société royale du Canada*, 3e série, vol. 17 (1923), p. 1-16.

Gravier, Gabriel, *Vie de Samuel de Champlain, fondateur de la Nouvelle-France*, Paris, J. Maisonneuve, 1900.

Gravit, Francis W., « Un document inédit sur le Canada : raretés rapportées du Nouveau Monde par M. de Monts », *Revue de l'Université de Laval*, vol. 4 (1946), p. 282-288.

Greenblatt, Stephen, *Marvelous Possessions: The Wonder of the New World*, Chicago, University of Chicago Press, 1991.

Greengrass, Mark, *France in the Age of Henry IV*, Londres, Longman, 1984 ; 2e édition, 1985.

Grelle, Maxime le, *Brouage-Québec : foi de pionniers*, Saint-Jean d'Angély, Bordessoules, 1980.

Grenon, Jean-Yves, *Dugua de Mons : fondateur de l'Acadie (1604-05), co-fondateur de Québec (1608)*, publié d'abord en français, Québec, Société historique de Québec,

1997, 1999 ; *Pierre Dugua de Mons, Founder of Acadia (1604-05), Cofounder of Quebec (1608)*, édition bilingue, Annapolis Royal (N.-É.), Peninsular Press, 2000.

Griffiths, Naomi, *The Acadians: Creation of a People*, Toronto, McGraw-Hill Ryerson,1973.

Groulart, Claude, *Mémoires, ou voyages par lui faits en cour*, Paris, Michaud et Poujoulat,1838.

Goubert, Jean-Pierre, *La Conquête de l'eau*, Paris, Robert Laffont, 1986.

Guillet, Bertrand ,et Louise Pothier (dir.), *France, Nouvelle-France : naissance d'un peuple français en Amérique*, Montréal et Paris, Musée d'archéologie et d'histoire de Montréal et Somogny, 2005.

Guimont, Jacques, *La Petite-ferme du Cap Tourmente : de la ferme de Champlain aux grandes volées d'oies*, Québec, Septentrion,1996.

Hagan, William T., *The Sac and Fox Indians*, Norman (Oklahoma), University of Oklahoma Press, 1958.

Hall, Robert L., « Rethinking Jean Nicollet's Route to the Ho-Chucks in 1634 » ; et Michael McCafferty, « Where did Jean Nicollet Meet the Winnebago in 1634 ? A Critique of Robert L. Hall's ' Rethinking Jean Nicollet's Route… », *Ontario History*, 96 (2004), p. 170-182 ; avec corrections dans *ibid.* (2005).

Hare, John et coll., *Histoire de la Ville de Québec, 1608-1871*, Montréal, Boréal Express et Musée canadien des civilisations, 1987.

Harrington, Faith, « We Tooke Great Store of Cod-fish: Fishing Ships and First Settlements on the Coast of New England, 1600-1630 », dans W. Baker *et al.* (dir.), *American Beginnings: Exploration, Culture, and Cartography in the Land of Norumbega*, Lincoln (Nebraska), University of Nebraska Press, 1993.

Harris J. T., *The Peregrine Falcon in Greenland*, Columbia (Missouri), University of Missouri Press, 1981.

Harris, Richard Colebrook, *The Seigneurial System in Early Canada: A Geographical Study*, Madison (Wisconsin), University of Wisconsin Press, 1968.

—, Matthews, Geoffrey J., et R. Cole Harris, *Historical Atlas of Canada: From the Beginning to 1800*, Toronto, University of Toronto Press, 1987.

Harrisse, Henry, *Découverte et évolution cartographique de Terre-Neuve et des pays circonvoisins 1497-1501-1769*, Paris, H. Welter, 1900.

—, *Notes pour servir à l'histoire, à la bibliographie et à la cartographie de la Nouvelle-France et des pays adjacents, 1545-1700*, Paris, Tross, 1872.

Heidenreich, Conrad E., « An Analysis of Champlain's Maps in Terms of His Estimates of Distance, Latitude and Longitude », *Revue de l'Université d'Ottawa/ University of Ottawa Quarterly*, vol. 48 (1978), p. 1-2, 11-45.

—, « The Beginning of French Exploration out of the St.Lawrence Valley: Motives, Methods, and Changing Attitudes towards Native People », dans Germaine Warkentin et Carolyn Podruchny (dir.), *Decentring the Renaissance: Canada and Europe in Multidisciplinary Perspective 1500-1700*, Toronto, University of Toronto Press, 2001, p. 236-251.

—, « Estimates of Distance Employed on 17th and Early 19th Century Maps of Canada », *Canadian Cartographer*, vol. 12 (1975), p. 121-137.

—, *Explorations and Mapping of Samuel de Champlain, 1603-1632*, Toronto, B. V. Gutsell, 1976.

—, « Explorations and Mapping of Samuel de Champlain 1603-1632 », *Cartographica*, vol. 16 (1976), 17.

—, *Huronia*, Toronto, McClelland & Stewart, 1971.

Heidenreich, Conrad E., et Edward H. Dahl, « The Two States of Champlain's *Carte Geographique, Canadian Cartographer*, vol. 16 (1979), p. 1-16.

Henripin, Jacques, *La Population canadienne au début du XVIIIe siècle : nuptualité-fédondité-mortalité infantile*, Paris, Presses universitaires de France,1954.

Henry, Louis, *Fécondité des mariages. Nouvelle méthode de mesure*, Paris, Presses universitaires de France, 1953.

Henzeli, Victor Egon, *Missionary Linguistics in New France: A Study of Seventeenth and Eighteenth Century Description of American Indian Languages*, Paris, Mouton, 1969.

Hill, Henry Raymond, « The Champlain Tercentenary », First Report of the New York Lake Champlain Tercentenary Commissions, Albany, Albany (N. Y.), J. B. Lyon, 1913.

Hodgen, Margaret T., *Early Anthropology in the Sixteenth and Seventeenth Centuries*, Philadelphie, University of Pennsylvania Press,1964.

Hollingsworth, Michael, *The History of the Village of the Small Huts*, Winnipeg, Blizzard, 1985.

Hudak, Heather, *Samuel de Champlain*, Calgary, Weigl Educational Publishers, 2005.

Hugolin, Marie-Lemay, *L'Établissement des Récollets de la province de Saint-Denis à Plaisance en l'île de Terre-Neuve*, Québec, 1911.

Huguet, Adrien, *Jean de Poutrincourt : fondateur de Port-Royal en Acadie, Vice-Roi du Canada, 1557-1615 ; Campagnes, voyages et aventures d'un colonisateur sous Henri IV*, Amiens et Paris, A. Picard, 1932.

—, « Jean de Poutrincourt : fondateur de Port-Royal en Acadie, vice-roi du Canada », *Mémoires de la Société des Antiquaires de Picardie*, n° 44, Amiens et Paris, 1932.

Humphreys, John, *Plaisance: Problems of Settlement at this Newfoundland Outpost of New France, 1660-1690*, Ottawa, National Museums of Canada,1970.

Hunt, George T., *The Wars of the Iroquois: A Study in Intertribal Trade Relations*, Madison (Wisconsin), University of Wisconsin Press, 1960.

Huvet-Martinet, Micheline, *L'Aventure du Sel*, Rennes, Ouest-France, 1995.

Innis, Harold, *Essays in Canadian Economic History*, Toronto, University of Toronto Press, 1956.

—, *The Cod Fisheries: The History of an International Economy*, édition révisée, Toronto, University of Toronto Press, 1956.

—, *The Fur Trade in Canada: An Introduction to Canadian Economic History*, édition révisée, Toronto, University of Toronto Press, 1956.

Isaacs, Hope L., « *Orenda* and the Concept of Power among the Tonawanda Seneca », dans Raymond D. Fogelson et Richard Adams (dir.), *The Anthropology of Power:*

Ethnographic Studies from Asia, Oceania and the New World, New York, Academic Press, 1977, p. 168-173.

Jack, David Russell, « Proposed Champlain Memorial at Saint John, N.-B. », *Acadiensis* [Saint-Jean, N.-B.], vol. 5 (1901).

Jaenen, Cornelius J., « The Meeting of the French and Amerindians in the Seventeenth Century », dans J. M. Bumsted (dir.), *Interpreting Canada's Past*, vol. 1, *Before Confederation*, Toronto, Oxford University Press,1986.

—, *Friend and Foe: Aspects of French-Amerindian Cultural Contact in the Sixteenth and Seventeenth Centuries*, Toronto, McClelland & Stewart, 1976.

—, *The Role of the Church in New France*, Toronto, McGraw-Hill Ryerson, 1976.

Jamet, Dom Albert (dir.), *Les Annales de l'Hôtel-Dieu de Québec, 1636-1716*, Québec, Hôtel-Dieu de Québec, 1984.

Jannini, Aniel, « La ricezione dei *Voyages* di Champlain nella storiografia letteraria », *Scritti sulla Nouvelle-France nel seicento*, Bari et Paris, Adriaticae et Nizet, 1984, p. 27-29.

Jardine, Lisa, *The Awful End of William the Silent: The First Assassination of a Head of State with a Handgun*, Londres, Harper Collins, 2005.

Jeffreys, Charles W., « The Reconstruction of the Port Royal Habitation of 1605-1613 », inédit, s.d.

Jenness, Diamond, « The Indians of Canada », inédit, 1932.

Johnson, Hugh, *The World Atlas of Wine*, New York, Simon and Schuster, 1971, 1977.

Johnson, Laurence, et Charles A. Martijn, « Les Malécites et la traite des fourrures », *Recherches amérindiennes au Québec*, vol. 24 (1994), p. 25-44.

Johnston, A. J. B., *Mathieu Da Costa et les débuts du Canada : possibilités et probabilités*, Halifax, Parcs Canada,1991.

Jones, Elizabeth, *Gentlemen and Jesuits: Quests for Glory and Adventure in the Early Days of New France*, Toronto, University of Toronto Press, 1986.

Jourin, Michel Mollat du, « Les marais salants charentais : carrefour du commerce international (xiiᵉ-xviᵉ siècles) », *Annales de l'université francophone d'été Saintonge-Québec*, 1979.

Julien-Laferrière, L., *L'Art en Saintonge et en Aunis*, Toulouse, Hébrail Durand & Delpuech, 1879.

Jurgens, Madeleine, « Recherches sur Louis Hébert et sa famille », *Mémoires de la Société généalogique canadienne-française*, vol. 8 (1957), p. 106-112, 135-145 ; vol. 11 (1960), p. 24-31.

Kelly, James, et Barbara Clarke Smith (dir.), *Jamestown-Quebec-Santa Fe: Three North American Beginnings*, Washington et New York, Smithsonian Books, 2007.

Kirke, H., *The First English Conquest of Canada*, Londres [1871], S. Low, Marston, 1908.

Knowles, David, *Great Historical Enterprises: Problems in Monastic History*, Londres, Thomas Nelson and Sons, 1963.

Knowles, Nathaniel, « The Tortures of Captives by the Indians of Eastern North America », *American Philosophical Society Proceedings*, vol. 82 (1940), p. 151-225.

Konstam, Angus, *The Spanish Galleon, 1530-1690*, Wellingborough (Angleterre), Osprey, 2004.

Krech, Shepard III, *The Ecological Indian: Myth and History*, New York, W. W. Norton, 1999.

Kruger, Peter, « Vervins : le résultat précoce d'une vue systémique des affaires étrangères en Europe », dans Jean-François Lavourdette, Jean-Pierre Poussou et Marie-Catherine Vignal (dir.), *Le Traité de Vervins*, Paris, 2000, Presses de l'Université de Paris Sorbonne, p. 415-429.

Kupp, T. J., « Quelques aspects de la dissolution de la compagnie de M. de Monts, 1607. Brève étude de l'influence du commerce hollandais sur les premiers efforts concertés au XVIIe siècle en vue de coloniser le Canada », *Revue d'histoire de l'Amérique française*, vol. 23 (1970), p. 357-374.

La Horbe, Florian de, *L'Incroyable Secret de Champlain*, Paris, Mont Pagnote, 1959.

Labourdette, Jean-François, « L'importance du traité de Vervins dans l'histoire de l'Europe », dans Jean-François Labourdette, Jean-Pierre Poussou et Marie-Catherine Vignal (dir.), *Le Traité de Vervins*, Paris, Presses de l'Université de Paris Sorbonne , 2000, p. 14-26.

Lachance, André, *La Justice criminelle du roi au Canada au XVIIIe siècle*, Québec, Presses de l'Université Laval, 1978.

Lacroix, Paul, *Ballets et mascarades de cour sous Henri IV et Louis XIII*, 6 vol., Genève, J. Gay et fils, 1868-1870.

Lainey, Jonathan C., *La « Monnaie des Sauvages » : les colliers de wampum d'hier à aujourd'hui*, Sillery et Paris, Septentrion, 2004.

Lake Champlain Tercentenary Commission of Vermont, *The Tercentenary Celebrations of the Discovery of Lake Champlain and Vermont*, Montpelier, Capital City Press, 1910.

Lanctôt, Gustave, « L'établissement du Marquis de la Roche à l'île de Sable », rapport de la Société historique du Canada, dans *Annual Report of the Canadian Historical Association*, 1933, p. 33-37.

—, « L'administration de la Nouvelle-France », Paris, thèse de doctorat, Université de Paris Sorbonne, 1929.

Lane, Frederic C., « Tonnages, Medieval and Modern », *Economic History Review*, vol. 17 (1964), p. 213-233.

Lareau, Edmond, *Histoire du droit canadien*, Montréal, A. Périard, 1888.

Larocque, Robert, « Le rôle de la contagion dans la conquête des Amériques : importance exagérée attribuée aux agents infectieux », *Recherches amérindiennes au Québec*, vol. 18 (1988), p. 5-16.

—, « Les agents pathogènes, des envahisseurs clandestins », dans Raymonde Litalien et Denis Vaugeois (dir.), *Champlain. La naissance de l'Amérique française*, Sillery, Septentrion, 2004, p. 266-275.

Latourelle, René, *Étude sur les écrits de saint Jean de Brébeuf*, Montréal, Éditions de l'Immaculée-Conception, 1952-1953 ; vol. 9 et 10 de *Studia Collegii Maximi Immaculatae Conceptionis*.

—, *Brébeuf*, Montréal, Fides, 1958.

Lavoie, Marc C., « Report », Curatorial Report 65, Halifax, Nova Scotia Museum, 1988.

Lebel, François, et Jean-Marie Lebel, « Le roman-feuilleton du tombeau de Champlain », *Cap-aux-diamants*, vol. 4 (1988), p. 45-88.

LeBlanc, Bernard V., et Ronnie-Gilles LeBlanc, « La culture matérielle traditionnelle en Acadie », dans Jean Daigle (dir.), *L'Acadie des Maritimes*, Moncton, Chaire d'études acadiennes, 1993, p. 601-648.

Le Bras, Yvon, *L'Amérindien dans les Relations du Père Lejeune, 1632-1641*, Sainte-Foy, Éditions de la Huit, 1994.

Lebreton, Clarence, « Acadians in the Maritimes », inédit, s.d.

Ledoux, Albert H., « Abraham Martin, Français ou Écossais ? », *Mémoires de la Société généalogique canadienne-française*, vol. 27 (1976), p. 162-164.

Lemay, Hugolin, « Le Père Nicolas Viel, récollet, fut-il assassiné ? », Montréal, Imprimerie des Franciscains, 1936.

Lemay, Hugolin, *Notes bibliographiques pour servir à l'histoire des Récollets du Canada*, vol. 1 : *Les écrits imprimés laissés par les Récollets ;* vol. 2 : *Le père Nicolas Viel*, 28, Montréal, Imprimerie des Franciscains, 1932.

—, « L'œuvre manuscrite ou imprimée des Récollets de la Mission du Canada », *Mémoires de la Société Royale du Canada*, 3ᵉ série, vol. 30 (1936).

Le Roy Ladurie, Emmanuel, *Histoire du Languedoc*, Paris, 1962 ; 6ᵉ édition, Presses universitaires de France, 2000.

—, *Times of Feast, Times of Famine: A History of Climate since the Year 1000*, New York, Doubleday, 1971 ; traduction de *Histoire du climat depuis l'an mil*, Paris, Flammarion, 1967.

—, *L'État royal. De Louis IX à Henri IV 1460-1610*, Paris, Hachette, 1987.

Lessard, Michel, et Huguette Marquis, *Encyclopédie de la maison québécoise*, Montréal et Bruxelles, Éditions de L'Homme, 1972.

Lessard, Michel, Huguette Marquis et A. Couillard-Després, *Histoire de la Seigneurie de Saint-Ours, 1630-1785*, Montréal, Imprimerie de l'Institution des Sourds-Muet, 1915.

Levermore, Charles Herbert, *Forerunners and Competitors of the Pilgrims and Puritans*, New York, New England Society of Brooklyn, 1912.

Lévesque, Jean, « Représentation de l'autre et propagande coloniale dans les écrits de John Smith en Virginie et de Samuel de Champlain en Nouvelle-France (1615-1618) », *Canadian Folklore/Folklore canadien*, vol. 17 (1995).

Lévesque, René, *Memoirs*, Toronto, McClelland & Stewart, 1986 ; traduction de *Attendez que je me rappelle*, Montréal, Québec Amérique, 1986.

Leymarie, A.-Léo, « Le Canada pendant la jeunesse de Louix XIII », *Nova Francia*, vol. 1 (1925), p. 161-170.

Liebel, Jean, « On a vieilli Champlain », *Revue d'histoire de l'Amérique française*, vol. 32 (1978), p. 229-237.

—, *Pierre Dugua, sieur de Mons : fondateur de Québec*, Paris, Le Croît Vif, 1999.

Litalien, Raymonde, « Historiographie de Samuel Champlain », dans Raymonde

Litalien et Denis Vaugeois (dir.), *Champlain. La naissance de l'Amérique française*, Sillery, Septentrion, 2004, p. 11-16.

—, *Le Rôle des Saintongeais dans la découverte du Canada*, Jonzac, Université francophone d'été, 1990.

Litalien, Raymonde, et Denis Vaugeois (dir.), *Champlain. La naissance de l'Amérique française*, Sillery et Paris, Septentrion, 2004.

Lourde, Michel, *et al.*, *Chauvin Trading Post, Tadoussac*, Tadoussac, s.n., 1970.

MacDonald, M. A., *Fortune and La Tour: The Civil War in Acadia*, Halifax, Nimbus, 2000.

—, *Robert Le Blant: Seminal Researcher and Historian of Early New France*, Saint-Jean (Nouveau-Brunswick), New Brunswick Museum, 1986.

Mackenzie, Clyde L. Jr., Luis Troccoli et Luis B. Leon, « History of the Atlantic Pearl-Oyster *(Pinctata imbricata)* Industry in Venezuela and Colombia, with Biological and Ecological Observations », *Marine Fisheries Review*, vol. 65 (2003), p. 1-20.

MacNamara, Charles, « Champlain's Astrolabe », *The Canadian Field-Naturalist*, vol. 33 (1919), p. 103-109.

Mahoney, Irene, *Royal Cousin: The Life of Henry IV of France*, New York, Garden City, 1970.

Maillet, Antonine, et Rita Scalabrini, *L'Acadie pour quasiment rien. Guide historique, touristique et humoristique d'Acadie*, Montréal, Leméac, 1973.

Mainwaring, Sir Henry, « The Seaman's Dictionary », dans G. E. Mainwaring et W. G. Perrin (dir.), *The Life and Works of Sir Henry Mainwaring*, vol. 54 et 56 dans les publications de la Navy Records Society, Londres, 1920, 1922.

Malchelosse, Gérard, *Trois-Rivières d'autrefois. Études éparses et inédites de Benjamin Sulte*, Montréal, Édouard Garand, 1934.

Mannion, John (dir.), *The Peopling of Newfoundland: Essays in Historical Geography*, St.John's (T.-N.), Institute of Social and Economic Research, Memorial University of Newfoundland, 1977.

Marcel, Gabriel (éditeur), *Mémoire en requête de Champlain pour la continuation du paiement de sa pension*, Paris, Tross, 1886.

Mariéjol, Jean H., *Henri IV et Louis XIII*, Paris, Hachette, 1905.

Marot, Jean [1463-1526], « D'avoir esgard à l'Honneur », dans *Œuvres*, Paris, Francoys Regnault, 1536.

Marshall, O. H., « Champlain's Expedition of 1615 », *Historical Writings of the late Orsamus H. Marshall*, Albany, Munsell's Sons, 1887.

Martijn, Charles A. (dir.), *Les Micmacs et la Mer*, Montréal, Recherches amérindiennes au Québec, 1986.

Martin, Denis, « Samuel de Champlain à visage découvert », dans Raymonde Litalien et Denis Vaugeois (dir.), *Champlain. La naissance de l'Amérique française*, Sillery, Septentrion, 2004, p. 360-362.

Martinière, G., « Henri IV et la France équinoxiale », dans *Henri IV, le roi et reconstruction du royaume*, actes du colloque de Pau-Nérac, 14-17 septembre 1989, Pau, J&D, 1990.

McCusker, John J., *Money and Exchange in Europe and America, 1600-1775*, Chapel Hill (Caroline du N.), University of North Carolina Press, 1978.

—, *Money and Exchange in Europe and America, 1600-1775: A Handbook*, Chapel Hill (Caroline du N.), University of North Carolina Press, 1978.

McDermott, James, *Martin Frobisher, Elizabethan Privateer*, New Haven (Connecticut), Yale University Press, 2001.

—, *The Third Voyage of Martin Frobisher to Baffin Island*, Londres, The Hakluyt Society, 2001.

McGhee, Robert, *Canada Rediscovered*, Montréal, Musée canadien des civilisations ,1991.

McGowan, Margaret, *L'Art du ballet de cour en France (1581-1643)*, Paris, CNRS, 1978.

McMaster, John Bach, *The History of the People of the United States*, 9 vol., New York, D. Appleton, 1883-1927.

Mechling, William H., *Malecite Tales,* Ministère des Mines, Direction des études géologiques, mémoire n° 49, Ottawa, 1914.

Medina, Pedro de, *Arte de Navegar* Valladolid, Francisco Frenandez de Cordova, 1545 ; traduction anglaise de John Frampton : *The Arte of Navigation… Made by Master Peter de Medina*, Londres, Dawson, 1581.

« Mémoire rédigé par les Récollets en 1637 », Bibliothèque nationale de France (Nouvel. Acq. Franç, 9,629 : 51r-53r), dans Pierre Margry, *Découvertes et établissements des Français dans l'ouest et dans le sud de l'Amérique septentrionale*, volume 1, Paris, Maisonneuve, 1879, p.3-18.

Meney, Lionel, *Dictionnaire québécois français*, Montréal, Guérin, 1999.

Metz, Elizabeth, *Sainte Marie among the Iroquois: A Living History Museum of the French and the Iroquois at Onondaga in the 17th Century*, Syracuse (N.Y.), Friends of Historic Onondaga Lake, 1995.

Michaud, Joseph-François, et Jean-Joseph-François Poujoulat, *Abrégé de l'histoire des croisades, à l'usage de la jeunesse*, 2 vol., Paris, Ducollet,1838 ; et manuscrits utilisés par Buisseret, *Henri IV,* Londres et Sydney, Boston et G. Allen and Unwin, 1984.

Migliore, Sam, « Viral Infections among the Huron: An Ecological Approach », *Nexus* (1983-1984).

Moogk, Peter N., *La Nouvelle France: The Making of French Canada: A Cultural History*, East Lansing (Michigan), Michigan State University Press, 2000.

Morandière, Charles de la, *Histoire de la pêche française de la morue dans l'Amérique septentrionale*, 3 vol., Paris, G.-P. Maisonneuve et Larose, 1962-1966.

Morison, Samuel Eliot, *Samuel de Champlain: Father of New France*, New York, Little Brown, 1972.

—, *The Great Explorers: The European Discovery of America*, New York, Oxford University Press, 1978.

—, *The European Discovery of America: The Southern Voyages, 1492-1616*, New York, Oxford University Press, 1974 ; *The Northern Voyages*, New York,Oxford University Press, 1971.

—, *Portuguese Voyages to America in the Fifteenth Century*, Cambridge (Massachusetts), Harvard University Press, 1940.

—, *The Story of Mount Desert Island*, Boston, Little Brown, 1960.

Morriset, Gérard, *L'Architecture en Nouvelle-France*, Québec, Collection Champlain, 1949.

Morissonneau, Christian, *Le Langage géographique de Cartier et de Champlain. Choronymie, vocabulaire et perception*, Québec, Presses de l'Université Laval, 1978.

Morris, E. P., *The Fore and Aft Rig in America*, New York, Library Edition, 1970.

Morrison, Alvin H., et Thomas H. Goetz, « Membertou's Raid on the Chouacoet "Almouchiquois" : The Micmac Sack of Saco in 1607 », *Papers of the Sixth Algonquian Conference, 1974*, Ottawa, Ottawa, National Museums of Canada, 1975.

Morse, William Inglis, *Pierre du Gua, Sieur de* Monts, Londres, Bernard Quaritch, 1939.

Motus, Roger, « Maurice Constantin-Weyer, écrivain de l'Ouest et du Grand Nord », inédit, 1982.

Mougeon, Raymond, et Édouard Beniak, *Les Origines du français québécois*, Québec, Presses de l'Université Laval, 1994.

Mousnier, Roland, *The Assassination of Henri IV*, traduction de Joan Spencer, New York, Scribner, 1973 [*L'Assassinat d'Henri IV, 14 mai 1610*].

Moussette, Marcel, « Un héros sans visage : Champlain et l'archéologie », *Cahiers des Dix*, n° 54 (2000), p. 13-44.

Muchembled, Robert, *L'Invention de l'homme moderne. Culture et sensibilités en France du XVe au XVIIIe siècle*, Paris, Hachette, 1994.

Muise, D. A., *Approaches to the Native History of Canada*, Ottawa, Musée national de l'homme, 1977.

Mukerji, Chandra, « Champlain as Gardener », conférence prononcée au College of the Atlantic, Bar Harbor (Maine), 2005.

Munro, W. B., « The Office of Intendant in New France: A Study of French Colonial Policy », *American Historical Review*, vol. 12 (1906), p. 15-38.

Murray, Louise W. (dir.), *Selected Manuscripts of General John S. Clark Relating to the Aboriginal History of the Susquehanna*, Athens (Ohio), Society for Pennsylvania Archaeology, 1931.

Nadeau, Jean-Benoît, et Julie Barlow, *The Story of French*, New York, St. Martin's Press, 2006.

Neel, J. V., *et al.*, « Notes of the Effects of Measles and Measles Vaccine in a Virgin-soil Population of South America », *American Journal of Epidemiology*, vol. 91 (1970), p. 418-429.

New York Lake Champlain Tercentenary Commission, « Report on the Champlain Tercentenary », Albany, J. B. Lyon, 1913.

Nichols, Roger L., *Black Hawk and the Warrior's Path*, Wheeling (Illinois), Harlan Davidson, 1992.

Novelli, Novella, « Discours de Champlain pour un établissement permanent », dans *Scritti sulla Nouvelle-France nel Seicento*, Bari et Paris, Adriatica et Nizet, 1984.

Oakeshott. E. Ewart. *The Sword in the Age of Chivalry*, New York, G. P. Putnam's Sons, 1964.

O'Meara, Maureen F., « Converting the Otherness of Membertou: The Patriarchal Discourse of Champlain, Lescarbot, and Biard », *L'Esprit créateur*, vol. 30 (1990), p. 51-58.

Orval, Paul Bouchart d', *Le Mystère du tombeau de Champlain*, Québec, Société nationale Samuel de Champlain, 1951.

Ouellet, Réal, *Rhétorique et conquête missionnaire. Le Jésuite Paul Lejeune*, Québec, Septentrion, 1993.

Ouellet, Yves, *Tadoussac: The Magnificent Bay*, Laval, G. Saint-Jean, 2000.

Palmer, R. R., et Jacques Godechot, « Le problème de l'Atlantique du XVIIIe au XXe siècle », dans *Relazione del X Congresso Internationale di Scienze Storiche, Roma, 4-11 Settembre 1955*, Florence, G. C. Sansoni, 1955, p. 175-239.

Paltsits, Victor Hugo, « A Critical Examination of Champlain's Portraits », *Acadiensis* [Saint-Jean, N.-B.], vol. 4 (1904), 3-4 :306-311.

—, « A Fictitious Portrait of Sieur de Monts » *Acadiensis* [Saint-Jean, N.-B.], vol. 4 (1904), p. 303-305.

Parkman, Francis, *Pioneers of France in the New World*, Boston, Little, Brown, 1865 ; édition révisée avec corrections Little, Brown, 1885 ; rééd. Boston, Little, Brown, 1902.

Pascal, Blaise, *Pensées*, Oxford, Oxford University Press, 1999.

Pauliat, Louis, *La Politique coloniale sous l'Ancien Régime d'après des documents empruntés aux archives coloniales du ministre de la Marine et des Colonies*, Paris, Calmann-Lévy, 1887.

Paulin-Desormeaux, M. A. O., *Nouveau Manuel complet de l'armurier, du fourbisseur et de l'arquebusier*, nouvelle édition, 2 vol., Paris, Roret, 1852 ; rééd. Paris, Leonce Laget, 1977.

Pell, S. H. P., « Was Champlain a Liar ? », *Bulletin of the Fort Ticonderoga Museum*, vol. 5 (1939), p. 5-8.

Pepy, L., « Brouage et ses marais », *Revue géographique des Pyrénées et du Sud-Ouest*, vol. 6 (1935), p. 282-323.

Péréfixe, Hardouin [de Beaumont] de, *Histoire du roy Henry le Grand*, Paris, C. Osmont, 1681 ; annexe : « Recueil de quelques belles actions et paroles mémorables du Roy Henry Le Grand », Paris, Didot, Nyons fils et Damouneville, 1749, 529.

Pérez-Mallaína, Pablo E., *Spain's Men of the Sea: Daily Life on the Indies Fleets in the Sixteenth Century*, Baltimore, Johns Hopkins University Press, 1998.

Perrot, François-Marie, « Relation de la Province d'Acadie », inédit, s.d., Bibliothèque et Archives Canada.

Peterson, Harold, *Arms and Armor in Colonial America, 1526-1783*, Harrisburg (Pennsylvanie), Stackpole, 1956.

Peterson, Jacqueline, « The People In Between: Indian-White Marriage and the Genesis of a Métis Society and Culture in the Great Lakes Region, 1680-1830 ». Thèse de doctorat. Université de l'Illinois, 1980.

Peterson, Jacqueline, et Jennifer S. H. Brown, *The New Peoples: Being and Becoming Métis in North America*, Winnipeg, University of Manitoba Press, 1985.

Phillips, Carl Rahn, *Six Galleons for the King of Spain: Imperial Defence in the Early Sixteenth Century*, Baltimore, Johns Hopkins University Press, 1986.

Picard, François, *Chronologie de Tadoussac*, Tadoussac, Ministère des Affaires culturelles, 1983.

Platter, Thomas, *Le Voyage de Thomas Platter*, édition d'Emmanuel Le Roy Ladurie, Paris, Le Grand Livre du mois, 2000.Pocquet, Barthélemy, *Histoire de Bretagne*, Rennes, Plihon, 1896-1914.

Poirson, Auguste, *Histoire du règne de Henri IV*, 4 vol., Paris, Didier, 1865.

Poli, Oscar de, « Samuel de Champlain. Notes et documents », dans *Annuaire du Conseil héraldique de France*, Paris, Conseil héraldique de France, 1895.

Pope, Peter E., *The Many Landfalls of John Cabot*, Toronto, University of Toronto Press, 1997.

Porter, Mike, *Guide to the North Woods*, Halifax, 1990.

Pouliot, Léon, « Que penser des frères Kirke ? », *Bulletin des recherches historiques*, vol. 44 (1938), p. 321-335.

Pritchard, James, *In Search of Empire: The French in the Americas, 1670-1730*, Cambridge, Cambridge University Press, 2004.

Provost, Honorius, « La Chaudière et l'Etchemin », *Revue de l'Université Laval*, vol. 2 (1947-1948), p. 114-121.

Prowse, D. W., *History of Newfoundland*, 1895, Portugal Cove (T.-N.-L.), Boulder Publications, 2002.

Quinn, David Beers, *England and the Discovery of America, 1481-1620*, New York, Alfred A. Knopf, 1974.

—, *North America from the Earliest Discovery to the First Settlements: The Norse Voyages to 1612*, New York, Harper & Row, 1977.

Rainguet, Pierre Damien, *Biographie saintongeaise ou dictionnaire historique de tous les personnages*, Saintes, Niox, 1851.

Rameau de Saint-Père, François-Edme, *Une colonie féodale en Amérique (1604-1881)*, 2 vol., Paris et Montréal, Plon et Granger frères, 1889.

Rasilly, Michel-Gustave de, *Généalogie de la famille de Rasilly*, Laval, A. Goupil, 1903.

Redbird, Duke, *We Are Métis: A Métis View of the Development of a Native Canadian People*, Willowdale (Ontario), Ontario Metis, 1980.

Reid, John G., « The Scots Crown and the Restitution of Port Royal, 1629-1632 », *Acadiensis*, vol. 6 (1977), p. 106-177.

—, *Maine and New Scotland: Marginal Colonies in the Seventeenth Century*, Toronto, University of Toronto Press, 1981.

Richet, Denis, « Aspects socio-culturels des conflits religieux à Paris dans la seconde moitié du XVIᵉ siècle », *Annales ESC*, vol. 32 (1977), p. 764-789.

Richter, Daniel K., *The Ordeal of the Longhouse: The Peoples of the Iroquois League in the Era of European Colonization*, Chapel Hill (Caroline du N.), Axtell, 1992.

Rodesh, Jerrold C., « Jean Nicolet », *Voyageur: The Historical Review of Brown County and Northeast Wisconsin*, printemps 1984, p. 4-8.

Rodrigues, M. G., *Le Père du Canada, Pierre Dugua*, Royan, R. Georges, 1994 ; non consulté.

Roelker, Nancy Lyman, *Queen of Navarre, Jeanne d'Albret*, Cambridge, Harvard University Press, 1968.

Rosier, James, *The Voyage of George Weymouth, 1605. Narrative by James Rosier*, publié dans le précédent, I :308-351.

Ross, Alexander, *The Fur Hunters of the Far West*, 1855, Norman (Oklahoma), University of Oklahoma Press, 1956.

—, *The Red River Settlement: Its Rise, Progress and Present State*, Londres, Smith, Elder, 1856.

Rousseau, Jacques, « Samuel de Champlain, botaniste mexicain et antillais », *Cahiers des Dix*, nº 16 (1951), p. 39-61.

—, « Le Canada aborigène dans le contexte historique », *Revue d'histoire de l'Amérique française*, vol. 18 (1964), p. 39-63.

—, « Les premiers Canadiens », *Cahiers des Dix*, nº 25 (1960), p. 9-64.

Roy, J. Edmond, « M. de Montmagny », *Nouvelle-France*, vol. 5 (1906), p. 105-121, 161-173, 417-428, 520-530.

—, « La cartographie et l'arpentage sous le Régime français », *Bulletin des recherches historiques*, vol. 1 (1895), p. 17.

Roy, Régis, « Guillaume de Caën », *Bulletin des recherches historiques*, vol. 32 (1926), p. 531.

—, « M. de Chaste », *Bulletin des recherches historiques*, vol. 7 (1921), p. 214-215.

Rudin, Ronald, *Founding Fathers: The Celebration of Champlain and Laval in the Streets of Quebec, 1878-1908*, Toronto, University of Toronto Press, 2003.

Rumrill, Donald, « The Mohawk Glass Trade Bead Chronology: ca. 1560-1785 », *Beads*, vol. 3 (s.d.) p. 5-45.

Russell, A. J., *On Champlain's Astrolabe, Lost on the 7th June 1613, and Found in August, 1867: Considered in Solution of an Obscurity in His Journal of His First Voyage Up the Ottawa ; and the Great Antiquity of Astrolabes, and Origin of Their Graduation*, Montréal, Burland-Desbarats, 1879.

Russell, Howard S., *Indian New England before the Mayflower*, Hanover (New Hampshire), University Press of New England, 1980.

Saintonge, Jacques, *Nos ancêtres*, 30 vol., Sainte-Anne-de-Beaupré, G. Lebel, 1981–.

Salisbury, Neal, *Manitou and Providence: Indians, Europeans, and the Making of New England, 1500-1643*, New York, Oxford University Press, 1982.

Salone, Émile, *La Colonisation de la Nouvelle-France*, 1905, Trois-Rivières, Boréal Express, 1970.

Salter, Michael A., « L'Ordre de Bon Temps: A Functional Analysis », *Journal of Sport History*, vol. 3 (1976), p. 111-119.

Sauer, Carl O., *Seventeenth-Century North America*, Berkeley (Californie), Turtle Island, 1980.

Saunders, R. M., « The First Introduction of European Plants and Animals into Canada », *Canadian Historical Review*, vol. 16 (1935), p. 388-406.

Savard, Rémi, *L'Algonquin Tessouat et la fondation de Montréal*, Montréal, L'Hexagone, 1996.

Savage, Candace, *Peregrin Falcons*, San Francisco, Sierra Club Book, 1994.

Sayles, Hilary M. J., « Chronological List of Emblem Books », dans Mario Praz (dir.), *Studies in Seventeenth-Century Imagery*, Rome, Ed. di Storia e Letteratura, 1974.

Sayre, Gordon M., *Les Sauvages Américains*, Chapel Hill (Caroline du N.), University of North Carolina Press, 1997.

Scott, H.-A., *Nos anciens historiographes et autres études d'histoire canadienne*, Québec, Compagnie de publication de Lévis, 1930.

Seed, Patricia, *American Pentimento: The Invention of Indians and the Pursuit of Riches*, Minneapolis, University of Minnesota Press, 2001.

—, *Ceremonies of Possession: Europe's Conquest of the New World, 1492-1640*, Cambridge, Cambridge University Press, 1995.

Seguin, Marc, *Histoire de l'Aunis et de la Saintonge. Le début des temps modernes, 1480-1610*, La Crèche [France], Geste, 2005.

Shea, John Gilmary, *Discovery and Exploration of the Mississippi Valley*, New York, Redfield, 1853.

Simmons, William S., *Spirit of the Indian Tribes: Indian History and Folklore, 1620-1984*, Hanover (New Hampshire), University Press of New England, 1986.

Smith, Nicholas B., « Notes on the Malecite of Woodstock, New Brunswick », *Anthropologica*, vol. 5 (1957), p. 1-39.

Snow, Dean R., « The Ethnohistoric Baseline of the eastern Abenaki », *Ethnohistory*, vol. 23 (1976), p. 291-306.

Snow, Dean R. et K. M. Lanphear, « European Contact and Indian Depopulation in the Northeast: The Timing of the First Epidemics », *Ethnohistory*, vol. 35 (1988), p. 15-39.

—, « Mohawk Demography and the Effects of Exogenous Epidemics on American Indian Populations », *Journal of Anthropological Archaeology*, vol. 15 (1996), p. 160-182.

Snow, Dean R., et William Starna, « Sixteenth-Century Depopulation: A View from the Mohawk Valley », *American Anthropologist*, vol. 91 (1989), p. 142-149.

Société d'ethnologie et de folklore du Centre Ouest, « Patois Charentes », inédit, 1994.

Soissons, Charles de Bourbon de, « Commission à Champlain, 15 octobre 1612 », dans *WSC*, vol. 4, p. 209-216.

Spence, Richard T., *The Privateering Earl: George Clifford, 3rd Earl of Cumberland, 1558-1603*, Far Thrupp Stroud (R.U.), Gloucestershire Sutton, 1995.

Spiess, A. E., et B. D. Spiess, « New England Pandemic of 1616-1622: Cause and Archaeological Implication », *Man in the Northeast* vol. 34 (1987), p. 71-83.

Spooner, Frank C., *The International Economy and Monetary Movements in France, 1493-1725*, Cambridge (Masschussetts), Harvard University Press, 1972.

Squair, John, *Autobiography of a Teacher of French*, Toronto, University of Toronto Press, 1928.

Stefansson, Sigurdir, « Terrarum Hyperboream [Of the Northern Lands] », inédit, vers 1590.

Steffansson, V. (dir.), *The Three Voyages of Martin Frobisher*, 2 vol., Londres, Argonaut Press, 1938.

Stewart, F., « Seasonal Movements of Indians in Acadia as Evidenced by Historical Documents and Vertebrate Faunal Remains from Archeological Sites », *Man in the Northeast* vol. 38 (1989), p. 55-77.

Stewart, George, « The Flag of Champlain and Its History », *Acadiensis* [Saint-Jean, N.-B.], vol. 4 (1904), p. 221-224.

Stimson, A., *The Mariner's Astrolabe: A Survey of Known, Surviving Sea Astrolabes*, Utrecht, Hes, 1988.

Sulte, Benjamin, *Histoire des Canadiens français, 1608-1880*, 8 vol., Montréal, Wilson, 1882-1884.

—, *Histoire populaire du Canada, d'après les documents français et américains*, Philadelphie, Chicago, Toronto, J. C. Winston, 1901.

—, *Mélanges historiques*, 21 vol., Montréal, G. Ducharme, 1918-1934.

—, *Mélanges d'histoire et de littérature*, Ottawa, Imprimerie Joseph Bureau, 1876.

—, « Étienne Brûlé », *Mémoires de la Société royale du Canada*, vol. 1 (1907), p. 97-126.

—, « Québec, de 1620 à 1632 », *Bulletin des recherches historiques*, vol. 5 (1899), p. 292-304, 324-340.

—, *Chronique trifluvienne*, Montréal, Compagnie d'imprimerie canadienne, 1879.

—, *Histoire de la ville des Trois-Rivières*, Montréal, Eusèbe Senécal, 1870.

—, *Album de l'histoire des Trois-Rivières*, Montréal, G. E. Desbarats, 1881.

Taft, Hank, et Jan Taft, *A Cruising Guide to the Maine Coast*, 3ᵉ édition, Peaks Island (Maine), Diamond Pass, 1996.

Taillemite, Étienne, « La marine royale au temps de Champlain », dans Raymonde Litalien et Denis Vaugeois (dir.), *Champlain. La naissance de l'Amérique française*, Sillery, Septentrion, 2004, p. 19-23.

—, *Louis XVI ou le navigateur immobile*, Paris, Payot, 2002.

Tapié, Victor-L., *France in the Age of Louis XIII and Richelieu*, Cambridge, Cambridge University Press, 1984 [*La France de Louis XIII et de Richelieu*].

Tard, Louis-Martin, *Marc Lescarbot. Le chantre de l'Acadie*, Québec, XYZ, 1997.

Tawney, R. H., *Religion and the Rise of Capitalism*, 1926, New York, New American Library 1954.

Thérien, Gilles, « *Memoria* as the Place of Fabrication of the New World », dans Germaine Warkentin et Carolyn Podruchny (dir.), *Decentring the Renaissance: Canada and Europe in a Multidisciplinary Perspective 1500-1700*, Toronto, 2001, University of Toronto Press p. 68-84.

Therrien, Jean-Marie, *Parole et Pouvoir. Figure du chef amérindien en Nouvelle-France*, Montréal, L'Hexagone, 1986.

Théry, Chantal, « Un jésuite et un récollet parmi les femmes : Paul Le Jeune et Gabriel Sagard chez les sauvages du Canada », dans *Les Jésuites parmi les hommes aux XVIᵉ et XVIIᵉ siècles*, actes du colloque de Clermont-Ferrand, publiés par G. et

G. Demerson, B. Dompnier et A. Regond, Association des publications de la Faculté des lettres et sciences humaines de Clermont-Ferrand (1987), p. 105-113.

Thierry, Éric, « La Paix de Vervins et les ambitions françaises en Amérique », dans Jean-François Labourdette, Jean-Pierre Poussou et Marie-Catherine Vignal (dir.), *Le Traité de Vervins*, Paris, 2000, Presses de l'Université de Sorbonne, p. 373-389.

—, « Champlain et Lescarbot : une impossible amitié », dans Raymonde Litalien et Denis Vaugeois (dir.), *Champlain. La naissance de l'Amérique française*, Sillery, Septentrion, 2004, p. 121-134.

—, *Marc Lescarbot (vers 1570-1641). Un homme de plume au service de la Nouvelle-France*, Paris, Honoré Champion ,2001.

Thomas, Gerald, *The Two Traditions: The Art of Storytelling amongst French New-foundlanders*, St. John's (T.-N.), Breakwater 1993.

Thomson, Don W., *Men and Meridians: The History of Surveying and Mapping in Canada*, Ottawa, R. Duhamel, Queen's printer, 1966-1969.

Tooker, Elisabeth, *Ethnographie des Hurons, 1615-1649*, Montréal, Recherches amérindiennes au Québec, 1987.

—, *The Indians of the Northeast: A Critical Bibliography*, Bloomington (Indiana), Indiana University Press, 1978.

Tremblay, Roland, *Les Iroquiens du Saint-Laurent : peuple du maïs*, Montréal, L'Homme, 2006.

Trigger, Bruce G., « Champlain Judged by His Indian Policy: A Different View of Early Canadian History », *Anthropologica*, vol. 13 (1971), p. 85-114.

—, *The Children of Aataentsic: A History of the Huron People to 1660*, 1976, nouvelle édition Montréal, McGill-Queen's University Press, 1987 ; traduction française de Jean-Paul Sainte-Marie et Brigitte Chabert Hacikyan : *Les Enfants d'Aataentsic. L'histoire du peuple huron*, Montréal, Libre Expression, 1991.

—, *Natives and Newcomers: Canada's "Heroic Age" Reconsidered*, Montréal, McGill-Queen's University Press, 1985, 1994. Traduction française de Georges Khal : *Les Indiens, la fourrure et les Blancs. Français et Amérindiens en Amérique du Nord*, Montréal et Paris, Boréal et Le Seuil, 1990.

—, « Ontario Native People and the Epidemics of 1634-1640 », dans S. Krech III (dir.), *Indians, Animals and the Fur Trade: A Critique of Keepers of the Game*, Athens (Géorgie), University of Georgia Press, 1981.

Trudel, Marcel, *Histoire de la Nouvelle-France*, vol. 1, *Les vaines tentatives 1524-1603*, Montréal, Fides,1963.

—, *Histoire de la Nouvelle-France*, vol. 2, *Le comptoir, 1604-1627*, Montréal, Fides,1966.

—, *Histoire de la Nouvelle-France*, vol. 3, *La seigneurie des Cent-Associés*, tome 1, *Les événements*, Montréal, 1979 ; tome 2, *La société*, Montréal, Fides, 1979.

— Trudel, Marcel, *Initiation à la Nouvelle-France*, Montréal, Holt, Rinehart et Winston, 1968 ; trad. anglaise : *Introduction to New France*, Toronto et Montréal, Holt, Rinehart et Winston, 1983.

—, « Jean Nicollet dans le lac Supérieur et non dans le lac Michigan », *Revue d'histoire de l'Amérique française*, vol. 34 (1980), p. 183-196.

—, « La carte de Champlain en 1632 : ses sources et son originalité », *Cartologica*, vol. 51 (1978), p. 1-20.

—, *Catalogue des immigrants, 1632-1662*, Montréal, Hurtubise HMH,1983.

—, *Champlain*, Montréal, 1956 ; 2ᵉ édition révisée et augmentée, Montréal et Paris, Fides, 1968.

—, *Mémoires d'un autre siècle*, Montréal, Boréal Express, 1987 ; trad. anglaise : Jane Brierley, *Memoirs of a Less Travelled Road*, Montréal, Véhicule Press, 2002.

Tuck, James A., *Onondaga Iroquois Prehistory: A Study in Settlement Archaeology*, Syracuse (New York), Syracuse University Press,1971.

Tuck, James, et Barry Gaulton, « Archaeologists Strike Gold », Université Memorial, *Research Report 2005*, en ligne : http://www.mun.ca/research/2005report/results/archaeologists.php

Tuck, James A., et Robert Grenier, *Red Bay, Labrador: World Whaling Capital, A.D. 1550-1600*, St. John's (T.-N.), Atlantic Archaeology 1989.

Turgeon, Laurier, « Basque-Amerindian Trade in the Saint Lawrence during the Sixteenth Century: New Documents, New Perspectives », *Man in the Northeast*, vol. 40 (1990), p. 81-88.

—, « Bordeaux and the Newfoundland Trade during the Sixteenth Century », *International Journal of Maritime History*, vol. 9 (1997), p. 1 28.

—, « French Beads in France and Northeastern North America During the Sixteenth Century », *Historical Archaeology*, vol. 35 (2001), p. 58-81.

—, « French Fishers, Fur Traders, and Amerindians during the Sixteenth Century: History and Archaeology », *William and Mary Quarterly*, vol. 60 (1998), p. 585-610.

—, « Pêcheurs basques et indiens des côtes du Saint-Laurent au XVIᵉ siècle : perspectives de recherches », *Études canadiennes / Canadian Studies*, vol. 13 (1982), p. 9-14.

—, « Pour redécouvrir notre XVIᵉ siècle : les pêches à Terre Neuve d'après les archives notariales de Bordeaux », *Revue d'histoire de l'Amérique française*, vol. 39 (1986), p. 523-549.

—, « Pêches basques en Atlantique Nord (XVIIᵉ-XVIIIᵉ siècles) : étude d'économie maritime », thèse de doctorat, Université de Bordeaux, 1982.

U.S. National Park Service, *Peregrine Falcons in Acadia*, 1999.

Vaissière, Pierre de, *Henri IV*, Paris, Fayard (38ᵉ ed.), 1928, .

Vaugeois, Denis, « Champlain et Dupont-Gravé : un formidable tandem », *Cap-aux-Diamants*, nº 92 (2008), p. 10-15.

Vaugeois, Denis (dir.), *Les Hurons de Lorette*, Sillery, Septentrion, 1996.

Vaugeois, Denis, Raymonde Litalien et Jean-François Palomino (dir.), *La Mesure d'un continent. Atlas historique de l'Amérique du Nord, 1492-1814*, Sillery, Septentrion, 2007.

Vaux de Foletier, François de, *Le Siège de La Rochelle*, La Rochelle, Quartier latin, 1978.

Velázquez Gáztelu, Juan Pedro, *Estado Maritimo de Sanlúcar de Barrameda*, Sanlúcar de Barrameda (Espagne), Asociación Sanluqueña de Encuentros con la Historia y el Arte, [1774], 1998.

Vigé, Éliane, et Jimmy Vigé, *Brouage. Capitale du sel et patrie de Champlain*, Saint-Jean d'Angély, Bordessoules, 1990.

—, *Brouage. Ville d'histoire et place forte*, Saint-Jean d'Angély, E. et J. Vigé, 1989.

Vigneras, L. A., « Le voyage de Champlain aux Indes occidentales », *Revue d'histoire de l'Amérique française*, vol. 11 (1957), p. 163-200.

—, « Encore le capitaine provençal », *Revue d'histoire de l'Amérique française*, vol. 13 (1959-1960), p. 544-559.

Villeneuve, Gaby, *Tadoussac… Là où commence l'histoire*, Tadoussac, après 1998.

Vincent, J.-B., « Un port français oublié : Brouage, la ville morte racontée par les documents », *Revue maritime*, août-octobre 1912.

Vincent, Sylvie, « La tradition orale montagnaise, comment l'interroger ? », *Cahiers de Clio*, vol. 70 (1982), p. 5-26.

Viola, Herman J., et Carolyn Margolis, *Seeds of Change*, Washington, Smithsonian Institution Press, 1991.

Vioux, Marcelle, *Le Vert-galant. Vie héroïque et amoureuse de Henri IV*, Paris, Fasquelle, 1935.

Wacquet, H., *Mémoires du chanoine Jean Moreau sur les guerres de la ligue en Bretagne*, Quimper, Archives départementales, 1960.

Wagenaer, Lucas Janszoon, *T'eerste Deel Vande Spieghel der Zeevaerdt vandde navigatie der Westersche Zee* [La première partie du miroir de la navigation sur la mer de l'Ouest, *c'est-à-dire à l'ouest de la mer de Zuider*], Leyden, Christoffel Plantijn, 1584.

Wallace, Anthony F. C., « Dreams and Wishes of the Soul: A Type of Psychoanalytic Theory among the Seventeenth-Century Iroquoians », *American Anthropologist*, vol. 60 (1958), p. 234-248.

Wallace, Brigitta, « The Scots Fort: A Reassessment of its Location », manuscrit, Parcs Canada, Centre de services de l'Atlantique, 1994 ; non consulté.

Wallace, Mark, « Black Hawk's *An Autobiography*: The Production and Use of an Indian Voice », *American Indian Quarterly*, vol. 18 (1994), p. 481-494.

Walton, Timothy, *The Spanish Treasure Fleets*, Sarasota (Floride), Pineapple Press, 1994.

Warwick, Jack, « Humanisme chrétien et bons sauvages », *XVIIe siècle* (1972), p. 25-49.

Waters, D. W., *The Sea or Mariner's Astrolabe*, Coïmbre (Portugal), Agrupamento de Estudos de Cartigrafia Antiga, 1966.

—, *The Art of Navigation in England and Early Stuart Times*, New Haven (Connecticut), Yale University Press, 1958.

Watkins, Melville, « A Staple Theory of Economic Growth », *Canadian Journal of Economics and Political Science*, vol. 29 (1963), p. 141-158.

Weckmann, Luis, *Las bulas alejandrinas de 1493 y la teoría politica del papado medieval*, Mexico, Universidad Nacional Autónoma de México, Instituto de Historia,1949.

Weiskotten, Daniel H., « The Real Battle of Nichols Pond », inédit, 1998.

Welsh, Christine, *Women in the Shadows*, film, 1992.

Whitehead, Ruth Holmes, « Nova Scotia: The Protohistoric Period, 1500-1630 », Nova Scotia Museum, *Curatorial Report 75*, 1993.

—, « Navigation des Micmacs le long de la côte Atlantique », dans Charles Martijn (dir.), *Les Micmacs et la Mer*, Montréal, Recherches amérindiennes au Québec, 1986.

Whitney, Ellen M. (dir.), *The Black Hawk War, 1831-1832*, 3 vol., Springfield (Illinois), Illinois State Historical Library, 1970.

Wilcox, R. Turner, *The Mode in Furs: The History of Furred Costumes*, New York, Charles Scribner's Sons, 1948.

—, *The Mode in Hats and Headdress*, New York, Charles Scribner's sons, 1948.

Wilkins, Ernest, « Arcadia in America », *American Philosophy Proceedings*, vol. 101 (1957), p. 4-30.

Wilson, Clifford P., « Where did Nicollet Go ? », *Minnesota History*, vol. 27 (1946), p. 216-220.

Wiseman, Frederick M., *The Voice of the Dawn: An Autohistory of the Abenaki Nation*, Hanover (New Hampshire), University Press of New England, 2001.

Wolfe, Michael, *The Conversion of Henry IV: Politics, Power and Religious Belief in Early Modern France*, Cambridge (Massachusetts), Harvard University Press, 1993.

Wright, Gordon K., *The Neutral Nations*, Rochester (New York), New York State Archeological Association, 1963.

Xaintonge. L'intégralité du numéro d'octobre-novembre 1997 est consacrée à « La Cagouille : l'emblème des Charentais ». À noter les essais « Légendes et croyances », « Coutumes et traditions de la race Cagouillarde », « Des Cagouilles sur les églises », etc.

Zeller, A. G., *The Champlain-Iroquois Battle of 1615*, New York, A. G. Zeller, 1962.

Sources des cartes

Cartes de Samuel Champlain et de John Smith

155   « Port de tadoucac » (Tadoussac et l'embouchure du Saguenay), Québec, juillet 1603, juin 1608 (*Voyages*, 1613, p. 172) ; Bibliothèque du Congrès.

189   « Port de la Heue » (fleuve La Hève, Nouvelle-Écosse), mai 1604, (*Voyages*, 1613, p. 8) ; Bibliothèque du Congrès.

193   « Port au Mouton » (Port Mouton, Nouvelle-Écosse), mai 1604 (*Voyages*, 1613, p. 17) ; Bibliothèque du Congrès.

197   « R. St Jehan » (fleuve Saint-Jean, Nouveau-Brunswick), juin 1604 (*Voyages*, 1613, p. 30) ; Bibliothèque du Congrès.

198   « Isle de sainte Croix » (Maine), juillet (?) 1604 (*Voyages*, 1613, p. 30) ; Bibliothèque du Congrès.

221   « R. Chouacoit » (rivière Saco, Maine), juillet 1605 (*Voyages*, 1613, p. 70) ; Bibliothèque du Congrès.

223   « Malle Barre » (Nauset Harbor, Cape Cod, Massachusetts), juillet 1605 (*Voyages*, 1613, p. 88) ; Bibliothèque du Congrès.

229   « Le Beau port » (Gloucester, Massachusetts), septembre 1606 (*Voyages*, 1613, p. 118) ; Bibliothèque du Congrès.

231   « Port Fortuné » (Stage Harbor, Chatham, Massachusetts), octobre 1606, (*Voyages*, 1613, p. 11) ; Bibliothèque du Congrès.

237   « Port-Royal » (bassin d'Annapolis, Nouvelle-Écosse), *Voyages*, 1613, p. 22 ; Bibliothèque du Congrès.

267   « Descr[i]psion des costes, p[o]rts, radcs, Illes de la nouuele France.... » (golfe du Maine), 1606, 1607 ; manuscrit à la Bibliothèque du Congrès, service de la cartographie.

268   John Smith, « New England », 1614 ; collection privée.

285   « Quebec », 1608 (*Voyages,*1613, p. 176) ; Bibliothèque du Congrès.

347   « Le grand sault St Louis » (rapides de Lachine, Montréal), V*oyages,*
            1615, p. 293 ; Bibliothèque du Congrès.

364   « Carte geographique de la Nouelle franse en son vray moridiã »,
            certaines portions datant de 1611 – la carte fut achevée dans les der-
            niers mois de 1612, avant que Champlain ne reparte pour l'Amé-
            rique ; Musée Stewart.

365   « Carte geographique de la Nouelle franse en son vray meridien ;
            faicte par le Sr Champlain, capp^{ne} po^r le roy en la marine », 1613 ;
            Bibliothèque du Congrès.

Intérieur de la couverture – début

            « Carte Geographiqve de la Novvelle France Faictte par le Sievr de
            Champlain Saint Tongois… », dessinée en 1612 et publiée dans *Les
            Voyages* de 1613 ; Bibliothèque du Congrès

Intérieur de la couverture – fin

            « Carte de la nouuelle France, augmentée depuis la derniere, seruant
            a la nauigation faicte, en son vray Meridien, par le Sr. de Cham-
            plain… », imprimée en 1632 ; Bibliothèque et Archives Canada,
            NMC 51970.

Sources des les cartes de Jeffrey Ward

27   Brouage et le littoral atlantique : plan de Brouage, vers 1570, Public
            Record Office, Londres ; Christophe Tassin, « Plan de Brouage,
            1634 », dans Nathalie Fiquet *et al., L'Art de se défendre* (Brouage,
            1999), p. 26 ; Nathalie Fiquet et François-Yves Leblanc, *Les Arsenaux
            de Richelieu. Brouage, Brest, Le Havre, vers l'arsenal idéal* (Brouage,
            2003), p. 8 et 18 ; Nathalie Fiquet et François-Yves Leblanc, *Brouage,
            ville royale et les villages du golfe de Saintonge* (Chauray-Niort, 1997),
            p. 76-78 ; Nicholas Chereau, *Visite historique de Brouage* (inédit,
            2002), p. 31-32.

45   Saintonge : Marc Seguin, *Histoire de l'Aunis et de la Saintonge* (Ligugé,

2005), p. 12, 21 et 52 ; « Le grand lexique du patois charentais », par les éditeurs de la revue *Xaintonge*, hors série 1-6 (mai 2003-décembre 2006) ; Raymonde Doussinet, « Xaintonge, l'aire d'expression du patois saintongeais », *Xaintonge* (octobre-novembre 1996), p. 1.

69   Les guerres de religion en France : Robert Knecht, *The French Religious Wars* (Botley, 2002), p. 14, 19, 42 et 55 ; Arlette Jouanna *et al.*, *Histoire et dictionnaire des guerres de religion* (Paris, 1998), p. 368 ; Denis Crouzet, *Les Guerriers de Dieu. La violence au temps des troubles de religion, vers 1520-vers 1610*, 2 vol. (Paris, 1990) ; James McDermott, *Martin Frobisher, Elizabethan Privateer* (New Haven [Connecticut], 2003), p. 407-423 ; J.S. Nolan, « English Operations Around Brest, 1594 », *Mariner's Mirror*, vol. 81 (1995), p. 259-274.

107   Champlain en Nouvelle-Espagne : Champlain, « Brief Discours », dans *Works*, Biggar (dir.), vol 1, p. 3-80 ; François-Marc Gagnon, « Le Brief Discours... », dans Raymonde Litalien et Denis Vaugeois (dir.), *Champlain. La naissance de l'Amérique française* (Québec et Paris, 2004), p. 83.

134   Éphémères établissements français en Amérique du Nord avant Champlain : Ramsay Cook (dir.), *The Voyages of Jacques Cartier* (Toronto, 1993), p. xxv-xli ; Mark de Villiers et Sheila Hirtle, *Sable Island* (New York, 2004), p. 2-10, 123-133.

143   Ports de mer français et pêches américaines : Mickaël Augeron et Dominique Guillemet (dir.), *Champlain ou les portes du Nouveau Monde* (inédit, 2004), p. 23, *passim* ; voyages établis selon les données figurant dans Charles de la Morandière, *Histoire de la pêche française de la morue dans l'Amérique septentrionale*, 3 vol. (Paris, 1962-1966), vol. 1, p. 248, 277-315.

159   Les nations indiennes, 1603-1635 : Daniel Clément (dir.), *The Algonquins* (Hull, 1996) ; Bruce G. Trigger, *The Children of Aataentsic* (Montréal, 1976, 1987) ; Conrad Heidenreich, *Huronia* (Toronto, 1971), carte 24 ; Gordon K. Wright, *The Neutral Nations* (Rochester [New York], 1963) ; Frederick M. Wiseman, *The Voice of the Dawn : An Autohistory of the Abenaki Nation* ; Kathleen J. Bragdon, *Native People of Southern New England* (Norman [Oklahoma] 1996), p. 243 ; Howard S. Russell, *Indian New England before the Mayflower* (Hanover [New Hampshire], 1980), p. 19-29 ; R. Cole Harris (dir.), *Atlas historique du Canada* (Montréal, 1987), vol. 1, planches 33 et 35 ; Christian Morissonneau, dans Raymonde Litalien et Denis Vaugeois (dir.), *Champlain. La naissance de l'Amérique française* (Québec et

955

Paris, 2004), p. 162 ; « Le Canada faict par Sr de Champlain, 1616 », sa meilleure carte ethnographique dont on ne conserve aujourd'hui que l'épreuve d'impression inachevée (1619), manuscrit à la John Carter Brown Library.

178 Explorations de l'Acadie : Champlain, *Works*, Biggar (dir.), vol. 1, p. 234-274 ; Elizabeth Jones, *Gentlemen and Jesuits* (Toronto, 1986), p. xiv ; Trudel, *Histoire de la Nouvelle-France*, vol. 3, p. 32, 42.

207 L'exploration des rivières du Maine : Champlain, *Works*, Biggar (dir.), vol. 1, p. 313-321 ; W.F. Ganong, « Kennebec River and Approaches », dans Samuel Eliot Morison, *Samuel de Champlain : Father of New France* (New York, 1972), p. 56-59.

218 Norembègue, voyages sur la côte du Maine : Champlain, *Works*, Biggar (dir.), vol. 1, p. 280-300, 311-366, 392-438.

277 La vallée du Saint-Laurent : Champlain, *Works*, Biggar (dir.), vol. 2-4 ; Marcel Trudel, *Histoire de la Nouvelle-France*, vol. 3, tome 1, p. 31.

309 Le lac Champlain et la rivière des Iroquois : Champlain, *Works*, Biggar (dir.), vol. 2, p. 76-101, 122-138.

357 Explorations de la vallée de l'Outaouais : Champlain, *Works*, Biggar (dir.), vol. 2, p. 259-302 ; J.L. Morris, « Plan shewing Route Taken by Champlain through Muskrat Lake… », *ibid.*, p. 273.

379 La Huronie et le pays des Onontagués : Champlain, *Works*, vol. 3, p. 45-79, vol. 4, p. 239-270 ; Bruce G. Trigger, *The Children of Aataentsic* (Montréal, 1976, 1987), p. 302 ; Conrad Heidenreich, *Huronia* (Toronto, 1971) ; R. Cole Harris (dir.), *Atlas historique du Canada* (Montréal, 1987), vol. 1, p. 34 ; Marcel Trudel, *Histoire de la Nouvelle-France*, vol. 3, tome 1, p. 201.

545 Le peuplement de la vallée du Saint-Laurent : Marcel Trudel, *Histoire de la Nouvelle-France*, vol. 2, p. 247, 420 et 427, vol. 3, tome 1, p. 27 et 125, et vol. 3, tome 2, p. 11-56 ; Archange Godbout, « Nos hérédités provinciales françaises », *Les Archives de folklore*, vol. 1 (1946), p. 26-40 ; Hubert Charbonneau *et al., Naissance d'une population* (Montréal et Paris, 1987), p. 46 ; Gervais Carpin, *Le Réseau du Canada* (Québec et Paris, 2001) ; Peter N. Moogk, *La Nouvelle France* (East Lansing [Michigan], 2002), p. 87-120.

555   Le berceau de l'Acadie : Geneviève Massignon, *Parlers français d'Acadie*, 2 vol. (Paris, 1962), 1 : 42-75 ; Yves Cormier, *Les Aboiteaux en Acadie* (Moncton, 1990), p. 19 ; A.J.B. Johnston et W.P. Ker, *Grand-Pré : Heart of Acadia* (Halifax, 2004), p. 18.

573   Voyages des interprètes de Champlain : Champlain, *Works*, Biggar (dir.), vol. 2, p. 138-142 ; vol. 3, p. 36 et 213 ; vol. 4, p. 213-266 ; vol. 5, p. 95, 100n, 202 et 209 ; vol. 6, p. 62-63, 98-102 ; et [Champlain], « Relation du Voyage », dans Lucien Campeau (dir.), *Monumenta Novae Franciae*, vol. 2, p. 452, 808-809 ; Paul Le Jeune, « Relation (1633) », dans *RJ*, vol. 5, p. 202, 203 et 288 ; R. Cole Harris (dir.), *Atlas historique du Canada* (Montréal), vol. 1, planche 36.

Sources des illustrations

959

461 Francis Back, *La ferme du cap Tourmente, 1627* (1996 ?), © Musée canadien des civilisations, image S96-25076, photo H. Foster

467 Sceau de la Compagnie des Cent-Associés, 1627, Archives du Monastère des Ursulines de Québec

481 Sceau avec armes de David Kirke, Université de Terre-Neuve, avec l'aimable permission de la Colony of Avalon Foundation

489 La reddition de Champlain, 19 juillet 1636 © Humanities and Social Sciences Library/Print Collection, Miriam and Ira D. Wallach Division of Art, Prints and Photographs/The New York Public Library, Astor, Lenox and Tilden Foundations

501 Champlain, *Voyages de la Nouvelle France Occidentale, dicte Canada*, 1632, page titre

503 Le marchand de cartes, figurine de porcelaine, photo Gilles Rivest/ Musée Stewart, Montréal, Canada, acc. 1980.1010

519 La seconde habitation de Champlain, reconstruction. Copie autorisée par Les Publications du Québec.

521 Bague jésuite marquée IHS, donnée aux Indiens après le catéchisme, vers 1648, Museum of Anthropology, Université du Missouri

523 Paul Le Jeune, *Relation*, Paris, 1637, Annenberg Rare Books & Manuscripts Library, Université de la Pennsylvanie

537 Québec capitale du pays de Canada, Habitans de Canada, Bibliothèque et Archives Canada, acc. R9266-1978, collection Peter Winkworth d'objets canadiens, article 01978, e0012101322.

538 Canadienne, Archives de la Ville de Montréal, coll. Philéas Gagnon (BM7)

548 Maison de pierre, photo Michel Lessard et Huguette Marquis, *Encyclopédie de la maison québécoise*, Montréal, 1972, p. 35 © Jean-Pierre Huard/ALT-6/First Light

567 Maisons acadiennes, reproduites avec la permission de Jean Daigle, *L'Acadie des Maritimes*, 1995, chaire d'études acadiennes, Université de Moncton, Moncton (Nouveau-Brunswick), Canada.

568   Le système des aboiteaux, image reproduite avec la permission de Jean Daigle, *L'Acadie des Maritimes*, 1995, chaire d'études acadiennes, Université de Moncton, Moncton (Nouveau-Brunswick), Canada.

583   Franz Fohrback, « Jean Nicollet Lands at Green Bay », 1910, Brown County Court House, Green Bay, Wisconsin © Wisconsin Historical Society (WHS Image ID, 1870)

609   Portrait de Black Hawk, Bibliothèque du Congrès.

625   Champlain philosophe, sanguine anonyme, sans date, Bibliothèque et Archives nationales du Québec, Centre d'archives de Québec, P600, S5, PSA1

633   Champlain fils de l'Église, lithographie de Morin-Ducornet, 1854, Bibliothèque et Archives Canada/Illustrated books, albums and scrapbooks, C-014305

636   Champlain homme du peuple, gravure d'Eugène Ronjat, 1882-1884, Maine Historical Society © VintageMaineImages.com

639   Champlain gouverneur, sculpture de Paul Chevré, Québec, 1898 © Photos.com

642   Champlain soldat, sculpture de Carl Heber, Plattsburgh (New York), 1912 © Photos.com

643   Champlain navigateur, sculpture de Hamilton McCarthy, Ottawa © Photos.com

665   Champlain parmi les Indiens, peinture de John Henryca de Rinzy, sans date, Bibliothèque et Archives Canada, acc. 1993-343-3

734   Arquebuse à rouet ; Musée Stewart, Montréal

735   Arquebusier se servant d'une fourche, gravure de J. J. von Walhausen, *Art militaire à cheval*, Francfort, 1616 © Musée de l'Armée/Réunion des Musées nationaux/Art Resource, New York

738   Navire français, détail de la carte de Champlain, 1612, Bibliothèque du Congrès

739   Galion espagnol, vers 1590, National Maritime Museum, Greenwich

| 743 | Patache française, détail de la carte de Champlain, 1604, Bibliothèque du Congrès |

Planches couleur

A1	Brouage, vue aérienne, sans date, vers 2000 ; © DoubleVue.fr
A2	*Martin Frobisher,* artiste inconnu, 1577 ; © Bodleian Library/akg-images.
A3	John White, *Skirmish at Bloody Point,* 1577 ; © British Museum/Art Resource, New York.
A4	Champlain, Indiens brûlés vifs par l'Inquisition mexicaine, aquarelle, vers 1600 ; avec l'aimable permission de la Bibliothèque John Carter Brown, Brown University.
A5	Champlain, Indien battu à coups de trique sur l'ordre d'un prêtre espagnol pour avoir manqué la messe, aquarelle, vers 1600 ; avec l'aimable permission de la Bibliothèque John Carter Brown, Brown University.
A6	La grande Galerie Henri IV du Louvre, modèle architectural se trouvant maintenant à Fontainebleau ; © Château, Fontainebleau/Réunion des Musées nationaux/Art Resource, New York.
A7	Bal à la cour d'Henri IV ; © Musée des Beaux-Arts, Rennes, France/Réunion des Musées nationaux/Art Resource, New York.
A8	Port de Saint-Malo ; Musée Stewart, Montréal
A9	Port de La Rochelle ; © Musée d'histoire de Nantes/Château des ducs de Bretagne.
A10	Wagenaer, le *Miroir de la navigation* dans sa première édition anglaise, 1588 ; © National Maritime Museum, Greenwich/The Bridgeman Art Library International.
B1	Catlin, Dance mandane ; © Smithsonian Museum of American History, Washington/Art Resource, New York.

B2   Île Sainte-Croix, photo aérienne, vers 2004 ; National Park Service, Acadia National Park, Bar Harbor (Maine).

B3   Francis Back, *L'Habitation du sieur Du Gua de Monts à Port-Royal, Acadie, 1607* [1994] ; © Musée canadien des civilisations, photo H. Foster, image S97-9646.

B4   Guerriers micmacs, *Codex canadiensis*; avec l'aimable permission du Gilcrease Museum de Tulsa (Oklahoma) ; image reproduite avec la permission du musée.

B5   Indiens à la pêche, *Codex canadiensis*; avec l'aimable permission du Gilcrease Museum de Tulsa (Oklahoma) ; image reproduite avec la permission du musée.

B6   Francis Back, *Scène de traite à Québec (1628)* [1994] ; © Musée canadien des civilisations, photo H. Foster, image n° S96-25083.

B7   Rubens, *Henri IV, Louis XIII et Marie de Médicis*; © Peter Willi/Super-Stock Inc.

B8   *En haut à gauche* : Brissac ; © Bibliothèque nationale de France.

         En haut à droite : Brûlart de Sillery ; © Musée National du Château de Pau, Pau, France/Réunion des Musées nationaux/Art Resource, New York.

         En bas à gauche : Pierre Jeannin ; © Bibliothèque nationale de France.

B9   Philippe de Champaigne, *Triple Portrait de Richelieu*; National Gallery, Londres, © Image Asset Management Ltd./SuperStock Inc.

B10   *La Considération de la Mort*, 1600 ; © Bibliothèque nationale de France

Index

Condé, princesse de, 401
Condés (maison), 64-65
Constantin-Weyer, Maurice, 645-646
Contre-Réforme catholique, 172
Cormier, Yves, 562
Corsaire, 558-559
Cossé-Brissac, Charles de, 74, 79, 96,
    177, 333, 353, 612
Coton, Pierre, 279-280, 336, 339, 439
Couillard (famille), 484, 490, 597, *voir
    aussi* Hébert (famille)
Couillard, Élisabeth, 536
Couillard, Guillaume, 493, 536, 594
Couillard, Louise, 536, 579
Couillard, Marguerite, 536
Couillard, Marie, 536
Coureur de bois, 585-587
Cover Farm, 543
Cow's Yard, 216
Cramolet (maître), 184
Criminel, 137, *voir aussi* Bagnard
Crozon, 69, 78-83
Cuba, 86, 111-112, 118, 250
Cuisinier, 128
Cuivre, 180, 241
Culture : Acadie, 563, 569 ; Indiens, 171,
    391, 395, 526 ; langage, 546 ;
    Nouvelle-France, 544 ; origine
    régionale, 546 ; Trois-Rivières, 572
Cumberland, comte de, 99-100, 108

D

Da Costa, Mathieu [De Coste ?],
    185-186
D'Aguila, Don Juan, 79
D'Alembert, Jean, 623-624
Daniel, André, 498-499
Daniel, Antoine, 498
Daniel, Artus, 183
Daniel, Charles, 468, 498, 504-506 ;
    Voyage à la Nouvelle-France (1619),
    617

Dantzig, 28
Darontal, *voir* Atironta
Darretche, Martin, 281
D'Aumont, Jean, 79-83
De Caën (famille), 468, 508
De Caën, Émery, 438, 446, 458-459,
    508-509, 518, 542, 580
De Caën, Ézéchiel, 455
De Caën, Guillaume, 438, 444, 446, 458,
    508-509
Décalage colonial, 547
Deer Island, 211
Delâge, Denys, 664-666
De Mons, Pierre Dugua, sieur, 17,
    50-52, 128, 138, 141, 173, 176*f*,
    612-613 ; entrepreneur, 53, 362,
    421 ; expédition en Acadie (1604),
    177, 179, 187, 194-196, 198, 201 ;
    expédition sur la côte de
    Norembègue (1605), 205, 215-227 ;
    mariage, 52 ; monopole
    commercial, 181*f*, 191, 269-271,
    274 ; monument, 644 ; mort, 54 ;
    naissance, 52 ; Nouvelle-France,
    274, 320, 349, 362, 421 ; Port-Royal,
    236, 259, 273 ; projet américain,
    176, 182 ; rapports avec les Indiens,
    219, 227 ; renvoi (1610), 332, 350 ;
    soldat, 53
Denys (famille), 588
Denys, Nicolas, 556, 560-561, 564
Depoy, Christophe, sieur d'Aguerres,
    34
Derré de Gand, François, 594, 598
Descartes, René, 172-173
Deschamps, (…), 240
Deschamps, Hubert, 43, 57, 647-
    648
Desdames, Thierry, 478, 485, 508
Deseade, 103-104
Deslandes, Charles, 334
D'Espinay, François, *voir* Saint-Luc
Des Prairies, (…), 325
Destouches, (…), 455

Table des matières

CRÉDITS ET REMERCIEMENTS

La traduction et la réalisation de cet ouvrage ont été rendues possibles
par une aide financière de la Sodec.

Les Éditions du Boréal reconnaissent l'aide financière du gouvernement du Canada
par l'entremise du Fonds du livre du Canada (FLC).

48

MISE EN PAGES ET TYPOGRAPHIE :
LES ÉDITIONS DU BORÉAL

CE DEUXIÈME TIRAGE A ÉTÉ ACHEVÉ D'IMPRIMER EN JUILLET 2011
SUR LES PRESSES DE TRANSCONTINENTAL GAGNÉ
À LOUISEVILLE (QUÉBEC).